¡BIENVENIDO a Indianapolis, a
Americanos, y a las festividades que
estos días! Haremos lo posible para servirle.
Esperamos que su estancia en esta ciudad será
emocionante, que se divertirá en los espectáculos, y
que experimenta un mayor desarrollo en su vida
espiritual.

Las Escrituras citadas aquí son más poderosas que
una espada de dos filos. Por esta razón queremos
compartirlas con usted. Por medio de ellas podrá
llegar a conocer a Jesucristo como su único Salvador
y Señor.

Dios le bendiga,

Sports Service Ministries

© 1985 PAX Indianapolis   TM

Welcome to Indianapolis, Indiana and to the Pan
Am Games and festivities. We trust you will
accomplish all of your expectations, whether as
spectator or participant. We pledge to make these
two weeks of your stay here in Indianapolis exciting
in entertainment, sports activities, fellowship and
spiritual growth.

The Scriptures contained herein are more powerful
than any two-edged sword and are shared with you
to help you discover Jesus as your Lord and Savior.

God bless you,

Sports Service Ministries

LA BIBLIA AL DÍA
Nuevo Testamento

THE LIVING BIBLE
New Testament

**SPORTS
SERVICE
MINISTRIES, INC.**

Special edition for
SPORTS SERVICE MINISTRIES, INC

Living Bibles International

Spanish/English Living New Testament
First printing, 1987

ISBN 0 84236 501 X Editorial Unilit
ISBN 0 86660 935 0 LBI
ISBN 0 86660 936 9 LBI/illustrated

Spanish text of The New Testament,
from La Biblia al Día,
copyright © 1979 by Living Bibles International.
All rights reserved.

English text of The New Testament,
from The Living Bible,
copyright © 1971 by Tyndale House Publishers,
Wheaton, Illinois 60187. All rights reserved.

Printed in Great Britain for Living Bibles International
by Anchor Brendon Ltd, Tiptree, Essex.

Prefacio

Este libro es una paráfrasis del Nuevo Testamento. ¿Qué es una paráfrasis? Parafrasear es expresar el pensamiento de un autor en palabras más comprensibles a las empleadas por él originalmente. En esta obra hemos tratado de expresar lo más exactamente posible lo que los autores querían decir, y hacerlo con sencillez, a veces alargando las oraciones para que el lector moderno las comprenda con toda claridad.

Los escritores de la Biblia a menudo utilizan expresiones y líneas de pensamiento que a nosotros hoy día nos cuesta trabajo entender. A veces también los escritores comprimen vastos pensamientos en una sola palabra técnica como "justificación", "redención", "elegidos" y "santos". Tales palabras necesitan ser amplificadas para que se entienda a los autores.

En una paráfrasis hay muchas ventajas, pero también hay peligros. Cada vez que es necesario parafrasear, existe la posibilidad, por muy buenas intenciones que se tengan, de expresar algo que el escritor no tenía en mente. Esto se debe a que no sólo entra en juego el don de simplificación del que realiza el trabajo, sino también su trasfondo teológico y su comprensión del pensamiento del autor. Cada vez que el griego no está claro, hay que acudir a la teología y a la lógica si se quiere que el pensamiento no quede oscuro.

Los escritores del Nuevo Testamento cuando escribieron los diversos libros en el idioma original, el griego, usaron el lenguaje contemporáneo. Los escritores escribieron la Palabra de Dios en un lenguaje y estilo que para la gente era fácil de entender. Exactamente este es nuestro propósito, seguir su ejemplo y crear una traducción en la cual los significados son absolutamente claros para la presente generación de lectores.

Si esta paráfrasis ayuda a sacar a la superficie los profundos y a veces complejos pensamientos de la Palabra de Dios, y si hace que su mensaje sea más fácil de entender y seguir, con el fin de que la vida cristiana de sus lectores eche raíces más profundas, este libro habrá alcanzado su objetivo.

Preface

The book you hold in your hand is a paraphrase (or popular translation) of the New Testament. Its purpose is to say as exactly as possible what the writers of the Scriptures meant, and to say it simply and with flavor, expanding where necessary for a clear understanding by the modern reader.

The Bible writers often used idioms and patterns of thought that are hard for us to follow with our present-day stress on careful sentence construction and sequential logic.

Then, too, the writers often compressed enormous thoughts into single technical words that are full of meaning, but need expansion and amplification if we are to be sure of understanding what the author meant to include in such words as "justification," "righteousness," and "redemption."

There are dangers in paraphrases, as well as values. For whenever the author's exact words are not translated from the original languages, there is a possibility that the translator, however honest, may be giving the reader something that the original writer did not mean to say. This is because a paraphrase is guided not only by the translator's skill in simplifying but also by the clarity of his understanding of what the author meant and by his theology. For when the Greek or Hebrew is not clear, then the theology of the translator is his guide, along with his sense of logic, unless perchance the translation is allowed to stand without any clear meaning at all.

If this paraphrase helps to simplify the deep and often complex thoughts of the Word of God, and if it makes the Bible easier to understand and follow, then the book has achieved its goal.

Contenido   Contents

Mateo	1	Matthew
Marcos	63	Mark
Lucas	103	Luke
Juan	172	John
Hechos	222	Acts
Romanos	289	Romans
1 Corintios	322	1 Corinthians
2 Corintios	354	2 Corinthians
Gálatas	374	Galatians
Efesios	385	Ephesians
Filipenses	395	Philippians
Colosenses	402	Colossians
1 Tesalonicenses	409	1 Thessalonians
2 Tesalonicenses	415	2 Thessalonians
1 Timoteo	418	1 Timothy
2 Timoteo	426	2 Timothy
Tito	432	Titus
Filemón	435	Philemon
Hebreos	437	Hebrews
Santiago	459	James
1 Pedro	467	1 Peter
2 Pedro	475	2 Peter
1 Juan	479	1 John
2 Juan	487	2 John
3 Juan	488	3 John
Judas	489	Jude
Apocalipsis	492	Revelation

MATEO / MATTHEW

1 ESTOS SON LOS antepasados de Jesucristo, descendiente del rey David y de Abraham:

²Abraham fue el padre de Isaac, Isaac de Jacob y Jacob de Judá y sus hermanos.

³Judá fue el padre de Fares y de Zara (y Tamar fue la madre); Fares fue el padre de Esrom y Esrom de Aram.

⁴Aram fue el padre de Aminadab, Aminadab de Naasón y Naasón de Salmón.

⁵Salmón fue el padre de Booz (y Rahab fue la madre); Booz fue el padre de Obed (y Rut fue la madre), y Obed fue el padre de Isaí.

⁶Isaí fue el padre del rey David, y David tuvo a Salomón con la que fue esposa de Urías.

⁷Salomón fue el padre de Roboam, Roboam de Abías y Abías de Asa.

⁸Asa fue el padre de Josafat, Josafat de Joram y Joram de Uzías.

⁹Uzías fue el padre de Jotam, Jotam de Acaz y Acaz de Ezequías.

¹⁰Ezequías fue el padre de Manasés, Manasés de Amón y Amón de Josías.

¹¹Josías tuvo a Jeconías y a sus hermanos durante el cautiverio en Babilonia.

¹²Después del cautiverio, Jeconías tuvo a Salatiel. Salatiel fue el padre de Zorobabel,

¹³Zorobabel de Abiud, Abiud de Eliaquim y Eliaquim de Azor.

¹⁴Azor fue el padre de Sadoc. Sadoc de Aquim y Aquim de Eliud.

¹⁵Eliud fue el padre de Eleazar, Eleazar de Matán y Matán de Jacob.

¹⁶Jacob fue el padre de José, esposo de María, y María fue la madre de Jesucristo, el Mesías.

1 THESE ARE THE ancestors of Jesus Christ, a descendant of King David and of Abraham:

² Abraham was the father of Isaac; Isaac was the father of Jacob; Jacob was the father of Judah and his brothers.

³ Judah was the father of Perez and Zerah (Tamar was their mother); Perez was the father of Hezron; Hezron was the father of Aram;

⁴ Aram was the father of Amminadab; Amminadab was the father of Nahshon; Nahshon was the father of Salmon;

⁵ Salmon was the father of Boaz (Rahab was his mother); Boaz was the father of Obed (Ruth was his mother); Obed was the father of Jesse;

⁶ Jesse was the father of King David. David was the father of Solomon (his mother was the widow of Uriah);

⁷ Solomon was the father of Rehoboam; Rehoboam was the father of Abijah; Abijah was the father of Asa;

⁸ Asa was the father of Jehoshaphat; Jehoshaphat was the father of Joram; Joram was the father of Uzziah;

⁹ Uzziah was the father of Jotham; Jotham was the father of Ahaz; Ahaz was the father of Hezekiah;

¹⁰ Hezekiah was the father of Manasseh; Manasseh was the father of Amos; Amos was the father of Josiah;

¹¹ Josiah was the father of Jechoniah and his brothers (born at the time of the exile to Babylon).

¹² After the exile: Jechoniah was the father of Shealtiel; Shealtiel was the father of Zerubbabel;

¹³ Zerubbabel was the father of Abiud; Abiud was the father of Eliakim; Eliakim was the father of Azor;

¹⁴ Azor was the father of Zadok; Zadok was the father of Achim; Achim was the father of Eliud;

¹⁵ Eliud was the father of Eleazar; Eleazar was the father of Matthan; Matthan was the father of Jacob;

¹⁶ Jacob was the father of Joseph (who was the husband of Mary, the mother of Jesus Christ the Messiah).

¹⁷Así que desde Abraham hasta David hubo catorce generaciones; de David hasta el cautiverio, otras catorce; y desde el cautiverio hasta Cristo, catorce más.

¹⁸Voy a relatarles los acontecimientos que culminaron con el nacimiento de Jesucristo. Su madre, María, estaba comprometida con José. Pero antes de la boda, el Espíritu Santo hizo que quedara encinta. ¹⁹José, el novio, hombre de rígidos principios, quiso romper el compromiso, aunque en secreto, para no manchar el buen nombre de la joven. ²⁰Pensando en esto se quedó dormido y soñó que un ángel se detenía junto a él.

—José, hijo de David —le dijo el ángel—, no temas casarte con María, porque el hijo que lleva en las entrañas se lo ha hecho concebir el Espíritu Santo. ²¹Ese hijo nacerá, y le pondrás por nombre Jesús, que quiere decir "Salvador", porque salvará a su pueblo del pecado. ²²Con esto se cumplirá lo que el Señor anunció a través del profeta que dijo:

²³"La virgen concebirá y tendrá un hijo llamado Emanuel, (Dios está con nosotros).

²⁴Al despertar de aquel sueño, José obedeció las palabras del ángel y se casó con María, ²⁵aunque ésta permaneció virgen hasta que nació su hijo. Cuando el niño nació, José le puso por nombre Jesús.

2 JESÚS NACIÓ EN un pueblecito de Judea llamado Belén, durante el reinado de Herodes. Después llegaron a Jerusalén varios astrólogos del oriente, ²y preguntaron:

—¿Dónde está el rey de los judíos que nació? Vimos su estrella en el lejano oriente y venimos a adorarlo.

³La ciudad entera se asombró de aquella pregunta. El rey Herodes, turbado, ⁴inmediatamente convocó a los jefes religiosos judíos.

—¿Saben ustedes si los profetas especifican dónde nacerá el Mesías? —les preguntó.

⁵—El Mesías nacerá en Belén —le respondieron—. El profeta Miqueas escribió:

⁶Y tú, aldehuela de Belén,
no eres la menos importante de Judea,

¹⁷ These are fourteen of the generations from Abraham to King David; and fourteen from King David's time to the exile; and fourteen from the exile to Christ.

¹⁸ These are the facts concerning the birth of Jesus Christ: His mother, Mary, was engaged to be married to Joseph. But while she was still a virgin she became pregnant by the Holy Spirit. ¹⁹ Then Joseph, her fiancé, being a man of stern principle, decided to break the engagement but to do it quietly, as he didn't want to publicly disgrace her.

²⁰ As he lay awake considering this, he fell into a dream, and saw an angel standing beside him. "Joseph, son of David," the angel said, "don't hesitate to take Mary as your wife! For the child within her has been conceived by the Holy Spirit. ²¹ And she will have a Son, and you shall name him Jesus (meaning 'Savior'), for he will save his people from their sins. ²² This will fulfill God's message through his prophets—

²³ 'Listen! The virgin shall conceive a child! She shall give birth to a Son, and he shall be called "Emmanuel" (meaning "God is with us").' "

²⁴ When Joseph awoke, he did as the angel commanded, and brought Mary home to be his wife, ²⁵ but she remained a virgin until her Son was born; and Joseph named him "Jesus."

2 JESUS WAS BORN in the town of Bethlehem, in Judea, during the reign of King Herod.

At about that time some astrologers from eastern lands arrived in Jerusalem, asking, ² "Where is the newborn King of the Jews? for we have seen his star in far-off eastern lands, and have come to worship him."

³ King Herod was deeply disturbed by their question, and all Jerusalem was filled with rumors. ⁴ He called a meeting of the Jewish religious leaders.

"Did the prophets tell us where the Messiah would be born?" he asked.

⁵ "Yes, in Bethlehem," they said, "for this is what the prophet Micah wrote:

⁶ 'O little town of Bethlehem, you are not just an unimportant Judean

porque de ti saldrá un caudillo
que guiará a mi pueblo Israel.

⁷Entonces Herodes mandó buscar secretamente a los astrólogos, y averiguó la fecha exacta en que habían visto por primera vez la estrella.

⁸—Vayan a Belén y busquen al niño —les dijo—. Cuando lo encuentren, pasen por aquí a informarme, para que yo también pueda ir a adorarlo.

⁹Al terminar la audiencia con el rey, los astrólogos reanudaron el viaje. Inmediatamente la estrella se les apareció de nuevo y se detuvo en Belén, ¡sobre la casa donde estaba el niño!

¹⁰,¹¹Rebosantes de alegría, entraron en la casa donde estaba el niño con María su madre, y se postraron ante El para adorarlo. Luego abrieron sus alforjas y le ofrecieron oro, incienso y mirra.

¹²Cuando los astrólogos regresaron, no pasaron por Jerusalén a informar a Herodes, porque Dios les avisó en sueños que se fueran por otro camino. Y así lo hicieron.

¹³Al partir los visitantes, un ángel del Señor se le apareció a José en sueños y le dijo:

—Levántate y huye a Egipto con el niño y su madre, y quédate allá hasta que yo te avise, porque el rey Herodes va a tratar de matar al niño.

¹⁴Aquella misma noche partió José hacia Egipto con María y el niño, ¹⁵donde habrían de permanecer hasta la muerte del rey Herodes. Así se cumplió la predicción del profeta:

"De Egipto llamé a mi Hijo".

¹⁶Herodes, furioso por la burla de los astrólogos, ordenó a sus soldados que fueran a Belén y sus alrededores y mataran a todos los niños varones de dos años para abajo. De esta manera, pensaba, mataría al Mesías, porque los astrólogos le habían dicho que la estrella se les había aparecido por primera vez hacía aproximadamente dos años. ¹⁷Con aquella brutal acción de Herodes se cumplió la profecía de Jeremías:

¹⁸Gritos de agonía, llanto incontenible
se escuchan en Ramá;
es Raquel que llora desconsolada la
muerte de sus hijos.

village, for a Governor shall rise from you to rule my people Israel.' "

⁷ Then Herod sent a private message to the astrologers, asking them to come to see him; at this meeting he found out from them the exact time when they first saw the star. Then he told them, ⁸ "Go to Bethlehem and search for the child. And when you find him, come back and tell me so that I can go and worship him too!"

⁹ After this interview the astrologers started out again. And look! The star appeared to them again, standing over Bethlehem. ¹⁰ Their joy knew no bounds!

¹¹ Entering the house where the baby and Mary his mother were, they threw themselves down before him, worshiping. Then they opened their presents and gave him gold, frankincense and myrrh. ¹² But when they returned to their own land, they didn't go through Jerusalem to report to Herod, for God had warned them in a dream to go home another way.

¹³ After they were gone, an angel of the Lord appeared to Joseph in a dream. "Get up and flee to Egypt with the baby and his mother," the angel said, "and stay there until I tell you to return, for King Herod is going to try to kill the child." ¹⁴ That same night he left for Egypt with Mary and the baby, ¹⁵ and stayed there until King Herod's death. This fulfilled the prophet's prediction,

"I have called my Son from
Egypt."

¹⁶ Herod was furious when he learned that the astrologers had disobeyed him. Sending soldiers to Bethlehem, he ordered them to kill every baby boy two years old and under, both in the town and on the nearby farms, for the astrologers had told him the star first appeared to them two years before. ¹⁷ This brutal action of Herod's fulfilled the prophecy of Jeremiah,

¹⁸ "Screams of anguish come from
Ramah,
Weeping unrestrained;
Rachel weeping for her children,
Uncomforted—
For they are dead."

¹⁹Pero cuando Herodes murió, un ángel del Señor se le apareció en sueños a José en Egipto, y le dijo:

²⁰—Levántate y regresa con el niño y su madre a Israel, porque los que estaban tratando de matarlo ya murieron.

²¹Por lo tanto, regresó inmediatamente a Israel con Jesús y su madre. ²²Pero en el camino se enteró de que Arquelao, hijo de Herodes, había ocupado el trono, y tuvo miedo.

No mucho después se le avisó en sueños que no fuera a Judea. Se fueron entonces a Galilea, ²³y radicaron en Nazaret. Así se cumplieron las predicciones de los profetas que afirmaban que el Mesías sería llamado nazareno.

3 CUANDO JUAN EL Bautista comenzó a predicar en el desierto de Judea, el tema constante de sus predicaciones era: ²"Arrepiéntanse de sus pecados y vuélvanse a Dios, porque el reino de los cielos está cerca".

³El profeta Isaías siglos atrás había hablado de Juan y la tarea que éste realizaría. En uno de sus escritos decía:

Una voz clama en el desierto: "Prepárense para la venida del Señor; rectifiquen sus vidas".

⁴Juan usaba ropa hecha de pelo de camello ceñida con un cinto de cuero. Su alimentación consistía en langostas y miel silvestre.

⁵De Jerusalén, de todo el valle del Jordán y de toda Judea, salían al desierto a escucharlo. ⁶A los que se reconocían pecadores los bautizaba en el río Jordán; ⁷y si entre los que iban a bautizarse había muchos fariseos y saduceos, les decía abiertamente:

—Hijos de víboras, ¿quién les dijo que así podrían escapar de la ira venidera de Dios? ⁸Antes de bautizarse demuestren que están arrepentidos. ⁹No crean que les va a bastar decir que son judíos y descendientes de Abraham, porque Dios puede sacar hijos de Abraham aun de estas piedras. ¹⁰El hacha de Dios está lista para talar los árboles que no den fruto, para que sean

¹⁹ When Herod died, an angel of the Lord appeared in a dream to Joseph in Egypt, and told him, ²⁰ "Get up and take the baby and his mother back to Israel, for those who were trying to kill the child are dead."

²¹ So he returned immediately to Israel with Jesus and his mother. ²² But on the way he was frightened to learn that the new king was Herod's son, Archelaus. Then, in another dream, he was warned not to go to Judea, so they went to Galilee instead, ²³ and lived in Nazareth. This fulfilled the prediction of the prophets concerning the Messiah,

"He shall be called a Nazarene."

3 WHILE THEY WERE living in Nazareth, John the Baptist began preaching out in the Judean wilderness. His constant theme was, ² "Turn from your sins . . . turn to God . . . for the Kingdom of Heaven is coming soon." ³ Isaiah the prophet had told about John's ministry centuries before! He had written,

"I hear a shout from the wilderness,
'Prepare a road for the Lord—
straighten out the path where he will walk.' "

⁴ John's clothing was woven from camel's hair and he wore a leather belt; his food was locusts and wild honey. ⁵ People from Jerusalem and from all over the Jordan Valley, and, in fact, from every section of Judea went out to the wilderness to hear him preach, ⁶ and when they confessed their sins, he baptized them in the Jordan River.

⁷ But when he saw many Pharisees and Sadducees coming to be baptized, he denounced them.

"You sons of snakes!" he warned. "Who said that you could escape the coming wrath of God? ⁸ Before being baptized, prove that you have turned from sin by doing worthy deeds. ⁹ Don't try to get by as you are, thinking, 'We are safe for we are Jews—descendants of Abraham.' That proves nothing. God can change these stones here into Jews!

¹⁰ "And even now the axe of God's judgment is poised to chop down every unproductive tree. They will be chopped and

arrojados al fuego. ¹¹Yo bautizo con agua a los que se arrepienten de sus pecados; pero detrás de mí vendrá el que bautiza con el Espíritu Santo y fuego, cuyos zapatos no soy digno de desatar. ¹²El separará la paja del trigo; quemará la paja en un fuego que nunca se apaga y guardará el trigo en su granero.

¹³Jesús fue desde Galilea al río Jordán a que Juan lo bautizara. ¹⁴Pero Juan no quería hacerlo.

—¿Cómo va a ser eso? —le decía Juan a Jesús—. ¡Tú eres el que tiene que bautizarme a mí!

¹⁵—Juan —le respondió Jesús—, bautízame, porque nos conviene cumplir lo que Dios manda.

Juan lo bautizó. ¹⁶Cuando Jesús salía de las aguas del bautismo, los cielos se le abrieron y vio que el Espíritu de Dios descendía sobre El en forma de paloma; ¹⁷y una voz de los cielos dijo:

—Este es mi Hijo amado, y en El me complazco.

4 EL ESPÍRITU SANTO condujo a Jesús al desierto para que Satanás lo tentara. ²Luego de pasar cuarenta días y cuarenta noches sin probar bocado, Jesús sintió hambre ³y Satanás se le acercó.

—Si eres el Hijo de Dios —le dijo—, haz que estas piedras se conviertan en pan.

⁴—¡No! —le respondió Jesús—. Escrito está: "En la vida hay algo más importante que el pan: obedecer la palabra de Dios".

⁵Entonces Satanás lo llevó al pináculo del Templo de Jerusalén.

⁶—Si eres el Hijo de Dios —le dijo—, tírate desde aquí. Las Escrituras dicen que "Dios enviará a sus ángeles a cuidarte, para que no te destroces contra las rocas".

⁷—Pero las Escrituras también dicen: "No pongas a prueba a Dios innecesariamente" — le respondió Jesús.

⁸Satanás lo llevó a la cima de una alta montaña y le mostró las naciones del mundo y la gloria que hay en ellas.

⁹—Todo esto te lo daré si de rodillas me adoras —le dijo.

¹⁰—¡Vete de aquí, Satanás! —le respondió Jesús—. Las Escrituras dicen: "Sólo a Dios el Señor adorarás. Sólo a Dios el

burned.

¹¹ "With water I baptize those who repent of their sins; but someone else is coming, far greater than I am, so great that I am not worthy to carry his shoes! He shall baptize you with the Holy Spirit and with fire. ¹² He will separate the chaff from the grain, burning the chaff with never-ending fire, and storing away the grain."

¹³ Then Jesus went from Galilee to the Jordan River to be baptized there by John. ¹⁴ John didn't want to do it.

"This isn't proper," he said. "I am the one who needs to be baptized by you."

¹⁵ But Jesus said, "Please do it, for I must do all that is right." So then John baptized him.

¹⁶ After his baptism, as soon as Jesus came up out of the water, the heavens were opened to him and he saw the Spirit of God coming down in the form of a dove. ¹⁷ And a voice from heaven said, "This is my beloved Son, and I am wonderfully pleased with him."

4 THEN JESUS WAS led out into the wilderness by the Holy Spirit, to be tempted there by Satan. ² For forty days and forty nights he ate nothing and became very hungry. ³ Then Satan tempted him to get food by changing stones into loaves of bread.

"It will prove you are the Son of God," he said.

⁴ But Jesus told him, "No! For the Scriptures tell us that bread won't feed men's souls: obedience to every word of God is what we need."

⁵ Then Satan took him to Jerusalem to the roof of the Temple. ⁶ "Jump off," he said, "and prove you are the Son of God; for the Scriptures declare, 'God will send his angels to keep you from harm,' . . . they will prevent you from smashing on the rocks below."

⁷ Jesus retorted, "It also says not to put the Lord your God to a foolish test!"

⁸ Next Satan took him to the peak of a very high mountain and showed him the nations of the world and all their glory. ⁹ "I'll give it all to you," he said, "if you will only kneel and worship me."

¹⁰ "Get out of here, Satan," Jesus told him. "The Scriptures say, 'Worship only the

Señor obedecerás".

¹¹Satanás se fue, y varios ángeles llegaron a atender a Jesús.

¹²Cuando Jesús oyó que Juan había sido encarcelado, salió de Judea y regresó a su hogar de Nazaret de Galilea.

¹³Pero no mucho después se trasladó a Capernaum, junto al lago de Galilea, cerca de Zabulón y Neftalí. ¹⁴Así se cumplió la profecía de Isaías:

¹⁵Tierra de Zabulón y Neftalí, que está junto al lago, al otro lado del Jordán, alta Galilea, donde tantos extranjeros habitan: ¹⁶El pueblo que estaba en tinieblas vio una gran luz y al pueblo que andaba en regiones de sombra de muerte le resplandeció la luz.

¹⁷Y desde aquel mismo instante Jesús comenzó a predicar:

—Arrepiéntanse de sus pecados y vuélvanse a Dios, porque el reino de los cielos está cerca.

¹⁸Un día, caminando a orillas del lago de Galilea, vio a dos pescadores que tiraban la red. Eran Simón, más conocido por Pedro, y Andrés, su hermano.

¹⁹—Vengan conmigo y los convertiré en pescadores de hombres —les dijo Jesús.

²⁰Inmediatamente soltaron la red y lo siguieron.

²¹Un poco más adelante vio a otros dos hermanos, Jacobo y Juan, que, sentados en una barca con Zebedeo su padre, remendaban las redes. Cuando los invitó, ²²dejaron lo que estaban haciendo, se despidieron de su padre y se fueron con Jesús.

²³Anduvieron por toda Galilea. A lo largo del camino Jesús iba enseñando en las sinagogas judías. En todas partes proclamaba las buenas noticias del reino de los cielos y sanaba cualquier enfermedad o dolencia que le presentaran.

²⁴A medida que la fama de sus milagros se difundía y cruzaba las fronteras, iban llegando a El enfermos desde lugares tan distantes como Siria. No había enfermo, adolorido, endemoniado, loco o paralítico que le trajeran que no sanara. ²⁵Y dondequiera que iba lo seguían multitudes enormes de Galilea, Decápolis, Jerusalén, toda Judea y aun del otro lado del río Jordán.

Lord God. Obey only him.' "

¹¹ Then Satan went away, and angels came and cared for Jesus.

¹²,¹³ When Jesus heard that John had been arrested, he left Judea and returned home to Nazareth in Galilee; but soon he moved to Capernaum, beside the Lake of Galilee, close to Zebulun and Naphtali. ¹⁴ This fulfilled Isaiah's prophecy:

¹⁵,¹⁶ "The land of Zebulun and the land of Naphtali, beside the Lake, and the countryside beyond the Jordan River, and Upper Galilee where so many foreigners live— there the people who sat in darkness have seen a great Light; they sat in the land of death, and the Light broke through upon them."

¹⁷ From then on, Jesus began to preach, "Turn from sin, and turn to God, for the Kingdom of heaven is near."

¹⁸ One day as he was walking along the beach beside the Lake of Galilee, he saw two brothers—Simon, also called Peter, and Andrew—out in a boat fishing with a net, for they were commercial fishermen.

¹⁹ Jesus called out, "Come along with me and I will show you how to fish for the souls of men!" ²⁰ And they left their nets at once and went with him.

²¹ A little farther up the beach he saw two other brothers, James and John, sitting in a boat with their father Zebedee, mending their nets; and he called to them to come too. ²² At once they stopped their work and, leaving their father behind, went with him.

²³ Jesus traveled all through Galilee teaching in the Jewish synagogues, everywhere preaching the Good News about the Kingdom of Heaven. And he healed every kind of sickness and disease. ²⁴ The report of his miracles spread far beyond the borders of Galilee so that sick folk were soon coming to be healed from as far away as Syria. And whatever their illness and pain, or if they were possessed by demons, or were insane, or paralyzed—he healed them all. ²⁵ Enormous crowds followed him wherever he went—people from Galilee, and the Ten Cities, and Jerusalem, and from all over Judea, and even from across the Jordan River.

5 UN DÍA, AL ver que la multitud se le acercaba, subió con sus discípulos a una colina. Allí, sentado, pronunció el siguiente discurso:

³—¡Dichosos los que reconocen humildemente sus necesidades espirituales, porque de ellos es el reino de los cielos! ⁴¡Dichosos los que lloran, porque serán consolados! ⁵¡Dichosos los mansos, porque el mundo entero les pertenece! ⁶¡Dichosos los que tienen hambre y sed de justicia, porque la obtendrán! ⁷¡Dichosos los bondadosos, los misericordiosos, porque alcanzarán misericordia! ⁸¡Dichosos los de limpio corazón, porque verán a Dios! ⁹¡Dichosos los que luchan por la paz, porque serán llamados hijos de Dios! ¹⁰¡Dichosos los que sufren persecución por ser justos, porque el reino de los cielos les pertenece!

¹¹"Cuando alguien los ofenda o persiga por ser mis discípulos, ¡maravilloso! ¹²¡Alégrense, porque en el cielo les espera gran recompensa! Recuerden que a los profetas antiguos los persiguieron también.

¹³"Ustedes son la sal que hace que el mundo sea tolerable. Si como sal pierden el sabor, ¿qué será del mundo? Y, ¿saben qué se hace con la sal que no sala? ¡Se echa fuera y se pisotea por inservible!

¹⁴"Ustedes son la luz del mundo. Como ciudad asentada sobre un monte, brillan en la noche para que todos vean. ¹⁵,¹⁶¡No escondan esa luz! ¡Déjenla brillar! ¡Que las buenas obras que realicen brillen de tal manera que los hombres alaben al Padre celestial!

¹⁷"No vayan a creer que vine a anular la ley de Moisés y las enseñanzas de los profetas. Al contrario, vine a cumplirlas y a darles verdadero significado. ¹⁸De todo corazón les digo: Mientras haya cielo y tierra y mientras no se cumplan por entero los propósitos de la ley, todos y cada uno de sus mandamientos estarán en vigencia. ¹⁹El que quebrante el más insignificante mandamiento se convertirá en el ser más insignificante del reino de los cielos. Pero los que enseñan los mandamientos de Dios *y los obedecen* serán grandes en el reino de los cielos. ²⁰Y les advierto, a menos que sean más justos que los escribas y los fariseos no podrán entrar al reino de los cielos.

²¹Bajo la ley de Moisés la regla era que el que matara muriera. ²²Pero yo añado que el que se enoja contra su hermano está cometiendo el mismo delito. El que le dice

5 ONE DAY AS the crowds were gathering, he went up the hillside with his disciples and sat down and taught them there.

³ "Humble men are very fortunate!" he told them, "for the Kingdom of Heaven is given to them. ⁴ Those who mourn are fortunate! for they shall be comforted. ⁵ The meek and lowly are fortunate! for the whole wide world belongs to them.

⁶ "Happy are those who long to be just and good, for they shall be completely satisfied. ⁷ Happy are the kind and merciful, for they shall be shown mercy. ⁸ Happy are those whose hearts are pure, for they shall see God. ⁹ Happy are those who strive for peace—they shall be called the sons of God. ¹⁰ Happy are those who are persecuted because they are good, for the Kingdom of Heaven is theirs.

¹¹ "When you are reviled and persecuted and lied about because you are my followers—wonderful! ¹² Be *happy* about it! Be *very glad!* for a *tremendous reward* awaits you up in heaven. And remember, the ancient prophets were persecuted too.

¹³ "You are the world's seasoning, to make it tolerable. If you lose your flavor, what will happen to the world? And you yourselves will be thrown out and trampled underfoot as worthless. ¹⁴ You are the world's light—a city on a hill, glowing in the night for all to see. ¹⁵,¹⁶ Don't hide your light! Let it shine for all; let your good deeds glow for all to see, so that they will praise your heavenly Father.

¹⁷ "Don't misunderstand why I have come—it isn't to cancel the laws of Moses and the warnings of the prophets. No, I came to fulfill them, and to make them all come true. ¹⁸ With all the earnestness I have I say: Every law in the Book will continue until its purpose is achieved. ¹⁹ And so if anyone breaks the least commandment, and teaches others to, he shall be the least in the Kingdom of Heaven. But those who teach God's laws *and obey them* shall be great in the Kingdom of Heaven.

²⁰ "But I warn you—unless your goodness is greater than that of the Pharisees and other Jewish leaders, you can't get into the Kingdom of Heaven at all!

²¹ "Under the laws of Moses the rule was, 'If you kill, you must die.' ²² But I have added to that rule, and tell you that if you are only *angry,* even in your own home,

"idiota" a un amigo merece que lo lleven a juicio. Y el que maldiga a otro merece ir a parar a las llamas del infierno. ²³Por lo tanto, si mientras estás delante del altar ofreciendo sacrificio a Dios, te acuerdas de pronto de que algún amigo tiene algo contra ti, ²⁴deja allí el sacrificio delante del altar, vé a pedirle perdón y a reconciliarte con él, y luego regresa a ofrecer el sacrificio. ²⁵Reconcíliate con tu enemigo pronto, antes que sea demasiado tarde, antes que te lleve a juicio y te arrojen en la cárcel, ²⁶donde tendrás que permanecer hasta que pagues el último centavo.

²⁷"La ley de Moisés dice: "No cometerás adulterio". ²⁸Pero yo digo: Cualquiera que mira a una mujer y la codicia, comete adulterio con ella en el corazón. ²⁹Así que si uno de tus ojos te hace codiciar, sácatelo. Mejor es que te lo saques a que seas arrojado de cuerpo entero al infierno. ³⁰Y si una de tus manos te conduce al pecado, córtatela. Mejor es cortártela que ir al infierno.

³¹"La ley de Moisés dice: "El que quiera separarse de su esposa, divórciese legalmente". ³²Pero yo digo que el hombre que se divorcia de su esposa, excepto cuando ésta ha sido infiel, hace que ella cometa adulterio y que el que se case con ella lo cometa también.

³³"La ley de Moisés dice: "No quebrantarás los juramentos que hagas ante Dios". ³⁴Pero yo digo: Nunca jures. No jures por el cielo, porque es el trono de Dios; ³⁵ni jures por la tierra, porque es el estrado de sus pies; ni por Jerusalén, porque Jerusalén es la capital del gran Rey; ³⁶y ni siquiera por tu cabeza, porque no puedes volver blanco o negro ni un solo cabello. ³⁷Por lo tanto, di siempre "sí" o "no" y nada más. Si alguien trata de reforzar su palabra con un juramento es porque hay algo en él que se presta a duda.

³⁸"La ley de Moisés dice: "Ojo por ojo y

you are in danger of judgment! If you call your friend an idiot, you are in danger of being brought before the court. And if you curse him, you are in danger of the fires of hell.

²³ "So if you are standing before the altar in the Temple, offering a sacrifice to God, and suddenly remember that a friend has something against you, ²⁴ leave your sacrifice there beside the altar and go and apologize and be reconciled to him, and then come and offer your sacrifice to God. ²⁵ Come to terms quickly with your enemy before it is too late and he drags you into court and you are thrown into a debtor's cell, ²⁶ for you will stay there until you have paid the last penny.

²⁷ "The laws of Moses said, 'You shall not commit adultery.' ²⁸ But I say: Anyone who even looks at a woman with lust in his eye has already committed adultery with her in his heart. ²⁹ So if your eye—even if it is your best eye!—causes you to lust, gouge it out and throw it away. Better for part of you to be destroyed than for all of you to be cast into hell. ³⁰ And if your hand —even your right hand—causes you to sin, cut it off and throw it away. Better that than find yourself in hell.

³¹ "The law of Moses says, 'If anyone wants to be rid of his wife, he can divorce her merely by giving her a letter of dismissal.' ³² But I say that a man who divorces his wife, except for fornication, causes her to commit adultery if she marries again. And he who marries her commits adultery.

³³ "Again, the law of Moses says, 'You shall not break your vows to God, but must fulfill them all.' ³⁴ But I say: Don't make any vows! And even to say, 'By heavens!' is a sacred vow to God, for the heavens are God's throne. ³⁵ And if you say 'By the earth!' it is a sacred vow, for the earth is his footstool. And don't swear 'By Jerusalem!' for Jerusalem is the capital of the great King. ³⁶ Don't even swear 'By my head!' for you can't turn one hair white or black. ³⁷ Say just a simple 'Yes, I will' or 'No, I won't'. Your word is enough. To strengthen your promise with a vow shows that something is wrong.

³⁸ "The law of Moses says, 'If a man gouges out another's eye, he must pay with his own eye. If a tooth gets knocked out,

diente por diente". ³⁹Pero yo digo: No pagues mal por mal. Si te abofetean una mejilla, presenta la otra. ⁴⁰Si te llevan a juicio y te quitan la camisa, dales también el saco. ⁴¹Si te obligan a llevar una carga un kilómetro, llévala dos kilómetros. ⁴²Dale al que te pida, y no le des la espalda al que te pide prestado.

⁴³"Hay un dicho que dice: "Ama a tu amigo y odia a tu enemigo". ⁴⁴Pero yo digo: ¡Ama a tu enemigo! ¡Ora por los que te persiguen! ⁴⁵De esta forma estarás actuando como un verdadero hijo de tu Padre que está en el cielo, porque El da la luz del sol a los malos y a los buenos y envía la lluvia al justo y al injusto. ⁴⁶Si amas sólo a los que te aman, ¿qué de extraordinario tiene eso? ¡Aun el ser más bajo hace lo mismo! ⁴⁷Si sólo eres amigo de tus amigos, ¿qué tienes de diferente? ¡Aun los paganos hacen eso! ⁴⁸Trata de ser perfecto, como tu Padre que está en los cielos es perfecto.

6 "¡MUCHO CUIDADO CON andar haciendo buenas obras para que los demás te vean y admiren! ¡Los que lo hacen no tendrán recompensa del Padre que está en el cielo! ²Cuando des alguna limosna, no lo andes proclamando como los hipócritas, que tocan trompetas en las sinagogas y en las calles para que la gente se fije en lo caritativos que son. ¡Te aseguro que, aparte de eso, no tendrán otra recompensa! ³Pero cuando hagas algún bien, hazlo calladamente: no le digas a tu mano izquierda lo que tu mano derecha está haciendo. ⁴¡Ah, pero tu Padre que conoce todos los secretos te recompensará!

⁵"Y cuando ores, no lo hagas como lo hacen los hipócritas, que se creen más piadosos que nadie porque oran en las esquinas y en la iglesia donde todo el mundo los ve. Te aseguro que, aparte de eso, no tendrán más recompensa. ⁶Pero cuando ores, hazlo a solas, a puerta cerrada; y tu Padre, que conoce todos los secretos, te recompensará.

⁷"Cuando estés orando, no te pongas a estar repitiendo la misma oración, como los paganos, que piensan que si repiten la oración varias veces Dios va a contestar enseguida. ⁸Recuerda que tu Padre sabe exactamente lo que necesitas antes que se lo

knock out the tooth of the one who did it.' ³⁹ But I say: Don't resist violence! If you are slapped on one cheek, turn the other too. ⁴⁰ If you are ordered to court, and your shirt is taken from you, give your coat too. ⁴¹ If the military demand that you carry their gear for a mile, carry it two. ⁴² Give to those who ask, and don't turn away from those who want to borrow.

⁴³ "There is a saying, 'Love your *friends* and hate your enemies.' ⁴⁴ But I say: Love your *enemies!* Pray for those who *persecute* you! ⁴⁵ In that way you will be acting as true sons of your Father in heaven. For he gives his sunlight to both the evil and the good, and sends rain on the just and on the unjust too. ⁴⁶ If you love only those who love you, what good is that? Even scoundrels do that much. ⁴⁷ If you are friendly only to your friends, how are you different from anyone else? Even the heathen do that. ⁴⁸ But you are to be perfect, even as your Father in heaven is perfect.

6 "TAKE CARE! DON'T do your good deeds publicly, to be admired, for then you will lose the reward from your Father in heaven. ² When you give a gift to a beggar, don't shout about it as the hypocrites do—blowing trumpets in the synagogues and streets to call attention to their acts of charity! I tell you in all earnestness, they have received all the reward they will ever get. ³ But when you do a kindness to someone, do it secretly—don't tell your left hand what your right hand is doing. ⁴ And your Father who knows all secrets will reward you.

⁵ "And now about prayer. When you pray, don't be like the hypocrites who pretend piety by praying publicly on street corners and in the synagogues where everyone can see them. Truly, that is all the reward they will ever get. ⁶ But when you pray, go away by yourself, all alone, and shut the door behind you and pray to your Father secretly, and your Father, who knows your secrets, will reward you.

⁷,⁸ "Don't recite the same prayer over and over as the heathen do, who think prayers are answered only by repeating them again and again. Remember, your Father knows exactly what you need even before you ask him!

pidas. ⁹Ora más o menos así: "Padre nuestro que estás en los cielos, santificado sea tu nombre. ¹⁰Venga tu reino y cúmplase en la tierra tu voluntad como se cumple en el cielo. ¹¹Danos hoy los alimentos que necesitamos, ¹²y perdona nuestros pecados, así como nosotros perdonamos a los que nos han hecho mal. ¹³No nos dejes caer en tentación, mas líbranos del mal, porque tuyo es el reino, el poder y la gloria para siempre. Amén".

¹⁴"Tu Padre celestial te perdonará si perdonas a los que te hacen mal; ¹⁵pero si te niegas a perdonarlos, no te perdonará.

¹⁶"Y ahora hablemos del ayuno. Cuando ayunes, cuando por un motivo espiritual te abstengas de tomar alimento, no lo hagas en público como los hipócritas, que tratan de lucir pálidos y desaliñados para que la gente se dé cuenta que ayunaron. Te aseguro que, aparte de esto, no tendrán más recompensa. ¹⁷Pero cuando ayunes, vístete de fiesta, ¹⁸para que nadie, excepto tu Padre, se dé cuenta de que tienes hambre. Y tu Padre, que conoce todos los secretos, te recompensará.

¹⁹"No acumules tesoros en la tierra, donde la polilla, el orín y los ladrones corrompen, oxidan o roban. ²⁰¡Acumula tesoros en el cielo, donde las cosas no pierden valor y donde no hay polilla ni orín ni ladrón que puedan corromper, oxidar o robar! ²¹Pues donde esté tu tesoro, allí también estará tu corazón.

²²"Si tienes ojos puros, habrá luz en tu alma. ²³Pero si tienes los ojos nublados por malos pensamientos, tienes sumida el alma en oscuridad espiritual. ¡Y no hay oscuridad más negra que ésa!

²⁴"No puedes servir a dos amos; no puedes servir a Dios y al dinero. O amas a uno y odias al otro, o viceversa. ²⁵Por lo tanto, te aconsejo que no te preocupes por la comida, la bebida, el dinero y la ropa, porque tienes vida y eso es más importante que comer y vestir. ²⁶Fíjate en los pájaros, que no siembran ni cosechan ni andan guardando comida, y tu Padre celestial los alimenta. ¡Para El tú vales más que cualquier ave! ²⁷Además, ¿qué gana uno con preocuparse? ²⁸¿Para qué preocuparse de la ropa? Mira los lirios del campo, que no se preocupan del vestido, ²⁹y ni aun Salomón con toda su gloria se vistió jamás con tanta belleza. ³⁰Y si Dios cuida tan admirable-

⁹"Pray along these lines: 'Our Father in heaven, we honor your holy name. ¹⁰We ask that your kingdom will come now. May your will be done here on earth, just as it is in heaven. ¹¹Give us our food again today, as usual, ¹²and forgive us our sins, just as we have forgiven those who have sinned against us. ¹³Don't bring us into temptation, but deliver us from the Evil One. Amen.' ¹⁴,¹⁵Your heavenly Father will forgive you if you forgive those who sin against you; but if *you* refuse to forgive *them, he* will not forgive *you.*

¹⁶"And now about fasting. When you fast, declining your food for a spiritual purpose, don't do it publicly, as the hypocrites do, who try to look wan and disheveled so people will feel sorry for them. Truly, that is the only reward they will ever get. ¹⁷But when you fast, put on festive clothing, ¹⁸so that no one will suspect you are hungry, except your Father who knows every secret. And he will reward you.

¹⁹"Don't store up treasures here on earth where they can erode away or may be stolen. ²⁰Store them in heaven where they will never lose their value, and are safe from thieves. ²¹If your profits are in heaven your heart will be there too.

²²"If your eye is pure, there will be sunshine in your soul. ²³But if your eye is clouded with evil thoughts and desires, you are in deep spiritual darkness. And oh, how deep that darkness can be!

²⁴"You cannot serve two masters: God and money. For you will hate one and love the other, or else the other way around.

²⁵"So my counsel is: Don't worry about *things*—food, drink, and clothes. For you already have life and a body—and they are far more important than what to eat and wear. ²⁶Look at the birds! They don't worry about what to eat—they don't need to sow or reap or store up food—for your heavenly Father feeds them. And you are far more valuable to him than they are. ²⁷Will all your worries add a single moment to your life?

²⁸"And why worry about your clothes? Look at the field lilies! They don't worry about theirs. ²⁹Yet King Solomon in all his glory was not clothed as beautifully as they. ³⁰And if God cares so wonderfully for flow-

mente de las flores, que hoy están aquí y mañana no lo están, ¿no cuidará mucho más de ti, hombre de poca fe? [31]Por lo tanto, no te andes preocupando de si tienes comida ni de si tienes ropa. [32]¡Los paganos son los que siempre se andan preocupando de esas cosas! Recuerda que tu Padre celestial sabe lo que necesitas, [33]y te lo proporcionará si le das el primer lugar en tu vida. [34]No te afanes por el mañana, que el mañana está en manos de Dios. Confía, pues, en El.

7 "NO CRITIQUES PARA que no te critiquen, [2]porque te han de tratar de la misma forma en que trates a los demás. [3]¿Y cómo vas a andar preocupándote de la paja que está en el ojo de tu hermano si tienes una viga en el tuyo? [4]¿Cómo te vas a atrever a pedirle a tu amigo que te deje sacarle la paja si la viga que tienes en el ojo no te deja ver? [5]¡Hipócrita! Primero sácate la viga para que puedas ver bien cuando le estés sacando la paja a tu hermano.

[6]"No des lo santo a los perros ni eches perlas delante de los puercos, porque son capaces de pisotearlas y luego dar media vuelta y atacarte.

[7]"Pide y se te concederá lo que pidas. Busca y hallarás. Toca y te abrirán. [8]Porque el que pide, recibe. Y el que busca, halla. Y al que llama, se le abrirá. [9]Si uno le pide a su padre un pedazo de pan, ¿será capaz el padre de darle una piedra? [10]Y si le pide pescado, ¿le dará una serpiente venenosa? ¡Por supuesto que no! [11]Y si un hombre de corazón endurecido sólo da buenas cosas a sus hijos, ¿no crees que tu Padre que está en los cielos dará aun mejores cosas a los que se las pidan?

[12]"Haz a otros lo que quieras que te hagan a ti. En esto se resumen las enseñanzas de la ley de Moisés y los profetas.

[13]"Al cielo sólo se puede entrar por la puerta estrecha. Ancha es la puerta y espacioso el camino que conducen al infierno; por eso millones de personas los prefieren. [14]En cambio, estrecha es la puerta y angosto el camino que conducen a la vida, y muy pocas personas los hallan.

[15]"Cuídate de los falsos maestros que se te acercan disfrazados de inocentes ovejas,

ers that are here today and gone tomorrow, won't he more surely care for you, O men of little faith?

[31,32] "So don't worry at all about having enough food and clothing. Why be like the heathen? For they take pride in all these things and are deeply concerned about them. But your heavenly Father already knows perfectly well that you need them, [33] and he will give them to you if you give him first place in your life and live as he wants you to.

[34] "So don't be anxious about tomorrow. God will take care of your tomorrow too. Live one day at a time.

7 "DON'T CRITICIZE, AND then you won't be criticized. [2] For others will treat you as you treat them. [3] And why worry about a speck in the eye of a brother when you have a board in your own? [4] Should you say, 'Friend, let me help you get that speck out of your eye,' when you can't even see because of the board in your own? [5] Hypocrite! First get rid of the board. Then you can see to help your brother.

[6] "Don't give holy things to depraved men. Don't give pearls to swine! They will trample the pearls and turn and attack you.

[7] "Ask, and you will be given what you ask for. Seek, and you will find. Knock, and the door will be opened. [8] For everyone who asks, receives. Anyone who seeks, finds. If only you will knock, the door will open. [9] If a child asks his father for a loaf of bread, will he be given a stone instead? [10] If he asks for fish, will he be given a poisonous snake? Of course not! [11] And if you hardhearted, sinful men know how to give good gifts to your children, won't your Father in heaven even more certainly give good gifts to those who ask him for them?

[12] "Do for others what you want them to do for you. This is the teaching of the laws of Moses in a nutshell.

[13] "Heaven can be entered only through the narrow gate! The highway to hell is broad, and its gate is wide enough for all the multitudes who choose its easy way. [14] But the Gateway to Life is small, and the road is narrow, and only a few ever find it.

[15] "Beware of false teachers who come disguised as harmless sheep, but are wolves

pero son lobos capaces de destrozarte. ¹⁶De la misma manera que uno puede identificar un árbol por los frutos que lleva, podrás identificar a esos falsos predicadores por la forma en que se comportan. ¿Y quién confunde una vid con un espino o una higuera con abrojos? ¹⁷Los árboles frutales se conocen por los frutos que producen. El buen árbol produce buenos frutos; y el malo, malos frutos. ¹⁸Es imposible que un árbol que produzca frutos deliciosos pueda llegar a producir alguna variedad desagradable. Por otro lado, es imposible que un árbol de fruto incomible produzca uno que se pueda comer. ¹⁹Por eso los árboles de malos frutos se cortan y se queman. ²⁰Igualmente, una persona se conoce por las acciones que produce.

²¹'''No todos los que dicen ser piadosos lo son de verdad. Quizás me llamen Señor, pero no entrarán en el cielo. Allí sólo entrarán los que obedecen a mi Padre que está en el cielo. ²²El día del juicio muchos me dirán: ''Señor, pero nosotros hablamos de ti y en tu nombre echamos fuera demonios y realizamos muchísimos milagros''. ²³Y yo les responderé: ''Nunca han sido míos. Apártense de mí, porque sus obras son malas''.

²⁴'''El que presta atención a mis enseñanzas y las pone en práctica es tan sabio como el hombre que edificó su casa sobre una roca bien sólida, ²⁵y cuando llegaron las lluvias torrenciales, las inundaciones y los huracanes, la casa no se derrumbó porque estaba edificada sobre roca.

²⁶'''Pero los que oyen mis enseñanzas y no les prestan atención son como el que edificó su casa sobre la arena, ²⁷y cuando llegaron las lluvias, las inundaciones y los vientos, la casa se derrumbó.

²⁸La multitud que escuchó este sermón de Jesús quedó admirada, ²⁹porque enseñaba como el que tiene gran autoridad y no como los escribas.

8 JESÚS DESCENDÍA DE la colina seguido de una multitud inmensa cuando, de pronto, ²un leproso se le acercó y se tiró de rodillas ante El.

—Señor —suplicó el leproso—, si quieres puedes limpiarme.

³Jesús, extendiendo la mano, lo tocó y le dijo:

—Quiero; cúrate.

E instantáneamente la lepra desapare-

and will tear you apart. ¹⁶ You can detect them by the way they act, just as you can identify a tree by its fruit. You need never confuse grapevines with thorn bushes or figs with thistles. ¹⁷ Different kinds of fruit trees can quickly be identified by examining their fruit. ¹⁸ A variety that produces delicious fruit never produces an inedible kind. And a tree producing an inedible kind can't produce what is good. ¹⁹ So the trees having the inedible fruit are chopped down and thrown on the fire. ²⁰ Yes, the way to identify a tree or a person is by the kind of fruit produced.

²¹ "Not all who sound religious are really godly people. They may refer to me as 'Lord,' but still won't get to heaven. For the decisive question is whether they obey my Father in heaven. ²² At the Judgment many will tell me, 'Lord, Lord, we told others about you and used your name to cast out demons and to do many other great miracles.' ²³ But I will reply, 'You have never been mine. Go away, for your deeds are evil.'

²⁴ "All who listen to my instructions and follow them are wise, like a man who builds his house on solid rock. ²⁵ Though the rain comes in torrents, and the floods rise and the storm winds beat against his house, it won't collapse, for it is built on rock.

²⁶ "But those who hear my instructions and ignore them are foolish, like a man who builds his house on sand. ²⁷ For when the rains and floods come, and storm winds beat against his house, it will fall with a mighty crash." ²⁸ The crowds were amazed at Jesus' sermons, ²⁹ for he taught as one who had great authority, and not as their Jewish leaders.

8 LARGE CROWDS FOLLOWED Jesus as he came down the hillside.

² *Look! A leper is approaching. He kneels before him, worshiping. "Sir," the leper pleads, "if you want to, you can heal me."*

³ *Jesus touches the man. "I want to," he says. "Be healed." And instantly the leprosy*

ció.

⁴—No te detengas a conversar con nadie —le dijo entonces Jesús—. Vé inmediatamente a que el sacerdote te examine y presenta la ofrenda que requiere la ley de Moisés, para que la gente vea que ya estás bien.

⁵Cuando Jesús llegó a Capernaum, un capitán del ejército romano se le acercó y le rogó ⁶que fuera a sanar a un sirviente que yacía en cama paralítico y sufriendo mucho.

⁷—Está bien —le respondió Jesús—, iré a sanarlo.

⁸—Señor —le dijo entonces el capitán—, no soy digno de que vayas a mi casa. Además, no es necesario que lo hagas, porque desde aquí mismo puedes ordenar que sane y mi criado sanará. ⁹Lo sé, porque estoy acostumbrado a obedecer las órdenes de mis superiores; a la vez, si yo le digo a alguno de mis soldados que vaya a algún lugar, va; y si le digo que venga, viene; y si le digo a mi esclavo que haga esto o aquello, lo hace. Yo sé, Señor, que tienes autoridad para decirle a esa enfermedad que se vaya, y se irá.

¹⁰Jesús, maravillado, dijo a la multitud:

—¡Ni en todo Israel he hallado una fe tan grande como la de éste! Oiganme lo que les digo: ¹¹Muchos gentiles, al igual que este soldado romano, irán de todas partes del mundo a sentarse en el reino de los cielos con Abraham, Isaac y Jacob. ¹²En cambio, muchos israelitas, para quienes el reino está preparado, serán arrojados a las tinieblas de afuera donde todo es llorar y crujir de dientes.

¹³Entonces dijo al soldado:

—Vete; lo que creíste ya se ha cumplido.

Y el muchacho sanó en aquella misma hora.

¹⁴Cuando Jesús llegó a la casa de Pedro, la suegra de éste estaba en cama con una fiebre muy alta. ¹⁵Al tocarla Jesús, la fiebre la dejó y se levantó a prepararles comida.

¹⁶Por la noche llevaron varios endemoniados a Jesús. Invariablemente bastaba una sola palabra para que los demonios huyeran o los enfermos sanaran. ¹⁷Así se cumplió la profecía de Isaías: "El mismo tomó nuestras enfermedades y llevó nuestras dolencias".

disappears.

⁴ *Then Jesus says to him, "Don't stop to talk to anyone; go right over to the priest to be examined; and take with you the offering required by Moses' law for lepers who are healed—a public testimony of your cure."*

⁵,⁶ When Jesus arrived in Capernaum, a Roman army captain came and pled with him to come to his home and heal his servant boy who was in bed paralyzed and racked with pain.

⁷ "Yes," Jesus said, "I will come and heal him."

⁸,⁹ Then the officer said, "Sir, I am not worthy to have you in my home; [and it isn't necessary for you to come]. If you will only stand here and say, 'Be healed,' my servant will get well! I know, because I am under the authority of my superior officers and I have authority over my soldiers, and I say to one, 'Go,' and he goes, and to another, 'Come,' and he comes, and to my slave boy, 'Do this or that,' and he does it. And I know you have authority to tell his sickness to go—and it will go!"

¹⁰ Jesus stood there amazed! Turning to the crowd he said, "I haven't seen faith like this in all the land of Israel! ¹¹ And I tell you this, that many Gentiles [like this Roman officer], shall come from all over the world and sit down in the Kingdom of Heaven with Abraham, Isaac, and Jacob. ¹² And many an Israelite—those for whom the Kingdom was prepared—shall be cast into outer darkness, into the place of weeping and torment."

¹³ Then Jesus said to the Roman officer, "Go on home. What you have believed has happened!" And the boy was healed that same hour!

¹⁴ When Jesus arrived at Peter's house, Peter's mother-in-law was in bed with a high fever. ¹⁵ But when Jesus touched her hand, the fever left her; and she got up and prepared a meal for them!

¹⁶ That evening several demon-possessed people were brought to Jesus; and when he spoke a single word, all the demons fled; and all the sick were healed. ¹⁷ This fulfilled the prophecy of Isaiah, "He took our sicknesses and bore our diseases."

¹⁸Al ver Jesús que la multitud crecía, pidió a sus discípulos que se prepararan para pasar al otro lado del lago. ¹⁹En eso, un maestro de religión judía le dijo:

—Maestro, te seguiré vayas donde vayas.

²⁰—Las zorras tienen guaridas y las aves nidos —le respondió Jesús—, pero yo, el Hijo del Hombre, no tengo ni dónde recostar la cabeza.

²¹Otro de sus seguidores le dijo:

—Señor, te seguiré cuando mi padre muera.

²²Pero Jesús le contestó:

—No, sígueme ahora. Deja que los que están muertos espiritualmente se ocupen de los muertos.

²³Entonces subió a una barca con sus discípulos y zarparon de allí. ²⁴En la travesía se quedó dormido.

Pero no mucho después, repentinamente, se levantó una tormenta tan violenta que las olas anegaban la barca. ²⁵Los discípulos corrieron a despertar a Jesús.

—¡Señor, sálvanos! ¡Nos estamos hundiendo!

²⁶—¿A qué viene tanto miedo, hombres de poca fe? —les respondió calmadamente.

Entonces, poniéndose de pie, reprendió al viento y a las olas, y la tormenta cesó y todo quedó en calma.

²⁷Pasmados de asombro, los discípulos se decían:

—¿Quién es éste, que aun los vientos y las aguas lo obedecen?

²⁸Ya al otro lado del lago, en tierra de los gadarenos, dos endemoniados le salieron al encuentro. Vivían en el cementerio, y eran tan peligrosos que nadie se atrevía a andar por aquella zona. ²⁹Al ver a Jesús, le gritaron:

—¡Déjanos tranquilos, Hijo de Dios! ¡Todavía no es hora de que nos atormentes!

³⁰Por aquellos alrededores andaba un hato de cerdos, ³¹y los demonios le suplicaron:

—Si nos vas a echar fuera, déjanos entrar en aquel hato de cerdos.

³²—Está bien —les respondió Jesús—. Vayan.

Y salieron de los hombres y entraron en aquellos cerdos. Estos, enloquecidos, se despeñaron desde un acantilado y se ahogaron en el lago.

¹⁸ When Jesus noticed how large the crowd was growing, he instructed his disciples to get ready to cross to the other side of the lake.

¹⁹ Just then one of the Jewish religious teachers said to him, "Teacher, I will follow you no matter where you go!"

²⁰ But Jesus said, "Foxes have dens and birds have nests, but I, the Messiah, have no home of my own—no place to lay my head."

²¹ Another of his disciples said, "Sir, when my father is dead, then I will follow you."

²² But Jesus told him, "Follow me *now!* Let those who are spiritually dead care for their own dead."

²³ Then he got into a boat and started across the lake with his disciples. ²⁴ Suddenly a terrible storm came up, with waves higher than the boat. But Jesus was asleep.

²⁵ The disciples went to him and wakened him, shouting, "Lord, save us! We're sinking!"

²⁶ But Jesus answered, "O you men of little faith! Why are you so frightened?" Then he stood up and rebuked the wind and waves, and the storm subsided and all was calm. ²⁷ The disciples just sat there, awed! "Who is this," they asked themselves, "that even the winds and the sea obey him?"

²⁸ When they arrived on the other side of the lake, in the country of the Gadarenes, two men with demons in them met him. They lived in a cemetery and were so dangerous that no one could go through that area.

²⁹ They began screaming at him, "What do you want with us, O Son of God? You have no right to torment us yet."

³⁰ A herd of pigs was feeding in the distance, ³¹ so the demons begged, "If you cast us out, send us into that herd of pigs."

³² "All right," Jesus told them. "Begone."

And they came out of the men and entered the pigs, and the whole herd rushed over a cliff and drowned in the water below.

³³Los que cuidaban los cerdos corrieron a la ciudad más cercana a contar lo sucedido, ³⁴y la ciudad entera acudió a ver a Jesús y a suplicarle que se fuera de los alrededores.

9 JESÚS SE SUBIÓ de nuevo a la barca y pasó a Capernaum, ciudad donde residía. ²No mucho después varios hombres le trajeron a un joven paralítico tendido en un camastro. Cuando Jesús vio la fe que tenían, dijo al enfermo:

—¡Ten ánimo, hijo! ¡Te perdono tus pecados!

³—¡Blasfemia! ¿Se cree Dios? —exclamaron entre sí algunos de los escribas presentes.

⁴Jesús, que sabía lo que estaban pensando, les dijo:

—¿A qué vienen esos malos pensamientos? ⁵¿Es más difícil perdonar los pecados que sanar a un enfermo? ⁶Pues para demostrarles que tengo autoridad en la tierra para perdonar los pecados: ¡Muchacho, levántate, recoge la camilla y vete!

⁷Y el muchacho se puso de pie de un salto y se fue.

⁸Un escalofrío de temor sacudió a la multitud ante aquel milagro, y alababan a Dios por haberle dado tanto poder al hombre.

⁹En el camino, Jesús se topó con Mateo, cobrador de impuestos, que estaba sentado junto a la mesa donde se pagaban los impuestos.

—Ven y sé mi discípulo —le dijo Jesús.

Mateo se levantó y se fue con Él.

¹⁰Ese mismo día cenó Jesús en casa de Mateo. Entre los invitados había varios cobradores de impuestos y varios pecadores notorios. ¹¹Los fariseos se indignaron.

—¿Por qué el Maestro anda con individuos de esa calaña? —preguntaron a los discípulos.

¹²Jesús alcanzó a oír aquellas palabras y les respondió:

—Porque los sanos no necesitan médico, y los enfermos sí. ¹³Vayan y traten de interpretar el sentido del versículo bíblico que dice: "Misericordia quiero, no sacrificios". No he venido en busca de los buenos, sino a procurar que los malos se arrepientan y se vuelvan a Dios.

¹⁴Un día los discípulos de Juan se le acercaron a preguntarle:

³³ The herdsmen fled to the nearest city with the story of what had happened, ³⁴ and the entire population came rushing out to see Jesus, and begged him to go away and leave them alone.

9 SO JESUS CLIMBED into a boat and went across the lake to Capernaum, his home town.

² Soon some men brought him a paralyzed boy on a mat. When Jesus saw their faith, he said to the sick boy, "Cheer up, son! For I have forgiven your sins!"

³ "Blasphemy! This man is saying he is God!" exclaimed some of the religious leaders to themselves.

⁴ Jesus knew what they were thinking and asked them, "Why are you thinking such evil thoughts? ⁵,⁶ I, the Messiah, have the authority on earth to forgive sins. But talk is cheap—anybody could say that. So I'll prove it to you by healing this man." Then, turning to the paralyzed man, he commanded, "Pick up your stretcher and go on home, for you are healed."

⁷ And the boy jumped up and left!

⁸ A chill of fear swept through the crowd as they saw this happen right before their eyes. How they praised God for giving such authority to a man!

⁹ As Jesus was going on down the road, he saw a tax collector, Matthew, sitting at a tax collection booth. "Come and be my disciple," Jesus said to him, and Matthew jumped up and went along with him.

¹⁰ Later, as Jesus and his disciples were eating dinner [at Matthew's house], there were many notorious swindlers there as guests!

¹¹ The Pharisees were indignant. "Why does your teacher associate with men like that?"

¹² "Because people who are well don't need a doctor! It's the sick people who do!" was Jesus' reply. ¹³ Then he added, "Now go away and learn the meaning of this verse of Scripture,

'It isn't your sacrifices and your gifts I want—I want you to be merciful.'

For I have come to urge sinners, not the self-righteous, back to God."

¹⁴ One day the disciples of John the Baptist came to Jesus and asked him, "Why

—¿Por qué tus discípulos no ayunan como los fariseos y nosotros?

¹⁵ —¿Acaso pueden los invitados a una boda estar tristes mientras el novio está con ellos? —les preguntó Jesús—. ¡Claro que no! Pero llegará el momento en que les arrebatarán al novio. Entonces sí llorarán y ayunarán. ¹⁶A nadie se le ocurre remendar un vestido viejo con una tela nueva sin remojar, porque lo más probable es que la tela nueva se encoja y rompa la vieja, con lo cual la rotura se hará mayor. ¹⁷Y a nadie se le ocurre echar vino nuevo en odres viejos, porque los odres se romperían, y se perderían el vino y los odres. El vino nuevo se debe echar en odres nuevos, para que ambos se preserven.

¹⁸Apenas terminó de pronunciar las anteriores palabras, cuando un jefe de la sinagoga local llegó y se postró ante El.

—Mi hijita acaba de morir —le dijo—, pero sé que resucitará si vas y la tocas.

¹⁹,²⁰Mientras Jesús y los discípulos se dirigían al hogar del jefe judío, una mujer que hacía doce años que estaba enferma con cierto tipo de derrame de sangre, se acercó por detrás y tocó el borde del manto de Jesús, ²¹pensando que si lo tocaba sanaría. ²²Jesús se volvió y le dijo:

—Hija, tu fe te ha sanado. Vete tranquila.

Y la mujer sanó en aquel mismo momento.

²³Al llegar a la casa del jefe judío y escuchar el alboroto de los presentes y la música fúnebre, ²⁴Jesús dijo:

—Salgan de aquí. La niña no está muerta, sólo está dormida.

Y entre críticas y burlas los presentes salieron. ²⁵Jesús entró donde estaba la niña y la tomó de la mano. ¡Y la niña se levantó sana!

²⁶La noticia de este milagro portentoso se difundió por todo el país.

²⁷Cuando regresaba de la casa del jefe judío, dos ciegos lo siguieron gritando:

—¡Hijo de David, ten misericordia de nosotros!

²⁸Al llegar a la casa donde Jesús se alojaba, El les preguntó:

—¿Creen que puedo devolverles la vista?

—Sí, Señor —le contestaron—, creemos.

²⁹Entonces El les tocó los ojos y dijo:

don't your disciples fast as we do and as the Pharisees do?"

¹⁵ "Should the bridegroom's friends mourn and go without food while he is with them?" Jesus asked. "But the time is coming when I will be taken from them. Time enough then for them to refuse to eat.

¹⁶ "And who would patch an old garment with unshrunk cloth? For the patch would tear away and make the hole worse. ¹⁷ And who would use old wineskins to store new wine? For the old skins would burst with the pressure, and the wine would be spilled and the skins ruined. Only new wineskins are used to store new wine. That way both are preserved."

¹⁸ As he was saying this, the rabbi of the local synagogue came and worshiped him. "My little daughter has just died," he said, "but you can bring her back to life again if you will only come and touch her."

¹⁹ As Jesus and the disciples were going to the rabbi's home, ²⁰ a woman who had been sick for twelve years with internal bleeding came up behind him and touched a tassel of his robe, ²¹ for she thought, "If I only touch him, I will be healed."

²² Jesus turned around and spoke to her. "Daughter," he said, "all is well! Your faith has healed you." And the woman was well from that moment.

²³ When Jesus arrived at the rabbi's home and saw the noisy crowds and heard the funeral music, ²⁴ he said, "Get them out, for the little girl isn't dead; she is only sleeping!" Then how they all scoffed and sneered at him!

²⁵ When the crowd was finally outside, Jesus went in where the little girl was lying and took her by the hand, and she jumped up and was all right again! ²⁶ The report of this wonderful miracle swept the entire countryside.

²⁷ As Jesus was leaving her home, two blind men followed along behind, shouting, "O Son of King David, have mercy on us."

²⁸ They went right into the house where he was staying, and Jesus asked them, "Do you believe I can make you see?"

"Yes, Lord," they told him, "we do."

²⁹ Then he touched their eyes and said,

—Conviértase en realidad lo que han creído.

[30]¡Y recobraron la vista!

Jesús les suplicó encarecidamente que no se lo contaran a nadie, [31]pero apenas salieron de allí se pusieron a divulgar la fama de Jesús por aquellos lugares.

[32]Cuando salieron los ciegos de aquel lugar, le llevaron a la casa a un hombre que estaba mudo por culpa de los demonios que se habían alojado en él. [33]Tan pronto Jesús los echó fuera, el hombre pudo hablar. La gente, maravillada, exclamó:

—¡Jamás en la vida habíamos visto algo semejante!

[34]En cambio, los fariseos decían:

—Bueno, El puede echar fuera los demonios porque tiene dentro a Satanás, el rey de los demonios.

[35]Jesús recorría las ciudades y los pueblos de la región enseñando en las sinagogas judías, predicando las buenas nuevas del reino y sanando la enfermedad y el dolor. [36]Sentía compasión por las multitudes que como ovejas desamparadas, dispersas y sin pastor, acudían a El en busca de ayuda.

[37]—¡Es tan grande la mies y hay tan pocos obreros! —dijo una vez a los discípulos—. [38]Oren que el Señor de la mies consiga más obreros para los campos.

10 JESÚS REUNIÓ A sus doce discípulos y les dio autoridad para echar fuera espíritus malignos y sanar toda clase de enfermedad y dolencia. [2]Los doce discípulos eran:

Simón, también llamado Pedro;
Andrés, el hermano de Pedro;
Jacobo, hijo de Zebedeo;
Juan, hermano de Jacobo;
[3]Felipe;
Bartolomé;
Tomás;
Mateo, el cobrador de impuestos;
Jacobo, hijo de Alfeo;
Lebeo, también llamado Tadeo;
[4]Simón, miembro de los zelotes, partido político nacionalista;
y Judas Iscariote, el que más tarde lo traicionó.

[5]Antes que salieran a realizar la misión que se les había encomendado, Jesús les dio las siguientes instrucciones:

"Because of your faith it will happen."

[30] And suddenly they could see! Jesus sternly warned them not to tell anyone about it, [31] but instead they spread his fame all over the town.

[32] Leaving that place, Jesus met a man who couldn't speak because a demon was inside him. [33] So Jesus cast out the demon, and instantly the man could talk. How the crowds marveled! "Never in all our lives have we seen anything like this," they exclaimed.

[34] But the Pharisees said, "The reason he can cast out demons is that he is demon-possessed himself—possessed by Satan, the demon king!"

[35] Jesus traveled around through all the cities and villages of that area, teaching in the Jewish synagogues and announcing the Good News about the Kingdom. And wherever he went he healed people of every sort of illness. [36] And what pity he felt for the crowds that came, because their problems were so great and they didn't know what to do or where to go for help. They were like sheep without a shepherd.

[37] "The harvest is so great, and the workers are so few," he told his disciples. [38] "So pray to the one in charge of the harvesting, and ask him to recruit more workers for his harvest fields."

10 JESUS CALLED HIS twelve disciples to him, and gave them authority to cast out evil spirits and to heal every kind of sickness and disease.

[2,3,4] Here are the names of his twelve disciples:

Simon (also called Peter),
Andrew (Peter's brother),
James (Zebedee's son),
John (James' brother),
Philip,
Bartholomew,
Thomas,
Matthew (the tax collector),
James (Alphaeus' son),
Thaddaeus,
Simon (a member of "The Zealots," a subversive political party),
Judas Iscariot (the one who betrayed him).

[5] Jesus sent them out with these instruc-

—No vayan a los gentiles ni a los samaritanos. ⁶Limítense a visitar a las ovejas
perdidas del pueblo de Israel.

⁷"Anúncienles que el reino de los cielos
ya está cerca.

⁸"Curen enfermos, resuciten muertos,
sanen leprosos y echen fuera demonios. De
la misma manera que están recibiendo este
poder gratis, no cobren por los servicios.
⁹No lleven dinero ¹⁰ni bolsa con comida. No
lleven más túnicas ni más calzado que los
que traen puestos, ni lleven bordón, porque
las personas que ustedes ayuden deben ali-
mentarlos y cuidarlos. ¹¹Cuando lleguen a
cualquier ciudad o pueblo, busquen a un
hombre piadoso y quédense en su casa
hasta que se vayan a otro pueblo. ¹²Al llegar
a pedir alojamiento a una casa, sean cor-
diales, ¹³y si ven que se trata de un hogar
piadoso, bendíganlo; si no, retiren la bendición. ¹⁴Si en alguna ciudad u hogar no los
reciben ni les hacen caso, salgan de allí
inmediatamente y sacúdanse el polvo de los
pies al salir. ¹⁵Les aseguro que en el día del
juicio, el castigo de las perversas ciudades
de Sodoma y Gomorra será mucho más
tolerable que el castigo de aquella ciudad u
hogar.

¹⁶"Ustedes son como ovejas y los estoy
enviando a meterse donde están los lobos.
Sean prudentes como serpientes e inofensi-
vos como palomas. ¹⁷Pero tengan ciudado,
porque los arrestarán y juzgarán y los azotarán en las sinagogas. ¹⁸Y hasta tendrán
que comparecer ante gobernadores y reyes
por mi causa. Esto les brindará la oportunidad de hablarles de mí, de proclamarme
ante el mundo.

¹⁹"Cuando los arresten, no se preocupen
por lo que han de decir en el juicio, porque
en el momento oportuno se les pondrá en la
boca lo que tienen que decir. ²⁰No serán
ustedes los que hablen: ¡el Espíritu del
Padre celestial hablará a través de ustedes!

²¹"El hermano entregará a muerte a su
hermano, los padres traicionarán a sus
hijos y los hijos se levantarán contra sus
padres y los matarán. ²²El mundo entero los
va a odiar a ustedes por causa mía, pero el
que se mantenga fiel hasta el fin será salvo.
²³Cuando los persigan en una ciudad,
huyan a otra. Les aseguro que no recorre-
rán todas las ciudades de Israel antes que
yo haya regresado. ²⁴Ningún estudiante es
más que su maestro, ni ningún siervo es

tions: "Don't go to the Gentiles or the
Samaritans, ⁶ but only to the people of Israel—God's lost sheep. ⁷ Go and announce to
them that the Kingdom of Heaven is near.

⁸ Heal the sick, raise the dead, cure the
lepers, and cast out demons. Give as freely
as you have received!

⁹ "Don't take any money with you;
¹⁰ don't even carry a duffle bag with extra
clothes and shoes, or even a walking stick;
for those you help should feed and care for
you. ¹¹ Whenever you enter a city or village,
search for a godly man and stay in his home
until you leave for the next town. ¹² When
you ask permission to stay, be friendly,
¹³ and if it turns out to be a godly home, give
it your blessing; if not, keep the blessing.
¹⁴ Any city or home that doesn't welcome
you—shake off the dust of that place from
your feet as you leave. ¹⁵ Truly, the wicked
cities of Sodom and Gomorrah will be better off at Judgment Day than they.

¹⁶ "I am sending you out as sheep among
wolves. Be as wary as serpents and harmless
as doves. ¹⁷ But beware! For you will be arrested and tried, and whipped in the synagogues. ¹⁸ Yes, and you must stand trial
before governors and kings for my sake.
This will give you the opportunity to tell
them about me, yes, to witness to the world.

¹⁹ "When you are arrested, don't worry
about what to say at your trial, for you will
be given the right words at the right time.
²⁰ For it won't be you doing the talking—it
will be the Spirit of your heavenly Father
speaking through you!

²¹ "Brother shall betray brother to death,
and fathers shall betray their own children.
And children shall rise against their parents
and cause their deaths. ²² Everyone shall
hate you because you belong to me. But all
of you who endure to the end shall be saved.
²³ "When you are persecuted in one city,
flee to the next! I will return before you
have reached them all! ²⁴ A student is not
greater than his teacher. A servant is not

mayor que su señor. ²⁵El discípulo correrá la misma suerte que su maestro y el siervo la misma suerte de su señor. Y si a mí, el padre de familia, me llaman Satanás, ¿qué no les dirán a ustedes? ²⁶Pero no tengan miedo de las amenazas, porque pronto llegará la hora de la verdad y no habrá secreto que no se descubra. ²⁷Lo que les digo en la penumbra, proclámenlo a la luz del día, y lo que les susurro al oído, proclámenlo desde las azoteas. ²⁸No teman de los que pueden matar el cuerpo pero no pueden tocar el alma. Sólo teman a Dios, que es el único que puede destruir alma y cuerpo en el infierno. ²⁹"¿Qué valen dos pajarillos? ¡Apenas unos centavos! Sin embargo, ni uno solo cae a tierra sin que el Padre lo permita. ³⁰Pues yo les digo que hasta el último cabello de ustedes está contado. ³¹Así que no teman, que para Dios ustedes valen más que muchos pajarillos.

³²"Si alguno se declara amigo mío ante la gente, yo lo declararé amigo mío ante mi Padre que está en los cielos. ³³Pero al que me niegue públicamente yo lo negaré delante de mi Padre que está en los cielos. ³⁴¡No crean que vine sólo a traer paz a la tierra! Vine también a traer luchas, ³⁵a poner hijo contra padre, hija contra madre, nuera contra suegra. ³⁶¡Los peores enemigos del hombre van a estar en su propia casa! ³⁷Y si amas a tu padre o madre más que a mí, no eres digno de ser mío; y si amas a tu hijo o hija más que a mí, no eres digno de ser mío. ³⁸Y si te niegas a tomar la cruz y seguirme, no eres digno de ser mío. ³⁹Si te apegas demasiado a la vida, la perderás; pero si renuncias a ella por mí, la salvarás.

⁴⁰"El que te recibe me estará recibiendo a mí, y el que me reciba está recibiendo al Padre que me envió. ⁴¹Si recibes a un profeta por el hecho de que es un hombre de Dios, recibirás la misma recompensa que reciben los profetas. Si recibes a un hombre justo y bueno porque es justo y bueno, recompensa de justo recibirás. ⁴²Y si le dan al más humilde de mis discípulos un vaso de

above his master. ²⁵ The student shares his teacher's fate. The servant shares his master's! And since I, the master of the household, have been called 'Satan,' how much more will you! ²⁶ But don't be afraid of those who threaten you. For the time is coming when the truth will be revealed: their secret plots will become public information.

²⁷ "What I tell you now in the gloom, shout abroad when daybreak comes. What I whisper in your ears, proclaim from the housetops!

²⁸ "Don't be afraid of those who can kill only your bodies—but can't touch your souls! Fear only God who can destroy both soul and body in hell. ²⁹ Not one sparrow (What do they cost? Two for a penny?) can fall to the ground without your Father knowing it. ³⁰ And the very hairs of your head are all numbered. ³¹ So don't worry! You are more valuable to him than many sparrows.

³² "If anyone publicly acknowledges me as his friend, I will openly acknowledge him as my friend before my father in heaven. ³³ But if anyone publicly denies me, I will openly deny him before my Father in heaven.

³⁴ "Don't imagine that I came to bring peace to the earth! No, rather, a sword. ³⁵ I have come to set a man against his father, and a daughter against her mother, and a daughter-in-law against her mother-in-law— ³⁶ a man's worst enemies will be right in his own home! ³⁷ If you love your father and mother more than you love me, you are not worthy of being mine; or if you love your son or daughter more than me, you are not worthy of being mine. ³⁸ If you refuse to take up your cross and follow me, you are not worthy of being mine.

³⁹ "If you cling to your life, you will lose it; but if you give it up for me, you will save it.

⁴⁰ "Those who welcome you are welcoming me. And when they welcome me they are welcoming God who sent me. ⁴¹ If you welcome a prophet because he is a man of God, you will be given the same reward a prophet gets. And if you welcome good and godly men because of their godliness, you will be given a reward like theirs.

⁴² "And if, as my representatives, you

agua por el simple hecho de que es mi discípulo, pueden estar seguros de que recibirán recompensa.

11 CUANDO TERMINÓ DE dar instrucciones a sus doce discípulos, éstos salieron a predicar. Más tarde Jesús salió también y fue predicando en las ciudades donde primeramente los discípulos habían estado.

²Juan el Bautista, que ya estaba preso, se enteró de los milagros que el Mesías estaba realizando y envió a dos de sus discípulos a preguntarle a Jesús:

³—¿Eres tú de veras el que estábamos esperando, o debemos seguir esperando?

⁴Jesús respondió a los mensajeros:

—Vayan donde está Juan y cuéntenle los milagros que me han visto realizar. ⁵Cuéntenle cómo los ciegos ven, los paralíticos andan, los leprosos sanan, los sordos oyen y los muertos resucitan. Y cuéntenle cómo anuncio las buenas nuevas a los pobres. ⁶Díganle además que benditos son los que no dudan de mí.

⁷Cuando los discípulos de Juan salieron, Jesús se puso a hablar de Juan a la multitud:

—Cuando salieron al desierto a ver a Juan, ¿qué esperaban ver en él? ¿Una caña que el viento sacude, ⁸un hombre vestido de príncipe o ⁹un profeta de Dios? Pues sí, él es más que un profeta: ¹⁰Juan es aquel de quien las Escrituras dicen: "Un mensajero mío te precederá para prepararte el camino". ¹¹Créanme, de todos los hombres que han nacido en este mundo, ninguno brilla con más claridad que Juan el Bautista. Y sin embargo, el más insignificante en el reino de los cielos es más grande que él. ¹²Desde que Juan el Bautista comenzó a predicar y bautizar se ha combatido mucho el reino de los cielos y sólo los valientes han logrado llegar a él. ¹³Hasta ahora la ley y los profetas tenían la mirada fija en el Mesías que aparecería en el futuro. Entonces apareció Juan. ¹⁴Y si quieren creerlo, él es Elías, el que los profetas dijeron que vendría en vísperas de la llegada del reino. ¹⁵El que quiera escuchar, ¡escuche ahora! ¹⁶¿Qué diré de la gente de hoy día? Es semejante a los muchachos que, sentados en las plazas, gritan a sus compañeros de juego: ¹⁷"Si les tocamos la flauta no bailan, y si les cantamos canciones tristes no llo-

give even a cup of cold water to a little child, you will surely be rewarded."

11 WHEN JESUS HAD finished giving these instructions to his twelve disciples, he went off preaching in the cities where they were scheduled to go.

²John the Baptist, who was now in prison, heard about all the miracles the Messiah was doing, so he sent his disciples to ask Jesus, ³ "Are you really the one we are waiting for, or shall we keep on looking?"

⁴Jesus told them, "Go back to John and tell him about the miracles you've seen me do— ⁵the blind people I've healed, and the lame people now walking without help, and the cured lepers, and the deaf who hear, and the dead raised to life; and tell him about my preaching the Good News to the poor. ⁶Then give him this message, 'Blessed are those who don't doubt me.' "

⁷When John's disciples had gone, Jesus began talking about him to the crowds. "When you went out into the barren wilderness to see John, what did you expect him to be like? Grass blowing in the wind? ⁸Or were you expecting to see a man dressed as a prince in a palace? ⁹Or a prophet of God? Yes, and he is more than just a prophet. ¹⁰For John is the man mentioned in the Scriptures—a messenger to precede me, to announce my coming, and prepare people to receive me.

¹¹ "Truly, of all men ever born, none shines more brightly than John the Baptist. And yet, even the lesser lights in the Kingdom of Heaven will be greater than he is! ¹²And from the time John the Baptist began preaching and baptizing until now, ardent multitudes have been crowding toward the Kingdom of Heaven, ¹³for all the laws and prophets looked forward [to the Messiah]. Then John appeared, ¹⁴and if you are willing to understand what I mean, he is Elijah, the one the prophets said would come [at the time the Kingdom begins]. ¹⁵If ever you were willing to listen, listen now!

¹⁶ "What shall I say about this nation? These people are like children playing, who say to their little friends, ¹⁷ 'We played wedding and you weren't happy, so we played

ran". ¹⁸Si viene Juan el Bautista, y no toma vino ni come mucho, ustedes dicen que está loco. ¹⁹Y si luego vengo yo, el Hijo del Hombre, comiendo y bebiendo, me acusan de glotón, bebedor de vino y amigo de individuos de la peor calaña. Claro, son tan inteligentes que siempre hallan una justificación a sus contradicciones.

²⁰Entonces comenzó a reprender a las ciudades en que había realizado milagros, que no se habían arrepentido.

²¹—¡Pobre de ti, Corazín! ¡Pobre de ti, Betsaida! Si los milagros que se realizaron en tus calles se hubieran realizado en Tiro y Sidón, estas ciudades hace mucho tiempo que se habrían arrepentido en vergüenza y humildad. ²²¡Ciertamente, Tiro y Sidón saldrán mejor en el día del juicio que ustedes! ²³¡Y tú, Capernaum, que tan altos privilegios has recibido, hasta el suelo serás humillada, porque si los maravillosos milagros que se realizaron en ti se hubieran realizado en Sodoma, ésta se habría arrepentido. ²⁴¡Sodoma saldrá mejor que tú en el día del juicio!

²⁵A continuación elevó la siguiente oración:

—Padre, Señor del cielo y de la tierra, gracias porque escondiste la verdad a los que se creen sabios, y la revelaste a los niños. ²⁶Sí, Padre, porque así lo quisiste.

²⁷Luego dijo a los presentes:

—El Padre me ha confiado todas las cosas. Sólo el Padre conoce al Hijo, y sólo el Hijo y aquéllos a quienes el Hijo lo revela conocen al Padre. ²⁸Vengan a mí los que estén cansados y afligidos y yo los haré descansar. ²⁹Lleven mi yugo y aprendan de mí, que soy manso y humilde. Así hallarán descanso para el alma. ³⁰Porque mi yugo es fácil de llevar y no es pesado.

12 MÁS O MENOS en aquellos días, Jesús y sus discípulos salieron a caminar por los sembrados. Era el día de reposo. Cuando los discípulos tuvieron hambre se pusieron a arrancar espigas de trigo y a comérselas. ²Algunos fariseos, que los vieron, protestaron inmediatamente:

—¡Tus discípulos están quebrantando la ley! ¡Están recogiendo granos en el día de reposo!

funeral but you weren't sad.' ¹⁸ For John the Baptist doesn't even drink wine and often goes without food, and you say, 'He's crazy.' ¹⁹ And I, the Messiah, feast and drink, and you complain that I am 'a glutton and a drinking man, and hang around with the worst sort of sinners!' But brilliant men like you can justify your every inconsistency!"

²⁰ Then he began to pour out his denunciations against the cities where he had done most of his miracles, because they hadn't turned to God.

²¹ "Woe to you, Chorazin, and woe to you, Bethsaida! For if the miracles I did in your streets had been done in wicked Tyre and Sidon their people would have repented long ago in shame and humility. ²² Truly, Tyre and Sidon will be better off on the Judgment Day than you! ²³ And Capernaum, though highly honored, shall go down to hell! For if the marvelous miracles I did in you had been done in Sodom, it would still be here today. ²⁴ Truly, Sodom will be better off at the Judgment Day than you."

²⁵ And Jesus prayed this prayer: "O Father, Lord of heaven and earth, thank you for hiding the truth from those who think themselves so wise, and for revealing it to little children. ²⁶ Yes, Father, for it pleased you to do it this way! . . .

²⁷ "Everything has been entrusted to me by my Father. Only the Father knows the Son, and the Father is known only by the Son and by those to whom the Son reveals him. ²⁸ Come to me and I will give you rest —all of you who work so hard beneath a heavy yoke. ²⁹,³⁰ Wear my yoke—for it fits perfectly—and let me teach you; for I am gentle and humble, and you shall find rest for your souls; for I give you only light burdens."

12 ABOUT THAT TIME, Jesus was walking one day through some grainfields with his disciples. It was on the Sabbath, the Jewish day of worship, and his disciples were hungry; so they began breaking off heads of wheat and eating the grain.

² But some Pharisees saw them do it and protested, "Your disciples are breaking the law. They are harvesting on the Sabbath."

³Pero Jesús les dijo:

—¿No han leído lo que el rey David hizo cuando él y los que los acompañaban tuvieron hambre? ⁴Pues entraron al Templo y se comieron los panes de la proposición, panes sagrados que sólo los sacerdotes podían comer. ¿No quebrantaron también la ley? ⁵¿No han leído en la ley de Moisés cómo los sacerdotes que sirven en el Templo tienen que trabajar el día de reposo? ⁶Pues les digo que el que está aquí ahora es mayor que el Templo, ⁷y que si comprendieran lo que quieren decir las Escrituras con "Misericordia quiero, no sacrificio", no condenarían a quienes no son culpables. ⁸Porque yo, el Hijo del Hombre, soy el Señor del día de reposo.

⁹De allí fue a la sinagoga. ¹⁰,¹¹Los fariseos inmediatamente le preguntaron:

—¿Es legal que te pongas a sanar en el día de reposo?

Los fariseos esperaban que Jesús dijera que sí para poder acusarlo. Jesús se fijó entonces que había allí un hombre con una mano seca y respondió:

—Si a alguno de ustedes se le cae una oveja en un pozo en el día de reposo, ¿la sacará? ¡Por supuesto que sí! ¹²Bueno, díganme, ¿no vale mucho más una persona que una oveja? Por lo tanto, no hay nada malo en que uno haga el bien en el día de reposo.

¹³Entonces dijo al lisiado:

—Extiende la mano.

Y al momento de extenderla le quedó tan normal como la otra.

¹⁴Los fariseos se reunieron para estudiar la manera de acabar con Jesús. ¹⁵Pero Jesús, que lo sabía, salió de la sinagoga seguido de mucha gente. A lo largo del trayecto iba sanando a los enfermos, ¹⁶pero les encargaba rigurosamente que no se pusieran a propagar las noticias de los milagros. ¹⁷Con esto se cumplió la profecía de Isaías en cuanto a El:

¹⁸Aquí tienen a mi siervo, mi escogido,
mi amado, en quien mi alma se deleita.
Pondré mi Espíritu sobre El,
y juzgará a las naciones.
¹⁹Aunque no peleará ni gritará ni alzará su voz en las calles;

³ But Jesus said to them, "Haven't you ever read what King David did when he and his friends were hungry? ⁴ He went into the Temple and they ate the special bread permitted to the priests alone. That was breaking the law too. ⁵ And haven't you ever read in the law of Moses how the priests on duty in the Temple may work on the Sabbath? ⁶ And truly, one is here who is greater than the Temple! ⁷ But if you had known the meaning of this Scripture verse, 'I want you to be merciful more than I want your offerings,' you would not have condemned those who aren't guilty! ⁸ For I, the Messiah, am master even of the Sabbath."

⁹ Then he went over to the synagogue, ¹⁰ and noticed there a man with a deformed hand. The Pharisees asked Jesus, "Is it legal to work by healing on the Sabbath day?" (They were, of course, hoping he would say "Yes," so they could arrest him!) ¹¹ This was his answer: "If you had just one sheep, and it fell into a well on the Sabbath, would you work to rescue it that day? Of course you would. ¹² And how much more valuable is a person than a sheep! Yes, it is right to do good on the Sabbath." ¹³ Then he said to the man, "Stretch out your arm." And as he did, his hand became normal, just like the other one!

¹⁴ Then the Pharisees called a meeting to plot Jesus' arrest and death. ¹⁵ But he knew what they were planning, and left the synagogue, with many following him. He healed all the sick among them, ¹⁶ but he cautioned them against spreading the news about his miracles. ¹⁷ This fulfilled the prophecy of Isaiah concerning him:

¹⁸ "Look at my Servant.
See my Chosen One.
He is my Beloved, in whom my soul delights.
I will put my Spirit upon him,
And he will judge the nations.
¹⁹ He does not fight nor shout;
He does not raise his voice!

²⁰aunque no aplastará al débil ni extinguirá la más leve esperanza, pondrá fin a los conflictos con su victoria final,

²¹y las naciones pondrán en El sus esperanzas.

²²Entonces le presentaron a un endemoniado, ciego y mudo. Jesús lo sanó y éste pudo ver y hablar. ²³La gente estaba maravillada.

—¡Quizás Jesús es el Mesías! —exclamaban.

²⁴Al oír aquellas exclamaciones, los fariseos se dijeron: "Al contrario, este hombre expulsa demonios en el nombre de Satanás, rey de los demonios".

²⁵Jesús, que sabía lo que estaban pensando, les dijo:

—Un reino dividido acaba por destruirse. Una ciudad o una familia dividida por los pleitos no puede durar. ²⁶Si Satanás echa fuera a Satanás, pelea consigo mismo y acabará destruyendo su propio reino. ²⁷Y si, como dicen, yo echo fuera demonios invocando el poder de Satanás, ¿invocando qué poder los echa fuera la gente de ustedes? Vamos a dejar que ellos sean los que respondan a la acusación que me hacen. ²⁸Ahora bien, si yo echo fuera los demonios con el Espíritu de Dios, el reino de Dios ha llegado a ustedes. ²⁹Uno no puede invadir el reino de Satanás sin primero atar a Satanás. ¡Y sólo así se puede echar fuera demonios! ³⁰El que no está a mi favor, está en contra mía.

³¹,³²"Cualquier blasfemia contra mí, o cualquier otro pecado, será perdonado; pero el que ofende al Espíritu Santo no tiene perdón de Dios ni en este mundo ni en el venidero.

³³"Uno reconoce un árbol por sus frutos. Los árboles buenos producen buenos frutos, y los que no son buenos no los producen. ³⁴¡Hijos de víboras! ¿Qué se puede esperar de ustedes? ¿Cómo van a hablar de lo bueno si son malos? ¡La boca expresa lo que hay en el corazón! ³⁵El habla de un hombre bueno revela los tesoros de su corazón. El corazón del malo está lleno de veneno y éste se refleja en sus palabras. ³⁶Les aseguro que en el día del juicio van a dar cuenta de las cosas que digan descuidadamente. ³⁷Lo que cualquier persona diga ahora determina la suerte que le espera: o

²⁰ He does not crush the weak,
Or quench the smallest hope;
He will end all conflict with his final victory,
²¹ And his name shall be the hope
Of all the world."

²² Then a demon-possessed man—he was both blind and unable to talk—was brought to Jesus, and Jesus healed him so that he could both speak and see. ²³ The crowd was amazed. "Maybe Jesus is the Messiah!" they exclaimed.

²⁴ But when the Pharisees heard about the miracle they said, "He can cast out demons because he is Satan, king of devils."

²⁵ Jesus knew their thoughts and replied, "A divided kingdom ends in ruin. A city or home divided against itself cannot stand. ²⁶ And if Satan is casting out Satan, he is fighting himself, and destroying his own kingdom. ²⁷ And if, as you claim, I am casting out demons by invoking the powers of Satan, then what power do your own people use when they cast them out? Let them answer your accusation! ²⁸ But if I am casting out demons by the Spirit of God, then the Kingdom of God has arrived among you. ²⁹ One cannot rob Satan's kingdom without first binding Satan. Only then can his demons be cast out! ³⁰ Anyone who isn't helping me is harming me.

³¹,³² "Even blasphemy against me or any other sin, can be forgiven—all except one: speaking against the Holy Spirit shall never be forgiven, either in this world or in the world to come.

³³ "A tree is identified by its fruit. A tree from a select variety produces good fruit; poor varieties don't. ³⁴ You brood of snakes! How could evil men like you speak what is good and right? For a man's heart determines his speech. ³⁵ A good man's speech reveals the rich treasures within him. An evil-hearted man is filled with venom, and his speech reveals it. ³⁶ And I tell you this, that you must give account on Judgment Day for every idle word you speak. ³⁷ Your words now reflect your fate then: either you

será justificado por ellas, ¡o será condenado!

³⁸Un día algunos maestros de la ley y fariseos, se acercaron a Jesús a pedirle que realizara algún milagro que demostrara que realmente era el Mesías. ³⁹Pero Jesús les respondió:

—Sólo una nación perversa e infiel pediría más señales; pero no se le dará ninguna más, excepto la señal del profeta Jonás. ⁴⁰Porque de la misma manera que Jonás estuvo en las entrañas de un monstruo marino tres días y tres noches, yo, el Hijo del Hombre, pasaré tres días y tres noches en las entrañas de la tierra. ⁴¹En el día de juicio, los hombres de Nínive se levantarán y condenarán a esta generación, porque cuando Jonás les predicó, se arrepintieron de sus malas andanzas. Y ustedes, aunque tienen aquí a uno que es superior a Jonás, no quieren creer en El. ⁴²En el día del juicio, la reina de Sabá se levantará contra esta nación y la condenará, porque vino desde los confines de la tierra a escuchar la sabiduría de Salomón. Y ustedes se niegan a creer en uno que es superior a Salomón. ⁴³A esta generación le pasará como al endemoniado cuyo demonio lo dejó y se fue al desierto en busca de reposo. Al no hallar reposo, ⁴⁴el demonio se dijo: "Es mejor que regrese al hombre de donde salí". Al regresar halló que el corazón de aquel hombre estaba limpio pero vacío. ⁴⁵Entonces el demonio fue y se buscó siete espíritus peores que él y juntos volvieron a tomar posesión del hombre. ¡Lo último fue peor que lo primero!

⁴⁶Mientras Jesús hablaba, su madre y sus hermanos, que deseaban verlo, se tuvieron que quedar afuera por causa de la multitud que invadía la casa. ⁴⁷,⁴⁸Cuando alguien le dijo a Jesús que estaban afuera, El preguntó:

—¿Quién es mi madre? ¿Y quiénes son mis hermanos?

⁴⁹Y señalando a sus discípulos, dijo:

—Aquí tienen a mi madre y a mis hermanos. ⁵⁰¡El que obedece a mi Padre que está en los cielos es mi hermano, mi hermana y mi madre!

13 MÁS TARDE AQUEL mismo día Jesús salió de la casa y se dirigió a la orilla del lago. ²Pronto se congregó una multitud

will be justified by them or you will be condemned."

³⁸ One day some of the Jewish leaders, including some Pharisees, came to Jesus asking him to show them a miracle.

³⁹,⁴⁰ But Jesus replied, "Only an evil, faithless nation would ask for further proof; and none will be given except what happened to Jonah the prophet! For as Jonah was in the great fish for three days and three nights, so I, the Messiah, shall be in the heart of the earth three days and three nights. ⁴¹ The men of Nineveh shall arise against this nation at the judgment and condemn you. For when Jonah preached to them, they repented and turned to God from all their evil ways. And now a greater than Jonah is here—and you refuse to believe him. ⁴² The Queen of Sheba shall rise against this nation in the judgment, and condemn it; for she came from a distant land to hear the wisdom of Solomon; and now a greater than Solomon is here—and you refuse to believe him.

⁴³,⁴⁴,⁴⁵ "This evil nation is like a man possessed by a demon. For if the demon leaves, it goes into the deserts for a while, seeking rest but finding none. Then it says, 'I will return to the man I came from.' So it returns and finds the man's heart clean but empty! Then the demon finds seven other spirits more evil than itself, and all enter the man and live in him. And so he is worse off than before."

⁴⁶,⁴⁷ As Jesus was speaking in a crowded house his mother and brothers were outside, wanting to talk with him. When someone told him they were there, ⁴⁸ he remarked, "Who is my mother? Who are my brothers?" ⁴⁹ He pointed to his disciples. "Look!" he said, "these are my mother and brothers." ⁵⁰ Then he added, "Anyone who obeys my Father in heaven is my brother, sister and mother!"

13 LATER THAT SAME day, Jesus left the house and went down to the shore, ²,³ where an immense crowd soon gathered.

tan inmensa que se vio obligado a subir a una barca y desde allí enseñar a la gente que lo escuchaba atentamente en la orilla. ^{3,4}En su sermón, empleó muchos simbolismos que ilustraban sus puntos de vista. Por ejemplo, usó el siguiente:

—Un agricultor salió a sembrar sus semillas en el campo, y mientras lo hacía, algunas cayeron en el camino, y las aves vinieron y se las comieron. ⁵Otras cayeron sobre terreno pedregoso, donde la tierra no era muy profunda; las plantas nacieron pronto, pero a flor de tierra, ⁶y el sol ardiente las abrasó y se secaron, porque casi no tenían raíz. ⁷Otras cayeron entre espinos, y los espinos las ahogaron. ⁸Pero algunas cayeron en buena tierra y produjeron una cosecha de treinta, sesenta y hasta cien granos por semilla plantada. ⁹¡El que tenga oídos, oiga!

¹⁰Sus discípulos se le acercaron y le dijeron:

—¿Por qué usas esos simbolismos tan difíciles de entender?

¹¹El les explicó a ellos, los discípulos, era a los únicos que se les permitía entender las cosas del reino de los cielos, pero no a los demás.

¹²—Porque al que tiene se le dará más —añadió—, pero al que no tiene nada, aun lo poco que tiene le será quitado. ¹³Usé estos simbolismos porque esta gente oye y ve pero no entiende. ¹⁴Así se cumple la profecía de Isaías:

Oirán, pero no entenderán; verán, pero no percibirán, ¹⁵porque tienen el corazón endurecido, no oyen bien y tienen los ojos cerrados. Por lo tanto, no verán ni oirán ni entenderán ni se convertirán ni dejarán que yo los sane.

¹⁶¡Dichosos los ojos de ustedes, porque ven! ¡Dichosos los oídos de ustedes, porque oyen! ¹⁷Muchos profetas y muchos hombres justos anhelaron ver lo que ustedes están viendo y oír lo que están oyendo, pero no lo lograron. ¹⁸Y ahora les voy a explicar el simbolismo del sembrador.

¹⁹El camino duro en que algunas de las semillas cayeron representa el corazón de las personas que escuchan las buenas nuevas del reino y no las entienden. Satanás llega y les quita lo que se les sembró. ²⁰El terreno pedregoso y poco profundo simboliza el corazón del hombre que escucha el

He got into a boat and taught from it while the people listened on the beach. He used many illustrations such as this one in his sermon:

"A farmer was sowing grain in his fields. ⁴ As he scattered the seed across the ground, some fell beside a path, and the birds came and ate it. ⁵ And some fell on rocky soil where there was little depth of earth; the plants sprang up quickly enough in the shallow soil, ⁶ but the hot sun soon scorched them and they withered and died, for they had so little root. ⁷ Other seeds fell among thorns, and the thorns choked out the tender blades. ⁸ But some fell on good soil, and produced a crop that was thirty, sixty, and even a hundred times as much as he had planted. ⁹ If you have ears, listen!"

¹⁰ His disciples came and asked him, "Why do you always use these hard-to-understand illustrations?"

¹¹ Then he explained to them that only they were permitted to understand about the Kingdom of Heaven, and others were not.

^{12,13} "For to him who has will more be given," he told them, "and he will have great plenty; but from him who has not, even the little he has will be taken away. That is why I use these illustrations, so people will hear and see but not understand. ¹⁴ "This fulfills the prophecy of Isaiah:

'They hear, but don't understand; they look, but don't see! ¹⁵ For their hearts are fat and heavy, and their ears are dull, and they have closed their eyes in sleep, ¹⁶ so they won't see and hear and understand and turn to God again, and let me heal them.'

But blessed are your eyes, for they see; and your ears, for they hear. ¹⁷ Many a prophet and godly man has longed to see what you have seen, and hear what you have heard, but couldn't.

¹⁸ "Now here is the explanation of the story I told about the farmer planting grain: ¹⁹ The hard path where some of the seeds fell represents the heart of a person who hears the Good News about the Kingdom and doesn't understand it; then Satan comes and snatches away the seeds from his heart. ²⁰ The shallow, rocky soil represents the heart of a man who hears the message

mensaje y lo recibe con gozo, [21]pero no hay profundidad en su experiencia, y las semillas no echan raíces muy profundas; luego, cuando aparecen los problemas o las persecuciones por causa de sus creencias, el entusiasmo se le desvanece y se aparta de Dios. [22]El terreno lleno de espinos es el corazón del que escucha el mensaje, pero se afana tanto en esta vida que el amor al dinero ahoga en él la Palabra de Dios, y cada vez trabaja menos para el Señor. [23]La buena tierra representa el corazón del hombre que escucha el mensaje, lo entiende y sale a ganar treinta, sesenta y hasta cien almas para el reino de Dios.

[24]Otra de las parábolas o simbolismos que usó Jesús fue la siguiente:

—El reino de los cielos es como el labrador que planta la buena semilla en el campo; [25]pero por la noche, mientras la gente duerme, el enemigo va y siembra malas hierbas entre el trigo. [26]Cuando las plantas empiezan a crecer, la mala hierba crece también. [27]Los trabajadores del labrador, al verlas, corren a donde está éste y le dicen: "Señor, el terreno en que sembraste aquellos granos escogidos está lleno de hierbas malas". [28]"Seguro que alguno de mis enemigos las sembró", explicó el labrador. "¿Quieres que arranquemos la mala hierba?", preguntaron los trabajadores. [29]"No", respondió el labrador, "porque pueden dañar el trigo. [30]Dejen que crezcan juntos, y cuando llegue la cosecha daremos instrucciones a los segadores para que arranquen primero la cizaña y la quemen, y luego pongan el trigo en el granero".

[31]Otra de las parábolas que refirió Jesús es la siguiente:

—El reino de los cielos es como una pequeña semilla de mostaza plantada en un campo. [32]La semilla de mostaza es la más pequeña de todas las semillas, pero se convierte en un árbol enorme en cuyas ramas los pájaros hacen sus nidos.

[33]Y les dijo también:

—El reino de los cielos es como la levadura que una mujer toma para hacer pan. La levadura que toma y mezcla con tres medidas de harina, leuda toda la masa.

[34]Jesús siempre usaba estas ilustraciones cuando hablaba con la multitud. Sin parábolas no les hablaba. [35]Así se cumplieron las palabras del profeta que dijo:

and receives it with real joy, [21]but he doesn't have much depth in his life, and the seeds don't root very deeply, and after a while when trouble comes, or persecution begins because of his beliefs, his enthusiasm fades, and he drops out. [22]The ground covered with thistles represents a man who hears the message, but the cares of this life and his longing for money choke out God's Word, and he does less and less for God. [23]The good ground represents the heart of a man who listens to the message and understands it and goes out and brings thirty, sixty, or even a hundred others into the Kingdom."

[24]Here is another illustration Jesus used: "The Kingdom of Heaven is like a farmer sowing good seed in his field; [25]but one night as he slept, his enemy came and sowed thistles among the wheat. [26]When the crop began to grow, the thistles grew too.

[27]"The farmer's men came and told him, 'Sir, the field where you planted that choice seed is full of thistles!'

[28]"'An enemy has done it,' he exclaimed.

"'Shall we pull out the thistles?' they asked.

[29]"'No,' he replied. 'You'll hurt the wheat if you do. [30]Let both grow together until the harvest, and I will tell the reapers to sort out the thistles and burn them, and put the wheat in the barn.'" [31,32]Here is another of his illustrations: "The Kingdom of Heaven is like a tiny mustard seed planted in a field. It is the smallest of all seeds, but becomes the largest of plants, and grows into a tree where birds can come and find shelter."

[33]He also used this example:

"The Kingdom of Heaven can be compared to a woman making bread. She takes a measure of flour and mixes in the yeast until it permeates every part of the dough."

[34,35]Jesus constantly used these illustrations when speaking to the crowds. In fact, because the prophets said that he would use so many, he never spoke to them without at least one illustration. For it had been

Hablaré en parábolas y explicaré las cosas que han estado escondidas desde la fundación del mundo.

³⁶Cuando despidieron a la multitud y regresaron a la casa, sus discípulos le pidieron que les explicara el simbolismo de la mala hierba y el trigo.

³⁷—Muy bien —comenzó—, yo soy el labrador que siembra el grano selecto. ³⁸El terreno labrantío es el mundo y las buenas semillas son los súbditos del reino; las malas hierbas son los súbditos de Satanás. ³⁹El enemigo que sembró la mala hierba entre el trigo es el diablo; la siega es el fin del mundo, y los segadores son los ángeles. ⁴⁰De la misma manera que los segadores separan la mala hierba del trigo y la queman, en el fin del mundo ⁴¹enviaré a mis ángeles a arrancar del reino a los que tientan y a los que hacen el mal. ⁴²¡Y una vez arrancados, irán a parar al fuego! Allí será el llorar y el crujir de dientes. ⁴³Entonces los justos brillarán como el sol en el reino del Padre. ¡El que tenga oídos, oiga!

⁴⁴"El reino de los cielos es como un tesoro escondido en un terreno. Un hombre viene y se lo encuentra. Emocionado y lleno de ilusiones, vende todo lo que tiene y compra el terreno, con lo cual está adquiriendo también el tesoro.

⁴⁵"El reino de los cielos es como un mercader de perlas que anda en busca de perlas finas. ⁴⁶Cuando por fin descubre una verdadera oportunidad en una perla de gran valor que le ofrecen a buen precio, corre y vende lo que tiene para comprarla.

⁴⁷"El reino de los cielos es como el pescador que tira la red al agua y recoge peces de todo tipo, buenos y malos. ⁴⁸Cuando se llena la red, la lleva a la orilla y se sienta a escoger los pescados. Los buenos los echa en una canasta y los malos los arroja. ⁴⁹Así sucederá cuando llegue el fin del mundo. Los ángeles vendrán y separarán a los malos de los justos ⁵⁰y los arrojarán al fuego. Allí será el llorar y el crujir de dientes. ⁵¹¿Entienden ahora?

—Sí —contestaron—. Gracias.

⁵²Entonces añadió:

—Los maestros de la ley que se han convertido en discípulos míos tienen a su alcance un tesoro doble: las antiguas verdades de las Escrituras y las verdades nuevas que mis enseñanzas revelan.

prophesied, "I will talk in parables; I will explain mysteries hidden since the beginning of time." ³⁶ Then, leaving the crowds outside, he went into the house. His disciples asked him to explain to them the illustration of the thistles and the wheat.

³⁷ "All right," he said, "I am the farmer who sows the choice seed. ³⁸ The field is the world, and the seed represents the people of the Kingdom; the thistles are the people belonging to Satan. ³⁹ The enemy who sowed the thistles among the wheat is the devil; the harvest is the end of the world, and the reapers are the angels.

⁴⁰ "Just as in this story the thistles are separated and burned, so shall it be at the end of the world: ⁴¹ I will send my angels and they will separate out of the Kingdom every temptation and all who are evil, ⁴² and throw them into the furnace and burn them. There shall be weeping and gnashing of teeth. ⁴³ Then the godly shall shine as the sun in their Father's Kingdom. Let those with ears, listen!

⁴⁴ "The Kingdom of Heaven is like a treasure a man discovered in a field. In his excitement, he sold everything he owned to get enough money to buy the field—and get the treasure, too!

⁴⁵ "Again, the Kingdom of Heaven is like a pearl merchant on the lookout for choice pearls. ⁴⁶ He discovered a real bargain—a pearl of great value—and sold everything he owned to purchase it!

^{47,48} "Again, the Kingdom of Heaven can be illustrated by a fisherman—he casts a net into the water and gathers in fish of every kind, valuable and worthless. When the net is full, he drags it up onto the beach and sits down and sorts out the edible ones into crates and throws the others away. ⁴⁹ That is the way it will be at the end of the world —the angels will come and separate the wicked people from the godly, ⁵⁰ casting the wicked into the fire; there shall be weeping and gnashing of teeth. ⁵¹ Do you understand?"

"Yes," they said, "we do."

⁵² Then he added, "Those experts in Jewish law who are now my disciples have double treasures—from the Old Testament as well as from the New!"

[53] Al terminar de exponer sus simbolismos, Jesús fue [54] a Nazaret de Galilea, el pueblo de su niñez, y enseñó en la sinagoga. La gente se quedó maravillada con su sabiduría y milagros.

[55] —¿Será posible? —murmuraban—. Este es hijo de María y del carpintero, y hermano de Santiago, José, Simón y Judas. [56] Sus hermanas viven aquí mismo. ¿De dónde habrá sacado tanta sabiduría?

[57] Y terminaron enojándose con El. Entonces Jesús les dijo.

—Al profeta nunca lo aceptan en su propia tierra ni entre su propia gente.

[58] Por causa de la incredulidad de la gente no hizo allí muchos milagros.

14 CUANDO LA FAMA de Jesús llegó a oídos del rey Herodes, miembro de la tetrarquía que gobernaba la región, [2] éste dijo a sus hombres:

—¡De seguro es Juan el Bautista que ha resucitado! ¡Por eso puede hacer milagros!

[3] Herodes precisamente había prendido a Juan y lo había encadenado en la cárcel por exigencias de Herodías, que había sido esposa de su hermano Felipe. [4] Herodías odiaba a Juan porque éste se había atrevido a decirle al rey que era incorrecto que se casara con ella. [5] Herodes lo habría matado en seguida, pero temía que el pueblo se le rebelara, ya que tenían a Juan por profeta. [6] Pero durante la celebración del cumpleaños de Herodes, la hija de Herodías danzó para el rey, y a éste le agradó tanto [7] que juró darle cualquier cosa que pidiera. [8] Aconsejada por su madre, la muchacha pidió que le trajeran la cabeza de Juan el Bautista en una bandeja. [9] Al rey no le agradó nada aquella petición, pero como había hecho juramento y como no quería romperlo delante de sus invitados, mandó que la complacieran.

[10] Poco después decapitaron a Juan en la prisión [11] y le ofrecieron a la muchacha la cabeza en una bandeja, y ella se la llevó a su madre.

[12] Los discípulos de Juan fueron, lo enterraron y corrieron a contarle a Jesús lo sucedido.

[13] Cuando le dieron a Jesús la noticia, El tomó una barca y se encaminó a un lugar desierto donde pudiera estar a solas. Pero la gente vio hacia dónde se dirigía, y mu-

[53,54] When Jesus had finished giving these illustrations, he returned to his home town, Nazareth in Galilee, and taught there in the synagogue and astonished everyone with his wisdom and his miracles.

[55] "How is this possible?" the people exclaimed. "He's just a carpenter's son, and we know Mary his mother and his brothers—James, Joseph, Simon, and Judas. [56] And his sisters—they all live here. How can he be so great?" [57] And they became angry with him!

Then Jesus told them, "A prophet is honored everywhere except in his own country, and among his own people!" [58] And so he did only a few great miracles there, because of their unbelief.

14 WHEN KING HEROD heard about Jesus, [2] he said to his men, "This must be John the Baptist, come back to life again. That is why he can do these miracles." [3] For Herod had arrested John and chained him in prison at the demand of his wife Herodias, his brother Philip's ex-wife, [4] because John had told him it was wrong for him to marry her. [5] He would have killed John but was afraid of a riot, for all the people believed John was a prophet.

[6] But at a birthday party for Herod, Herodias' daughter performed a dance that greatly pleased him, [7] so he vowed to give her anything she wanted. [8] Consequently, at her mother's urging, the girl asked for John the Baptist's head on a tray.

[9] The king was grieved, but because of his oath, and because he didn't want to back down in front of his guests, he issued the necessary orders. [10] So John was beheaded in the prison, [11] and his head was brought on a tray and given to the girl, who took it to her mother. [12] Then John's disciples came for his body and buried it, and came to tell Jesus what had happened.

[13] As soon as Jesus heard the news, he went off by himself in a boat to a remote area to be alone. But the crowds saw where he was headed, and followed by land from

chos fueron a pie hasta allá desde las ciudades vecinas. ¹⁴Cuando Jesús llegó, encontró que una vasta multitud lo esperaba y, compadecido, sanó a los enfermos.

¹⁵Aquel atardecer, los discípulos se le acercaron y le dijeron:

—Ya pasó la hora de la cena, y aquí en el desierto no hay nada qué comer. Despide a la gente para que vayan por los pueblos a comprar alimentos.

¹⁶—¿Pero por qué? —les respondió Jesús—. ¡Denles ustedes de comer!

¹⁷—¿Con qué, si no tenemos más que cinco panecillos y dos pescados?

¹⁸—¡Tráiganmelos!

¹⁹La gente se fue sentando en la hierba a petición de Jesús. El, tomando los cinco panes y los dos pescados, miró al cielo, los bendijo, y comenzó a partir los panes y a darlos a los discípulos para que los distribuyeran entre la gente. ²⁰No quedó nadie sin comer. ¡Y hasta sobraron doce cestas de comida, ²¹a pesar de que había cerca de cinco mil hombres sin contar las mujeres ni los niños!

²²Mientras Jesús despedía a la multitud, los discípulos se subieron a la barca para ir al otro lado del lago. ^{23,24}Al quedarse solo, Jesús subió al monte a orar.

La noche sorprendió a los discípulos en medio de las aguas agitadas y luchando contra vientos contrarios. ²⁵A las tres de la mañana Jesús se les acercó, caminando sobre las aguas turbulentas. ²⁶Los discípulos, al verlo, gritaron llenos de espanto:

—¡Es un fantasma!

²⁷Pero Jesús inmediatamente les gritó:

—¡Calma! ¡No tengan miedo! ¡Soy yo!

²⁸—Señor —le respondió Pedro—, si eres tú realmente, pídeme que vaya a ti sobre las aguas.

²⁹—¡Está bien, ven!

Sin vacilar, Pedro se lanzó por la borda y caminó sobre las aguas hacia donde estaba Jesús. ³⁰Pero al percatarse de lo que hacía y de la inmensidad de las olas que se le lanzaban encima, sintió miedo y comenzó a hundirse.

—¡Señor, sálvame! —gritó horrorizado.

³¹Extendiendo la mano, Jesús lo sujetó y le dijo:

—¡Hombre de poca fe! ¿Por qué dudaste?

³²Cuando subieron a la barca, los vientos

many villages.

¹⁴ So when Jesus came out of the wilderness, a vast crowd was waiting for him and he pitied them and healed their sick.

¹⁵ That evening the disciples came to him and said, "It is already past time for supper, and there is nothing to eat here in the desert; send the crowds away so they can go to the villages and buy some food."

¹⁶ But Jesus replied, "That isn't necessary—you feed them!"

¹⁷ "What!" they exclaimed. "We have exactly five small loaves of bread and two fish!"

¹⁸ "Bring them here," he said.

¹⁹ Then he told the people to sit down on the grass; and he took the five loaves and two fish, looked up into the sky and asked God's blessing on the meal, then broke the loaves apart and gave them to the disciples to place before the people. ²⁰ And everyone ate until full! And when the scraps were picked up afterwards, there were twelve basketfuls left over! ²¹ (About 5,000 men were in the crowd that day, besides all the women and children.) ²² Immediately after this, Jesus told his disciples to get into their boat and cross to the other side of the lake while he stayed to get the people started home.

^{23,24} Then afterwards he went up into the hills to pray. Night fell, and out on the lake the disciples were in trouble. For the wind had risen and they were fighting heavy seas.

²⁵ About four o'clock in the morning Jesus came to them, walking on the water! ²⁶ They screamed in terror, for they thought he was a ghost.

²⁷ But Jesus immediately spoke to them, reassuring them. "Don't be afraid!" he said.

²⁸ Then Peter called to him: "Sir, if it is really you, tell me to come over to you, walking on the water."

²⁹ "All right," the Lord said, "come along!"

So Peter went over the side of the boat and walked on the water toward Jesus. ³⁰ But when he looked around at the high waves, he was terrified and began to sink. "Save me, Lord!" he shouted.

³¹ Instantly Jesus reached out his hand and rescued him. "O man of little faith," Jesus said. "Why did you doubt me?" ³² And when they had climbed back into the

cesaron. ³³Los demás, maravillados, se dijeron:

—¡No cabe duda que es el Hijo de Dios!
³⁴Desembarcaron en Genesaret. ³⁵La noticia de su llegada se esparció rápidamente
por la ciudad. Numerosas personas corrieron de un lugar a otro avisando que podían
llevarle los enfermos para que los sanara.
³⁶Muchos le rogaban que les dejara tocar
aunque sólo fuera el borde de su manto; y
los que lo tocaban, sanaban.

15 CIERTOS FARISEOS Y jefes judíos de
Jerusalén fueron a entrevistarse con
Jesús.

²—¿Por qué tus discípulos desobedecen
la tradición antigua? —dijeron—. ¡No están observando el ritual de lavarse las manos antes de comer!

³A lo que Jesús respondió:

—¿Y por qué ustedes violan los mandamientos directos de Dios en el afán de
guardar las tradiciones? ⁴La ley de Dios
dice: "Honra a tu padre y a tu madre, y el
que maldiga a sus padres, muera irremisiblemente". ⁵Pero ustedes dicen: "Es prefe-
rible dejar de ayudar a los padres que estén
en necesidad que dejar de ofrendar a la
iglesia". ⁶De esta manera, con un mandamiento humano están anulando el mandamiento directo de Dios de honrar y cuidar a
los padres. ⁷¡Hipócritas! Bien dijo de ustedes el profeta Isaías:

⁸Este pueblo de labios me honra,
pero lejos están de amarme de corazón. ⁹La adoración que me brindan
no les sirve de nada porque enseñan
tradiciones humanas como si fueran
mandamientos de Dios.

¹⁰Entonces Jesús llamó al gentío y le
dijo:

—Escuchen y traten de entender: ¹¹Lo
que daña el alma no es lo que entra por la
boca sino los pensamientos malos y las
palabras con que éstos se expresan.

¹²Los discípulos se le acercaron y le
dijeron:

—Los fariseos se ofendieron con esas
palabras.

¹³—Cualquier planta que mi Padre no
haya sembrado, será arrancada —les respondió Jesús—. ¹⁴Así que no les hagan
caso, porque son ciegos que tratan de guiar
a otros ciegos y lo que hacen es caer juntos
en el hoyo.

boat, the wind stopped.

³³ The others sat there, awestruck. "You
really are the Son of God!" they exclaimed.

³⁴ They landed at Gennesaret. ³⁵ The
news of their arrival spread quickly
throughout the city, and soon people were
rushing around, telling everyone to bring in
their sick to be healed. ³⁶ The sick begged
him to let them touch even the tassel of his
robe, and all who did were healed.

15 SOME PHARISEES AND other Jewish
leaders now arrived from Jerusalem to
interview Jesus.

² "Why do your disciples disobey the ancient Jewish traditions?" they demanded.
"For they ignore our ritual of ceremonial
handwashing before they eat." ³ He replied,
"And why do your traditions violate the
direct commandments of God? ⁴ For instance, God's law is 'Honor your father and
mother; anyone who reviles his parents
must die.' ⁵,⁶ But you say, 'Even if your parents are in need, you may give their support
money to the church instead.' And so, by
your man-made rule, you nullify the direct
command of God to honor and care for
your parents. ⁷ You hypocrites! Well did
Isaiah prophesy of you, ⁸ 'These people say
they honor me, but their hearts are far
away. ⁹ Their worship is worthless, for they
teach their man-made laws instead of those
from God.' "

¹⁰ Then Jesus called to the crowds and
said, "Listen to what I say and try to understand: ¹¹ You aren't made unholy by eating
non-kosher food! It is what you *say* and
*think*ᶜ that makes you unclean."

¹² Then the disciples came and told him,
"You offended the Pharisees by that remark."

¹³,¹⁴ Jesus replied, "Every plant not
planted by my Father shall be rooted up, so
ignore them. They are blind guides leading
the blind, and both will fall into a ditch."

¹⁵Pedro le pidió que les explicara aquello de que comer los alimentos que la ley judía prohíbe no es lo que contamina al hombre.

¹⁶—¿No entiendes tampoco? —le respondió Jesús—. ¹⁷Cualquiera cosa que uno come pasa a través del aparato digestivo y se expulsa. ¹⁸Pero el mal hablar brota de la suciedad del corazón y corrompe a la persona que lo emplea. ¹⁹Del corazón salen los malos pensamientos, los asesinatos, los adulterios, las fornicaciones, los robos, las mentiras y los chismes. ²⁰Esto es lo que de veras corrompe. Pero uno no se corrompe por comer sin pasar por la ceremonia de lavarse las manos.

²¹Jesús salió de allí y caminó los ochenta kilómetros que lo separaban de la región de Tiro y Sidón. ²²Una cananea, que vivía por allí, se le acercó suplicante:

—¡Ten misericordia de mí, Señor, Hijo de David! Mi hija tiene un demonio que la atormenta constantemente.

²³Jesús no le respondió ni una sola palabra. Sus discípulos se le acercaron y le dijeron:

—Dile que se vaya, que ya nos tiene cansados.

²⁴Entonces Jesús le dijo a la mujer:

—Me enviaron a ayudar a las ovejas perdidas de Israel, no a los gentiles.

²⁵Pero ella se le acercó y de rodillas le suplicó de nuevo:

—¡Señor, ayúdame!

²⁶—No creo que esté correcto quitarle el pan a los hijos y echárselo a los perros.

²⁷—Sí —replicó ella—, pero aun los perrillos comen las migajas que caen de la mesa.

²⁸—¡Tu fe es extraordinaria! —le respondió Jesús—. Conviértanse en realidad tus deseos.

Y su hija sanó en aquel mismo instante.

²⁹Jesús regresó al lago de Galilea, subió a una colina y se sentó ³⁰a sanar a los cojos, ciegos, mudos, mancos y muchos otros enfermos que la vasta multitud le llevaba. ³¹¡Qué espectáculo! Los que hasta entonces no podían pronunciar ni una palabra hablaban emocionados; a los que les faltaba un brazo o una pierna les salían nuevos brazos o piernas; los cojos caminaban y saltaban, mientras que los ciegos, maravillados, contemplaban por primera vez el mundo. El gentío, asombrado, alababa al Dios de Israel.

¹⁵ Then Peter asked Jesus to explain what he meant when he said that people are not defiled by non-kosher food.

¹⁶ "Don't you understand?" Jesus asked him. ¹⁷ "Don't you see that anything you eat passes through the digestive tract and out again? ¹⁸ But evil words come from an evil heart, and defile the man who says them. ¹⁹ For from the heart come evil thoughts, murder, adultery, fornication, theft, lying and slander. ²⁰ These are what defile; but there is no spiritual defilement from eating without first going through the ritual of ceremonial handwashing!"

²¹ Jesus then left that part of the country and walked the fifty miles to Tyre and Sidon.

²² A woman from Canaan who was living there came to him, pleading, "Have mercy on me, O Lord, King David's Son! For my daughter has a demon within her, and it torments her constantly."

²³ But Jesus gave her no reply—not even a word. Then his disciples urged him to send her away. "Tell her to get going," they said, "for she is bothering us with all her begging."

²⁴ Then he said to the woman, "I was sent to help the Jews—the lost sheep of Israel—not the Gentiles."

²⁵ But she came and worshiped him and pled again, "Sir, help me!"

²⁶ "It doesn't seem right to take bread from the children and throw it to the dogs," he said.

²⁷ "Yes, it is!" she replied, "for even the puppies beneath the table are permitted to eat the crumbs that fall."

²⁸ "Woman," Jesus told her, "your faith is large, and your request is granted." And her daughter was healed right then.

²⁹ Jesus now returned to the Sea of Galilee, and climbed a hill and sat there. ³⁰ And a vast crowd brought him their lame, blind, maimed, and those who couldn't speak, and many others, and laid them before Jesus, and he healed them all. ³¹ What a spectacle it was! Those who hadn't been able to say a word before were talking excitedly, and those with missing arms and legs had new ones; the crippled were walking and jumping around, and those who had been blind were gazing about them! The crowds just marveled, and praised the God of Israel.

³²—Me da lástima esta gente —dijo Jesús en voz baja a sus discípulos—. Hace tres días que están aquí y no tienen nada qué comer. No quiero enviarlos en ayunas, porque se desmayarían en el camino.

³³—¿Pero en qué lugar de este desierto vamos a conseguir suficiente comida para alimentar a este gentío? —le respondieron.

³⁴—¿Qué tienen ahora? —les preguntó Jesús.

—¡Siete panes y unos cuantos pescados!

³⁵Entonces ordenó a la gente que se sentara en el suelo, ³⁶tomó los siete panes y los pescados, dio gracias a Dios por ellos y comenzó a partirlos y a entregarlos a los discípulos para que los repartieran al gentío.

³⁷,³⁸¡Nadie se quedó sin comer, a pesar de que había cuatro mil personas sin contar las mujeres y los niños! ¡Y sobraron siete cestas repletas de alimentos!

³⁹Por fin, despidió a la gente y se fueron en una barca a la región de Magdala.

16 UN DÍA LOS fariseos y los saduceos fueron donde estaba Jesús a pedirle que demostrara su divinidad con alguna señal milagrosa en el cielo.

²—De veras me sorprende —les respondió Jesús—. Ustedes pueden leer las predicciones del tiempo en el cielo. Si el cielo se pone rojo hoy por la tarde saben que habrá buen tiempo mañana; ³y si por la mañana se pone rojo saben que habrá tempestad. ¡Y no pueden leer las notorias señales de los tiempos! ⁴Esta generación perversa e incrédula pide que se le den señales en los cielos, pero no verá más señal que la de Jonás.

Y se fue de allí.

⁵Al llegar al otro lado del lago, los discípulos se dieron cuenta que se les había olvidado la comida. En aquel preciso instante Jesús les decía:

⁶—¡Cuídense de la levadura de los fariseos y saduceos!

⁷Los discípulos pensaron que les decía eso porque se les había olvidado llevar pan. ⁸Pero Jesús, que sabía lo que estaban pensando, les dijo:

—¡Qué hombres con tan poca fe! ¿Por qué se preocupan tanto por la comida? ⁹¿Cuándo van a entender? ¿Ya se les olvidó

³² Then Jesus called his disciples to him and said, "I pity these people—they've been here with me for three days now, and have nothing left to eat; I don't want to send them away hungry or they will faint along the road."

³³ The disciples replied, "And where would we get enough here in the desert for all this mob to eat?"

³⁴ Jesus asked them, "How much food do you have?" And they replied, "Seven loaves of bread and a few small fish!"

³⁵ Then Jesus told all of the people to sit down on the ground, ³⁶ and he took the seven loaves and the fish, and gave thanks to God for them, and divided them into pieces, and gave them to the disciples who presented them to the crowd. ³⁷,³⁸ And everyone ate until full—4,000 men besides the women and children! And afterwards, when the scraps were picked up, there were seven basketfuls left over!

³⁹ Then Jesus sent the people home and got into the boat and crossed to Magadan.

16 ONE DAY THE Pharisees and Sadducees came to test Jesus' claim of being the Messiah by asking him to show them some great demonstrations in the skies.

²,³ He replied, "You are good at reading the weather signs of the skies—red sky tonight means fair weather tomorrow; red sky in the morning means foul weather all day—but you can't read the obvious signs of the times! ⁴ This evil, unbelieving nation is asking for some strange sign in the heavens, but no further proof will be given except the miracle that happened to Jonah." Then Jesus walked out on them.

⁵ Arriving across the lake, the disciples discovered they had forgotten to bring any food.

⁶ "Watch out!" Jesus warned them; "beware of the yeast of the Pharisees and Sadducees."

⁷ They thought he was saying this because they had forgotten to bring bread.

⁸ Jesus knew what they were thinking and told them, "O men of little faith! Why are you so worried about having no food? ⁹ Won't you ever understand? Don't you

que alimenté a cinco mil personas con cinco panes, y que sobraron varias cestas de comida? [10]¿Y se les olvidó los cuatro mil que alimenté y las cestas de comida que sobraron? [11]¿Cómo se les ocurre pensar que me estoy refiriendo a la comida? Lo que dije fue que se cuidaran de la "levadura" de los fariseos y saduceos.

[12]Por fin entendieron que no se refería a la levadura del pan, sino a las enseñanzas falsas de los fariseos y saduceos.

[13]Al llegar a Cesarea de Filipo, les preguntó:

—¿Quién dice la gente que soy?

[14]—Bueno —le respondieron—, algunos dicen que eres Juan el Bautista; otros, que eres Elías; y otros, que eres Jeremías o alguno de los profetas.

[15]—¿Y quién creen ustedes que soy?

[16]—¡Tú eres el Cristo, el Mesías, el Hijo del Dios viviente! —respondió Simón Pedro.

[17]—Dios te ha bendecido, Simón, hijo de Jonás —le dijo Jesús—, porque esto no lo aprendiste de labios humanos. ¡Mi Padre celestial te lo reveló personalmente! [18]Tú eres Pedro, y sobre esta roca edificaré mi iglesia, y los poderes del infierno no prevalecerán contra ella. [19]Te daré las llaves del reino de los cielos: la puerta que cierres en la tierra se cerrará en el cielo; y la puerta que abras en la tierra se abrirá en el cielo.

[20]A continuación les suplicó que no le dijeran a nadie que era el Mesías. [21]Desde entonces empezó a decirles claramente que era imprescindible que fuera a Jerusalén, que sufriría mucho en manos de los dirigentes judíos, y que, aunque al fin lo matarían, a los tres días resucitaría.

[22]Pedro, inquieto, lo llamó aparte y lo reprendió:

—¡Dios guarde, Señor! —le dijo—. ¡A ti no te puede pasar nada!

[23]—¡Apártate de mí, Satanás! —dijo Jesús dando media vuelta—. ¡Me eres un estorbo! ¡Estás mirando las cosas desde el punto de vista humano y no del divino!

[24]Y dijo a los discípulos:

—Si alguien desea seguirme, niéguese a sí mismo, tome su cruz y sígame. [25]Porque el que trate de vivir para sí, perderá la vida; pero el que pierda la vida por mi causa, la

remember at all the 5,000 I fed with five loaves, and the basketfuls left over? [10] Don't you remember the 4,000 I fed, and all that was left? [11] How could you even think I was talking about food? But again I say, 'Beware of the yeast of the Pharisees and Sadducees.' "

[12] Then at last they understood that by "yeast" he meant the *wrong teaching* of the Pharisees and Sadducees.

[13] When Jesus came to Caesarea Philippi, he asked his disciples, "Who are the people saying I am?"

[14] "Well," they replied, "some say John the Baptist; some, Elijah; some, Jeremiah or one of the other prophets."

[15] Then he asked them, "Who do *you* think I am?"

[16] Simon Peter answered, "The Christ, the Messiah, the Son of the living God."

[17] "God has blessed you, Simon, son of Jonah," Jesus said, "for my Father in heaven has personally revealed this to you—this is not from any human source. [18] You are Peter, a stone; and upon this rock I will build my church; and all the powers of hell shall not prevail against it. [19] And I will give you the keys of the Kingdom of Heaven; whatever doors you lock on earth shall be locked in heaven; and whatever doors you open on earth shall be open in heaven!"

[20] Then he warned the disciples against telling others that he was the Messiah.

[21] From then on Jesus began to speak plainly to his disciples about going to Jerusalem, and what would happen to him there—that he would suffer at the hands of the Jewish leaders, that he would be killed, and that three days later he would be raised to life again.

[22] But Peter took him aside to remonstrate with him. "Heaven forbid, sir," he said. "This is not going to happen to you!"

[23] Jesus turned on Peter and said, "Get away from me, you Satan! You are a dangerous trap to me. You are thinking merely from a human point of view, and not from God's."

[24] Then Jesus said to the disciples, "If anyone wants to be a follower of mine, let him deny himself and take up his cross and follow me. [25] For anyone who keeps his life for himself shall lose it; and anyone who loses his life for me shall find it again.

hallará. ²⁶¿De qué les sirve ganarse el mundo entero y perder la vida eterna? ¿Habrá algún valor terrenal que compense la pérdida del alma? ²⁷Yo, el Hijo del Hombre, vendré con los ángeles en la gloria de mi Padre y juzgaré a cada persona según sus obras. ²⁸Y algunos de los que están aquí ahora mismo no morirán sin verme venir en mi reino.

17 SEIS DÍAS DESPUÉS, Jesús, con Pedro, Jacobo y Juan (el hermano de este último), subió a la cima de un elevado y solitario monte ²y se transfiguró delante de los discípulos. Su rostro se volvió brillante como el sol, y su ropa blanca como la luz. ³De pronto Moisés y Elías aparecieron y se pusieron a hablar con El. ⁴Pedro, atónito, balbuceó:

—Señor, ¡qué bueno que nos pudiéramos quedar aquí! Si quieres, podemos hacer aquí mismo enramadas, una para ti, otra para Moisés y otra para Elías.

⁵Pero mientras hablaba, una nube resplandeciente los cubrió y una voz dijo desde la nube:

—Este es mi Hijo amado; en El me complazco. Obedézcanlo.

⁶Los discípulos se postraron en tierra temblando de miedo. ⁷Jesús se les acercó y los tocó.

—Levántense —les dijo—. No tengan miedo.

⁸Y al levantar la mirada encontraron sólo a Jesús.

⁹Al descender de la montaña, Jesús les ordenó que no le dijeran a nadie lo que habían visto hasta que se levantara de entre los muertos. ¹⁰Los discípulos le preguntaron:

—¿Por qué los maestros de religión insisten en que Elías regresará antes que aparezca el Mesías?

¹¹—Ellos tienen razón —les respondió Jesús—. Elías tiene que venir a poner las cosas en orden. ¹²Y ya vino, pero en vez de reconocerlo, lo trataron con la misma crueldad con que me tratarán a mí, el Hijo del Hombre.

¹³Los discípulos comprendieron que se refería a Juan el Bautista.

¹⁴Cuando llegaron al valle, un gentío inmenso los esperaba, y un hombre corrió y se tiró de rodillas ante Jesús.

²⁶ What profit is there if you gain the whole world—and lose eternal life? What can be compared with the value of eternal life? ²⁷ For I, the Son of Mankind, shall come with my angels in the glory of my Father and judge each person according to his deeds. ²⁸ And some of you standing right here now will certainly live to see me coming in my Kingdom."

17 SIX DAYS LATER Jesus took Peter, James, and his brother John to the top of a high and lonely hill, ²and as they watched, his appearance changed so that his face shone like the sun and his clothing became dazzling white.

³ Suddenly Moses and Elijah appeared and were talking with him. ⁴ Peter blurted out, "Sir, it's wonderful that we can be here! If you want me to, I'll make three shelters, one for you and one for Moses and one for Elijah."

⁵ But even as he said it, a bright cloud came over them, and a voice from the cloud said, *"This* is my beloved Son, and I am wonderfully pleased with him. Obey *him."*

⁶ At this the disciples fell face downward to the ground, terribly frightened. ⁷ Jesus came over and touched them. "Get up," he said, "don't be afraid."

⁸ And when they looked, only Jesus was with them.

⁹ As they were going down the mountain, Jesus commanded them not to tell anyone what they had seen until after he had risen from the dead.

¹⁰ His disciples asked, "Why do the Jewish leaders insist Elijah must return before the Messiah comes?"

¹¹ Jesus replied, "They are right. Elijah must come and set everything in order. ¹² And, in fact, he has already come, but he wasn't recognized, and was badly mistreated by many. And I, the Messiah , shall also suffer at their hands."

¹³ Then the disciples realized he was speaking of John the Baptist.

¹⁴ When they arrived at the bottom of the hill, a huge crowd was waiting for them. A man came and knelt before Jesus and said,

[15] —Señor —dijo—, ten misericordia de mi hijo, que está enfermo de la mente y padece muchísimo. Muchas veces se cae en el fuego o en el agua. [16]Lo traje a tus discípulos, pero no pudieron curarlo.

[17]—¡Oh generación incrédula y perversa! —dijo Jesús—, ¿hasta cuándo tendré que soportarlos? ¡Tráiganmelo!

[18]Jesús reprendió al demonio que estaba en el muchacho, y el demonio salió. Desde aquel instante el muchacho quedó bien.

[19]Más tarde, en privado, los discípulos le preguntaron a Jesús:

—¿Por qué no pudimos echar fuera aquel demonio?

[20]—Porque tienen muy poca fe —les respondió Jesús—. Si tuvieran siquiera una fe tan pequeña como un grano de mostaza podrían decirle a aquella montaña que se quitara y se quitaría. Nada les sería imposible. [21]Pero este tipo de demonio no sale a menos que uno haya orado y ayunado.

[22]Un día, estando todavía en Galilea, les dijo:

—Alguien me va a traicionar y me va a entregar en manos de los que quieren matarme, [23]pero al tercer día resucitaré.

Los discípulos se estremecieron de tristeza y temor.

[24]Al llegar a Capernaum, los cobradores de impuestos del Templo le preguntaron a Pedro:

—¿Paga impuestos tu Maestro?

[25]—¡Claro que los paga! —les respondió Pedro, e inmediatamente entró a la casa a hablarle a Jesús sobre el asunto.

Pero no había pronunciado todavía la primera palabra cuando El le preguntó:

—¿A quién crees tú, Pedro, que cobran tributos los reyes de la tierra? ¿A los suyos o a los extranjeros?

[26]—A los extranjeros, claro —respondió Pedro.

—Los suyos quedan exentos, ¿verdad? —añadió Jesús—. [27]Sin embargo, para que no se ofendan, vete al lago y echa el anzuelo, que en la boca del primer pez que saques hallarás una moneda que alcanzará para tus impuestos y los míos.

18 EN AQUELLA OCASIÓN los discípulos le preguntaron a Jesús cuál de ellos ocuparía el cargo más importante en el reino de los cielos.

[2]Jesús llamó a un niño de los que anda-

[15] "Sir, have mercy on my son, for he is mentally deranged, and in great trouble, for he often falls into the fire or into the water; [16] so I brought him to your disciples, but they couldn't cure him."

[17] Jesus replied, "Oh, you stubborn, faithless people! How long shall I bear with you? Bring him here to me." [18] Then Jesus rebuked the demon in the boy and it left him, and from that moment the boy was well.

[19] Afterwards the disciples asked Jesus privately, "Why couldn't we cast that demon out?"

[20] "Because of your little faith," Jesus told them. "For if you had faith even as small as a tiny mustard seed you could say to this mountain, 'Move!' and it would go far away. Nothing would be impossible. [21] But this kind of demon won't leave unless you have prayed and gone without food."

[22,23] One day while they were still in Galilee, Jesus told them, "I am going to be betrayed into the power of those who will kill me, and on the third day afterwards I will be brought back to life again." And the disciples' hearts were filled with sorrow and dread.

[24] On their arrival in Capernaum, the Temple tax collectors came to Peter and asked him, "Doesn't your master pay taxes?"

[25] "Of course he does," Peter replied.

Then he went into the house to talk to Jesus about it, but before he had a chance to speak, Jesus asked him, "What do you think, Peter? Do kings levy assessments against their own people, or against conquered foreigners?"

[26,27] "Against the foreigners," Peter replied.

"Well, then," Jesus said, "the citizens are free! However, we don't want to offend them, so go down to the shore and throw in a line, and open the mouth of the first fish you catch. You will find a coin to cover the taxes for both of us; take it and pay them."

18 ABOUT THAT TIME the disciples came to Jesus to ask which of them would be greatest in the Kingdom of Heaven!

[2] Jesus called a small child over to him

ban por allí y lo sentó en medio de ellos.

³—Si no se vuelven a Dios arrepentidos de sus pecados y con sencillez de niños, no podrán entrar en el reino de los cielos. ⁴En otras palabras, el que esté libre de altivez como este niño, tendrá estatura en el reino de los cielos. ⁵El que reciba en mi nombre a una persona así, a mí me recibe. ⁶Pero al que haga que uno de mis creyentes humildes pierda la fe, mejor le sería que le ataran una roca al cuello y lo arrojaran al mar. ⁷¡Ay del mundo y sus maldades! La tentación es inevitable, pero ¡ay de la persona que tienta! ⁸Por lo tanto, si tu mano o tu pie te hace pecar, córtatelo y échalo de ti, porque es mejor entrar al reino de los cielos mutilado que ir a parar al infierno con las dos manos y los dos pies. ⁹Y si tu ojo te hace pecar, sácatelo y échalo a la basura. Mejor te es entrar tuerto al reino de los cielos que ir al infierno con los dos ojos.

¹⁰"Nunca menosprecien al creyente humilde, porque su ángel tiene en el cielo constante acceso al Padre. ¹¹Además, yo, el Hijo del Hombre, vine a salvar a los perdidos. ¹²Si un hombre tiene cien ovejas y una se le extravía, ¿qué hará? ¿No deja las noventa y nueve sanas y salvas y se va a las montañas a buscar la perdida? ¹³Ah, ¡y si la encuentra se regocija más por aquélla que por las noventa y nueve que dejó en el corral! ¹⁴Asimismo, mi Padre no quiere que ninguno de estos pequeños se pierda. ¹⁵Si un hermano te hace algo malo, llámalo y dile en privado cuál ha sido su falta. Si te escucha y la reconoce, habrás recuperado a un hermano. ¹⁶Pero si no, consíguete una o dos personas que vayan contigo a hablarle y te sirvan de testigos. ¹⁷Si se niega a escucharte, presenta el caso a la iglesia, y si la iglesia se pronuncia en favor tuyo y tu hermano no acepta la recomendación de la iglesia, la iglesia debe expulsarlo. ¹⁸Les aseguro que cuanto aten en la tierra quedará atado en el cielo, y que lo que suelten en la tierra quedará suelto en el cielo. ¹⁹También quiero decirles que si dos de ustedes se ponen de acuerdo aquí en la tierra acerca de algo que quieran pedir en oración, mi Padre que está en los cielos se lo concederá. ²⁰Porque dondequiera que estén dos o tres

and set the little fellow down among them, ³ and said, "Unless you turn to God from your sins and become as little children, you will never get into the Kingdom of Heaven. ⁴ Therefore anyone who humbles himself as this little child, is the greatest in the Kingdom of Heaven. ⁵ And any of you who welcomes a little child like this because you are mine, is welcoming me and caring for me. ⁶ But if any of you causes one of these little ones who trusts in me to lose his faith, it would be better for you to have a rock tied to your neck and be thrown into the sea.

⁷ "Woe upon the world for all its evils. Temptation to do wrong is inevitable, but woe to the man who does the tempting. ⁸ So if your hand or foot causes you to sin, cut it off and throw it away. Better to enter heaven crippled than to be in hell with both of your hands and feet. ⁹ And if your eye causes you to sin, gouge it out and throw it away. Better to enter heaven with one eye than to be in hell with two.

¹⁰ "Beware that you don't look down upon a single one of these little children. For I tell you that in heaven their angels have constant access to my Father. ¹¹ And I, the Messiah, came to save the lost.

¹² "If a man has a hundred sheep, and one wanders away and is lost, what will he do? Won't he leave the ninety-nine others and go out into the hills to search for the lost one? ¹³ And if he finds it, he will rejoice over it more than over the ninety-nine others safe at home! ¹⁴ Just so, it is not my Father's will that even one of these little ones should perish.

¹⁵ "If a brother sins against you, go to him privately and confront him with his fault. If he listens and confesses it, you have won back a brother. ¹⁶ But if not, then take one or two others with you and go back to him again, proving everything you say by these witnesses. ¹⁷ If he still refuses to listen, then take your case to the church, and if the church's verdict favors you, but he won't accept it, then the church should excommunicate him. ¹⁸ And I tell you this—whatever you bind on earth is bound in heaven, and whatever you free on earth will be freed in heaven.

¹⁹ "I also tell you this—if two of you agree down here on earth concerning anything you ask for, my Father in heaven will do it for you. ²⁰ For where two or three

reunidos en mi nombre, allí estaré yo.

²¹Pedro se le acercó y le preguntó:

—Señor, ¿cuántas veces debo perdonar a un hermano que haga algo malo contra mí? ¿Debo perdonarlo siete veces?

²²—¡No! —respondió Jesús—, ¡perdónalo hasta setenta veces siete si es necesario!

²³"El reino de los cielos puede compararse a un rey que decidió arreglar cuentas con sus súbditos. ²⁴En el proceso le trajeron a uno que le debía cien millones de pesos. ²⁵Como no podía pagarle, el rey ordenó que lo vendieran junto con su esposa, sus hijos y sus posesiones. ²⁶Pero el hombre se tiró de rodillas delante del rey y le suplicó:

—¡Señor, por favor, ten paciencia conmigo y te lo pagaré todo!

²⁷El rey, conmovido, le soltó y le perdonó la deuda. ²⁸Pero cuando aquel mismo hombre salió de allí, fue donde estaba alguien que le debía veinte mil pesos y, agarrándolo por el cuello, demandó pago inmediato. ²⁹El hombre se tiró de rodillas delante de él y le suplicó: "Ten paciencia y te lo pagaré todo". ³⁰Pero su acreedor no quiso tolerar la demora, y lo hizo arrestar y meter a la cárcel hasta que la deuda quedara completamente saldada. ³¹Los amigos del encarcelado, entristecidos, fueron a donde estaba el rey y le contaron lo sucedido. ³²El rey, sin pérdida de tiempo, mandó llamar al hombre que había perdonado. "¡Malvado! ¡Perverso!", le dijo. "¡Así que yo te perdoné aquella deuda espantosa porque me lo pediste, ³³y no pudiste tener misericordia del otro como la tuve de ti!" ³⁴Tan enojado estaba el rey que lo envió a las cámaras de tortura hasta que pagara el último centavo.

³⁵"Así hará mi Padre celestial al que se niegue a perdonar a algún hermano.

19 TRAS PRONUNCIAR ESTAS palabras, salió de Galilea y llegó a la región de Judea que está al este del Jordán. ²Inmensas multitudes lo seguían, y Jesús sanaba a los enfermos.

³Varios fariseos, en una entrevista, trataron de hacerlo caer en la trampa de decir algo que pudieran utilizar como instrumento para destruirlo.

—¿Apruebas el divorcio? —le preguntaron.

⁴—¿No leen las Escrituras? —les res-

gather together because they are mine, I will be right there among them."

²¹ Then Peter came to him and asked, "Sir, how often should I forgive a brother who sins against me? Seven times?"

²² "No!" Jesus replied, "seventy times seven!

²³ "The Kingdom of Heaven can be compared to a king who decided to bring his accounts up to date. ²⁴ In the process, one of his debtors was brought in who owed him $10,000,000! ²⁵ He couldn't pay, so the king ordered him sold for the debt, also his wife and children and everything he had.

²⁶ "But the man fell down before the king, his face in the dust, and said, 'Oh, sir, be patient with me and I will pay it all.'

²⁷ "Then the king was filled with pity for him and released him and forgave his debt.

²⁸ "But when the man left the king, he went to a man who owed him $2,000 and grabbed him by the throat and demanded instant payment.

²⁹ "The man fell down before him and begged him to give him a little time. 'Be patient and I will pay it,' he pled.

³⁰ "But his creditor wouldn't wait. He had the man arrested and jailed until the debt would be paid in full.

³¹ "Then the man's friends went to the king and told him what had happened. ³² And the king called before him the man he had forgiven and said, 'You evil-hearted wretch! Here I forgave you all that tremendous debt, just because you asked me to— ³³ shouldn't you have mercy on others, just as I had mercy on you?'

³⁴ "Then the angry king sent the man to the torture chamber until he had paid every last penny due. ³⁵ So shall my heavenly Father do to you if you refuse to truly forgive your brothers."

19 AFTER JESUS HAD finished this address, he left Galilee and circled back to Judea from across the Jordan River. ² Vast crowds followed him, and he healed their sick. ³ Some Pharisees came to interview him, and tried to trap him into saying something that would ruin him.

"Do you permit divorce?" they asked.

⁴ "Don't you read the Scriptures?" he

pondió—. En ellas está escrito que al principio Dios creó al hombre y a la mujer, [5]y que el hombre debe abandonar al padre y a la madre para unirse eternamente a la esposa. [6]Los dos serán uno, no dos. Y ningún hombre debe separar lo que Dios juntó.

[7]Entonces, ¿por qué dice Moisés que uno se puede divorciar de su esposa siempre y cuando le dé una carta de divorcio? —le preguntaron.

[8]—Moisés se vio obligado a reglamentar el divorcio por la dureza y la perversidad de su pueblo, pero Dios nunca ha querido que sea así. [9]Y les digo que si alguno se divorcia de su esposa, a no ser en los casos en que ésta le haya sido infiel, comete adulterio si se casa con otra. Y el que se casa con la divorciada comete adulterio también

[10]Entonces los discípulos le dijeron:

—Si eso es así, ¡mejor es no casarse!

[11]—Esto sólo lo pueden entender aquéllos a quienes Dios ha ayudado a entenderlo. [12]Hay personas que no se casan porque nacieron incapacitados para el matrimonio. Otros no lo hacen porque los hombres los incapacitaron, y otros porque no desean hacerlo por amor al reino de los cielos. El que pueda aceptar esto último, que lo acepte.

[13]Le llevaron entonces varios niños para que les pusiera las manos encima y orara por ellos. Pero los discípulos reprendieron a los que los traían.

—No molesten al Maestro —les dijeron.

[14]—No, no —intervino Jesús—. No impidan que los niños vengan a mí, porque de ellos es el reino de los cielos.

[15]Entonces les puso las manos encima y los bendijo. Luego se fue de allí.

[16]Un día alguien le preguntó:

—Buen Maestro, ¿qué bien haré para obtener la vida eterna?

[17]—¿Por qué me llamas bueno? —le dijo Jesús—. El único bueno es Dios. Pero déjame contestarte: Si quieres ir al cielo, guarda los mandamientos.

[18]—¿Cuáles?

Y Jesús le dijo:

—No matarás, no cometerás adulterio, no robarás, no mentirás, [19]honra a tu padre y a tu madre, y ama a tu prójimo con la misma sinceridad con que te amas a ti mismo.

[20]—Pero yo siempre he obedecido esos

replied. "In them it is written that at the beginning God created man and woman, [5,6] and that a man should leave his father and mother, and be forever united to his wife. The two shall become one—no longer two, but one! And no man may divorce what God has joined together."

[7] "Then, why," they asked, "did Moses say a man may divorce his wife by merely writing her a letter of dismissal?"

[8] Jesus replied, "Moses did that in recognition of your hard and evil hearts, but it was not what God had originally intended. [9] And I tell you this, that anyone who divorces his wife, except for fornication, and marries another, commits adultery."

[10] Jesus' disciples then said to him, "If that is how it is, it is better not to marry!"

[11] "Not everyone can accept this statement," Jesus said. "Only those whom God helps. [12] Some are born without the ability to marry, and some are disabled by men, and some refuse to marry for the sake of the Kingdom of Heaven. Let anyone who can, accept my statement."

[13] Little children were brought for Jesus to lay his hands on them and pray. But the disciples scolded those who brought them. "Don't bother him," they said.

[14] But Jesus said, "Let the little children come to me, and don't prevent them. For of such is the Kingdom of Heaven." [15] And he put his hands on their heads and blessed them before he left.

[16] Someone came to Jesus with this question: "Good master, what must I do to have eternal life?"

[17] "When you call me good you are calling me God," Jesus replied, "for God alone is truly good. But to answer your question, you can get to heaven if you keep the commandments."

[18] "Which ones?" the man asked.

And Jesus replied, "Don't kill, don't commit adultery, don't steal, don't lie, [19] honor your father and mother, and love your neighbor as yourself!"

[20] "I've always obeyed every one of

mandamientos —respondió el joven—. ¿Qué más tengo que hacer?

²¹—Si quieres ser perfecto —le dijo Jesús—, vé, vende todo lo que tienes y dales el dinero a los pobres. De esta manera tendrás tesoros en el cielo. Y cuando lo hayas hecho, ven y sígueme.

²²Cuando el joven oyó esto, se fue muy triste porque era extremadamente rico.

²³—A un rico le es muy difícil entrar al reino de los cielos —comentó con sus discípulos—. ²⁴Le es más fácil a un camello entrar por el ojo de una aguja que a un rico entrar al reino de Dios.

²⁵—¿Y quién puede salvarse entonces? —preguntaron los discípulos algo turbados.

²⁶Jesús los miró fijamente y les dijo:

—Humanamente hablando, nadie. Pero para Dios no hay imposibles.

²⁷—Nosotros lo abandonamos todo por seguirte —dijo Pedro—. ¿Qué obtendremos en cambio?

²⁸Y Jesús le respondió:

—Cuando yo, el Hijo del Hombre, me siente en mi trono de gloria, ustedes, mis discípulos, se sentarán en doce tronos a juzgar a las doce tribus de Israel. ²⁹Y cualquiera que haya dejado hogar, hermanos, hermanas, padre, madre, esposa, hijos, tierras, por seguirme, recibirá cien veces lo que haya dejado, aparte de recibir la vida eterna. ³⁰Pero muchos de los que ahora se creen importantes no lo serán entonces. Y muchos de los que ahora se consideran poco importantes serán los importantes entonces.

20 "EL REINO DE los cielos es también semejante al dueño de finca que sale por la mañana a contratar obreros que recojan la cosecha. ²Conviene con ellos en pagarles un denario al día, que es un buen salario, y los pone a trabajar. ³Un par de horas más tarde, al pasar por la plaza y ver a varios hombres que andan en busca de trabajo, ⁴los envía al campo con la promesa de que les pagará lo que sea justo al final de la jornada.

⁵"Al mediodía y a las tres de la tarde hace lo mismo.

⁶"A las cinco de la tarde se encuentra en el pueblo a otros desocupados y les pre-

them," the youth replied. "What else must I do?"

²¹ Jesus told him, "If you want to be perfect, go and sell everything you have and give the money to the poor, and you will have treasure in heaven; and come, follow me." ²² But when the young man heard this, he went away sadly, for he was very rich.

²³ Then Jesus said to his disciples, "It is almost impossible for a rich man to get into the Kingdom of Heaven. ²⁴ I say it again—it is easier for a camel to go through the eye of a needle than for a rich man to enter the Kingdom of God!"

²⁵ This remark confounded the disciples. "Then who in the world can be saved?" they asked.

²⁶ Jesus looked at them intently and said, "Humanly speaking, no one. But with God, everything is possible."

²⁷ Then Peter said to him, "We left everything to follow you. What will we get out of it?"

²⁸ And Jesus replied, "When I, the Messiah, shall sit upon my glorious throne in the Kingdom, you my disciples shall certainly sit on twelve thrones judging the twelve tribes of Israel. ²⁹ And anyone who gives up his home, brothers, sisters, father, mother, wife, children, or property, to follow me, shall receive a hundred times as much in return, and shall have eternal life. ³⁰ But many who are first now will be last then; and some who are last now will be first then."

20 HERE IS ANOTHER illustration of the Kingdom of Heaven. "The owner of an estate went out early one morning to hire workers for his harvest field. ² He agreed to pay them $20 a day and sent them out to work.

³ "A couple of hours later he was passing a hiring hall and saw some men standing around waiting for jobs, ⁴ so he sent them also into his fields, telling them he would pay them whatever was right at the end of the day. ⁵ At noon and again around three o'clock in the afternoon he did the same thing.

⁶ "At five o'clock that evening he was in town again and saw some more men standing around and asked them, 'Why haven't

gunta: "¿Por qué no están trabajando?"

⁷"Porque nadie nos ha contratado", le responden.

"Pues váyanse a trabajar a mi finca, y les pagaré lo que sea justo."

⁸"Por la noche, el pagador fue llamando a cada uno de los obreros para pagarles, comenzando por los últimos que llegaron. ⁹A los que llegaron a las cinco les pagó un denario. ¹⁰Los que habían llegado primero, al ver lo que recibieron los que llegaron al último, pensaron que a ellos se les pagaría mucho más. Pero se les pagó también un denario.

¹¹"Claro, inmediatamente uno de ellos protestó ante el dueño: ¹²"Esa gente trabajó sólo una hora y le están pagando lo mismo que a nosotros que trabajamos de sol a sol."

¹³"Amigo", le contestó el dueño, "¿no quedamos en que se te iba a pagar un denario al día? ¹⁴Pues tómalo y vete, porque quiero que todo el mundo se le pague lo mismo. ¹⁵¡Y no me vas a decir que es ilegal que haga con mi dinero lo que me plazca! Así que no tienes nada por qué enojarte".

¹⁶"Así, pues, los primeros serán los últimos y los últimos serán los primeros, porque muchos son los llamados pero pocos los escogidos.

¹⁷Camino de Jerusalén Jesús tomó a los doce discípulos aparte ¹⁸y les habló de lo que le sucedería cuando llegaran.

—Seré entregado a los principales sacerdotes y escribas, y me condenarán a muerte. ¹⁹Luego me entregarán a los romanos, para que se burlen de mí y me crucifiquen. Pero al tercer día resucitaré.

²⁰En eso se le acercó la esposa de Zebedeo, junto con sus dos hijos, Jacobo y Juan, y se arrodilló ante El.

²¹—¿Qué quieres? —le preguntó Jesús.

—Quiero que en tu reino mis dos hijos se sienten junto a ti en el trono, uno a tu derecha y el otro a tu izquierda.

²²Pero Jesús le dijo:

—¡No sabes lo que estás pidiendo!

Y volviéndose a Jacobo y a Juan, les dijo:

—¿Se creen ustedes capaces de beber del terrible vaso en que he de beber? ¿y de resistir el bautismo con que voy a ser bautizado?

—Sí —respondieron—. Podemos.

²³—Pues a la verdad van a beber de mi vaso —les contestó Jesús—, y van a bauti-

you been working today?'

⁷ " 'Because no one hired us,' they replied.

" 'Then go on out and join the others in my fields,' he told them.

⁸ "That evening he told the paymaster to call the men in and pay them, beginning with the last men first. ⁹ When the men hired at five o'clock were paid, each received $20. ¹⁰ So when the men hired earlier came to get theirs, they assumed they would receive much more. But they, too, were paid $20.

¹¹,¹² "They protested, 'Those fellows worked only one hour, and yet you've paid them just as much as those of us who worked all day in the scorching heat.'

¹³ " 'Friend,' he answered one of them, 'I did you no wrong! Didn't you agree to work all day for $20? ¹⁴ Take it and go. It is my desire to pay all the same; ¹⁵ is it against the law to give away my money if I want to? Should you be angry because I am kind?' ¹⁶ And so it is that the last shall be first, and the first, last."

¹⁷ As Jesus was on the way to Jerusalem, he took the twelve disciples aside, ¹⁸ and talked to them about what would happen to him when they arrived.

"I will be betrayed to the chief priests and other Jewish leaders, and they will condemn me to die. ¹⁹ And they will hand me over to the Roman government, and I will be mocked and crucified, and the third day I will rise to life again."

²⁰ Then the mother of James and John, the sons of Zebedee, brought them to Jesus and respectfully asked a favor.

²¹ "What is your request?" he asked. She replied, "In your Kingdom, will you let my two sons sit on two thrones next to yours?"

²² But Jesus told her, "You don't know what you are asking!" Then he turned to James and John and asked them, "Are you able to drink from the terrible cup I am about to drink from?"

"Yes," they replied, "we are able!"

²³ "You shall indeed drink from it," he told them. "But I have no right to say who

zarse con mi bautismo, pero no tengo el derecho de decir quiénes se sentarán junto a mí. Mi Padre es el que lo determina.

²⁴Los otros diez discípulos se enojaron al enterarse de lo que Jacobo y Juan habían pedido, ²⁵pero Jesús los llamó y les dijo:

—En las naciones paganas los reyes, los tiranos o cualquier funcionario está por encima de sus súbditos. ²⁶Pero entre ustedes será completamente diferente. El que quiera ser grande, debe servir a los demás; ²⁷y el que quiera ocupar el primer lugar en la lista de honor, debe ser esclavo de los demás. ²⁸Recuerden que yo, el Hijo del Hombre, no vine para que me sirvan, sino a servir y a dar mi vida en rescate de muchos.

²⁹Al salir de Jericó los seguía un inmenso gentío. ³⁰Y dos ciegos que estaban sentados junto al camino, al escuchar que Jesús iba a pasar por allí, se pusieron a gritar:

—¡Señor, Hijo de David, ten misericordia de nosotros!

³¹La gente los mandó a callar, pero gritaron todavía más fuerte. ³²Cuando Jesús pasó junto a donde estaban, les preguntó:

—¿En qué puedo servirles?

³³—Señor —le dijeron—. ¡Queremos ver!

³⁴Jesús, compadecido, les tocó los ojos. Y al instante pudieron ver, y siguieron a Jesús.

21 YA CERCA DE Jerusalén, en el pueblo de Betfagé, junto al Monte de los Olivos, Jesús envió a dos de los discípulos al pueblo cercano.

²—En la entrada misma —les dijo—, hallarán una burra atada y junto a ella un burrito. Desátenlos y tráiganmelos. ³Si alguien les pregunta algo, díganle que el Maestro los necesita y que luego se los devolverá.

⁴Así se cumplió la antigua profecía:

⁵Díganle a Jerusalén: "Tu Rey vendrá a ti sentado humildemente sobre un burrito".

⁶Los dos discípulos obedecieron, ⁷y poco después regresaron con los animales y pusieron sus mantos encima del burrito para que Jesús lo montara. ⁸Cuando Jesús pasaba, algunos de entre el gentío tendían sus mantos a lo largo del camino, otros cortaban ramas de los árboles y las tendían

will sit on the thrones next to mine. Those places are reserved for the persons my Father selects."

²⁴ The other ten disciples were indignant when they heard what James and John had asked for.

²⁵ But Jesus called them together and said, "Among the heathen, kings are tyrants and each minor official lords it over those beneath him. ²⁶ But among you it is quite different. Anyone wanting to be a leader among you must be your servant. ²⁷ And if you want to be right at the top, you must serve like a slave. ²⁸ Your attitude must be like my own, for I, the Messiah, did not come to be served, but to serve, and to give my life as a ransom for many."

²⁹ As Jesus and the disciples left the city of Jericho, a vast crowd surged along behind.

³⁰ Two blind men were sitting beside the road and when they heard that Jesus was coming that way, they began shouting, "Sir, King David's Son, have mercy on us!"

³¹ The crowd told them to be quiet, but they only yelled the louder.

³²,³³ When Jesus came to the place where they were he stopped in the road and called, "What do you want me to do for you?"

"Sir," they said, "we want to see!"

³⁴ Jesus was moved with pity for them and touched their eyes. And instantly they could see, and followed him.

21 AS JESUS AND the disciples approached Jerusalem, and were near the town of Bethphage on the Mount of Olives, Jesus sent two of them into the village ahead.

² "Just as you enter," he said, "you will see a donkey tied there, with its colt beside it. Untie them and bring them here. ³ If anyone asks you what you are doing, just say, 'The Master needs them,' and there will be no trouble."

⁴ This was done to fulfill the ancient prophecy, ⁵ "Tell Jerusalem her King is coming to her, riding humbly on a donkey's colt!"

⁶ The two disciples did as Jesus said, ⁷ and brought the animals to him and threw their garments over the colt for him to ride on. ⁸ And some in the crowd threw down their coats along the road ahead of him, and others cut branches from the trees and

delante de Él. ⁹Y delante y detrás del cortejo el gentío aclamaba:

—¡Viva el Hijo del rey David! ¡Alábenlo! ¡Bendito el que viene en el nombre del Señor! ¡Gloria a Dios!

¹⁰Cuando entraron a Jerusalén, la ciudad se conmovió.

—¿Quién será éste? —preguntaban.

¹¹—Es Jesús, el profeta de Nazaret de Galilea.

¹²Jesús se dirigió al Templo y echó fuera a los que allí vendían y compraban, y volcó las mesas de los que cambiaban dinero y las sillas de los que vendían palomas.

¹³—Las Escrituras dicen que mi Templo es casa de oración —declaró—, pero ustedes lo han convertido en cueva de ladrones.

¹⁴Entonces se le acercaron los ciegos y los cojos y los sanó allí mismo en el Templo. ¹⁵Cuando los principales sacerdotes y los demás jefes judíos vieron aquellos sorprendentes milagros y escucharon a los niños que en el Templo gritaban: "¡Viva el Hijo de David!", perturbados e indignados le dijeron:

¹⁶—¿No oyes lo que están diciendo esos niños?

—Sí —respondió Jesús—. ¿No dicen acaso las Escrituras que "aun los recién nacidos lo adoran"?

¹⁷Después de esto regresó a Betania, donde pasó la noche.

¹⁸Cuando regresaba a Jerusalén a la mañana siguiente, tuvo hambre ¹⁹y se acercó a una higuera del camino con la esperanza de encontrar en ella higos. ¡Pero sólo encontró hojas!

—¡Nunca jamás tengas fruto! —le dijo. La higuera se secó, ²⁰y los discípulos se preguntaron llenos de asombro:

—¿Cómo es que la higuera se secó tan pronto?

²¹Y Jesús les respondió:

—Pues les digo que si tienen fe y no dudan, podrán hacer cosas como ésta y muchas más. Hasta podrán decirle al Monte de los Olivos que se quite y se arroje al mar, y los obedecerá. ²²Cualquier cosa que pidan en oración la recibirán si de veras creen.

²³Ya de regreso en el Templo, y mientras enseñaba, los principales sacerdotes y otros jefes judíos se le acercaron a exigirle que les explicara por qué había echado del Templo a los mercaderes y quién le había

spread them out before him.

⁹ Then the crowds surged on ahead and pressed along behind, shouting, "God bless King David's Son!" . . . "God's Man is here! . . . Bless him, Lord!" . . . "Praise God in highest heaven!"

¹⁰ The entire city of Jerusalem was stirred as he entered. "Who is this?" they asked.

¹¹ And the crowds replied, "It's Jesus, the prophet from Nazareth up in Galilee."

¹² Jesus went into the Temple, drove out the merchants, and knocked over the money-changers' tables and the stalls of those selling doves.

¹³ "The Scriptures say my Temple is a place of prayer," he declared, "but you have turned it into a den of thieves."

¹⁴ And now the blind and crippled came to him and he healed them there in the Temple. ¹⁵ But when the chief priests and other Jewish leaders saw these wonderful miracles, and heard even the little children in the Temple shouting, "God bless the Son of David," they were disturbed and indignant and asked him, "Do you hear what these children are saying?"

¹⁶ "Yes," Jesus replied. "Didn't you ever read the Scriptures? For they say, 'Even little babies shall praise him!' "

¹⁷ Then he returned to Bethany, where he stayed overnight.

¹⁸ In the morning, as he was returning to Jerusalem, he was hungry, ¹⁹ and noticed a fig tree beside the road. He went over to see if there were any figs, but there were only leaves. Then he said to it, "Never bear fruit again!" And soon the fig tree withered up.

²⁰ The disciples were utterly amazed and asked, "How did the fig tree wither so quickly?"

²¹ Then Jesus told them, "Truly, if you have faith, and don't doubt, you can do things like this and much more. You can even say to this Mount of Olives, 'Move over into the ocean,' and it will. ²² You can get anything—*anything* you ask for in prayer—if you believe."

²³ When he had returned to the Temple and was teaching, the chief priests and other Jewish leaders came up to him and demanded to know by whose authority he had

dado autoridad para hacerlo.

²⁴—Lo explicaré si me contestan primero esta pregunta —les respondió Jesús—. ²⁵¿Fue Dios el que envió a Juan a bautizar o no?

Era una pregunta difícil de contestar, y se pusieron a discutirla entre sí en voz baja.

—Si decimos que Dios lo envió —se decían—, nos preguntará por qué no creímos en él. ²⁶Y si decimos que no fue Dios el que lo envió, el pueblo se enojará, porque casi todo el mundo cree que Juan era profeta.

²⁷Pero por fin respondieron:

—No, no sabemos.

Y Jesús les dijo:

—Pues yo tampoco les voy a decir quién me dio autoridad para hacer estas cosas. ²⁸Pero, ¿qué les parece? Un padre de dos hijos dijo al mayor: "Hijo, vé a trabajar hoy a la finca". ²⁹Y el hijo le respondió: "Lo siento; no tengo deseos de trabajar hoy en la finca". Pero luego, arrepentido, fue. ³⁰Cuando el padre le pidió al menor que fuera, éste le respondió: "¡Con mucho gusto! ¡Ahora mismo voy!" Pero no fue. ³¹¿Cuál de los dos obedeció a su padre?

—El primero, por supuesto —respondieron.

—Pues los malvados y las prostitutas llegarán al reino de Dios antes que ustedes. ³²Porque Juan el Bautista les dijo que se arrepintieran y volvieran a Dios, y ustedes no lo hicieron. Los malvados y las prostitutas, en cambio, lo hicieron. Y aun viendo que esto sucedía, ustedes se negaron a arrepentirse y a creer en El.

³³Entonces les contó la siguiente parábola:

—Cierto hombre plantó una viña, la cercó, construyó una torre de vigía, y la arrendó a varios labradores. Según el contrato, éstos habrían de compartir con el dueño el producto de la viña. El dueño se fue a otra región. ³⁴Cuando se acercó el tiempo de la cosecha, envió a sus agentes a recoger lo que le correspondía. ³⁵Pero los labradores los atacaron, y a uno lo golpearon, a otro lo mataron y a otro lo apedrearon. ³⁶Entonces el dueño envió un grupo mayor de hombres a cobrar, pero éstos corrieron la misma suerte. ³⁷Por último, envió a su hijo con la esperanza de que lo respetarían por ser quien era. ³⁸Pero cuando los labradores vieron que se acercaba, se

thrown out the merchants the day before.

²⁴ "I'll tell you if you answer one question first," Jesus replied. ²⁵ "Was John the Baptist sent from God, or not?"

They talked it over among themselves. "If we say, 'From God,' " they said, "then he will ask why we didn't believe what John said. ²⁶ And if we deny that God sent him, we'll be mobbed, for the crowd all think he was a prophet." ²⁷ So they finally replied, "We don't know!"

And Jesus said, "Then I won't answer your question either.

²⁸ "But what do you think about this? A man with two sons told the older boy, 'Son, go out and work on the farm today.' ²⁹ 'I won't,' he answered, but later he changed his mind and went. ³⁰ Then the father told the youngest, 'You go!' and he said, 'Yes, sir, I will.' But he didn't. ³¹ Which of the two was obeying his father?"

They replied, "The first, of course."

Then Jesus explained his meaning: "Surely evil men and prostitutes will get into the Kingdom before you do. ³² For John the Baptist told you to repent and turn to God, and you wouldn't, while very evil men and prostitutes did. And even when you saw this happening, you refused to repent, and so you couldn't believe.

³³ "Now listen to this story: A certain landowner planted a vineyard with a hedge around it, and built a platform for the watchman, then leased the vineyard to some farmers on a sharecrop basis, and went away to live in another country. ³⁴ "At the time of the grape harvest he sent his agents to the farmers to collect his share. ³⁵ But the farmers attacked his men, beat one, killed one and stoned another. ³⁶ "Then he sent a larger group of his men to collect for him, but the results were the same. ³⁷ Finally the owner sent his son, thinking they would surely respect him. ³⁸ "But when these farmers saw the son coming they said among themselves, 'Here

dijeron: "Este es nada menos que el heredero. Vamos a matarlo para quedarnos con la herencia". ³⁹Y lo sacaron de la viña, y lo mataron.

⁴⁰"¿Qué creen ustedes que hará el dueño cuando regrese?

⁴¹Los dirigentes judíos respondieron:

—Pues matará sin misericordia a esos malvados y arrendará la viña a otros labradores que le paguen a tiempo.

⁴²Entonces Jesús les preguntó:

—¿Han leído alguna vez en las Escrituras aquello que dice: "La piedra que rechazaron los constructores ha sido puesta como piedra principal. ¡Qué interesante! El Señor lo hizo y es maravilloso"? ⁴³Con esto quiero decirles que a ustedes les van a quitar el reino de los cielos, y se lo darán a gentes que den a Dios los frutos que El espera. ⁴⁴El que tropiece con la Roca de la verdad se hará pedazos; y al que la piedra le caiga encima quedará pulverizado.

⁴⁵Al darse cuenta los principales sacerdotes y los demás jefes judíos que Jesús se refería a ellos, que ellos eran los labradores de la parábola, ⁴⁶sintieron deseos de exterminarlo, pero no se atrevían, porque el pueblo tenía a Jesús por profeta.

22 JESÚS LES RELATÓ otras parábolas que describían el reino de los cielos: ²El reino de los cielos puede ilustrarse con el cuento de un rey que preparó un gran banquete en celebración de la boda de su hijo. ³Envió muchísimas invitaciones, y cuando el banquete estuvo listo, envió un mensajero a notificar a los convidados que ya podían ir. ¡Pero nadie fue! ⁴Envió a otros siervos a decirles que fueran pronto, que no se demoraran, que ya los asados estaban listos. ⁵Algunos de los invitados se rieron de los mensajeros y se fueron a sus labranzas o negocios, ⁶pero otros tomaron a los mensajeros y, tras golpearlos y afrentarlos, los mataron. ⁷El rey, enojado, ordenó al ejército que acabara con aquellos asesinos y quemara su ciudad. ⁸Entonces dijo: "El banquete está listo, pero los que estaban invitados no eran dignos de la invitación. ⁹Vayan ahora por las esquinas e inviten a todo el mundo".

¹⁰Los siervos obedecieron, y trajeron a cuantos hallaron, lo mismo malos que bue-

comes the heir to this estate; come on, let's kill him and get it for ourselves!' ³⁹ So they dragged him out of the vineyard and killed him.

⁴⁰ "When the owner returns, what do you think he will do to those farmers?"

⁴¹ The Jewish leaders replied, "He will put the wicked men to a horrible death, and lease the vineyard to others who will pay him promptly."

⁴² Then Jesus asked them, "Didn't you ever read in the Scriptures: 'The stone rejected by the builders has been made the honored cornerstone; how remarkable! what an amazing thing the Lord has done'?

⁴³ "What I mean is that the Kingdom of God shall be taken away from you, and given to a nation that will give God his share of the crop. ⁴⁴ All who stumble on this rock of truth shall be broken, but those it falls on will be scattered as dust."

⁴⁵ When the chief priests and other Jewish leaders realized that Jesus was talking about them—that they were the farmers in his story— ⁴⁶ they wanted to get rid of him, but were afraid to try because of the crowds, for they accepted Jesus as a prophet.

22 JESUS TOLD SEVERAL other stories to show what the Kingdom of Heaven is like.

"For instance," he said, "it can be illustrated by the story of a king who prepared a great wedding dinner for his son. ³ Many guests were invited, and when the banquet was ready he sent messengers to notify everyone that it was time to come. But all refused! ⁴ So he sent other servants to tell them, 'Everything is ready and the roast is in the oven. Hurry!'

⁵ "But the guests he had invited merely laughed and went on about their business, one to his farm, another to his store; ⁶ others beat up his messengers and treated them shamefully, even killing some of them.

⁷ "Then the angry king sent out his army and destroyed the murderers and burned their city. ⁸ And he said to his servants, 'The wedding feast is ready, and the guests I invited aren't worthy of the honor. ⁹ Now go out to the street corners and invite everyone you see.'

¹⁰ "So the servants did, and brought in all they could find, good and bad alike; and

nos. Las mesas se llenaron de invitados.
[11]Pero cuando el rey fue a ver a los convidados, vio que uno no traía puesto el vestido de boda que había comprado para los invitados. [12]"Amigo mío", le dijo, "¿cómo entraste sin el vestido de boda?"

Como no le respondió, [13]el rey ordenó: "Atenlo de pies y manos y échenlo en las tinieblas de afuera. ¡Allí será el llorar y el crujir de dientes! [14]Porque muchos son los llamados, pero pocos los escogidos.

[15]Los fariseos se reunieron a estudiar la manera de enredar a Jesús en sus propias palabras y hacerle decir algo que lo comprometiera. [16]Decidieron enviar a algunos de sus hombres, juntamente con algunos herodianos, a formularle algunas preguntas.

—Señor —le dijeron—, sabemos que amas la verdad y que la enseñas sin miedo a las consecuencias. [17]Dinos, ¿debe uno pagar impuestos al gobierno romano?

[18,19]Jesús, que sabía lo que se traían entre manos, les dijo:

—¡Hipócritas! ¿A quién se creen que están tratando de engañar con preguntas como ésas? Enséñenme una moneda.

Y ellos le mostraron una moneda romana de plata.

[20]—¿De quién dice ahí que es esa imagen? —les preguntó.

[21]—Del César —respondieron.

—Pues denle al César lo que es del César y a Dios lo que es de Dios.

[22]Sorprendidos y avergonzados, se fueron.

[23]Aquel mismo día algunos de los saduceos, los que no creían en la resurrección de los muertos, le preguntaron:

[24]—Señor, Moisés dijo que si un hombre muere sin tener hijos, uno de sus hermanos debe casarse con la viuda para tener hijos que sustituyan al muerto en la herencia familiar. [25]Pues bien, hubo una vez una familia de siete hermanos. El primero de éstos se casó y murió sin tener hijos, por lo cual la viuda se casó con el segundo hermano. [26]Aquel hermano murió sin tener hijos, y la esposa pasó al siguiente hermano. El caso se fue repitiendo de manera tal que aquella señora fue esposa de los siete hermanos. [27]Pero a la mujer le llegó también la hora de morir. [28]Dinos, ¿de quién será esposa cuando resuciten? ¡En

the banquet hall was filled with guests.
[11] But when the king came in to meet the guests he noticed a man who wasn't wearing the wedding robe [provided for him].

[12] " 'Friend,' he asked, 'how does it happen that you are here without a wedding robe?' And the man had no reply.

[13] "Then the king said to his aides, 'Bind him hand and foot and throw him out into the outer darkness where there is weeping and gnashing of teeth.' [14] For many are called, but few are chosen."

[15] Then the Pharisees met together to try to think of some way to trap Jesus into saying something for which they could arrest him. [16] They decided to send some of their men along with the Herodians to ask him this question: "Sir, we know you are very honest and teach the truth regardless of the consequences, without fear or favor. [17] Now tell us, is it right to pay taxes to the Roman government or not?"

[18] But Jesus saw what they were after. "You hypocrites!" he exclaimed. "Who are you trying to fool with your trick questions? [19] Here, show me a coin." And they handed him a penny.

[20] "Whose picture is stamped on it?" he asked them. "And whose name is this beneath the picture?"

[21] "Caesar's," they replied.

"Well, then," he said, "give it to Caesar if it is his, and give God everything that belongs to God."

[22] His reply surprised and baffled them and they went away.

[23] But that same day some of the Sadducees, who say there is no resurrection after death, came to him and asked, [24] "Sir, Moses said that if a man died without children, his brother should marry the widow and their children would get all the dead man's property. [25] Well, we had among us a family of seven brothers. The first of these men married and then died, without children, so his widow became the second brother's wife. [26] This brother also died without children, and the wife was passed to the next brother, and so on until she had been the wife of each of them. [27] And then she also died. [28] So whose wife will she be in the resurrection? For she was the wife of

vida lo fue de los siete!

²⁹—Se equivocan porque ignoran las Escrituras y el poder de Dios —les dijo Jesús—. ³⁰En la resurrección no habrá matrimonios, porque todos serán como los ángeles del cielo. ³¹Pero en cuanto a la resurrección de los muertos, ¿no se han fijado que las Escrituras dicen: ³²"Yo soy el Dios de Abraham, de Isaac y de Jacob"? Dios no es Dios de muertos, sino de vivos. ³³El gentío se quedó boquiabierto ante aquella respuesta.

³⁴Los fariseos no se dejaron amedrentar por la derrota de los saduceos ³⁵y se les ocurrió una idea. Uno de ellos, abogado, preguntó a Jesús:

³⁶—Señor, ¿cuál es el mandamiento más importante de la ley de Moisés?

³⁷Jesús respondió:

—Amarás, pues, al Señor tu Dios con todo tu corazón, con toda tu alma y con toda tu mente. ³⁸Este es el primero y el más importante de los mandamientos. ³⁹El segundo es similar: Amarás a tu prójimo con el mismo amor con que te amas a ti mismo. ⁴⁰Los demás mandamientos y demandas de los profetas se resumen en estos dos mandamientos que he mencionado. El que cumpla estos dos mandamientos estará obedeciendo los demás.

⁴¹Aprovechando la ocasión de estar rodeado de fariseos, les preguntó:

⁴²—¿Qué opinan del Mesías? ¿De quién es hijo?

—De David —le respondieron.

⁴³—Entonces, ¿por qué David, inspirado por el Espíritu Santo, lo llama "Señor"? Porque David dijo:

⁴⁴Dijo el Señor a mi Señor: Siéntate a mi derecha hasta que haya puesto a tus enemigos bajo tus pies.

⁴⁵¿Creen ustedes que David habría llamado "Señor" a su hijo?

⁴⁶No le respondieron. Desde entonces nadie se atrevió a preguntarle nada.

23 ENTONCES JESÚS, DIRIGIÉNDOSE al gentío y a sus discípulos, dijo:

²—¡Cualquiera que ve a estos escribas y fariseos creando leyes se creerá que son "Moisés en persona"! ³Claro, obedézcanlos. ¡Hagan lo que dicen, pero no se les ocurra hacer lo que ellos hacen! Porque esta gente no hace lo que dice que se debe

all seven of them!"

²⁹ But Jesus said, "Your error is caused by your ignorance of the Scriptures and of God's power! ³⁰ For in the resurrection there is no marriage; everyone is as the angels in heaven. ³¹ But now, as to whether there is a resurrection of the dead—don't you ever read the Scriptures? Don't you realize that God was speaking directly to you when he said, ³² 'I *am* the God of Abraham, Isaac, and Jacob'? So God is not the God of the dead, but of the *living.*"

³³ The crowds were profoundly impressed by his answers— ³⁴,³⁵ but not the Pharisees! When they heard that he had routed the Sadducees with his reply, they thought up a fresh question of their own to ask him.

One of them, a lawyer, spoke up: ³⁶ "Sir, which is the most important command in the laws of Moses?"

³⁷ Jesus replied, " 'Love the Lord your God with all your heart, soul, and mind.' ³⁸,³⁹ This is the first and greatest commandment. The second most important is similar: 'Love your neighbor as much as you love yourself.' ⁴⁰ All the other commandments and all the demands of the prophets stem from these two laws and are fulfilled if you obey them. Keep only these and you will find that you are obeying all the others."

⁴¹ Then, surrounded by the Pharisees, he asked them a question: ⁴² "What about the Messiah? Whose son is he?" "The son of David," they replied.

⁴³ "Then why does David, speaking under the inspiration of the Holy Spirit, call him 'Lord'?" Jesus asked. "For David said,

⁴⁴ 'God said to my Lord, Sit at my right hand until I put your enemies beneath your feet.'

⁴⁵ Since David called him 'Lord,' how can he be merely his son?"

⁴⁶ They had no answer. And after that no one dared ask him any more questions.

23 THEN JESUS SAID to the crowds, and to his disciples, ² "You would think these Jewish leaders and these Pharisees were Moses, the way they keep making up so many laws! ³ And of course you should obey their every whim! It may be all right to do what they say, but above anything else, *don't follow their example.* For they

hacer. ⁴Recargan a la gente de mandamientos que ellos mismos no intentan cumplir.

⁵"¡Y luego se ponen a hacer buenas obras para que los demás los vean! Para aparentar santidad, se ponen en la frente y en los brazos porciones de las Escrituras escritas en las tiras de pergamino o piel más anchas que puedan encontrar, y tratan de que los flecos de sus mantos sean más largos que los de los demás. ⁶¡Ah, y les encanta ir a los banquetes y sentarse en las cabeceras e ir a la sinagoga y sentarse en las primeras sillas! ⁷Cuando andan por las calles les gusta que les digan: "¡Rabí, rabí!" ⁸No dejen que nadie los llame así. Sólo el Cristo es Rabí y todos los hombres están en el mismo nivel de hermanos. ⁹Y no le llamen a nadie en la tierra "padre", porque el único digno de ese título es Dios, que está en los cielos. ¹⁰Y no se dejen llamar "maestro", porque sólo hay un Maestro: el Mesías. ¹¹Mientras más humildes sirvamos a los demás, más grandes seremos. Para ser grande, sirve. ¹²Porque los que se creen grandes serán humillados; y los que se humillan serán enaltecidos.

¹³"¡Ay de ustedes, escribas y fariseos hipócritas, porque ni entran al reino de los cielos ni dejan entrar a nadie! ¹⁴¡Ay de ustedes, escribas y fariseos hipócritas, que por un lado hacen oraciones larguísimas en las calles y por el otro quitan las casas a las viudas! ¡Hipócritas! ¹⁵¡Ay de ustedes, hipócritas!, porque recorren el mundo en busca de prosélitos, y una vez que los encuentran los hacen dos veces más hijos del infierno que ustedes mismos. ¹⁶¡Guías ciegos, ay de ustedes! Porque dicen que no importa que se jure en vano por el Templo de Dios, pero si alguien jura en vano por el oro del Templo, lo condenan. ¹⁷¡Ciegos insensatos! ¿Qué es más importante, el oro o el Templo que santifica el oro? ¹⁸Y dicen que se puede jurar en vano por el altar, pero si se jura en vano por lo que está sobre el altar lo condenan. ¹⁹¡Ciegos! ¿Qué es más importante, la ofrenda que se pone sobre el altar, o el altar que santifica la ofrenda? ²⁰El que jura por el altar está jurando también por lo que está sobre él, ²¹y el que jura por el Templo, está jurando por el Templo y por Dios que habita en él. ²²Y cuando se jura por el cielo se está jurando por el trono de Dios y por Dios mismo.

don't do what they tell you to do. ⁴ They load you with impossible demands that they themselves don't even try to keep.

⁵ "Everything they do is done for show. They act holy by wearing on their arms little prayer boxes with Scripture verses inside, and by lengthening the memorial fringes of their robes. ⁶ And how they love to sit at the head table at banquets, and in the reserved pews in the synagogue! ⁷ How they enjoy the deference paid them on the streets, and to be called 'Rabbi' and 'Master'! ⁸ Don't ever let anyone call you that. For only God is your Rabbi and all of you are on the same level, as brothers. ⁹ And don't address anyone here on earth as 'Father,' for only God in heaven should be addressed like that. ¹⁰ And don't be called 'Master,' for only one is your master, even the Messiah.

¹¹ "The more lowly your service to others, the greater you are. To be the greatest, be a servant. ¹² But those who think themselves great shall be disappointed and humbled; and those who humble themselves shall be exalted.

¹³,¹⁴ "Woe to you, Pharisees, and you other religious leaders. Hypocrites! For you won't let others enter the Kingdom of Heaven, and won't go in yourselves. And you pretend to be holy, with all your long, public prayers in the streets, while you are evicting widows from their homes. Hypocrites! ¹⁵ Yes, woe upon you hypocrites. For you go to all lengths to make one convert, and then turn him into twice the son of hell you are yourselves. ¹⁶ Blind guides! Woe upon you! For your rule is that to swear 'By God's Temple' means nothing—you can break that oath, but to swear 'By the gold in the Temple' is binding! ¹⁷ Blind fools! Which is greater, the gold, or the Temple that sanctifies the gold? ¹⁸ And you say that to take an oath 'By the altar' can be broken, but to swear 'By the gifts on the altar' is binding! ¹⁹ Blind! For which is greater, the gift on the altar, or the altar itself that sanctifies the gift? ²⁰ When you swear 'By the altar' you are swearing by it and everything on it, ²¹ and when you swear 'By the Temple' you are swearing by it, and by God who lives in it. ²² And when you swear 'By heavens' you are swearing by the Throne of God and by God himself.

²³"¡Ay de ustedes, fariseos y escribas hipócritas! Porque diezman hasta la última hojilla de menta del jardín y se olvidan de lo más importante, que es tener justicia, misericordia y fe. Sí, hay que diezmar, pero no se puede dejar a un lado lo que es aun más importante.

²⁴"¡Guías ciegos, que cuelan el mosquito y se tragan el camello! ²⁵¡Ay de ustedes, escribas y fariseos hipócritas!, porque limpian meticulosamente el exterior del vaso y dejan el interior lleno de robo e injusticia. ²⁶Fariseos ciegos, limpien primero el interior del vaso, para que esté limpio por dentro y por fuera. ²⁷¡Ay de ustedes, escribas y fariseos hipócritas que, como sepulcros blanqueados, son hermosos por fuera, pero dentro están llenos de huesos de muertos y corrupción! ²⁸Y así también ustedes, por fuera se ven santos, pero bajo el manto de piedad hay un corazón manchado de hipocresía y pecado.

²⁹"¡Ay de ustedes, escribas y fariseos hipócritas!, porque levantan monumentos a los profetas que los padres de ustedes mataron, y adornan las tumbas de los justos que destruyeron, ³⁰y al hacerlo dicen: "¡Nosotros no los habríamos matado!" ³¹¿No se dan cuenta que se están tildando de hijos de asesinos? ³²¡Acaben de imitarlos! ¡Pónganse a la altura de ellos! ³³¡Serpientes, hijos de víboras! ¿Cómo van a escapar de la condenación del infierno?

³⁴"Yo les enviaré profetas, hombres llenos del Espíritu y escritores inspirados, pero a algunos los crucificarán, a otros les destrozarán las espaldas a latigazos en las sinagogas, y a los demás los perseguirán de ciudad en ciudad. ³⁵Así caerá sobre ustedes la culpa de la sangre de los justos asesinados, desde Abel hasta Zacarías, el hijo de Berequías, que ustedes mataron entre el altar y el santuario. ³⁶¡Los juicios acumulados a través de los siglos caerán sobre esta generación!

³⁷"¡Jerusalén, Jerusalén, que matas a los profetas y apedreas a los que Dios te envía! ¡Cuántas veces quise juntar a tus hijos como la gallina junta a sus polluelos debajo de sus alas, pero no quisiste! ³⁸De ahora en adelante tu casa quedará abandonada, ³⁹porque te aseguro que no me volverás a

²³ "Yes, woe upon you, Pharisees, and you other religious leaders—hypocrites! For you tithe down to the last mint leaf in your garden, but ignore the important things—justice and mercy and faith. Yes, you should tithe, but you shouldn't leave the more important things undone. ²⁴ Blind guides! You strain out a gnat and swallow a camel.

²⁵ "Woe to you, Pharisees, and you religious leaders—hypocrites! You are so careful to polish the outside of the cup, but the inside is foul with extortion and greed. ²⁶ Blind Pharisees! First cleanse the inside of the cup, and then the whole cup will be clean.

²⁷ "Woe to you, Pharisees, and you religious leaders! You are like beautiful mausoleums—full of dead men's bones, and of foulness and corruption. ²⁸ You try to look like saintly men, but underneath those pious robes of yours are hearts besmirched with every sort of hypocrisy and sin.

²⁹,³⁰ "Yes, woe to you, Pharisees, and you religious leaders—hypocrites! For you build monuments to the prophets killed by your fathers and lay flowers on the graves of the godly men they destroyed, and say, 'We certainly would never have acted as our fathers did.'

³¹ "In saying that, you are accusing yourselves of being the sons of wicked men. ³² And you are following in their steps, filling up the full measure of their evil. ³³ Snakes! Sons of vipers! How shall you escape the judgment of hell?

³⁴ "I will send you prophets, and wise men, and inspired writers, and you will kill some by crucifixion, and rip open the backs of others with whips in your synagogues, and hound them from city to city, ³⁵ so that you will become guilty of all the blood of murdered godly men from righteous Abel to Zechariah (son of Barachiah), slain by you in the Temple between the altar and the sanctuary. ³⁶ Yes, all the accumulated judgment of the centuries shall break upon the heads of this very generation.

³⁷ "O Jerusalem, Jerusalem, the city that kills the prophets, and stones all those God sends to her! How often I have wanted to gather your children together as a hen gathers her chicks beneath her wings, but you wouldn't let me. ³⁸ And now your house is left to you, desolate. ³⁹ For I tell you this,

ver hasta que digas: "¡Bendito el que viene en el nombre del Señor!"

24 MIENTRAS SALÍAN, SUS discípulos le suplicaron que los acompañara a recorrer los edificios del Templo. ²Y El les dijo:

—¿Ven esos edificios? ¡Todos serán derrumbados y no quedará ni una piedra sobre otra!

³Una vez sentados en las laderas del Monte de los Olivos, los discípulos le preguntaron:

—¿Qué acontecimientos indicarán la cercanía de tu regreso y el fin del mundo?

⁴—No dejen que nadie los engañe —les contestó Jesús—. ⁵Muchos vendrán diciendo que son el Mesías y engañarán a muchos. ⁶Cuando oigan rumores de guerras, no crean que estarán marcando mi retorno; habrá rumores y habrá guerra, pero todavía no será el fin. ⁷Las naciones y los reinos de la tierra pelearán entre sí, y habrá hambres y terremotos en diferentes lugares. ⁸Pero esto será sólo el principio de los horrores que vendrán. ⁹Entonces los torturarán, los matarán, los odiarán en todo el mundo por mi causa, ¹⁰y muchos de ustedes volverán a caer en pecado y traicionarán y aborrecerán a los demás. ¹¹Muchos falsos profetas se levantarán, y engañarán a muchas personas. ¹²Habrá tanto pecado y maldad, que el amor de muchos se enfriará. ¹³Pero los que se mantengan firmes hasta el fin serán salvos. ¹⁴Las buenas nuevas del reino serán proclamadas en todo el mundo, para que todas las naciones las oigan. Y entonces vendrá el fin.

¹⁵"Por lo tanto, cuando vean que aparece en el Lugar Santo la desoladora impureza de que habla Daniel el profeta (¡preste atención el lector!), ¹⁶el que esté en Judea, huya a los montes. ¹⁷El que esté en la azotea, no baje a hacer las maletas. ¹⁸El que esté en el campo, no regrese a buscar la capa. ¹⁹¡Ay de las mujeres que estén encintas o que tengan niños de pecho en aquellos días! ²⁰Oren para que la huida no sea en invierno ni en el día de reposo, ²¹porque como la persecución que se desatará no se habrá desatado ninguna en la historia, ni se desatará después! ²²Si aquellos días no fue-

you will never see me again until you are ready to welcome the one sent to you from God."

24 AS JESUS WAS leaving the Temple grounds, his disciples came along and wanted to take him on a tour of the various Temple buildings.

² But he told them, "All these buildings will be knocked down, with not one stone left on top of another!"

³ "When will this happen?" the disciples asked him later, as he sat on the slopes of the Mount of Olives. "What events will signal your return, and the end of the world?"

⁴ Jesus told them, "Don't let anyone fool you. ⁵ For many will come claiming to be the Messiah, and will lead many astray. ⁶ When you hear of wars beginning, this does not signal my return; these must come, but the end is not yet. ⁷ The nations and kingdoms of the earth will rise against each other and there will be famines and earthquakes in many places. ⁸ But all this will be only the beginning of the horrors to come.

⁹ "Then you will be tortured and killed and hated all over the world because you are mine, ¹⁰ and many of you shall fall back into sin and betray and hate each other. ¹¹ And many false prophets will appear and lead many astray. ¹² Sin will be rampant everywhere and will cool the love of many. ¹³ But those enduring to the end shall be saved.

¹⁴ "And the Good News about the Kingdom will be preached throughout the whole world, so that all nations will hear it, and then, finally, the end will come.

¹⁵ "So, when you see the horrible thing (told about by Daniel the prophet) standing in a holy place (Note to the reader: You know what is meant!), ¹⁶ then those in Judea must flee into the Judean hills. ¹⁷ Those on their porches must not even go inside to pack before they flee. ¹⁸ Those in the fields should not return to their homes for their clothes.

¹⁹ "And woe to pregnant women and to those with babies in those days. ²⁰ And pray that your flight will not be in winter, or on the Sabbath. ²¹ For there will be persecution such as the world has never before seen in all its history, and will never see again.

²² "In fact, unless those days are short-

ran acortados, la humanidad entera perecería; pero serán acortados por el bien de los escogidos de Dios.

²³"Si en aquellos días alguien les dice que el Mesías está en ese lugar o en el otro, o que apareció aquí o allá o en la ciudad de más allá, no lo crean. ²⁴Porque se levantarán falsos cristos y falsos profetas que realizarán milagros extraordinarios con los cuales tratarán de engañar aun a los escogidos de Dios. ²⁵Por lo tanto, repito: ²⁶Si alguien les dice que el Mesías ha regresado y está en el desierto, no se les ocurra ir a verlo. Y si les dicen que está escondido en cierto lugar, no lo crean. ²⁷Porque mi venida será tan visible como un relámpago que cruza el cielo de este a oeste. ²⁸Y los buitres se juntarán donde esté el cuerpo muerto.

²⁹"Una vez que la persecución de aquellos días haya cesado, el sol se oscurecerá, la luna no dará su luz, las estrellas del cielo y los poderes que están sobre la tierra se conmoverán. ³⁰Entonces aparecerá en el cielo la señal de mi venida, y el mundo entero se ahogará en llanto al verme llegar en las nubes del cielo con poder y gran gloria. ³¹Y enviaré a los ángeles delante de mí para que, con toque de trompeta, junten a mis escogidos de todas partes del mundo.

³²"Apréndanse bien la lección de la higuera. Cuando la rama está tierna y brotan las hojas, se sabe que el verano está cerca. ³³De la misma manera, cuando vean que estas cosas empiezan a suceder, sepan que mi regreso está cerca. ³⁴Sólo entonces terminará esta era de maldad. ³⁵El cielo y la tierra desaparecerán, pero mis palabras permanecerán, para siempre. ³⁶Ahora bien, nadie, ni siquiera los ángeles, sabe el día ni la hora del fin. Sólo el Padre lo sabe. ³⁷⁻³⁹Al igual que en los días de Noé la gente no quiso creer hasta que el diluvio los arrastró, este mundo incrédulo continuará entregado a sus banquetes y fiestas de boda

ened, all mankind will perish. But they will be shortened for the sake of God's chosen people.

²³ "Then if anyone tells you, 'The Messiah has arrived at such and such a place, or has appeared here or there,' don't believe it. ²⁴ For false Christs shall arise, and false prophets, and will do wonderful miracles, so that if it were possible, even God's chosen ones would be deceived. ²⁵ See, I have warned you.

²⁶ "So if someone tells you the Messiah has returned and is out in the desert, don't bother to go and look. Or, that he is hiding at a certain place, don't believe it! ²⁷ For as the lightning flashes across the sky from east to west, so shall my coming be, when I, the Messiah. return. ²⁸ And wherever the carcass is, there the vultures will gather.

²⁹ "Immediately after the persecution of those days the sun will be darkened, and the moon will not give light, and the stars will seem to fall from the heavens, and the powers overshadowing the earth will be convulsed.

³⁰ "And then at last the signal of my coming will appear in the heavens and there will be deep mourning all around the earth. And the nations of the world will see me arrive in the clouds of heaven, with power and great glory. ³¹ And I shall send forth my angels with the sound of a mighty trumpet blast, and they shall gather my chosen ones from the farthest ends of the earth and heaven.

³² "Now learn a lesson from the fig tree. When her branch is tender and the leaves begin to sprout, you know that summer is almost here. ³³ Just so, when you see all these things beginning to happen, you can know that my return is near, even at the doors. ³⁴ Then at last this age will come to its close.

³⁵ "Heaven and earth will disappear, but my words remain forever. ³⁶ But no one knows the date and hour when the end will be—not even the angels. No, nor even God's Son. Only the Father knows.

³⁷,³⁸ "The world will be at ease —banquets and parties and weddings—just as it was in Noah's time before the sudden coming of the flood; ³⁹ people wouldn't believe what was going to happen until the flood actually arrived and took them all away. So shall my coming be.

hasta que mi venida lo sorprenda. ⁴⁰Cuando yo venga, dos hombres estarán trabajando juntos en el campo; uno será llevado y el otro dejado. ⁴¹Dos mujeres estarán realizando sus quehaceres hogareños; una será tomada y la otra dejada. ⁴²Por lo tanto, deben estar listos, porque no saben cuándo vendrá el Señor. ⁴³De la misma manera que el padre de familia se mantiene vigilante para que los ladrones no se introduzcan en la casa, ⁴⁴deben estar vigilantes para que mi regreso no los sorprenda. ⁴⁵¿Son ustedes siervos sabios y fieles a quienes el Señor ha encomendado la tarea de realizar los quehaceres de su casa y proporcionar a sus hijos el alimento cotidiano? ⁴⁶¡Benditos serán si a mi regreso los encuentro cumpliendo fielmente con su deber! ⁴⁷¡Los pondré a cargo de mis bienes!

⁴⁸"Pero si son tan malvados que, creyendo que voy a tardar en venir, ⁴⁹se ponen a oprimir a sus consiervos, a andar de fiestas y a emborracharse, ⁵⁰el Señor llegará cuando menos lo esperen, ⁵¹los azotará severamente y los enviará al tormento de los hipócritas; allí será el llorar y el crujir de dientes.

25 ¹"EN EL REINO de los cielos sucederá lo que les sucedió a las diez muchachas que tomaron sus lámparas y salieron a recibir al novio. ²⁻⁴Cinco de ellas fueron sabias y llenaron bien las lámparas de aceite, mientras que las demás, insensatas, no lo hicieron.

⁵"Como el novio se demoraba, se quedaron dormidas. ⁶Alrededor de la media noche un grito las despertó: "¡Allí viene el novio! ¡Salgan a recibirlo!" ⁷Las muchachas saltaron a arreglar las lámparas, ⁸y las cinco que casi no tenían aceite suplicaron a las otras que compartieran con ellas su aceite, porque se les estaban apagando las lámparas. ⁹Pero las otras, prudentemente, respondieron: "No tenemos suficiente aceite para darles. Vayan a la tienda y compren". ¹⁰Así lo hicieron. Pero al regresar encontraron la puerta cerrada. El novio había llegado ya y había entrado a la boda con las que estaban listas. ¹¹"Señor, ábrenos", gritaron, tocando a la puerta. ¹²Pero el novio les respondió: "¡No sé quiénes son

⁴⁰ "Two men will be working together in the fields, and one will be taken, the other left. ⁴¹ Two women will be going about their household tasks; one will be taken, the other left.

⁴² "So be prepared, for you don't know what day your Lord is coming.

⁴³ "Just as a man can prevent trouble from thieves by keeping watch for them, ⁴⁴ so you can avoid trouble by always being ready for my unannounced return.

⁴⁵ "Are you a wise and faithful servant of the Lord? Have I given you the task of managing my household, to feed my children day by day? ⁴⁶ Blessings on you if I return and find you faithfully doing your work. ⁴⁷ I will put such faithful ones in charge of everything I own!

⁴⁸ "But if you are evil and say to yourself, 'My Lord won't be coming for a while,' ⁴⁹ and begin oppressing your fellow servants, partying and getting drunk, ⁵⁰ your Lord will arrive unannounced and unexpected, ⁵¹ and severely whip you and send you off to the judgment of the hypocrites; there will be weeping and gnashing of teeth.

25 "THE KINGDOM OF Heaven can be illustrated by the story of ten bridesmaids who took their lamps and went to meet the bridegroom. ²,³,⁴ But only five of them were wise enough to fill their lamps with oil, while the other five were foolish and forgot.

⁵,⁶ "So, when the bridegroom was delayed, they lay down to rest until midnight, when they were roused by the shout, 'The bridegroom is coming! Come out and welcome him!'

⁷,⁸ "All the girls jumped up and trimmed their lamps. Then the five who hadn't any oil begged the others to share with them, for their lamps were going out.

⁹ "But the others replied, 'We haven't enough. Go instead to the shops and buy some for yourselves.'

¹⁰ "But while they were gone, the bridegroom came, and those who were ready went in with him to the marriage feast, and the door was locked.

¹¹ "Later, when the other five returned, they stood outside, calling, 'Sir, open the door for us!'

¹² "But he called back, 'Go away! It is

ustedes! ¡Váyanse!"

¹³"Por lo tanto, mantente vigilante, porque no sabes cuándo ni a qué hora he de regresar.

¹⁴"Hubo una vez un hombre que, antes de partir hacia otro país, juntó a sus siervos y les prestó dinero para que lo invirtieran en su nombre durante su ausencia. ¹⁵A uno le entregó cincuenta mil pesos, a otro veinte mil y a otro diez mil, de acuerdo con la capacidad que había observado en cada uno de ellos.

¹⁶"El que recibió los cincuenta mil pesos los invirtió inmediatamente en negocios de compraventa y en poco tiempo obtuvo una ganancia de cincuenta mil pesos. ¹⁷El que recibió los veinte mil pesos los invirtió también y ganó veinte mil pesos. ¹⁸Pero el que recibió los diez mil, cavó en la tierra y escondió el dinero para que estuviera seguro.

¹⁹"Luego de un tiempo de ausencia prolongada, el jefe regresó del viaje y los llamó para arreglar cuentas con ellos.

²⁰"El que había recibido los cincuenta mil pesos le entregó cien mil. ²¹El jefe, satisfecho, le dijo: "¡Magnífico! Eres un siervo bueno y fiel. Y ya que fuiste fiel con el poco dinero que te di, te voy a confiar una cantidad mayor. Ven, entra, celebremos tu éxito".

²²"El que había recibido los veinte mil presentó su informe:

—Señor, me diste veinte mil pesos y aquí tienes cuarenta mil. ²³"¡Estupendo!", le respondió el jefe. "Eres un siervo bueno y fiel. Y ya que has sido fiel con lo poco que deposité en tus manos, te voy a confiar ahora una cantidad mayor. Ven, entra, celebremos tu éxito".

²⁴,²⁵"Cuando el que había recibido los diez mil pesos se presentó ante el jefe, le dijo: "Señor, como sabía que eres tan duro que te quedarías con cualquier utilidad que yo obtuviera, escondí el dinero. Aquí tienes hasta el último centavo". ²⁶"¡Malvado! ¡Haragán! Si sabías que quería obtener las utilidades, ²⁷por lo menos debías haber puesto el dinero en el banco para que ganara intereses. ²⁸Quítenle ese dinero y dénselo al que tiene los cien mil pesos. ²⁹Porque el que sabe usar bien lo que recibe, recibirá más y tendrá abundancia. Pero al que es infiel se le quitará aun lo poco que tiene. ³⁰Echen a este siervo inútil en las tinieblas

too late!'

¹³ "So stay awake and be prepared, for you do not know the date or moment of my return.

¹⁴ "Again, the Kingdom of Heaven can be illustrated by the story of a man going into another country, who called together his servants and loaned them money to invest for him while he was gone.

¹⁵ "He gave $5,000 to one, $2,000 to another, and $1,000 to the last—dividing it in proportion to their abilities—and then left on his trip. ¹⁶ The man who received the $5,000 began immediately to buy and sell with it and soon earned another $5,000. ¹⁷ The man with $2,000 went right to work, too, and earned another $2,000.

¹⁸ "But the man who received the $1,000 dug a hole in the ground and hid the money for safekeeping.

¹⁹ "After a long time their master returned from his trip and called them to him to account for his money. ²⁰ The man to whom he had entrusted the $5,000 brought him $10,000.

²¹ "His master praised him for good work. 'You have been faithful in handling this small amount,' he told him, 'so now I will give you many more responsibilities. Begin the joyous tasks I have assigned to you.'

²² "Next came the man who had received the $2,000, with the report, 'Sir, you gave me $2,000 to use, and I have doubled it.'

²³ " 'Good work,' his master said. 'You are a good and faithful servant. You have been faithful over this small amount, so now I will give you much more.'

²⁴,²⁵ "Then the man with the $1,000 came and said, 'Sir, I knew you were a hard man, and I was afraid you would rob me of what I earned, so I hid your money in the earth and here it is!'

²⁶ "But his master replied, 'Wicked man! Lazy slave! Since you knew I would demand your profit, ²⁷ you should at least have put my money into the bank so I could have some interest. ²⁸ Take the money from this man and give it to the man with the $10,000. ²⁹ For the man who uses well what he is given shall be given more, and he shall have abundance. But from the man who is unfaithful, even what little responsibility he has shall be taken from him. ³⁰ And throw the useless servant out into outer darkness:

de afuera. Allí será el llorar y el crujir de dientes".

³¹"Cuando yo, el Hijo del Hombre, venga en mi gloria junto con los ángeles, me sentaré en mi trono de gloria ³²y las naciones se reunirán delante de mí. Y las separaré como el pastor separa las ovejas de los cabritos. ³³A mis ovejas las pondré a la mano derecha; a los cabritos, a la izquierda.

³⁴"Entonces yo, el Rey, diré a los de mi derecha: "Vengan, benditos de mi Padre. Entren al reino que está preparado para ustedes desde la fundación del mundo. ³⁵Porque tuve hambre y me dieron de comer; tuve sed y me dieron de beber; fui forastero y me alojaron en sus casas; ³⁶estuve desnudo y me vistieron; enfermo y en prisión, y me visitaron".

³⁷"Y los justos me preguntarán: "Señor, ¿cuándo te vimos con hambre y te alimentamos, o sediento y te dimos de beber? ³⁸¿Cuándo te vimos forastero y te alojamos en casa, o desnudo y te vestimos? ³⁹¿Y cuándo te vimos enfermo o en prisión y te visitamos?"

⁴⁰"Yo, el Rey, les responderé: "Todo lo que hicieron a mis hermanos a mí lo hicieron".

⁴¹"Entonces me volveré a los de la izquierda y les diré: "¡Apártense de mí, malditos, al fuego eterno preparado para el diablo y los demonios. ⁴²Porque tuve hambre y no me alimentaron; sed y no me dieron de beber; ⁴³cuando me vieron forastero, me negaron hospitalidad; desnudo, no me vistieron; enfermo y en prisión y no me visitaron".

⁴⁴"Ellos responderán: "Señor, ¿cuándo te vimos hambriento, sediento, forastero, desnudo, enfermo o en prisión y no te ayudamos?"

⁴⁵"Y les responderé: "Cada vez que se negaron a ayudar a uno de mis hermanos, se estaban negando a ayudarme".

⁴⁶"E irán al castigo eterno, mientras los justos entran a la vida eterna.

26 AL TERMINAR DE decir estas cosas, dijo a sus discípulos:

²—Como saben, dentro de dos días se celebra la Pascua, y me van a traicionar y a crucificar.

³,⁴En aquel mismo instante los principales sacerdotes, escribas y funcionarios

there shall be weeping and gnashing of teeth.'

³¹ "But when I, the Messiah, shall come in my glory, and all the angels with me, then I shall sit upon my throne of glory. ³² And all the nations shall be gathered before me. And I will separate the people as a shepherd separates the sheep from the goats, ³³ and place the sheep at my right hand, and the goats at my left.

³⁴ "Then I, the King, shall say to those at my right, 'Come, blessed of my Father, into the Kingdom prepared for you from the founding of the world. ³⁵ For I was hungry and you fed me; I was thirsty and you gave me water; I was a stranger and you invited me into your homes; ³⁶ naked and you clothed me; sick and in prison, and you visited me.'

³⁷ "Then these righteous ones will reply, 'Sir, when did we ever see you hungry and feed you? Or thirsty and give you anything to drink? ³⁸ Or a stranger, and help you? Or naked, and clothe you? ³⁹ When did we ever see you sick or in prison, and visit you?'

⁴⁰ "And I, the King, will tell them, 'When you did it to these my brothers you were doing it to me!' ⁴¹ Then I will turn to those on my left and say, 'Away with you, you cursed ones, into the eternal fire prepared for the devil and his demons. ⁴² For I was hungry and you wouldn't feed me; thirsty, and you wouldn't give me anything to drink; ⁴³ a stranger, and you refused me hospitality; naked, and you wouldn't clothe me; sick, and in prison, and you didn't visit me.'

⁴⁴ "Then they will reply, 'Lord, when did we ever see you hungry or thirsty or a stranger or naked or sick or in prison, and not help you?'

⁴⁵ "And I will answer, 'When you refused to help the least of these my brothers, you were refusing help to me.'

⁴⁶ "And they shall go away into eternal punishment; but the righteous into everlasting life."

26 WHEN JESUS HAD finished this talk with his disciples, he told them,

² "As you know, the Passover celebration begins in two days, and I shall be betrayed and crucified."

³ At that very moment the chief priests and other Jewish officials were meeting at

judíos se reunían en la residencia de Caifás, el sumo sacerdote, a buscar la manera de capturar a Jesús a espaldas del pueblo y matarlo.

⁵—Pero no durante la celebración de la Pascua —dijeron—, porque habrá revuelta.

⁶Jesús fue a Betania, donde visitó a Simón el leproso. ⁷Durante la cena, una mujer se le acercó con un frasco de un perfume costosísimo, y se lo derramó en la cabeza. ⁸Al ver esto, los discípulos se enojaron.

—¡Qué desperdicio! —dijeron—. ⁹Se hubiera podido vender en muy buen precio y habríamos dado el dinero a los pobres.

¹⁰Jesús, que sabía lo que estaban pensando, les dijo:

—¿Por qué la critican? Lo que hizo está muy bien hecho. ¹¹Entre ustedes siempre habrá pobres, pero yo no estaré siempre con ustedes. ¹²Ella me ha bañado en perfume para prepararme para la sepultura. ¹³Lo que ha hecho se sabrá en todas partes del mundo en que se prediquen las buenas nuevas.

¹⁴Entonces Judas Iscariote, uno de los doce apóstoles, se presentó ante los principales sacerdotes ¹⁵y les preguntó:

—¿Cuánto me pagan si les entrego a Jesús?

—¡Treinta piezas de plata!

¹⁶Desde entonces Judas buscaba el momento propicio para traicionar a Jesús.

¹⁷El primer día de las ceremonias pascuales en que los judíos se abstenían de comer pan con levadura, los discípulos le preguntaron a Jesús:

—¿Dónde quieres que preparemos la cena de Pascua?

¹⁸—Vayan a casa de quien ya saben en la ciudad, y díganle que mi tiempo está cerca y que deseo celebrar en su casa la Pascua con mis discípulos.

¹⁹Los discípulos obedecieron y prepararon allá la cena.

²⁰,²¹Aquella noche, mientras comía con los doce, dijo:

—Uno de ustedes me va a traicionar.

²²Entristecidos, cada uno de los discípulos le fue preguntando:

—¿Seré yo, Señor?

²³Y El fue respondiendo a cada uno:

—Es el que va a comer conmigo en el mismo plato. ²⁴Es cierto, voy a morir como

the residence of Caiaphas the High Priest, ⁴ to discuss ways of capturing Jesus quietly, and killing him. ⁵ "But not during the Passover celebration," they agreed, "for there would be a riot."

⁶ Jesus now proceeded to Bethany, to the home of Simon the leper. ⁷ While he was eating, a woman came in with a bottle of very expensive perfume, and poured it over his head.

⁸,⁹ The disciples were indignant. "What a waste of good money," they said. "Why, she could have sold it for a fortune and given it to the poor."

¹⁰ Jesus knew what they were thinking, and said, "Why are you criticizing her? For she has done a good thing to me. ¹¹ You will always have the poor among you, but you won't always have me. ¹² She has poured this perfume on me to prepare my body for burial. ¹³ And she will always be remembered for this deed. The story of what she has done will be told throughout the whole world, wherever the Good News is preached."

¹⁴ Then Judas Iscariot, one of the twelve apostles, went to the chief priests, ¹⁵ and asked, "How much will you pay me to get Jesus into your hands?" And they gave him thirty silver coins. ¹⁶ From that time on, Judas watched for an opportunity to betray Jesus to them.

¹⁷ On the first day of the Passover ceremonies, when bread made with yeast was purged from every Jewish home, the disciples came to Jesus and asked, "Where shall we plan to eat the Passover?"

¹⁸ He replied, "Go into the city and see Mr. So-and-So, and tell him, 'Our Master says, my time has come, and I will eat the Passover meal with my disciples at your house.' " ¹⁹ So the disciples did as he told them, and prepared the supper there.

²⁰,²¹ That evening as he sat eating with the Twelve, he said, "One of you will betray me."

²² Sorrow chilled their hearts, and each one asked, "Am I the one?"

²³ He replied, "It is the one I served first. ²⁴ For I must die just as was pro-

está profetizado, pero pobre del hombre que me traiciona. Habría sido mejor si no hubiera nacido.

²⁵Judas se le acercó también y le preguntó:

—¿Soy yo, Maestro?

—Sí. Tú lo has dicho.

²⁶Mientras comían, Jesús tomó un pedazo de pan, lo bendijo, lo partió y dio a sus discípulos.

—Tomen. Cómanselo; esto es mi cuerpo.

²⁷Y tomó una copa de vino, la bendijo y la repartió también.

—Beban esto, ²⁸porque esto es mi sangre que sella el nuevo pacto. Mi sangre se derramará para comprar con ella el perdón de los pecados de infinidad de personas. ²⁹Recuerden: No volveré a beber de este vino hasta el día en que lo beba de nuevo con ustedes en el reino de mi Padre.

³⁰Entonces cantaron un himno y se fueron al Monte de los Olivos. ³¹Allí Jesús les dijo:

—Esta noche ustedes se apartarán de mí desilusionados, porque las Escrituras dicen que Dios herirá al pastor y las ovejas del rebaño se dispersarán. ³²Pero después que resucite, iré a Galilea a encontrarme con ustedes.

³³—Aunque los demás te abandonen, yo no te abandonaré —le dijo Pedro.

³⁴—Pedro —le respondió Jesús—, te aseguro que esta noche, antes que el gallo cante, me negarás tres veces.

³⁵—¡Aunque me cueste la vida, no te negaré! —insistió Pedro.

Y los demás discípulos dijeron lo mismo.

³⁶Entonces los llevó a un huerto, el huerto de Getsemaní, y les pidió que se sentaran y lo esperaran mientras entraba al huerto a orar. ³⁷Entró con Pedro y los dos hijos de Zebedeo (Jacobo y Juan). Ya a solas los cuatro, se fue llenando de indescriptible tristeza y angustia.

³⁸—Tengo el alma llena de tristeza y angustia mortal. Quédense aquí conmigo. No se duerman.

³⁹Se apartó un poco, se postró rostro en tierra y oró:

—Padre mío, si es posible, aparta de mí esta copa. Pero hágase no lo que yo quiero sino lo que quieres tú.

phesied, but woe to the man by whom I am betrayed. Far better for that one if he had never been born."

²⁵ Judas, too, had asked him, "Rabbi, am I the one?" And Jesus had told him, "Yes."

²⁶ As they were eating, Jesus took a small loaf of bread and blessed it and broke it apart and gave it to the disciples and said, "Take it and eat it, for this is my body."

²⁷ And he took a cup of wine and gave thanks for it and gave it to them and said, "Each one drink from it, ²⁸ for this is my blood, sealing the New Covenant. It is poured out to forgive the sins of multitudes. ²⁹ Mark my words—I will not drink this wine again until the day I drink it new with you in my Father's Kingdom."

³⁰ And when they had sung a hymn, they went out to the Mount of Olives.

³¹ Then Jesus said to them, "Tonight you will all desert me. For it is written in the Scriptures that God will smite the Shepherd, and the sheep of the flock will be scattered. ³² But after I have been brought back to life again I will go to Galilee, and meet you there."

³³ Peter declared, "If everyone else deserts you, I won't."

³⁴ Jesus told him, "The truth is that this very night, before the cock crows at dawn, you will deny me three times!"

³⁵ "I would die first!" Peter insisted. And all the other disciples said the same thing.

³⁶ Then Jesus brought them to a garden grove, Gethsemane, and told them to sit down and wait while he went on ahead to pray. ³⁷ He took Peter with him and Zebedee's two sons James and John, and began to be filled with anguish and despair.

³⁸ Then he told them, "My soul is crushed with horror and sadness to the point of death . . . stay here . . . stay awake with me."

³⁹ He went forward a little, and fell face downward on the ground, and prayed, "My Father! If it is possible, let this cup be taken away from me. But I want your will, not mine."

⁴⁰Cuando fue donde había dejado a los tres discípulos, los halló dormidos.

—Pedro —dijo—, ¿no puedes quedarte despierto conmigo ni siquiera una hora? ⁴¹Velen y oren, para que la tentación no los venza. Porque es cierto que el espíritu está dispuesto, pero la carne es débil.

⁴²Y se apartó de nuevo a orar:

—Padre mío, si no puedes apartar de mí esta copa, hágase tu voluntad.

⁴³Se volvió de nuevo a ellos y los halló dormidos por segunda vez. ¡Tan agotados estaban! ⁴⁴Y entonces regresó a orar por tercera vez la misma oración. ⁴⁵Cuando volvió a los discípulos les dijo:

—Duerman, descansen. . .pero no, ha llegado la hora. Me van a entregar en manos de los pecadores. ⁴⁶Levántense, vamos. El traidor se acerca.

⁴⁷No había terminado de pronunciar estas palabras cuando Judas, uno de los doce, se acercó al frente de una turba armada con espadas y palos. Iban en nombre de los líderes judíos y ⁴⁸esperaban sólo que Judas identificara con un beso al Maestro. ⁴⁹Sin pérdida de tiempo, el traidor se acercó a Jesús.

—Hola, Maestro —le dijo y lo besó.

⁵⁰—Amigo, haz lo que viniste a hacer —le respondió Jesús.

En el instante en que prendían a Jesús, ⁵¹uno de los que lo acompañaban sacó una espada y de un tajo le arrancó la oreja a un siervo del sumo sacerdote.

⁵²—¡Guarda esa espada! —le ordenó Jesús—. El que espada usa a espada perecerá. ⁵³¿No sabes que podría pedirle a mi Padre que me enviara doce mil ángeles y me los enviaría al instante? ⁵⁴Pero si lo hiciera, ¿cómo se cumplirían las Escrituras que describen lo que ahora mismo está aconteciendo?

⁵⁵Luego dijo a la turba:

—¿Soy un asesino tan peligroso que tienen que venir con espadas y palos a arrestarme? Todos estos días he estado enseñando en el Templo y no me detuvieron. ⁵⁶Pero esto es para que se cumplan las predicciones de los profetas de las Escrituras.

Los discípulos huyeron y lo dejaron solo.

⁵⁷Condujeron a Jesús a casa de Caifás, el sumo sacerdote, donde se encontraban reunidos los jefes judíos. ⁵⁸Pedro lo siguió

⁴⁰ Then he returned to the three disciples and found them asleep. "Peter," he called, "couldn't you even stay awake with me one hour? ⁴¹ Keep alert and pray. Otherwise temptation will overpower you. For the spirit indeed is willing, but how weak the body is!"

⁴² Again he left them and prayed, "My Father! If this cup cannot go away until I drink it all, your will be done."

⁴³ He returned to them again and found them sleeping, for their eyes were heavy, ⁴⁴ so he went back to prayer the third time, saying the same things again.

⁴⁵ Then he came to the disciples and said, "Sleep on now and take your rest . . . but no! The time has come! I am betrayed into the hands of evil men! ⁴⁶ Up! Let's be going! Look! Here comes the man who is betraying me!"

⁴⁷ At that very moment while he was still speaking, Judas, one of the Twelve, arrived with a great crowd armed with swords and clubs, sent by the Jewish leaders. ⁴⁸ Judas had told them to arrest the man he greeted, for that would be the one they were after. ⁴⁹ So now Judas came straight to Jesus and said, "Hello, Master!" and embraced him in friendly fashion.

⁵⁰ Jesus said, "My friend, go ahead and do what you have come for." Then the others grabbed him.

⁵¹ One of the men with Jesus pulled out a sword and slashed off the ear of the High Priest's servant.

⁵² "Put away your sword," Jesus told him. "Those using swords will get killed. ⁵³ Don't you realize that I could ask my Father for thousands of angels to protect us, and he would send them instantly? ⁵⁴ But if I did, how would the Scriptures be fulfilled that describe what is happening now?" ⁵⁵ Then Jesus spoke to the crowd. "Am I some dangerous criminal," he asked, "that you had to arm yourselves with swords and clubs before you could arrest me? I was with you teaching daily in the Temple and you didn't stop me then. ⁵⁶ But this is all happening to fulfill the words of the prophets as recorded in the Scriptures."

At that point, all the disciples deserted him and fled.

⁵⁷ Then the mob led him to the home of Caiaphas the High Priest, where all the Jewish leaders were gathering. ⁵⁸ Meanwhile,

de lejos, y llegó hasta el patio del sumo sacerdote y se sentó entre los soldados a presenciar los acontecimientos.

⁵⁹Los principales sacerdotes y la corte suprema judía, reunidos allí, se pusieron a buscar falsos testigos que les permitieran formular cargos contra Jesús que merecieran pena de muerte. ⁶⁰Pero aunque muchos ofrecieron sus falsos testimonios, éstos siempre eran contradictorios. Finalmente dos individuos ⁶¹declararon:

—Este hombre dijo que era capaz de destruir el Templo de Dios y reconstruirlo en tres días.

⁶²El sumo sacerdote, al oír aquello, se puso de pie y le dijo a Jesús:

—Muy bien, ¿qué respondes a esta acusación? ¿Dijiste eso o no lo dijiste?

⁶³Jesús no le respondió.

—Demando en el nombre del Dios viviente que nos digas si eres el Mesías, el Hijo de Dios —insistió el sumo sacerdote.

⁶⁴—Sí —le respondió Jesús—. Soy el Mesías. Y un día me verás a mí, el Hijo del Hombre, sentado a la derecha de Dios y regresando en las nubes del cielo.

⁶⁵,⁶⁶—¡Blasfemia! —gritó el sumo sacerdote, rasgándose la ropa—. ¿Qué más testigos necesitamos? ¡El mismo lo ha confesado! ¿Cuál es el veredicto?

—¡Muera! ¡Muera! —le respondieron.

⁶⁷Entonces le escupieron el rostro, lo golpearon y lo abofetearon.

⁶⁸—A ver, Mesías, ¡profetiza! —se burlaban—. ¿Quién te acaba de golpear?

⁶⁹Mientras Pedro contempla la escena desde el patio, una muchacha se le acercó y le dijo:

—Tú también andabas con Jesús el galileo.

⁷⁰—No sé de qué estás hablando —le respondió Pedro enojado.

⁷¹Más tarde, a la salida, otra mujer lo vio y dijo a los que lo rodeaban:

—Ese hombre andaba con Jesús el nazareno.

⁷²Esta vez Pedro juró no conocerlo. ¡Ni siquiera había oído hablar de El! ⁷³Pero al poco rato se le acercaron los que por allí andaban y le dijeron:

Peter was following far to the rear, and came to the courtyard of the High Priest's house and went in and sat with the soldiers, and waited to see what was going to be done to Jesus.

⁵⁹ The chief priests and, in fact, the entire Jewish Supreme Court assembled there and looked for witnesses who would lie about Jesus, in order to build a case against him that would result in a death sentence. ⁶⁰,⁶¹ But even though they found many who agreed to be false witnesses, these always contradicted each other.

Finally two men were found who declared, "This man said, 'I am able to destroy the Temple of God and rebuild it in three days.' "

⁶² Then the High Priest stood up and said to Jesus, "Well, what about it? Did you say that, or didn't you?" ⁶³ But Jesus remained silent.

Then the High Priest said to him, "I demand in the name of the living God that you tell us whether you claim to be the Messiah, the Son of God."

⁶⁴ "Yes," Jesus said, "I am. And in the future you will see me, the Messiah, sitting at the right hand of God and returning on the clouds of heaven."

⁶⁵,⁶⁶ Then the High Priest tore at his own clothing, shouting, "Blasphemy! What need have we for other witnesses? You have all heard him say it! What is your verdict?"

They shouted, "Death!—Death!—Death!"

⁶⁷ Then they spat in his face and struck him and some slapped him, ⁶⁸ saying, "Prophesy to us, you Messiah! Who struck you that time?"

⁶⁹ Meanwhile, as Peter was sitting in the courtyard a girl came over and said to him, "You were with Jesus, for both of you are from Galilee."

⁷⁰ But Peter denied it loudly. "I don't even know what you are talking about," he angrily declared.

⁷¹ Later, out by the gate, another girl noticed him and said to those standing around, "This man was with Jesus—from Nazareth."

⁷² Again Peter denied it, this time with an oath. "I don't even know the man," he said.

⁷³ But after a while the men who had been standing there came over to him and

—No puedes negar que eres uno de los discípulos de ese hombre. ¡Hasta en el habla se te conoce!

[74] Por respuesta Pedro se puso a maldecir y a jurar que no lo conocía. Pero mientras hablaba, el gallo cantó, [75] y le recordó las palabras de Jesús: "Antes que el gallo cante, me negarás tres veces".

Y corrió afuera a llorar amargamente.

27 AL AMANECER, LOS principales sacerdotes y funcionarios judíos se reunieron a deliberar sobre la mejor manera de lograr que el gobierno romano condenara a muerte a Jesús. [2] Por fin lo enviaron atado a Pilato, el gobernador romano.

[3] Cuando Judas, el traidor, se dio cuenta de que iban a condenar a muerte a Jesús, arrepentido y adolorido corrió a donde estaban los principales sacerdotes y funcionarios judíos a devolverles las treinta piezas de plata que le habían pagado.

[4] —He pecado entregando a un inocente —declaró—.

—Y a nosotros ¿qué nos importa? —le respondieron.

[5] Entonces arrojó las piezas de plata en el Templo, y corrió a ahorcarse.

[6] Los principales sacerdotes recogieron el dinero.

—No podemos reintegrarlas al dinero de las ofrendas —se dijeron—, porque nuestras leyes prohíben aceptar dinero contaminado con sangre.

[7] Por fin, decidieron comprar cierto terreno de donde los alfareros extraían barro. Aquel terreno lo convertirían en cementerio de los extranjeros que murieran en Jerusalén. [8] Por eso ese cementerio se llama hoy día "Campo de Sangre". [9] Así se cumplió la profecía de Jeremías que dice:

Tomaron las treinta piezas de plata, precio que el pueblo de Israel ofreció por El, [10] y compraron el campo del alfarero, como me ordenó el Señor.

[11] De pie ante Pilato estaba Jesús.

—¿Eres el Rey de los judíos? —le preguntó el gobernador romano.

—Sí —le respondió—. Tú lo has dicho.

[12] Pero mientras los principales sacerdotes y los ancianos judíos exponían sus acusaciones, nada respondió.

[13] —¿No oyes lo que están diciendo con-

said, "We know you are one of his disciples, for we can tell by your Galilean accent."

[74] Peter began to curse and swear. "I don't even know the man," he said.

And immediately the cock crowed. [75] Then Peter remembered what Jesus had said, "Before the cock crows, you will deny me three times." And he went away, crying bitterly.

27 WHEN IT WAS morning, the chief priests and Jewish leaders met again to discuss how to induce the Roman government to sentence Jesus to death. [2] Then they sent him in chains to Pilate, the Roman governor.

[3] About that time Judas, who betrayed him, when he saw that Jesus had been condemned to die, changed his mind and deeply regretted what he had done, and brought back the money to the chief priests and other Jewish leaders.

[4] "I have sinned," he declared, "for I have betrayed an innocent man."

"That's your problem," they retorted.

[5] Then he threw the money onto the floor of the Temple and went out and hanged himself. [6] The chief priests picked the money up. "We can't put it in the collection," they said, "since it's against our laws to accept money paid for murder."

[7] They talked it over and finally decided to buy a certain field where the clay was used by potters, and to make it into a cemetery for foreigners who died in Jerusalem. [8] That is why the cemetery is still called "The Field of Blood."

[9] This fulfilled the prophecy of Jeremiah which says,

"They took the thirty pieces of silver—the price at which he was valued by the people of Israel— [10] and purchased a field from the potters as the Lord directed me."

[11] Now Jesus was standing before Pilate, the Roman governor. "Are you the Jews' Messiah?" the governor asked him.

"Yes," Jesus replied.

[12] But when the chief priests and other Jewish leaders made their many accusations against him, Jesus remained silent.

[13] "Don't you hear what they are saying?" Pilate demanded.

[14] But Jesus said nothing, much to the

tra ti? —le dijo Pilato.

[14]Para asombro del gobernador, Jesús no le contestó.

[15]Precisamente durante la celebración de la Pascua, el gobernador tenía por costumbre soltar al preso que el pueblo quisiera. [16]Aquel año tenían en la cárcel a un famoso delincuente llamado Barrabás. [17]Cuando el gentío se congregó ante la casa de Pilato aquella mañana, les preguntó:

—¿A quién quieren que suelte; a Barrabás o a Jesús el Mesías?

[18]Sabía muy bien que los dirigentes judíos habían arrestado a Jesús, celosos de la popularidad que Él había alcanzado en el pueblo.

[19]Mientras Pilato presidía el tribunal, le llegó el siguiente mensaje de su esposa:

"No te metas con ese hombre, porque anoche tuve una horrible pesadilla por culpa de Él".

[20]Pero los principales sacerdotes y ancianos, que no perdían tiempo, persuadieron al gentío a que pidieran que soltaran a Barrabás y mataran a Jesús. [21]Cuando el gobernador volvió a preguntarles cuál de los dos querían que soltara, gritaron:

—¡A Barrabás!

[22]—¿Y qué hago con Jesús el Mesías?

—¡Crucifícalo!

[23]—Pero, ¿por qué? —exclamó Pilato asombrado—. ¿Qué delito ha cometido?

Pero la multitud, enardecida, no cesaba de gritar:

—¡Crucifícalo! ¡Crucifícalo!

[24]Cuando Pilato se dio cuenta que no estaba logrando nada y que estaba a punto de formarse un disturbio, pidió que le trajeran una palangana de agua y se lavó las manos en presencia del gentío.

—Soy inocente de la sangre de este hombre. ¡Allá ustedes!

[25]Y la turba le respondió:

—¡Que su sangre caiga sobre nosotros y nuestros hijos!

[26]Pilato soltó a Barrabás. Pero a Jesús lo azotó y lo entregó a los soldados romanos para que lo crucificaran.

[27]Primero lo llevaron al pretorio. Allí, reunida la soldadesca, [28]lo desnudaron y le pusieron un manto escarlata. [29]A alguien se le ocurrió ponerle una corona de espinas y un palo en la mano derecha a manera de cetro. Burlones, se arrodillaban ante Él.

—¡Viva el Rey de los judíos! —grita-

governor's surprise.

[15] Now the governor's custom was to release one Jewish prisoner each year during the Passover celebration—anyone they wanted. [16] This year there was a particularly notorious criminal in jail named Barabbas, [17] and as the crowds gathered before Pilate's house that morning he asked them, "Which shall I release to you—Barabbas, or Jesus your Messiah?" [18] For he knew very well that the Jewish leaders had arrested Jesus out of envy because of his popularity with the people.

[19] Just then, as he was presiding over the court, Pilate's wife sent him this message: "Leave that good man alone; for I had a terrible nightmare concerning him last night."

[20] Meanwhile the chief priests and Jewish officials persuaded the crowds to ask for Barabbas' release, and for Jesus' death. [21] So when the governor asked again, "Which of these two shall I release to you?" the crowd shouted back their reply: "Barabbas!"

[22] "Then what shall I do with Jesus, your Messiah?" Pilate asked.

And they shouted, "Crucify him!"

[23] "Why?" Pilate demanded. "What has he done wrong?" But they kept shouting, "Crucify! Crucify!"

[24] When Pilate saw that he wasn't getting anywhere, and that a riot was developing, he sent for a bowl of water and washed his hands before the crowd, saying, "I am innocent of the blood of this good man. The responsibility is yours!"

[25] And the mob yelled back, "His blood be on us and on our children!"

[26] Then Pilate released Barabbas to them. And after he had whipped Jesus, he gave him to the Roman soldiers to take away and crucify. [27] But first they took him into the armory and called out the entire contingent. [28] They stripped him and put a scarlet robe on him, [29] and made a crown from long thorns and put it on his head, and placed a stick in his right hand as a scepter and knelt before him in mockery. "Hail,

ban.

³⁰A veces lo escupían o le quitaban el palo y lo golpeaban con él en la cabeza.

³¹Por fin, le quitaron el manto, le pusieron su ropa y se lo llevaron para crucificarlo. ³²En el camino hallaron a un hombre de Cirene llamado Simón, y lo obligaron a llevarle la cruz a Jesús.

³³Ya en el lugar conocido como Gólgota, (Loma de la Calavera), ³⁴los soldados le dieron a beber vino con hiel ; tras probarlo, se negó a beberlo. ³⁵Una vez colgado en la cruz, los soldados echaron suertes para repartirse su ropa ³⁶y luego se sentaron a contemplarlo. ³⁷En la cruz, encima de Jesús, habían puesto un letrero que decía: "Este es Jesús, el Rey de los judíos". ³⁸Junto a El, uno a cada lado, crucificaron también a dos ladrones. ³⁹La gente que pasaba por allí se burlaba de El y meneando la cabeza decían:

⁴⁰—¿No decías que podías destruir el Templo y reedificarlo en tres días? Vamos a ver. Bájate de la cruz si eres el Hijo de Dios.

⁴¹Los principales sacerdotes, escribas, fariseos y ancianos se burlaban también.

⁴²—Si a otros salvó, ¿por qué no se salva a sí mismo? ¡Conque tú eres el Rey de los judíos! ¡Bájate de la cruz y creeremos en ti! ⁴³¡Si confió en Dios, que lo salve Dios! ¿No decía que era el Hijo de Dios?

⁴⁴Y los ladrones le decían lo mismo.

⁴⁵Aquel día, desde el mediodía hasta las tres de la tarde, la tierra se sumió en oscuridad. ⁴⁶Cerca de las tres, Jesús gritó:

—**Eli, Eli, lama sabactani** (Dios mío, Dios mío, ¿por qué me has desamparado?)

⁴⁷Algunos de los que estaban allí no le entendieron y creyeron que estaba llamando a Elías. ⁴⁸Uno corrió y empapó una esponja en vinagre, la puso en una caña y se la alzó para que la chupara. ⁴⁹Pero los demás dijeron:

—Déjalo. Vamos a ver si Elías viene a salvarlo.

⁵⁰Jesús habló de nuevo, entregó su espíritu y murió.

⁵¹Al instante, el velo que ocultaba el Lugar Santísimo del Templo se rompió en

King of the Jews," they yelled. ³⁰ And they spat on him and grabbed the stick and beat him on the head with it.

³¹ After the mockery, they took off the robe and put his own garment on him again, and took him out to crucify him. ³² As they were on the way to the execution grounds they came across a man from Cyrene, in Africa—Simon was his name—and forced him to carry Jesus' cross. ³³ Then they went out to an area known as Golgotha, that is, "Skull Hill," ³⁴ where the soldiers gave him drugged wine to drink; but when he had tasted it, he refused.

³⁵ After the crucifixion, the soldiers threw dice to divide up his clothes among themselves. ³⁶ Then they sat around and watched him as he hung there. ³⁷ And they put a sign above his head, "This is Jesus, the King of the Jews."

³⁸ Two robbers were also crucified there that morning, one on either side of him. ³⁹ And the people passing by hurled abuse, shaking their heads at him and saying, ⁴⁰ "So! You can destroy the Temple and build it again in three days, can you? Well, then, come on down from the cross if you are the Son of God!"

⁴¹,⁴²,⁴³ And the chief priests and Jewish leaders also mocked him. "He saved others," they scoffed, "but he can't save himself! So you are the King of Israel, are you? Come down from the cross and we'll believe you! He trusted God—let God show his approval by delivering him! Didn't he say, 'I am God's Son'?"

⁴⁴ And the robbers also threw the same in his teeth.

⁴⁵ That afternoon, the whole earth was covered with darkness for three hours, from noon until three o'clock.

⁴⁶ About three o'clock, Jesus shouted, "Eli, Eli, lama sabachthani," which means, "My God, my God, why have you forsaken me?"

⁴⁷ Some of the bystanders misunderstood and thought he was calling for Elijah. ⁴⁸ One of them ran and filled a sponge with sour wine and put it on a stick and held it up to him to drink. ⁴⁹ But the rest said, "Leave him alone. Let's see whether Elijah will come and save him."

⁵⁰ Then Jesus shouted out again, dismissed his spirit, and died. ⁵¹ And look! The curtain secluding the Holiest Place in the

dos de arriba a abajo; la tierra tembló, las rocas se partieron, ⁵²las tumbas se abrieron y muchos creyentes muertos resucitaron. ⁵³Después de la resurrección de Jesús, salieron del cementerio y fueron a Jerusalén, donde se aparecieron a muchos.

⁵⁴El centurión y los soldados que vigilaban a Jesús, horrorizados por el terremoto y los demás acontecimientos, exclamaron:

—Verdaderamente éste era el Hijo de Dios.

⁵⁵No muy lejos de la cruz estaban varias de las mujeres que habían seguido a Jesús desde Galilea y le servían. ⁵⁶Entre ellas estaban María Magdalena, María la madre de Jacobo y de José, y la madre de los hijos de Zebedeo.

⁵⁷Al llegar la noche, un hombre rico de Arimatea llamado José, discípulo de Jesús, ⁵⁸fue a Pilato y le pidió el cuerpo de Jesús. Pilato se lo concedió. ⁵⁹José tomó el cuerpo, lo envolvió en una sábana limpia ⁶⁰y lo colocó en un sepulcro nuevo labrado en la peña que acababa de adquirir, e hizo que rodaran una piedra grande para cerrar la entrada. José se alejó, pero ⁶¹María Magdalena y la otra María se quedaron sentadas delante del sepulcro.

⁶²Al siguiente día, al cabo del primer día de las ceremonias pascuales, los principales sacerdotes y fariseos fueron a Pilato ⁶³y le dijeron:

—Señor, aquel impostor dijo una vez que al tercer día resucitaría. ⁶⁴Quisiéramos que ordenaras sellar la tumba hasta el tercer día, para evitar que sus discípulos vayan, se roben el cuerpo y luego se pongan a decir que resucitó. Si eso sucede estaremos peor que antes.

⁶⁵—Bueno, allí tienen un pelotón de soldados. Vayan y asegúrense de que nada anormal suceda.

⁶⁶Entonces fueron, sellaron la roca y dejaron a los soldados de guardia.

28 CUANDO AL AMANECER del domingo María Magdalena y la otra María regresaban a la tumba, ²hubo un terrible terremoto. Un ángel del Señor acababa de descender del cielo y, tras remover la piedra, se había sentado en ella. ³Tenía el aspecto de un relámpago, y sus vestiduras eran blancas como la nieve. ^{4,5}Los guardias,

Temple was split apart from top to bottom; and the earth shook, and rocks broke, ⁵² and tombs opened, and many godly men and women who had died came back to life again. ⁵³ After Jesus' resurrection, they left the cemetery and went into Jerusalem, and appeared to many people there.

⁵⁴ The soldiers at the crucifixion and their sergeant were terribly frightened by the earthquake and all that happened. They exclaimed, "Surely this was God's Son."

⁵⁵ And many women who had come down from Galilee with Jesus to care for him were watching from a distance. ⁵⁶ Among them were Mary Magdalene and Mary the mother of James and Joseph, and the mother of James and John (the sons of Zebedee).

⁵⁷ When evening came, a rich man from Arimathea named Joseph, one of Jesus' followers, ⁵⁸ went to Pilate and asked for Jesus' body. And Pilate issued an order to release it to him. ⁵⁹ Joseph took the body and wrapped it in a clean linen cloth, ⁶⁰ and placed it in his own new rock-hewn tomb, and rolled a great stone across the entrance as he left. ⁶¹ Both Mary Magdalene and the other Mary were sitting nearby watching.

⁶² The next day—at the close of the first day of the Passover ceremonies —the chief priests and Pharisees went to Pilate, ⁶³ and told him, "Sir, that liar once said, 'After three days I will come back to life again.' ⁶⁴ So we request an order from you sealing the tomb until the third day, to prevent his disciples from coming and stealing his body and then telling everyone he came back to life! If that happens we'll be worse off than we were at first."

⁶⁵ "Use your own Temple police," Pilate told them. "They can guard it safely enough."

⁶⁶ So they sealed the stone and posted guards to protect it from intrusion.

28 EARLY ON SUNDAY morning, as the new day was dawning, Mary Magdalene and the other Mary went out to the tomb.

² Suddenly there was a great earthquake; for an angel of the Lord came down from heaven and rolled aside the stone and sat on it. ³ His face shone like lightning and his clothing was a brilliant white. ⁴ The guards

temblando de miedo, se quedaron como muertos. Pero el ángel dijo a las mujeres:

—No teman. Sé que buscan a Jesús, el crucificado. ⁶Pero no lo encontrarán aquí, porque ha resucitado como se lo había dicho. Entren y vean el lugar donde lo habían puesto. . .⁷ahora, váyanse pronto y díganles a los discípulos que El ya se levantó de los muertos, que se dirige a Galilea y que allí los espera. Ya lo saben.

⁸Las mujeres, llenas de espanto y alegría a la vez, corrieron a buscar a los discípulos para darles el mensaje del ángel. ⁹Mientras corrían, Jesús les salió al encuentro.

—¡Buenos días! —les dijo.

Ellas se tiraron de rodillas y, abrazándole los pies, lo adoraron.

¹⁰—No teman —les dijo Jesús—. Digan a mis hermanos que salgan en seguida hacia Galilea, y allí me hallarán.

¹¹Mientras esto sucedía, los guardias del Templo que habían estado vigilando la tumba corrieron a informar a los principales sacerdotes. ¹²Estos inmediatamente convocaron a una reunión de jefes judíos y acordaron entregar dinero a los guardi⁻ ¹³a cambio de que dijeran que se había, robado el cuerpo de Jesús.

¹⁴—Si el gobernador se entera —les aseguró el concilio—, nosotros nos encargaremos de que no les pase nada.

¹⁵Los soldados aceptaron el sob⁻rno y se pusieron a divulgar aquella falsedad entre los judíos. ¡Todavía lo creen!

¹⁶Los discípulos se fueron a la montaña de Galilea donde Jesús dijo que habría de encontrarse con ellos. ¹⁷Cuando lo vieron, lo adoraron, aunque algunos no estaban completamente convencidos de que era Jesús.

¹⁸Pero El se les acercó y les dijo:

—He recibido toda autoridad en el cielo y en la tierra. ¹⁹Por lo tanto, vayan y hagan discípulos en todas las naciones. Bautícenlos en el nombre del Padre, del Hijo y del Espíritu Santo, ²⁰y enséñenlos a obedecer los mandamientos que les he dado. De una cosa podrán estar seguros: Estaré con ustedes siempre, hasta el fin del mundo.

shook with fear when they saw him, and fell into a dead faint.

⁵ Then the angel spoke to the women. "Don't be frightened!" he said. "I know you are looking for Jesus, who was crucified, ⁶ but he isn't here! For he has come back to life again, just as he said he would. Come in and see where his body was lying . . . . ⁷ And now, go quickly and tell his disciples that he has risen from the dead, and that he is going to Galilee to meet them there. That is my message to them."

⁸ The women ran from the tomb, badly frightened, but also filled with joy, and rushed to find the disciples to give them the angel's message. ⁹ And as they were running, suddenly Jesus was there in front of them!

"Good morning!" he said. And they fell to the ground before him, holding his feet and worshiping him.

¹⁰ Then Jesus said to them, "Don't be frightened! Go tell my brothers to leave at once for Galilee, to meet me there."

¹¹ As the women were on the way into the city, some of the Temple police who had been guarding the tomb went to the chief priests and told them what had happened. ¹²,¹³ A meeting of all the Jewish leaders was called, and it was decided to bribe the police to say they had all been asleep when Jesus' disciples came during the night and stole his body.

¹⁴ "If the governor hears about it," the Council promised, "we'll stand up for you and everything will be all right."

¹⁵ So the police accepted the bribe and said what they were told to. Their story spread widely among the Jews, and is still believed by them to this very day.

¹⁶ Then the eleven disciples left for Galilee, going to the mountain where Jesus had said they would find him. ¹⁷ There they met him and worshiped him—but some of them weren't sure it really was Jesus!

¹⁸ He told his disciples, "I have been given all authority in heaven and earth. ¹⁹ Therefore go and make disciples in all the nations, baptizing them into the name of the Father and of the Son and of the Holy Spirit, ²⁰ and then teach these new disciples to obey all the commands I have given you; and be sure of this—that I am with you always, even to the end of the world."

MARCOS / MARK

1 AQUÍ COMIENZA LA maravillosa historia de Jesús el Mesías, el Hijo de Dios.
²En el libro que escribió el profeta Isaías, Dios reveló que enviaría a su Hijo a la tierra, pero que enviaría primero a un mensajero extraordinario a preparar el mundo para su venida. ³"Una voz clama en el desierto", dijo Isaías. "Prepárense para la venida del Señor; rectifiquen sus vidas". ⁴Ese mensajero fue Juan el Bautista.

Juan el Bautista vivió en el desierto y enseñó que para obtener el perdón de Dios había que bautizarse como manifestación pública de arrepentimiento y deseo de apartarse del pecado. ⁵Desde Jerusalén y de toda la provincia de Judea acudía la gente al desierto de Judea a ver y a escuchar a Juan. Cuando alguien confesaba sus pecados, Juan lo bautizaba en el río Jordán.

⁶Aquel siervo de Dios, que usaba un vestido de pelo de camello ceñido con un cinto de cuero y se alimentaba con langostas y miel silvestre, ⁷predicaba en estos términos: "Pronto vendrá alguien superior a mí, de quien no soy digno ni de ser su esclavo. ⁸Yo bautizo con agua, pero El bautizará con el Santo Espíritu de Dios".

⁹Un día Jesús llegó de Nazaret de Galilea, y Juan lo bautizó en el río Jordán. ¹⁰En el instante en que Jesús salía del agua, vio los cielos abiertos y al Espíritu Santo que descendía sobre El en forma de paloma, ¹¹y escuchó una voz del cielo que le dijo:

—Tú eres mi Hijo amado; en ti me complazco.

¹²Inmediatamente el Espíritu Santo lo impulsó al desierto, ¹³donde pasó cuarenta días en una soledad apenas interrumpida por la presencia de las fieras. Allí, a solas, Satanás lo tentó varias veces. Pero después que cesaron las tentaciones, los ángeles fueron a servirle.

¹⁴Cuando el rey Herodes mandó arrestar a Juan, Jesús se fue a Galilea a predicar las buenas nuevas de Dios.

¹⁵—¡Llegó por fin la hora! —anunciaba—. ¡El reino de Dios está cerca! Arrepiéntanse, apártense del pecado y crean las buenas noticias.

1 HERE BEGINS THE wonderful story of Jesus the Messiah, the Son of God.
² In the book written by the prophet Isaiah, God announced that he would send his Son to earth, and that a special messenger would arrive first to prepare the world for his coming.
³ "This messenger will live out in the barren wilderness," Isaiah said, "and will proclaim that everyone must straighten out his life to be ready for the Lord's arrival."
⁴ This messenger was John the Baptist. He lived in the wilderness and taught that all should be baptized as a public announcement of their decision to turn their backs on sin, so that God could forgive them.
⁵ People from Jerusalem and from all over Judea traveled out into the Judean wastelands to see and hear John, and when they confessed their sins he baptized them in the Jordan River. ⁶ His clothes were woven from camel's hair and he wore a leather belt; locusts and wild honey were his food.
⁷ Here is a sample of his preaching:

"Someone is coming soon who is far greater than I am, so much greater that I am not even worthy to be his slave. ⁸ I baptize you with water but he will baptize you with God's Holy Spirit!"

⁹ Then one day Jesus came from Nazareth in Galilee, and was baptized by John there in the Jordan River. ¹⁰ The moment Jesus came up out of the water, he saw the heavens open and the Holy Spirit in the form of a dove descending on him, ¹¹ and a voice from heaven said, "You are my beloved Son; you are my Delight."

¹²,¹³ Immediately the Holy Spirit urged Jesus into the desert. There, for forty days, alone except for desert animals, he was subjected to Satan's temptations to sin. And afterwards the angels came and cared for him.

¹⁴ Later on, after John was arrested by King Herod, Jesus went to Galilee to preach God's Good News.

¹⁵ "At last the time has come!" he announced. "God's Kingdom is near! Turn from your sins and act on this glorious news!"

¹⁶Un día conoció a dos hermanos, Simón y Andrés, que pescaban con red en el lago de Galilea. Ambos eran pescadores de oficio.

¹⁷—¡Vengan y síganme —les gritó—, que voy a convertirlos en pescadores de hombres!

¹⁸De inmediato abandonaron las redes y lo siguieron.

¹⁹Un poco más adelante vio a los hijos de Zebedeo, Santiago y Juan, que en una barca remendaban las redes. ²⁰Los llamó también, y dejaron a Zebedeo en la barca con los empleados y se fueron con Jesús.

²¹Llegaron a Capernaum. El día de reposo por la mañana entraron al Templo judío o sinagoga, y Jesús predicó. ²²La congregación quedó maravillada con el sermón. Jesús hablaba como quien tenía autoridad y, a diferencia de los escribas, no basaba sus argumentos en las palabras de otros.

²³Un endemoniado que estaba en la sinagoga se puso a gritar:

²⁴—¡Ah! ¿Por qué nos molestas, Jesús de Nazaret? ¿Has venido a destruirnos? Sé que eres el Santo Hijo de Dios.

²⁵Jesús le dijo:

—¡Cállate y sal de él!

²⁶Y el espíritu inmundo, en medio de gritos y convulsiones, salió de aquel hombre. ²⁷Tan extraordinariamente sorprendida quedó la congregación que comentaban emocionados:

—¿Qué religión nueva será ésta? ¡Hasta los espíritus inmundos lo obedecen!

²⁸La noticia se corrió rápidamente por toda Galilea.

²⁹De allí fueron a casa de Simón y Andrés. ³⁰La suegra de Simón estaba en cama con una fiebre altísima. Cuando se lo contaron a Jesús, ³¹fue al lecho de la enferma, la tomó de la mano y la ayudó a sentarse. ¡Inmediatamente la fiebre la dejó y se levantó a prepararles comida!

³²Al atardecer, el patio de la casa se llenó de enfermos y endemoniados que la gente llevó para que Jesús los sanara. ³³La ciudad entera, agolpada a la puerta, ³⁴presenció la curación de multitudes de enfer-

¹⁶ One day as Jesus was walking along the shores of the Sea of Galilee, he saw Simon and his brother Andrew fishing with nets, for they were commercial fishermen.

¹⁷ Jesus called out to them, "Come, follow me! And I will make you fishermen for the souls of men!" ¹⁸ At once they left their nets and went along with him.

¹⁹ A little farther up the beach, he saw Zebedee's sons, James and John, in a boat mending their nets. ²⁰ He called them too, and immediately they left their father Zebedee in the boat with the hired men and went with him.

²¹ Jesus and his companions now arrived at the town of Capernaum and on Saturday morning went into the Jewish place of worship—the synagogue—where he preached. ²² The congregation was surprised at his sermon because he spoke as an authority, and didn't try to prove his points by quoting others—quite unlike what they were used to hearing!

²³ A man possessed by a demon was present and began shouting, ²⁴ "Why are you bothering us, Jesus of Nazareth—have you come to destroy us demons? I know who you are—the holy Son of God!"

²⁵ Jesus curtly commanded the demon to say no more and to come out of the man. ²⁶ At that the evil spirit screamed and convulsed the man violently and left him. ²⁷ Amazement gripped the audience and they began discussing what had happened.

"What sort of new religion is this?" they asked excitedly. "Why, even evil spirits obey his orders!"

²⁸ The news of what he had done spread quickly through that entire area of Galilee.

²⁹,³⁰ Then, leaving the synagogue, he and his disciples went over to Simon and Andrew's home, where they found Simon's mother-in-law sick in bed with a high fever. They told Jesus about her right away. ³¹ He went to her bedside, and as he took her by the hand and helped her to sit up, the fever suddenly left, and she got up and prepared dinner for them!

³²,³³ By sunset the courtyard was filled with the sick and demon-possessed, brought to him for healing; and a huge crowd of people from all over the city of Capernaum gathered outside the door to watch. ³⁴ So Jesus healed great numbers of sick folk that

mos y endemoniados. Pero Jesús no permitió aquella noche que los demonios que expulsaba hablaran y revelaran quién era El.

³⁵A la mañana siguiente, todavía oscuro, se levantó y se fue a solas a orar al desierto. ³⁶Más tarde Simón y los demás fueron a buscarlo ³⁷y le dijeron:

—La gente te anda buscando.

³⁸El les respondió:

—Sí, pero tengo que ir a otras ciudades también a predicar el mensaje. Para eso vine.

³⁹Así que recorrieron Galilea entera predicando en las sinagogas y libertando a muchos del poder de los demonios.

⁴⁰Un día un leproso se acercó y de rodillas le dijo:

—Si quieres, puedes sanarme.

⁴¹Jesús, compadecido, lo tocó y le dijo:

—Quiero; cúrate.

⁴²E instantáneamente la lepra desapareció.

⁴³—Vé inmediatamente a que te examine el sacerdote judío —le ordenó Jesús—. ⁴⁴No te pares a hablar con nadie en el camino. Llévale la ofrenda que Moisés mandó que dieran los leprosos que sanan, para que todo el mundo se convenza de que ya estás bien.

⁴⁵Pero tan pronto salió de allí comenzó a proclamar la buena noticia de que lo habían sanado. Como consecuencia de esto la fama de Jesús creció tanto que ya no podía entrar en ninguna ciudad. Tenía que quedarse en los lugares desiertos, y de todas partes la gente iba a El.

2 DÍAS MÁS TARDE regresó a Capernaum. La noticia de su llegada se esparció rápidamente por la ciudad. ²Pronto se llenó tanto la casa donde se alojaba que no quedó sitio para una persona más ni siquiera a la puerta. Y El predicó la palabra.

³Mientras predicaba, llegaron cuatro hombres con un paralítico en una camilla. ⁴Como no pudieron atravesar la multitud y llegar a Jesús, se las arreglaron para subir al techo y hacer una abertura exactamente encima de donde estaba Jesús, y entre los cuatro fueron bajando la camilla.

⁵Cuando Jesús vio la confianza que aquéllos tenían en que El podía sanar al amigo, dijo al enfermo:

evening and ordered many demons to come out of their victims. (But he refused to allow the demons to speak, because they knew who he was.)

¹⁵ The next morning he was up long before daybreak and went out alone into the wilderness to pray.

³⁶,³⁷ Later, Simon and the others went out to find him, and told him, "Everyone is asking for you."

³⁸ But he replied, "We must go on to other towns as well, and give my message to them too, for that is why I came."

¹⁹ So he traveled throughout the province of Galilee, preaching in the synagogues and releasing many from the power of demons. ⁴⁰ Once a leper came and knelt in front of him and begged to be healed. "If you want to, you can make me well again," he pled.

⁴¹ And Jesus, moved with pity, touched him and said, "I want to! Be healed!" ⁴² Immediately the leprosy was gone—the man was healed!

⁴³,⁴⁴ Jesus then told him sternly, "Go and be examined immediately by the Jewish priest. Don't stop to speak to anyone along the way. Take along the offering prescribed by Moses for a leper who is healed, so that everyone will have proof that you are well again."

⁴⁵ But as the man went on his way he began to shout the good news that he was healed; as a result, such throngs soon surrounded Jesus that he couldn't publicly enter a city anywhere, but had to stay out in the barren wastelands. And people from everywhere came to him there.

2 SEVERAL DAYS LATER he returned to Capernaum, and the news of his arrival spread quickly through the city. ² Soon the house where he was staying was so packed with visitors that there wasn't room for a single person more, not even outside the door. And he preached the Word to them. ³ Four men arrived carrying a paralyzed man on a stretcher. ⁴ They couldn't get to Jesus through the crowd, so they dug through the clay roof above his head and lowered the sick man on his stretcher, right down in front of Jesus.

⁵ When Jesus saw how strongly they believed that he would help, Jesus said to the

—Hijo, te perdono tus pecados.

⁶Algunos escribas que estaban por allí sentados se dijeron: ⁷"¿Cómo? ¡Eso es una blasfemia! ¿Se cree éste que es Dios? ¡Dios es el único que puede perdonar los pecados!"

⁸Jesús les leyó el pensamiento y les dijo:

—¿Por qué se molestan con lo que dije? ⁹¿Es más fácil perdonarle los pecados que sanarlo? ¹⁰Pues para probarles que yo, el Hijo del Hombre, tengo potestad para perdonar los pecados: ¹¹Muchacho, levántate, recoge la camilla y vete.

¹²El hombre dio un salto, tomó la camilla y se abrió paso entre la asombrada concurrencia que entre alabanzas a Dios exclamaba:

—Jamás habíamos visto nada parecido.

¹³Jesús regresó a la orilla del lago y allí predicó al gentío que se arremolinó en torno a El.

¹⁴Caminando por allí, vio a Leví, hijo de Alfeo, sentado en la mesa donde se pagaban los impuestos.

—Ven conmigo —le dijo Jesús—. Sé mi discípulo.

Leví se levantó y lo siguió.

¹⁵Por la noche Leví invitó a sus colegas cobradores de impuestos y a varios otros bien conocidos pecadores a una cena en honor de Jesús y sus discípulos. Había muchos pecadores notorios entre las multitudes que seguían a Jesús.

¹⁶Cuando algunos de los escribas y fariseos lo vieron comiendo con aquellos hombres, preguntaron a los discípulos:

—¿Cómo se le ocurre sentarse a comer con esa chusma?

¹⁷Jesús, que oyó lo que decían, les respondió:

—Los enfermos son los que necesitan médico, no los sanos. No he venido a pedir a los buenos que se arrepientan, sino a los malos.

¹⁸Era costumbre entre los discípulos de Juan y los de los fariseos ayunar de vez en cuando como un acto de adoración. Un día se acercaron éstos a Jesús y le preguntaron por qué sus discípulos no lo hacían también. ¹⁹Jesús les respondió:

—¿Se abstendrán de comer en un banquete de bodas los amigos del novio? ¿Creen que pueden estar tristes mientras el novio esté con ellos? ²⁰Llegará el momento en que el novio les será quitado, y entonces

sick man, "Son, your sins are forgiven!"

⁶ But some of the Jewish religious leaders said to themselves as they sat there, ⁷ "What? This is blasphemy! Does he think he is God? For only God can forgive sins."

⁸ Jesus could read their minds and said to them at once, "Why does this bother you? ⁹,¹⁰,¹¹ I, the Messiah, have the authority on earth to forgive sins. But talk is cheap—anybody could say that. So I'll prove it to you by healing this man." Then, turning to the paralyzed man, he commanded, "Pick up your stretcher and go on home, for you are healed!"

¹² The man jumped up, took the stretcher, and pushed his way through the stunned onlookers! Then how they praised God. "We've never seen anything like this before!" they all exclaimed.

¹³ Then Jesus went out to the seashore again, and preached to the crowds that gathered around him. ¹⁴ As he was walking up the beach he saw Levi, the son of Alphaeus, sitting at his tax collection booth. "Come with me," Jesus told him. "Come be my disciple."

And Levi jumped to his feet and went along.

¹⁵ That night Levi invited his fellow tax collectors and many other notorious sinners to be his dinner guests so that they could meet Jesus and his disciples. (There were many men of this type among the crowds that followed him.) ¹⁶ But when some of the Jewish religious leaders saw him eating with these men of ill repute, they said to his disciples, "How can he stand it, to eat with such scum?"

¹⁷ When Jesus heard what they were saying, he told them, "Sick people need the doctor, not healthy ones! I haven't come to tell good people to repent, but the bad ones."

¹⁸ John's disciples and the Jewish leaders sometimes fasted, that is, went without food as part of their religion. One day some people came to Jesus and asked why his disciples didn't do this too.

¹⁹ Jesus replied, "Do friends of the bridegroom refuse to eat at the wedding feast? Should they be sad while he is with them? ²⁰ But some day he will be taken away from

ayunarán. ²¹Por otro lado, ayunar forma parte de lo antiguo. Ayunar ahora es como remendar un vestido viejo con una tela sin remojar. ¿Qué pasa? Pues que el parche se encoge al lavarlo, rompe de nuevo el vestido y la rotura que queda es mayor que la anterior. ²²¿Y a quién se le ocurriría poner vino nuevo en odres viejos? Se reventarían y se perderían el vino y los odres. El vino nuevo se echa en odres nuevos.

²³No mucho después, un día de reposo, pasaron por los trigales, y los discípulos, mientras andaban, se pusieron a arrancar espigas y a comérselas. ²⁴Los fariseos inmediatamente protestaron ante Jesús:

—No debes permitirlo. Nuestras leyes prohíben arrancar espigas los días de reposo.

²⁵Jesús les respondió:

—¿Saben lo que hizo el rey David una vez que él y sus compañeros tuvieron hambre allá por los días de Abiatar el sumo sacerdote? ²⁶Entró y comió de los panes que sólo los sacerdotes podían comer. También eso lo prohíbe la ley. ²⁷El sábado se hizo para beneficio del hombre, y no el hombre para beneficio del sábado. ²⁸Además, yo, el Hijo del Hombre, soy el Señor del día de reposo.

3 OTRA VEZ DE visita en la sinagoga de Capernaum, se fijó en un hombre que tenía una mano deforme. ²Como era el día de reposo, los enemigos lo vigilaban estrechamente. ¿Se atrevería a curarle la mano a aquel hombre? Si lo hacía, lo arrestaban. ³Jesús le pidió al hombre que pasara al frente, ⁴y preguntó:

—¿Es correcto que se haga el bien en el día de reposo? ¿O es éste un día de hacer el mal? ¿Es éste un día de salvar vidas o de destruirlas?

No le contestaron. ⁵Jesús, mirándolos con enojo y a la vez con tristeza por la indiferencia que sentían ante la necesidad humana, dijo al hombre:

—Extiende la mano.

Y al extenderla se le sanó.

⁶Mientras los fariseos se reunían con los herodianos a urdir un plan para matar a Jesús, ⁷El y los discípulos se retiraron a la orilla del lago, seguidos de una gran multitud de individuos de Galilea, Judea, ⁸Jeru-

them, and then they will mourn. ²¹ [Besides, going without food is part of the old way of doing things.] It is like patching an old garment with unshrunk cloth! What happens? The patch pulls away and leaves the hole worse than before. ²² You know better than to put new wine into old wineskins. They would burst. The wine would be spilled out and the wineskins ruined. New wine needs fresh wineskins."

²³ Another time, on a Sabbath day as Jesus and his disciples were walking through the fields, the disciples were breaking off heads of wheat and eating the grain. ²⁴ Some of the Jewish religious leaders said to Jesus, "They shouldn't be doing that! It's against our laws to work by harvesting grain on the Sabbath."

²⁵,²⁶ But Jesus replied, "Didn't you ever hear about the time King David and his companions were hungry, and he went into the house of God—Abiathar was High Priest then—and they ate the special bread only priests were allowed to eat? That was against the law too. ²⁷ But the Sabbath was made to benefit man, and not man to benefit the Sabbath. ²⁸ And I, the Messiah, have authority even to decide what men can do on Sabbath days!"

3 WHILE IN CAPERNAUM Jesus went over to the synagogue again, and noticed a man there with a deformed hand.

² Since it was the Sabbath, Jesus' enemies watched him closely. Would he heal the man's hand? If he did, they planned to arrest him!

³ Jesus asked the man to come and stand in front of the congregation. ⁴ Then turning to his enemies he asked, "Is it all right to do kind deeds on Sabbath days? Or is this a day for doing harm? Is it a day to save lives or to destroy them?" But they wouldn't answer him. ⁵ Looking around at them angrily, for he was deeply disturbed by their indifference to human need, he said to the man, "Reach out your hand." He did, and instantly his hand was healed!

⁶ At once the Pharisees went away and met with the Herodians to discuss plans for killing Jesus. ⁷,⁸ Meanwhile, Jesus and his disciples withdrew to the beach, followed by a huge crowd from all over Galilee, Judea,

salén, Idumea, de más allá del Jordán y de lugares tan distantes como Tiro y Sidón. Las noticias de los milagros de Jesús se habían propagado tanto que inmensas multitudes acudían a verlo personalmente.

⁹Jesús ordenó a los discípulos que le tuvieran siempre lista la barca, por si acaso no podía contener al gentío que lo oprimía. ¹⁰Como había realizado muchas curaciones aquel día, incontables enfermos lo rodeaban tratando de tocarlo. ¹¹Cada vez que algún endemoniado lo veía, se tiraba de rodillas gritando:

—¡Tú eres el Hijo de Dios!

¹²Esto a pesar de que les tenía prohibido revelar quién era.

¹³De allí se fue a las montañas. Desde aquel lugar apartado mandó a buscar a ciertas personas muy escogidas, que acudieron a su llamado. ¹⁴De entre ellas seleccionó doce para que estuvieran siempre con El, salieran a predicar, ¹⁵y tuvieran autoridad para sanar enfermedades y echar fuera demonios. ¹⁶Aquellos doce fueron:

Simón (a quien Cristo llamó "Pedro"),

¹⁷Jacobo y Juan (hijos de Zebedeo, a quienes Jesús llamó "Hijos del Trueno"),

¹⁸Andrés,

Felipe,

Bartolomé,

Mateo,

Tomás,

Jacobo (hijo de Alfeo),

Tadeo,

Simón (miembro de un partido político que abogaba por la violencia como medio de derrocar al gobierno romano)

¹⁹y Judas Iscariote (el que más tarde lo traicionó).

Cuando regresaron a la casa donde se alojaban, ²⁰acudió tanta gente que no pudieron ni comer. ²¹Los familiares de Jesús, al enterarse de lo que estaba pasando, salieron a buscarlo porque creían que se había vuelto loco.

²²Dentro de la casa, varios escribas de Jerusalén dijeron:

—Los demonios lo obedecen porque tiene a Satanás, el rey de los demonios.

²³Jesús los llamó y les habló en términos que muy bien entendían:

Jerusalem, Idumea, from beyond the Jordan River, and even from as far away as Tyre and Sidon. For the news about his miracles had spread far and wide and vast numbers came to see him for themselves.

⁹ He instructed his disciples to bring around a boat and to have it standing ready to rescue him in case he was crowded off the beach. ¹⁰ For there had been many healings that day and as a result great numbers of sick people were crowding around him, trying to touch him.

¹¹ And whenever those possessed by demons caught sight of him they would fall down before him shrieking, "You are the Son of God!" ¹² But he strictly warned them not to make him known.

¹³ Afterwards he went up into the hills and summoned certain ones he chose, inviting them to come and join him there; and they did. ¹⁴,¹⁵ Then he selected twelve of them to be his regular companions and to go out to preach and to cast out demons. ¹⁶⁻¹⁹ These are the names of the twelve he chose:

Simon (he renamed him "Peter"),

James and John (the sons of Zebedee, but Jesus called them "Sons of Thunder"),

Andrew,

Philip,

Bartholomew,

Matthew,

Thomas,

James (the son of Alphaeus),

Thaddaeus,

Simon (a member of a political party advocating violent overthrow of the Roman government),

Judas Iscariot (who later betrayed him).

²⁰ When he returned to the house where he was staying, the crowds began to gather again, and soon it was so full of visitors that he couldn't even find time to eat. ²¹ When his friends heard what was happening they came to try to take him home with them. "He's out of his mind," they said.

²² But the Jewish teachers of religion who had arrived from Jerusalem said, "His trouble is that he's possessed by Satan, king of demons. That's why demons obey him."

²³ Jesus summoned these men and asked them (using proverbs they all understood),

—¿Cómo puede Satanás echar fuera a Satanás? ²⁴Si un reino está dividido y los distintos bandos luchan entre sí, pronto desaparecerá. ²⁵Si en un hogar hay pleitos y divisiones, se destruirá. ²⁶Y si Satanás pelea contra sí mismo, ¿en qué irá a parar? ¡Así nadie puede sobrevivir!

²⁷"Para echar fuera a los demonios hay que atar primero a Satanás, de la misma manera que para saquear los bienes de un hombre fuerte hay que atarlo primero. ²⁸Ahora bien, les voy a decir una cosa: Cualquier pecado le será perdonado al hombre, aun las blasfemias contra mi Padre, ²⁹pero la blasfemia contra el Espíritu Santo no tiene perdón de Dios. Es un pecado de consecuencias eternas.

³⁰¡Así respondió a la acusación de que realizaba milagros en el nombre de Satanás!

³¹Cuando la madre y los hermanos de Jesús llegaron ante aquella casa repleta, le enviaron un recado para que saliera un momento.

³²—Tu madre y tus hermanos están afuera y quieren verte —le dijeron.

³³—¿Quién es mi madre? ¿Quiénes son mis hermanos? —dijo ³⁴a los que estaban a su alrededor—. Ustedes son mi madre y mis hermanos. ³⁵Cualquiera que hace la voluntad de Dios es mi hermano, mi hermana o mi madre.

4 UNA VEZ MÁS una inmensa multitud se congregó en la orilla del lago donde enseñaba. Era tanto el gentío que tuvo que subirse a una barca y sentarse a hablarles desde allí. ²Jesús tenía la costumbre de hablarles por medio de relatos que ilustraban la verdad que quería enseñarles. Una de ellas decía así:

³—En cierta ocasión un agricultor salió a sembrar. Al esparcir las semillas en el campo, ⁴algunas cayeron en el camino y las aves fueron y se las comieron. ⁵Otras cayeron en un terreno rocoso de capa vegetal delgada. Pronto germinaron, pero con la misma rapidez ⁶el sol ardiente las marchitó, y murieron porque sus raíces no habían alcanzado profundidad. ⁷Algunas semillas cayeron entre espinos; al crecer juntos con las buenas plantas, éstas no pudieron producir granos. ⁸Pero algunas de las semillas cayeron en buena tierra y produjeron

"How can Satan cast out Satan? ²⁴ A kingdom divided against itself will collapse. ²⁵ A home filled with strife and division destroys itself. ²⁶ And if Satan is fighting against himself, how can he accomplish anything? He would never survive. ²⁷ [Satan must be bound before his demons are cast out], just as a strong man must be tied up before his house can be ransacked and his property robbed.

²⁸ "I solemnly declare that any sin of man can be forgiven, even blasphemy against me; ²⁹ but blasphemy against the Holy Spirit can never be forgiven. It is an eternal sin."

³⁰ He told them this because they were saying he did his miracles by Satan's power [instead of acknowledging it was by the Holy Spirit's power].

³¹,³² Now his mother and brothers arrived at the crowded house where he was teaching, and they sent word for him to come out and talk with them. "Your mother and brothers are outside and want to see you," he was told.

³³ He replied, "Who is my mother? Who are my brothers?" ³⁴ Looking at those around him he said, "These are my mother and brothers! ³⁵ Anyone who does God's will is my brother, and my sister, and my mother."

4 ONCE AGAIN AN immense crowd gathered around him on the beach as he was teaching, so he got into a boat and sat down and talked from there. ² His usual method of teaching was to tell the people stories. One of them went like this:

³ "Listen! A farmer decided to sow some grain. As he scattered it across his field, ⁴ some of it fell on a path, and the birds came and picked it off the hard ground and ate it. ⁵,⁶ Some fell on thin soil with underlying rock. It grew up quickly enough, but soon wilted beneath the hot sun and died because the roots had no nourishment in the shallow soil. ⁷ Other seeds fell among thorns that shot up and crowded the young plants so that they produced no grain. ⁸ But some of the seeds fell into good soil and yielded thirty times as much as he had planted—

treinta, sesenta y hasta cien veces el número de semillas plantadas. ⁹El que tenga oídos, oiga.

¹⁰Después, a solas con los doce y los demás discípulos, ellos le preguntaron:

—¿Qué quisiste decir con aquella parábola?

¹¹El les respondió:

—Ustedes sí pueden saber algunas de las verdades del reino de Dios. Los que están fuera del reino no, ¹²porque aunque ven y oyen, no entienden ni se vuelven a Dios ni alcanzan el perdón de los pecados, como dijo Isaías. ¹³Ahora bien, si ustedes no entienden aquella simple alegoría, ¿cómo se las van a arreglar para entender las demás que les voy a decir? ¹⁴El agricultor de que hablé es cualquiera que proclama el mensaje de Dios con el propósito de sembrar la buena semilla en la vida de los demás. ¹⁵El camino duro en que cayeron algunas semillas representa los corazones endurecidos de algunos que escuchan el mensaje de Dios, pero inmediatamente Satanás corre a tratar de que se les olvide. ¹⁶El suelo rocoso representa los corazones de los que escuchan el mensaje con alegría; ¹⁷al igual que las plantas que crecen en una delgada capa vegetal, sus raíces no alcanzan profundidad, y aunque al principio todo les va bien, se apartan tan pronto comienzan las persecuciones. ¹⁸El terreno espinoso representa el corazón de los que escuchan las buenas nuevas de Dios y las reciben, ¹⁹pero inmediatamente los encantos del mundo, los deleites de las riquezas, el afán por alcanzar el triunfo y el espejismo de los placeres entran, ahogan el mensaje de Dios y no los dejan tener frutos. ²⁰Pero la buena tierra es el corazón de los que aceptan de verdad el mensaje de Dios y producen una cosecha abundante para Dios: treinta, sesenta y hasta cien veces tanto como se les sembró en el corazón.

²¹Y agregó:

—¿Es lógico que uno encienda una lámpara y le ponga encima una caja para que no alumbre? Cuando uno enciende una lámpara la pone en un lugar donde de veras alumbre. ²²No hay nada oculto que un día no haya de saberse. ²³El que tenga oídos, oiga ²⁴y ponga en práctica lo que oye. Mientras más lo ponga en práctica, mejor entenderá lo que le digo. ²⁵Porque el que tiene recibirá más; y al que no tiene se le quitará

some of it even sixty or a hundred times as much! ⁹ If you have ears, listen!"

¹⁰ Afterwards, when he was alone with the Twelve and with his other disciples, they asked him, "What does your story mean?"

¹¹,¹² He replied, "You are permitted to know some truths about the Kingdom of God that are hidden to those outside the Kingdom:

'Though they see and hear, they will not understand or turn to God, or be forgiven for their sins.'

¹³ But if you can't understand *this* simple illustration, what will you do about all the others I am going to tell?

¹⁴ "The farmer I talked about is anyone who brings God's message to others, trying to plant good seed within their lives. ¹⁵ The hard pathway, where some of the seed fell, represents the hard hearts of some of those who hear God's message; Satan comes at once to try to make them forget it. ¹⁶ The rocky soil represents the hearts of those who hear the message with joy, ¹⁷ but, like young plants in such soil, their roots don't go very deep, and though at first they get along fine, as soon as persecution begins, they wilt.

¹⁸ "The thorny ground represents the hearts of people who listen to the Good News and receive it, ¹⁹ but all too quickly the attractions of this world and the delights of wealth, and the search for success and lure of nice things come in and crowd out God's message from their hearts, so that no crop is produced.

²⁰ "But the good soil represents the hearts of those who truly accept God's message and produce a plentiful harvest for God—thirty, sixty, or even a hundred times as much as was planted in their hearts."

²¹ Then he asked them, "When someone lights a lamp, does he put a box over it to shut out the light? Of course not! The light couldn't be seen or used. A lamp is placed on a stand to shine and be useful.

²² "All that is now hidden will someday come to light. ²³ If you have ears, listen! ²⁴ And be sure to put into practice what you hear. The more you do this, the more you will understand what I tell you. ²⁵ To him who has shall be given; from him who has

aun lo poco que tiene.

²⁶"Les voy a contar una historia para que vean cómo es el reino de Dios: Un agricultor sembró un terreno ²⁷y se fue. Con el transcurso de los días, las semillas crecieron por sí mismas ²⁸gracias a la fertilidad del suelo. Primero brotaron las hojas y luego se fueron formando las espigas de trigo hasta que por fin el grano maduró. ²⁹A su debido tiempo el agricultor regresó con una hoz y segó las espigas.

³⁰Un día les dijo:

—¿Cómo les describiré el reino de Dios? Vamos a ver. ³¹El reino de Dios es como un diminuto grano de mostaza. Aunque el grano de mostaza es la más pequeña de las semillas, ³²se convierte en uno de los árboles más frondosos, en cuyas enormes ramas las aves hacen sus nidos y hallan amparo.

³³Jesús siempre usaba parábolas como ésta para enseñar a la gente común conforme a lo que podían entender. ³⁴Sin parábolas no les hablaba. En cambio, cuando estaba a solas con sus discípulos les explicaba todo.

³⁵Anochecía y dijo a sus discípulos:

—Vámonos al otro lado del lago.

³⁶Salieron en la barca dejando a la multitud. Varias barcas los siguieron. ³⁷No habían avanzado mucho cuando una terrible tempestad se levantó. El viento los azotaba con furia, y las olas inmensas amenazaban con anegar completamente la barca. ³⁸Jesús dormía en la popa con una almohada en la cabeza. Llenos de pánico, lo despertaron.

—Maestro, ¿no te importa que nos estemos hundiendo?

³⁹Inalterable, Jesús se levantó, reprendió a los vientos y dijo a las olas:

—¡Cálmense!

Cuando los vientos cesaron y todo quedó en calma, ⁴⁰Jesús se volvió a los discípulos y les dijo:

—¿A qué viene tanto miedo? ¿No tienen confianza en mí?

⁴¹Ellos, asustados, se decían:

—¿Quién será éste que aun los vientos y las aguas lo obedecen?

5 CUANDO JESÚS SALTÓ de la barca en la orilla gadarena del lago, ²un endemoniado salió del cementerio y se le acercó

not shall be taken away even what he has.

²⁶ "Here is another story illustrating what the Kingdom of God is like:

"A farmer sowed his field, ²⁷ and went away, and as the days went by, the seeds grew and grew without his help. ²⁸ For the soil made the seeds grow. First a leaf-blade pushed through, and later the wheat-heads formed and finally the grain ripened, ²⁹ and then the farmer came at once with his sickle and harvested it."

³⁰ Jesus asked, "How can I describe the Kingdom of God? What story shall I use to illustrate it? ³¹,³² It is like a tiny mustard seed! Though this is one of the smallest of seeds, yet it grows to become one of the largest of plants, with long branches where birds can build their nests and be sheltered."

³³ He used many such illustrations to teach the people as much as they were ready to understand.ᵃ ³⁴ In fact, he taught only by illustrations in his public teaching, but afterwards, when he was alone with his disciples, he would explain his meaning to them.

³⁵ As evening fell, Jesus said to his disciples, "Let's cross to the other side of the lake." ³⁶ So they took him just as he was and started out, leaving the crowds behind (though other boats followed). ³⁷ But soon a terrible storm arose. High waves began to break into the boat until it was nearly full of water and about to sink. ³⁸ Jesus was asleep at the back of the boat with his head on a cushion. Frantically they wakened him, shouting, "Teacher, don't you even care that we are all about to drown?"

³⁹ Then he rebuked the wind and said to the sea, "Quiet down!" And the wind fell, and there was a great calm!

⁴⁰ And he asked them, "Why were you so fearful? Don't you even yet have confidence in me?"

⁴¹ And they were filled with awe and said among themselves, "Who is this man, that even the winds and seas obey him?"

5 WHEN THEY ARRIVED at the other side of the lake a demon-possessed man ran out from a graveyard, just as Jesus was climbing from the boat.

corriendo. ^{3,4}Vivía entre los sepulcros, y tenía tanta fuerza, que cada vez que lo ataban con grillos y cadenas rompía las cadenas, despedazaba los grillos y se iba. Nadie tenía la fuerza suficiente para dominarlo. ⁵Día y noche vagaba solitario por los sepulcros y los montes gritando e hiriéndose con piedras afiladas. ⁶Cuando vio a lo lejos que Jesús se acercaba, corrió a su encuentro y se tiró de rodillas ante El.

^{7,8}—¡Sal de este hombre, espíritu inmundo! —ordenó Jesús.

El endemoniado emitió un chillido horrible, electrizante, y el demonio habló:

—¿Qué tienes conmigo, Jesús, Hijo del Dios altísimo? ¡Por Dios, no me atormentes!

⁹—¿Cómo te llamas? —le preguntó Jesús.

El demonio le respondió:

—Legión, porque somos muchos los que estamos en este hombre.

¹⁰Los demonios le suplicaron que no los enviara a ningún lugar distante de allí. ¹¹Precisamente había por allí un enorme hato de cerdos que pacía junto a las colinas ribereñas.

¹²—Envíanos a los cerdos —suplicaron los demonios.

¹³Al asentir Jesús, los espíritus inmundos salieron del hombre y entraron al hato de cerdos que, enloquecidos, se precipitaron al lago por un despeñadero y se ahogaron.

¹⁴Los que cuidaban los cerdos corrieron a dar la noticia en la ciudad y en los campos circunvecinos. ¹⁵Un gentío enorme acudió a ver a Jesús. Pero al ver sentado allí, vestido y en su juicio cabal al que había estado endemoniado, se acobardaron. ¹⁶Cuando los testigos presenciales contaron lo ocurrido, ¹⁷le pidieron a Jesús que se fuera de allí, que los dejara tranquilos.

¹⁸Jesús regresó a la barca. El que había estado endemoniado le suplicó que lo dejara irse con El. ¹⁹Pero Jesús le dijo:

—No. Vete a vivir con los tuyos y cuéntales las maravillas que el Señor ha hecho contigo, lo misericordioso que ha sido contigo.

^{3,4} This man lived among the gravestones, and had such strength that whenever he was put into handcuffs and shackles—as he often was—he snapped the handcuffs from his wrists and smashed the shackles and walked away. No one was strong enough to control him. ⁵ All day long and through the night he would wander among the tombs and in the wild hills, screaming and cutting himself with sharp pieces of stone.

⁶ When Jesus was still far out on the water, the man had seen him and had run to meet him, and fell down before him.

^{7,8} Then Jesus spoke to the demon within the man and said, "Come out, you evil spirit."

It gave a terrible scream, shrieking, "What are you going to do to me, Jesus, Son of the Most High God? For God's sake, don't torture me!"

⁹ "What is your name?" Jesus asked, and the demon replied, "Legion, for there are many of us here within this man."

¹⁰ Then the demons begged him again and again not to send them to some distant land.

¹¹ Now as it happened there was a huge herd of hogs rooting around on the hill above the lake. ¹² "Send us into those hogs," the demons begged.

¹³ And Jesus gave them permission. Then the evil spirits came out of the man and entered the hogs, and the entire herd plunged down the steep hillside into the lake and drowned.

¹⁴ The herdsmen fled to the nearby towns and countryside, spreading the news as they ran. Everyone rushed out to see for themselves. ¹⁵ And a large crowd soon gathered where Jesus was; but as they saw the man sitting there, fully clothed and perfectly sane, they were frightened. ¹⁶ Those who saw what happened were telling everyone about it, ¹⁷ and the crowd began pleading with Jesus to go away and leave them alone! ¹⁸ So he got back into the boat. The man who had been possessed by the demons begged Jesus to let him go along. ¹⁹ But Jesus said no.

"Go home to your friends," he told him, "and tell them what wonderful things God has done for you; and how merciful he has been."

²⁰No tuvo que repetírselo. Aquel hombre recorrió Decápolis contando las grandes cosas que Jesús había hecho con él. Y la gente se maravillaba al oírlo.

²¹Cuando Jesús regresó en la barca a la otra orilla del lago, una enorme multitud se reunió a su alrededor, ²²y un hombre se postró a sus pies. Era Jairo, uno de los principales de la sinagoga local.

²³—Señor —dijo éste en desesperada súplica—, mi hija se me está muriendo. Ven y ponle las manos encima. Sé que puedes hacer que viva.

²⁴,²⁵Jesús lo acompañó. En medio de aquella multitud que se apretujaba a su alrededor, estaba una mujer que durante los últimos doce años había estado enferma con cierto tipo de derrame de sangre. ²⁶Hacía muchos años que sufría en manos de los médicos, pero a pesar de haber gastado su fortuna, en vez de mejorar estaba peor. ²⁷Enterada de los maravillosos milagros que Jesús hacía, se le fue acercando poco a poco por detrás, abriéndose paso entre la multitud. Deseaba tocarle el manto; ²⁸tenía la más absoluta seguridad de que si lo tocaba siquiera sanaría. ²⁹Y así fue. Tan pronto lo tocó, el derrame cesó y se sintió perfectamente bien.

³⁰Jesús conoció en seguida que de El había escapado poder sanador y, dando media vuelta, preguntó a la multitud:

—¿Quién me tocó?

³¹Sus discípulos le respondieron:

—Pero si la gente te está apretando, ¿cómo se te ocurre preguntar quién te tocó?

³²El siguió mirando en su alrededor en busca del que lo había hecho. ³³La mujer, temblando de miedo y emoción, se arrodilló delante de El y le confesó lo que había hecho. ³⁴Jesús le dijo:

—Hija, tu fe te ha sanado; vete en paz, que ya no estás enferma.

³⁵Mientras hablaba con la mujer, llegaron varios mensajeros de la casa de Jairo a dar la noticia de que era demasiado tarde, que la muchacha ya estaba muerta y que ya no era necesario que Jesús fuera. ³⁶Pero Jesús le dijo a Jairo:

—No temas. Cree en mí.

³⁷Y no permitió que nadie fuera con El

²⁰ So the man started off to visit the Ten Towns of that region and began to tell everyone about the great things Jesus had done for him; and they were awestruck by his story.

²¹ When Jesus had gone across by boat to the other side of the lake, a vast crowd gathered around him on the shore.

²² The leader of the local synagogue, whose name was Jairus, came and fell down before him, ²³ pleading with him to heal his little daughter.

"She is at the point of death," he said in desperation. "Please come and place your hands on her and make her live."

²⁴ Jesus went with him, and the crowd thronged behind. ²⁵ In the crowd was a woman who had been sick for twelve years with a hemorrhage. ²⁶ She had suffered much from many doctors through the years and had become poor from paying them, and was no better but, in fact, was worse. ²⁷ She had heard all about the wonderful miracles Jesus did, and that is why she came up behind him through the crowd and touched his clothes.

²⁸ For she thought to herself, "If I can just touch his clothing, I will be healed." ²⁹ And sure enough, as soon as she had touched him, the bleeding stopped and she knew she was well!

³⁰ Jesus realized at once that healing power had gone out from him, so he turned around in the crowd and asked, "Who touched my clothes?"

³¹ His disciples said to him, "All this crowd pressing around you, and you ask who touched you?"

³² But he kept on looking around to see who it was who had done it. ³³ Then the frightened woman, trembling at the realization of what had happened to her, came and fell at his feet and told him what she had done. ³⁴ And he said to her, "Daughter, your faith has made you well; go in peace, healed of your disease."

³⁵ While he was still talking to her, messengers arrived from Jairus' home with the news that it was too late—his daughter was dead and there was no point in Jesus' coming now. ³⁶ But Jesus ignored their comments and said to Jairus, "Don't be afraid. Just trust me."

³⁷ Then Jesus halted the crowd and wouldn't let anyone go on with him to

sino Pedro, Jacobo y Juan.

³⁸En casa de Jairo todo era llanto y dolor.

³⁹—¿A qué viene tanto llanto y tanto alboroto? —dijo Jesús al llegar—. La niña no está muerta, sólo está dormida.

⁴⁰La gente se rió en su cara, pero El les ordenó que salieran y entró con Jairo, la esposa de éste y los tres discípulos al cuarto en que reposaba el cuerpo de la niña. ⁴¹,⁴²Tomándola de la mano, le dijo:

—Levántate, niña.

Y aquella niña de doce años de edad se levantó de un salto y caminó. Los padres no cabían en sí entre espantados y alegres. ⁴³Pero Jesús les suplicó encarecidamente que no lo dijeran a nadie, y ordenó que le dieran de comer a la niña.

6 POCO DESPUÉS SALÍA de aquella región y regresaba con sus discípulos a Nazaret, el pueblo de su niñez.

²El día de reposo fue a enseñar a la sinagoga. La gente se quedó boquiabierta ante las enseñanzas y los milagros de aquel hombre que habían visto crecer junto a ellos.

—El no es mejor que nosotros —decían—. ¿Creerá que no lo conocemos? ³El es aquel carpintero, hijo de María, hermano de Jacobo, José, Judas y Simeón. Sus hermanas viven aquí mismo.

Estaban indignados. ⁴Al verlos así, Jesús les dijo:

—Al profeta nunca lo aceptan en su propia tierra, ni entre sus parientes, ni en su propia casa.

⁵Debido a la incredulidad de la gente no pudo realizar ningún milagro allí, salvo poner las manos sobre unos pocos enfermos y sanarlos. ⁶Asombrado de la incredulidad de aquella gente, se fue a enseñar en los pueblos de los alrededores.

⁷Un día llamó a sus doce discípulos y los envió de dos en dos con poder para echar fuera demonios. ⁸,⁹Les ordenó que no llevaran nada con ellos, excepto bordón. No debían llevar alimentos ni alforja ni dinero, y ni siquiera una segunda muda de ropa y zapatos.

¹⁰—En cada pueblo quédense en una sola casa. Mientras estén en ese lugar no se anden cambiando de casa —les dijo—. ¹¹Si

Jairus' home except Peter and James and John. ³⁸ When they arrived, Jesus saw that all was in great confusion, with unrestrained weeping and wailing. ³⁹ He went inside and spoke to the people.

"Why all this weeping and commotion?" he asked. "The child isn't dead; she is only asleep!"

⁴⁰ They laughed at him in bitter derision, but he told them all to leave, and taking the little girl's father and mother and his three disciples, he went into the room where she was lying.

⁴¹,⁴² Taking her by the hand he said to her, "Get up, little girl!" (She was twelve years old.) And she jumped up and walked around! Her parents just couldn't get over it. ⁴³ Jesus instructed them very earnestly not to tell what had happened, and told them to give her something to eat.

6 SOON AFTERWARDS HE left that section of the country and returned with his disciples to Nazareth, his home town. ²,³ The next Sabbath he went to the synagogue to teach, and the people were astonished at his wisdom and his miracles because he was just a local man like themselves.

"He's no better than we are," they said. "He's just a carpenter, Mary's boy, and a brother of James and Joseph, Judas and Simon. And his sisters live right here among us." And they were offended!

⁴ Then Jesus told them, "A prophet is honored everywhere except in his home town and among his relatives and by his own family." ⁵ And because of their unbelief he couldn't do any mighty miracles among them except to place his hands on a few sick people and heal them. ⁶ And he could hardly accept the fact that they wouldn't believe in him.

Then he went out among the villages, teaching. ⁷ And he called his twelve disciples together and sent them out two by two, with power to cast out demons. ⁸,⁹ He told them to take nothing with them except their walking sticks—no food, no knapsack, no money, not even an extra pair of shoes or a change of clothes.

¹⁰ "Stay at one home in each village— don't shift around from house to house while you are there," he said. ¹¹ "And when-

en algún lugar no los reciben ni les prestan atención, sacúdanse el polvo de los pies y váyanse. Con esto les estarán diciendo que los abandonan a su suerte. Les aseguro que en el día del juicio el castigo de Sodoma y Gomorra será más tolerable que el de una gente así.

¹²Los discípulos salieron y fueron por todas partes predicando que se arrepintieran y se apartaran del pecado. ¹³Echaron fuera muchos demonios, y sanaron muchos enfermos, ungiéndolos con aceite de oliva.

¹⁴La fama que Jesús adquirió a través de sus milagros llegó a oídos del rey Herodes. Este pensó que Jesús era Juan el Bautista que había resucitado con poderes extraordinarios.

—Por eso puede realizar tan grandes milagros —dijeron los cortesanos.

¹⁵Algunos opinaron que Jesús era Elías, el profeta de la antigüedad, que había regresado; y otros, que era un nuevo profeta de la misma categoría de los grandes de la antigüedad. ¹⁶Pero Herodes reiteró:

—No lo creo. Para mí El es Juan, el que yo decapité, que ha vuelto a la vida.

¹⁷,¹⁸Herodes había mandado arrestar a Juan porque éste decía sin miramientos que era incorrecto que el rey se casara con Herodías, la esposa de su hermano Felipe. ¹⁹Herodías quiso por venganza que lo mataran en seguida, pero sin la aprobación de Herodes no podía conseguirlo. ²⁰Herodes respetaba a Juan porque lo consideraba un hombre bueno y santo, y lo puso a salvo de las garras de Herodías. Aunque cada vez que hablaba con Juan salía turbado, le gustaba escucharlo.

²¹Un día se le presentó a Herodías la oportunidad que buscaba. Era el cumpleaños de Herodes y éste organizó un banquete para sus ayudantes palaciegos, oficiales del ejército y ciudadanos principales de Galilea. ²²,²³En medio del banquete la hija de Herodías danzó y gustó mucho a los presentes.

—Pídeme lo que quieras —le dijo el rey— y te lo concederé aunque me pidas la mitad del reino.

²⁴La chica salió y consultó con su madre, quien le dijo:

—Pídele la cabeza de Juan el Bautista.

²⁵Obediente, regresó donde estaba el rey y le dijo:

—Quiero que me traigas ahora mismo

ever a village won't accept you or listen to you, shake off the dust from your feet as you leave; it is a sign that you have abandoned it to its fate."

¹² So the disciples went out, telling everyone they met to turn from sin. ¹³ And they cast out many demons, and healed many sick people, anointing them with olive oil.

¹⁴ King Herod soon heard about Jesus, for his miracles were talked about everywhere. The king thought Jesus was John the Baptist come back to life again. So the people were saying, "No wonder he can do such miracles." ¹⁵ Others thought Jesus was Elijah the ancient prophet, now returned to life again; still others claimed he was a new prophet like the great ones of the past.

¹⁶ "No," Herod said, "it is John, the man I beheaded. He has come back from the dead."

¹⁷,¹⁸ For Herod had sent soldiers to arrest and imprison John because he kept saying it was wrong for the king to marry Herodias, his brother Philip's wife. ¹⁹ Herodias wanted John killed in revenge, but without Herod's approval she was powerless. ²⁰ And Herod respected John, knowing that he was a good and holy man, and so he kept him under his protection. Herod was disturbed whenever he talked with John, but even so he liked to listen to him.

²¹ Herodias' chance finally came. It was Herod's birthday and he gave a stag party for his palace aides, army officers, and the leading citizens of Galilee. ²²,²³ Then Herodias' daughter came in and danced before them and greatly pleased them all.

"Ask me for anything you like," the king vowed, "even half of my kingdom, and I will give it to you!"

²⁴ She went out and consulted her mother, who told her, "Ask for John the Baptist's head!"

²⁵ So she hurried back to the king and

en una bandeja la cabeza de Juan el Bautista.

²⁶,²⁷Al rey le dolía complacerla, pero no podía faltar a su palabra delante de los invitados. No lo quedó más remedio que enviar a uno de sus guardaespaldas a la prisión a cortarle la cabeza a Juan. El soldado decapitó a Juan en la prisión, ²⁸regresó con la cabeza en una bandeja y se la entregó a la chica. Esta se la llevó a su madre.

²⁹Cuando los discípulos de Juan se enteraron de lo sucedido, fueron en busca del cuerpo y lo enterraron.

³⁰Cuando los apóstoles regresaron del viaje y terminaron de contarle a Jesús lo que habían hecho y enseñado, ³¹era tanto el gentío que entraba y salía que apenas les quedaba tiempo para comer. Jesús tuvo que decirles:

—Apartémonos del gentío para que puedan descansar. Deben estar extenuados.

³²Partieron en una barca hacia un lugar desierto y tranquilo. ³³En aquel lugar "desierto y tranquilo" se encontraron que una multitud los esperaba. ¡No habían podido salir inadvertidos y la gente se había ido a pie a esperarlos! ³⁴¡Allí estaba el gentío de siempre! Como siempre también, Jesús se compadeció de ellos porque parecían ovejas sin pastor y les enseñó muchas cosas que necesitaban saber.

³⁵Ya avanzada la tarde, los discípulos le dijeron a Jesús:

—Aquí en el desierto no hay nada que comer y se está haciendo tarde. ³⁶Dile a esta gente que se vaya a los pueblos vecinos a comprar comida.

³⁷—Aliméntenlos ustedes —fue la respuesta.

—¿Y con qué? —preguntaron—. Costaría una fortuna comprarle comida a esta multitud.

³⁸—¿Qué cantidad de alimentos tenemos? — les preguntó—. Vayan a ver.

Al poco rato regresaron los discípulos con la noticia de que había cinco panes y dos pescados. ³⁹,⁴⁰Jesús ordenó a la multitud que se sentara y al poco rato la hierba verde se llenó de multicolores grupos de cincuenta o cien individuos sentados.

⁴¹Jesús tomó los cinco panes y los dos pescados y, mirando al cielo, dio gracias por ellos. Luego, partió los panes y los pescados y los fue dando a los discípulos

told him, "I want the head of John the Baptist—right now—on a tray!"

²⁶ Then the king was sorry, but he was embarrassed to break his oath in front of his guests. ²⁷ So he sent one of his bodyguards to the prison to cut off John's head and bring it to him. The soldier killed John in the prison, ²⁸ and brought back his head on a tray, and gave it to the girl and she took it to her mother.

²⁹ When John's disciples heard what had happened, they came for his body and buried it in a tomb.

³⁰ The apostles now returned to Jesus from their tour and told him all they had done and what they had said to the people they visited.

³¹ Then Jesus suggested, "Let's get away from the crowds for a while and rest." For so many people were coming and going that they scarcely had time to eat. ³² So they left by boat for a quieter spot. ³³ But many people saw them leaving and ran on ahead along the shore and met them as they landed. ³⁴ So the usual vast crowd was there as he stepped from the boat; and he had pity on them because they were like sheep without a shepherd, and he taught them many things they needed to know.

³⁵,³⁶ Late in the afternoon his disciples came to him and said, "Tell the people to go away to the nearby villages and farms and buy themselves some food, for there is nothing to eat here in this desolate spot, and it is getting late."

³⁷ But Jesus said, "You feed them."

"With what?" they asked. "It would take a fortune to buy food for all this crowd!"

³⁸ "How much food do we have?" he asked. "Go and find out."

They came back to report that there were five loaves of bread and two fish. ³⁹,⁴⁰ Then Jesus told the crowd to sit down, and soon colorful groups of fifty or a hundred each were sitting on the green grass.

⁴¹ He took the five loaves and two fish and looking up to heaven, gave thanks for the food. Breaking the loaves into pieces, he gave some of the bread and fish to each

para que los repartieran entre la multitud. ⁴²Comieron todos hasta no poder más. ⁴³,⁴⁴Y aunque eran cinco mil hombres, sobraron doce cestas llenas de panes y pescados.

⁴⁵Jesús ordenó a los discípulos que se subieran a la barca y se fueran a Betsaida, donde se les uniría cuando despidiera a la multitud. ⁴⁶Después que todos se fueron, Jesús subió al monte a orar.

⁴⁷Ya de noche, mientras los discípulos llegaban al medio del lago, Jesús vio desde el lugar solitario en que estaba ⁴⁸que sus discípulos se encontraban en un serio problema, remando desesperadamente y luchando contra los vientos y las olas. Como a las tres de la mañana se acercó a ellos caminando sobre el agua y siguió como si tuviera intenciones de pasar de largo.

⁴⁹Cuando los discípulos vieron aquello que caminaba sobre el agua, gritaron de terror creyendo que era un fantasma. ⁵⁰Pero El les dijo:

—Cálmense, soy yo, no tengan miedo.

⁵¹Cuando subió a la barca, el viento se calmó. Los discípulos quedaron boquiabiertos, maravillados. ⁵²¡Todavía no entendían quién era El, ni siquiera después de este milagro y el del día anterior! ¡No podían creer!

⁵³Al llegar a Genesaret, al otro lado del lago, amarraron la barca ⁵⁴y desembarcaron. La gente en seguida lo reconoció ⁵⁵y corrieron por todas partes a dar la noticia y a buscar enfermos que traían a El en camas y camillas. ⁵⁶Doquiera que iba, pueblo, ciudad o campo, ponían los enfermos en las calles y en las plazas, y le suplicaban que los dejara tocarle siquiera el borde de su manto. Los que lo tocaban, sanaban.

7 UN DÍA LLEGARON de Jerusalén varios escribas y fariseos, ²y notaron con enojo que los discípulos de Jesús no cumplían con el ritual judío antes de comer. ³Los judíos, sobre todo los fariseos, jamás comen si primero no se vierten agua en las manos y

disciple to place before the people. ⁴² And the crowd ate until they could hold no more!

⁴³,⁴⁴ There were about 5,000 men there for that meal, and afterwards twelve basketfuls of scraps were picked up off the grass!

⁴⁵ Immediately after this Jesus instructed his disciples to get back into the boat and strike out across the lake to Bethsaida, where he would join them later. He himself would stay and tell the crowds good-bye and get them started home.

⁴⁶ Afterwards he went up into the hills to pray. ⁴⁷ During the night, as the disciples in their boat were out in the middle of the lake, and he was alone on land, ⁴⁸ he saw that they were in serious trouble, rowing hard and struggling against the wind and waves.

About three o'clock in the morning he walked out to them on the water. He started past them, ⁴⁹ but when they saw something walking along beside them they screamed in terror, thinking it was a ghost, ⁵⁰ for they all saw him.

But he spoke to them at once. "It's all right," he said. "It is I! Don't be afraid." ⁵¹ Then he climbed into the boat and the wind stopped!

They just sat there, unable to take it in! ⁵² For they still didn't realize who he was, even after the miracle the evening before! For they didn't want to believe!

⁵³ When they arrived at Gennesaret on the other side of the lake they moored the boat, ⁵⁴ and climbed out.

The people standing around there recognized him at once, ⁵⁵ and ran throughout the whole area to spread the news of his arrival, and began carrying sick folks to him on mats and stretchers. ⁵⁶ Wherever he went —in villages and cities, and out on the farms—they laid the sick in the market plazas and streets, and begged him to let them at least touch the fringes of his clothes; and as many as touched him were healed.

7 ONE DAY SOME Jewish religious leaders arrived from Jerusalem to investigate him, ² and noticed that some of his disciples failed to follow the usual Jewish rituals before eating. ³ (For the Jews, especially the Pharisees, will never eat until they have sprinkled their arms to the elbows, as re-

la dejan correr hasta los codos como lo requiere la tradición de los ancianos. ⁴Cuando regresan del mercado tienen que lavarse de la misma manera, antes de tocar cualquier alimento. Otra de las leyes y reglas que han ido adoptando a través de los siglos es la ceremonia del lavamiento de vasos, jarros, utensilios de metal y lechos.

⁵—¿Por qué tus discípulos no siguen la tradición de los ancianos? ¿Por qué comen sin lavarse conforme al rito? —le preguntaron a Jesús.

⁶Jesús les respondió:

—¡Hipócritas! Bien dijo el profeta Isaías que "este pueblo de labios me honra pero lejos están de amarme de corazón. ⁷La adoración que me brindan no les sirve de nada porque enseñan tradiciones humanas como si fueran mandamientos de Dios". ¡Cuánta razón tenía Isaías! ⁸Ustedes pasan por alto los verdaderos mandamientos de Dios y se aferran en cumplir con la tradición de los hombres. ⁹Rechazan las leyes de Dios y las pisotean por guardar la tradición. ¹⁰Moisés les dio el siguiente mandamiento de Dios: "Honra a tu padre y a tu madre, y el que maldiga a sus padres muera irremisiblemente". ¹¹Sin embargo, consienten en que un hombre desatienda las necesidades de sus padres con la excusa de que no puede ayudarlos porque ha consagrado a Dios la única parte de su presupuesto que podía destinarles. ¹²Ustedes, al consentir en esto, ¹³pisotean la ley de Dios por guardar la tradición humana. Este es sólo un ejemplo de muchos.

¹⁴Entonces pidió la atención de la multitud y dijo:

—Escúchenme bien y entiendan: ¹⁵Lo que daña el alma no es lo que entra en el hombre, sino lo que sale del hombre. ¹⁶El que tenga oídos, oiga.

¹⁷Una vez en la casa, sus discípulos le preguntaron el significado de lo que acababa de decir.

¹⁸—¿Así que ustedes tampoco entienden? —les preguntó—. ¿No ven que lo que uno come no le daña el alma, ¹⁹porque los alimentos no tocan el corazón, sino que pasan a través del aparato digestivo?

Con esto afirmaba que todos los alimentos son puros desde el punto de vista religioso. ²⁰Y añadió:

—Es lo que uno piensa y dice lo que lo contamina. ²¹Del corazón del hombre salen

quired by their ancient traditions. ⁴ So when they come home from the market they must always sprinkle themselves in this way before touching any food. This is but one of many examples of laws and regulations they have clung to for centuries, and still follow, such as their ceremony of cleansing for pots, pans and dishes.)

⁵ So the religious leaders asked him, "Why don't your disciples follow our age-old customs? For they eat without first performing the washing ceremony."

⁶,⁷ Jesus replied, "You bunch of hypocrites! Isaiah the prophet described you very well when he said, 'These people speak very prettily about the Lord but they have no love for him at all. Their worship is a farce, for they claim that God commands the people to obey their petty rules.' How right Isaiah was! ⁸ For you ignore God's specific orders and substitute your own traditions. ⁹ You are simply rejecting God's laws and trampling them under your feet for the sake of tradition.

¹⁰ For instance, Moses gave you this law from God: 'Honor your father and mother.' And he said that anyone who speaks against his father or mother must die. ¹¹ But you say it is perfectly all right for a man to disregard his needy parents, telling them, 'Sorry, I can't help you! For I have given to God what I could have given to you.' ¹²,¹³ And so you break the law of God in order to protect your man-made tradition. And this is only one example. There are many, many others."

¹⁴ Then Jesus called to the crowd to come and hear. "All of you listen," he said, "and try to understand. ¹⁵,¹⁶ Your souls aren't harmed by what you eat, but by what you think and say!"

¹⁷ Then he went into a house to get away from the crowds, and his disciples asked him what he meant by the statement he had just made.

¹⁸ "Don't you understand either?" he asked. "Can't you see that what you eat won't harm your soul? ¹⁹ For food doesn't come in contact with your heart, but only passes through the digestive system." (By saying this he showed that every kind of food is kosher.)

²⁰ And then he added, "It is the thought-life that pollutes. ²¹ For from within, out of

los malos pensamientos, el adulterio, la inmoralidad sexual, los asesinatos, ²²los robos, las avaricias, las maldades, los engaños, la lascivia, la envidia, la maledicencia, la soberbia, la insensatez. ²³Estas cosas que salen de adentro son las que contaminan al hombre y lo hacen indigno de Dios.

²⁴Un día se fue a las regiones de Tiro y Sidón. Deseaba que nadie supiera su paradero. Pero no lo logró. La noticia de su llegada se corrió rápidamente, y ²⁵una mujer, cuya hija estaba endemoniada, postrada a sus pies ²⁶le suplicó que libertara a su hija del poder de los demonios.

Era una sirofenicia, una "despreciable gentil".

²⁷—Primero tengo que ayudar a los míos, los judíos —le respondió Jesús—. No es correcto que uno le quite el alimento a los hijos y lo eche a los perros.

²⁸—Cierto, Señor, pero aun los perrillos reciben bajo la mesa las migajas que caen del plato de los hijos —respondió la mujer.

²⁹—¡Magnífico! —dijo Jesús—. Muy bien contestado. Vete para tu casa que ya el demonio salió de tu hija.

³⁰Cuando la mujer llegó a la casa halló a su hija reposando quietamente en cama. El demonio la había dejado.

³¹De Tiro se dirigió a Sidón, y de allí regresó al lago de Galilea, atravesando la región de Decápolis.

³²Un día le llevaron un sordomudo y le suplicaron que le pusiera las manos encima y lo sanara. ³³Jesús se lo llevó aparte, puso los dedos en los oídos del hombre, escupió, le tocó la lengua ³⁴y, mirando al cielo, suspiró y ordenó:

—¡Abrete!

³⁵Al instante el hombre pudo oír y hablar perfectamente. ³⁶Jesús pidió a la multitud que no contara lo que había visto, pero mientras más lo pedía, más se divulgaba. ³⁷La gente estaba demasiado maravillada para callar.

—¡Qué asombroso es este hombre! ¡Hasta logra que los sordos oigan y los mudos hablen!

men's hearts, come evil thoughts of lust, theft, murder, adultery, ²² wanting what belongs to others, wickedness, deceit, lewdness, envy, slander, pride, and all other folly. ²³ All these vile things come from within; they are what pollute you and make you unfit for God."

²⁴ Then he left Galilee and went to the region of Tyre and Sidon, and tried to keep it a secret that he was there, but couldn't. For as usual the news of his arrival spread fast.

²⁵ Right away a woman came to him whose little girl was possessed by a demon. She had heard about Jesus and now she came and fell at his feet, ²⁶ and pled with him to release her child from the demon's control. (But she was Syrophoenician—a "despised Gentile!")

²⁷ Jesus told her, "First I should help my own family—the Jews. It isn't right to take the children's food and throw it to the dogs."

²⁸ She replied, "That's true, sir, but even the puppies under the table are given some scraps from the children's plates."

²⁹ "Good!" he said, "You have answered well—so well that I have healed your little girl. Go on home, for the demon has left her!"

³⁰ And when she arrived home, her little girl was lying quietly in bed, and the demon was gone.

³¹ From Tyre he went to Sidon, then back to the Sea of Galilee by way of the Ten Towns. ³² A deaf man with a speech impediment was brought to him, and everyone begged Jesus to lay his hands on the man and heal him.

³³ Jesus led him away from the crowd and put his fingers into the man's ears, then spat and touched the man's tongue with the spittle. ³⁴ Then, looking up to heaven, he sighed and commanded, "Open!" ³⁵ Instantly the man could hear perfectly and speak plainly!

³⁶ Jesus told the crowd not to spread the news, but the more he forbade them, the more they made it known, ³⁷ for they were overcome with utter amazement. Again and again they said, "Everything he does is wonderful; he even corrects deafness and stammering!"

8 NO MUCHO DESPUÉS se repitió el caso en que una multitud, por ir a oírlo, se quedó sin alimentos. Jesús llamó a sus discípulos para discutir el asunto.
² —Me da lástima esta gente —les dijo—, porque ya llevan tres días aquí y se les ha acabado la comida. ³Si los envío sin comer, se desmayarán en el camino porque muchos han venido de lejos.
⁴ —¿Y tenemos nosotros que buscarles comida aquí en el desierto? —protestaron los discípulos.
⁵ —¿Cuántos panes tienen? —les preguntó.

—Siete —respondieron.

⁶Pidió a la multitud que se sentara en el suelo. Luego tomó los siete panes, dio gracias a Dios por ellos, los partió y los fue pasando a los discípulos. Los discípulos a su vez los fueron distribuyendo. ⁷Encontraron también unos pescaditos; Jesús los bendijo y pidió a los discípulos que los repartieran. ⁸,⁹Cuando la multitud se hartó, Jesús los despidió. Eran como cuatro mil hombres y a pesar de esto al final pudieron recoger siete cestas de alimentos.

¹⁰Inmediatamente se embarcó con sus discípulos hacia la región de Dalmanuta. ¹¹Cuando los fariseos de la localidad se enteraron de su llegada, fueron a discutir con Él.

—Haznos un milagro —le pidieron—. Haz alguna señal en el cielo, para que creamos en ti.

¹²Al oír aquello, dijo con aflicción:

—No voy a hacer nada. ¿Hasta cuándo quieren que esté haciendo milagros?

¹³Se embarcó de nuevo y se fue al otro lado del lago. Esta vez a ¹⁴los discípulos se les olvidó comprar alimentos antes de salir, y sólo tenían un pan en la barca. ¹⁵En la travesía, Jesús les dijo:

—¡Cuidado con la levadura del rey Herodes y los fariseos!

¹⁶ —¿Qué querrá decir? —se preguntaban los discípulos—. ¿Se referirá a que se nos olvidó el pan?

¹⁷Jesús, que sabía lo que estaban discutiendo, les dijo:

—¡Están equivocados! ¿Tienen el corazón tan endurecido que no entienden? ¹⁸¿Acaso tienen ojos y no ven, y oídos y no

8 ONE DAY ABOUT this time as another great crowd gathered, the people ran out of food again. Jesus called his disciples to discuss the situation.

"I pity these people," he said, "for they have been here three days, and have nothing left to eat. ³ And if I send them home without feeding them, they will faint along the road! For some of them have come a long distance."

⁴ "Are we supposed to find food for them here in the desert?" his disciples scoffed.

⁵ "How many loaves of bread do you have?" he asked.

"Seven," they replied. ⁶ So he told the crowd to sit down on the ground. Then he took the seven loaves, thanked God for them, broke them into pieces and passed them to his disciples; and the disciples placed them before the people. ⁷ A few small fish were found, too, so Jesus also blessed these and told the disciples to serve them.

⁸,⁹ And the whole crowd ate until they were full, and afterwards he sent them home. There were about 4,000 people in the crowd that day and when the scraps were picked up after the meal, there were seven very large basketfuls left over!

¹⁰ Immediately after this he got into a boat with his disciples and came to the region of Dalmanutha. ¹¹ When the local Jewish leaders learned of his arrival they came to argue with him.

"Do a miracle for us," they said. "Make something happen in the sky. Then we will believe in you."

¹² He sighed deeply when he heard this and he said, "Certainly not. How many more miracles do you people need?"

¹³ So he got back into the boat and left them, and crossed to the other side of the lake. ¹⁴ But the disciples had forgotten to stock up on food before they left, and had only one loaf of bread in the boat.

¹⁵ As they were crossing, Jesus said to them very solemnly, "Beware of the yeast of King Herod and of the Pharisees."

¹⁶ "What does he mean?" the disciples asked each other. They finally decided that he must be talking about their forgetting to bring bread.

¹⁷ Jesus realized what they were discussing and said, "No, that isn't it at all! Can't you understand? Are your hearts too hard to take it in? ¹⁸ 'Your eyes are to see

escuchan? ¿No se acuerdan ya [19]que alimenté a cinco mil hombres con cinco panes? ¿Cuántas cestas llenas sobraron?

—Doce —contestaron.

[20]—Y cuando alimenté a los cuatro mil con siete panes, ¿qué sobró?

—Siete cestas llenas —le respondieron.

[21]—¿Y todavía se les ocurre pensar que me preocupa que no hayan traído pan?

[22]En Betsaida le llevaron a un ciego y le rogaron que lo tocara para que sanara. [23]Jesús tomó al ciego de la mano, lo sacó del pueblo, le escupió los ojos, y le puso las manos encima.

—¿Ves algo ahora? —le preguntó.

[24]El hombre miró a su alrededor.

—¡Sí! —dijo—. Veo a los hombres. Los veo como árboles que caminan.

[25]Jesús le colocó de nuevo las manos sobre los ojos y le dijo que mirara fijamente. Entonces el hombre pudo ver perfectamente y se puso a mirar a su alredededor con avidez.

[26]Jesús le ordenó que regresara con su familia.

—No entres en el pueblo, ni se lo cuentes a nadie.

[27]Jesús y sus discípulos salieron de Galilea hacia los pueblos de Cesarea de Filipo. En el camino les preguntó:

—¿Quién cree la gente que soy? ¿Qué dicen de mí?

[28]—Algunos dicen que eres Juan el Bautista —le respondieron—, y otros dicen que eres Elías o uno de los profetas antiguos que ha resucitado.

[29]—¿Y quién creen ustedes que soy? Pedro le respondió:

—¡Tú eres el Mesías!

[30]Jesús les mandó que no se lo dijeran a nadie, y les [31]habló de los sufrimientos que le sobrevendrían. Los ancianos, los principales sacerdotes y los escribas lo rechazarían y lo matarían, pero resucitaría después de tres días.

[32]Con tanta franqueza les habló que Pedro lo llamó aparte y lo reprendió:

—¡Dios guarde, Señor! ¡No digas eso!

[33]El le volvió la espalda y, mirando

with—why don't you look? Why don't you open your ears and listen?' Don't you remember anything at all?

[19] "What about the 5,000 men I fed with five loaves of bread? How many basketfuls of scraps did you pick up afterwards?"

"Twelve," they said.

[20] "And when I fed the 4,000 with seven loaves, how much was left?"

"Seven basketfuls," they said.

[21] "And yet you think I'm worried that we have no bread?"

[22] When they arrived at Bethsaida, some people brought a blind man to him and begged him to touch and heal him. [23] Jesus took the blind man by the hand and led him out of the village, and spat upon his eyes, and laid his hands over them.

"Can you see anything now?" Jesus asked him.

[24] The man looked around. "Yes!" he said, "I see men! But I can't see them very clearly; they look like tree trunks walking around!"

[25] Then Jesus placed his hands over the man's eyes again and as the man stared intently, his sight was completely restored, and he saw everything clearly, drinking in the sights around him.

[26] Jesus sent him home to his family. "Don't even go back to the village first," he said.

[27] Jesus and his disciples now left Galilee and went out to the villages of Caesarea Philippi. As they were walking along he asked them, "Who do the people think I am? What are they saying about me?"

[28] "Some of them think you are John the Baptist," the disciples replied, "and others say you are Elijah or some other ancient prophet come back to life again."

[29] Then he asked, "Who do you think I am?" Peter replied, "You are the Messiah."

[30] But Jesus warned them not to tell anyone!

[31] Then he began to tell them about the terrible things he would suffer, and that he would be rejected by the elders and the Chief Priests and the other Jewish leaders —and be killed, and that he would rise again three days afterwards. [32] He talked about it quite frankly with them, so Peter took him aside and chided him. "You shouldn't say things like that," he told Jesus.

[33] Jesus turned and looked at his disci-

fijamente a sus discípulos, reprendió a Pedro:

—¡Apártate de mí, Satanás! ¡Estás mirando el caso desde el punto de vista humano y no del divino!

³⁴Hizo un ademán para que la multitud lo escuchara también, y añadió:

—Si alguno quiere venir en pos de mí, niéguese a sí mismo, tome su cruz y sígame. ³⁵El que se afana por salvar su vida, la perderá. Pero los que entregan sus vidas por mi causa y por la causa del evangelio, llegarán a saber a plenitud lo que es la vida. ³⁶¿De qué le sirve a un hombre ganarse el mundo entero si pierde su alma? ³⁷¿Habrá algo que valga más que el alma? ³⁸Si alguien se avergüenza de mí y de mi mensaje en esta época de incredulidad y pecado, yo, el Hijo del Hombre, me avergonzaré de él cuando regrese en la gloria de mi Padre con los santos ángeles.

9 ¹"ALGUNOS DE LOS que están aquí no morirán sin contemplar el glorioso advenimiento del reino de Dios —añadió Jesús tras una pausa.

²Seis días más tarde Jesús llevó a Pedro, a Jacobo y a Juan a la cima de una montaña. Estaban solos los cuatro. De pronto en el rostro de Jesús apareció el brillo de la gloria. ³·⁴Su ropa adquirió un color blanco, resplandeciente, glorioso. ¡Ningún lavador de la tierra habría podido lograr tanta blancura! No habían salido del asombro que esto les produjo cuando, de súbito también, aparecieron Elías y Moisés y se pusieron a hablar con Jesús.

⁵—Maestro, esto es maravilloso —exclamó Pedro—. Construiremos aquí tres enramadas, una para cada uno de ustedes.

⁶Hablaba incoherentemente, sin saber lo que decía, en medio del espanto que lo estremecía. ⁷En eso, una nube los cubrió, tapando el sol. Desde la nube una voz les dijo:

—Este es mi Hijo amado. Oiganlo a El.

⁸Con la misma rapidez con que había aparecido se disipó la nube y los discípulos vieron a Jesús... ¡solo! ¡Moisés y Elías habían desaparecido!

⁹Mientras descendían del monte les suplicó una para cada a nadie lo que habían visto hasta que resucitara. ¹⁰Por eso guardaron el secreto, aunque a veces comenta-

ples and then said to Peter very sternly, "Satan, get behind me! You are looking at this only from a human point of view and not from God's."

³⁴ Then he called his disciples and the crowds to come over and listen. "If any of you wants to be my follower," he told them, "you must put aside your own pleasures and shoulder your cross, and follow me closely. ³⁵ If you insist on saving your life, you will lose it. Only those who throw away their lives for my sake and for the sake of the Good News will ever know what it means to really live.

³⁶ "And how does a man benefit if he gains the whole world and loses his soul in the process? ³⁷ For is anything worth more than his soul? ³⁸ And anyone who is ashamed of me and my message in these days of unbelief and sin, I, the Messiah, will be ashamed of him when I return in the glory of my Father, with the holy angels."

9 ¹ JESUS WENT ON to say to his disciples, "Some of you who are standing here right now will live to see the Kingdom of God arrive in great power!"

² Six days later Jesus took Peter, James and John to the top of a mountain. No one else was there.

Suddenly his face began to shine with glory, ³ and his clothing became dazzling white, far more glorious than any earthly process could ever make it! ⁴ Then Elijah and Moses appeared and began talking with Jesus!

⁵ "Teacher, this is wonderful!" Peter exclaimed. "We will make three shelters here, one for each of you . . . ."

⁶ He said this just to be talking, for he didn't know what else to say and they were all terribly frightened.

⁷ But while he was still speaking these words, a cloud covered them, blotting out the sun, and a voice from the cloud said, "*This* is my beloved Son. Listen to *him.*"

⁸ Then suddenly they looked around and Moses and Elijah were gone, and only Jesus was with them.

⁹ As they descended the mountainside he told them never to mention what they had seen until after he had risen from the dead. ¹⁰ So they kept it to themselves, but often

ban lo que habían visto y se preguntaban qué sería aquello de "resucitar".

¹¹—¿Por qué dicen los escribas que Elías tiene que regresar antes que aparezca el Mesías? —le preguntaron.

¹²,¹³—Es cierto —les respondió Jesús—. Elías vendrá antes a restaurar todas las cosas; pero ya vino y la gente lo maltrató, tal como lo predijeron los profetas. ¿Y saben ustedes lo que dicen las Escrituras acerca del Hijo del Hombre? Dicen que sufrirá y que lo tratarán con gran desprecio.

¹⁴Al llegar al valle encontraron que un gran gentío rodeaba a los otros nueve discípulos, y que varios escribas discutían con ellos. ¹⁵La llegada de Jesús sorprendió al gentío, que corrió a su encuentro.

¹⁶—¿Qué están discutiendo? —les preguntó.

¹⁷Alguien le respondió:

—Maestro, te traía a mi hijo para que me lo sanaras, porque está endemoniado y no puede hablar. ¹⁸Cada vez que el demonio lo toma, lo arroja al suelo, echa espumarajos por la boca y cruje los dientes. El pobre se ha ido poniendo muy débil. Pedí a tus discípulos que echaran fuera el demonio, pero no lo lograron.

¹⁹—¡Oh generación incrédula! —dijo Jesús a sus discípulos—. ¿Hasta cuándo tendré que estar con ustedes para que crean? ¿Hasta cuándo he de soportarlos? Traigan acá al muchacho.

²⁰Lo obedecieron, pero cuando el demonio vio a Jesús, sacudió al muchacho con violencia; éste cayó al suelo y se revolcó y echó espumarajos por la boca.

²¹—¿Qué tiempo lleva en estas condiciones? —le preguntó Jesús al padre.

—Desde pequeño. ²²A veces el demonio lo arroja en el fuego o en el agua tratando de matarlo. Por favor, si puedes hacer algo, ten misericordia y hazlo.

²³—¿Que si puedo? —dijo Jesús—. Cualquier cosa es posible si crees.

²⁴Al instante el padre respondió:

—Creo, pero ayúdame a no dudar.

²⁵Cuando Jesús vio que el gentío crecía, reprendió al demonio:

—Espíritu mudo y sordo, te ordeno que salgas de este niño y no entres más en él.

talked about it, and wondered what he meant by "rising from the dead."

¹¹ Now they began asking him about something the Jewish religious leaders often spoke of, that Elijah must return [before the Messiah could come]. ¹²,¹³ Jesus agreed that Elijah must come first and prepare the way —and that he had, in fact, already come! And that he had been terribly mistreated, just as the prophets had predicted. Then Jesus asked them what the prophets could have been talking about when they predicted that the Messiah would suffer and be treated with utter contempt.

¹⁴ At the bottom of the mountain they found a great crowd surrounding the other nine disciples, as some Jewish leaders argued with them. ¹⁵ The crowd watched Jesus in awe as he came toward them, and then ran to greet him. ¹⁶ "What's all the argument about?" he asked.

¹⁷ One of the men in the crowd spoke up and said, "Teacher, I brought my son for you to heal—he can't talk because he is possessed by a demon. ¹⁸ And whenever the demon is in control of him it dashes him to the ground and makes him foam at the mouth and grind his teeth and become rigid. So I begged your disciples to cast out the demon, but they couldn't do it."

¹⁹ Jesus said [to his disciples], "Oh, what tiny faith you have; how much longer must I be with you until you believe? How much longer must I be patient with you? Bring the boy to me."

²⁰ So they brought the boy, but when he saw Jesus the demon convulsed the child horribly, and he fell to the ground writhing and foaming at the mouth.

²¹ "How long has he been this way?" Jesus asked the father.

And he replied, "Since he was very small, ²² and the demon often makes him fall into the fire or into water to kill him. Oh, have mercy on us and do something if you can."

²³ "If I can?" Jesus asked. *"Anything* is possible if you have faith."

²⁴ The father instantly replied, "I *do* have faith; oh, help me to have *more!"*

²⁵ When Jesus saw the crowd was growing he rebuked the demon.

"O demon of deafness and dumbness," he said, "I command you to come out of this child and enter him no more!"

²⁶El demonio chilló horriblemente, sacudió al muchacho de nuevo y salió. El muchacho quedó inmóvil como muerto. Un murmullo de espanto recorrió la multitud:

—¡Está muerto!

²⁷Pero Jesús lo tomó de la mano y le ayudó a pararse. ¡Quedó perfectamente normal!

²⁸Cuando Jesús entró a la casa con los discípulos, éstos le preguntaron:

—¿Por qué no pudimos echar fuera aquel demonio?

²⁹Hay casos que requieren mucha oración y ayuno —les respondió Jesús.

³⁰Al salir de aquella región viajaron por Galilea evitando la publicidad. ³¹Deseaba estar con sus discípulos y enseñarles.

—A mí, al Hijo del Hombre, me van a traicionar y a matar —les decía—. Pero al tercer día resucitaré.

³²Ellos no lo entendían pero tenían miedo de preguntarle.

³³Llegaron a Capernaum. Una vez acomodados en la casa donde iban a quedarse, les preguntó:

—¿Qué venían discutiendo en el camino?

³⁴Les daba pena contestarle porque habían estado discutiendo cuál de ellos era el más importante del grupo.

³⁵Jesús se sentó y llamó a los doce.

—El que de ustedes quiera ser superior conviértase en siervo de los demás.

³⁶Para recalcar lo que acababa de decir se acercó a un niño que andaba por allí y, tomándolo en los brazos, dijo:

³⁷—El que se ocupa de un niño como éste en mi nombre se está ocupando de mí, y el que se ocupa de mí se está ocupando del Padre que me envió.

³⁸Uno de sus discípulos, Juan, le dijo un día:

—Maestro, vimos a un hombre que echaba fuera demonios en tu nombre. Se lo prohibimos porque no pertenece a nuestro grupo.

³⁹—¡No, no se lo prohiban! —le respondió Jesús—. Nadie que realice milagros en mi nombre podrá hablar mal de mí. ⁴⁰El que no está contra nosotros está a favor de nosotros. ⁴¹El que les dé un vaso de agua en mi nombre, porque son mis discípulos, les aseguro que tendrá recompensa. ⁴²Pero si alguien hace que uno de mis creyentes humildes pierda la fe, mejor le sería que lo

²⁶ Then the demon screamed terribly and convulsed the boy again and left him; and the boy lay there limp and motionless, to all appearance dead. A murmur ran through the crowd—"He is dead." ²⁷ But Jesus took him by the hand and helped him to his feet and he stood up and was all right! ²⁸ Afterwards, when Jesus was alone in the house with his disciples, they asked him, "Why couldn't we cast that demon out?"

²⁹ Jesus replied, "Cases like this require prayer."

³⁰,³¹ Leaving that region they traveled through Galilee where he tried to avoid all publicity in order to spend more time with his disciples, teaching them. He would say to them, "I, the Messiah, am going to be betrayed and killed and three days later I will return to life again."

³² But they didn't understand and were afraid to ask him what he meant.

³³ And so they arrived at Capernaum. When they were settled in the house where they were to stay he asked them, "What were you discussing out on the road?"

³⁴ But they were ashamed to answer, for they had been arguing about which of them was the greatest!

³⁵ He sat down and called them around him and said, "Anyone wanting to be the greatest must be the least—the servant of all!"

³⁶ Then he placed a little child among them; and taking the child in his arms he said to them, ³⁷ "Anyone who welcomes a little child like this in my name is welcoming me, and anyone who welcomes me is welcoming my Father who sent me!"

³⁸ One of his disciples, John, told him one day, "Teacher, we saw a man using your name to cast out demons; but we told him not to, for he isn't one of our group."

³⁹ "Don't forbid him!" Jesus said. "For no one doing miracles in my name will quickly turn against me. ⁴⁰ Anyone who isn't against us is for us. ⁴¹ If anyone so much as gives you a cup of water because you are Christ's—I say this solemnly—he won't lose his reward. ⁴² But if someone causes one of these little ones who believe in me to lose faith—it would be better for

echaran al mar con una piedra de molino atada al cuello. ⁴³,⁴⁴Si tu mano te hace pecar, córtatela. Mejor te es ser manco y tener vida eterna que tener las dos manos e ir a parar al inextinguible fuego del infierno. ⁴⁵,⁴⁶Y si tu pie te conduce al mal, córtatelo. Mejor es ser cojo y tener vida eterna que tener los dos pies e ir al infierno. ⁴⁷Y si tu ojo es pecador, sácatelo. Mejor es entrar tuerto al reino de Dios que tener los dos ojos e ir a parar al infierno, ⁴⁸donde el gusano no muere, donde el fuego nunca se apaga, ⁴⁹donde todo es salado con fuego. ⁵⁰La sal no sirve cuando pierde sabor y no puede sazonar. Por lo tanto, no pierdan su sabor. Y haya paz entre ustedes.

10 SALIÓ DE CAPERNAUM hacia el sur, hacia la región de Judea que está al este del río Jordán. La gente acudió a verlo y El se puso a enseñarles. ²Varios fariseos se le acercaron y le preguntaron:

—¿Permites el divorcio?

Trataban de tenderle una celada.

³—¿Qué dijo Moisés acerca del divorcio? —les preguntó Jesús.

⁴—Dijo que estaba bien —le respondieron— siempre y cuando el hombre le entregue a la esposa una carta de divorcio.

⁵—¿Saben una cosa? —les dijo—. Moisés se vio obligado a reglamentar el divorcio por la dureza y la perversidad del corazón de ustedes. ⁶Dios nunca ha querido que sea así; al contrario, Dios hizo al hombre y a la mujer para que permanecieran juntos eternamente. ⁷,⁸El hombre debe separarse de su padre y de su madre y unirse a su mujer en una unión en que dejen de ser dos para ser uno solo. ⁹Y lo que Dios junta no lo separe el hombre.

¹⁰Cuando regresó con los discípulos a la casa, volvieron a hablar del asunto.

¹¹—Si un hombre se divorcia de su esposa y se casa con otra —les dijo—, comete adulterio. ¹²Y si una mujer se divorcia del esposo y se vuelve a casar, también comete adulterio.

¹³En cierta ocasión en que algunas madres traían a sus niños para que los bendi-

that man if a huge millstone were tied around his neck and he were thrown into the sea.

⁴³,⁴⁴"If your hand does wrong, cut it off. Better live forever with one hand than be thrown into the unquenchable fires of hell with two! ⁴⁵,⁴⁶ If your foot carries you toward evil, cut it off! Better be lame and live forever than have two feet that carry you to hell.

⁴⁷ "And if your eye is sinful, gouge it out. Better enter the Kingdom of God half blind than have two eyes and see the fires of hell, ⁴⁸ where the worm never dies, and the fire never goes out— ⁴⁹ where all are salted with fire.

⁵⁰ "Good salt is worthless if it loses its saltiness; it can't season anything. So don't lose your flavor! Live in peace with each other."

10 THEN HE LEFT Capernaum and went southward to the Judean borders and into the area east of the Jordan River. And as always there were the crowds; and as usual he taught them.

² Some Pharisees came and asked him, "Do you permit divorce?" Of course they were trying to trap him.

³ "What did Moses say about divorce?" Jesus asked them.

⁴ "He said it was all right," they replied. "He said that all a man has to do is write his wife a letter of dismissal."

⁵ "And why did he say that?" Jesus asked. "I'll tell you why—it was a concession to your hardhearted wickedness. ⁶,⁷ But it certainly isn't God's way. For from the very first he made man and woman to be joined together permanently in marriage; therefore a man is to leave his father and mother, ⁸ and he and his wife are united so that they are no longer two, but one. ⁹ And no man may separate what God has joined together."

¹⁰ Later, when he was alone with his disciples in the house, they brought up the subject again.

¹¹ He told them, "When a man divorces his wife to marry someone else, he commits adultery against her. ¹² And if a wife divorces her husband and remarries, she, too, commits adultery."

¹³ Once when some mothers were bringing their children to Jesus to bless them, the

jera, los discípulos las reprendieron porque, según ellos, estaban molestando al Maestro. ¹⁴Cuando Jesús se dio cuenta de lo que estaba pasando, se disgustó con los discípulos.

—Dejen que los niños vengan a mí —les dijo—, porque de ellos es el reino de los cielos. ¡No se lo impidan! ¹⁵Y déjenme decirles que al que no se acerque a Dios como un niño no se le permitirá entrar al reino.

¹⁶Y tomó a los niños en los brazos, les puso las manos encima y los bendijo.

¹⁷Iba a reanudar el viaje cuando un hombre llegó corriendo hasta Él y de rodillas le preguntó:

—Buen Maestro, ¿qué tengo que hacer para obtener la vida eterna?

¹⁸—¿Por qué me llamas bueno? —le preguntó Jesús—. ¡El único bueno es Dios! ¹⁹¿Sabes los Diez Mandamientos?: "No matarás, no cometerás adulterio, no robarás, no mentirás, no defraudarás, honra a tu padre y a tu madre".

²⁰—Maestro, jamás he quebrantado una de esas leyes.

²¹Jesús sintió rebosar en Él amor hacia aquel hombre y, mirándolo fijamente, le dijo:

—Sólo te falta una cosa: vé, vende lo que tienes y dalo a los pobres, para que acumules tesoros en el cielo. Luego regresa y sígueme, tomando tu cruz.

²²El hombre palideció y salió muy triste. ¡Tenía demasiadas riquezas! ²³Jesús lo vio marcharse.

—A un rico le es casi imposible entrar en el reino de Dios —dijo a los discípulos.

²⁴Esto les sorprendió. Pero Jesús añadió:

—Hijos, ¡qué difícil les es entrar en el reino de los cielos a los que confían en las riquezas! ²⁵Más fácil le es a un camello pasar por el ojo de una aguja que a un rico entrar en el reino de Dios.

²⁶Los discípulos se sintieron más confundidos todavía y preguntaron:

—¿Quién se puede salvar entonces?

²⁷Jesús los miró fijamente y les respondió:

—Humanamente hablando, nadie. Pero para Dios no hay imposibles.

²⁸Un día Pedro se puso a hablar de lo que él y los demás discípulos habían dejado por seguirlo.

—¡Lo hemos abandonado todo! —dijo.

disciples shooed them away, telling them not to bother him.

¹⁴ But when Jesus saw what was happening he was very much displeased with his disciples and said to them, "Let the children come to me, for the Kingdom of God belongs to such as they. Don't send them away! ¹⁵ I tell you as seriously as I know how that anyone who refuses to come to God as a little child will never be allowed into his Kingdom."

¹⁶ Then he took the children into his arms and placed his hands on their heads and he blessed them.

¹⁷ As he was starting out on a trip, a man came running to him and knelt down and asked, "Good Teacher, what must I do to get to heaven?"

¹⁸ "Why do you call me good?" Jesus asked. "Only God is truly good! ¹⁹ But as for your question—you know the commandments: don't kill, don't commit adultery, don't steal, don't lie, don't cheat, respect your father and mother."

²⁰ "Teacher," the man replied, "I've never once broken a single one of those laws."

²¹ Jesus felt genuine love for this man as he looked at him. "You lack only one thing," he told him; "go and sell all you have and give the money to the poor—and you shall have treasure in heaven—and come, follow me."

²² Then the man's face fell, and he went sadly away, for he was very rich.

²³ Jesus watched him go, then turned around and said to his disciples, "It's almost impossible for the rich to get into the Kingdom of God!"

²⁴ This amazed them. So Jesus said it again: "Dear children, how hard it is for those who trust in riches to enter the Kingdom of God. ²⁵ It is easier for a camel to go through the eye of a needle than for a rich man to enter the Kingdom of God."

²⁶ The disciples were incredulous! "Then who in the world can be saved, if not a rich man?" they asked.

²⁷ Jesus looked at them intently, then said, "Without God, it is utterly impossible. But with God everything is possible."

²⁸ Then Peter began to mention all that he and the other disciples had left behind. "We've given up everything to follow you," he said.

²⁹—Te aseguro, Pedro, que el que haya dejado casa, hermanos, hermanas, padre, madre, esposa, hijos o tierras por amor a mí y por amor a la causa del extendimiento del evangelio, ³⁰recibirá en este mundo cien veces más: casas, hermanos, hermanas, madres, hijos y tierras, aunque con persecuciones. Y, aparte de lo que reciba en la tierra, en el mundo venidero recibirá la vida eterna. ³¹Pero muchos de los que se creen importantes ahora no lo serán entonces, y muchos que ahora se consideran poco importantes serán los importantes entonces.

³²Iban hacia Jerusalén. Jesús marchaba a la cabeza. Detrás iban los discípulos llenos de miedo. Una vez más Jesús los llamó aparte y les habló de lo que le sucedería cuando llegaran a Jerusalén.

³³—Cuando lleguemos, a mí, al Hijo del Hombre, me prenderán y me llevarán ante los principales sacerdotes y escribas, quienes me condenarán a muerte y me entregarán a los romanos para que éstos cumplan la sentencia. ³⁴Se burlarán de mí, me escupirán, me flagelarán con látigos y me matarán. Pero al tercer día resucitaré.

³⁵Jacobo y Juan, hijos de Zebedeo, se le acercaron y le dijeron al oído:

—Maestro, queremos pedirte un favor.

³⁶—A ver, díganme.

³⁷—Queremos que en tu reino nos permitas sentarnos junto a ti, uno a tu derecha y el otro a tu izquierda.

³⁸—¡No saben lo que están pidiendo! ¿Podrán beber de la amarga copa del sufrimiento que tengo que beber? ¿Podrán bautizarse con el bautismo de sufrimiento con que tengo que bautizarme?

³⁹—¡Claro, claro que sí! —le dijeron.

Jesús les respondió:

—Pues beberán de mi copa y se bautizarán con mi bautismo, ⁴⁰pero no tengo el derecho de concederles tronos junto a mí. Ya está determinado quiénes se sentarán junto a mí.

⁴¹Cuando los demás discípulos se enteraron de lo que Jacobo y Juan habían solicitado, se enojaron. ⁴²Jesús tuvo que llamarlos y decirles:

—Como saben, los reyes y los grandes de la tierra se enseñorean de la gente. ⁴³Pero entre ustedes debe ser diferente. El que quiera ser superior debe servir. ⁴⁴Y el

²⁹ And Jesus replied, "Let me assure you that no one has ever given up anything —home, brothers, sisters, mother, father, children, or property—for love of me and to tell others the Good News, ³⁰ who won't be given back, a hundred times over, homes, brothers, sisters, mothers, children, and land—with persecutions!

"All these will be his here on earth, and in the world to come he shall have eternal life. ³¹ But many people who seem to be important now will be the least important then; and many who are considered least here shall be greatest there."

³² Now they were on the way to Jerusalem, and Jesus was walking along ahead; and as the disciples were following they were filled with terror and dread.

Taking them aside, Jesus once more began describing all that was going to happen to him when they arrived at Jerusalem.

³³ "When we get there," he told them, "I, the Messiah, will be arrested and taken before the chief priests and the Jewish leaders, who will sentence me to die and hand me over to the Romans to be killed. ³⁴ They will mock me and spit on me and flog me with their whips and kill me; but after three days I will come back to life again."

³⁵ Then James and John, the sons of Zebedee, came over and spoke to him in a low voice. "Master," they said, "we want you to do us a favor."

³⁶ "What is it?" he asked.

³⁷ "We want to sit on the thrones next to yours in your kingdom," they said, "one at your right and the other at your left!"

³⁸ But Jesus answered, "You don't know what you are asking! Are you able to drink from the bitter cup of sorrow I must drink from? Or to be baptized with the baptism of suffering I must be baptized with?"

³⁹ "Oh, yes," they said, "we are!"

And Jesus said, "You shall indeed drink from my cup and be baptized with my baptism, ⁴⁰ but I do not have the right to place you on thrones next to mine. Those appointments have already been made."

⁴¹ When the other disciples discovered what James and John had asked, they were very indignant. ⁴² So Jesus called them to him and said, "As you know, the kings and great men of the earth lord it over the people; ⁴³ but among you it is different. Whoever wants to be great among you must be

que quiera estar por encima de los demás debe ser esclavo de los demás. ⁴⁵Porque aun yo, el Hijo del Hombre, no estoy aquí para que me sirvan, sino para servir a los demás y entregar mi vida en rescate de muchos.

⁴⁶Después de una corta visita a Jericó, reanudaron el viaje. Un vasto gentío los seguía. Sentado junto al camino estaba un pordiosero ciego llamado Bartimeo, hijo de Timeo. ⁴⁷Cuando oyó que Jesús de Nazaret se acercaba, se puso a gritar:

—¡Jesús, Hijo de David, ten misericordia de mí!

⁴⁸—¡Cállate! —le gritaron algunos.

El gritó aún con más fuerza:

—¡Hijo de David, ten misericordia de mí!

⁴⁹Cuando Jesús lo oyó se detuvo en el camino y ordenó:

—Díganle que venga.

Alguien se acercó al ciego y le dijo:

—¡Animo! ¡Levántate, que el Maestro te llama!

⁵⁰Sin perder un instante se quitó la capa, la tiró a un lado y fue a donde estaba Jesús.

⁵¹—¿Qué quieres que te haga? —le preguntó Jesús.

—Maestro —dijo—, ¡quiero que me devuelvas la vista!

⁵²Jesús le dijo:

—Muy bien; recóbrala. Tu fe te ha sanado.

E instantáneamente el ciego vio y siguió a Jesús a lo largo del camino.

11 YA SE ACERCABA a Betfagé y a Betania. Jerusalén no estaba lejos. Frente al Monte de los Olivos Jesús dijo a dos de sus discípulos:

²—Vayan a aquel pueblito. Al entrar verán un burrito atado que nadie ha montado. Desátenlo y tráiganmelo. ³Y si alguien les pregunta por qué lo hacen, díganle que el Maestro lo necesita y que pronto lo devolverá.

⁴Los dos discípulos obedecieron y hallaron al burrito en la calle, atado frente a una casa. ⁵Mientras lo desataban, unos de los que estaban allí les dijeron:

—¿Por qué lo desatan?

⁶Ellos les respondieron lo que Jesús les había dicho. Ellos accedieron, ⁷y pudieron llevarle el burrito a Jesús.

your servant. ⁴⁴ And whoever wants to be greatest of all must be the slave of all. ⁴⁵ For even I, the Messiah, am not here to be served, but to help others, and to give my life as a ransom for many."

⁴⁶ And so they reached Jericho. Later, as they left town, a great crowd was following. Now it happened that a blind beggar named Bartimaeus (the son of Timaeus) was sitting beside the road as Jesus was going by.

⁴⁷ When Bartimaeus heard that Jesus from Nazareth was near, he began to shout out, "Jesus, Son of David, have mercy on me!"

⁴⁸ "Shut up!" some of the people yelled at him.

But he only shouted the louder, again and again, "O Son of David, have mercy on me!"

⁴⁹ When Jesus heard him he stopped there in the road and said, "Tell him to come here."

So they called the blind man. "You lucky fellow," they said, "come on, he's calling you!" ⁵⁰ Bartimaeus yanked off his old coat and flung it aside, jumped up and came to Jesus.

⁵¹ "What do you want me to do for you?" Jesus asked.

"O Teacher," the blind man said, "I want to see!"

⁵² And Jesus said to him, "All right, it's done. Your faith has healed you."

And instantly the blind man could see, and followed Jesus down the road!

11 AS THEY NEARED Bethphage and Bethany on the outskirts of Jerusalem and came to the Mount of Olives, Jesus sent two of his disciples on ahead.

² "Go into that village over there," he told them, "and just as you enter you will see a colt tied up that has never been ridden. Untie him and bring him here. ³ And if anyone asks you what you are doing, just say, 'Our Master needs him and will return him soon.' "

⁴,⁵ Off went the two men and found the colt standing in the street, tied outside a house. As they were untying it, some who were standing there demanded, "What are you doing, untying that colt?"

⁶ So they said what Jesus had told them to, and then the men agreed.

⁷ So the colt was brought to Jesus and

Los discípulos pusieron sus mantos sobre el burrito, y Jesús se montó y echó a andar. 8,9A lo largo del camino muchos tendían sus mantos o ramas de árboles. Jesús avanzaba en el centro de la procesión, que delante y detrás gritaba:

—¡Viva el Rey! ¡Bendito el que viene en el nombre del Señor! 10¡Bendito el reino que viene, que es el reino de nuestro padre David! ¡Dios guarde al Rey!

11Ya en Jerusalén, se dirigieron al Templo. No permanecieron mucho tiempo allí. Jesús miró detenidamente a su alrededor y salió. Como ya estaba avanzada la tarde se marcharon a Betania.

12A la siguiente mañana, al salir de Betania, tuvo hambre 13,14y se acercó a una frondosa higuera junto al camino. Esperaba hallar algunos higos para comer. Pero al hallar sólo hojas, porque no era la temporada, dijo al árbol:

—Jamás volverás a dar fruto.

Y lo oyeron los discípulos.

15Al llegar a Jerusalén se dirigió al Templo y echó fuera a los que allí vendían y compraban, y volcó las mesas de los que cambiaban dinero y las sillas de los que vendían palomas. 16Por último, prohibió que la gente entrara al Templo cargada de mercancías.

17—Las Escrituras dicen que mi Templo ha de ser casa de oración de todas las naciones, pero ustedes lo han convertido en cueva de ladrones.

18Cuando los principales sacerdotes y escribas se enteraron de lo que estaba sucediendo, se sentaron a urdir un plan para deshacerse de El. El mayor obstáculo con que tropezaban era la posibilidad de que el pueblo, que tan entusiasmado estaba con las enseñanzas de Jesús, se rebelara.

19Aquella noche, como de costumbre, Jesús abandonó la ciudad. 20A la siguiente mañana, al pasar junto a la higuera que había maldecido, los discípulos vieron que se había secado hasta las raíces. 21Pedro, recordando lo que Jesús le había dicho al árbol el día anterior, exclamó:

—¡Maestro, mira! La higuera que maldijiste está seca.

22Jesús le respondió:

—El que tiene fe en Dios, 23se lo aseguro, podrá decirle a este monte que se levante y se arroje al mar, y el monte lo

the disciples threw their cloaks across its back for him to ride on. 8 Then many in the crowd spread out their coats along the road before him, while others threw down leafy branches from the fields.

9 He was in the center of the procession with crowds ahead and behind, and all of them shouting, "Hail to the King!" "Praise God for him who comes in the name of the Lord!" . . . 10 "Praise God for the return of our father David's kingdom . . ." "Hail to the King of the universe!"

11 And so he entered Jerusalem and went into the Temple. He looked around carefully at everything and then left—for now it was late in the afternoon—and went out to Bethany with the twelve disciples.

12 The next morning as they left Bethany, he felt hungry. 13 A little way off he noticed a fig tree in full leaf, so he went over to see if he could find any figs on it. But no, there were only leaves, for it was too early in the season for fruit.

14 Then Jesus said to the tree, "You shall never bear fruit again!" And the disciples heard him say it.

15 When they arrived back to Jerusalem he went to the Temple and began to drive out the merchants and their customers, and knocked over the tables of the moneychangers and the stalls of those selling doves, 16 and stopped everyone from bringing in loads of merchandise.

17 He told them, "It is written in the Scriptures, 'My Temple is to be a place of prayer for all nations,' but you have turned it into a den of robbers."

18 When the chief priests and other Jewish leaders heard what he had done they began planning how best to get rid of him. Their problem was their fear of riots because the people were so enthusiastic about Jesus' teaching.

19 That evening as usual they left the city.

20 Next morning, as the disciples passed the fig tree he had cursed, they saw that it was withered from the roots! 21 Then Peter remembered what Jesus had said to the tree on the previous day, and exclaimed, "Look, Teacher! The fig tree you cursed has withered!"

22,23 In reply Jesus said to the disciples, "If you only have faith in God—this is the absolute truth—you can say to this Mount of Olives, 'Rise up and fall into the Mediter-

obedecerá. Lo único que se necesita es creer y no dudar. ²⁴Oigan bien. Oren por cualquier cosa, y si creen, la recibirán. Seguro que la recibirán. ²⁵Pero cuando oren, perdonen a los que les hayan hecho algo, para que el Padre que está en el cielo les perdone a ustedes sus pecados. ²⁶Pero si no perdonan, nuestro Padre que está en los cielos no les perdonará sus pecados.

²⁷Para entonces ya habían llegado a Jerusalén. Cuando se dirigían al Templo, los principales sacerdotes, los escribas y los ancianos ²⁸le preguntaron:

—Vamos a ver, ¿qué está pasando? ¿Con qué autorización expulsaste a los mercaderes?

²⁹—Responderé si ustedes me responden a otra pregunta. ³⁰¿Qué me dicen de Juan el Bautista? ¿Era un enviado de Dios o no? ¡Contéstenme!

³¹Era tan difícil de contestar aquella pregunta que deliberaron en voz baja antes de responder.

—Si le respondemos que Dios lo envió —se decían—, nos preguntará por qué no lo aceptamos. ³²Y si decimos que Dios no lo envió, el pueblo se rebelará contra nosotros.

³³Por fin respondieron:

—No podemos contestarte. No lo sabemos.

—Pues yo tampoco les diré quién me dio autoridad para hacer estas cosas.

12 ENTONCES LES HABLÓ en parábolas:
—Un hombre plantó una viña, la cercó, cavó un lagar donde exprimir las uvas y construyó una torre de vigía. Por fin, arrendó el terreno a unos trabajadores y se fue de viaje a una tierra lejana.

²"Cuando llegó la cosecha, envió a uno de sus hombres a cobrar lo que le correspondía. ³Pero los agricultores golpearon al mensajero y lo despidieron con las manos vacías.

⁴"El propietario envió entonces a otro de sus hombres, quien recibió un trato aun peor, porque lo golpearon fuertemente en la cabeza y salió herido.

⁵"Cuando mandó a otro mensajero, lo mataron y lo mismo hicieron con muchos más que envió. ⁶Al propietario sólo le quedaba enviar a una persona: su propio hijo. Por fin lo envió, con la esperanza de que lo respetarían. ⁷Pero los labradores se dijeron:

ranean,' and your command will be obeyed. All that's required is that you really believe and have no doubt! ²⁴ Listen to me! You can pray for *anything*, and *if you believe, you have it;* it's yours! ²⁵ But when you are praying, first forgive anyone you are holding a grudge against, so that your Father in heaven will forgive you your sins too."

²⁶,²⁷,²⁸ By this time they had arrived in Jerusalem again, and as he was walking through the Temple area, the chief priests and other Jewish leaders came up to him demanding, "What's going on here? Who gave you the authority to drive out the merchants?"

²⁹ Jesus replied, "I'll tell you if you answer one question! ³⁰ What about John the Baptist? Was he sent by God, or not? Answer me!"

³¹ They talked it over among themselves. "If we reply that God sent him, then he will say, 'All right, why didn't you accept him?' ³² But if we say God didn't send him, then the people will start a riot." (For the people all believed strongly that John was a prophet.)

³³ So they said, "We can't answer. We don't know."

To which Jesus replied, "Then I won't answer your question either!"

12 HERE ARE SOME of the story-illustrations Jesus gave to the people at that time:

"A man planted a vineyard and built a wall around it and dug a pit for pressing out the grape juice, and built a watchman's tower. Then he leased the farm to tenant farmers and moved to another country. ² At grape-picking time he sent one of his men to collect his share of the crop. ³ But the farmers beat up the man and sent him back empty-handed.

⁴ "The owner then sent another of his men, who received the same treatment, only worse, for his head was seriously injured. ⁵ The next man he sent was killed; and later, others were either beaten or killed, until ⁶ there was only one left—his only son. He finally sent him, thinking they would surely give him their full respect.

⁷ "But when the farmers saw him com-

"Este es el que va a heredar la viña cuando su padre muera. Vamos, matémoslo y la viña será nuestra". ⁸Lo capturaron, pues, lo mataron y enterraron el cadáver en la viña.

⁹"¿Qué creen ustedes que hará el dueño de la viña cuando se entere de lo sucedido? Seguramente vendrá, los matará y arrendará la viña a otra gente.

¹⁰,¹¹"¿Recuerdan lo que dicen las Escrituras?: "La piedra que rechazaron los constructores ha sido puesta como piedra principal. ¡Qué interesante! El Señor lo hizo y es maravilloso".

¹²A los dirigentes judíos les habría encantado arrestarlo allí mismo, porque se dieron cuenta que aquella alegoría estaba dirigida contra ellos. Pero como temían a la multitud, lo dejaron y se fueron.

¹³Enviaron a varios fariseos y herodianos a hablar con El y hacerle caer en la trampa de decir algo que lo condenara:

¹⁴—Maestro —dijeron los emisarios—, sabemos que dices la verdad a toda costa. Las opiniones y los deseos de los hombres no te importan, porque te limitas a enseñar los caminos de Dios. Dinos, ¿debemos pagar los impuestos romanos o no?

¹⁵Jesús comprendió lo que se traían entre manos y les dijo:

—Enséñenme una moneda.

¹⁶Cuando se la enseñaron, preguntó:

—¿De quién dice ahí que es esa imagen?

—Del César —respondieron.

¹⁷—Muy bien —les dijo—. Pues denle al César lo que es del César y a Dios lo que es de Dios.

Y se alejaron rascándose la cabeza, contrariados.

¹⁸Los saduceos, los que no creían en la resurrección, se le acercaron.

¹⁹—Maestro —le dijeron—, Moisés estableció que si un hombre muere sin hijos, el hermano de ese hombre debe casarse con la viuda para tener hijos que sustituyan al muerto en la herencia familiar. ²⁰⁻²²El caso es que había siete hermanos y el mayor se casó pero murió sin descendencia. El segundo hermano se casó con la viuda, pero pronto murió también y no tuvo hijos. El siguiente hermano se casó con ella y murió sin hijos, y así sucesivamente hasta que todos murieron sin tener hijos. Un día, por

ing they said, 'He will own the farm when his father dies. Come on, let's kill him—and then the farm will be ours!' ⁸ So they caught him and murdered him and threw his body out of the vineyard.

⁹ "What do you suppose the owner will do when he hears what happened? He will come and kill them all, and lease the vineyard to others. ¹⁰ Don't you remember reading this verse in the Scriptures? 'The Rock the builders threw away became the cornerstone, the most honored stone in the building! ¹¹ This is the Lord's doing and it is an amazing thing to see.' "

¹² The Jewish leaders wanted to arrest him then and there for using this illustration, for they knew he was pointing at them—they were the wicked farmers in his story. But they were afraid to touch him for fear of a mob. So they left him and went away. ¹³ But they sent other religious and political leaders to talk with him and try to trap him into saying something he could be arrested for.

¹⁴ "Teacher," these spies said, "we know you tell the truth no matter what! You aren't influenced by the opinions and desires of men, but sincerely teach the ways of God. Now tell us, is it right to pay taxes to Rome, or not?"

¹⁵ Jesus saw their trick and said, "Show me a coin and I'll tell you."

¹⁶ When they handed it to him he asked, "Whose picture and title is this on the coin?" They replied, "The emperor's."

¹⁷ "All right," he said, "if it is his, give it to him. But everything that belongs to God must be given to God!" And they scratched their heads in bafflement at his reply.

¹⁸ Then the Sadducees stepped forward—a group of men who say there is no resurrection. Here was their question:

¹⁹ "Teacher, Moses gave us a law that when a man dies without children, the man's brother should marry his widow and have children in his brother's name. ²⁰,²¹,²² Well, there were seven brothers and the oldest married and died, and left no children. So the second brother married the widow, but soon he died too, and left no children. Then the next brother married her, and died without children, and so on until all were dead, and still there were no children; and last of all, the woman died

fin, la mujer murió también. ²³Lo que queremos saber es, ¿de quién será ella esposa en la resurrección, porque fue esposa de los siete?

²⁴Jesús les respondió:

—El problema de ustedes es que no conocen las Escrituras ni el poder de Dios. ²⁵Cuando esos siete hermanos y la mujer resuciten, no se casarán porque serán como ángeles. ²⁶Pero en cuanto a si hay resurrección o no, ¿no han leído en el libro de Exodo lo que le dijo Dios a Moisés en la zarza ardiendo? Dios le dijo: "Yo soy el Dios de Abraham, de Isaac y de Jacob". ²⁷Estas palabras de Dios implican que aquellos hombres, aunque murieron cientos de años atrás, estaban vivos. De lo contrario Dios no habría dicho que era el Dios de ellos, porque Dios es Dios de vivos, no de muertos. Así que ustedes están completamene equivocados.

²⁸Uno de los escribas que los había oído disputar y sabía que Jesús había respondido bien, le preguntó:

—De todos los mandamientos, ¿cuál es el más importante?

²⁹Jesús le respondió:

—El que dice: "Oye, Israel, el Señor nuestro Dios es el único Dios. ³⁰Amarás, pues, al Señor tu Dios con todo tu corazón, con toda tu alma, con toda tu mente, con todas las fuerzas de tu ser". Este es el principal mandamiento. ³¹Y el segundo es muy parecido: "Amarás a los demás con el mismo amor con que te amas a ti mismo". No hay mandamiento más importante que estos dos.

³²El escriba le dijo:

—Señor, tienes razón al decir que sólo existe un Dios. ³³Y que es mucho más importante amarlo con todo el corazón, con todo el entendimiento, con toda el alma, con todas las fuerzas, y amar a los demás como uno se ama a sí mismo, que ofrecer cualquier sacrificio ante el altar.

³⁴Ante la sabiduría de aquella respuesta, Jesús le dijo:

—No estás lejos del reino de Dios.

Después de esto, nadie se atrevió a preguntarle nada.

³⁵Más tarde, mientras enseñaba en los alrededores del Templo, formuló esta pregunta:

—¿Por qué será que los escribas dicen que el Mesías tiene que ser un descendiente

too.

²³ "What we want to know is this: In the resurrection, whose wife will she be, for she had been the wife of each of them?"

²⁴ Jesus replied, "Your trouble is that you don't know the Scriptures, and don't know the power of God. ²⁵ For when these seven brothers and the woman rise from the dead, they won't be married—they will be like the angels.

²⁶ "But now as to whether there will be a resurrection—have you never read in the book of Exodus about Moses and the burning bush? God said to Moses, 'I am the God of Abraham, and I am the God of Isaac, and I am the God of Jacob.'

²⁷ "God was telling Moses that these men, though dead for hundreds of years, were still very much alive, for he would not have said, 'I am the God' of those who don't exist! You have made a serious error."

²⁸ One of the teachers of religion who was standing there listening to the discussion realized that Jesus had answered well. So he asked, "Of all the commandments, which is the most important?"

²⁹ Jesus replied, "The one that says, 'Hear, O Israel! The Lord our God is the one and only God. ³⁰ And you must love him with all your heart and soul and mind and strength.'

³¹ "The second is: 'You must love others as much as yourself.' No other commandments are greater than these."

³² The teacher of religion replied, "Sir, you have spoken a true word in saying that there is only one God and no other. ³³ And I know it is far more important to love him with all my heart and understanding and strength, and to love others as myself, than to offer all kinds of sacrifices on the altar of the Temple."

³⁴ Realizing this man's understanding, Jesus said to him, "You are not far from the Kingdom of God." And after that, no one dared ask him any more questions.

³⁵ Later, as Jesus was teaching the people in the Temple area, he asked them this question:

"Why do your religious teachers claim that the Messiah must be a descendant of

del rey David? [36]David mismo dijo, inspirado por el Espíritu Santo: "Dijo el Señor a mi Señor: 'Siéntate a mi derecha hasta que haya puesto a tus enemigos bajo tus pies' ". [37]¿Creen ustedes que David habría llamado "Señor" a su hijo?

Ese tipo de razonamiento encantaba a la gente, y lo escuchaba con gran interés.

[38]Cuando estaba enseñando, les decía:

—Cuídense de los escribas, porque les gusta vestirse como los ricos y los sabios, y les encanta que la gente les haga reverencias cuando andan por las plazas. [39]Les gustan las primeras sillas de las sinagogas, y los puestos de honor en las cenas. [40]Sin embargo les quitan a las viudas sus casas y, para encubrir la maldad que llevan dentro, fingen piedad pronunciando largas oraciones en público. Por esto recibirán más castigo que nadie.

[41]Fue a sentarse frente al arca de la ofrenda a contemplar cómo la gente ofrendaba. Los muy ricos echaban buenas sumas. [42]Pero llegó una viuda pobre y echó dos centavos. [43]Jesús señaló a sus discípulos:

—Esa pobre viuda ha dado más que todos esos ricos juntos, [44]porque ellos dieron de lo que les sobra, mientras que esta pobre viuda dio todo lo que tenía.

13 AL SALIR DEL Templo aquel día, uno de sus discípulos dijo:

—Maestro, ¡qué edificios más bellos! ¡Qué lindas aquellas paredes de piedra!

[2]—Sí, mírenlas bien —le respondió Jesús—, porque de esos edificios no quedará piedra que no sea derribada.

[3,4]Sentados en una ladera del Monte de los Olivos más allá del valle, frente a Jerusalén, Pedro, Jacobo, Juan y Andrés le preguntaron en voz baja:

—¿Cuándo va a suceder eso que dices del Templo? ¿Lo sabremos con anticipación?

[5]Jesús les dio una larga respuesta:

—No dejen que nadie los engañe. [6]Muchos vendrán diciendo que son el Mesías, y a muchos engañarán. [7]Habrá guerras por

King David? [36] For David himself said —and the Holy Spirit was speaking through him when he said it—'God said to my Lord, sit at my right hand until I make your enemies your footstool.' [37] Since David called him his Lord, how can he be his *son?*"

(This sort of reasoning delighted the crowd and they listened to him with great interest.)

[38] Here are some of the other things he taught them at this time:

"Beware of the teachers of religion! For they love to wear the robes of the rich and scholarly, and to have everyone bow to them as they walk through the markets. [39] They love to sit in the best seats in the synagogues, and at the places of honor at banquets— [40] but they shamelessly cheat widows out of their homes and then, to cover up the kind of men they really are, they pretend to be pious by praying long prayers in public. Because of this, their punishment will be the greater."

[41] Then he went over to the collection boxes in the Temple and sat and watched as the crowds dropped in their money. Some who were rich put in large amounts. [42] Then a poor widow came and dropped in two pennies.

[43,44] He called his disciples to him and remarked, "That poor widow has given more than all those rich men put together! For they gave a little of their extra fat, while she gave up her last penny."

13 AS HE WAS leaving the Temple that day, one of his disciples said, "Teacher, what beautiful buildings these are! Look at the decorated stonework on the walls."

[2] Jesus replied, "Yes, look! For not one stone will be left upon another, except as ruins."

[3,4] And as he sat on the slopes of the Mount of Olives across the valley from Jerusalem, Peter, James, John, and Andrew got alone with him and asked him, "Just when is all this going to happen to the Temple? Will there be some warning ahead of time?"

[5] So Jesus launched into an extended reply. "Don't let anyone mislead you," he said, [6] "for many will come declaring themselves to be your Messiah, and will lead many astray. [7] And wars will break out near

todas partes, aunque esto no será señal de que va a llegar el fin. ⁸Las naciones y los reinos pelearán entre sí, y habrá terremotos y hambres en diferentes regiones del mundo, pero serán sólo el comienzo de los sufrimientos que sobrevendrán. ⁹Cuando estas cosas empiecen a suceder, ¡mucho cuidado!, porque estarán en peligro. Los llevarán ante las cortes, los golpearán en las sinagogas y los acusarán ante los reyes y gobernadores de ser seguidores míos. Esta será una buena ocasión de darles las buenas noticias; ¹⁰es necesario que se predique el evangelio en cada nación del mundo antes que venga el fin. ¹¹Pero cuando los tomen presos y los lleven a juicio, no se preocupen por lo que tienen que decir en defensa propia. Digan sólo lo que Dios les ordene decir. En otras palabras, no hablarán ustedes mismos, sino el Espíritu Santo. ¹²En aquellos días el hermano entregará a muerte a su hermano, y el padre a su hijo, y éstos llevarán a sus padres a la muerte. ¹³,¹⁴El mundo entero los aborrecerá a ustedes porque son míos. Pero el que persevere hasta el fin se salvará. Por lo tanto, cuando vean que en el Lugar Santo aparece la desoladora impureza de que habló el profeta Daniel (¡preste atención el lector!), si estás en Judea, huye a las montañas. ¹⁵¡Apúrate! Si estás en la azotea, no se te ocurra por nada en el mundo entrar a la casa. ¹⁶Si estás en el campo, no se te ocurra regresar a buscar dinero o ropa. ¹⁷¡Ay de las que estén encintas y de las que tengan niños de pecho en aquellos días! ¹⁸Y oren que la huida no sea en invierno, ¹⁹porque desde el principio de la creación jamás había habido días tan espantosos como aquéllos ni jamás los volverá a haber. ²⁰Si el Señor no acortara aquellos días calamitosos, nadie absolutamente se salvaría. Pero por amor a los escogidos, acortará aquellos días. ²¹Entonces si alguien dice que "éste es el Mesías" o "aquél es", no le hagan caso. ²²Porque habrá muchos falsos mesías y profetas que realizarán milagros portentosos para engañar, si es posible, aun a los escogidos de Dios. ²³Bueno, ya que se lo he advertido, ¡cuídense!

²⁴"Al cabo de aquellos días de tribulación, el sol se oscurecerá, la luna no alumbrará, ²⁵las estrellas caerán, los poderes que están sobre la tierra se conmoverán, ²⁶y la

and far, but this is not the signal of the end-time.

⁸ "For nations and kingdoms will proclaim war against each other, and there will be earthquakes in many lands, and famines. These herald only the early stages of the anguish ahead. ⁹ But when these things begin to happen, watch out! For you will be in great danger. You will be dragged before the courts, and beaten in the synagogues, and accused before governors and kings of being my followers. This is your opportunity to tell them the Good News. ¹⁰ And the Good News must first be made known in every nation before the end-time finally comes. ¹¹ But when you are arrested and stand trial, don't worry about what to say in your defense. Just say what God tells you to. Then you will not be speaking, but the Holy Spirit will.

¹² "Brothers will betray each other to death, fathers will betray their own children, and children will betray their parents to be killed. ¹³ And everyone will hate you because you are mine. But all who endure to the end without renouncing me shall be saved.

¹⁴ "When you see the horrible thing standing in the Temple —reader, pay attention!—flee, if you can, to the Judean hills. ¹⁵,¹⁶ Hurry! If you are on your rooftop porch, don't even go back into the house. If you are out in the fields, don't even return for your money or clothes.

¹⁷ "Woe to pregnant women in those days, and to mothers nursing their children. ¹⁸ And pray that your flight will not be in winter. ¹⁹ For those will be days of such horror as have never been since the beginning of God's creation, nor will ever be again. ²⁰ And unless the Lord shortens that time of calamity, not a soul in all the earth will survive. But for the sake of his chosen ones he will limit those days.

²¹ "And then if anyone tells you, 'This is the Messiah,' or, 'That one is,' don't pay any attention. ²² For there will be many false Messiahs and false prophets who will do wonderful miracles that would deceive, if possible, even God's own children. ²³ Take care! I have warned you!

²⁴ "After the tribulation ends, then the sun will grow dim and the moon will not shine, ²⁵ and the stars will fall—the heavens will convulse.

humanidad entera me verá a mí, el Hijo del Hombre, venir en las nubes con gran poder y gloria. ²⁷Entonces enviaré a los ángeles a que recojan a mis escogidos de todas partes del mundo, de un extremo a otro de la tierra y del cielo.

²⁸"Ahora bien, aprendan la lección de la higuera. Cuando las ramas están tiernas y brotan las hojas, se sabe que llegó la primavera. ²⁹Cuando vean que suceden las cosas que he mencionado, pueden estar seguros de que mi regreso está cerca, que está a las puertas. ³⁰Estos acontecimientos marcarán el final del mundo. ³¹El cielo y la tierra desaparecerán, pero mi palabra permanecerá firme eternamente. ³²Sin embargo, nadie, ni los ángeles del cielo ni yo mismo, sabe el día ni la hora en que esto ha de acontecer; sólo el Padre lo sabe. ³³Y como no se sabe cuándo sucederá, estén siempre listos para mi retorno.

³⁴"Mi retorno será como el del hombre que se fue de viaje a otro país y distribuyó el trabajo entre sus empleados para que se mantuvieran ocupados durante su ausencia, y dijo al portero: ³⁵⁻³⁷"Mantente siempre vigilante, porque no sabes cuándo vendré, si de noche, al mediodía, al amanecer o a media mañana. No quiero encontrarte dormido. ¡Espérame despierto!"

"Así les digo yo a ustedes: *¡Manténganse vigilantes!*

14 LA PASCUA COMENZÓ dos días más tarde, con su tradicional cena de panes sin levadura. Los principales sacerdotes y escribas buscaban la oportunidad de arrestar a Jesús secretamente y matarlo. ²—Pero no lo hagamos durante la Pascua —decían—, porque habrá rebelión.

³Jesús estaba en Betania, en casa de Simón el leproso. Durante la cena, una mujer se le acercó con un bello frasco de costoso perfume, quebró la tapa y se lo derramó en la cabeza. ⁴,⁵Algunos de los que estaban a la mesa se enfurecieron.

—¡Qué desperdicio, señores! —dijeron—. Hubiéramos podido sacarle una fortuna a ese perfume y le habríamos dado el

²⁶"Then all mankind will see me, the Messiah, coming in the clouds with great power and glory. ²⁷And I will send out the angels to gather together my chosen ones from all over the world—from the farthest bounds of earth and heaven.

²⁸"Now, here is a lesson from a fig tree. When its buds become tender and its leaves begin to sprout, you know that spring has come. ²⁹And when you see these things happening that I've described, you can be sure that my return is very near, that I am right at the door.

³⁰"Yes, these are the events that will signal the end of the age. ³¹Heaven and earth shall disappear, but my words stand sure forever.

³²"However, no one, not even the angels in heaven, nor I myself, knows the day or hour when these things will happen; only the Father knows. ³³And since you don't know when it will happen, stay alert. Be on the watch [for my return].

³⁴"My coming can be compared with that of a man who went on a trip to another country. He laid out his employees' work for them to do while he was gone, and told the gatekeeper to watch for his return.

³⁵,³⁶,³⁷"Keep a sharp lookout! For you do not know when I will come, at evening, at midnight, early dawn or late daybreak. Don't let me find you sleeping. *Watch for my return!* This is my message to you and to everyone else."

14 THE PASSOVER OBSERVANCE began two days later—an annual Jewish holiday when no bread made with yeast was eaten. The chief priests and other Jewish leaders were still looking for an opportunity to arrest Jesus secretly and put him to death. ²"But we can't do it during the Passover," they said, "or there will be a riot."

³Meanwhile Jesus was in Bethany, at the home of Simon the leper; during supper a woman came in with a beautiful flask of expensive perfume. Then, breaking the seal, she poured it over his head. ⁴,⁵Some of those at the table were indignant among themselves about this "waste," as they called it.

"Why, she could have sold that perfume for a fortune and given the money to the

dinero a los pobres.

⁶,⁷—Déjenla —les respondió Jesús—. ¿Por qué la mortifican? Lo que hizo, bien hecho está, porque pobres que necesiten ayuda siempre habrá en este mundo, y podrán ayudarlos cuando quieran; pero yo no estaré aquí mucho tiempo. ⁸Esta mujer ha hecho lo que podía, y se ha anticipado a ungirme para la sepultura. ⁹Les aseguro que dondequiera que las buenas noticias se pregonen, se recordará y ensalzará lo que esta mujer ha hecho.

¹⁰Entonces Judas Iscariote, uno de los discípulos, fue a los principales sacerdotes a negociar la entrega de Jesús. ¹¹Cuando los principales sacerdotes se enteraron del propósito de su visita, se llenaron de alegría y le prometieron dinero. Judas se puso a esperar el momento oportuno de consumar su traición.

¹²El primer día de la Pascua, día en que sacrificaban los corderos, los discípulos preguntaron al Maestro dónde quería comer la cena tradicional. ¹³El envió a dos de ellos a Jerusalén a prepararla.

—En la ciudad les saldrá al encuentro un hombre con un cántaro de agua. Síganlo. ¹⁴En la casa donde entre díganle al dueño que yo los envié a averiguar qué habitación está disponible para comer la cena pascual esta noche. ¹⁵El los llevará a una habitación grande en los altos. Preparen allí la cena.

¹⁶Los dos discípulos obedecieron. Al entrar en la ciudad, sucedió lo que Jesús les había dicho, y prepararon la Pascua.

¹⁷Por la noche llegó Jesús con los demás discípulos. ¹⁸Mientras los doce se fueron sentando alrededor de la mesa, Jesús dijo con aire solemne:

—Uno de ustedes me va a traicionar.

¹⁹Un manto de tristeza se tendió sobre los discípulos. Uno por uno le fueron preguntando:

—¿Seré yo, Maestro?

²⁰—Me entregará uno de ustedes que come aquí conmigo —les respondió—. ²¹Voy a morir como lo declararon los profetas hace tiempo, pero pobre de aquel que me traiciona. ¡Mejor que no hubiera nacido!

²²Mientras comían, tomó un pedazo de pan, lo bendijo, y lo fue repartiendo.

—Cómanselo. Esto es mi cuerpo.

poor!" they snarled.

⁶ But Jesus said, "Let her alone; why berate her for doing a good thing? ⁷ You always have the poor among you, and they badly need your help, and you can aid them whenever you want to; but I won't be here much longer.

⁸ "She has done what she could, and has anointed my body ahead of time for burial. ⁹ And I tell you this in solemn truth, that wherever the Good News is preached throughout the world, this woman's deed will be remembered and praised."

¹⁰ Then Judas Iscariot, one of his disciples, went to the chief priests to arrange to betray Jesus to them.

¹¹ When the chief priests heard why he had come, they were excited and happy and promised him a reward. So he began looking for the right time and place to betray Jesus.

¹² On the first day of the Passover, the day the lambs were sacrificed, his disciples asked him where he wanted to go to eat the traditional Passover supper. ¹³ He sent two of them into Jerusalem to make the arrangements.

"As you are walking along," he told them, "you will see a man coming towards you carrying a pot of water. Follow him. ¹⁴ At the house he enters, tell the man in charge, 'Our Master sent us to see the room you have ready for us, where we will eat the Passover supper this evening!' ¹⁵ He will take you upstairs to a large room all set up. Prepare our supper there."

¹⁶ So the two disciples went on ahead into the city and found everything as Jesus had said, and prepared the Passover.

¹⁷ In the evening Jesus arrived with the other disciples, ¹⁸ and as they were sitting around the table eating, Jesus said, "I solemnly declare that one of you will betray me, one of you who is here eating with me."

¹⁹ A great sadness swept over them, and one by one they asked him, "Am I the one?"

²⁰ He replied, "It is one of you twelve eating with me now. ²¹ I must die, as the prophets declared long ago; but, oh, the misery ahead for the man by whom I am betrayed. Oh, that he had never been born!"

²² As they were eating, Jesus took bread and asked God's blessing on it and broke it in pieces and gave it to them and said, "Eat it—this is my body."

[23]Luego tomó una copa de vino, la bendijo y la fue pasando a cada uno de los discípulos.

[24]—Beban —les dijo—. Esto es mi sangre que se derrama por muchos para sellar el nuevo pacto entre Dios y el hombre. [25]Ciertamente, jamás volveré a probar vino hasta que beba uno mucho mejor en el reino de Dios.

[26]Cuando terminaron, entonaron un himno y partieron rumbo al Monte de los Olivos. [27]Allí Jesús les dijo:

—Esta noche todos ustedes me abandonarán, porque así lo declararon los profetas: "Mataré al pastor y las ovejas se dispersarán". [28]Pero después que resucite, iré a Galilea a encontrarme con ustedes.

[29]—Quizás los demás te abandonen, pero yo jamás te abandonaré —le dijo Pedro.

[30]—Pedro —le respondió Jesús—, esta noche, antes que el gallo cante dos veces, me negarás tres veces.

[31]—¡Jamás! —exclamó Pedro casi fuera de sí—. ¡Aunque tenga que morir contigo, no te negaré!

Y los demás afirmaron lo mismo.

[32]Llegaron a un olivar llamado Huerto de Getsemaní.

—Siéntense aquí mientras voy y oro —les dijo.

[33]Se llevó a Pedro, a Jacobo y a, Juan. Una vez a solas comenzó a entristecerse y a angustiarse profundamente.

[34]—Siento en el alma una tristeza mortal —les dijo—. Quédense aquí y velen conmigo.

[35]Se retiró un poco y postrado en tierra oró que si era posible nunca llegaran las horas espantosas que lo esperaban.

[36]—Padre, Padre —oraba—, para ti todo es posible. Aparta de mí esta copa. Pero hágase tu voluntad, no la mía.

[37]Cuando regresó a los tres discípulos los halló dormidos.

—Simón —dijo—. ¿Estás dormido? ¿No pudiste velar conmigo ni una hora? [38]Vela y ora para que no te venza la tentación, porque aunque el espíritu está dispuesto, la carne es débil.

[39]Se retiró de nuevo a orar y repitió sus ruegos.

[40]Al volver, los volvió a sorprender dormidos, porque estaban agotados. No supieron qué decir.

[23] Then he took a cup of wine and gave thanks to God for it and gave it to them; and they all drank from it. [24] And he said to them, "This is my blood, poured out for many, sealing the new agreement between God and man. [25] I solemnly declare that I shall never again taste wine until the day I drink a different kind in the Kingdom of God."

[26] Then they sang a hymn and went out to the Mount of Olives.

[27] "All of you will desert me," Jesus told them, "for God has declared through the prophets, 'I will kill the Shepherd, and the sheep will scatter.' [28] But after I am raised to life again, I will go to Galilee and meet you there."

[29] Peter said to him, "I will never desert you no matter what the others do!"

[30] "Peter," Jesus said, "before the cock crows a second time tomorrow morning you will deny me three times."

[31] "No!" Peter exploded. "Not even if I have to die with you! I'll *never* deny you!" And all the others vowed the same.

[32] And now they came to an olive grove called the Garden of Gethsemane, and he instructed his disciples, "Sit here, while I go and pray."

[33] He took Peter, James and John with him and began to be filled with horror and deepest distress. [34] And he said to them, "My soul is crushed by sorrow to the point of death; stay here and watch with me."

[35] He went on a little further and fell to the ground and prayed that if it were possible the awful hour awaiting him might never come.

[36] "Father, Father," he said, "everything is possible for you. Take away this cup from me. Yet I want your will, not mine."

[37] Then he returned to the three disciples and found them asleep.

"Simon!" he said. "Asleep? Couldn't you watch with me even one hour? [38] Watch with me and pray lest the Tempter overpower you. For though the spirit is willing enough, the body is weak."

[39] And he went away again and prayed, repeating his pleadings. [40] Again he returned to them and found them sleeping, for they were very tired. And they didn't know what to say.

⁴¹Cuando regresó la tercera vez, les dijo:

—Duerman ya; descansen...pero no, ya llegó la hora. Vean. Allí me vienen a entregar en manos de los pecadores. ⁴²Levántense; vamos. Aquí está el traidor.

⁴³No había terminado de hablar cuando Judas, seguido de una turba armada con espadas y palos que le habían proporcionado los dirigentes religiosos judíos, llegó ante el Maestro. ⁴⁴La contraseña era que besaría al que querían arrestar. Así no habría equivocación.

⁴⁵Al llegar, se acercó a Jesús.

—Maestro —le dijo, y lo besó como el que siente gran cariño.

⁴⁶La turba se abalanzó sobre Jesús. ⁴⁷No hubo resistencia, excepto que uno de los que estaban con Jesús extrajo una espada y le cortó una oreja al siervo del sumo sacerdote.

⁴⁸—¿Soy un ladrón tan peligroso que para capturarme han tenido que venir armados hasta los dientes? —les dijo Jesús—. ⁴⁹¿Por qué no me arrestaron en el Templo? Todos los días iba al Templo a enseñar. Pero, claro, así se cumplen las profecías.

⁵⁰Los discípulos huyeron despavoridos. ⁵¹,⁵²Sólo lo siguió un joven envuelto en una sábana. Cuando trataron de prenderlo, escapó completamente desnudo. ¡En el forcejeo le habían arrancado la sábana!

⁵³Llevaron a Jesús a la casa del sumo sacerdote. No mucho después llegaban los principales sacerdotes, ancianos y escribas. ⁵⁴Pedro, que había seguido el cortejo de lejos, se introdujo en el patio de la residencia del sumo sacerdote, y se agachó junto a los alguaciles a calentarse al fuego.

⁵⁵Dentro, los principales sacerdotes y el concilio judío supremo en pleno trataban de encontrar algún cargo contra Jesús que fuera suficiente para que se le condenara a muerte. Pero no hallaban nada. ⁵⁶Aunque muchos testigos falsos se presentaron, se contradecían entre sí. ⁵⁷Finalmente, varios hombres afirmaron:

⁵⁸—Le oímos decir que destruiría el Templo hecho con manos humanas y que en tres días lo reedificaría.

⁵⁹Aunque ni aun así concordaban en todo, ⁶⁰el sumo sacerdote se puso de pie en

⁴¹ The third time when he returned to them he said, "Sleep on; get your rest! But no! The time for sleep has ended! Look! I am betrayed into the hands of wicked men. ⁴² Come! Get up! We must go! Look! My betrayer is here!"

⁴³ And immediately, while he was still speaking, Judas (one of his disciples) arrived with a mob equipped with swords and clubs, sent out by the chief priests and other Jewish leaders. ⁴⁴ Judas had told them, "You will know which one to arrest when I go over and greet him. Then you can take him easily." ⁴⁵ So as soon as they arrived he walked up to Jesus. "Master!" he exclaimed, and embraced him with a great show of friendliness. ⁴⁶ Then the mob arrested Jesus and held him fast. ⁴⁷ But someone pulled a sword and slashed at the High Priest's servant, cutting off his ear.

⁴⁸ Jesus asked them, "Am I some dangerous robber, that you come like this, armed to the teeth to capture me? ⁴⁹ Why didn't you arrest me in the Temple? I was there teaching every day. But these things are happening to fulfill the prophecies about me."

⁵⁰ Meanwhile, all his disciples had fled. ⁵¹,⁵² There was, however, a young man following along behind, clothed only in a linen nightshirt. When the mob tried to grab him, he escaped, though his clothes were torn off in the process, so that he ran away completely naked.

⁵³ Jesus was led to the High Priest's home where all of the chief priests and other Jewish leaders soon gathered. ⁵⁴ Peter followed far behind and then slipped inside the gates of the High Priest's residence and crouched beside a fire among the servants.

⁵⁵ Inside, the chief priests and the whole Jewish Supreme Court were trying to find something against Jesus that would be sufficient to condemn him to death. But their efforts were in vain. ⁵⁶ Many false witnesses volunteered, but they contradicted each other.

⁵⁷ Finally some men stood up to lie about him and said, ⁵⁸ "We heard him say, 'I will destroy this Temple made with human hands and in three days I will build another, made without human hands!' " ⁵⁹ But even then they didn't get their stories straight!

⁶⁰ Then the High Priest stood up before

medio y dijo a Jesús:

—¿Te niegas a responder a esta acusación? ¿Tienes algo que decir?

⁶¹Jesús no le respondió. El sumo sacerdote insistió:

—¿Eres el Mesías, el Hijo de Dios?

⁶²—Lo soy —le respondió Jesús—. Y me verán sentado a la derecha de Dios y regresando a la tierra en las nubes del cielo.

⁶³—¿Para qué necesitamos más testigos? —dijo el sumo sacerdote, rasgándose la ropa—. ⁶⁴Ya oyeron su blasfemia. ¿Cuál es el veredicto?

Unánimemente lo condenaron a muerte.

⁶⁵Entonces algunos se pusieron a escupirlo, mientras otros le vendaban los ojos, le daban bofetadas y le preguntaban:

—A ver, profeta, ¿quién te pegó?

Y hasta los alguaciles le daban bofetadas.

⁶⁶Pedro permanecía en el patio. Una de las criadas del sumo sacerdote ⁶⁷lo vio calentándose al fuego. Tras mirarlo detenidamente, dijo en voz alta:

—Tú eres uno de los que andaban con Jesús el nazareno.

⁶⁸—¡No, no! ¡No sé de qué me hablas! —dijo Pedro, y se acercó a la salida.

En aquel mismo instante un gallo cantó.

⁶⁹La criada, al verlo detenerse allí, comenzó a decirle a todo el mundo:

—¡Aquél es un discípulo de Jesús! ¡Aquél, aquel hombre!

⁷⁰Pedro lo negó otra vez.

No mucho después los que estaban junto al fuego le dijeron:

—¡Tú también eres uno de ellos, porque tienes acento galileo!

⁷¹Pero Pedro, entre maldiciones y juramentos, afirmó:

—¡Ni siquiera conozco a ese hombre!

⁷²Inmediatamente el gallo cantó por segunda vez. Como el restallido de un látigo, el recuerdo de las palabras de Jesús acudió a su mente: "Antes que el gallo cante dos veces, me negarás tres veces". Y rompió a llorar.

15 MUY DE MAÑANA los principales sacerdotes, ancianos y escribas que componían el concilio supremo judío, se reunieron para acordar los próximos pasos que darían. Decidieron enviar a Jesús bajo

the Court and asked Jesus, "Do you refuse to answer this charge? What do you have to say for yourself?"

⁶¹ To this Jesus made no reply.

Then the High Priest asked him. "Are you the Messiah, the Son of God?"

⁶² Jesus said, "I am, and you will see me sitting at the right hand of God, and returning to earth in the clouds of heaven."

⁶³,⁶⁴ Then the High Priest tore at his clothes and said, "What more do we need? Why wait for witnesses? You have heard his blasphemy. What is your verdict?" And the vote for the death sentence was unanimous.

⁶⁵ Then some of them began to spit at him, and they blindfolded him and began to hammer his face with their fists.

"Who hit you that time, you prophet?" they jeered. And even the bailiffs were using their fists on him as they led him away.

⁶⁶,⁶⁷ Meanwhile Peter was below in the courtyard. One of the maids who worked for the High Priest noticed Peter warming himself at the fire.

She looked at him closely and then announced, "*You* were with Jesus, the Nazarene."

⁶⁸ Peter denied it. "I don't know what you're talking about!" he said, and walked over to the edge of the courtyard.

Just then, a rooster crowed.

⁶⁹ The maid saw him standing there and began telling the others, "There he is! There's that disciple of Jesus!"

⁷⁰ Peter denied it again.

A little later others standing around the fire began saying to Peter, "You are, too, one of them, for you are from Galilee!"

⁷¹ He began to curse and swear. "I don't even know this fellow you are talking about," he said.

⁷² And immediately the rooster crowed the second time. Suddenly Jesus' words flashed through Peter's mind: "Before the cock crows twice, you will deny me three times." And he began to cry.

15 EARLY IN THE morning the chief priests, elders and teachers of religion—the entire Supreme Court—met to discuss their next steps. Their decision was

fuerte protección policíaca a Pilato, el gobernador romano.

²—¿Eres el rey de los judíos? —preguntó Pilato a Jesús.

—Tú lo dices —le respondió.

³,⁴Los principales sacerdotes lo acusaban de un sinnúmero de delitos. Jesús no se defendía.

—¿Tienes algo que alegar en tu defensa? —le volvió a preguntar Pilato—. Las acusaciones son serias.

⁵Para sorpresa de Pilato, ni aun así dijo nada.

⁶Era costumbre de Pilato soltar a un prisionero judío todos los años, cualquiera que el pueblo quisiera. ⁷Uno de los presos aquel año era Barrabás, quien con varios compañeros estaba acusado de haber cometido homicidios en una insurrección. ⁸La multitud le pidió a Pilato que, como de costumbre, soltara a un prisionero.

⁹,¹⁰—¿Qué les parece si les suelto al "Rey de los judíos"? —preguntó Pilato, que sabía que las acusaciones contra Jesús eran fruto de la envidia de los principales sacerdotes ante la popularidad del acusado.

¹¹Pero el pueblo, por instigación de los principales sacerdotes, pidió la libertad de Barrabás y no la de Jesús.

¹²—Bueno, bueno, ¡soltaremos a Barrabás! —les respondió Pilato—. Pero, ¿qué quieren que haga con el que ustedes llaman "Rey de los judíos"?

¹³—¡Crucifícalo! —le contestaron.

¹⁴—Pero, ¿por qué?¿Qué mal ha hecho? —¡Crucifícalo! —gritaron aún más fuerte.

¹⁵Pilato, temeroso de provocar una rebelión y ansioso de complacer al pueblo, les soltó a Barrabás. En cuanto a Jesús, después de azotarlo, lo entregó para que lo crucificaran. ¹⁶Lo llevaron al pretorio. Allí, reunidos los soldados, ¹⁷lo vistieron con un manto de púrpura y le pusieron una corona de espinas.

¹⁸—¡Viva el rey de los judíos! —decían en burla.

¹⁹A veces le daban en la cabeza con una caña, lo escupían y luego se arrodillaban en "reverencia". ²⁰Por último, cansados de aquel cruel entretenimiento, le quitaron el manto de púrpura, le pusieron su ropa y se lo llevaron para crucificarlo.

²¹En el camino se encontraron con Si-

to send Jesus under armed guard to Pilate, the Roman governor.

² Pilate asked him, "Are you the King of the Jews?"

"Yes," Jesus replied, "it is as you say."

³,⁴ Then the chief priests accused him of many crimes, and Pilate asked him, "Why don't you say something? What about all these charges against you?"

⁵ But Jesus said no more, much to Pilate's amazement.

⁶ Now, it was Pilate's custom to release one Jewish prisoner each year at Passover time—any prisoner the people requested. ⁷ One of the prisoners at that time was Barabbas, convicted along with others for murder during an insurrection.

⁸ Now a mob began to crowd in toward Pilate, asking him to release a prisoner as usual.

⁹ "How about giving you the 'King of Jews'?" Pilate asked. "Is he the one you want released?" ¹⁰ (For he realized by now that this was a frameup, backed by the chief priests because they envied Jesus' popularity.)

¹¹ But at this point the chief priests whipped up the mob to demand the release of Barabbas instead of Jesus.

¹² "But if I release Barabbas," Pilate asked them, "what shall I do with this man you call your king?"

¹³ They shouted back, "Crucify him!"

¹⁴ "But why?" Pilate demanded. "What has he done wrong?" They only roared the louder, "Crucify him!"

¹⁵ Then Pilate, afraid of a riot and anxious to please the people, released Barabbas to them. And he ordered Jesus flogged with a leaded whip, and handed him over to be crucified.

¹⁶,¹⁷ Then the Roman soldiers took him into the barracks of the palace, called out the entire palace guard, dressed him in a purple robe, and made a crown of long, sharp thorns and put it on his head. ¹⁸ Then they saluted, yelling, "Yea! King of the Jews!" ¹⁹ And they beat him on the head with a cane, and spit on him and went down on their knees to "worship" him.

²⁰ When they finally tired of their sport, they took off the purple robe and put his own clothes on him again, and led him away to be crucified.

²¹ Simon of Cyrene, who was coming in

món de Cirene (padre de Alejandro y de Rufo) que regresaba del campo, y lo obligaron a llevar la cruz.

²²Llegaron a un lugar llamado Gólgota, (Calavera), ²³y le ofrecieron vino mezclado con mirra, pero no lo tomó. ²⁴Entonces lo crucificaron. Una vez terminada la cruel tarea, los soldados se sortearon la ropa de Jesús. ²⁵Eran aproximadamente las nueve de la mañana.

²⁶En la cruz, encima de Jesús, clavaron el siguiente letrero que proclamaba su único "delito": "El Rey de los judíos".

²⁷Aquella misma mañana crucificaron a dos ladrones, uno a cada lado de Jesús. ²⁸Con esto se cumplieron las Escrituras que dicen: "Contado fue entre malvados".

²⁹,³⁰La gente que pasaba por allí movía la cabeza con burla y le gritaba:

—¡Ajá! ¿Qué te parece? ¡Conque puedes destruir el Templo y reedificarlo en tres días! ¡Si eres tan poderoso, baja de la cruz y sálvate!

³¹,³²Los principales sacerdotes y los escribas se unían a las burlas:

—¡Qué interesante! A otros puede salvar, y no se puede salvar a sí mismo. ¡Cristo, Rey de Israel, desciende para que creamos en ti!

¡Y hasta los ladrones que morían con El lo injuriaban!

³³Al mediodía la tierra se llenó de una oscuridad que duró hasta las tres de la tarde.

³⁴—Eli, Eli, ¿lama sabactani? —exclamó Jesús con gran voz—. (Dios mío, Dios mío, ¿por qué me has desamparado?)

³⁵Algunos de los presentes pensaron que llamaba al profeta Elías. ³⁶Un hombre corrió, empapó una esponja en vinagre, la puso en una caña y le dio a beber.

—¡Vamos a ver si Elías viene a bajarlo! —dijo.

³⁷Jesús profirió otro grito y entregó su espíritu.

³⁸En aquel mismo instante el velo del Templo se partió en dos de arriba a abajo. ³⁹Y el centurión que estaba junto a la cruz,

from the country just then, was pressed into service to carry Jesus' cross. (Simon is the father of Alexander and Rufus.)

²² And they brought Jesus to a place called Golgotha. (Golgotha means skull.) ²³ Wine drugged with bitter herbs was offered to him there, but he refused it. ²⁴ And then they crucified him—and threw dice for his clothes.

²⁵ It was about nine o'clock in the morning when the crucifixion took place.

²⁶ A signboard was fastened to the cross above his head, announcing his crime. It read, "The King of the Jews."

·²⁷ Two robbers were also crucified that morning, their crosses on either side of his. ²⁸ And so the Scripture was fulfilled that said, "He was counted among evil men."

²⁹,³⁰ The people jeered at him as they walked by, and wagged their heads in mockery.

"Ha! Look at you now!" they yelled at him. "Sure, you can destroy the Temple and rebuild it in three days! If you're so wonderful, save yourself and come down from the cross."

³¹ The chief priests and religious leaders were also standing around joking about Jesus.

"He's quite clever at 'saving' others," they said, "but he can't save himself!"

³² "Hey there, Messiah!" they yelled at him. "You 'King of Israel'! Come on down from the cross and we'll believe you!"

And even the two robbers dying with him, cursed him.

³³ About noon, darkness fell across the entire land, lasting until three o'clock that afternoon.

³⁴ Then Jesus called out with a loud voice, "Eli, Eli, lama sabachthani?" ("My God, my God, why have you deserted me?")

³⁵ Some of the people standing there thought he was calling for the prophet Elijah. ³⁶ So one man ran and got a sponge and filled it with sour wine and held it up to him on a stick.

"Let's see if Elijah will come and take him down!" he said.

³⁷ Then Jesus uttered another loud cry, and dismissed his spirit.

³⁸ And the curtain in the Temple was split apart from top to bottom.

³⁹ When the Roman officer standing be-

al ver que había expirado así, exclamó:

—¡Verdaderamente éste era el Hijo de Dios!

[40] Entre los presentes, a cierta distancia, estaban María Magdalena, María (la madre de Jacobo el menor y José), Salomé y varias más. [41] Estas, al igual que varias otras discípulas galileas, habían servido a Jesús cuando estaba en Galilea y lo habían acompañado a Jerusalén.

[42] Los acontecimientos se habían desarrollado en la víspera del día de reposo. Ya bien entrada la tarde, [43] José de Arimatea, honorable miembro del concilio supremo judío que personalmente esperaba con ansiedad el advenimiento del reino de Dios, se llenó de valor y se presentó ante Pilato a solicitar el cuerpo de Jesús.

[44] A Pilato le sorprendió que Jesús ya estuviera muerto, y llamó al oficial encargado de la ejecución para interrogarlo. [45] El oficial confirmó las palabras de José de Arimatea, y Pilato le concedió permiso para que se llevara el cuerpo.

[46] José compró una sábana y en ella envolvió el cuerpo de Jesús al bajarlo de la cruz. Luego lo colocó en un sepulcro labrado en una roca, y rodó una piedra para cerrar la entrada.

[47] María Magdalena y María la madre de Jesús vieron dónde lo pusieron.

16 AL DÍA SIGUIENTE por la noche, cuando terminó el día de reposo, María Magdalena, Salomé y María la madre de Jacobo fueron a comprar especias aromáticas para embalsamar el cuerpo de Jesús. Al otro día, bien temprano, corrieron a la tumba. Era el primer día de la semana y ya había salido el sol.

[3] En el camino iban discutiendo cómo se las arreglarían para quitar la piedra de la entrada del sepulcro, [4] pero al llegar encontraron que la enorme piedra había sido removida y que el sepulcro estaba abierto.

[5] Corrieron a la tumba. Allí dentro, sentado a la derecha, estaba un joven vestido de blanco. Las mujeres se espantaron, [6] pero el ángel les dijo:

—No se asusten. ¿Buscan a Jesús, el nazareno que fue crucificado? No está aquí, porque ha resucitado. ¿Ven? Allí lo habían puesto. [7] Quiero que le digan a Pedro y a los demás discípulos que Jesús va

side his cross saw how he dismissed his spirit, he exclaimed, "Truly, this was the Son of God!"

[40] Some women were there watching from a distance—Mary Magdalene, Mary (the mother of James the Younger and of Joses), Salome, and others. [41] They and many other Galilean women who were his followers had ministered to him when he was up in Galilee, and had come with him to Jerusalem.

[42,43] This all happened the day before the Sabbath. Late that afternoon Joseph from Arimathea, an honored member of the Jewish Supreme Court (who personally was eagerly expecting the arrival of God's Kingdom), gathered his courage and went to Pilate and asked for Jesus' body.

[44] Pilate couldn't believe that Jesus was already dead so he called for the Roman officer in charge and asked him. [45] The officer confirmed the fact, and Pilate told Joseph he could have the body.

[46] Joseph bought a long sheet of linen cloth and, taking Jesus' body down from the cross, wound it in the cloth and laid it in a rock-hewn tomb, and rolled a stone in front of the entrance.

[47] (Mary Magdalene and Mary the mother of Joses were watching as Jesus was laid away.)

16 THE NEXT EVENING, when the Sabbath ended, Mary Magdalene and Salome and Mary the mother of James went out and purchased embalming spices.

Early the following morning, just at sunrise, they carried them out to the tomb. [3] On the way they were discussing how they could ever roll aside the huge stone from the entrance.

[4] But when they arrived they looked up and saw that the stone—a *very* heavy one— was already moved away and the entrance was open! [5] So they entered the tomb—and there on the right sat a young man clothed in white. The women were startled, [6] but the angel said, "Don't be so surprised. Aren't you looking for Jesus, the Nazarene who was crucified? He isn't here! He has come back to life! Look, that's where his body was lying. [7] Now go and give this message to his disciples including Peter:

" 'Jesus is going ahead of you to Galilee.

delante de ellos a Galilea. Allí lo verán como les dijo.

⁸Las mujeres salieron de la tumba temblando, espantadas, demasiado horrorizadas para hablar.

⁹La resurrección ocurrió el domingo por la mañana bien temprano, y la primera persona que lo vio resucitado fue María Magdalena, la mujer de quien había echado siete demonios. ¹⁰,¹¹Ella corrió en busca de los discípulos, que lloraban de tristeza, y les dio la buena noticia de que aquél por quien lloraban estaba vivo y que ella lo había visto. Pero no lo creyeron.

¹²Más tarde se apareció a dos de ellos que iban de Jerusalén al campo. Al principio no sabían quién era porque había cambiado de apariencia. ¹³Pero cuando lo reconocieron, corrieron a Jerusalén a contarlo a los demás. No lo creyeron tampoco.

¹⁴Por último, se apareció a los once discípulos que comían juntos, y les reprobó la incredulidad y la dureza con que se habían negado a creer a aquellos que lo habían visto resucitado. ¹⁵Y les dijo:

—Vayan por todo el mundo y prediquen el evangelio a toda criatura. ¹⁶Los que crean y se bauticen serán salvos. Pero el que no crea será condenado. ¹⁷Los que creen echarán fuera demonios en mi nombre y hablarán nuevas lenguas. ¹⁸Podrán agarrar víboras sin peligro, y si toman cualquier veneno, no les hará daño. Y cuando pongan las manos sobre los enfermos éstos sanarán.

¹⁹Cuando terminó de hablar con sus discípulos, fue llevado al cielo y se sentó a la derecha de Dios.

²⁰Sus discípulos se dedicaron a la tarea de predicar el evangelio en todas partes. El Señor los ayudaba y confirmaba lo que decían con portentosos milagros. Amén.

You will see him there, just as he told you before he died!' "

⁸ The women fled from the tomb, trembling and bewildered, too frightened to talk.

⁹ It was early on Sunday morning when Jesus came back to life, and the first person who saw him was Mary Magdalene—the woman from whom he had cast out seven demons. ¹⁰,¹¹ She found the disciples wet-eyed with grief and exclaimed that she had seen Jesus, and he was alive! But they didn't believe her!

¹² Later that day he appeared to two who were walking from Jerusalem into the country, but they didn't recognize him at first because he had changed his appearance. ¹³ When they finally realized who he was, they rushed back to Jerusalem to tell the others, but no one believed them.

¹⁴ Still later he appeared to the eleven disciples as they were eating together. He rebuked them for their unbelief—their stubborn refusal to believe those who had seen him alive from the dead.

¹⁵ And then he told them, "You are to go into all the world and preach the Good News to everyone, everywhere. ¹⁶ Those who believe and are baptized will be saved. But those who refuse to believe will be condemned.

¹⁷ "And those who believe shall use my authority to cast out demons, and they shall speak new languages. ¹⁸ They will be able even to handle snakes with safety, and if they drink anything poisonous, it won't hurt them; and they will be able to place their hands on the sick and heal them."

¹⁹ When the Lord Jesus had finished talking with them, he was taken up into heaven and sat down at God's right hand.

²⁰ And the disciples went everywhere preaching, and the Lord was with them and confirmed what they said by the miracles that followed their messages.

LUCAS / LUKE

1 AMIGO MÍO QUE amas a Dios:
¹,²Ya se han escrito varias biografías de Cristo basadas en los informes que han estado circulando entre nosotros y que na-

1 DEAR FRIEND WHO loves God:
¹,² Several biographies of Christ have already been written using as their source material the reports circulating among us from

cieron en labios de los discípulos que lo presenciaron todo desde el principio.

³⁴Sin embargo, se me ocurrió investigar bien a fondo los acontecimientos desde el principio hasta el final, y ahora tengo el placer de enviarte los resultados de mis pesquisas, para que confirmes las verdades que se te han enseñado.

⁵La historia comienza con un sacerdote judío llamado Zacarías, que vivió cuando Herodes era rey de Judea. Zacarías era miembro de la clase de Abías según la división de grupos al servicio del Templo. Su esposa Elisabet, al igual que él, era miembro de la familia sacerdotal judía y descendiente de Aarón.

⁶Zacarías y Elizabet eran piadosos, irreprensibles en cuanto a la sincera obediencia de las leyes de Dios. ⁷Pero no tenían hijos, porque Elizabet era estéril. Ambos eran ya de edad avanzada.

⁸,⁹Un día en que Zacarías realizaba sus deberes en el Templo, ya que su grupo estaba de servicio aquella semana, le tocó en suerte entrar al santuario del Señor a ofrecer el incienso.

¹⁰Afuera, una gran concurrencia oraba como siempre lo había hecho durante esta parte del servicio en que se quemaba el incienso. ¹¹,¹²Zacarías estaba en el santuario cuando de repente un ángel se le apareció de pie a la derecha del altar del incienso. Zacarías se sobrecogió de asombro y temor. ¹³Pero el ángel le dijo:

—No temas, Zacarías. Sólo he venido a decirte que Dios ha oído tu oración y que Elizabet, tu esposa, tendrá un hijo. Lo llamarás Juan. ¹⁴Se alegrarán y regocijarán con su nacimiento, y muchos se regocijarán con ustedes, ¹⁵porque el niño se convertirá en uno de los más grandes hombres de Dios. Jamás probará vino ni bebidas fuertes, y estará lleno del Espíritu Santo aun antes de nacer. ¹⁶Persuadirá a muchos judíos a volverse al Señor Dios de ellos. ¹⁷En espíritu y poder será semejante a Elías, el profeta de la antigüedad; precederá al Mesías y preparará al pueblo para su llegada, enseñándoles a amar al Señor, como lo hicieron sus antepasados, y a vivir santamente.

¹⁸—¡Pero es imposible! —le respondió Zacarías al ángel—. Soy demasiado viejo y mi esposa está bien entrada en años también.

the early disciples and other eyewitnesses. ³ However, it occurred to me that it would be well to recheck all these accounts from first to last and after thorough investigation to pass this summary on to you, ⁴ to reassure you of the truth of all you were taught.

⁵ My story begins with a Jewish priest, Zacharias, who lived when Herod was king of Judea. Zacharias was a member of the Abijah division of the Temple service corps. (His wife Elizabeth was, like himself, a member of the priest tribe of the Jews, a descendant of Aaron.) ⁶ Zacharias and Elizabeth were godly folk, careful to obey all of God's laws in spirit as well as in letter. ⁷ But they had no children, for Elizabeth was barren; and now they were both very old.

⁸,⁹ One day as Zacharias was going about his work in the Temple—for his division was on duty that week—the honor fell to him by lot to enter the inner sanctuary and burn incense before the Lord. ¹⁰ Meanwhile, a great crowd stood outside in the Temple court, praying as they always did during that part of the service when the incense was being burned.

¹¹,¹² Zacharias was in the sanctuary when suddenly an angel appeared, standing to the right of the altar of incense! Zacharias was startled and terrified.

¹³ But the angel said, "Don't be afraid, Zacharias! For I have come to tell you that God has heard your prayer, and your wife Elizabeth will bear you a son! And you are to name him John. ¹⁴ You will both have great joy and gladness at his birth, and many will rejoice with you. ¹⁵ For he will be one of the Lord's great men. He must never touch wine or hard liquor—and he will be filled with the Holy Spirit, even from before his birth! ¹⁶ And he will persuade many a Jew to turn to the Lord his God. ¹⁷ He will be a man of rugged spirit and power like Elijah, the prophet of old; and he will precede the coming of the Messiah, preparing the people for his arrival. He will soften adult hearts to become like little children's, and will change disobedient minds to the wisdom of faith."

¹⁸ Zacharias said to the angel, "But this is impossible! I'm an old man now, and my wife is also well along in years."

bién.

[19] —¡Soy Gabriel! —replicó el ángel—, el que está siempre en la presencia de Dios. Dios mismo me envió a darte estas buenas noticias. [20]Pero como has dudado, ahora mismo quedarás mudo y no podrás hablar hasta que el niño nazca, hasta que mis palabras se cumplan.

[21]La concurrencia que esperaba afuera a Zacarías se extrañaba de que se demorara tanto. [22]Cuando por fin salió, no les pudo hablar y se dieron cuenta por sus gestos que había tenido una visión en el santuario.

[23]Días más tarde, al terminar sus deberes en el Templo, Zacarías regresó a su casa.

[24]Pocos días después, Elisabet quedó encinta y se recluyó cinco meses en casa.

[25]—¡Qué bueno es el Señor —exclamó—, que me libró de la vergüenza de no tener hijos!

[26]Al sexto mes, Dios envió al ángel Gabriel a Nazaret, pueblo de Galilea, [27]donde vivía una virgen llamada María que era la prometida de José, descendiente del rey David. [28]Gabriel se le apareció y le dijo:

—¡Alégrate, muy favorecida! El Señor está contigo. ¡Bendita eres entre las mujeres!

[29]Confundida y turbada, María se esforzaba por entender el significado de las palabras del ángel.

[30]—No temas, María —le dijo el ángel—, porque Dios te ha escogido para bendecirte maravillosamente. [31]Pronto quedarás encinta y tendrás un hijo, al que llamarás Jesús. [32]El será grande y lo llamarán Hijo del Altísimo. El Señor Dios le dará el trono de su antepasado David, [33]y reinará para siempre en Israel. ¡Su reino no tendrá fin!

[34]—¿Pero cómo voy a tener un hijo si no soy casada ni jamás he tenido marido?

[35]—El Espíritu Santo vendrá sobre ti —le respondió el ángel—, y el poder de Dios te cubrirá con su sombra. Por lo tanto tu hijo será el Santísimo Hijo de Dios. [36]Hace seis meses que Elisabet tu prima, la que según la gente era estéril, está encinta a pesar de su vejez, [37]porque para Dios no hay imposibles.

[38]Entonces María dijo:

—Soy sierva del Señor y estoy dispuesta a hacer lo que ordene. Conviértanse en realidad tus palabras.

[19] Then the angel said, "I am Gabriel! I stand in the very presence of God. It was he who sent me to you with this good news! [20] And now, because you haven't believed me, you are to be stricken silent, unable to speak until the child is born. For my words will certainly come true at the proper time."

[21] Meanwhile the crowds outside were waiting for Zacharias to appear and wondered why he was taking so long. [22] When he finally came out, he couldn't speak to them, and they realized from his gestures that he must have seen a vision in the Temple. [23] He stayed on at the Temple for the remaining days of his Temple duties and then returned home. [24] Soon afterwards Elizabeth his wife became pregnant and went into seclusion for five months.

[25] "How kind the Lord is," she exclaimed, "to take away my disgrace of having no children!"

[26] The following month God sent the angel Gabriel to Nazareth, a village in Galilee, [27] to a virgin, Mary, engaged to be married to a man named Joseph, a descendant of King David.

[28] Gabriel appeared to her and said, "Congratulations, favored lady! The Lord is with you!"

[29] Confused and disturbed, Mary tried to think what the angel could mean.

[30] "Don't be frightened, Mary," the angel told her, "for God has decided to wonderfully bless you! [31] Very soon now, you will become pregnant and have a baby boy, and you are to name him 'Jesus.' [32] He shall be very great and shall be called the Son of God. And the Lord God shall give him the throne of his ancestor David. [33] And he shall reign over Israel forever; his Kingdom shall never end!"

[34] Mary asked the angel, "But how can I have a baby? I am a virgin."

[35] The angel replied, "The Holy Spirit shall come upon you, and the power of God shall overshadow you; so the baby born to you will be utterly holy—the Son of God. [36] Furthermore, six months ago your Aunt Elizabeth—'the barren one,' they called her—became pregnant in her old age! [37] For every promise from God shall surely come true."

[38] Mary said, "I am the Lord's servant, and I am willing to do whatever he wants. May everything you said come true." And

Y el ángel desapareció.

[39,40] Pocos días más tarde María fue de prisa a visitar a Elisabet, que vivía en un pueblo montañés de Judea. [41] Cuando María se acercó a Elisabet y la saludó, la criatura de Elisabet le saltó dentro. Entonces Elisabet, llena del Espíritu Santo, [42] dio un grito de alegría y dijo a su prima:

—Eres la más bendita de las mujeres, y bendito es el hijo que palpita en tus entrañas. [43] ¡Qué honor para mí, que la madre de mi Señor me visite! [44] En el instante mismo en que escuché tu saludo, la criatura que llevo en las entrañas saltó de alegría. [45] Bendita eres porque creíste lo que te dijo el Señor, y porque esta maravillosa bendición se cumplirá.

[46] —¡Oh, cuánto alabo al Señor! —respondió María—. [47] Mi espíritu se regocija en Dios mi Salvador, [48] porque ha mirado la bajeza de su sierva y de ahora en adelante, eternamente, las generaciones me llamarán bienaventurada. [49] En realidad el Todopoderoso me ha hecho grandes cosas. [50] A través de las edades ha sido misericordioso con los que le temen. [51] ¡Cuán poderoso es su brazo! ¡Cómo ha esparcido a los soberbios, a los orgullosos! [52] A los príncipes destronó, a los humildes exaltó, [53] a los hambrientos colmó de bienes y a los ricos los envió con las manos vacías. [54] ¡Y cuánto ha ayudado a su siervo Israel! ¡No se le olvidó [55] que un día habló a nuestros padres y prometió que eternamente tendría misericordia de Abraham y de sus hijos!

[56] María se quedó con Elisabet como tres meses, al cabo de los cuales regresó a su casa.

[57] Por fin terminó la espera de Elisabet, y llegó el momento de dar a luz. Y dio a luz un hijo. [58] La noticia de cómo el Señor había tenido misericordia con ella se corrió entre los vecinos y parientes, y éstos se regocijaron. [59] Al octavo día fueron a circuncidar al niño. Daban por sentado que se llamaría Zacarías, como su padre. [60] Pero Elisabet dijo:

—No. Tiene que llamarse Juan.

[61] —¿Cómo? —exclamaron—. ¿Quién se llama así en tu familia?

[62] Entonces le preguntaron por señas al

then the angel disappeared.

[39,40] A few days later Mary hurried to the highlands of Judea to the town where Zacharias lived, to visit Elizabeth.

[41] At the sound of Mary's greeting, Elizabeth's child leaped within her and she was filled with the Holy Spirit.

[42] She gave a glad cry and exclaimed to Mary, "You are favored by God above all other women, and your child is destined for God's mightiest praise. [43] What an honor this is, that the mother of my Lord should visit me! [44] When you came in and greeted me, the instant I heard your voice, my baby moved in me for joy! [45] You believed that God would do what he said; that is why he has given you this wonderful blessing."

[46] Mary responded, "Oh, how I praise the Lord. [47] How I rejoice in God my Savior! [48] For he took notice of his lowly servant girl, and now generation after generation forever shall call me blest of God. [49] For he, the mighty Holy One, has done great things to me. [50] His mercy goes on from generation to generation, to all who reverence him.

[51] "How powerful is his mighty arm! How he scatters the proud and haughty ones! [52] He has torn princes from their thrones and exalted the lowly. [53] He has satisfied the hungry hearts and sent the rich away with empty hands. [54] And how he has helped his servant Israel! He has not forgotten his promise to be merciful. [55] For he promised our fathers—Abraham and his children—to be merciful to them forever."

[56] Mary stayed with Elizabeth about three months and then went back to her own home.

[57] By now Elizabeth's waiting was over, for the time had come for the baby to be born—and it was a boy. [58] The word spread quickly to her neighbors and relatives of how kind the Lord had been to her, and everyone rejoiced.

[59] When the baby was eight days old, all the relatives and friends came for the circumcision ceremony. They all assumed the baby's name would be Zacharias, after his father.

[60] But Elizabeth said, "No! He must be named John!"

[61] "What?" they exclaimed. "There is no one in all your family by that name." [62] So they asked the baby's father, talking to him by gestures.[h]

padre. ⁶³Este pidió algo en qué escribir y, para sorpresa de todos, escribió: "Se llamará Juan". ⁶⁴Al instante Zacarías recobró el habla y se puso a alabar a Dios ⁶⁵ante el asombro de los vecinos.

La noticia de lo sucedido no tardó en divulgarse de un extremo a otro de las montañas de Judea. ⁶⁶El que la oía pensaba mucho en ella y se preguntaba:

—¿Quién llegará a ser ese niño? Porque no cabe duda que la mano del Señor está con él.

⁶⁷Entonces Zacarías, lleno del Espíritu Santo, pronunció la siguiente profecía:

⁶⁸—Alabado sea el Señor, Dios de Israel, porque ha venido a visitar y a redimir a su pueblo, ⁶⁹porque nos está mandando un poderoso Salvador que desciende en línea directa de David su siervo, ⁷⁰tal como lo prometió hace muchísimo tiempo a través de sus santos profetas. Según la profecía, ⁷¹alguien nos salvará de nuestros enemigos y de manos de los que nos aborrecen, ⁷²y tendrá misericordia de nuestros padres al acordarse del pacto y de la sagrada promesa que hizo. ⁷³Sí, se acordará de lo que le juró a Abraham nuestro padre, lo que nos había de conceder, ⁷⁴para que, libres de nuestros enemigos y libres de temor, le sirvamos ⁷⁵eternamente en santidad y en justicia.

⁷⁶"Y tú, niño, serás llamado profeta del Altísimo, porque le prepararás el camino al Mesías. ⁷⁷A ti te corresponde la tarea de mostrarle al pueblo cómo alcanzar la salvación por medio del perdón de sus pecados. ⁷⁸Esta se alcanzará gracias a la entrañable misericordia de nuestro Dios, que ha permitido que amanezca para nosotros un nuevo día, ⁷⁹día que alumbrará a los que habitan en tinieblas y en sombra de muerte, y nos encaminará por senderos de paz.

⁸⁰El niño amaba de corazón a Dios. Cuando creció, se fue a vivir a lugares desiertos hasta que comenzó su ministerio público en Israel.

2 POCO DESPUÉS DEL nacimiento de Juan, el emperador romano César Augusto decretó que se levantara un censo en todos sus dominios. ²En aquellos días era Cirenio gobernador de Siria.

³Según lo dispuesto, la gente tenía que regresar a la ciudad de sus antepasados para inscribirse. ⁴Y como José era miembro

⁶³ He motioned for a piece of paper and to everyone's surprise wrote, "His name is *John!*" ⁶⁴ Instantly Zacharias could speak again, and he began praising God.

⁶⁵ Wonder fell upon the whole neighborhood, and the news of what had happened spread through the Judean hills. ⁶⁶ And everyone who heard about it thought long thoughts and asked, "I wonder what this child will turn out to be? For the hand of the Lord is surely upon him in some special way."

⁶⁷ Then his father Zacharias was filled with the Holy Spirit and gave this prophecy:

⁶⁸ "Praise the Lord, the God of Israel, for he has come to visit his people and has redeemed them. ⁶⁹ He is sending us a Mighty Savior from the royal line of his servant David, ⁷⁰ just as he promised through his holy prophets long ago— ⁷¹ someone to save us from our enemies, from all who hate us.

^{72,73} "He has been merciful to our ancestors, yes, to Abraham himself, by remembering his sacred promise to him, ⁷⁴ and by granting us the privilege of serving God fearlessly, freed from our enemies, ⁷⁵ and by making us holy and acceptable, ready to stand in his presence forever.

⁷⁶ "And you, my little son, shall be called the prophet of the glorious God, for you will prepare the way for the Messiah. ⁷⁷ You will tell his people how to find salvation through forgiveness of their sins. ⁷⁸ All this will be because the mercy of our God is very tender, and heaven's dawn is about to break upon us, ⁷⁹ to give light to those who sit in darkness and death's shadow, and to guide us to the path of peace."

⁸⁰ The little boy greatly loved God and when he grew up he lived out in the lonely wilderness until he began his public ministry to Israel.

2 ABOUT THIS TIME Caesar Augustus, the Roman Emperor, decreed that a census should be taken throughout the nation. ² (This census was taken when Quirinius was governor of Syria.)

³ Everyone was required to return to his ancestral home for this registration. ⁴ And because Joseph was a member of the royal

de la familia real, tuvo que ir desde la provincia galilea de Nazaret hasta Belén de Judea, pueblo natal del rey David. ⁵Con él llevó a María, su prometida, que estaba encinta.

⁶Estando en Belén, se le presentó el alumbramiento, ⁷y dio a luz a su primer hijo. Lo envolvió en pañales y lo acostó en un pesebre, porque no habían hallado habitación en el mesón del pueblo.

⁸Por la noche, varios pastores velaban su rebaño. ⁹De pronto, un ángel se les apareció y la gloria del Señor iluminó el paisaje. Los pastores temblaban de espanto, ¹⁰pero el ángel les dijo:

—¡No teman, que he venido a darles noticias que henchirán de gozo el corazón de los hombres! ¹¹Hoy, en el pueblo de Belén, ha nacido el Salvador, Cristo el Señor. ¹²¿Cómo lo reconocerán? Hallarán a un niño envuelto en pañales en un pesebre.

¹³Y repentinamente una inmensa multitud de las huestes celestiales entonó un canto de alabanza al Señor:

¹⁴"¡Gloria a Dios en las alturas y paz en la tierra para los que procura agradarle!"

¹⁵Cuando aquel gran ejército angelical regresó al cielo, los pastores se dijeron:

—¡Vamos, vamos! ¡Corramos a Belén! ¡Corramos a presenciar estas maravillas que el Señor nos ha manifestado!

¹⁶Corrieron al pueblo y encontraron a María y a José, y junto a éstos, reposando en el pesebre, al recién nacido. ¹⁷Los pastores contaron lo que les había sucedido y lo que el ángel les había dicho del niño.

¹⁸Los que escucharon las palabras de los pastores se quedaron asombrados, ¹⁹pero María atesoraba estas cosas en su corazón y muchas veces meditaba en ellas.

²⁰Los pastores regresaron al campo y a sus rebaños, alabando a Dios por la visita de los ángeles y porque habían visto al niño tal como se les había dicho.

²¹Ocho días más tarde, llegada la hora de circuncidar al niño, le pusieron el nombre de Jesús, como había indicado el ángel antes de que fuera concebido.

line, he had to go to Bethlehem in Judea, King David's ancient home—journeying there from the Galilean village of Nazareth. ⁵ He took with him Mary, his fiancée, who was obviously pregnant by this time.

⁶ And while they were there, the time came for her baby to be born; ⁷ and she gave birth to her first child, a son. She wrapped him in a blanket and laid him in a manger, because there was no room for them in the village inn.

⁸ That night some shepherds were in the fields outside the village, guarding their flocks of sheep. ⁹ Suddenly an angel appeared among them, and the landscape shone bright with the glory of the Lord. They were badly frightened, ¹⁰ but the angel reassured them.

"Don't be afraid!" he said. "I bring you the most joyful news ever announced, and it is for everyone! ¹¹ The Savior—yes, the Messiah, the Lord—has been born tonight in Bethlehem! ¹² How will you recognize him? You will find a baby wrapped in a blanket, lying in a manger!"

¹³ Suddenly, the angel was joined by a vast host of others—the armies of heaven—praising God:

¹⁴ "Glory to God in the highest heaven," they sang, "and peace on earth for all those pleasing him."

¹⁵ When this great army of angels had returned again to heaven, the shepherds said to each other, "Come on! Let's go to Bethlehem! Let's see this wonderful thing that has happened, which the Lord has told us about."

¹⁶ They ran to the village and found their way to Mary and Joseph. And there was the baby, lying in the manger. ¹⁷ The shepherds told everyone what had happened and what the angel had said to them about this child. ¹⁸ All who heard the shepherds' story expressed astonishment, ¹⁹ but Mary quietly treasured these things in her heart and often thought about them.

²⁰ Then the shepherds went back again to their fields and flocks, praising God for the visit of the angels, and because they had seen the child, just as the angel had told them.

²¹ Eight days later, at the baby's circumcision ceremony, he was named Jesus, the name given him by the angel before he was even conceived.

²²Cuando llegó el día en que correspóndía llevar al Templo la ofrenda de la purificación de María, según requiere la ley de Moisés que se haga después que nace un niño, sus padres llevaron a Jesús a Jerusalén a presentarlo al Señor, ²³porque la ley de Dios dice: "Si el primer hijo de una mujer es varón, deben dedicarlo al Señor". ²⁴Aprovechando la ocasión, los padres de Jesús presentaron el sacrificio de la purificación, que según la ley de Dios era un par de tórtolas o dos palominos.

²⁵Aquel mismo día un hombre de Jerusalén llamado Simeón estaba en el Templo. Era un buen hombre, muy devoto y lleno del Espíritu Santo. Simeón esperaba que en cualquier momento apareciera el Mesías, ²⁶porque el Espíritu Santo le había revelado que no moriría hasta que viera al ungido del Señor. ²⁷Aquel día el Espíritu Santo lo había impulsado a ir al Templo. Cuando María y José llegaron a presentar al niño Jesús en obediencia a la ley, ²⁸Simeón lo tomó en sus brazos y alabó a Dios ²⁹con las siguientes palabras:

—Señor, ya puedo morir contento, porque he visto a quien me prometiste que vería. ³⁰¡He visto al Salvador ³¹que has dado al mundo! ³²¡El es la luz que alumbrará a las naciones! ¡El es la gloria de tu pueblo Israel!

³³José y María quedaron paralizados de asombro ante lo que se decía de Jesús. ³⁴,³⁵Simeón lo bendijo, pero dijo a María:

—Una espada te traspasará el alma, porque muchos en Israel rechazarán a este niño, y esto en perjuicio de ellos mismos. Pero para otros El será motivo de regocijo. Y los más íntimos pensamientos de muchos corazones serán revelados.

³⁶,³⁷Aquel día estaba también en el Templo Ana, profetisa, hija de Fanuel, de la tribu judía de Aser. Era una ancianita que ochenta y cuatro años atrás había enviudado tras siete años de matrimonio. Jamás salía del Templo, y se pasaba las noches y los días adorando a Dios, orando y a veces en ayuno. ³⁸Mientras Simeón hablaba con María y José, se acercó y se puso también a dar gracias a Dios y a proclamar la llegada del Mesías a los ciudadanos de Jerusalén que esperaban la llegada del Salvador.

³⁹Los padres de Jesús cumplieron las

²² When the time came for Mary's purification offering at the Temple, as required by the laws of Moses after the birth of a child, his parents took him to Jerusalem to present him to the Lord; ²³ for in these laws God had said, "If a woman's first child is a boy, he shall be dedicated to the Lord." ²⁴ At that time Jesus' parents also offered their sacrifice for purification—"either a pair of turtledoves or two young pigeons" was the legal requirement. ²⁵ That day a man named Simeon, a Jerusalem resident, was in the Temple. He was a good man, very devout, filled with the Holy Spirit and constantly expecting the Messiah to come soon. ²⁶ For the Holy Spirit had revealed to him that he would not die until he had seen him—God's anointed King. ²⁷ The Holy Spirit had impelled him to go to the Temple that day; and so, when Mary and Joseph arrived to present the baby Jesus to the Lord in obedience to the law, ²⁸ Simeon was there and took the child in his arms, praising God.

²⁹,³⁰,³¹ "Lord," he said, "now I can die content! For I have seen him as you promised me I would. I have seen the Savior you have given to the world. ³² He is the Light that will shine upon the nations, and he will be the glory of your people Israel!"

³³ Joseph and Mary just stood there, marveling at what was being said about Jesus.

³⁴,³⁵ Simeon blessed them but then said to Mary, "A sword shall pierce your soul, for this child shall be rejected by many in Israel, and this to their undoing. But he will be the greatest joy of many others. And the deepest thoughts of many hearts shall be revealed."

³⁶,³⁷ Anna, a prophetess, was also there in the Temple that day. She was the daughter of Phanuel, of the Jewish tribe of Asher, and was very old, for she had been a widow for eighty-four years following seven years of marriage. She never left the Temple but stayed there night and day, worshiping God by praying and often fasting. ³⁸ She came along just as Simeon was talking with Mary and Joseph, and she also began thanking God and telling everyone in Jerusalem who had been awaiting the coming of the Savior that the Messiah had finally arrived.

³⁹ When Jesus' parents had fulfilled all

prescripciones de la ley del Señor y regresaron a Nazaret de Galilea. ⁴⁰Allí el niño se fue convirtiendo en un fuerte y robusto muchacho que descollaba por su sabiduría. Y Dios derramó en El sus bendiciones.

⁴¹,⁴²A los doce años Jesús acompañó a sus padres a Jerusalén en ocasión de las fiestas pascuales, a las que todos los años asistían. ⁴³Una vez terminadas las celebraciones, partieron de regreso a Nazaret, pero Jesús se quedó en Jerusalén. ⁴⁴Sus padres no se dieron cuenta durante aquel primer día, porque dieron por sentado que andaba con algunos amigos que viajaban con ellos en la caravana. Pero al ver que caía la noche y no aparecía, se pusieron a buscarlo entre los parientes y amigos; ⁴⁵y al no hallarlo, regresaron a Jerusalén.

⁴⁶,⁴⁷Tres días más tarde lo encontraron en el Templo, sentado entre los maestros de la ley y metido en discusiones tan profundas que aun aquellos expertos se maravillaban de su inteligencia y de sus respuestas. ⁴⁸Al hallarlo allí sentado tranquilamente, sus padres se quedaron casi sin habla.

—¡Hijo! —dijo su madre al fin—. ¿Por qué nos has hecho esto? Tu padre y yo hemos estado desesperados buscándote por todas partes.

⁴⁹—¿Por qué me buscaban? —le respondió Jesús—. ¿No se les ocurrió pensar que estaba en el Templo ocupado en los asuntos de mi Padre?

⁵⁰Pero no lo entendieron. ⁵¹Regresaron a Nazaret, y su madre atesoró en el corazón estas cosas.

Jesús obedecía a sus padres, ⁵²y mientras tanto crecía en estatura y en sabiduría, cautivaba el amor de Dios y de los hombres.

3 EN EL DÉCIMOQUINTO año del gobierno del emperador Tiberio César, siendo Poncio Pilato gobernador de Judea; Herodes tetrarca de Galilea; Felipe, el hermano de Herodes, tetrarca de Iturea y de la provincia de Traconite; y Lisania tetrarca de Abilinia, ²y siendo Anás y Caifás los sumos sacerdotes, Juan, el hijo de Zacarías, recibió en el desierto un mensaje de Dios.

³Sin pérdida de tiempo salió a recorrer las dos riberas del Jordán, predicando que para recibir el perdón de los pecados era necesario bautizarse como manifestación

the requirements of the Law of God they returned home to Nazareth in Galilee. ⁴⁰ There the child became a strong, robust lad, and was known for wisdom beyond his years; and God poured out his blessings on him.

⁴¹,⁴² When Jesus was twelve years old he accompanied his parents to Jerusalem for the annual Passover Festival, which they attended each year. ⁴³ After the celebration was over they started home to Nazareth, but Jesus stayed behind in Jerusalem. His parents didn't miss him the first day, ⁴⁴ for they assumed he was with friends among the other travelers. But when he didn't show up that evening, they started to look for him among their relatives and friends; ⁴⁵ and when they couldn't find him, they went back to Jerusalem to search for him there.

⁴⁶,⁴⁷ Three days later they finally discovered him. He was in the Temple, sitting among the teachers of Law, discussing deep questions with them and amazing everyone with his understanding and answers.

⁴⁸ His parents didn't know what to think. "Son!" his mother said to him. "Why have you done this to us? Your father and I have been frantic, searching for you everywhere."

⁴⁹ "But why did you need to search?" he asked. "Didn't you realize that I would be here at the Temple, in my Father's House?" ⁵⁰ But they didn't understand what he meant.

⁵¹ Then he returned to Nazareth with them and was obedient to them; and his mother stored away all these things in her heart. ⁵² So Jesus grew both tall and wise, and was loved by God and man.

3 IN THE FIFTEENTH year of the reign of Emperor Tiberius Caesar, a message came from God to John (the son of Zacharias), as he was living out in the deserts. (Pilate was governor over Judea at that time; Herod, over Galilee; his brother Philip, over Iturea and Trachonitis; Lysanias, over Abilene; and Annas and Caiaphas were High Priests.) ³ Then John went from place to place on both sides of the Jordan River, preaching that people should be baptized to show that they had turned to God and away from their sins, in order

externa de un arrepentimiento interno. ⁴Tal como previamente lo había descrito el profeta Isaías, Juan era una voz que clamaba en el desierto: "Prepárense para la venida del Señor; rectifiquen sus vidas. ⁵Derriben las montañas, rellenen los valles, enderecen los caminos torcidos y allanen los surcos. ⁶Entonces la humanidad entera verá al Salvador que Dios envió". ⁷Juan se dirigía a las multitudes que iban a bautizarse, más o menos en estos términos:

—¡Hijos de víboras! ¿Creen que bautizándose van a escapar de la ira venidera? ⁸¡No! Primero vayan y demuestren en la práctica que se han arrepentido de veras. Y no crean que se van a salvar porque son descendientes de Abraham. Eso no basta. ¡Aun de estas piedras puede Dios hacerle descendientes a Abraham! ⁹El hacha del juicio pende sobre ustedes, lista para cortarlos de raíz. Cualquier árbol que no produce buen fruto será cortado y arrojado al fuego.

¹⁰—¿Y qué quieres que hagamos? —le preguntaban.

¹¹—Si tienes dos túnicas —les solía responder—, dale una a un pobre. Si te sobra la comida, repártela entre los que no tienen.

¹²Aun los cobradores de impuestos, famosos por lo corruptos que eran, iban a bautizarse y le preguntaban:

—¿En qué forma quieres que te demostremos que nos hemos apartado del pecado?

¹³—Siendo honrados —les respondía—. No cobren más de lo que el gobierno romano exige.

¹⁴Y si un soldado le preguntaba qué tenía que hacer, Juan le respondía:

—No exijas dinero a la fuerza; no acuses a ningún inocente; y conténtate con lo que recibes de salario.

¹⁵Como todo el mundo esperaba que el Mesías apareciera pronto, estaban ansiosos por saber si Juan lo era o no. Era la pregunta del momento.

¹⁶Un día Juan la contestó así:

—Yo bautizo sólo con agua, pero pronto vendrá un hombre cuya autoridad es superior a la mía. Del tal no soy digno ni de desatarle la correa de su calzado. El los bautizará con el fuego del Espíritu Santo, ¹⁷y separará la paja del trigo y quemará la paja en la hoguera eterna y preservará el

to be forgiven.

⁴ In the words of Isaiah the prophet, John was "a voice shouting from the barren wilderness, 'Prepare a road for the Lord to travel on! Widen the pathway before him! ⁵ Level the mountains! Fill up the valleys! Straighten the curves! Smooth out the ruts! ⁶ And then all mankind shall see the Savior sent from God.' "

⁷ Here is a sample of John's preaching to the crowds that came for baptism: "You brood of snakes! You are trying to escape hell without truly turning to God! That is why you want to be baptized! ⁸ First go and prove by the way you live that you really have repented. And don't think you are safe because you are descendants of Abraham. That isn't enough. God can produce children of Abraham from these desert stones! ⁹ The axe of his judgment is poised over you, ready to sever your roots and cut you down. Yes, every tree that does not produce good fruit will be chopped down and thrown into the fire."

¹⁰ The crowd replied, "What do you want us to do?"

¹¹ "If you have two coats," he replied, "give one to the poor. If you have extra food, give it away to those who are hungry."

¹² Even tax collectors—notorious for their corruption—came to be baptized and asked, "How shall we prove to you that we have abandoned our sins?"

¹³ "By your honesty," he replied. "Make sure you collect no more taxes than the Roman government requires you to."

¹⁴ "And us," asked some soldiers, "what about us?"

John replied, "Don't extort money by threats and violence; don't accuse anyone of what you know he didn't do; and be content with your pay!"

¹⁵ Everyone was expecting the Messiah to come soon, and eager to know whether or not John was he. This was the question of the hour, and was being discussed everywhere.

¹⁶ John answered the question by saying, "I baptize only with water; but someone is coming soon who has far higher authority than mine; in fact, I am not even worthy of being his slave. He will baptize you with fire—with the Holy Spirit. ¹⁷ He will separate chaff from grain, and burn up the chaff with eternal fire and store away the grain."

grano.

[18]Solía usar exhortaciones como éstas para anunciar las buenas nuevas al pueblo. [19,20]En una ocasión denunció públicamente a Herodes, el gobernador de Galilea, por haberse casado con Herodías, la esposa de su hermano, y por las maldades que cometía. Y un día Herodes añadió a sus maldades otra más: mandó aprehender a Juan el Bautista.

[21]En una ocasión en que las multitudes se agolpaban para que Juan las bautizara, Jesús fue a que lo bautizara también. Después del bautismo, mientras oraba, el cielo se abrió [22]y el Espíritu Santo descendió sobre El en forma de paloma y una voz del cielo dijo:

—Tú eres mi Hijo amado; en ti me complazco.

[23]Jesús tenía treinta años de edad cuando comenzó su ministerio público.

Era conocido como hijo de José.

José era hijo de Elí;
[24]Elí era hijo de Matat;
Matat de Leví;
Leví de Melqui;
Melqui de Jana;
Jana de José;
[25]José de Matatías;
Matatías de Amós;
Amós de Nahum;
Nahum de Esli;
Esli de Nagai;
[26]Nagai de Maat;
Maat de Matatías;
Matatías de Semei;
Semei de José;
José de Judá;
[27]Judá de Joana;
Joana de Resa;
Resa de Zorobabel;
Zorobabel de Salatiel;
Salatiel de Neri;
[28]Neri de Melqui;
Melqui de Adi;
Adi de Cosam;
Cosam de Elmodam;
Elmodam de Er;
[29]Er de Josué;
Josué de Eliezer;
Eliezer de Jorim;
Jorim de Matat;
[30]Matat de Leví;
Leví de Simeón;
Simeón de Judá;

[18] He used many such warnings as he announced the Good News to the people.

[19,20] (But after John had publicly criticized Herod, governor of Galilee, for marrying Herodias, his brother's wife, and for many other wrongs he had done, Herod put John in prison, thus adding this sin to all his many others.) [21] Then one day, after the crowds had been baptized, Jesus himself was baptized; and as he was praying, the heavens opened, [22] and the Holy Spirit in the form of a dove settled upon him, and a voice from heaven said, "You are my much loved Son, yes, my delight."

[23-38] Jesus was about thirty years old when he began his public ministry.

Jesus was known as the son of Joseph.

Joseph's father was Heli;
Heli's father was Matthat;
Matthat's father was Levi;
Levi's father was Melchi;
Melchi's father was Jannai;
Jannai's father was Joseph;
Joseph's father was Mattathias;
Mattathias' father was Amos;
Amos' father was Nahum;
Nahum's father was Esli;
Esli's father was Naggai;
Naggai's father was Maath;
Maath's father was Mattathias;
Mattathias' father was Semein;
Semein's father was Josech;
Josech's father was Joda;
Joda's father was Joanan;
Joanan's father was Rhesa;
Rhesa's father was Zerubbabel;
Zerubbabel's father was Shealtiel;
Shealtiel's father was Neri;
Neri's father was Melchi;
Melchi's father was Addi;
Addi's father was Cosam;
Cosam's father was Elmadam;
Elmadam's father was Er;
Er's father was Joshua;
Joshua's father was Eliezer;
Eliezer's father was Jorim;
Jorim's father was Matthat;
Matthat's father was Levi;
Levi's father was Simeon;
Simeon's father was Judah;

Judá de José;	Judah's father was Joseph;
José de Jonán;	Joseph's father was Jonam;
Jonán de Eliaquim;	Jonam's father was Eliakim;
[31]Eliaquim de Melea;	Eliakim's father was Melea;
Melea de Mainán;	Melea's father was Menna;
Mainán de Matata;	Menna's father was Mattatha;
Matata de Natán;	Mattatha's father was Nathan;
[32]Natán de David;	Nathan's father was David;
David de Isaí;	David's father was Jesse;
Isaí de Obed;	Jesse's father was Obed;
Obed de Booz;	Obed's father was Boaz;
Booz de Salmón;	Boaz' father was Salmon;
Salmón de Naasón;	Salmon's father was Nahshon;
[33]Naasón de Aminadab;	Nahshon's father was Amminadab;
Aminadab de Aram;	Amminadab's father was Admin;
Aram de Esrom;	Admin's father was Arni;
Esrom de Fares;	Arni's father was Hezron;
Fares de Judá;	Hezron's father was Perez;
[34]Judá de Jacob;	Perez' father was Judah;
Jacob de Isaac;	Judah's father was Jacob;
Isaac de Abraham;	Jacob's father was Isaac;
Abraham de Taré;	Isaac's father was Abraham;
Taré de Nacor;	Abraham's father was Terah;
[35]Nacor de Serug;	Terah's father was Nahor;
Serug de Ragau;	Nahor's father was Serug;
Ragau de Peleg;	Serug's father was Reu;
Peleg de Heber;	Reu's father was Peleg;
Heber de Sala;	Peleg's father was Eber;
[36]Sala de Cainán;	Eber's father was Shelah;
Cainán de Arfaxad;	Shelah's father was Cainan;
Arfaxad de Sem;	Cainan's father was Arphaxad;
Sem de Noé;	Arphaxad's father was Shem;
Noé de Lamec;	Shem's father was Noah;
[37]Lamec de Matusalén;	Noah's father was Lamech;
Matusalén de Enoc;	Lamech's father was Methuselah;
Enoc de Jared;	Methuselah's father was Enoch;
Jared de Mahalaleel;	Enoch's father was Jared;
Mahalaleel de Cainán;	Jared's father was Mahalaleel;
[38]Cainán de Enós;	Mahalaleel's father was Cainan;
Enós de Set;	Cainan's father was Enos;
Set de Adán.	Enos' father was Seth;
Y Adán era hijo de Dios.	Seth's father was Adam;
	Adam's father was God.

4 ENTONCES JESÚS, LLENO del Espíritu Santo, salió del Jordán, e impulsado por el Espíritu, se dirigió al desierto de Judea, donde Satanás lo estuvo tentando cuarenta días. Aquellos cuarenta días se los pasó sin comer. Al verlo hambriento, [3]Satanás le dijo:

—Si eres el Hijo de Dios, dile a esta piedra que se vuelva pan.

[4]—Escrito está —le respondió Jesús—, "En la vida hay algo más importante que el

4 THEN JESUS, FULL of the Holy Spirit, left the Jordan River, being urged by the Spirit out into the barren wastelands of Judea, where Satan tempted him for forty days. He ate nothing all that time, and was very hungry.

[3] Satan said, "If you are God's Son, tell this stone to become a loaf of bread."

[4] But Jesus replied, "It is written in the Scriptures, 'Other things in life are much

pan: obedecer la palabra de Dios".

⁵Entonces Satanás lo llevó hasta cierta altura desde la que le mostró en un momento todos los reinos del mundo.

⁶,⁷—Esos espléndidos reinos que ves allá abajo son míos y puedo dárselos a quien quiera —le dijo el diablo—. Te los entregaré con toda su gloria si de rodillas me adoras.

⁸—Satanás, déjame tranquilo. Tú sabes bien que las Escrituras dicen: "Sólo a Dios el Señor adorarás. Sólo a Dios el Señor obedecerás".

⁹⁻¹¹Entonces Satanás se lo llevó al pináculo del Templo y le dijo:

—Si eres el Hijo de Dios, salta desde aquí. Las Escrituras dicen que "Dios enviará a sus ángeles a cuidarte, para que no te destroces contra las rocas".

¹²—Pero se te olvida que las Escrituras dicen: "No pongas a prueba a Dios innecesariamente".

Al oír aquella respuesta de Jesús, ¹³el diablo dejó de tentarlo y se alejó de El un tiempo.

¹⁴Jesús regresó a Galilea lleno del poder del Espíritu Santo. Pronto adquirió fama en la región. ¹⁵Solía enseñar en las sinagogas y a todo el mundo le gustaban sus sermones.

¹⁶Cuando visitó Nazaret, el pueblo de su infancia, entró como de costumbre en la sinagoga un día de reposo, y se paró a leer las Escrituras. ¹⁷Le entregaron el libro del profeta Isaías, y lo abrió en aquel pasaje que dice: ¹⁸,¹⁹"El Espíritu del Señor está sobre mí. Me ha ungido para dar buenas noticias a los pobres, y me ha enviado a sanar a los quebrantados de corazón, y a proclamar que los cautivos obtendrán la libertad, que los ciegos recuperarán la vista, que los oprimidos quedarán libres de sus opresores, y que ha llegado el momento en que Dios está enteramente dispuesto a bendecir a los que lo buscan".

²⁰Cerró el libro, se lo entregó al encargado, y se sentó. Los ojos de la congregación entera estaban fijos en El.

²¹—Esta Escritura acaba de cumplirse hoy —dijo.

²²Los presentes hablaban bien de El, y estaban sorprendidos con las bellas palabras que brotaban de sus labios.

—¡Caramba! ¿No es éste el hijo de José? —dijo alguien.

more important than bread!' "

⁵ Then Satan took him up and revealed to him all the kingdoms of the world in a moment of time; ⁶,⁷ and the devil told him, "I will give you all these splendid kingdoms and their glory—for they are mine to give to anyone I wish—if you will only get down on your knees and worship me."

⁸ Jesus replied, "We must worship God, and him alone. So it is written in the Scriptures."

⁹,¹⁰,¹¹ Then Satan took him to Jerusalem to a high roof of the Temple and said, "If you are the Son of God, jump off! For the Scriptures say that God will send his angels to guard you and to keep you from crashing to the pavement below!"

¹² Jesus replied, "The Scriptures also say, 'Do not put the Lord your God to a foolish test.' "

¹³ When the devil had ended all the temptations, he left Jesus for a while and went away.

¹⁴ Then Jesus returned to Galilee, full of the Holy Spirit's power. Soon he became well known throughout all that region ¹⁵ for his sermons in the synagogues; everyone praised him.

¹⁶ When he came to the village of Nazareth, his boyhood home, he went as usual to the synagogue on Saturday, and stood up to read the Scriptures. ¹⁷ The book of Isaiah the prophet was handed to him, and he opened it to the place where it says:

¹⁸,¹⁹ "The Spirit of the Lord is upon me; he has appointed me to preach Good News to the poor; he has sent me to heal the brokenhearted and to announce that captives shall be released and the blind shall see, that the downtrodden shall be freed from their oppressors, and that God is ready to give blessings to all who come to him."

²⁰ He closed the book and handed it back to the attendant and sat down, while everyone in the synagogue gazed at him intently. ²¹ Then he added, "These Scriptures came true today!"

²² All who were there spoke well of him and were amazed by the beautiful words that fell from his lips. "How can this be?" they asked. "Isn't this Joseph's son?"

²³Entonces Jesús dijo:

—Probablemente estén pensando en el refrán que dice: "Médico, cúrate a ti mismo". Es decir, "¿Por qué no haces aquí en tu pueblo los milagros que hiciste en Capernaum?" ²⁴Pero les voy a decir la verdad: A ningún profeta lo aceptan en su propio pueblo. ²⁵,²⁶¿No recuerdan que Elías el profeta realizó un milagro a favor de aquella viuda extranjera de Sarepta de Sidón? ¡No me van a decir que no había viudas necesitadas en Israel en aquellos días de hambre provocados por tres años y medio de sequía! Sí, había viudas necesitadas en Israel, pero Elías no fue enviado a ellas. ²⁷¿Y qué me dicen del profeta Eliseo, que sanó al sirio Naamán en vez de sanar a los miles de leprosos judíos que necesitaban sanidad?

²⁸Aquellas palabras de Jesús los llenaron de ira ²⁹y lo llevaron hasta el borde del monte sobre el que la ciudad estaba edificada. Cuando ya se disponían a despeñarlo, ³⁰Jesús pasó por en medio de ellos y se fue.

³¹Jesús regresó a Capernaum, ciudad de Galilea. Cada día de reposo iba a predicar en las sinagogas. ³²La gente se sorprendía de sus enseñanzas porque hablaba como el que sabe la verdad de primera mano, y no como los que se basan en la opinión de los demás.

³³Un día en que enseñaba en la sinagoga, un endemoniado se puso a gritar:

³⁴—¡Vete, vete! ¡No queremos saber nada de ti, Jesús de Nazaret! ¡Has venido a destruirnos! ¡Sé bien que eres el Santo Hijo de Dios!

³⁵—¡Cállate! —lo interrumpió Jesús—. ¡Sal de ese hombre!

El demonio arrojó el hombre al piso y salió sin causar mayores daños.

³⁶Asombrada, la multitud se preguntaba:

—¿Qué tendrán las palabras de este hombre que aun los demonios lo obedecen?

³⁷La noticia de aquel acontecimiento se esparció por aquella región como impetuoso fuego.

³⁸Al salir de la sinagoga se dirigieron a casa de Simón, cuya suegra estaba en cama, presa de una fiebre altísima. La gente le suplicó que la sanara.

³⁹Al llegar junto al lecho, reprendió a la fiebre e inmediatamente la temperatura bajó a su nivel normal y la mujer pudo

²³ Then he said, "Probably you will quote me that proverb, 'Physician, heal yourself'—meaning, 'Why don't you do miracles here in your home town like those you did in Capernaum?' ²⁴ But I solemnly declare to you that no prophet is accepted in his own home town! ²⁵,²⁶ For example, remember how Elijah the prophet used a miracle to help the widow of Zarephath—a foreigner from the land of Sidon. There were many Jewish widows needing help in those days of famine, for there had been no rain for three and one-half years, and hunger stalked the land; yet Elijah was not sent to them. ²⁷ Or think of the prophet Elisha, who healed Naaman, a Syrian, rather than the many Jewish lepers needing help."

²⁸ These remarks stung them to fury; ²⁹ and jumping up, they mobbed him and took him to the edge of the hill on which the city was built, to push him over the cliff. ³⁰ But he walked away through the crowd and left them.

³¹ Then he returned to Capernaum, a city in Galilee, and preached there in the synagogue every Saturday. ³² Here, too, the people were amazed at the things he said. For he spoke as one who knew the truth, instead of merely quoting the opinions of others as his authority.

³³ Once as he was teaching in the synagogue, a man possessed by a demon began shouting at Jesus, ³⁴ "Go away! We want nothing to do with you, Jesus from Nazareth. You have come to destroy us. I know who you are—the Holy Son of God."

³⁵ Jesus cut him short. "Be silent!" he told the demon. "Come out!" The demon threw the man to the floor as the crowd watched, and then left him without hurting him further.

³⁶ Amazed, the people asked, "What is in this man's words that even demons obey him?" ³⁷ The story of what he had done spread like wildfire throughout the whole region.

³⁸ After leaving the synagogue that day, he went to Simon's home where he found Simon's mother-in-law very sick with a high fever. "Please heal her," everyone begged.

³⁹ Standing at her bedside he spoke to the fever, rebuking it, and immediately her temperature returned to normal and she got up

levantarse y prepararles comida.

⁴⁰Atardecía. Los de la población que tenían enfermos en sus casas los iban llevando a Jesús. Las enfermedades eran diversas, pero bastaba que les pusiera las manos encima para que sanaran. ⁴¹Algunos eran endemoniados. Al salir, los demonios gritaban:

—¡Eres el Hijo de Dios!

Pero Jesús no los dejaba hablar, porque sabían que era el Cristo.

⁴²Al amanecer del siguiente día se fue al desierto. La gente lo buscó por todas partes, y cuando lo hallaron le suplicaron que no los dejara, que se quedara en Capernaum. ⁴³Pero El les respondió:

—Tengo que predicar las buenas noticias del reino de Dios en otros lugares también. Para eso me enviaron.

⁴⁴Y continuó viajando y predicando en todas las sinagogas de Galilea.

5 UN DÍA EN que predicaba junto al lago de Genesaret, un gran gentío se agolpó sobre El para escuchar la palabra de Dios. ²Se fijó entonces que en la orilla del lago había dos barcas junto a las cuales varios pescadores lavaban sus redes. ³Subiéndose en una de las barcas, suplicó a Simón, el propietario, que se alejara un poco de la orilla para poder sentarse en ella y hablarle desde allí a la multitud.

⁴Cuando terminó de hablar, dijo a Simón:

—Gracias. Ahora vete un poco más hacia el centro y tira las redes, que vas a pescar muchísimos peces.

⁵—Señor —le respondió Simón—, nos hemos pasado la noche entera trabajando y no hemos pescado nada. Pero si tú lo dices . . .

⁶Cuando trató de sacar la red era tan grande la pesca que la red se rompía. ⁷Tuvieron que hacer señas a los compañeros que estaban en la otra barca para que corrieran a ayudarlos y aun así las dos barcas se llenaron casi hasta el punto de hundirse.

⁸Cuando Simón Pedro se dio cuenta cabal de lo sucedido, se tiró de rodillas ante Jesús y le dijo:

—Aléjate de mí, Señor, que soy demasiado pecador para estar junto a ti.

⁹Ni él ni los demás compañeros salían del asombro que les produjo aquella pesca

and prepared a meal for them!

⁴⁰ As the sun went down that evening, all the villagers who had any sick people in their homes, no matter what their diseases were, brought them to Jesus; and the touch of his hands healed every one! ⁴¹ Some were possessed by demons; and the demons came out at his command, shouting, "You are the Son of God." But because they knew he was the Christ, he stopped them and told them to be silent.

⁴² Early the next morning he went out into the desert. The crowds searched everywhere for him and when they finally found him they begged him not to leave them, but to stay at Capernaum. ⁴³ But he replied, "I must preach the Good News of the Kingdom of God in other places too, for that is why I was sent." ⁴⁴ So he continued to travel around preaching in synagogues throughout Judea.

5 ONE DAY AS he was preaching on the shore of Lake Gennesaret, great crowds pressed in on him to listen to the Word of God. ² He noticed two empty boats standing at the water's edge while the fishermen washed their nets. ³ Stepping into one of the boats, Jesus asked Simon, its owner, to push out a little into the water, so that he could sit in the boat and speak to the crowds from there.

⁴ When he had finished speaking, he said to Simon, "Now go out where it is deeper and let down your nets and you will catch a lot of fish!"

⁵ "Sir," Simon replied, "we worked hard all last night and didn't catch a thing. But if you say so, we'll try again."

⁶ And this time their nets were so full that they began to tear! ⁷ A shout for help brought their partners in the other boat and soon both boats were filled with fish and on the verge of sinking.

⁸ When Simon Peter realized what had happened, he fell to his knees before Jesus and said, "Oh, sir, please leave us—I'm too much of a sinner for you to have around." ⁹ For he was awestruck by the size of their catch, as were the others with him, ¹⁰ and

milagrosa. ¹⁰Y lo mismo sucedió a sus socios Jacobo y Juan, hijos de Zebedeo.

—No temas —le respondió Jesús—. De ahora en adelante te dedicarás a pescar hombres

¹¹Tan pronto desembarcaron, lo abandonaron todo y se fueron con El.

¹²En cierto pueblo se les presentó un hombre con un caso de lepra avanzada. Al ver a Jesús, se tiró al suelo delante de El y, rostro en tierra, le suplicó que lo sanara:

—Señor, si quieres, puedes limpiarme.

¹³Jesús extendió la mano y lo tocó.

—Quiero. Cúrate.

Y la lepra desapareció al instante.

¹⁴Entonces Jesús le explicó que debía ir enseguida a que lo examinara el sacerdote judío, y que no se detuviera a hablar con nadie.

—Vé y ofrece los sacrificios que la ley de Moisés requiere de los leprosos que sanan —le dijo—. Así todo el mundo sabrá que ya estás bien.

¹⁵Aquel caso aumentó la fama de Jesús, y eran inmensas las multitudes que acudían a El para oírle predicar y para que les sanara sus enfermedades. ¹⁶Pero El muchas veces se apartaba a los lugares desiertos a orar.

¹⁷Un día en que enseñaba ante varios fariseos y maestros de la ley procedentes de todos los pueblos de Galilea y Judea, y también de Jerusalén, demostró con un milagro que el poder de Dios estaba con El.

¹⁸Varios hombres llegaron con un paralítico en una camilla y trataron de abrirse paso entre la multitud. ¹⁹Al ver que no podían, subieron al techo, exactamente sobre el Maestro, quitaron algunas de las tejas y bajaron la camilla. El paralítico quedó frente a Jesús.

²⁰Al ver la fe de aquellos hombres, Jesús le dijo al paralítico:

—Amigo mío, te perdono tus pecados.

²¹—¿Quién se cree éste? —se dijeron los fariseos y los maestros de la ley—. ¡Eso es una blasfemia! El único que puede perdonar los pecados es Dios.

²²Jesús, que sabía lo que estaban pensando, les respondió:

—¿Y por qué dicen que es blasfemia? ²³¿Creen que es más fácil perdonarle los pecados que sanarlo? ²⁴Pues lo voy a sanar para que vean que yo, el Hijo del Hombre tengo autoridad para perdonar los pecados.

his partners too—James and John, the sons of Zebedee. Jesus replied, "Don't be afraid! From now on you'll be fishing for the souls of men!"

¹¹ And as soon as they landed, they left everything and went with him.

¹² One day in a certain village he was visiting, there was a man with an advanced case of leprosy. When he saw Jesus he fell to the ground before him, face downward in the dust, begging to be healed.

"Sir," he said, "if you only will, you can clear me of every trace of my disease."

¹³ Jesus reached out and touched the man and said, "Of course I will. Be healed." And the leprosy left him instantly! ¹⁴ Then Jesus instructed him to go at once without telling anyone what had happened and be examined by the Jewish priest. "Offer the sacrifice Moses' law requires for lepers who are healed," he said. "This will prove to everyone that you are well." ¹⁵ Now the report of his power spread even faster and vast crowds came to hear him preach and to be healed of their diseases. ¹⁶ But he often withdrew to the wilderness for prayer.

¹⁷ One day while he was teaching, some Jewish religious leaders and teachers of the Law were sitting nearby. (It seemed that these men showed up from every village in all Galilee and Judea, as well as from Jerusalem.) And the Lord's healing power was upon him.

¹⁸,¹⁹ Then—look! Some men came carrying a paralyzed man on a sleeping mat. They tried to push through the crowd to Jesus but couldn't reach him. So they went up on the roof above him, took off some tiles and lowered the sick man down into the crowd, still on his sleeping mat, right in front of Jesus.

²⁰ Seeing their faith, Jesus said to the man, "My friend, your sins are forgiven!"

²¹ "Who does this fellow think he is?" the Pharisees and teachers of the Law exclaimed among themselves. "This is blasphemy! Who but God can forgive sins?"

²² Jesus knew what they were thinking, and he replied, "Why is it blasphemy? ²³,²⁴ I, the Messiah, have the authority on earth to forgive sins. But talk is cheap—anybody could say that. So I'll prove it to you by healing this man." Then, turning to the

Volviéndose al paralítico, le dijo:

—Levántate, recoge tu camilla y vete.

²⁵Inmediatamente, ante los ojos de todos, el hombre se puso de pie de un salto, tomó su camilla y se alejó alabando a Dios. ²⁶Una sensación de asombro y temor envolvió a la concurrencia. Y se pusieron a alabar a Dios y a repetir:

—Hoy hemos visto maravillas.

²⁷Cuando salía del pueblo se encontró con un cobrador de impuestos sentado cerca de la mesa de las cobranzas. Se llamaba Leví y, al igual que los demás publicanos o cobradores de impuestos, tenía fama de estafador. Jesús le dijo:

—Sígueme. Quiero que seas mi discípulo.

²⁸Sin pensarlo dos veces, Leví lo abandonó todo y siguió tras El.

²⁹No mucho después Leví organizó en su casa un banquete en honor de Jesús. Muchos de los colegas de Leví y varios otros individuos estaban presentes.

³⁰Inmediatamente los fariseos y los maestros de la ley se quejaron a los discípulos de Jesús de que estuvieran comiendo con tan notorios pecadores. ³¹Jesús les respondió:

—Los enfermos son los que necesitan médico, no los sanos. ³²Mi propósito es invitar a los pecadores a arrepentirse, y no perder el tiempo con los que se creen buenos.

³³Pero allí no terminaron las quejas.

—Los discípulos de Juan el Bautista a menudo ayunan y oran —dijeron a Jesús—, y los discípulos de los fariseos también. ¿Por qué los tuyos siempre comen y beben?

³⁴,³⁵—¿Quién ha visto que los que están alegres ayunan? —les respondió Jesús—. ¿Quién ha visto que los que van a una fiesta de boda se pasan la fiesta en ayunas con el novio? Llegará el momento en que les arrebatarán al novio y entonces ayunarán.

³⁶Entonces Jesús usó la siguiente alegoría:

—Nadie corta un pedazo de tela sin remojar y remienda con ella ropa vieja, porque no sólo se desperdicia la nueva, sino que ésta echa a perder la vieja al encogerse y romper el remiendo. ³⁷Y a nadie se le ocurriría poner vino nuevo en odres viejos porque el vino nuevo reventaría los odres viejos, con lo que se echarían a perder los

paralyzed man, he commanded, "Pick up your stretcher and go on home, for you are healed!"

²⁵ And immediately, as everyone watched, the man jumped to his feet, picked up his mat and went home praising God! ²⁶ Everyone present was gripped with awe and fear. And they praised God, remarking over and over again, "We have seen strange things today."

²⁷ Later on as Jesus left the town he saw a tax collector—with the usual reputation for cheating—sitting at a tax collection booth. The man's name was Levi. Jesus said to him, "Come and be one of my disciples!" ²⁸ So Levi left everything, sprang up and went with him.

²⁹ Soon Levi held a reception in his home with Jesus as the guest of honor. Many of Levi's fellow tax collectors and other guests were there.

³⁰ But the Pharisees and teachers of the Law complained bitterly to Jesus' disciples about his eating with such notorious sinners.

³¹ Jesus answered them, "It is the sick who need a doctor, not those in good health. ³² My purpose is to invite sinners to turn from their sins, not to spend my time with those who think themselves already good enough."

³³ Their next complaint was that Jesus' disciples were feasting instead of fasting. "John the Baptist's disciples are constantly going without food, and praying," they declared, "and so do the disciples of the Pharisees. Why are yours wining and dining?"

³⁴ Jesus asked, "Do happy men fast? Do wedding guests go hungry while celebrating with the groom? ³⁵ But the time will come when the bridegroom will be killed; then they won't want to eat."

³⁶ Then Jesus used this illustration: "No one tears off a piece of a new garment to make a patch for an old one. Not only will the new garment be ruined, but the old garment will look worse with a new patch on it! ³⁷ And no one puts new wine into old wineskins, for the new wine bursts the old

odres y se perdería el vino. ³⁸El vino nuevo se echa en odres nuevos. ³⁹Y a ninguno que beba del vino viejo le gusta después el nuevo, porque, como dicen: "El vino viejo siempre es mejor".

6 UN DÍA DE reposo en que Jesús y sus discípulos paseaban por unos trigales, los discípulos se pusieron a arrancar espigas, a restregarlas con las manos y a comerse los granos. ²Unos fariseos, al verlos, le dijeron:

—Tus discípulos están recogiendo grano hoy sábado, y la ley lo prohíbe.

³—¿No conocen las Escrituras? —les respondió Jesús—. ¿Saben lo que hizo el rey David cuando él y sus hombres tuvieron hambre? ⁴Entraron en el Templo y tomaron los panes de la proposición, panes sagrados que sólo los sacerdotes podían comer, y aunque era ilegal hacerlo, comió de ellos y dejó que sus compañeros comieran.

⁵Y añadió:

—Yo soy Señor aun del día de reposo.

⁶En otro día de reposo en que predicó en la sinagoga, uno de los presentes tenía la mano derecha deforme. ⁷Los maestros de la ley y los fariseos lo vigilaban estrechamente para ver si se atrevía a sanarlo aquel día, siendo como era, día de reposo. Anhelaban poder hallar algo de qué acusarlo.

⁸Jesús sabía muy bien lo que estaban pensando, pero le dijo al hombre de la mano deforme:

—Ven y párate acá donde todos te puedan ver.

El hombre obedeció, ⁹y Jesús dijo a los fariseos y a los maestros de la ley:

—Déjenme preguntarles algo. ¿Qué es más correcto en el día de reposo, hacer el bien o hacer el mal, salvar una vida o destruirla?

¹⁰Fue mirándolos uno a uno, y luego dijo al hombre:

—Extiende tu mano.

Y al hacerlo quedó perfectamente bien. ¹¹No obstante, los enemigos de Jesús se llenaron de ira y se pusieron a urdir un plan para matarlo.

¹²Un día se fue al monte a orar y se pasó la noche orando. ¹³Al amanecer llamó a sus discípulos y entre éstos escogió a doce que formarían un círculo de allegados que llamó "apóstoles" o misioneros. Sus nom-

skins, ruining the skins and spilling the wine. ³⁸ New wine must be put into new wineskins. ³⁹ But no one after drinking the old wine seems to want the fresh and the new. 'The old ways are best,' they say."

6 ONE SABBATH AS Jesus and his disciples were walking through some grainfields, they were breaking off the heads of wheat, rubbing off the husks in their hands and eating the grains.

² But some Pharisees said, "That's illegal! Your disciples are harvesting grain, and it's against the Jewish law to work on the Sabbath."

³ Jesus replied, "Don't you read the Scriptures? Haven't you ever read what King David did when he and his men were hungry? ⁴ He went into the Temple and took the shewbread, the special bread that was placed before the Lord, and ate it—illegal as this was—and shared it with others."

⁵ And Jesus added, "I am master even of the Sabbath."

⁶ On another Sabbath he was in the synagogue teaching, and a man was present whose right hand was deformed. ⁷ The teachers of the Law and the Pharisees watched closely to see whether he would heal the man that day, since it was the Sabbath. For they were eager to find some charge to bring against him.

⁸ How well he knew their thoughts! But he said to the man with the deformed hand, "Come and stand here where everyone can see." So he did.

⁹ Then Jesus said to the Pharisees and teachers of the Law, "I have a question for you. Is it right to do good on the Sabbath day, or to do harm? To save life, or to destroy it?"

¹⁰ He looked around at them one by one and then said to the man, "Reach out your hand." And as he did, it became completely normal again. ¹¹ At this, the enemies of Jesus were wild with rage, and began to plot his murder.

¹² One day soon afterwards he went out into the mountains to pray, and prayed all night. ¹³ At daybreak he called together his followers and chose twelve of them to be the inner circle of his disciples. (They were appointed as his "apostles," or "missionar-

bres eran:

¹⁴Simón (o Pedro, como lo llamaba),
Andrés (hermano de Simón),
Jacobo,
Juan,
Felipe,
Bartolomé,
¹⁵Mateo,
Tomás,
Jacobo (hijo de Alfeo),
Simón (apodado Zelote),
¹⁶Judas (hermano de Jacobo)
y Judas Iscariote, el que más tarde lo
traicionó.

¹⁷Jesús descendió con ellos y se detuvo
en un lugar llano. Inmediatamente los
demás discípulos los rodearon, y éstos a su
vez se vieron rodeados por un inmenso
gentío procedente de toda Judea, de Jerusalén y de lugares tan distantes como los
puertos norteños de Tiro y Sidón. Todos
habían viajado una gran distancia para
oírlo o para que El los sanara.

¹⁸Aquel día Jesús echó fuera muchos
demonios, ¹⁹y la gente procuraba tocarlo,
porque cuando alguien lograba tocarlo, de
Jesús emanaba un poder que curaba cualquier enfermedad.

²⁰Jesús se volvió a sus discípulos y les
dijo:

—Dichosos los pobres, porque el reino
de Dios les pertenece. ²¹Dichosos los que
tienen hambre, porque van a saciarse. Dichosos los que lloran, porque les ha de
llegar la hora de reír de alegría. ²²Dichosos
cuando los hombres los aborrezcan, los
desprecien, los insulten y hablen mal de
ustedes porque son míos. ²³Alégrense,
salten de alegría, porque en el cielo obtendrán una gran recompensa. Consuélense en
saber que a los profetas de la antigüedad
los trataban de la misma manera. ²⁴Pero
pobres de los ricos, cuya única felicidad
está en la tierra. ²⁵Ahora tienen abundancia
y prosperidad, pero ya les llegará el momento de pasar hambre. Ahora se ríen,
pero ya llorarán y se lamentarán. ²⁶Pobres
de aquellos que reciben la alabanza de la
gente, porque los falsos profetas siempre
han sido alabados.

²⁷Escúchenme bien: Ama a tu enemigo.
Haz el bien a los que te aborrecen; ²⁸ben-
dice a los que te maldicen; ora por los que te
calumnian. ²⁹Si alguien te da una bofetada,
deja que te vuelva a abofetear. Si alguien te

ies.") ¹⁴,¹⁵,¹⁶ Here are their names:
Simon (he also called him Peter),
Andrew (Simon's brother),
James,
John,
Philip,
Bartholomew,
Matthew,
Thomas,
James (the son of Alphaeus),
Simon (a member of the Zealots, a
subversive political party),
Judas (son of James),
Judas Iscariot (who later betrayed
him).

¹⁷,¹⁸ When they came down the slopes of
the mountain, they stood with Jesus on a
large, level area, surrounded by many of his
followers who, in turn, were surrounded by
the crowds. For people from all over Judea
and from Jerusalem and from as far north
as the seacoasts of Tyre and Sidon had come
to hear him or to be healed. And he cast out
many demons. ¹⁹ Everyone was trying to
touch him, for when they did healing power
went out from him and they were cured.

²⁰ Then he turned to his disciples and
said, "What happiness there is for you who
are poor, for the Kingdom of God is yours!
²¹ What happiness there is for you who are
now hungry, for you are going to be satisfied! What happiness there is for you who
weep, for the time will come when you shall
laugh with joy! ²² What happiness it is when
others hate you and exclude you and insult
you and smear your name because you are
mine! ²³ When that happens, rejoice! Yes,
leap for joy! For you will have a great reward awaiting you in heaven. And you will
be in good company—the ancient prophets
were treated that way too!

²⁴ "But, oh, the sorrows that await the
rich. For they have their only happiness
down here. ²⁵ They are fat and prosperous
now, but a time of awful hunger is before
them. Their careless laughter now means
sorrow then. ²⁶ And what sadness is ahead
for those praised by the crowds—for *false*
prophets have *always* been praised.

²⁷ "Listen, all of you. Love your *enemies.*
Do *good* to those who *hate* you. ²⁸ Pray for
the happiness of those who *curse* you; implore God's blessing on those who *hurt* you.

²⁹ "If someone slaps you on one cheek,
let him slap the other too! If someone de-

pide el saco, dale también la camisa. ³⁰Al que te pide, dale; y cuando te quiten las cosas, no trates de recuperarlas. ³¹Trata a los demás como deseas que te traten a ti. ³²Si sólo amas a los que te aman, no estás haciendo nada extraordinario, porque hasta los incrédulos lo hacen. ³³Y si sólo les haces el bien a los que te hacen el bien, ¿qué tienes de extraordinario? ¡Aun los pecadores lo hacen! ³⁴Y si prestas dinero sólo a los que pueden pagarte, nada extraordinario estás haciendo, porque hasta el más malvado prestaría dinero al más malo de los hombre si está seguro de que se lo va a pagar.

³⁵"Ama a tu enemigo. Hazle el bien. Préstale tus cosas sin que te lo impida el temor de que no te las vayan a devolver. Entonces tu recompensa en el cielo será grande, y estarás comportándote como un verdadero hijo de Dios, porque Dios es benévolo con los ingratos y con los malos. ³⁶Trata de ser tan benévolo como tu Padre.

³⁷"Nunca critiques ni juzgues a nadie, para que no te lo hagan a ti. Perdona, para que te perdonen, ³⁸porque el que da, recibe. Lo que des regresará a ti en medida buena, apretada, remecida para que quepa más, y rebosante. Con la misma medida con que midas lo que das, medirán lo que te devuelvan.

³⁹En sus sermones empleaba alegorías como la siguiente:

—¿De qué le sirve a un ciego que lo guíe otro ciego? Lo más seguro es que uno de los dos se caiga en una zanja y arrastre al otro en la caída.

⁴⁰"¿Quién ha visto que el estudiante sabe más que el maestro? Claro, si se esfuerza puede llegar a igualarlo.

⁴¹"¿Por qué te fijas en la paja que está en el ojo del otro, en sus pequeñas faltas, y no te fijas en la viga que tienes en el tuyo? ⁴²¿Te atreverías a pedirle permiso para sacarle la paja del ojo teniendo en el tuyo una viga que te impide ver? ¡Hipócrita! Sácate primero la viga y entonces quizás puedas ver lo suficiente para sacarle la paja.

⁴³"Ni el buen árbol da malos frutos, ni el árbol malo da buenos frutos. ⁴⁴Uno conoce al árbol por el fruto que produce. Los espinos no dan higos ni las zarzas dan uvas. ⁴⁵El hombre que es bueno hace el bien

mands your coat, give him your shirt besides. ³⁰ Give what you have to anyone who asks you for it; and when things are taken away from you, don't worry about getting them back. ³¹ Treat others as you want them to treat you.

³² "Do you think you deserve credit for merely loving those who love you? Even the godless do that! ³³ And if you do good only to those who do you good—is that so wonderful? Even sinners do that much! ³⁴ And if you lend money only to those who can repay you, what good is that? Even the most wicked will lend to their own kind for full return!

³⁵ "Love your *enemies!* Do good to *them!* Lend to *them!* And don't be concerned about the fact that they won't repay. Then your reward from heaven will be very great, and you will truly be acting as sons of God: for he is kind to the *unthankful* and to those who are *very wicked.*

³⁶ "Try to show as much compassion as your Father does. ³⁷ Never criticize or condemn—or it will all come back on you. Go easy on others; then they will do the same for you. ³⁸ For if you give, you will get! Your gift will return to you in full and overflowing measure, pressed down, shaken together to make room for more, and running over. Whatever measure you use to give—large or small—will be used to measure what is given back to you."

³⁹ Here are some of the story-illustrations Jesus used in his sermons: "What good is it for one blind man to lead another? He will fall into a ditch and pull the other down with him. ⁴⁰ How can a student know more than his teacher? But if he works hard, he may learn as much.

⁴¹ "And why quibble about the speck in someone else's eye—his little fault —when a board is in your own? ⁴² How can you think of saying to him, 'Brother, let me help you get rid of that speck in your eye,' when you can't see past the board in yours? Hypocrite! First get rid of the board, and then perhaps you can see well enough to deal with his speck!

⁴³ "A tree from good stock doesn't produce scrub fruit nor do trees from poor stock produce choice fruit. ⁴⁴ A tree is identified by the kind of fruit it produces. Figs never grow on thorns, or grapes on bramble bushes. ⁴⁵ A good man produces good deeds

porque tiene un buen corazón. Pero el que es malo hace el mal porque le brota de adentro, porque de la abundancia del corazón habla la boca. ⁴⁶¿Para qué me llaman Maestro si no me obedecen?

⁴⁷"El que viene a mí, me escucha y me obedece, ⁴⁸es como el hombre que edificó una casa sobre el firme cimiento de una roca. Cuando viene una inundación, la casa resiste los embates de las aguas porque está fundada firmemente sobre la roca. ⁴⁹Pero los que oyen y no obedecen son como el hombre que edificó una casa sobre tierra, sin cimientos. Cuando llegó la inundación, el ímpetu de las aguas derrumbó la casa y ésta quedó en ruinas.

7 CUANDO JESÚS TERMINÓ su sermón, regresó a Capernaum. ²Precisamente en aquellos días, en casa de un capitán del ejército romano, había caído enfermo un esclavo muy querido, y estaba al borde de la muerte. ³Cuando el capitán oyó hablar de Jesús, envió a varios respetables ancianos judíos a rogarle que fuera y sanara al esclavo. ⁴Los ancianos fueron a Jesús y le suplicaron encarecidamente que accediera a la solicitud del oficial.

—Ese hombre es una persona maravillosa —decían—. Si alguien merece que lo ayudes es él, ⁵porque ama tanto a los judíos que costeó personalmente la construcción de una sinagoga.

⁶Jesús los acompañó. No muy lejos de la casa, le salieron al encuentro varios amigos del capitán; portaban un mensaje.

"Señor", le mandaba decir el capitán, "no te molestes en venir a mi casa ⁷porque no merezco el honor de que vengas ni el honor de ir a encontrarme contigo. Pero di una palabra desde donde estás, y mi siervo sanará. ⁸Estoy acostumbrado a obedecer las órdenes de mis superiores y a que mis hombres me obedezcan. Si yo le digo a alguien 'vé', va, y si digo 'ven', viene; y si digo a mi esclavo 'haz esto', lo hace".

⁹Jesús, maravillado, se volvió al gentío y dijo:

—Ni aun entre los judíos he hallado tanta fe.

¹⁰Cuando los amigos del capitán regresaron a la casa, hallaron que el esclavo había sanado.

¹¹Jesús se dirigió con sus discípulos al pueblo de Naín, seguido como siempre por

from a good heart. And an evil man produces evil deeds from his hidden wickedness. Whatever is in the heart overflows into speech.

⁴⁶ "So why do you call me 'Lord' when you won't obey me? ^{47,48} But all those who come and listen and obey me are like a man who builds a house on a strong foundation laid upon the underlying rock. When the floodwaters rise and break against the house, it stands firm, for it is strongly built.

⁴⁹ "But those who listen and don't obey are like a man who builds a house without a foundation. When the floods sweep down against that house, it crumbles into a heap of ruins."

7 WHEN JESUS HAD finished his sermon he went back into the city of Capernaum.

² Just at that time the highly prized slave of a Roman army captain was sick and near death. ³ When the captain heard about Jesus, he sent some respected Jewish elders to ask him to come and heal his slave. ⁴ So they began pleading earnestly with Jesus to come with them and help the man. They told him what a wonderful person the captain was.

"If anyone deserves your help, it is he," they said, ⁵ "for he loves the Jews and even paid personally to build us a synagogue!"

^{6,7,8} Jesus went with them; but just before arriving at the house, the captain sent some friends to say, "Sir, don't inconvenience yourself by coming to my home, for I am not worthy of any such honor or even to come and meet you. Just speak a word from where you are, and my servant boy will be healed! I know, because I am under the authority of my superior officers, and I have authority over my men. I only need to say 'Go!' and they go; or 'Come!' and they come; and to my slave, 'Do this or that,' and he does it. So just say, 'Be healed!' and my servant will be well again!"

⁹ Jesus was amazed. Turning to the crowd he said, "Never among all the Jews in Israel have I met a man with faith like this."

¹⁰ And when the captain's friends returned to his house, they found the slave completely healed.

¹¹ Not long afterwards Jesus went with his disciples to the village of Nain, with the

una gran multitud. ¹²Al entrar en el pueblo se encontraron con un cortejo fúnebre que salía. El hijo único de una viuda había muerto, y mucha gente había ido a acompañar a la sufrida mujer.

¹³Cuando el Señor la vio, el corazón se le llenó de compasión.

—¡No llores! —le dijo.

¹⁴Entonces se acercó al féretro y lo tocó. Los que lo cargaban se detuvieron.

—Muchacho, resucita.

¹⁵E inmediatamente el joven se sentó y habló con los que lo rodeaban.

Jesús se lo devolvió a su madre.

¹⁶—Un gran profeta se ha levantado —decía con temor la gente, y alababa a Dios—. ¡Hoy hemos visto la mano de Dios actuar en medio de nosotros!

¹⁷La noticia de aquel acontecimiento llegó a todos los rincones de Judea y aun más allá de los límites de la región.

¹⁸Los discípulos de Juan se enteraron de las obras de Jesús y fueron a contárselas a Juan. ¹⁹Este envió a dos de sus discípulos a preguntarle a Jesús:

—¿Eres realmente el Mesías o tendremos que seguir esperando a otro?

²⁰,²¹Los dos discípulos hallaron a Jesús curando enfermos de diferentes enfermedades, inválidos, ciegos, y echando fuera espíritus malignos. ²²Cuando los discípulos de Juan le transmitieron la pregunta, respondió:

—Vayan a donde está Juan y díganle lo que han visto y oído; díganle que los ciegos ven, que los cojos andan sin muletas, que los leprosos se curan completamente, que los sordos oyen, que los muertos resucitan y que los pobres están escuchando las buenas noticias de Dios. ²³Y dígale además que el que no pierda su fe en mí recibirá grandes bendiciones.

²⁴Una vez que los mensajeros se fueron, Jesús habló de Juan.

—¿Quién creen que es ese hombre que salieron a ver al desierto de Judea? —les preguntó—. ¿Era acaso una caña sacudida por el viento? ²⁵¿Lo hallaron vestido con ropa costosa? ¡No! Los que se visten con lujos están en los palacios, no en el desierto. ²⁶En fin, ¿qué fueron a ver? ¿Un profeta? ¡Sí, y más que un profeta! ²⁷El es aquél de quien las Escrituras dicen: "Un mensajero mío te precederá para prepararte el camino". ²⁸Juan es el profeta más grande que

usual great crowd at his heels. ¹² A funeral procession was coming out as he approached the village gate. The boy who had died was the only son of his widowed mother, and many mourners from the village were with her.

¹³ When the Lord saw her, his heart overflowed with sympathy. "Don't cry!" he said. ¹⁴ Then he walked over to the coffin and touched it, and the bearers stopped. "Laddie," he said, "come back to life again."

¹⁵ Then the boy sat up and began to talk to those around him! And Jesus gave him back to his mother.

¹⁶ A great fear swept the crowd, and they exclaimed with praises to God, "A mighty prophet has risen among us," and, "We have seen the hand of God at work today."

¹⁷ The report of what he did that day raced from end to end of Judea and even out across the borders.

¹⁸ The disciples of John the Baptist soon heard of all that Jesus was doing. When they told John about it, ¹⁹ he sent two of his disciples to Jesus to ask him, "Are you really the Messiah? Or shall we keep on looking for him?"

²⁰,²¹,²²The two disciples found Jesus while he was curing many sick people of their various diseases—healing the lame and the blind and casting out evil spirits. When they asked him John's question, this was his reply: "Go back to John and tell him all you have seen and heard here today: how those who were blind can see. The lame are walking without a limp. The lepers are completely healed. The deaf can hear again. The dead come back to life. And the poor are hearing the Good News. ²³ And tell him, 'Blessed is the one who does not lose his faith in me.' "

²⁴ After they left, Jesus talked to the crowd about John. "Who is this man you went out into the Judean wilderness to see?" he asked. "Did you find him weak as grass, moved by every breath of wind? ²⁵ Did you find him dressed in expensive clothes? No! Men who live in luxury are found in palaces, not out in the wilderness. ²⁶ But did you find a prophet? Yes! And more than a prophet. ²⁷ He is the one to whom the Scriptures refer when they say, 'Look! I am sending my messenger ahead of you, to prepare the way before you.' ²⁸ In all humanity there

ha existido en toda la historia de la humanidad. Y sin embargo el más pequeño de los ciudadanos del reino de Dios es mayor que él.

²⁹Todos los que habían escuchado a Juan predicar, aun los más perversos, habían visto que los requerimientos de Dios eran justos, y habían dejado que Juan los bautizara. ³⁰Digo todos, menos los fariseos y los maestros de la ley de Moisés, quienes rechazaron el plan que Dios tenía para ellos y no se dejaron bautizar.

³¹—¿Qué se puede decir de una gente así? —preguntó Jesús—. ¿Con qué los compararé? ³²Son como esos muchachos que siempre están discutiendo con sus amigos y nunca están conformes. Cansados, sus amigos les gritan: "Si les tocamos la flauta no bailan, y si les cantamos canciones tristes no lloran". ³³Así es esta gente: Si viene Juan el Bautista y no come ni bebe, dicen que está loco. ³⁴Y si vengo yo y me pongo a comer y a beber vino, dicen que soy un glotón, que soy un borracho, y que siempre ando con individuos de la peor calaña. ³⁵Claro, son tan inteligentes que siempre hallan una justificación a sus contradicciones.

³⁶Un fariseo invitó a Jesús a comer. Ya en la mesa, ³⁷una mujer de la calle, una prostituta, enterada de que estaba allí, entró tímidamente con un frasco de costoso perfume ³⁸y se tiró a sus pies a llorar. Sus lágrimas de dolor empapaban los pies del Maestro, pero los secaba con sus cabellos, los besaba, y los perfumaba.

³⁹Cuando el fariseo se dio cuenta de lo que estaba sucediendo, se dijo: "¡Si Jesús fuera profeta sabría qué clase de mujer es ésta!"

⁴⁰—Simón, tengo que decirte algo —le dijo Jesús.

—Dime, Maestro.

⁴¹—Un hombre prestó dinero a dos individuos. A uno le prestó cinco mil pesos; al otro le prestó quinientos. ⁴²Ninguno de los dos pudo devolver el dinero y él bondadosamente les perdonó la deuda. ¿Cuál de los dos crees que lo amará más después de aquello?

⁴³—Supongo que el que le debía más dinero —respondió Simón.

is no one greater than John. And yet the least citizen of the Kingdom of God is greater than he."

²⁹ And all who heard John preach—even the most wicked of them —agreed that God's requirements were right, and they were baptized by him. ³⁰ All, that is, except the Pharisees and teachers of Moses' Law. They rejected God's plan for them and refused John's baptism.

³¹ "What can I say about such men?" Jesus asked. "With what shall I compare them? ³² They are like a group of children who complain to their friends, 'You don't like it if we play "wedding" and you don't like it if we play "funeral" '! ³³ For John the Baptist used to go without food and never took a drop of liquor all his life, and you said, 'He must be crazy!' ³⁴ But I eat my food and drink my wine, and you say, 'What a glutton Jesus is! And he drinks! And has the lowest sort of friends!' ³⁵ But I am sure you can always justify your inconsistencies."

³⁶ One of the Pharisees asked Jesus to come to his home for lunch and Jesus accepted the invitation. As they sat down to eat, ³⁷ a woman of the streets—a prostitute—heard he was there and brought an exquisite flask filled with expensive perfume. ³⁸ Going in, she knelt behind him at his feet, weeping, with her tears falling down upon his feet; and she wiped them off with her hair and kissed them and poured the perfume on them.

³⁹ When Jesus' host, a Pharisee, saw what was happening and who the woman was, he said to himself, "This proves that Jesus is no prophet, for if God had really sent him, he would know what kind of woman this one is!"

⁴⁰ Then Jesus spoke up and answered his thoughts. "Simon," he said to the Pharisee, "I have something to say to you."

"All right, Teacher," Simon replied, "go ahead."

⁴¹ Then Jesus told him this story: "A man loaned money to two people—$5,000 to one and $500 to the other. ⁴² But neither of them could pay him back, so he kindly forgave them both, letting them keep the money! Which do you suppose loved him most after that?"

⁴³ "I suppose the one who had owed him the most," Simon answered.

—Correcto. ⁴⁴¡Fíjate en esta desdichada! Cuando llegué no se te ocurrió darme agua para lavarme los pies; ella en cambio, me los ha lavado con sus lágrimas y me los ha secado con sus cabellos. ⁴⁵Cuando llegué no me saludaste con un beso, pero esta mujer desde que entró no ha cesado de besarme los pies. ⁴⁶No me ungiste la cabeza con aceite, como es costumbre; ella, en cambio, me ha bañado los pies con un perfume costoso. ⁴⁷Me ama mucho porque sus pecados, que eran muchos, le fueron perdonados. Al que poco ha sido perdonado, poco ama.

⁴⁸Entonces le dijo a la mujer:

—Tus pecados ya están perdonados.

⁴⁹Los demás que estaban sentados a la mesa se dijeron:

—¿Quién se cree que es? ¿Cómo se atreve a perdonar los pecados?

⁵⁰Pero Jesús dijo a la mujer:

—Tu fe te ha salvado. Vete tranquila.

8 UN DÍA JESÚS inició un recorrido por las ciudades y pueblos de Galilea para anunciar el advenimiento del reino de Dios. Lo acompañaban sus doce apóstoles ²y varias mujeres que había sanado o de las cuales había expulsado demonios. Entre éstas se encontraban María Magdalena (de la que había expulsado siete demonios), ³Juana (esposa de Chuza, funcionario encargado del palacio y de los asuntos internos de Herodes), Susana y muchas otras que contribuían con sus bienes al sustento de Jesús y sus discípulos.

⁴Mucha gente acudió desde los pueblos vecinos a ver a Jesús. No tardó en congregarse una gran multitud, y Jesús les dijo la siguiente parábola:

⁵—Un agricultor salió al campo a sembrar. Al esparcir los granos, algunos cayeron en el camino y los pisotearon, y luego las aves vinieron y se los comieron. ⁶Otros cayeron en un terreno rocoso de una capa vegetal escasa. La semilla no tardó en germinar, pero pronto se marchitó y murió por falta de humedad. ⁷Otros cayeron junto a espinos y se ahogaron tan pronto germinaron. ⁸Pero otros cayeron en buena tierra y germinaron y cada grano plantado produjo cien granos.

"Correct," Jesus agreed.

⁴⁴ Then he turned to the woman and said to Simon, "Look! See this woman kneeling here! When I entered your home, you didn't bother to offer me water to wash the dust from my feet, but she has washed them with her tears and wiped them with her hair. ⁴⁵ You refused me the customary kiss of greeting, but she has kissed my feet again and again from the time I first came in. ⁴⁶ You neglected the usual courtesy of olive oil to anoint my head, but she has covered my feet with rare perfume. ⁴⁷ Therefore her sins—and they are many—are forgiven, for she loved me much; but one who is forgiven little, shows little love."

⁴⁸ And he said to her, "Your sins are forgiven."

⁴⁹ Then the men at the table said to themselves, "Who does this man think he is, going around forgiving sins?"

⁵⁰ And Jesus said to the woman, "Your faith has saved you; go in peace."

8 NOT LONG AFTERWARDS he began a tour of the cities and villages of Galilee to announce the coming of the Kingdom of God, and took his twelve disciples with him. ² Some women went along, from whom he had cast out demons or whom he had healed; among them were Mary Magdalene (Jesus had cast out seven demons from her), ³ Joanna, Chuza's wife (Chuza was King Herod's business manager and was in charge of his palace and domestic affairs), Susanna, and many others who were contributing from their private means to the support of Jesus and his disciples.

⁴ One day he gave this illustration to a large crowd that was gathering to hear him—while many others were still on the way, coming from other towns.

⁵ "A farmer went out to his field to sow grain. As he scattered the seed on the ground, some of it fell on a footpath and was trampled on; and the birds came and ate it as it lay exposed. ⁶ Other seed fell on shallow soil with rock beneath. This seed began to grow, but soon withered and died for lack of moisture. ⁷ Other seed landed in thistle patches, and the young grain stalks were soon choked out. ⁸ Still other fell on fertile soil; this seed grew and produced a crop one hundred times as large as he had planted."

Al concluir, exclamó:

—¡El que tenga oídos para oír, oiga!

[9]Los apóstoles le preguntaron el significado de aquella alegoría, [10]y El les respondió:

—Ustedes sí pueden saber el significado de estas parábolas que hablan del reino de Dios. Pero estas gentes no, porque oyen las cosas y no las entienden. Así estaba profetizado. [11]Pues verán ustedes: La semilla es el mensaje de Dios a los hombres. [12]El camino de tierra endurecida en que cayeron algunas semillas representa el corazón de los hombres que escuchan el mensaje de Dios, pero luego viene el diablo y se lleva el mensaje para que la gente no crea ni se salve. [13]El terreno pedregoso representa a los que se deleitan escuchando los sermones, pero no hay forma de que el mensaje les penetre y nunca echan raíces ni crecen. Saben que el mensaje es verdad, y se podría decir que lo creen un tiempo. Pero cuando los vientos de la persecución comienzan a arremolinarse, pierden interés. [14]La semilla entre espinos representa a los que escuchan y creen la palabra de Dios, pero cuya fe muere ahogada bajo el peso de las preocupaciones, las riquezas, las responsabilidades y los placeres de la vida. Por lo tanto no pueden ayudar a otros a que crean el mensaje del evangelio. [15]Pero la buena tierra representa el corazón bueno y recto que escucha la palabra de Dios y la retiene y luego se ocupa de esparcirla para que la gente crea.

[16]En otra ocasión les dijo:

—¿Quién ha visto que uno enciende una lámpara y la cubre para que no brille? No, uno la enciende y la pone en alto y al descubierto para que los que entren puedan ver; [17]pues no hay nada oculto que un día no haya de saberse. [18]Procuren escuchar bien, porque al que tiene se le dará más y al que no tiene aun lo que cree que tiene le será quitado.

[19]Una vez la madre y los hermanos de Jesús fueron a verlo, pero no pudieron entrar a la casa donde estaba enseñando, por causa del gentío. [20]Cuando le dieron aviso a Jesús de que estaban afuera y querían verlo, [21]El dijo:

—Mi madre y mis hermanos son los que escuchan el mensaje de Dios y lo obedecen.

[22]Un día entró en una barca con sus

(As he was giving this illustration he said, "If anyone has listening ears, use them now!")

[9] His apostles asked him what the story meant.

[10] He replied, "God has granted you to know the meaning of these parables, for they tell a great deal about the Kingdom of God. But these crowds hear the words and do not understand, just as the ancient prophets predicted.

[11] "This is its meaning: The seed is God's message to men. [12] The hard path where some seed fell represents the hard hearts of those who hear the words of God, but then the devil comes and steals the words away and prevents people from believing and being saved. [13] The stony ground represents those who enjoy listening to sermons, but somehow the message never really gets through to them and doesn't take root and grow. They know the message is true, and sort of believe for awhile; but when the hot winds of persecution blow, they lose interest. [14] The seed among the thorns represents those who listen and believe God's words but whose faith afterwards is choked out by worry and riches and the responsibilities and pleasures of life. And so they are never able to help anyone else to believe the Good News.

[15] "But the good soil represents honest, good-hearted people. They listen to God's words and cling to them and steadily spread them to others who also soon believe."

[16] [Another time he asked,] "Who ever heard of someone lighting a lamp and then covering it up to keep it from shining? No, lamps are mounted in the open where they can be seen. [17] This illustrates the fact that someday everything [in men's hearts] shall be brought to light and made plain to all. [18] So be careful how you listen; for whoever has, to him shall be given more; and whoever does not have, even what he thinks he has shall be taken away from him."

[19] Once when his mother and brothers came to see him, they couldn't get into the house where he was teaching, because of the crowds. [20] When Jesus heard they were standing outside and wanted to see him, [21] he remarked, "My mother and my brothers are all those who hear the message of God and obey it."

[22] One day about that time, as he and his

discípulos y sugirió que pasaran al otro lado del lago. ²³En la travesía se quedó dormido, y mientras dormía, el viento fue aumentando. A los pocos minutos estaban en medio de una fiera tempestad que amenazaba con hundirlos. Viendo el peligro que corrían, ²⁴fueron a despertar a Jesús.

—¡Maestro, Maestro, nos estamos hundiendo!

Jesús se puso de pie y dijo a la tempestad:

—¡Cálmate!

E inmediatamente cesaron los vientos y el lago quedó sereno y en calma.

²⁵Entonces les preguntó:

—¿Dónde dejaron la fe?

Ellos, llenos de temor y asombro, se decían:

—¿Quién será este hombre que aun los vientos y las olas lo obedecen?

²⁶Llegaron a la tierra de los gadarenos en la ribera opuesta a Galilea. ²⁷Al salir de la barca les salió al encuentro un hombre de Gadara que hacía tiempo estaba endemoniado, sin hogar y desnudo, y que vivía en un cementerio entre los sepulcros. ²⁸Cuando vio a Jesús, lanzó un alarido y se postró a sus pies, gritando:

—¿Qué quieres de mí, Jesús, Hijo del Dios Altísimo? ¡Te ruego, te suplico, que no me atormentes!

²⁹Hablaba así porque ya Jesús había ordenado al demonio que saliera. Hacía tiempo que aquel demonio se había apoderado del hombre, y era tal la furia que le daba que aun cuando lo ataban con cadenas las rompía y se internaba en el desierto.

³⁰—¿Cómo te llamas? —preguntó Jesús al demonio.

—Me llamo Legión —le respondió—, porque somos miles de demonios los que estamos en este hombre. ³¹Pero te suplico que no nos envíes al abismo insondable.

³²,³³En la cercanía había un hato de cerdos que pacían, y le rogaron que los dejara entrar en los puercos. Tan pronto Jesús les dio permiso, salieron del hombre y entraron a los puercos. El hato se precipitó por un despeñadero y se ahogó en el lago.

³⁴Los porqueros se echaron a correr inmediatamente hacia la ciudad vecina y fueron esparciendo la noticia de lo que había sucedido. ³⁵Pronto el gentío fue a cerciorarse por sí mismo, y vieron al hombre que había estado endemoniado sentado

disciples were out in a boat, he suggested that they cross to the other side of the lake. ²³ On the way across he lay down for a nap, and while he was sleeping the wind began to rise. A fierce storm developed that threatened to swamp them, and they were in real danger.

²⁴ They rushed over and woke him up. "Master, Master, we are sinking!" they screamed.

So he spoke to the storm: "Quiet down," he said, and the wind and waves subsided and all was calm! ²⁵ Then he asked them, "Where is your faith?"

And they were filled with awe and fear of him and said to one another, "Who is this man, that even the winds and waves obey him?"

²⁶ So they arrived at the other side, in the Gerasene country across the lake from Galilee. ²⁷ As he was climbing out of the boat a man from the city of Gadara came to meet him, a man who had been demon-possessed for a long time. Homeless and naked, he lived in a cemetery among the tombs. ²⁸ As soon as he saw Jesus he shrieked and fell to the ground before him, screaming, "What do you want with me, Jesus, Son of God Most High? Please, I beg you, oh, don't torment me!"

²⁹ For Jesus was already commanding the demon to leave him. This demon had often taken control of the man so that even when shackled with chains he simply broke them and rushed out into the desert, completely under the demon's power. ³⁰ "What is your name?" Jesus asked the demon. "Legion," they replied—for the man was filled with thousands of them! ³¹ They kept begging him not to order them into the Bottomless Pit.

³² A herd of pigs was feeding on the mountainside nearby, and the demons pled with him to let them enter into the pigs. And Jesus said they could. ³³ So they left the man and went into the pigs, and immediately the whole herd rushed down the mountainside and fell over a cliff into the lake below, where they drowned. ³⁴ The herdsmen rushed away to the nearby city, spreading the news as they ran.

³⁵ Soon a crowd came out to see for themselves what had happened and saw the man who had been demon-possessed sitting

quietamente a los pies de Jesús, vestido y sano. La gente quedó atemorizada. ³⁶Cuando escucharon de labios de los que habían presenciado los hechos cómo se había producido la curación del endemoniado, ³⁷impulsados por el pavor que sentían, suplicaron a Jesús que se fuera de allí, que los dejara tranquilos.

Jesús subió a la barca para regresar. ³⁸El que había estado endemoniado le suplicó que lo dejara acompañarlo, pero Jesús le dijo que no, ³⁹que regresara a su familia a contar las maravillas que Dios había hecho con él. Y así lo hizo aquel hombre. No quedó una sola casa en la ciudad donde no se enteraron de aquel grandioso milagro de Jesús.

⁴⁰,⁴¹Al otro lado del lago una ansiosa multitud lo recibió con los brazos abiertos. Lo habían estado esperando. Apenas desembarcó, cuando un tal Jairo, principal de la sinagoga judía, se tiró a los pies de Jesús a suplicarle que fuera a su casa ⁴²porque su única hija, de doce años de edad, estaba agonizando. Jesús lo acompañó.

Mientras se abría paso entre la multitud, ⁴³,⁴⁴una mujer enferma se le acercó por detrás y lo tocó. Hacía doce años que padecía de cierto derrame de sangre, y no había podido curarse a pesar de que había gastado cuanto tenía en médicos. Pero en el instante mismo en que tocó el borde del manto de Jesús, el derrame cesó.

⁴⁵—¿Quién me tocó? —preguntó Jesús.

—Pero, Maestro, ¡todo el mundo te oprime! ¿Por qué preguntas que quién te tocó? —dijo Pedro.

⁴⁶—Alguien deliberadamente me tocó. Sentí que salió poder sanador de mí.

⁴⁷La mujer, viéndose descubierta, temblando se tiró de rodillas ante El y confesó que lo había tocado y que se había curado.

⁴⁸—Hija —le dijo El—, tu fe te ha sanado. Vete tranquila.

⁴⁹No había acabado de hablar cuando llegó un mensajero de la casa de Jairo con la noticia de que la niña había muerto.

—Ya es inútil que el Maestro se moleste en ir allá —dijo el mensajero.

⁵⁰Pero Jesús le dijo a Jairo:

—No temas, cree y la niña vivirá.

⁵¹Ya en casa de Jairo, Jesús no dejó que nadie entrara en el cuarto, excepto Pedro,

quietly at Jesus' feet, clothed and sane! And the whole crowd was badly frightened. ³⁶ Then those who had seen it happen told how the demon-possessed man had been healed. ³⁷ And everyone begged Jesus to go away and leave them alone (for a deep wave of fear had swept over them). So he returned to the boat and left, crossing back to the other side of the lake.

³⁸ The man who had been demon-possessed begged to go too, but Jesus said no. ³⁹ "Go back to your family," he told him, "and tell them what a wonderful thing God has done for you."

So he went all through the city telling everyone about Jesus' mighty miracle.

⁴⁰ On the other side of the lake the crowds received him with open arms, for they had been waiting for him.

⁴¹ And now a man named Jairus, a leader of a Jewish synagogue, came and fell down at Jesus' feet and begged him to come home with him, ⁴² for his only child was dying, a little girl twelve years old. Jesus went with him, pushing through the crowds.

⁴³,⁴⁴ As they went a woman who wanted to be healed came up behind and touched him, for she had been slowly bleeding for twelve years, and could find no cure (though she had spent everything she had on doctors). But the instant she touched the edge of his robe, the bleeding stopped.

⁴⁵ "Who touched me?" Jesus asked.

Everyone denied it, and Peter said, "Master, so many are crowding against you . . . ."

⁴⁶ But Jesus told him, "No, it was someone who deliberately touched me, for I felt healing power go out from me."

⁴⁷ When the woman realized that Jesus knew, she began to tremble and fell to her knees before him and told why she had touched him and that now she was well.

⁴⁸ "Daughter," he said to her, "your faith has healed you. Go in peace."

⁴⁹ While he was still speaking to her, a messenger arrived from the Jairus' home with the news that the little girl was dead. "She's gone," he told her father; "there's no use troubling the Teacher now."

⁵⁰ But when Jesus heard what had happened, he said to the father, "Don't be afraid! Just trust me, and she'll be all right."

⁵¹ When they arrived at the house Jesus wouldn't let anyone into the room except

Santiago, Juan, y el padre y la madre de la niña. ⁵¹La casa estaba repleta de dolientes que lloraban y se lamentaban. Pero Jesús les dijo:

—¡No lloren! La niña no está muerta. Está dormida.

⁵³Esto despertó risas y burlas entre los presentes, que sabían que estaba muerta. ⁵⁴Pero dentro, Jesús tomó a la muchacha por la mano y le dijo:

—¡Levántate, niña!

⁵⁵Y al instante volvió a la vida y se levantó de un salto.

—Denle algo de comer —ordenó Jesús.

⁵⁶Los padres de la muchacha se sentían embargados de felicidad, pero Jesús insistió en que no contaran los detalles de lo que había sucedido.

9 UN DÍA JESÚS reunió a sus doce discípulos, les dio poder para echar fuera demonios y para sanar cualquier enfermedad, ²y los envió a proclamar el advenimiento del reino de Dios y a sanar a los enfermos.

³—No lleven ni bordón, ni alforja ni pan, ni dinero —les dijo—. No lleven más ropa que la que traen puesta. ⁴Hospédense en una sola casa en cada pueblo. ⁵Si en algún pueblo no quieren oír el mensaje, den media vuelta y salgan, y al salir sacúdanse el polvo de los pies para que sepan que la ira de Dios se volverá contra ellos.

⁶Fueron entonces de pueblo en pueblo predicando el evangelio y sanando a los enfermos.

⁷Cuando Herodes se enteró de los milagros que realizaba Jesús y de los comentarios que éstos suscitaban en el pueblo, se quedó preocupado y asustado. Para algunos Jesús era Juan el Bautista que había resucitado; ⁸para otros, era Elías o algún profeta de la antigüedad que había resucitado. Por todas partes circulaban rumores semejantes.

⁹—A Juan lo mandé decapitar yo —dijo Herodes—. ¿Quién será ese hombre de quien se cuentan tan fantásticas cosas?

Y buscaba la oportunidad de verlo.

¹⁰Después de que los apóstoles le informaron sobre los resultados del viaje, se fueron a un lugar apartado cerca de la ciudad de Betsaida. ¹¹Cuando la gente supo hacia dónde se dirigía, lo siguió. El los

Peter, James, John, and the little girl's father and mother. ⁵² The home was filled with mourning people, but he said, "Stop the weeping! She isn't dead; she is only asleep!" ⁵³ This brought scoffing and laughter, for they all knew she was dead.

⁵⁴ Then he took her by the hand and called, "Get up, little girl!" ⁵⁵ And at that moment her life returned and she jumped up! "Give her something to eat!" he said. ⁵⁶ Her parents were overcome with happiness, but Jesus insisted that they not tell anyone the details of what had happened.

9 ONE DAY JESUS called together his twelve apostles and gave them authority over all demons—power to cast them out —and to heal all diseases. ² Then he sent them away to tell everyone about the coming of the Kingdom of God and to heal the sick.

³ "Don't even take along a walking stick," he instructed them, "nor a beggar's bag, nor food, nor money. Not even an extra coat. ⁴ Be a guest in only one home at each village.

⁵ "If the people of a town won't listen to you when you enter it, turn around and leave, demonstrating God's anger against it by shaking its dust from your feet as you go."

⁶ So they began their circuit of the villages, preaching the Good News and healing the sick.

⁷ When reports of Jesus' miracles reached Herod, the governor, he was worried and puzzled, for some were saying, "This is John the Baptist come back to life again"; ⁸ and others, "It is Elijah or some other ancient prophet risen from the dead." These rumors were circulating all over the land.

⁹ "I beheaded John," Herod said, "so who is this man about whom I hear such strange stories?" And he tried to see him.

¹⁰ After the apostles returned to Jesus and reported what they had done, he slipped quietly away with them toward the city of Bethsaida. ¹¹ But the crowds found out where he was going, and followed. And

recibió y les habló de nuevo sobre el reino de Dios, y sanó a los enfermos. ¹²Ya avanzada la tarde, los doce discípulos se le acercaron y le aconsejaron que despidiera a la gente para que fuera a los pueblos y granjas de los alrededores a buscar comida y alojamiento.

—Aquí en este desierto no hay nada qué comer —indicaron.

¹³—Denles de comer ustedes.

—Pero, ¿cómo, si sólo tenemos cinco panes y dos pescados? —protestaron—. ¿O esperas que vayamos y busquemos comida para este gentío?

¹⁴En realidad, contando sólo los hombres, había cinco mil personas congregadas. Mas Jesús ordenó:

—Díganles que se vayan sentando en grupos de cincuenta.

¹⁵Los discípulos obedecieron. ¹⁶Jesús tomó los cinco panes y los dos pescados, miró al cielo y dio gracias. Entonces comenzó a partir el pan y a entregárselo a los discípulos para que lo fueran repartiendo a la multitud, junto con los pescados. ¹⁷Todo el mundo comió hasta saciarse, ¡y al final se recogieron doce cestas de sobrantes!

¹⁸Un día en que oraba a solas y los discípulos estaban con El, les preguntó:

—¿Quién dice la gente que soy?

¹⁹—Unos dicen que eres Juan el Bautista —le respondieron—, otros, que eres Elías o uno de los profetas de la antigüedad que ha resucitado.

²⁰—¿Y quién creen ustedes que soy?

—¡Tú eres el Mesías, el Cristo de Dios! —respondió Pedro.

²¹Pero les dio órdenes estrictas de que no lo dijeran a nadie.

²²—Primero me es necesario sufrir mucho —les dijo—. Los ancianos, los principales sacerdotes y los maestros de la ley judía me desecharán y me condenarán a muerte. Pero al tercer día resucitaré.

²³Entonces se dirigió al grupo entero y les dijo:

—El que quiera seguirme debe renunciar a sus más caros anhelos, tomar la cruz cada día y seguirme. ²⁴El que pierda su vida por mi causa, la salvará; pero el que se empeñe en proteger su vida, la perderá. ²⁵¿Y de qué le sirve a un individuo ganarse el mundo entero si se está destruyendo a sí mismo? ²⁶Cuando yo, el Hijo del Hombre, venga en mi gloria y en la gloria del Padre y

he welcomed them, teaching them again about the Kingdom of God and curing those who were ill.

¹² Late in the afternoon all twelve of the disciples came and urged him to send the people away to the nearby villages and farms, to find food and lodging for the night. "For there is nothing to eat here in this deserted spot," they said.

¹³ But Jesus replied, "*You* feed them!"

"Why, we have only five loaves of bread and two fish among the lot of us," they protested; "or are you expecting us to go and buy enough for this whole mob?" ¹⁴ For there were about 5,000 men there!

"Just tell them to sit down on the ground in groups of about fifty each," Jesus replied. ¹⁵ So they did.

¹⁶ Jesus took the five loaves and two fish and looked up into the sky and gave thanks; then he broke off pieces for his disciples to set before the crowd. ¹⁷ And everyone ate and ate; still, twelve basketfuls of scraps were picked up afterwards!

¹⁸ One day as he was alone, praying, with his disciples nearby, he came over and asked them, "Who are the people saying I am?"

¹⁹ "John the Baptist," they told him, "or perhaps Elijah or one of the other ancient prophets risen from the dead."

²⁰ Then he asked them, "Who do you think I am?"

Peter replied, "The Messiah—the Christ of God!"

²¹ He gave them strict orders not to speak of this to anyone. ²² "For I, the Messiah, must suffer much," he said, "and be rejected by the Jewish leaders—the elders, chief priests, and teachers of the Law—and be killed; and three days later I will come back to life again!"

²³ Then he said to all, "Anyone who wants to follow me must put aside his own desires and conveniences and carry his cross with him every day and *keep close to me!* ²⁴ Whoever loses his life for my sake will save it, but whoever insists on keeping his life will lose it; ²⁵ and what profit is there in gaining the whole world when it means forfeiting one's self?

²⁶ "When I, the Messiah, come in my glory and in the glory of the Father and the

de los santos ángeles, me avergonzaré de los que se hayan avergonzado de mí y de mis palabras. ²⁷Y ahora les voy a decir algo: Algunos de los que están aquí ahora mismo no morirán sin ver el reino de Dios.

²⁸Más o menos ocho días más tarde Jesús tomó a Pedro, a Juan y a Jacobo, y subió a las montañas a orar. ²⁹En tanto que oraba, su rostro fue adquiriendo un brillo extraordinario y su ropa se fue poniendo blanca y resplandeciente, ³⁰¡y dos hombres aparecieron y se pusieron a hablar con El! ¡Eran Moisés y Elías! ³¹Era algo majestuoso, glorioso. Aquellos hombres hablaban de la muerte de Jesús en Jerusalén, de cómo se iba a cumplir el plan de Dios. ³²Pedro y los demás estaban como en un letargo, medio adormecidos, pero haciendo un esfuerzo veían a Jesús cubierto de brillantez y gloria, y a los dos hombres que estaban con El. ³³En eso Moisés y Elías se dispusieron a partir, pero Pedro, turbado y sin saber qué decía, balbució:

—Maestro, esto es maravilloso. Deja que construyamos aquí tres enramadas, una para ti, una para Moisés y otra para Elías.

³⁴No había terminado de decir aquellas palabras cuando una nube brillante los envolvió. Un miedo horrible se apoderó de ellos. ³⁵Y una voz dijo en la nube:

—Este es mi Hijo amado. Háganle caso.

³⁶Al cesar la voz hallaron sólo a Jesús.

Aquellos tres discípulos callaron y no dijeron nada a nadie en aquellos días.

³⁷Cuando al día siguiente descendieron de la montaña, un inmenso gentío les salió al encuentro, ³⁸y un hombre se adelantó y le dijo a Jesús:

—Maestro, éste es mi hijo, el único que tengo. ³⁹Un demonio se apodera de él y lo hace chillar, sacudirse con violencia, echar espumarajos por la boca y golpearse; casi nunca lo deja tranquilo. ⁴⁰Supliqué a tus discípulos que lo echaran fuera, pero no pudieron.

⁴¹—¡Oh generación incrédula y perversa! —dijo Jesús a los discípulos—, ¿hasta cuándo he de soportarlos? Tráiganme al muchacho.

⁴²Mientras se acercaba el muchacho el demonio lo tiró al suelo en medio de violentas convulsiones. Pero Jesús ordenó al de-

holy angels, I will be ashamed then of all who are ashamed of me and of my words now. ²⁷ But this is the simple truth—some of you who are standing here right now will not die until you have seen the Kingdom of God."

²⁸ Eight days later he took Peter, James, and John with him into the hills to pray. ²⁹ And as he was praying, his face began to shine, and his clothes became dazzling white and blazed with light. ³⁰ Then two men appeared and began talking with him—Moses and Elijah! ³¹ They were splendid in appearance, glorious to see; and they were speaking of his death at Jerusalem, to be carried out in accordance with God's plan.

³² Peter and the others had been very drowsy and had fallen asleep. Now they woke up and saw Jesus covered with brightness and glory, and the two men standing with him. ³³ As Moses and Elijah were starting to leave, Peter, all confused and not even knowing what he was saying, blurted out, "Master, this is wonderful! We'll put up three shelters—one for you and one for Moses and one for Elijah!"

³⁴ But even as he was saying this, a bright cloud formed above them; and terror gripped them as it covered them. ³⁵ And a voice from the cloud said, "This is my Son, my Chosen One; listen to him."

³⁶ Then, as the voice died away, Jesus was there alone with his disciples. They didn't tell anyone what they had seen until long afterwards.

³⁷ The next day as they descended from the hill, a huge crowd met him, ³⁸ and a man in the crowd called out to him, "Teacher, this boy here is my only son, ³⁹ and a demon keeps seizing him, making him scream; and it throws him into convulsions so that he foams at the mouth; it is always hitting him and hardly ever leaves him alone. ⁴⁰ I begged your disciples to cast the demon out, but they couldn't."

⁴¹ "O you stubborn faithless people," Jesus said [to his disciples], "how long should I put up with you? Bring him here."

⁴² As the boy was coming the demon knocked him to the ground and threw him into a violent convulsion. But Jesus ordered

monio que saliera, sanó al muchacho y se lo devolvió al padre. ⁴³La gente quedó asombrada ante aquella demostración de la grandeza de Dios.

Y mientras la gente seguía con sus exclamaciones de asombro, Jesús dijo a los discípulos:

⁴⁴—Escúchenme bien para que no se les olvide. Yo, el Hijo del Hombre, seré traicionado.

⁴⁵Pero los discípulos no lo entendieron, porque tenían velado el entendimiento y temían preguntarle.

⁴⁶Un día los discípulos se pusieron a discutir cuál de ellos sería el mayor en el reino de los cielos. ⁴⁷Pero Jesús, que podía leer sus pensamientos, tomó a un niño ⁴⁸y les dijo:

—El que se ocupe de un niño como éste se está ocupando de mí. Y el que se ocupa de mí se ocupa de Dios que me envió. ¿Quieren saber quién es el mayor entre ustedes? El mayor es el que mejor sirve a los demás.

⁴⁹Juan acercándose, le dijo:

—Maestro, vimos a uno echando fuera demonios en tu nombre. Se lo prohibimos porque no anda con nosotros.

⁵⁰—¡No se lo prohíban! El que no está contra nosotros está a nuestro favor.

⁵¹Se acercaba la hora de su regreso al cielo. Jesús se dirigía a Jerusalén con voluntad de hierro. ⁵²Un día envió mensajeros a reservar habitaciones en un pueblo samaritano, ⁵³pero no quisieron ofrecerles hospedaje. No querían tener nada que ver con individuos que anduvieran en camino a Jerusalén. ⁵⁴Cuando Jacobo y Juan se enteraron de lo sucedido, le dijeron a Jesús:

—Maestro, ¿quieres que mandemos que descienda fuego del cielo y los consuma?

⁵⁵Jesús los reprendió.

—¿Qué clase de espíritu tienen ustedes? ⁵⁶Yo, el Hijo del Hombre, no vine a destruir hombres, sino a salvarlos.

Entonces se encaminaron a otro pueblo.

⁵⁷En el camino, alguien dijo:

—Señor, vayas donde vayas, te seguiré.

⁵⁸—Pero recuerda —le respondió Jesús—, no tengo ni dónde recostar la cabeza. Las zorras tienen guaridas y las aves nidos, pero yo, el Hijo del Hombre, no tengo ni dónde recostar la cabeza.

⁵⁹En otra ocasión invitó a un hombre a

the demon to come out, and healed the boy and handed him over to his father.

⁴³ Awe gripped the people as they saw this display of the power of God.

Meanwhile, as they were exclaiming over all the wonderful things he was doing, Jesus said to his disciples, ⁴⁴ "Listen to me and remember what I say. I, the Messiah, am going to be betrayed." ⁴⁵ But the disciples didn't know what he meant, for their minds had been sealed and they were afraid to ask him.

⁴⁶ Now came an argument among them as to which of them would be greatest [in the coming Kingdom]! ⁴⁷ But Jesus knew their thoughts, so he stood a little child beside him ⁴⁸ and said to them, "Anyone who takes care of a little child like this is caring for me! And whoever cares for me is caring for God who sent me. Your care for others is the measure of your greatness." ⁴⁹ His disciple John came to him and said, "Master, we saw someone using your name to cast out demons. And we told him not to. After all, he isn't in our group."

⁵⁰ But Jesus said, "You shouldn't have done that! For anyone who is not against you is for you."

⁵¹ As the time drew near for his return to heaven, he moved steadily onward towards Jerusalem with an iron will.

⁵² One day he sent messengers ahead to reserve rooms for them in a Samaritan village. ⁵³ But they were turned away! The people of the village refused to have anything to do with them because they were headed for Jerusalem.

⁵⁴ When word came back of what had happened, James and John said to Jesus, "Master, shall we order fire down from heaven to burn them up?" ⁵⁵ But Jesus turned and rebuked them, ⁵⁶ and they went on to another village.

⁵⁷ As they were walking along someone said to Jesus, "I will always follow you no matter where you go."

⁵⁸ But Jesus replied, "Remember, I don't even own a place to lay my head. Foxes have dens to live in, and birds have nests, but I, the Messiah, have no earthly home at all."

⁵⁹ Another time, when he invited a man

que lo siguiera. Este accedió —si lo dejaba esperar hasta que su padre muriera.

⁶⁰Jesús le respondió:

—Deja que los que no tienen vida eterna se ocupen de esas cosas. Tu deber es venir y predicar el advenimiento del reino de Dios.

⁶¹Otro le dijo:

—Sí, Señor, te seguiré, pero déjame ir a despedirme de los de mi casa.

⁶²Jesús le respondió:

—El que pone la mano en el arado y mira atrás no es apto para el reino de Dios.

10 UN DÍA EL Señor escogió a otros setenta discípulos y los envió de dos en dos por los pueblos y las aldeas que después personalmente habría de visitar. ²Las instrucciones que les dio fueron las siguientes:

—Oren al Señor de la cosecha que envíe más obreros a la mies, porque la cosecha es abundante y los obreros pocos. ³Váyanse ahora, y recuerden que los estoy enviando como corderos en medio de lobos. ⁴No lleven dinero ni alforja, ni más zapatos que los que traen puestos. No pierdan tiempo en el camino con saludos prolongados. ⁵Cuando lleguen a una casa, den la bendición. ⁶Si son dignos de bendición, ésta permanecerá allí; si no, la bendición regresará a ustedes. ⁷Cuando entren a un pueblo, no se anden cambiando de casa. Quédense en un solo lugar y beban y coman lo que les den. No les dé pena aceptar la hospitalidad de la gente, porque el obrero es digno de su salario. ⁸Cuando lleguen a un lugar, coman de lo que les den, ⁹sanen a los enfermos y, al hacerlo, anúncienles que el reino de Dios está bien cerca. ¹⁰Pero si en algún pueblo los rechazan, digan en las calles: ¹¹"Hasta el polvo de este pueblo nos lo sacudimos de los pies en señal de la condenación que les espera. Nunca olviden que el reino de Dios estuvo bien cerca de ustedes". ¹²Les aseguro que aun a la perversa Sodoma le será más tolerable el castigo en el día del juicio que a la ciudad que los rechace. ¹³¡Pobres de ustedes, Corazín y Betsaida! Porque si los milagros que hice en ustedes los hubiera realizado en las ciudades de Tiro y Sidón,

to come with him and to be his disciple, the man agreed—but wanted to wait until his father's death.

⁶⁰ Jesus replied, "Let those without eternal life concern themselves with things like that. Your duty is to come and preach the coming of the Kingdom of God to all the world."

⁶¹ Another said, "Yes, Lord, I will come, but first let me ask permission of those at home."

⁶² But Jesus told him, "Anyone who lets himself be distracted from the work I plan for him is not fit for the Kingdom of God."

10 THE LORD NOW chose seventy other disciples and sent them on ahead in pairs to all the towns and villages he planned to visit later.

² These were his instructions to them: "Plead with the Lord of the harvest to send out more laborers to help you, for the harvest is so plentiful and the workers so few. ³ Go now, and remember that I am sending you out as lambs among wolves. ⁴ Don't take any money with you, or a beggar's bag, or even an extra pair of shoes. And don't waste time along the way.

⁵ "Whenever you enter a home, give it your blessing. ⁶ If it is worthy of the blessing, the blessing will stand; if not, the blessing will return to you.

⁷ "When you enter a village, don't shift around from home to home, but stay in one place, eating and drinking without question whatever is set before you. And don't hesitate to accept hospitality, for the workman is worthy of his wages!

⁸,⁹ "If a town welcomes you, follow these two rules:

(1) Eat whatever is set before you.
(2) Heal the sick; and as you heal them, say, 'The Kingdom of God is very near you now.'

¹⁰ "But if a town refuses you, go out into its streets and say, ¹¹ 'We wipe the dust of your town from our feet as a public announcement of your doom. Never forget how close you were to the Kingdom of God!' ¹² Even wicked Sodom will be better off than such a city on the Judgment Day. ¹³ What horrors await you, you cities of Chorazin and Bethsaida! For if the miracles I did for you had been done in the cities of Tyre and Sidon, their people would have

hace tiempo que se habrían arrepentido, se habrían vestido de luto y se habrían echado cenizas en la cabeza en señal de remordimiento. ¹⁴Sí, Tiro y Sidón recibirán menos castigo en el día del juicio que ustedes. ¹⁵Y de ustedes, ciudadanos de Capernaum, ¿qué he de decir? ¿Serán exaltados al cielo? No, irán de cabeza al infierno.

¹⁶Y añadió, mirando a los discípulos:

—El que los recibe a ustedes me recibe a mí. El que los rechaza me rechaza a mí. Y el que me rechaza a mí rechaza a Dios quien me envió.

¹⁷Los setenta discípulos regresaron llenos de gozo.

—¡Hasta los demonios nos obedecían cuando invocábamos tu nombre! —dijeron a Jesús.

¹⁸—Sí —les dijo—, veía a Satanás caer del cielo como un rayo. ¹⁹Les he dado autoridad sobre los poderes del enemigo, y podrán hollar serpientes y alacranes. ¡Nada los dañará! ²⁰Sin embargo, lo más importante no es que los demonios los obedezcan, sino que ustedes estén registrados como ciudadanos del cielo.

²¹Entonces, regocijado en el Espíritu, dijo:

—Te alabo, Padre, Señor del cielo y de la tierra, porque has escondido estas cosas a los intelectuales y a los humanamente sabios, y las has revelado a individuos de fe tan sencilla como la de un niño. Sí, gracias, Padre, porque así lo quisiste. ²²Mi Padre me ha encomendado todas las cosas. Nadie sabe quién es el Hijo excepto el Padre, ni nadie conoce al Padre sino el Hijo y aquéllos a quienes el Hijo lo quiera revelar.

²³Entonces, volviéndose a los doce discípulos, les dijo calladamente:

—Dichosos ustedes que pueden ver lo que ven. ²⁴Muchísimos profetas y reyes de la antigüedad, aunque lo desearon, no pudieron ver ni oír lo que ustedes ven y oyen.

²⁵Un día un intérprete de la ley quiso poner a prueba la ortodoxia de Jesús y le formuló la siguiente pregunta:

—Maestro, ¿qué tiene que hacer un hombre para alcanzar la vida eterna?

²⁶—¿Qué dice la ley de Moisés? —le respondió Jesús.

²⁷—Bueno, la ley dice: "Amarás al Señor tu Dios con todo tu corazón, con toda tu alma, con todas las fuerzas de tu ser y con toda tu mente, y a tu prójimo como a ti

sat in deep repentance long ago, clothed in sackcloth and throwing ashes on their heads to show their remorse. ¹⁴ Yes, Tyre and Sidon will receive less punishment on the Judgment Day than you. ¹⁵ And you people of Capernaum, what shall I say about you? Will you be exalted to heaven? No, you shall be brought down to hell."

¹⁶ Then he said to the disciples, "Those who welcome you are welcoming me. And those who reject you are rejecting me. And those who reject me are rejecting God who sent me."

¹⁷ When the seventy disciples returned, they joyfully reported to him, "Even the demons obey us when we use your name."

¹⁸ "Yes," he told them, "I saw Satan falling from heaven as a flash of lightning! ¹⁹ And I have given you authority over all the power of the Enemy, and to walk among serpents and scorpions and to crush them. Nothing shall injure you! ²⁰ However, the important thing is not that demons obey you, but that your names are registered as citizens of heaven."

²¹ Then he was filled with the joy of the Holy Spirit and said, "I praise you, O Father, Lord of heaven and earth, for hiding these things from the intellectuals and worldly wise and for revealing them to those who are as trusting as little children. Yes, thank you, Father, for that is the way you wanted it. ²² I am the Agent of my Father in everything; and no one really knows the Son except the Father, and no one really knows the Father except the Son and those to whom the Son chooses to reveal him."

²³ Then, turning to the twelve disciples, he said quietly, "How privileged you are to see what you have seen. ²⁴ Many a prophet and king of old has longed for these days, to see and hear what you have seen and heard!"

²⁵ One day an expert on Moses' laws came to test Jesus' orthodoxy by asking him this question: "Teacher, what does a man need to do to live forever in heaven?"

²⁶ Jesus replied, "What does Moses' law say about it?"

²⁷ "It says," he replied, "that you must love the Lord your God with all your heart, and with all your soul, and with all your strength, and with all your mind. And you must love your neighbor just as much as

mismo".

²⁸—¡Muy bien! —le dijo Jesús—. ¡Haz eso y vivirás eternamente!

²⁹El hombre, queriendo justificar su falta de amor hacia cierto tipo de personas, preguntó:

—¿Y a quién debo considerar mi prójimo?

³⁰—Pues mira —le respondió Jesús—. En cierta ocasión unos bandidos atacaron a un judío que se dirigía de Jerusalén a Jericó. Le quitaron la ropa y el dinero que traía, lo golpearon y lo dejaron medio muerto junto al camino. ³¹Dio la casualidad que un sacerdote judío pasó por allí. Cuando vio a aquel hombre tirado, se echó hacia el otro lado del camino y pasó de largo. ³²Pasó también un levita y, al igual que el sacerdote, siguió de largo. ³³Pero en eso se acercó un samaritano "despreciable", y al verlo, sintió lástima ³⁴y se arrodilló junto al herido, medicina en mano, y lo curó. Luego lo montó en su bestia y lo llevó a una posada y lo cuidó aquella noche. ³⁵Al siguiente día pagó al posadero el salario de dos días para que se ocupara del hombre, y le dijo: "Si gastas más, te lo pagaré cuando vuelva".

³⁶"¿Quién de los tres que pasaron por el camino se comportó como un verdadero prójimo con la víctima de los bandidos?

³⁷—El que tuvo misericordia de él —respondió el hombre.

Entonces Jesús le dijo:

—Pues vé y haz lo mismo.

³⁸Jesús y los discípulos continuaron su viaje a Jerusalén y llegaron a cierto pueblo en el que una mujer llamada Marta los hospedó. ³⁹La hermana de Marta, María, se sentó a los pies de Jesús a escucharlo. ⁴⁰Marta, preocupada con la preparación del banquete, impaciente, le dijo a Jesús:

—Señor, ¿no crees que es injusto que mi hermana esté allí sentada mientras yo me mato trabajando? Dile que venga a ayudarme.

⁴¹—Marta, Marta —le respondió el Señor—, te preocupas demasiado por estas cosas. ⁴²Solamente existe una cosa digna de preocupación, y María la ha descubierto. No seré yo el que se la quite.

you love yourself."

²⁸ "Right!" Jesus told him. "*Do* this and *you* shall live!"

²⁹ The man wanted to justify (his lack of love for some kinds of people), so he asked, "Which neighbors?"

³⁰ Jesus replied with an illustration: "A Jew going on a trip from Jerusalem to Jericho was attacked by bandits. They stripped him of his clothes and money and beat him up and left him lying half dead beside the road.

³¹ "By chance a Jewish priest came along; and when he saw the man lying there, he crossed to the other side of the road and passed him by. ³² A Jewish Temple-assistant walked over and looked at him lying there, but then went on.

³³ "But a despised Samaritan came along, and when he saw him, he felt deep pity. ³⁴ Kneeling beside him the Samaritan soothed his wounds with medicine and bandaged them. Then he put the man on his donkey and walked along beside him till they came to an inn, where he nursed him through the night. The next day he handed the innkeeper two twenty-dollar bills and told him to take care of the man. 'If his bill runs higher than that,' he said, 'I'll pay the difference the next time I am here.'

³⁶ "Now which of these three would you say was a neighbor to the bandits' victim?"

³⁷ The man replied, "The one who showed him some pity."

Then Jesus said, "Yes, now go and do the same."

³⁸ As Jesus and the disciples continued on their way to Jerusalem they came to a village where a woman named Martha welcomed them into her home. ³⁹ Her sister Mary sat on the floor, listening to Jesus as he talked.

⁴⁰ But Martha was the jittery type, and was worrying over the big dinner she was preparing.

She came to Jesus and said, "Sir, doesn't it seem unfair to you that my sister just sits here while I do all the work? Tell her to come and help me."

⁴¹ But the Lord said to her, "Martha, dear friend, you are so upset over all these details! ⁴² There is really only one thing worth being concerned about. Mary has discovered it—and I won't take it away from

her!"

11 AL TERMINAR DE orar en cierto lugar, uno de sus discípulos le dijo:

—Señor, enséñanos a orar como Juan enseñó a sus discípulos.

²El les respondió:

—Oren más o menos así:

"Padre nuestro que estás en los cielos, santificado sea tu nombre. Venga tu reino y cúmplase en la tierra tu voluntad como se cumple en el cielo. ³Danos hoy los alimentos que necesitamos, ⁴y perdona nuestros pecados, así como nosotros perdonamos a los que nos han hecho mal. No nos dejes caer en tentación, mas líbranos del mal".

⁵Les dijo también:

—Supongamos que uno se aparece a media noche en casa de un amigo para pedirle prestados tres panes. Lo más lógico es que desde la puerta grite al amigo: ⁶"Un amigo mío acaba de llegar de visita y no tengo nada que darle de comer". ⁷Pudiera ser que le respondan desde el cuarto: "Mira, ¿cómo se te ocurre venir a despertarme a esta hora de la noche? La puerta está cerrada y estoy acostado con los niños. En otra ocasión cuenta conmigo, pero no ahora". ⁸Ahora bien, si uno insiste, el amigo se levantará y le dará lo que quiera, no por el hecho de que sea amigo, sino por la insistencia con que lo pide. ⁹Lo mismo pasa con la oración: Pide con insistencia y se te dará; busca y hallarás; llama y se te abrirá. ¹⁰Todo el que pide, recibe; el que busca, encuentra; y se le abre la puerta al que llama. ¹¹¿Qué padre, si su hijo le pide pan, le dará una piedra? ¿Qué padre, si su hijo le pide pescado, le dará una serpiente; ¹²o si le pide un huevo, le dará un alacrán? ¡Ningún padre lo haría! ¹³Y si los pecadores dan a sus hijos lo que necesitan, ¿no creen que el Padre celestial hará por lo menos eso y dará el Espíritu Santo a los que se lo pidan?

¹⁴Una vez Jesús echó fuera el demonio que tenía mudo a un hombre. El hombre recobró el habla ante la maravillada multitud. ¹⁵Pero algunos dijeron:

—Seguramente echa los demonios en el nombre de Satanás, el rey de los demonios.

¹⁶Otros le pidieron que hiciera cierto tipo de milagro en el cielo para demostrar que era el Mesías. ¹⁷El, que conocía hasta el

11 ONCE WHEN JESUS had been out praying, one of his disciples came to him as he finished and said, "Lord, teach us a prayer to recite just as John taught one to his disciples."

² And this is the prayer he taught them: "Father, may your name be honored for its holiness; send your Kingdom soon. ³ Give us our food day by day. ⁴ And forgive our sins—for we have forgiven those who sinned against us. And don't allow us to be tempted."

⁵,⁶ Then, teaching them more about prayer, he used this illustration: "Suppose you went to a friend's house at midnight, wanting to borrow three loaves of bread. You would shout up to him, 'A friend of mine has just arrived for a visit and I've nothing to give him to eat.' ⁷ He would call down from his bedroom, 'Please don't ask me to get up. The door is locked for the night and we are all in bed. I just can't help you this time.'

⁸ "But I'll tell you this—though he won't do it as a friend, if you keep knocking long enough he will get up and give you everything you want—just because of your persistence. ⁹ And so it is with prayer—keep on asking and you will keep on getting; keep on looking and you will keep on finding; knock and the door will be opened. ¹⁰ Everyone who asks, receives; all who seek, find; and the door is opened to everyone who knocks.

¹¹ "You men who are fathers—if your boy asks for bread, do you give him a stone? If he asks for fish, do you give him a snake? ¹² If he asks for an egg, do you give him a scorpion? [Of course not!]

¹³ "And if even sinful persons like yourselves give children what they need, don't you realize that your heavenly Father will do at least as much, and give the Holy Spirit to those who ask for him?"

¹⁴ Once, when Jesus cast out a demon from a man who couldn't speak, his voice returned to him. The crowd was excited and enthusiastic, ¹⁵ but some said, "No wonder he can cast them out. He gets his power from Satan, the king of demons!" ¹⁶ Others asked for something to happen in the sky to prove his claim of being the Messiah.

¹⁷ He knew the thoughts of each of them,

más profundo de sus pensamientos, les dijo:

—Cualquier reino dividido no perdura, así como no perdura el hogar en que reinan las divisiones y la lucha. [18]Si lo que dicen es verdad, si Satanás se está hiriendo a sí mismo al concederme poder para echar fuera sus demonios, ¿cómo podrá permanecer su reino? [19]Y si empleo el poder de Satanás, ¿qué de la gente de ustedes? ¡Ellos también echan fuera demonios! ¿Actúan en el nombre de Satanás? ¡Pregúntenles a ver qué piensan! [20]Pero si echo fuera demonios mediante el poder de Dios, el reino de Dios ha llegado. [21]Satanás es como el hombre fuerte que protege sus dominios armado hasta los dientes. No hay quien se atreva a atacarlo [22]a menos que se presente uno más fuerte y mejor armado que él, y pueda desarmarlo y llevarse sus pertenencias. [23]El que no está a mi favor está en contra mía. El que no ayuda a mi causa le hace daño. [24]Cuando un espíritu inmundo sale de un hombre, se mete en el desierto en busca de reposo. Al no hallarlo, se dice: "Mejor es que regrese al hombre de donde salí". [25]Si al llegar se encuentra que su antiguo hogar está barrido y adornado pero vacío, [26]se busca siete demonios más y entran al hombre. La pobre víctima queda siete veces peor que antes.

[27]Mientras Jesús hablaba, una mujer de entre la multitud gritó:

—¡Dios bendiga el vientre que te trajo y los pechos que mamaste!

[28]—¡Pero más bienaventurados son los que oyen la palabra de Dios y la ponen en práctica! —le respondió Jesús.

[29]Mientras la gente se amontonaba a su alrededor, les predicó el siguiente sermón:

—Estos son tiempos malos de gente perversa. Siempre están pidiendo señales extrañas en los cielos que demuestren que soy el Mesías, pero la única señal que verán es un milagro como el de Jonás. [30]De la misma manera que el milagro que experimentó Jonás convenció a la gente de Nínive de que Dios lo había enviado, un milagro semejante en mí demostrará que Dios me ha enviado a este mundo. [31]En el día del juicio la reina de Sabá se levantará y condenará a esta generación, porque acudió desde los confines de la tierra a escuchar la sabiduría de Salomón. En cambio, aunque uno mayor que Salomón está aquí, pocos son los que le hacen caso. [32]Los de Nínive

so he said, "Any kingdom filled with civil war is doomed; so is a home filled with argument and strife. [18] Therefore, if what you say is true, that Satan is fighting against himself by empowering me to cast out his demons, how can his kingdom survive? [19] And if I am empowered by Satan, what about your own followers? For they cast out demons! Do you think this proves they are possessed by Satan? Ask *them* if you are right! [20] But if I am casting out demons because of power from God, it proves that the Kingdom of God has arrived.

[21] "For when Satan, strong and fully armed, guards his palace, it is safe— [22] until someone stronger and better-armed attacks and overcomes him and strips him of his weapons and carries off his belongings.

[23] "Anyone who is not for me is against me; if he isn't helping me, he is hurting my cause.

[24] "When a demon is cast out of a man, it goes to the deserts, searching there for rest; but finding none, it returns to the person it left, [25] and finds that its former home is all swept and clean. [26] Then it goes and gets seven other demons more evil than itself, and they all enter the man. And so the poor fellow is seven times worse off than he was before."

[27] As he was speaking, a woman in the crowd called out, "God bless your mother—the womb from which you came, and the breasts that gave you suck!"

[28] He replied, "Yes, but even more blessed are all who hear the Word of God and put it into practice."

[29,30] As the crowd pressed in upon him, he preached them this sermon: "These are evil times, with evil people. They keep asking for some strange happening in the skies [to prove I am the Messiah], but the only proof I will give them is a miracle like that of Jonah, whose experiences proved to the people of Nineveh that God had sent him. My similar experience will prove that God has sent me to these people.

[31] "And at the Judgment Day the Queen of Sheba shall arise and point her finger at this generation, condemning it, for she went on a long, hard journey to listen to the wisdom of Solomon; but one far greater than Solomon is here [and few pay any attention].

[32] "The men of Nineveh, too, shall arise

también se levantarán en el juicio y condenarán a esta generación, porque se arrepintieron ante la predicación de Jonás; sin embargo, hoy que uno mayor que Jonás está aquí, no le hacen caso. ³³"A nadie se le ocurre encender una lámpara y esconderla. Al contrario, la pone en alto para que alumbre a los que entren en la habitación. ³⁴Los ojos son la lámpara del cuerpo. Si tienes ojos puros, hay luz en tu alma. Pero si tienes ojos lujuriosos, en tu alma hay tinieblas. ³⁵Procura no nublar la luz del sol. ³⁶Si estás lleno de luz, si en ti no hay rincones oscuros, tu exterior será radiante como si te iluminara un haz de luz.

³⁷,³⁸Un fariseo lo invitó a cenar. Cuando llegó a la casa, se sentó y se puso a comer sin lavarse las manos conforme al ritual judío. Esto sorprendió a su anfitrión. ³⁹Jesús le dijo:

—Ustedes los fariseos se lavan por fuera, pero por dentro están llenos de codicia y maldad. ⁴⁰¡Necios! ¿No hizo Dios también lo de adentro? ⁴¹La generosidad es índice de pureza. ⁴²¡Ay de ustedes, fariseos, porque aunque se cuidan de diezmar hasta de la más pequeña de sus entradas, se olvidan completamente de la justicia y el amor de Dios! Diezmen, sí, pero no descuiden lo demás. ⁴³¡Ay de ustedes, fariseos! ¡Les encantan los sitios de honor en las sinagogas y los saludos en las plazas! ⁴⁴Ay de ustedes, escribas y fariseos hipócritas, que son como sepulcros encubiertos. Los hombres les pasan por encima y no saben la corrupción que hay debajo.

⁴⁵—Maestro —dijo un intérprete de la ley que estaba allí—, si dices eso, estás insultando también mi profesión.

⁴⁶—Sí —le respondió Jesús—, ¡ay de ustedes también, intérpretes de la ley, que aplastan a los hombres bajo el peso de demandas religiosas que ustedes mismos jamás han intentado guardar! ⁴⁷¡Ay de ustedes, que son exactamente iguales a sus antepasados que mataron a los profetas! ⁴⁸¡Asesinos! ¡Con sus acciones demuestran que están de acuerdo con lo que ellos hicieron! ⁴⁹Por eso Dios dijo: "Les enviaré profetas y apóstoles, y a algunos los matarán y a

and condemn this nation, for they repented at the preaching of Jonah; and someone far greater than Jonah is here [but this nation won't listen].

³³ "No one lights a lamp and hides it! Instead, he puts it on a lampstand to give light to all who enter the room. ³⁴ Your eyes light up your inward being. A pure eye lets sunshine into your soul. A lustful eye shuts out the light and plunges you into darkness. ³⁵ So watch out that the sunshine isn't blotted out. ³⁶ If you are filled with light within, with no dark corners, then your face will be radiant too, as though a floodlight is beamed upon you."

³⁷,³⁸ As he was speaking, one of the Pharisees asked him home for a meal. When Jesus arrived, he sat down to eat without first performing the ceremonial washing required by Jewish custom. This greatly surprised his host.

³⁹ Then Jesus said to him, "You Pharisees wash the outside, but inside you are still dirty—full of greed and wickedness! ⁴⁰ Fools! Didn't God make the inside as well as the outside? ⁴¹ Purity is best demonstrated by generosity.

⁴² "But woe to you Pharisees! For though you are careful to tithe even the smallest part of your income, you completely forget about justice and the love of God. You should tithe, yes, but you should not leave these other things undone.

⁴³ "Woe to you Pharisees! For how you love the seats of honor in the synagogues and the respectful greetings from everyone as you walk through the markets! ⁴⁴ Yes, awesome judgment is awaiting you. For you are like hidden graves in a field. Men go by you with no knowledge of the corruption they are passing."

⁴⁵ "Sir," said an expert in religious law who was standing there, "you have insulted my profession, too, in what you just said."

⁴⁶ "Yes," said Jesus, "the same horrors await you! For you crush men beneath impossible religious demands—demands that you yourselves would never think of trying to keep. ⁴⁷ Woe to you! For you are exactly like your ancestors who killed the prophets long ago. ⁴⁸ Murderers! You agree with your fathers that what they did was right—you would have done the same yourselves.

⁴⁹ "This is what God says about you: 'I will send prophets and apostles to you, and

los demás los perseguirán". ⁵⁰Sobre esta generación caerá la culpa de la sangre de los siervos de Dios que se ha estado derramando desde la fundación del mundo, ⁵¹desde la muerte de Abel hasta la de Zacarías, quien pereció entre el altar y el santuario. Sí, ustedes lo pagarán. ⁵²¡Ay de ustedes, intérpretes de la ley, porque le ocultan la verdad al pueblo! Ni la aceptan ni dejan que los demás tengan la oportunidad de creer.

⁵³,⁵⁴Los fariseos y los intérpretes de la ley o escribas estaban furiosos. A cada rato le lanzaban muchas preguntas, tratando de provocarlo y hacerle decir algo por lo que pudieran acusarlo.

12 EL GENTÍO FUE creciendo hasta convertirse en una multitud de miles de personas que se atropellaban entre sí. Jesús se volvió a sus discípulos y les dijo:

—Más que nada, cuídense de los fariseos y de la manera en que aparentan una piedad que no tienen. ²Porque no hay nada encubierto que no haya de descubrirse, ni escondido que no haya de conocerse. ³Lo que se diga en la oscuridad se escuchará en la luz, y lo que se ha susurrado en el cuarto se proclamará en las azoteas. ⁴Queridos amigos, no teman a los que quieran matarlos. Cualquiera puede matarles el cuerpo, pero nadie puede tocarles el alma. ⁵Les diré a quién tienen que temer: teman a Dios, que es el único que puede matar y echar en el infierno. ⁶¿Qué valen cinco pajarillos? ¿Unos centavos? No mucho más. Sin embargo, Dios no se olvida de ninguno de ellos. ⁷¡Nunca teman! ¡Dios tiene contado hasta el último cabello de sus cabezas! ¡Para El ustedes valen más que muchos pajarillos! ⁸Les voy a decir algo: Yo, el Hijo del Hombre, los honraré públicamente en la presencia de los ángeles de Dios si declaran aquí en la tierra que son mis amigos. ⁹Pero negaré delante de los ángeles a aquellos que me nieguen entre los hombres. ¹⁰Cualquiera que hable contra mí será perdonado, pero el que blasfeme contra el Espíritu Santo jamás alcanzará perdón.

you will kill some of them and chase away the others.'

⁵⁰ "And you of this generation will be held responsible for the murder of God's servants from the founding of the world— ⁵¹ from the murder of Abel to the murder of Zechariah who perished between the altar and the sanctuary. Yes, it will surely be charged against you.

⁵² "Woe to you experts in religion! For you hide the truth from the people. You won't accept it for yourselves, and you prevent others from having a chance to believe it."

⁵³,⁵⁴ The Pharisees and legal experts were furious; and from that time on they plied him fiercely with a host of questions, trying to trap him into saying something for which they could have him arrested.

12 MEANWHILE THE CROWDS grew until thousands upon thousands were milling about and crushing each other. He turned now to his disciples and warned them, "More than anything else, beware of these Pharisees and the way they pretend to be good when they aren't. But such hypocrisy cannot be hidden forever. ² It will become as evident as yeast in dough. ³ Whatever they have said in the dark shall be heard in the light, and what you have whispered in the inner rooms shall be broadcast from the housetops for all to hear!

⁴ "Dear friends, don't be afraid of these who want to murder you. They can only kill the body; they have no power over your souls. ⁵ But I'll tell you whom to fear—fear God who has the power to kill and then cast into hell.

⁶ "What is the price of five sparrows? A couple of pennies? Not much more than that. Yet God does not forget a single one of them. ⁷ And he knows the number of hairs on your head! Never fear, you are far more valuable to him than a whole flock of sparrows.

⁸ "And I assure you of this: I, the Messiah, will publicly honor you in the presence of God's angels if you publicly acknowledge me here on earth as your Friend. ⁹ But I will deny before the angels those who deny me here among men. ¹⁰ (Yet those who speak against me may be forgiven—while those who speak against the Holy Spirit shall never be forgiven.)

¹¹Cuando los lleven a juicio ante los magistrados y las autoridades judías, no se preocupen por lo que han de decir para defenderse. ¹²El Espíritu Santo les dará las palabras adecuadas allí mismo ante ellos.

¹³Alguien de entre el gentío le dijo:

—Maestro, dile a mi hermano que parta conmigo la herencia que nos dejó nuestro padre.

¹⁴—Hombre, ¿quién me ha puesto a mí de juez sobre esas cosas? —le respondió.

¹⁵Y continuó:

—¡Mucho cuidado! No anden deseando desmedidamente lo que no tienen. La vida no depende de la abundancia de bienes.

¹⁶A continuación les refirió una parábola:

—Un rico tenía una finca muy fértil que producía excelentes cosechas. ¹⁷Tan productiva era, que llegó el momento en que no tenía espacio suficiente para almacenar los frutos. Tuvo que sentarse a buscar una solución al problema. ¹⁸Por fin exclamó: "Ya sé. Derribaré los graneros y los edificaré mayores. Así tendré suficiente espacio, ¹⁹y podré recostarme y decirme: 'Alma mía, ya tienes para muchos años. Ahora, a descansar, a comer, a beber y a andar de fiestas' ". ²⁰Pero Dios le dijo: "Necio. Esta noche morirás. ¿Quién gozará de todo eso?"

²¹"El hombre que acumula riquezas en la tierra y no las acumula en el cielo es necio.

²²Entonces, volviéndose a sus discípulos, dijo:

—No se preocupen de la comida ni de la ropa. ²³La vida es más que ropa y comida. ²⁴Miren los cuervos, que ni siembran ni siegan, que no tienen despensa ni granero y sin embargo viven porque Dios los alimenta. ¡Para El ustedes son mucho más importantes que las aves! ²⁵Además, ¿qué gana uno con preocuparse? ¿Puede uno hacerse más alto preocupándose? ²⁶Si no se puede, ¿por qué preocuparse? ²⁷¡Miren los lirios, que no trabajan ni hilan y ni aun Salomón con toda su gloria pudo vestir jamás como uno de ellos! ²⁸Y si Dios viste así a las flores que hoy están aquí y mañana ya no existen, ¿no creen que El les proporcionará lo que necesitan, hombres de poca fe? ²⁹Y no se preocupen por lo que han de comer ni lo que han de beber; echen a un lado cualquier inquietud, que Dios nunca

¹¹ "And when you are brought to trial before these Jewish rulers and authorities in the synagogues, don't be concerned about what to say in your defense, ¹² for the Holy Spirit will give you the right words even as you are standing there."

¹³ Then someone called from the crowd, "Sir, please tell my brother to divide my father's estate with me."

¹⁴ But Jesus replied, "Man, who made me a judge over you to decide such things as that? ¹⁵ Beware! Don't always be wishing for what you don't have. For real life and real living are not related to how rich we are."

¹⁶ Then he gave an illustration: "A rich man had a fertile farm that produced fine crops. ¹⁷ In fact, his barns were full to overflowing—he couldn't get everything in. He thought about his problem, ¹⁸ and finally exclaimed, 'I know—I'll tear down my barns and build bigger ones! Then I'll have room enough. ¹⁹ And I'll sit back and say to myself, "Friend, you have enough stored away for years to come. Now take it easy! Wine, women, and song for you!"'

²⁰ "But God said to him, 'Fool! Tonight you die. Then who will get it all?'

²¹ "Yes, every man is a fool who gets rich on earth but not in heaven."

²² Then turning to his disciples he said, "Don't worry about whether you have enough food to eat or clothes to wear. ²³ For life consists of far more than food and clothes. ²⁴ Look at the ravens—they don't plant or harvest or have barns to store away their food, and yet they get along all right—for God feeds them. And you are far more valuable to him than any birds!

²⁵ "And besides, what's the use of worrying? What good does it do? Will it add a single day to your life? Of course not! ²⁶ And if worry can't even do such little things as that, what's the use of worrying over bigger things?

²⁷ "Look at the lilies! They don't toil and spin, and yet Solomon in all his glory was not robed as well as they are. ²⁸ And if God provides clothing for the flowers that are here today and gone tomorrow, don't you suppose that he will provide clothing for you, you doubters? ²⁹ And don't worry about food—what to eat and drink; don't worry at all that God will provide it for you.

los abandonará. ³⁰Es lógico que la gente del mundo se preocupe por estas cosas, pero ustedes no, porque el Padre celestial conoce sus necesidades. ³¹Busquen primeramente el reino de Dios, y Dios les dará regularmente lo que necesitan. ³²No teman, rebaño pequeño. Para el Padre es un placer darles el reino. ³³Vendan lo que tienen y den a los que están en necesidad. Esto engrosará las bolsas que tienen en el cielo. Y las bolsas del cielo ni se parten ni se agujeran. Allí cualquier tesoro está seguro, porque no hay ladrón que robe ni polilla que destruya. ³⁴Además, el corazón del hombre está siempre donde está su tesoro. ³⁵Estén siempre vestidos y listos para partir, ³⁶como los que esperan que su señor regrese de la fiesta de bodas, y listos para abrirle en el momento que llegue y toque a la puerta. ³⁷Dichosos los que están listos y en espera de su regreso. Cuando llegue, él mismo los llevará dentro, los acomodará, se pondrá un delantal y les servirá la comida. ³⁸Puede ser que llegue a las nueve de la noche o a medianoche. A cualquier hora que llegue, dichosos los siervos que estén listos.³⁹Si supieran la hora exacta de su regreso no cabe duda que estarían listos, como lo estaría cualquiera si supiera que el ladrón llegaría a cierta hora. ⁴⁰Estén listos siempre, porque yo, el Hijo del Hombre, vendré cuando menos me esperen.

⁴¹—Señor, ¿a quién le dices eso, a nosotros sólo o a todo el mundo? —preguntó Pedro.

⁴²⁻⁴⁴Y el Señor le respondió:

—Lo digo a cualquier persona fiel y sensible que recibe del Señor la responsabilidad de alimentar a los demás siervos. Si su señor regresa y halla que ha cumplido con el deber que le encomendó, lo premiará nombrándolo administrador de todos sus bienes. ⁴⁵Pero si esa persona se dice: "Mi señor no va a venir en seguida" y golpea a los hombres y a las mujeres que debía proteger, y se pasa el tiempo en fiestas y borracheras, ⁴⁶su señor regresará cuando menos lo espera, lo destituirá del cargo y lo pondrá con los infieles. ⁴⁷El castigo que recibirá será severo, porque voluntariamente dejó de cumplir con su deber. ⁴⁸Si alguien involuntariamente falta a su deber, será castigado, mas no con severidad. Pero

³⁰ All mankind scratches for its daily bread, but your heavenly Father knows your needs. ³¹ He will always give you all you need from day to day if you will make the Kingdom of God your primary concern.

³² "So don't be afraid, little flock. For it gives your Father great happiness to give you the Kingdom. ³³ Sell what you have and give to those in need. This will fatten your purses in heaven! And the purses of heaven have no rips or holes in them. Your treasures there will never disappear; no thief can steal them; no moth can destroy them. ³⁴ Wherever your treasure is, there your heart and thoughts will also be.

³⁵ "Be prepared—all dressed and ready— ³⁶ for your Lord's return from the wedding feast. Then you will be ready to open the door and let him in the moment he arrives and knocks. ³⁷ There will be great joy for those who are ready and waiting for his return. He himself will seat them and put on a waiter's uniform and serve them as they sit and eat! ³⁸ He may come at nine o'clock at night—or even at midnight. But whenever he comes there will be joy for his servants who are ready!

³⁹ "Everyone would be ready for him if they knew the exact hour of his return —just as they would be ready for a thief if they knew when he was coming. ⁴⁰ So be ready all the time. For I, the Messiah, will come when least expected."

⁴¹ Peter asked, "Lord, are you talking just to us or to everyone?"

⁴²,⁴³,⁴⁴ And the Lord replied, "I'm talking to any faithful, sensible man whose master gives him the responsibility of feeding the other servants. If his master returns and finds that he has done a good job, there will be a reward—his master will put him in charge of all he owns. ⁴⁵ "But if the man begins to think, 'My Lord won't be back for a long time,' and begins to whip the men and women he is supposed to protect, and to spend his time at drinking parties and in drunkenness— ⁴⁶ well, his master will return without notice and remove him from his position of trust and assign him to the place of the unfaithful. ⁴⁷ He will be severely punished, for though he knew his duty he refused to do it.

⁴⁸ "But anyone who is not aware that he is doing wrong will be punished only lightly.

mucho se demandará de los que mucho reciben, porque su responsabilidad es mayor. ⁴⁹He venido a traer fuego a la tierra. ¡Ojalá ya estuviera ardiendo! ¡Ojalá ya hubiera terminado mi tarea! ⁵⁰Mas todavía me espera un terrible bautismo, y angustiado estaré hasta que salga de él. ⁵¹¿Creen que vine sólo a traer paz a la tierra? ¡No! Vine también a traer luchas y divisiones. ⁵²De ahora en adelante las familias se dividirán por causa mía; tres estarán a mi favor y dos en contra, o viceversa quizás. ⁵³Un padre opinará de mí una cosa y el hijo otra; madre e hija no se pondrán de acuerdo; y la nuera se opondrá a la decisión de la suegra.

⁵⁴Calló un instante y se volvió al gentío para decirle:

—Cuando ven las nubes que empiezan a formarse en el occidente, dicen: "Va a llover". Y así sucede. ⁵⁵Cuando hay vientos del sur, se dicen: "Hará calor". Y es cierto. ⁵⁶¡Hipócritas! Saben interpretar el aspecto del cielo y la tierra, pero no hacen caso de las señales que advierten la crisis que se avecina. ⁵⁷¿Por qué no analizan ustedes mismos lo que es justo? ⁵⁸Si mientras te diriges a los tribunales te encuentras con el que te acusa, trata de arreglarte con él antes que te presente ante el juez, no sea que te metan en la cárcel ⁵⁹hasta que pagues el último centavo.

13 EN AQUELLOS DÍAS le informaron que Pilato había mandado matar a varios judíos de Galilea mientras éstos sacrificaban en el Templo de Jerusalén.

²—¿Creen ustedes que esos hombres padecieron porque eran más pecadores que los demás galileos? ³¡No! Ustedes perecerán también si no se apartan de los malos caminos y se vuelven a Dios. ⁴¿Y qué me dicen de los dieciocho hombres que murieron cuando les cayó encima la torre de Siloé? ¿Eran acaso los más pecadores de Jerusalén? ⁵¡No! ¡Ustedes perecerán también si no se arrepienten!

⁶Y les presentó la siguiente ilustración:

—Un hombre plantó una higuera en su jardín y fue a ver si había producido alguna fruta. Un día, cansado de no encontrar nada, ⁷ordenó al viñador que la cortara. "¡Hace tres años que la planté y no ha

Much is required from those to whom much is given, for their responsibility is greater.

⁴⁹ "I have come to bring fire to the earth, and, oh, that my task were completed! ⁵⁰ There is a terrible baptism ahead of me, and how I am pent up until it is accomplished!

⁵¹ "Do you think I have come to give peace to the earth? *No!* Rather, strife and division! ⁵² From now on families will be split apart, three in favor of me, and two against—or perhaps the other way around. ⁵³ A father will decide one way about me; his son, the other; mother and daughter will disagree; and the decision of an honored mother-in-law will be spurned by her daughter-in-law."

⁵⁴ Then he turned to the crowd and said, "When you see clouds beginning to form in the west, you say, 'Here comes a shower.' And you are right.

⁵⁵ "When the south wind blows you say, 'Today will be a scorcher.' And it is. ⁵⁶ Hypocrites! You interpret the sky well enough, but you refuse to notice the warnings all around you about the crisis ahead. ⁵⁷ Why do you refuse to see for yourselves what is right?

⁵⁸ "If you meet your accuser on the way to court, try to settle the matter before it reaches the judge, lest he sentence you to jail; ⁵⁹ for if that happens you won't be free again until the last penny is paid in full."

13 ABOUT THIS TIME he was informed that Pilate had butchered some Jews from Galilee as they were sacrificing at the Temple in Jerusalem.

² "Do you think they were worse sinners than other men from Galilee?" he asked. "Is that why they suffered? ³ Not at all! And don't you realize that you also will perish unless you leave your evil ways and turn to God?

⁴ "And what about the eighteen men who died when the Tower of Siloam fell on them? Were they the worst sinners in Jerusalem? ⁵ Not at all! And you, too, will perish unless you repent."

⁶ Then he used this illustration: "A man planted a fig tree in his garden and came again and again to see if he could find any fruit on it, but he was always disappointed. ⁷ Finally he told his gardener to cut it down. 'I've waited three years and there hasn't

producido nada!", dijo. "¿Para qué perder el tiempo? Está ocupando un espacio que podemos utilizar con mayor provecho". ⁸Pero el jardinero le dijo: "Dale otra oportunidad. Déjala otro año; que me voy a ocupar de ella y la voy a abonar bien. ⁹Si el próximo año da frutos, bien; si no, la cortaré".

¹⁰Un día de reposo en que enseñaba en una sinagoga, ¹¹vio a una mujer que hacía dieciocho años andaba encorvada por causa de una enfermedad. ¹²Sin vacilar la llamó.

—Señora —le dijo mientras le ponía las manos encima—, ¡ya estás curada!

¹³¡Al instante la mujer se enderezó y prorrumpió en alabanzas y acción de gracias a Dios! ¹⁴Pero el principal de la sinagoga, enojado de veras porque Jesús la había sanado en el día de reposo, gritó a la multitud:

—La semana tiene seis días en que podemos trabajar. Está bien que en esos días vengan para que los sane, ¡pero en el día de reposo, no!

¹⁵—¡Hipócrita! —le respondió el Señor—. ¡Tú también trabajas en el día de reposo! ¿No desatas acaso tu buey o tu burro en el día de reposo y lo llevas a tomar agua? ¹⁶Entonces, ¿qué tiene de malo que en el día de reposo yo libere a esta pobre judía de los lazos con que Satanás la tiene atada desde hace dieciocho años?

¹⁷Esto avergonzó a sus adversarios, pero el pueblo entero se regocijaba con las maravillas que hacía.

¹⁸—¿Cómo es el reino de Dios? —preguntó—. Vamos a ver con qué se lo comparo. ¹⁹El reino de Dios es como una diminuta semilla de mostaza plantada en un huerto; pronto crece y se convierte en un árbol inmenso en cuyas ramas las aves anidan. ²⁰,²¹Es como la levadura que se echa en la harina y en lo secreto obra hasta que la masa crece extraordinariamente.

²²Salió entonces de ciudad en ciudad, de pueblo en pueblo, siempre rumbo a Jerusalén. Y a lo largo del camino enseñaba. ²³Un día alguien le preguntó:

—¿Son pocos los que se salvan?

Y El respondió:

²⁴—La puerta del cielo es angosta. Esfuércense por entrar, porque lo cierto es que muchos tratarán de entrar un día y no podrán ²⁵porque el padre de familia ya la

been a single fig!' he said. 'Why bother with it any longer? It's taking up space we can use for something else.'

⁸ " 'Give it one more chance,' the gardener answered. 'Leave it another year, and I'll give it special attention and plenty of fertilizer. ⁹ If we get figs next year, fine; if not, I'll cut it down.' "

¹⁰ One Sabbath as he was teaching in a synagogue, ¹¹ he saw a seriously handicapped woman who had been bent double for eighteen years and was unable to straighten herself.

¹² Calling her over to him Jesus said, "Woman, you are healed of your sickness!" ¹³ He touched her, and instantly she could stand straight. How she praised and thanked God!

¹⁴ But the local Jewish leader in charge of the synagogue was very angry about it because Jesus had healed her on the Sabbath day. "There are six days of the week to work," he shouted to the crowd. "Those are the days to come for healing, not on the Sabbath!"

¹⁵ But the Lord replied, "You hypocrite! You work on the Sabbath! Don't you untie your cattle from their stalls on the Sabbath and lead them out for water? ¹⁶ And is it wrong for me, just because it is the Sabbath day, to free this Jewish woman from the bondage in which Satan has held her for eighteen years?"

¹⁷ This shamed his enemies. And all the people rejoiced at the wonderful things he did.

¹⁸ Now he began teaching them again about the Kingdom of God: "What is the Kingdom like?" he asked. "How can I illustrate it? ¹⁹ It is like a tiny mustard seed planted in a garden; soon it grows into a tall bush, and the birds live among its branches. ²⁰,²¹ It is like yeast kneaded into dough, which works unseen until it has risen high and light."

²² He went from city to city and village to village, teaching as he went, always pressing onward toward Jerusalem.

²³ Someone asked him, "Will only a few be saved?"

And he replied, ²⁴,²⁵ "The door to heaven is narrow. Work hard to get in, for the truth is that many will try to enter but when the head of the house has locked the door, it

habrá cerrado. Tocarán y llamarán a la puerta y suplicarán: "Señor, ábrenos". Pero El responderá: "No los conozco". ²⁶"Pero ¿cómo puedes decir que no nos conoces si comimos contigo y en nuestras plazas enseñaste?" dirán. ²⁷Y El les responderá: "Repito; no los conozco. Apártense de mí, pecadores". ²⁸¡Y cuando vean a Abraham, a Isaac, a Jacob y a los demás profetas dentro del reino de Dios, y ustedes se vean excluidos, llorarán y crujirán los dientes! ²⁹Duro les será ver que de todas partes del mundo habrá gente sentada a la mesa en el reino de Dios, que ³⁰muchos de los que ahora sufren desprecios serán los más honrados en aquel día, y que muchos de los que ahora se creen superiores se verán situados en un plano de inferioridad.

³¹No mucho después varios fariseos le dijeron:

—Vete de aquí si es que quieres vivir. Herodes te quiere matar.

³²—Vayan y díganle a aquella zorra que hoy y mañana seguiré echando demonios y realizando milagros de sanidad, y que al tercer día llegaré a mi destino. ³³Sí, ¡hoy, mañana y pasado! ¡No es posible que un profeta muera fuera de Jerusalén! ³⁴¡Jerusalén, Jerusalén, que matas a los profetas y apedreas a los que Dios envía a ayudarte! ¡Cuántas veces quise proteger a tus hijos como la gallina protege a sus polluelos debajo de sus alas, y no quisiste! ³⁵Pero, ¡ay!, ya pronto la casa te quedará vacía, y no me volverás a ver hasta que digas: "Bendito el que viene en el nombre del Señor".

14 UN DÍA DE reposo en que entró en casa de un miembro del concilio judío, los fariseos lo acechaban ²para ver si sanaba a un hidrópico que estaba allí.

³—¿Es legal sanar en el día de reposo o no? —preguntó a los fariseos y a los intérpretes de la ley que lo rodeaban.

⁴Como éstos callaron, tomó al enfermo, lo sanó y lo despidió.

⁵—¿Quién de ustedes no trabaja en día de reposo? —les preguntó—. Si un burro o un buey se les cae en un hoyo, ¿no corren en

will be too late. Then if you stand outside knocking, and pleading, 'Lord, open the door for us,' he will reply, 'I do not know you.'

²⁶ "'But we ate with you, and you taught in our streets,' you will say.

²⁷ "And he will reply, 'I tell you, I don't know you. You can't come in here, guilty as you are. Go away.'

²⁸ "And there will be great weeping and gnashing of teeth as you stand outside and see Abraham, Isaac, Jacob, and all the prophets within the Kingdom of God— ²⁹ for people will come from all over the world to take their places there. ³⁰ And note this: some who are despised now will be greatly honored then; and some who are highly thought of now will be least important then."

³¹ A few minutes later some Pharisees said to him, "Get out of here if you want to live, for King Herod is after you!"

³² Jesus replied, "Go tell that fox that I will keep on casting out demons and doing miracles of healing today and tomorrow; and the third day I will reach my destination. ³³ Yes, today, tomorrow, and the next day! For it wouldn't do for a prophet of God to be killed except in Jerusalem!

³⁴ "O Jerusalem, Jerusalem! The city that murders the prophets. The city that stones those sent to help her. How often I have wanted to gather your children together even as a hen protects her brood under her wings, but you wouldn't let me. ³⁵ And now—now your house is left desolate. And you will never again see me until you say, 'Welcome to him who comes in the name of the Lord.' "

14 ONE SABBATH AS he was in the home of a member of the Jewish Council, the Pharisees were watching him like hawks to see if he would heal a man who was present who was suffering from dropsy.

³ Jesus said to the Pharisees and legal experts standing around, "Well, is it within the Law to heal a man on the Sabbath day, or not?"

⁴ And when they refused to answer, Jesus took the sick man by the hand and healed him and sent him away.

⁵ Then he turned to them: "Which of you doesn't work on the Sabbath?" he asked. "If your cow falls into a pit, don't

seguida a sacarlo?

⁶No le contestaron tampoco.

⁷Al ver que los invitados se apresuraban a sentarse en los primeros asientos de la mesa, les ofreció el siguiente consejo:

⁸—Cuando te inviten a alguna boda, no trates de tomar el mejor asiento, no sea que llegue alguien más distinguido que tú ⁹y el que te convidó se vea forzado a decirte: "Deja que este hombre se siente allí". ¡Imagínate la pena que pasarías! No te quedaría más remedio que ir a sentarte en el último asiento de la mesa. ¹⁰Mejor siéntate en el peor asiento, para que el anfitrión, al verte, te diga: "Amigo, ven; acá hay un mejor asiento para ti". Esto sí sería un honor para ti. ¹¹Recuerda: El que se ensalza será humillado, y el que se humilla será ensalzado.

¹²Entonces se dirigió al que lo había invitado:

—Cuando organices un banquete, no invites amigos, ni hermanos, ni parientes, ni vecinos ricos, porque éstos te devolverían la invitación. ¹³Mejor es que invites al pobre, al manco, al cojo y al ciego, ¹⁴para que en la resurrección de los justos Dios te recompense por haber invitado a los que no pueden recompensarte.

¹⁵—¡Qué privilegio será entrar en el reino de Dios! —exclamó uno de los oyentes.

¹⁶Jesús le respondió con la siguiente ilustración:

—Un hombre preparó una gran fiesta y envió muchísimas invitaciones. ¹⁷Cuando todo estuvo listo, envió a su siervo a avisar a los invitados que ya podían ir. ¹⁸Pero los invitados comenzaron a excusarse. Uno dijo que lo perdonara porque acababa de comprar una finca y tenía que ir a verla. ¹⁹Otro dijo que acababa de comprar cinco yuntas de bueyes y quería probarlos. ²⁰Otro, que acababa de casarse y no podía asistir.

²¹El siervo retirió a su amo aquellas excusas. Este, enojado, le dijo que fuera inmediatamente e invitara a cuanto pordiosero, manco, cojo y ciego encontrara por allí. ²²El siervo obedeció, pero sobró espacio en el salón. ²³"Bien", dijo el amo, "vé por los caminos y atrás de los cercos e insiste en que todo el que quiera venga hasta que la casa esté repleta. ²⁴No quiero que ninguno de los que convidé primero guste la cena

you proceed at once to get it out?"

⁶ Again they had no answer.

⁷ When he noticed that all who came to the dinner were trying to sit near the head of the table, he gave them this advice: ⁸ "If you are invited to a wedding feast, don't always head for the best seat. For if someone more respected than you shows up, ⁹ the host will bring him over to where you are sitting and say, 'Let this man sit here instead.' And you, embarrassed, will have to take whatever seat is left at the foot of the table!

¹⁰ "Do this instead—start at the foot; and when your host sees you he will come and say, 'Friend, we have a better place than this for you!' Thus you will be honored in front of all the other guests. ¹¹ For everyone who tries to honor himself shall be humbled; and he who humbles himself shall be honored." ¹² Then he turned to his host. "When you put on a dinner," he said, "don't invite friends, brothers, relatives, and rich neighbors! For they will return the invitation. ¹³ Instead, invite the poor, the crippled, the lame, and the blind. ¹⁴ Then at the resurrection of the godly, God will reward you for inviting those who can't repay you."

¹⁵ Hearing this, a man sitting at the table with Jesus exclaimed, "What a privilege it would be to get into the Kingdom of God!"

¹⁶ Jesus replied with this illustration: "A man prepared a great feast and sent out many invitations. ¹⁷ When all was ready, he sent his servant around to notify the guests that it was time for them to arrive. ¹⁸ But they all began making excuses. One said he had just bought a field and wanted to inspect it, and asked to be excused. ¹⁹ Another said he had just bought five pair of oxen and wanted to try them out. ²⁰ Another had just been married and for that reason couldn't come.

²¹ "The servant returned and reported to his master what they had said. His master was angry and told him to go quickly into the streets and alleys of the city and to invite the beggars, crippled, lame, and blind. ²² But even then, there was still room.

²³ " 'Well, then,' said his master, 'go out into the country lanes and out behind the hedges and urge anyone you find to come, so that the house will be full. ²⁴ For none of those I invited first will get even the smallest

que les preparé".

²⁵Grandes multitudes lo seguían. En una ocasión se volvió y les dijo:

²⁶—El que quiera seguirme tiene que amarme más que a su padre, madre, esposa, hijos, hermanos o hermanas, y más que a su propia vida. De lo contrario, no podrá ser discípulo mío. ²⁷Nadie podrá serlo si no me sigue con la cruz a cuestas. ²⁸Antes de decidirse, fíjense bien en el precio que tendrán que pagar. A nadie se le ocurriría meterse a construir sin calcular primero lo que le va a costar y ver si tiene suficiente dinero. ²⁹De lo contrario, se arriesga a que el dinero que tiene apenas le alcance para los cimientos. Imagínense cómo se le reiría la gente en la cara: ³⁰"¡Miren a ése. ¡Se le metió en la cabeza construir y se le acabó el dinero antes de poder terminar!" ³¹Y ¿a qué rey se le ocurriría ir a la guerra sin sentarse primero a calcular si con su ejército de diez mil hombres podría hacerle frente a los veinte mil que marchan contra él? ³²Si ve que no pueden, mientras el enemigo está todavía lejos, enviará una delegación para que negocie las condiciones de paz. ³³De igual manera, nadie podrá ser discípulo mío si no se sienta a contar las bendiciones que disfruta y luego renuncia a ellas por mí. ³⁴¿De qué sirve una sal desvanecida? ³⁵Si no sala, no sirve ni para fertilizante y lo mejor es tirarla. Preste atención el que sabe entender mis palabras.

²⁵ Great crowds were following him. He turned around and addressed them as follows: ²⁶ "Anyone who wants to be my follower must love me far more than he does his own father, mother, wife, children, brothers, or sisters—yes, more than his own life—otherwise he cannot be my disciple. ²⁷ And no one can be my disciple who does not carry his own cross and follow me.

²⁸ "But don't begin until you count the cost. For who would begin construction of a building without first getting estimates and then checking to see if he has enough money to pay the bills? ²⁹ Otherwise he might complete only the foundation before running out of funds. And then how everyone would laugh!

³⁰ " 'See that fellow there?' they would mock. 'He started that building and ran out of money before it was finished!'

³¹ "Or what king would ever dream of going to war without first sitting down with his counselors and discussing whether his army of 10,000 is strong enough to defeat the 20,000 men who are marching against him?

³² "If the decision is negative, then while the enemy troops are still far away, he will send a truce team to discuss terms of peace. ³³ So no one can become my disciple unless he first sits down and counts his blessings —and then renounces them all for me.

³⁴ "What good is salt that has lost its saltiness? ³⁵ Flavorless salt is fit for nothing—not even for fertilizer. It is worthless and must be thrown out. Listen well, if you would understand my meaning."

15 A MENUDO ENTRE los que acudían a escuchar a Jesús había cobradores de impuestos deshonestos y pecadores notorios. ²Esto tenía descontentos a los fariseos y escribas, quienes deploraban que el Maestro se codeara con gente así y que hasta comiera con ellos. ³Jesús les tuvo que decir la siguiente parábola:

⁴—Si alguno de ustedes tiene cien ovejas y una se le pierde en el desierto, ¿no deja las noventa y nueve restantes y se va a buscar la perdida hasta que la halla? ⁵Ah, y cuando la encuentra se la echa al hombro lleno de alegría ⁶y corre a contarlo a sus amigos para que éstos se regocijen con él.

15 DISHONEST TAX COLLECTORS and other notorious sinners often came to listen to Jesus' sermons; ² but this caused complaints from the Jewish religious leaders and the experts on Jewish law because he was associating with such despicable people—even eating with them! ³,⁴ So Jesus used this illustration: "If you had a hundred sheep and one of them strayed away and was lost in the wilderness, wouldn't you leave the ninety-nine others to go and search for the lost one until you found it? ⁵ And then you would joyfully carry it home on your shoulders. ⁶ When you arrived you would call together your friends and neighbors to rejoice with you because

⁷Pues bien, lo mismo sucede en el cielo; hay más alegría por un pecador perdido que regresa a Dios que por los noventa y nueve justos que nunca se han alejado.

⁸"Otro ejemplo: Cierta mujer tenía diez valiosas monedas de plata y perdió una. ¿Qué hizo? Encendió una lámpara, buscó por todos los rincones de la casa y barrió hasta el último escondrijo hasta que la encontró. ⁹Entonces reunió a sus amigas y vecinas para darles la maravillosa noticia. ¹⁰De la misma manera hay gozo entre los ángeles de Dios cada vez que un pecador se arrepiente.

Para que de veras entendieran bien lo que estaba tratando de enseñarles, les refirió la siguiente parábola:

¹¹—Un hombre tenía dos hijos. ¹²Un día el menor se le acercó y le dijo: "Quiero que me entregues la parte de los bienes que me corresponde. No deseo tener que esperar hasta que mueras". El padre accedió y dividió sus bienes entre sus hijos. ¹³Días después el menor empaquetó sus pertenencias y se fue a una tierra lejana, donde malgastó el dinero en fiestas y mujeres malas. ¹⁴Cuando se le acabó, hubo una gran escasez en aquel país, y el joven comenzó a pasar hambre. ¹⁵Tuvo que suplicarle a un granjero de los alrededores que lo empleara para cuidar cerdos. ¹⁶Tanta era el hambre que tenía, que le habría gustado comerse las algarrobas que comían los cerdos. Y nadie le daba nada. ¹⁷Un día reflexionó y se dijo: "En mi casa los jornaleros tienen comida en abundancia, y yo aquí me estoy muriendo de hambre. ¹⁸Iré a mi padre y le diré: 'Padre, he pecado contra el cielo y contra ti. ¹⁹Ya no soy digno de que me llames hijo. Tómame como a uno de tus jornaleros'". ²⁰Y así lo hizo. Cuando todavía estaba lejos, el padre lo vio acercarse y, lleno de compasión, corrió, lo abrazó y lo besó. ²¹"Padre, he pecado contra el cielo y contra ti", dijo el joven. "Ya no soy digno de que me llames hijo..." ²²"¡Pronto!", lo interrumpió el padre, dirigiéndose a sus esclavos. "Traigan la mejor ropa que encuentren y póngansela. Y denle también un anillo y zapatos. ²³Y maten el becerro más gordo. ¡Tenemos que celebrar esto! ²⁴¡Este hijo mío estaba muerto y ha revivido, estaba perdido y apareció!"

"Y comenzó la fiesta. ²⁵Mientras tanto,

your lost sheep was found.

⁷ "Well, in the same way heaven will be happier over one lost sinner who returns to God than over ninety-nine others who haven't strayed away!

⁸ "Or take another illustration: A woman has ten valuable silver coins and loses one. Won't she light a lamp and look in every corner of the house and sweep every nook and cranny until she finds it? ⁹ And then won't she call in her friends and neighbors to rejoice with her? ¹⁰ In the same way there is joy in the presence of the angels of God when one sinner repents."

To further illustrate the point, he told them this story: ¹¹ "A man had two sons. ¹² When the younger told his father, 'I want my share of your estate now, instead of waiting until you die!' his father agreed to divide his wealth between his sons.

¹³ "A few days later this younger son packed all his belongings and took a trip to a distant land, and there wasted all his money on parties and prostitutes. ¹⁴ About the time his money was gone a great famine swept over the land, and he began to starve. ¹⁵ He persuaded a local farmer to hire him to feed his pigs. ¹⁶ The boy became so hungry that even the pods he was feeding the swine looked good to him. And no one gave him anything.

¹⁷ "When he finally came to his senses, he said to himself, 'At home even the hired men have food enough and to spare, and here I am, dying of hunger! ¹⁸ I will go home to my father and say, "Father, I have sinned against both heaven and you, ¹⁹ and am no longer worthy of being called your son. Please take me on as a hired man." '

²⁰ "So he returned home to his father. And while he was still a long distance away, his father saw him coming, and was filled with loving pity and ran and embraced him and kissed him.

²¹ "His son said to him, 'Father, I have sinned against heaven and you, and am not worthy of being called your son—'

²² "But his father said to the slaves, 'Quick! Bring the finest robe in the house and put it on him. And a jeweled ring for his finger; and shoes! ²³ And kill the calf we have in the fattening pen. We must celebrate with a feast, ²⁴ for this son of mine was dead and has returned to life. He was lost and is found.' So the party began.

el hijo mayor, que había estado trabajando, regresó a la casa y oyó la música y las danzas, ²⁶y preguntó a uno de los esclavos qué estaba pasando. ²⁷"Tu hermano ha regresado", le dijo, "y tu padre mandó matar el becerro más gordo y ha organizado una gran fiesta para celebrar que regresó bueno y sano". ²⁸El hermano mayor se enojó tanto que se negó a entrar. El padre tuvo que salir a suplicarle que entrara, ²⁹pero él le respondió: "Todos estos años he trabajado sin descanso para ti y jamás me he negado a hacer lo que has pedido. Sin embargo, nunca me has dado ni un cabrito para que me lo coma con mis amigos. ³⁰En cambio, cuando este otro regresa después de gastar tu dinero con mujeres por ahí, matas el becerro más gordo para celebrarlo".

³¹"Mira, hijo", le respondió el padre, "tú siempre estás conmigo y todo lo que tengo es tuyo. ³²Pero tu hermano estaba muerto y ha revivido, estaba perdido y apareció. ¡Eso hay que celebrarlo!"

16 JESÚS REFIRIÓ LA siguiente parábola a sus discípulos:

—Cierto hombre rico tenía un administrador que manejaba los bienes de la familia, pero un día comenzaron a circular rumores de que aquel administrador no era honrado. ²El patrón lo llamó un día y le dijo: "¿Qué es eso que se dice por ahí de que me estás robando? Quiero que ahora mismo me prepares un informe sobre mis bienes, porque no me queda más remedio que despedirte". ³El administrador pensó para sí: "Y ahora, ¿qué hago? Fuerzas no tengo para irme a picar piedras, y orgullo me sobra para mendigar. ⁴¡Ah, ya sé! ¡Cuando salga de aquí tendré amigos que me reciban!"

⁵"Invitó, pues, a los que debían dinero al hombre rico. Al primero que se presentó le preguntó: "¿Cuánto le debes?" ⁶"Cien barriles de aceite de oliva", respondió. "Exactamente, dijo el administrador. "Aquí está el contrato que firmaste. Rómpelo y haz otro por cincuenta barriles". ⁷Y al siguiente deudor le preguntó: "¿Cuánto le debes?" "Cien medidas de trigo". "Sí, aquí está la nota. Pero vamos a anotar que debes

²⁵ "Meanwhile, the older son was in the fields working; when he returned home, he heard dance music coming from the house, ²⁶ and he asked one of the servants what was going on.

²⁷ " 'Your brother is back,' he was told, 'and your father has killed the calf we were fattening and has prepared a great feast to celebrate his coming home again unharmed.'

²⁸ "The older brother was angry and wouldn't go in. His father came out and begged him, ²⁹ but he replied, 'All these years I've worked hard for you and never once refused to do a single thing you told me to; and in all that time you never gave me even one young goat for a feast with my friends. ³⁰ Yet when this son of yours comes back after spending your money on prostitutes, you celebrate by killing the finest calf we have on the place.'

³¹ " 'Look, dear son,' his father said to him, 'you and I are very close, and everything I have is yours. ³² But it is right to celebrate. For he is your brother; and he was dead and has come back to life! He was lost and is found!' "

16 JESUS NOW TOLD this story to his disciples: "A rich man hired an accountant to handle his affairs, but soon a rumor went around that the accountant was thoroughly dishonest.

² "So his employer called him in and said, 'What's this I hear about your stealing from me? Get your report in order, for you are to be dismissed.'

³ "The accountant thought to himself, 'Now what? I'm through here, and I haven't the strength to go out and dig ditches, and I'm too proud to beg. ⁴ I know just the thing! And then I'll have plenty of friends to take care of me when I leave!'

⁵,⁶ "So he invited each one who owed money to his employer to come and discuss the situation. He asked the first one, 'How much do you owe him?' 'My debt is 850 gallons of olive oil,' the man replied. 'Yes, here is the contract you signed,' the accountant told him. 'Tear it up and write another one for half that much!'

⁷ " 'And how much do you owe him?' he asked the next man. 'A thousand bushels of wheat,' was the reply. 'Here,' the accountant said, 'take your note and replace it with

ochenta".

⁸"El patrón de aquel hombre no pudo dejar de admirar la sagacidad del administrador. Tristemente, la gente del mundo es más sagaz en su maldad que los hijos de Dios. ⁹Pero ¿debemos acaso hacer lo mismo? ¿Debemos ganar amigos con artimañas? ¹⁰¡No! El que es fiel en lo poco es fiel en lo mucho. ¹¹Si no somos fieles en cuanto a las insignificantes riquezas de este mundo, ¿cómo podremos serlo en cuanto a las riquezas celestiales? ¹²Si no eres fiel en cuanto al dinero de los demás, no se te podrá confiar ni siquiera lo que es tuyo. ¹³Nadie puede servir a dos señores, porque aborrecerá a uno y mostrará lealtad al otro, o viceversa: mostrará lealtad a uno y aborrecerá al otro. Nadie puede servir a la vez a Dios y al dinero.

¹⁴Los fariseos, que vivían apegados al dinero, naturalmente se burlaron de Él.

¹⁵—Sí, en público se hacen los muy justos —les respondió Jesús—, pero Dios sabe que tienen perverso el corazón. Aunque ese fingimiento les gana la admiración de la gente, para Dios es una abominación. ¹⁶Hasta el momento mismo en que Juan el Bautista comenzó a predicar, la ley y los escritos de los profetas les servían de guía. Pero Juan trajo al mundo la maravillosa noticia de que el reino de Dios se estaba acercando, y desde entonces multitudes ansiosas se esfuerzan por entrar en él. ¹⁷Esto no quiere decir, desde luego, que la ley ha perdido vigor. ¡Ni en lo más mínimo! La ley se mantiene con el mismo vigor inalterable del cielo y de la tierra. ¹⁸Ahora, como antes, el que se divorcia de su esposa y se casa con otra, adultera; y el que se casa con la divorciada adultera también.

¹⁹Continuó Jesús:

—Hubo una vez cierto rico que vestía a las mil maravillas y a diario organizaba espléndidos banquetes. ²⁰Lázaro, mendigo que estaba muy enfermo, solía sentarse a la puerta del rico, ²¹y mientras suspiraba por comerse las migajas que caían de la mesa, los perros le lamían las llagas. ²²Un día el mendigo murió y los ángeles lo llevaron junto a Abraham, al lugar donde van los fieles. El rico murió también y lo enterraron, ²³y despertó en el infierno. En medio de sus tormentos, vio a lo lejos a Lázaro junto

one for only 800 bushels!'

⁸ "The rich man had to admire the rascal for being so shrewd. And it is true that the citizens of this world are more clever [in dishonesty!] than the godly are. ⁹ But shall I tell *you* to act that way, to buy friendship through cheating? Will this ensure your entry into an everlasting home in heaven? ¹⁰ *No!* For unless you are honest in small matters, you won't be in large ones. If you cheat even a little, you won't be honest with greater responsibilities. ¹¹ And if you are untrustworthy about worldly wealth, who will trust you with the true riches of heaven? ¹² And if you are not faithful with other people's money, why should you be entrusted with money of your own?

¹³ "For neither you nor anyone else can serve two masters. You will hate one and show loyalty to the other, or else the other way around—you will be enthusiastic about one and despise the other. You cannot serve both God and money."

¹⁴ The Pharisees, who dearly loved their money, naturally scoffed at all this.

¹⁵ Then he said to them, "You wear a noble, pious expression in public, but God knows your evil hearts. Your pretense brings you honor from the people, but it is an abomination in the sight of God. ¹⁶ Until John the Baptist began to preach, the laws of Moses and the messages of the prophets were your guides. But John introduced the Good News that the Kingdom of God would come soon. And now eager multitudes are pressing in. ¹⁷ But that doesn't mean that the Law has lost its force in even the smallest point. It is as strong and unshakable as heaven and earth.

¹⁸ "So anyone who divorces his wife and marries someone else commits adultery, and anyone who marries a divorced woman commits adultery."

¹⁹ "There was a certain rich man," Jesus said, "who was splendidly clothed and lived each day in mirth and luxury. ²⁰ One day Lazarus, a diseased beggar, was laid at his door. ²¹ As he lay there longing for scraps from the rich man's table, the dogs would come and lick his open sores. ²² Finally the beggar died and was carried by the angels to be with Abraham in the place of the righteous dead. The rich man also died and was buried, ²³ and his soul went into hell. There, in torment, he saw Lazarus in the far

a Abraham. ²⁴"¡Padre Abraham", gritó, "ten compasión de mí! ¡Envía a Lázaro a que siquiera se moje el dedo en agua y me refresque la lengua, porque sufro mucho en esta llama!"

²⁵"Pero Abraham le respondió: "Hijo, recuerda que en la vida tuviste cuanto quisiste, y que Lázaro no tenía nada. Ahora él recibe consolación y tú recibes tormento. ²⁶Además, un gran abismo nos separa, y nadie puede ir de aquí a allá, ni de allá hacia acá. ²⁷Y el rico dijo: "Padre Abraham, te suplico que lo envíes a casa de mi padre. ²⁸Tengo cinco hermanos, y me gustaría que estuvieran enterados de cómo puede uno evitar venir a parar a este lugar de tormento". ²⁹Pero Abraham le respondió: "En las Escrituras se les advierte repetidas veces el mortal peligro que corren. Tus hermanos pueden leerlo cuantas veces quieran".

³⁰"No, padre Abraham", replicó el rico, "no se molestan en leer las Escrituras. Pero si algún muerto fuera y les hablara, se apartarían del pecado". ³¹"Si no escuchan ni a Moisés ni a los profetas, tampoco escucharán aunque un muerto se les aparezca", respondió Abraham.

17 —EN ESTE MUNDO siempre habrá tentaciones —dijo un día Jesús a los discípulos—, pero ¡ay de la persona que tienta! ²Mejor le sería que la echaran al mar con una piedra de molino atada al cuello, que sufrir el castigo que le espera por perjudicar espiritualmente a uno de mis creyentes humildes. ³¡Ya lo saben! Si tu hermano peca contra ti, repréndelo; si se arrepiente, perdónalo. ⁴Si siete veces al día peca contra ti y siete veces te pide perdón, perdónalo.

⁵Un día los apóstoles le dijeron:

—Necesitamos más fe. Auméntanosla.

⁶—Si la fe que tienen tuviera el tamaño de un grano de mostaza —les respondió Jesús—, podrían decirle a ese sicómoro: "Desarráigate y plántate en el mar", y el árbol los obedecería. ⁷Cuando un siervo regresa de arar o de cuidar el ganado, no va y se sienta a comer. ⁸¡Primero le prepara la

distance with Abraham.

²⁴ " 'Father Abraham,' he shouted, 'have some pity! Send Lazarus over here if only to dip the tip of his finger in water and cool my tongue, for I am in anguish in these flames.'

²⁵ "But Abraham said to him, 'Son, remember that during your lifetime you had everything you wanted, and Lazarus had nothing. So now he is here being comforted and you are in anguish. ²⁶ And besides, there is a great chasm separating us, and anyone wanting to come to you from here is stopped at its edge; and no one over there can cross to us.'

²⁷ "Then the rich man said, 'O Father Abraham, then please send him to my father's home— ²⁸ for I have five brothers—to warn them about this place of torment lest they come here when they die.'

²⁹ "But Abraham said, 'The Scriptures have warned them again and again. Your brothers can read them any time they want to.'

³⁰ "The rich man replied, 'No, Father Abraham, they won't bother to read them. But if someone is sent to them from the dead, then they will turn from their sins.'

³¹ "But Abraham said, 'If they won't listen to Moses and the prophets, they won't listen even though someone rises from the dead.' "

17 "THERE WILL ALWAYS be temptations to sin," Jesus said one day to his disciples, "but woe to the man who does the tempting. ^{2,3} If he were thrown into the sea with a huge rock tied to his neck, he would be far better off than facing the punishment in store for those who harm these little children's souls. I am warning you!

"Rebuke your brother if he sins, and forgive him if he is sorry. ⁴ Even if he wrongs you seven times a day and each time turns again and asks forgiveness, forgive him."

⁵ One day the apostles said to the Lord, "We need more faith; tell us how to get it."

⁶ "If your faith were only the size of a mustard seed," Jesus answered, "it would be large enough to uproot that mulberry tree over there and send it hurtling into the sea! Your command would bring immediate results! ^{7,8,9} When a servant comes in from plowing or taking care of sheep, he doesn't just sit down and eat, but first prepares his

comida al amo y después que éste termina de comer se sienta y come! ⁹Y el amo no le da las gracias, porque el siervo no ha hecho más que cumplir con su deber. ¹⁰De igual manera, si lo único que has hecho es cumplir lo que te he ordenado, no te creas digno de elogio. ¡Simplemente has cumplido con tu deber!

¹¹,¹²Siguieron rumbo a Jerusalén. Al entrar en un pueblo situado entre Samaria y Galilea, diez leprosos le salieron al encuentro ¹³y le gritaron desde cierta distancia:

—¡Jesús, Maestro, ten misericordia de nosotros!

¹⁴El Señor los miró y les dijo:

—¡Vayan y muestren a los sacerdotes que ya están sanos!

Y mientras iban, la lepra desapareció. ¹⁵,¹⁶Uno de los diez regresó gritando:

—¡Gloria a Dios! ¡Ya estoy bien! ¡Ya estoy bien!

Y se tiró a los pies de Jesús, rostro en tierra, y le dio las gracias por lo que le había hecho. Aquel hombre era samaritano.

¹⁷—¿No fueron diez los que curé? ¿Dónde están los demás? ¹⁸¿Sólo este extranjero regresó a dar gloria a Dios? ¹⁹—preguntó Jesús, y se volvió al samaritano—. Levántate y vete. Tu fe te ha salvado.

²⁰Un día los fariseos le preguntaron:

—¿Cuándo se instaurará el reino de Dios?

—El reino de Dios no vendrá precedido de señales visibles —respondió Jesús—. ²¹Nadie podrá decir: "Aquí está" ni "está allí", porque el reino de Dios ya está entre ustedes.

²²Más tarde dijo a los discípulos:

—Se acerca la hora en que anhelarán que esté con ustedes aunque sea un solo día, y no estaré. ²³Ahora bien, aunque oigan decir que regresé y que estoy en este lugar o en el otro, no lo crean ni salgan a buscarme. ²⁴Cuando regrese no les cabrá duda de que habré regresado, porque mi regreso será tan visible como la luz de un relámpago que va de un lado al otro del cielo. ²⁵Pero primero he de sufrir enormemente y he de ser rechazado por esta generación. ²⁶Cuando yo regrese, el mundo estará tan indiferente a las cosas de Dios como lo estaba en los días de Noé. ²⁷En los días de Noé la gente estuvo comiendo, bebiendo y

master's meal and serves him his supper before he eats his own. And he is not even thanked, for he is merely doing what he is supposed to do. ¹⁰Just so, if you merely obey me, you should not consider yourselves worthy of praise. For you have simply done your duty!"

¹¹As they continued onward toward Jerusalem, they reached the border between Galilee and Samaria, ¹²and as they entered a village there, ten lepers stood at a distance, ¹³crying out, "Jesus, sir, have mercy on us!"

¹⁴He looked at them and said, "Go to the Jewish priest and show him that you are healed!" And as they were going, their leprosy disappeared.

¹⁵One of them came back to Jesus, shouting, "Glory to God, I'm healed!" ¹⁶He fell flat on the ground in front of Jesus, face downward in the dust, thanking him for what he had done. This man was a despised Samaritan.

¹⁷Jesus asked, "Didn't I heal ten men? Where are the nine? ¹⁸Does only this foreigner return to give glory to God?"

¹⁹And Jesus said to the man, "Stand up and go; your faith has made you well."

²⁰One day the Pharisees asked Jesus, "When will the Kingdom of God begin?" Jesus replied, "The Kingdom of God isn't ushered in with visible signs. ²¹You won't be able to say, 'It has begun here in this place or there in that part of the country.' For the Kingdom of God is within you."

²²Later he talked again about this with his disciples. "The time is coming when you will long for me to be with you even for a single day, but I won't be here," he said. ²³"Reports will reach you that I have returned and that I am in this place or that; don't believe it or go out to look for me. ²⁴For when I return, you will know it beyond all doubt. It will be as evident as the lightning that flashes across the skies. ²⁵But first I must suffer terribly and be rejected by this whole nation.

²⁶"[When I return] the world will be [as indifferent to the things of God] as the people were in Noah's day. ²⁷They ate and drank and married—everything just as

casándose hasta el instante mismo en que Noé entró en el arca y llegó el diluvio y los destruyó. ²⁸Y será también como en los días de Lot. La gente siguió como de costumbre comiendo, bebiendo, comerciando, cosechando y construyendo edificios, ²⁹hasta el día en que Lot salió de Sodoma, y del cielo cayó fuego y azufre que los destruyó. ³⁰Así mismo será el día en que yo venga. ³¹El que en aquel día esté en la azotea, no descienda a recoger sus pertenencias; y los que estén en el campo, no regresen al pueblo. ³²¡Recuerden lo que sucedió a la esposa de Lot! ³³El que procure salvar su vida la perderá, y el que la pierda se salvará. ³⁴Aquella noche habrá dos personas en una misma cama, y una será tomada y la otra no. ³⁵Dos mujeres estarán realizando los quehaceres de la casa, y una será tomada y la otra no. ³⁶Y habrá dos hombres trabajando en el campo, y uno será tomado y el otro no.

³⁷—Señor, ¿y a dónde los llevarán? —preguntaron los discípulos.

Y Jesús les respondió:

—Los buitres se juntan donde el cuerpo está tirado.

18 UN DÍA JESÚS refirió a sus discípulos el siguiente relato que ilustra la necesidad de orar con perseverancia y de orar hasta que la respuesta llegue:

²—En cierta ciudad había un juez que se caracterizaba por dos cosas: no creía en Dios y despreciaba a todo el mundo. ³Pero había también una viuda que no se cansaba nunca de suplicarle que castigara a cierta persona que le había hecho daño. ⁴Al principio el juez no le hizo caso, pero la mujer insistía. Un día, hastiado ya, el juez se dijo: "Aunque ni creo en Dios ni me importa nada la gente, ⁵esta mujer ya me tiene cansado. Para que me deje tranquilo, le haré justicia".

⁶Y el Señor préguntó:

—Si aquel juez malvado se cansó e hizo aquello, ⁷¿no creen que Dios hará justicia a los hijos suyos que día y noche se lo suplican? ⁸¡Sí! ¡No tardará en hacerlo! Pero me pregunto: ¿A cuántos hallaré perseverando con fe en la oración cuando yo regrese?

⁹A algunos que se gloriaban de ser muy justos y menospreciaban a los demás les

usual right up to the day when Noah went into the ark and the flood came and destroyed them all.

²⁸ "And the world will be as it was in the days of Lot: people went about their daily business—eating and drinking, buying and selling, farming and building— ²⁹ until the morning Lot left Sodom. Then fire and brimstone rained down from heaven and destroyed them all. ³⁰ Yes, it will be 'business as usual' right up to the hour of my return.

³¹ "Those away from home that day must not return to pack; those in the fields must not return to town— ³² remember what happened to Lot's wife! ³³ Whoever clings to his life shall lose it, and whoever loses his life shall save it. ³⁴ That night two men will be asleep in the same room, and one will be taken away, the other left. ³⁵,³⁶ Two women will be working together at household tasks; one will be taken, the other left; and so it will be with men working side by side in the fields."

³⁷ "Lord, where will they be taken?" the disciples asked.

Jesus replied, "Where the body is, the vultures gather!"

18 ONE DAY JESUS told his disciples a story to illustrate their need for constant prayer and to show them that they must keep praying until the answer comes.

² "There was a city judge," he said, "a very godless man who had great contempt for everyone. ³ A widow of that city came to him frequently to appeal for justice against a man who had harmed her. ⁴,⁵ The judge ignored her for a while, but eventually she got on his nerves.

" 'I fear neither God nor man,' he said to himself, 'but this woman bothers me. I'm going to see that she gets justice, for she is wearing me out with her constant coming!' "

⁶ Then the Lord said, "If even an evil judge can be worn down like that, ⁷ don't you think that God will surely give justice to his people who plead with him day and night? ⁸ Yes! He will answer them quickly! But the question is: When I, the Messiah, return, how many will I find who have faith [and are praying]?"

⁹ Then he told this story to some who boasted of their virtue and scorned everyone

dijo:

¹⁰ —Dos hombres fueron al Templo a orar. Uno de ellos era un orgulloso fariseo, y el otro un deshonesto cobrador de impuestos. ¹¹El fariseo oró así: "Gracias, Dios mío, porque no soy pecador como los demás, y muchísimo menos como ese cobrador de impuestos que está allí. Nunca engaño ni cometo adulterio. ¹²Ayuno dos veces a la semana, y te doy el diezmo de todo lo que gano". ¹³El cobrador de impuestos, en cambio, se paró a cierta distancia y no se atrevía a elevar los ojos al cielo. Lleno de dolor, se golpeaba el pecho y exclamaba: "¡Dios mío, ten misericordia de mí, pecador!" ¹⁴Les aseguro que este último, y no el fariseo, regresó a su casa justificado. Porque el que se ensalza será humillado y el que se humilla será ensalzado.

¹⁵Un día los discípulos reprendieron a varias madres que trataban de acercarse a Jesús para que bendijera a sus hijos. ¹⁶Jesús los escuchó e intervino:

—No, no. No impidan que los niños vengan a mí, porque de ellos es el reino de Dios. ¹⁷El que no tenga el corazón tierno y creyente como el de cualquiera de estos niños, no entrará jamás en el reino de Dios.

¹⁸En una ocasión un jefe religioso judío le formuló la siguiente pregunta:

—Maestro bueno, ¿qué debo hacer para ir al cielo?

¹⁹ —¿Por qué dices que soy bueno? —le preguntó Jesús—. Dios es el único que es bueno. ²⁰Pero bien, te contestaré. Tú sabes que los Diez Mandamientos son: "No cometerás adulterio, no matarás, no hurtarás, no mentirás, honra a tu padre y a tu madre..."

²¹ —¡Desde niño los he guardado! —lo interrumpió el joven.

²² —Sí, pero te falta algo —le dijo Jesús—. Vende todo lo que tienes y reparte el dinero a los pobres. Así tendrás un tesoro en el cielo. Cuando lo hayas hecho, ven y sígueme.

²³Al oír aquello se fue muy triste. ¡Tenía demasiadas riquezas! ²⁴Jesús lo vio irse y dijo a los discípulos:

—¡Qué difícil le es a un rico entrar al reino de Dios! ²⁵¡Le es más fácil a un camello pasar por el ojo de una aguja que a un rico entrar en el reino de Dios!

²⁶ —Si es tan difícil, ¿quién puede salvarse? —dijeron los presentes.

else:

¹⁰ "Two men went to the Temple to pray. One was a proud, self-righteous Pharisee, and the other a cheating tax collector. ¹¹ The proud Pharisee 'prayed' this prayer: 'Thank God, I am not a sinner like everyone else, especially like that tax collector over there! For I never cheat, I don't commit adultery, ¹² I go without food twice a week, and I give to God a tenth of everything I earn.'

¹³ "But the corrupt tax collector stood at a distance and dared not even lift his eyes to heaven as he prayed, but beat upon his chest in sorrow, exclaiming, 'God, be merciful to me, a sinner.' ¹⁴ I tell you, this sinner, not the Pharisee, returned home forgiven! For the proud shall be humbled, but the humble shall be honored.

¹⁵ One day some mothers brought their babies to him to touch and bless. But the disciples told them to go away.

¹⁶,¹⁷ Then Jesus called the children over to him and said to the disciples, "Let the little children come to me! Never send them away! For the Kingdom of God belongs to men who have hearts as trusting as these little children's. And anyone who doesn't have their kind of faith will never get within the Kingdom's gates."

¹⁸ Once a Jewish religious leader asked him this question: "Good sir, what shall I do to get to heaven?"

¹⁹ "Do you realize what you are saying when you call me 'good'?" Jesus asked him. "Only God is truly good, and no one else.

²⁰ "But as to your question, you know what the ten commandments say—don't commit adultery, don't murder, don't steal, don't lie, honor your parents, and so on."

²¹ The man replied, "I've obeyed every one of these laws since I was a small child."

²² "There is still one thing you lack," Jesus said. "Sell all you have and give the money to the poor—it will become treasure for you in heaven—and come, follow me."

²³ But when the man heard this he went sadly away, for he was very rich.

²⁴ Jesus watched him go and then said to his disciples, "How hard it is for the rich to enter the Kingdom of God! ²⁵ It is easier for a camel to go through the eye of a needle than for a rich man to enter the Kingdom of God."

²⁶ Those who heard him say this exclaimed, "If it is that hard, how can *anyone*

²⁷—Dios puede lograr lo que para el hombre es imposible —les respondió.

²⁸—Nosotros lo hemos dejado todo por seguirte —dijo Pedro.

²⁹—Sí —respondió Jesús—. Y cualquiera que deje casa, esposa, hermanos, padres o hijos por el reino de Dios, ³⁰recibirá en este mundo mucho más de lo que ha dejado, y en el mundo venidero la vida eterna.

³¹Un día reunió a los doce y les dijo:

—Como saben, nos dirigimos a Jerusalén. Allí se cumplirán las predicciones de los profetas referentes a mí. ³²Me entregarán a los gentiles, se burlarán de mí, me afrentarán, ³³me azotarán y, por último, me matarán. Mas al tercer día resucitaré.

³⁴Los discípulos no entendieron ni una palabra de todo aquello. Para ellos era como un acertijo.

³⁵Se acercaban a Jericó. Sentado junto al camino, un ciego mendigaba. ³⁶Al escuchar el murmullo de la multitud que pasaba, preguntó qué sucedía, ³⁷y le respondieron que Jesús de Nazaret se acercaba. ³⁸Entonces desde donde estaba, gritó:

—¡Jesús, Hijo de David, ten misericordia de mí!

³⁹El gentío que precedía a Jesús le ordenó que se callara, pero no les hizo caso y siguió gritando:

—¡Hijo de David, ten misericordia de mí!

⁴⁰Cuando Jesús llegó al lugar, se detuvo y ordenó:

—¡Traigan al ciego!

Cuando el ciego llegó, ⁴¹el Señor le preguntó:

—¿Qué quieres de mí?

—Señor, ¡quiero que me des la vista!

⁴²Y Jesús le dijo:

—Pues ahí la tienes. Tu fe te ha sanado.

⁴³Y al instante el ciego vio, y fue tras Jesús, alabando a Dios. Y los que habían presenciado el milagro también alababan a Dios.

19 YA EN JERICÓ, un jefe de los cobradores de impuestos, muy rico por cierto, llamado Zaqueo, ³trataba de ver a Jesús. Pero tan bajito era que no alcanzaba a ver por sobre los hombros del gentío. ⁴No le quedó otro remedio: corrió a un árbol sicó-

²⁷ He replied, "God can do what men can't!"

²⁸ And Peter said, "We have left our homes and followed you."

²⁹ "Yes," Jesus replied, "and everyone who has done as you have, leaving home, wife, brothers, parents, or children for the sake of the Kingdom of God, ³⁰ will be repaid many times over now, as well as receiving eternal life in the world to come."

³¹ Gathering the Twelve around him he told them, "As you know, we are going to Jerusalem. And when we get there, all the predictions of the ancient prophets concerning me will come true. ³² I will be handed over to the Gentiles to be mocked and treated shamefully and spat upon, ³³ and lashed and killed. And the third day I will rise again."

³⁴ But they didn't understand a thing he said. He seemed to be talking in riddles.

³⁵ As they approached Jericho, a blind man was sitting beside the road, begging from travelers. ³⁶ When he heard the noise of a crowd going past, he asked what was happening. ³⁷ He was told that Jesus from Nazareth was going by, ³⁸ so he began shouting, "Jesus, Son of David, have mercy on me!"

³⁹ The crowds ahead of Jesus tried to hush the man, but he only yelled the louder, "Son of David, have mercy on me!"

⁴⁰ When Jesus arrived at the spot, he stopped. "Bring the blind man over here," he said. ⁴¹ Then Jesus asked the man, "What do you want?"

"Lord," he pleaded, "I want to see!"

⁴² And Jesus said, "All right, begin seeing! Your faith has healed you."

⁴³ And instantly the man could see, and followed Jesus, praising God. And all who saw it happen praised God too.

19 AS JESUS WAS passing through Jericho, a man named Zacchaeus, one of the most influential Jews in the Roman tax-collecting business (and, of course, a very rich man), ³ tried to get a look at Jesus, but he was too short to see over the crowds. ⁴ So he ran ahead and climbed into a sycamore

moro, y se subió para verlo pasar. ⁵Cuando Jesús pasaba miró a Zaqueo ¡y lo llamó por su nombre!

—Zaqueo —le dijo—, baja en seguida. Deseo hospedarme en tu casa.

⁶Lleno de emoción, Zaqueo descendió a la carrera y llevó a Jesús a su casa.

⁷Esto no agradó al gentío.

—¡Se fue a casa de ese sinvergüenza! —murmuraban.

⁸Mientras tanto Zaqueo, de pie ante el Señor, le dijo:

—Señor, daré la mitad de mis bienes a los pobres, y si a alguien le he cobrado de más, le devolveré cuatro veces lo que le robé.

⁹—Eso demuestra que hoy ha llegado la salvación a esta casa —dijo Jesús—. Este era uno de los hijos perdidos de Abraham¹⁰y yo, el Hijo del Hombre, he venido a buscar y a salvar a las almas perdidas como ésta.

¹¹Por cuanto se acercaban a Jerusalén, y para corregir la idea errónea que tenían de que el reino de Dios quedaría instaurado inmediatamente, les refirió la siguiente parábola:

¹²—Un noble que vivía en cierta provincia recibió la noticia de que debía presentarse inmediatamente en la capital del imperio, donde lo coronarían rey de la provincia. ¹³Antes de partir llamó a diez de sus ayudantes y entregó a cada uno una buena suma de dinero para que lo invirtieran mientras estuviera ausente. ¹⁴Algunos de sus conciudadanos, que lo odiaban, enviaron a la capital una delegación para hacer constar que no lo aceptarían como rey. ¹⁵La gestión de la delegación, sin embargo, no tuvo resultados satisfactorios, y el noble, que ya había recibido el reino, regresó y llamó a los diez ayudantes a los que había entregado dinero para ver qué habían hecho con él y cuánta ganancia habían obtenido. ¹⁶El primero le informó que había obtenido una ganancia equivalente a diez veces el capital invertido.

¹⁷"¡Estupendo!", exclamó el rey. "Eres un gran hombre. Has sido fiel en lo poco que te encomendé, y como recompensa te nombro gobernador de diez ciudades".

¹⁸"El segundo informó que había obtenido una ganancia equivalente a cinco veces el capital invertido. ¹⁹"¡Estupendo!", exclamó de nuevo el rey. "Te nombro go-

tree beside the road, to watch from there.

⁵ When Jesus came by he looked up at Zacchaeus and called him by name! "Zacchaeus!" he said. "Quick! Come down! For I am going to be a guest in your home today!"

⁶ Zacchaeus hurriedly climbed down and took Jesus to his house in great excitement and joy.

⁷ But the crowds were displeased. "He has gone to be the guest of a notorious sinner," they grumbled.

⁸ Meanwhile, Zacchaeus stood before the Lord and said, "Sir, from now on I will give half my wealth to the poor, and if I find I have overcharged anyone on his taxes, I will penalize myself by giving him back four times as much!"

⁹,¹⁰ Jesus told him, "This shows that salvation has come to this home today. This man was one of the lost sons of Abraham, and I, the Messiah, have come to search for and to save such souls as his."

¹¹ And because Jesus was nearing Jerusalem, he told a story to correct the impression that the Kingdom of God would begin right away.

¹² "A nobleman living in a certain province was called away to the distant capital of the empire to be crowned king of his province. ¹³ Before he left he called together ten assistants and gave them each $2,000 to invest while he was gone. ¹⁴ But some of his people hated him and sent him their declaration of independence, stating that they had rebelled and would not acknowledge him as their king.

¹⁵ "Upon his return he called in the men to whom he had given the money, to find out what they had done with it, and what their profits were.

¹⁶ "The first man reported a tremendous gain—ten times as much as the original amount!

¹⁷ " 'Fine!' the king exclaimed. 'You are a good man. You have been faithful with the little I entrusted to you, and as your reward,

bernador de cinco ciudades".

²⁰"Pero uno de los diez regresó exactamente con el dinero que se le había entregado. "Guardé el dinero cuidadosamente", dijo. ²¹"Temía que después de todo te quedaras con mis ganancias. Sé que eres tan duro que te apoderas de lo que no es tuyo y arrebatas las cosechas que no sembraste". ²²"¡Esclavo perverso y malvado!", le dijo el rey. "¡Conque soy duro! Bueno, y si sabías que era duro, ²³¿por qué no depositaste el dinero en el banco para que por lo menos ganara algún interés?" ²⁴Entonces, volviéndose a los demás presentes, ordenó: "¡Quítenle el dinero y entréguenselo al que obtuvo mayores ganancias!" ²⁵"Pero, señor", replicaron, "ya le has dado bastante". ²⁶"Sí", respondió el rey, "pero en la vida los que tienen mucho obtienen más, y los que tienen poco pierden hasta lo poco que tienen. ²⁷Ah, y en cuanto a aquellos enemigos míos que se rebelaron, tráiganlos aquí y córtenles la cabeza en mi presencia".

²⁸Al terminar de relatarles aquella parábola, siguió hacia Jerusalén. Iba a la cabeza del grupo. ²⁹Cuando estuvieron cerca de Betfagé y Betania, ya en el monte de los Olivos, envió a dos discípulos ³⁰a que en el próximo pueblo buscaran un burrito que estaba atado junto al camino. El dijo que era un burrito que nadie había montado todavía.

—Desátenlo y tráiganmelo. ³¹Si alguien les pregunta por qué lo hacen, díganle simplemente: "El Señor lo necesita".

³²Hallaron el burrito tal como Jesús dijo. ³³Efectivamente, mientras lo desataban, el dueño se presentó a ver qué estaba pasando.

—¿Por qué desatan mi burrito? —preguntó.

³⁴—Porque el Señor lo necesita —le respondieron.

³⁵Poco después llevaron el burrito a Jesús y le pusieron encima sus mantos para que Jesús lo montara. ³⁶,³⁷La multitud, enardecida, tendía sus mantos en el camino delante de El. Y cuando llegaban a la bajada del monte de los Olivos, la procesión

you shall be governor of ten cities.'

¹⁸ "The next man also reported a splendid gain—five times the original amount.

¹⁹ " 'All right!' his master said. 'You can be governor over five cities.'

²⁰ "But the third man brought back only the money he had started with. 'I've kept it safe,' he said, ²¹ 'because I was afraid [you would demand my profits], for you are a hard man to deal with, taking what isn't yours and even confiscating the crops that others plant.' ²² 'You vile and wicked slave,' the king roared. 'Hard, am I? That's exactly how I'll be toward you! If you knew so much about me and how tough I am, ²³ then why didn't you deposit the money in the bank so that I could at least get some interest on it?'

²⁴ "Then turning to the others standing by he ordered, 'Take the money away from him and give it to the man who earned the most.'

²⁵ " 'But, sir,' they said, 'he has enough already!'

²⁶ " 'Yes,' the king replied, 'but it is always true that those who have, get more, and those who have little, soon lose even that. ²⁷ And now about these enemies of mine who revolted—bring them in and execute them before me.' "

²⁸ After telling this story, Jesus went on towards Jerusalem, walking along ahead of his disciples. ²⁹ As they came to the towns of Bethphage and Bethany, on the Mount of Olives, he sent two disciples ahead, ³⁰ with instructions to go to the next village, and as they entered they were to look for a donkey tied beside the road. It would be a colt, not yet broken for riding.

"Untie him," Jesus said, "and bring him here. ³¹ And if anyone asks you what you are doing, just say, 'The Lord needs him.' "

³² They found the colt as Jesus said, ³³ and sure enough, as they were untying it, the owners demanded an explanation.

"What are you doing?" they asked. "Why are you untying our colt?"

³⁴ And the disciples simply replied, "The Lord needs him!" ³⁵ So they brought the colt to Jesus and threw some of their clothing across its back for Jesus to sit on.

³⁶,³⁷ Then the crowds spread out their robes along the road ahead of him, and as they reached the place where the road started down from the Mount of Olives, the

entera prorrumpió en gritos y cantos de alabanzas a Dios por las maravillas que Jesús había realizado.

³⁸—¡Dios nos ha mandado un Rey! —gritaban con alegría—. ¡Viva el Rey! ¡Gloria a Dios en las alturas!

³⁹Algunos de los fariseos de entre la multitud dijeron a Jesús:

—Señor, reprende a los que dicen esas cosas.

⁴⁰—¡Si se callaran, las piedras del camino clamarían! —les respondió.

⁴¹Al ver perfilarse Jerusalén en la distancia, lloró.

⁴²—Oh, si comprendieras la paz eterna que rechazaste —dijo con la voz quebrada por el llanto—. Pero ya es demasiado tarde. ⁴³Tus enemigos te rodearán de vallado y te sitiarán y te irán estrangulando ⁴⁴hasta que caigas en tierra con tus hijos dentro. No dejarán en ti piedra sobre piedra, porque rechazaste la oportunidad que Dios te brindó.

⁴⁵Cuando llegó al Templo se puso a echar fuera a los mercaderes que allí operaban. ⁴⁶Y al echarlos les decía:

—Escrito está: "Mi casa es casa de oración"; pero ustedes la han convertido en cueva de ladrones.

⁴⁷Después de aquel incidente enseñaba todos los días en el Templo. Los principales sacerdotes, los escribas y los principales de la comunidad trataban mientras tanto de hallar la manera de deshacerse de El. ⁴⁸Pero no hallaban cómo, porque el pueblo lo tenía como un héroe y lo escuchaba en suspenso.

20 UNO DE LOS días en que predicaba las buenas noticias en el Templo, tuvo que enfrentarse a los principales sacerdotes, escribas y ancianos, ²quienes exigían que les explicara con qué autoridad había echado a los mercaderes del Templo.

³—Muy bien —les respondió—, pero contéstenme primero otra pregunta: ⁴¿Era Juan un enviado de Dios o simplemente estaba actuando por su propia cuenta?

⁵Sus inquisidores deliberaron entre sí:

—Si decimos que el mensaje que proclamaba Juan era del cielo, caeremos en una trampa porque nos preguntará por qué no le creímos. ⁶Y si decimos que Dios no envió a Juan, el pueblo nos apedreará, porque están convencidos de que era pro-

whole procession began to shout and sing as they walked along, praising God for all the wonderful miracles Jesus had done.

³⁸ "God has given us a King!" they exulted. "Long live the King! Let all heaven rejoice! Glory to God in the highest heavens!"

³⁹ But some of the Pharisees among the crowd said, "Sir, rebuke your followers for saying things like that!"

⁴⁰ He replied, "If they keep quiet, the stones along the road will burst into cheers!"

⁴¹ But as they came closer to Jerusalem and he saw the city ahead, he began to cry. ⁴² "Eternal peace was within your reach and you turned it down," he wept, "and now it is too late. ⁴³ Your enemies will pile up earth against your walls and encircle you and close in on you, ⁴⁴ and crush you to the ground, and your children within you; your enemies will not leave one stone upon another—for you have rejected the opportunity God offered you."

⁴⁵ Then he entered the Temple and began to drive out the merchants from their stalls, ⁴⁶ saying to them, "The Scriptures declare, 'My Temple is a place of prayer; but you have turned it into a den of thieves.' "

⁴⁷ After that he taught daily in the Temple, but the chief priests and other religious leaders and the business community were trying to find some way to get rid of him. ⁴⁸ But they could think of nothing, for he was a hero to the people—they hung on every word he said.

20 ON ONE OF those days when he was teaching and preaching the Good News in the Temple, he was confronted by the chief priests and other religious leaders and councilmen. ² They demanded to know by what authority he had driven out the merchants from the Temple.

³ "I'll ask you a question before I answer," he replied. ⁴ "Was John sent by God, or was he merely acting under his own authority?"

⁵ They talked it over among themselves. "If we say his message was from heaven, then we are trapped because he will ask, 'Then why didn't you believe him?' ⁶ But if we say John was not sent from God, the people will mob us, for they are convinced

feta.

[7]Por fin respondieron:

—No, no sabemos.

[8]—Pues yo tampoco les contestaré lo que me preguntaron.

[9]Jesús se volvió de nuevo al pueblo y le contó lo siguiente:

—Un hombre plantó una viña, la arrendó a varios labradores y partió a una tierra distante donde habría de permanecer varios años.

[10]"Cuando llegó la primera cosecha, envió a uno de sus hombres a cobrar lo que le correspondía. Mas los labradores lo golpearon y lo despidieron con las manos vacías. [11]El dueño envió a otro, pero le hicieron lo mismo: lo golpearon, lo humillaron y lo despidieron con las manos vacías. [12]Envió entonces a un tercero y le hicieron lo mismo: lo hirieron y lo echaron fuera. [13]"¿Qué haré?" se preguntó el dueño. "¡Ah, ya sé! Enviaré a mi querido hijo. Estoy seguro de que le tendrán respeto".

[14]"Pero cuando los labradores vieron que el hijo del dueño se acercaba, se dijeron: "¡Esta es nuestra oportunidad! Ese que viene allí es el que heredará todo esto cuando su padre muera. Matémoslo y la herencia será nuestra". [15]Entonces lo echaron de la viña y lo mataron.

"¿Qué creen ustedes que hará el dueño? [16]Pues irá y los matará y arrendará la viña a otros.

—¡Dios nos libre de hacer algo semejante! —dijeron los presentes.

[17]Jesús los miró y dijo:

—Entonces, ¿qué quieren decir las Escrituras con: "La piedra que rechazaron los constructores ha sido puesta como piedra principal"?

[18]Y añadió:

—El que caiga sobre esa piedra se hará pedazos; pero si la piedra le cae encima lo pulverizará.

[19]Los principales sacerdotes y escribas entendieron entonces que Jesús se refería a ellos. Ellos, y nadie más, eran los labradores malvados de la parábola. ¡Con cuánto gusto lo habrían arrestado allí mismo! Pero no; sabían que si lo intentaban, provocarían una revuelta entre el pueblo. [20]¡Lo mejor sería tratar de hacerle decir algo que fuera lo suficientemente comprometedor para poder acusarlo ante el gobernador romano! Poco después ordenaron a varios indivi-

that he was a prophet." [7]Finally they replied, "We don't know!"

[8]And Jesus responded, "Then I won't answer your question either."

[9]Now he turned to the people again and told them this story: "A man planted a vineyard and rented it out to some farmers, and went away to a distant land to live for several years. [10]When harvest time came, he sent one of his men to the farm to collect his share of the crops. But the tenants beat him up and sent him back empty-handed. [11]Then he sent another, but the same thing happened; he was beaten up and insulted and sent away without collecting. [12]A third man was sent and the same thing happened. He, too, was wounded and chased away.

[13]"'What shall I do?' the owner asked himself. 'I know! I'll send my cherished son. Surely they will show respect for him.'

[14]"But when the tenants saw his son, they said, 'This is our chance! This fellow will inherit all the land when his father dies. Come on. Let's kill him, and then it will be ours.' [15]So they dragged him out of the vineyard and killed him.

"What do you think the owner will do? [16]I'll tell you—he will come and kill them and rent the vineyard to others."

"But they would never do a thing like that," his listeners protested.

[17]Jesus looked at them and said, "Then what does the Scripture mean where it says, 'The Stone rejected by the builders was made the cornerstone'?" [18]And he added, "Whoever stumbles over that Stone shall be broken; and those on whom it falls will be crushed to dust."

[19]When the chief priests and religious leaders heard about this story he had told, they wanted him arrested immediately, for they realized that he was talking about them. They were the wicked tenants in his illustration. But they were afraid that if they themselves arrested him there would be a riot. So they tried to get him to say something that could be reported to the Roman governor as reason for arrest by him.

[20]Watching their opportunity, they sent

duos que fingieran religiosidad con el propósito de espiar a Jesús. ²¹Un día éstos le preguntaron:

—Señor, sabemos que hablas y enseñas lo recto, que dices la verdad, gústele a quien le guste, y que enseñas el camino de Dios. ²²Dinos: ¿Está bien que paguemos impuestos al gobierno romano o no?

²³Jesús comprendió lo que se traían entre manos y les dijo:

²⁴—Muéstrenme una moneda. ¿De quién dice ahí que es esa imagen?

—Del César —le respondieron—, del emperador romano.

²⁵—Pues denle al César lo que es del César y a Dios lo que es de Dios.

²⁶Quedaron maravillados ante la agudeza de aquella respuesta. ¡Habían fracasado en sus intentos de sorprenderlo diciendo alguna imprudencia ante el pueblo! Tuvieron que callar.

²⁷Varios saduceos, los que creían que la muerte era el fin de la existencia y que no habría resurrección, ²⁸se le acercaron a preguntarle:

—Las leyes de Moisés dicen que si un hombre muere sin hijos, el hermano del muerto debe casarse con la viuda para que, al tener hijos, legalmente el muerto tenga descendencia. ²⁹Conocimos a una familia de siete hermanos. El mayor se casó y murió sin descendencia. ³⁰El hermano que le seguía se casó con la viuda y murió también sin hijos. ³¹Y así fueron casándose con ella los restantes hasta que todos murieron sin hijos. ³²Por último, la mujer murió también. ³³Lo que nos preguntamos es lo siguiente: Cuando resuciten, ¿de cuál de ellos será esa mujer? ¡En vida lo fue de los siete!

³⁴,³⁵—El matrimonio es algo terrenal —les respondió—. Pero los que son tenidos por dignos de resucitar e ir al cielo no estarán casados en el cielo. ³⁶Una vez resucitados, no volverán a morir. Serán en este respecto como los ángeles. Y como resucitan, son hijos de Dios. ³⁷Ahora bien, en cuanto a si hay o no hay resurrección, los escritos de Moisés lo demuestran. Cuando relatan cómo Dios se le apareció a Moisés en la zarza ardiendo, hablan de Dios como "el Dios de Abraham, el Dios de Isaac, y el Dios de Jacob". ³⁸Claro está; Dios no es Dios de muertos sino de vivos. ¡Para El todos viven!

secret agents pretending to be honest men. ²¹ They said to Jesus, "Sir, we know what an honest teacher you are. You always tell the truth and don't budge an inch in the face of what others think, but teach the ways of God. ²² Now tell us—is it right to pay taxes to the Roman government or not?"

²³ He saw through their trickery and said, ²⁴ "Show me a coin. Whose portrait is this on it? And whose name?"

They replied, "Caesar's—the Roman emperor's."

²⁵ He said, "Then give the emperor all that is his—and give to God all that is his!"

²⁶ Thus their attempt to outwit him before the people failed; and marveling at his answer, they were silent.

²⁷ Then some Sadducees—men who believed that death is the end of existence, that there is no resurrection— ²⁸ came to Jesus with this:

"The laws of Moses state that if a man dies without children, the man's brother shall marry the widow and their children will legally belong to the dead man, to carry on his name. ²⁹ We know of a family of seven brothers. The oldest married and then died without any children. ³⁰ His brother married the widow and he, too, died. Still no children. ³¹ And so it went, one after the other, until each of the seven had married her and died, leaving no children. ³² Finally the woman died also. ³³ Now here is our question: Whose wife will she be in the resurrection? For all of them were married to her!"

³⁴,³⁵ Jesus replied, "Marriage is for people here on earth, but when those who are counted worthy of being raised from the dead get to heaven, they do not marry. ³⁶ And they never die again; in these respects they are like angels, and are sons of God, for they are raised up in new life from the dead.

³⁷,³⁸ "But as to your real question— whether or not there is a resurrection—why, even the writings of Moses himself prove this. For when he describes how God appeared to him in the burning bush, he speaks of God as 'the God of Abraham, the God of Isaac, and the God of Jacob.' To say that the Lord *is* some person's God means that person is *alive*, not dead! So from God's point of view, all men are living."

[39] —Muy buena respuesta, Maestro —dijeron algunos de los escribas presentes.

[40] Y no se atrevieron a preguntarle nada más.

[41] Entonces fue El quien les preguntó:

—¿Por qué se dice que el Cristo es hijo de David? [42,43] David mismo escribió en el libro de los Salmos: "Dios dijo a mi Señor, el Cristo: 'Siéntate a mi derecha hasta que postre a tus enemigos a tus pies' ". [44] ¿Es posible que el Mesías sea a la vez hijo de David y Dios de David?

[45] Consciente de que la multitud le escuchaba, dijo a los discípulos:

[46] —Cuídense de los escribas, que les gusta exhibirse con ropas de prestigio y que el pueblo se incline ante ellos en las plazas. ¡Y cómo les gustan los puestos de honor en las sinagogas y en las festividades religiosas! [47] Pero a pesar de las oraciones largas que elevan para que crean que son muy religiosos, siempre se las arreglan para despojar a las viudas. ¡Grande es el castigo de Dios que les espera!

21 CUANDO ALZÓ LA vista, vio que varios ricos echaban dinero en el arca de las ofrendas, [2] y que una viuda muy pobre echaba dos insignificantes monedas de cobre.

[3] —Fíjense —señaló—. Esa pobre viuda echó más que todos aquellos ricos juntos. [4] Los ricos dieron algo de lo mucho que les sobra. La viuda, en cambio, dio todo lo que tenía.

[5] En cierta ocasión en que sus discípulos admiraban las piedras y los adornos votivos que decoraban el Templo, [6] Jesús les dijo:

—Se acerca el día en que esas piedras y esos adornos serán destruidos, y todo quedará en ruinas.

[7] —Maestro —dijeron ellos—, ¿cuándo sucederá eso? ¿Habrá señales que presagien la cercanía de tales acontecimientos?

[8] —No dejen que nadie los engañe —les respondió—. Muchos vendrán diciendo que son el Mesías y que el tiempo se acerca. ¡No les crean! [9] Cuando oigan de guerras e insurrecciones incipientes, no se asusten. Sí, primero habrá guerras, pero el fin no

[39] "Well said, sir!" remarked some of the experts in the Jewish law who were standing there. [40] And that ended their questions, for they dared ask no more!

[41] Then he presented *them* with a question. "Why is it," he asked, "that Christ, the Messiah, is said to be a descendant of King David? [42,43] For David himself wrote in the book of Psalms: 'God said to my Lord, the Messiah, "Sit at my right hand until I place your enemies beneath your feet." ' [44] How can the Messiah be both David's son and David's God at the same time?"

[45] Then, with the crowds listening, he turned to his disciples and said, [46] "Beware of these experts in religion, for they love to parade in dignified robes and to be bowed to by the people as they walk along the street. And how they love the seats of honor in the synagogues and at religious festivals! [47] But even while they are praying long prayers with great outward piety, they are planning schemes to cheat widows out of their property. Therefore God's heaviest sentence awaits these men."

21 AS HE STOOD in the Temple, he was watching the rich tossing their gifts into the collection box. [2] Then a poor widow came by and dropped in two small copper coins.

[3] "Really," he remarked, "this poor widow has given more than all the rest of them combined. [4] For they have given a little of what they didn't need, but she, poor as she is, has given everything she has."

[5] Some of his disciples began talking about the beautiful stonework of the Temple and the memorial decorations on the walls.

[6] But Jesus said, "The time is coming when all these things you are admiring will be knocked down, and not one stone will be left on top of another; all will become one vast heap of rubble."

[7] "Master!" they exclaimed. "When? And will there be any warning ahead of time?"

[8] He replied, "Don't let anyone mislead you. For many will come announcing themselves as the Messiah, and saying, 'The time has come.' But don't believe them! [9] And when you hear of wars and insurrections beginning, don't panic. True, wars must come, but the end won't follow im-

será inmediatamente. [10]Se levantará nación contra nación y reino contra reino, [11]y habrá espantosos terremotos; en muchos lugares habrá hambre y epidemias, y en el cielo aparecerán aterradoras e inmensas señales. [12]Pero antes que esto ocurra, habrá grandes persecuciones contra ustedes, y los arrastrarán a las sinagogas, a las cárceles, y los harán comparecer ante reyes y gobernadores por mi causa. [13]Como resultado de esto, en todas partes oirán de mí. [14]Propónganse no preocuparse por la respuesta que han de dar a los cargos que presenten contra ustedes, [15]porque yo les daré oportunamente la palabra adecuada y una lógica tan formidable que nadie la podrá rebatir. [16]Aun sus seres queridos: padres, hermanos, parientes y amigos, los traicionarán y los entregarán. Y a algunos de ustedes los matarán. [17]El mundo entero los aborrecerá porque son míos y llevan mi nombre. [18]¡Pero ni uno de sus cabellos perecerá! [19]Los que permanezcan firmes ganarán el alma.

[20]"Cuando vean a Jerusalén rodeada de ejércitos sabrán que la hora de la destrucción ha llegado. [21]El que en ese momento esté en Judea, huya a las montañas. El que esté en Jerusalén, trate de escapar, y los que estén fuera de la ciudad no traten de regresar. [22]Aquellos serán días de juicio de Dios, y se cumplirán las cosas que los profetas predicen en sus escritos. [23]¡Ay de la que esté encinta en aquellos días, y de la que tenga hijo de meses! ¡Grande será la calamidad que caerá sobre esta nación, y grande la ira que descenderá contra este pueblo! [24]Los matarán brutalmente o se los llevarán cautivos a todas las naciones. Y los gentiles estarán hollando a Jerusalén hasta que Dios decida poner fin al tiempo de los gentiles.

[25]"Entonces aparecerán extrañas señales en el sol, en la luna y en las estrellas. En la tierra habrá angustia y perplejidad ante el bramido del mar y las olas. [26]Muchos desfallecerán ante la horrible suerte que les espera cuando la furia de los acontecimientos se desate sobre la tierra y las potencias de los cielos se conmuevan. [27]Entonces la humanidad entera me verá descender en una nube con poder y gran gloria. [28]Cuando estas cosas empiecen a acontecer, pónganse derechos y levanten la cabeza: ¡la salvación

mediately— [10]for nation shall rise against nation and kingdom against kingdom, [11]and there will be great earthquakes, and famines in many lands, and epidemics, and terrifying things happening in the heavens.

[12]"But before all this occurs, there will be a time of special persecution, and you will be dragged into synagogues and prisons and before kings and governors for my Name's sake. [13]But as a result, the Messiah will be widely known and honored. [14]Therefore, don't be concerned about how to answer the charges against you, [15]for I will give you the right words and such logic that none of your opponents will be able to reply! [16]Even those closest to you—your parents, brothers, relatives, and friends will betray you and have you arrested; and some of you will be killed. [17]And everyone will hate you because you are mine and are called by my Name. [18]But not a hair of your head will perish! [19]For if you stand firm, you will win your souls.

[20]"But when you see Jerusalem surrounded by armies, then you will know that the time of its destruction has arrived. [21]Then let the people of Judea flee to the hills. Let those in Jerusalem try to escape, and those outside the city must not attempt to return. [22]For those will be days of God's judgment, and the words of the ancient Scriptures written by the prophets will be abundantly fulfilled. [23]Woe to expectant mothers in those days, and those with tiny babies. For there will be great distress upon this nation and wrath upon this people. [24]They will be brutally killed by enemy weapons, or sent away as exiles and captives to all the nations of the world; and Jerusalem shall be conquered and trampled down by the Gentiles until the period of Gentile triumph ends in God's good time.

[25]"Then there will be strange events in the skies—warnings, evil omens and portents in the sun, moon and stars; and down here on earth the nations will be in turmoil, perplexed by the roaring seas and strange tides. [26]The courage of many people will falter because of the fearful fate they see coming upon the earth, for the stability of the very heavens will be broken up. [27]Then the peoples of the earth shall see me, the Messiah, coming in a cloud with power and great glory. [28]So when all these things begin to happen, stand straight and look up! For

estará cerca!

²⁹A continuación les refirió la siguiente parábola:

—Fíjense en la higuera o en cualquier árbol. ³⁰Cuando las hojas comienzan a brotar se sabe que la primavera se acerca. ³¹Asimismo, cuando vean que las cosas de que les hablé comienzan a acontecer, pueden estar seguros de que el reino de Dios está cerca. ³²Solemnemente declaro que cuando estas cosas sucedan, el fin de esta era habrá llegado. ³³Y aunque los cielos y la tierra pasarán, mis palabras permanecerán para siempre. ³⁴,³⁵¡Cuídense! ¡Que mi regreso no los sorprenda en glotonerías y borracheras, ni demasiado afanados por los problemas de esta vida, como el resto del mundo! Porque vendré repentinamente. ³⁶Manténganse vigilantes. Oren que si es posible puedan llegar a mi presencia sin tener que sufrir los horrores que vendrán.

³⁷Así fueron transcurriendo los días. Por el día solía enseñar en el Templo, y por las noches se retiraba al monte de los Olivos. ³⁸Cada mañana era inmensa la multitud que se congregaba a escucharlo.

22 SE ACERCABA LA Pascua, festividad judía en que solía comerse pan sin levadura. ²Los principales sacerdotes y escribas planeaban cuidadosamente la muerte de Jesús. Deseaban matarlo sin provocar al pueblo, pues temían que se les rebelara.

³Un día Satanás entró en Judas Iscariote, uno de los doce discípulos, ⁴y éste corrió a ponerse de acuerdo con los principales sacerdotes y los jefes de la guardia sobre cómo lo entregaría. ⁵Estos, desde luego, se pusieron tan contentos con la oportunidad que se les presentaba que convinieron en darle dinero. ⁶Y Judas se puso a buscar la oportunidad de entregar a Jesús sin que el pueblo se enterara.

⁷Llegó por fin el día de la Pascua, día en que se comía pan sin levadura y se sacrificaba un cordero. ⁸Jesús envió a Pedro y a Juan a buscar un lugar en donde comer la cena pascual.

⁹—¿A dónde quieres que vayamos? —preguntaron.

¹⁰—Al entrar en Jerusalén —respondió—, verán a un hombre que lleva un

your salvation is near."

²⁹ Then he gave them this illustration: "Notice the fig tree, or any other tree. ³⁰ When the leaves come out, you know without being told that summer is near. ³¹ In the same way, when you see the events taking place that I've described you can be just as sure that the Kingdom of God is near.

³² "I solemnly declare to you that when these things happen, the end of this age has come. ³³ And though all heaven and earth shall pass away, yet my words remain forever true.

³⁴,³⁵ "Watch out! Don't let my sudden coming catch you unawares; don't let me find you living in careless ease, carousing and drinking, and occupied with the problems of this life, like all the rest of the world. ³⁶ Keep a constant watch. And pray that if possible you may arrive in my presence without having to experience these horrors."

³⁷,³⁸ Every day Jesus went to the Temple to teach, and the crowds began gathering early in the morning to hear him. And each evening he returned to spend the night on the Mount of Olives.

22 AND NOW THE Passover celebration was drawing near—the Jewish festival when only bread made without yeast was used. ² The chief priests and other religious leaders were actively plotting Jesus' murder, trying to find a way to kill him without starting a riot—a possibility they greatly feared.

³ Then Satan entered into Judas Iscariot, who was one of the twelve disciples, ⁴ and he went over to the chief priests and captains of the Temple guards to discuss the best way to betray Jesus to them. ⁵ They were, of course, delighted to know that he was ready to help them and promised him a reward. ⁶ So he began to look for an opportunity for them to arrest Jesus quietly when the crowds weren't around.

⁷ Now the day of the Passover celebration arrived, when the Passover lamb was killed and eaten with the unleavened bread. ⁸ Jesus sent Peter and John ahead to find a place to prepare their Passover meal.

⁹ "Where do you want us to go?" they asked.

¹⁰ And he replied, "As soon as you enter Jerusalem, you will see a man walking

cántaro de agua. Síganlo hasta la casa en que entre, [11]y díganle al hombre que vive allí que digo yo que les enseñe el lugar donde podremos comer la cena. [12]El los llevará a un aposento alto ya listo. Preparen allí la cena.

[13]Cuando los dos discípulos llegaron a la ciudad, todo pasó exactamente como Jesús dijo, y prepararon la cena pascual. [14]Más tarde llegaron Jesús y los demás discípulos y se sentaron a la mesa.

[15]Una vez sentados les dijo:

—¡Cuánto había deseado comer con ustedes esta cena pascual antes que comiencen mis sufrimientos! [16]Les aseguro que no volveré a celebrar la Pascua hasta que lo que simboliza se cumpla en el reino de Dios.

[17]Tomó entonces un vaso de vino, y después de dar gracias por él, dijo:

—Vayan tomando y pasándolo a los demás. [18]No volveré a tomar vino hasta que el reino de Dios venga.

[19]Entonces tomó el pan, dio gracias por él, lo partió y se lo fue dando.

—Esto es mi cuerpo, que por ustedes es dado. Cómanlo en memoria de mí.

[20]Después de la cena tomó la copa y dijo:

—Este es el nuevo pacto que ha de salvarlos. Dicho pacto quedará sellado con la sangre que derramaré para pagar el rescate por sus almas. [21]Pero en esta mesa, como amigo, está sentado el que me traicionará. [22]He de morir, eso es parte del plan de Dios, pero ¡ay del que me entrega!

[23]Los discípulos, como es natural, comenzaron a preguntarse quién iba a ser el traidor [24]y a discutir quién sería el mayor en el reino venidero. [25]Jesús les dijo:

—En este mundo los reyes hacen de sus súbditos lo que se les antoja, y a éstos no les queda otro remedio que gustarles. [26]Pero entre ustedes el que sirva mejor, dirigirá. [27]En el mundo los amos se sientan a la mesa y los esclavos los sirven. ¡Pero aquí no! ¡Aquí yo soy el esclavo! [28]Ustedes han permanecido fieles a mí en estos días tan

along carrying a pitcher of water. Follow him into the house he enters, [11] and say to the man who lives there, 'Our Teacher says for you to show us the guest room where he can eat the Passover meal with his disciples.' [12] He will take you upstairs to a large room all ready for us. That is the place. Go ahead and prepare the meal there."

[13] They went off to the city and found everything just as Jesus had said, and prepared the Passover supper.

[14] Then Jesus and the others arrived, and at the proper time all sat down together at the table; [15] and he said, "I have looked forward to this hour with deep longing, anxious to eat this Passover meal with you before my suffering begins. [16] For I tell you now that I won't eat it again until what it represents has occurred in the Kingdom of God."

[17] Then he took a glass of wine, and when he had given thanks for it, he said, "Take this and share it among yourselves. [18] For I will not drink wine again until the Kingdom of God has come."

[19] Then he took a loaf of bread; and when he had thanked God for it, he broke it apart and gave it to them, saying, "This is my body, given for you. Eat it in remembrance of me."

[20] After supper he gave them another glass of wine, saying, "This wine is the token of God's new agreement to save you—an agreement sealed with the blood I shall pour out to purchase back your souls. [21] But here at this table, sitting among us as a friend, is the man who will betray me. [22] I must die. It is part of God's plan. But, oh, the horror awaiting that man who betrays me."

[23] Then the disciples wondered among themselves which of them would ever do such a thing.

[24] And they began to argue among themselves as to who would have the highest rank [in the coming Kingdom].

[25] Jesus told them, "In this world the kings and great men order their slaves around, and the slaves have no choice but to like it! [26] But among you, the one who serves you best will be your leader. [27] Out in the world the master sits at the table and is served by his servants. But not here! For I am your servant. [28] Nevertheless, because you have stood true to me in these terrible

terribles. [29]En premio a esa fidelidad, y por cuanto mi Padre me ha asignado un reino, ahora mismo les concedo el derecho [30]de comer y beber en mi mesa en mi reino. Ustedes se sentarán en tronos a juzgar a las doce tribus de Israel. [31]Simón, Simón, Satanás ha pedido que se le permita zarandearte como a trigo. [32]He orado que no falles completamente. Cuando te hayas arrepentido, Pedro, y hayas vuelto a mí, fortalece y cultiva la fe de tus hermanos.

[33]—Señor, estoy dispuesto a ir a la cárcel contigo, ¡y hasta a morir contigo!

[34]—Pedro —le respondió el Señor—, déjame decirte algo. ¡Antes que el gallo cante, negarás tres veces que me conoces!

[35]Y a los demás les dijo:

—Cuando los envié a predicar sin dinero, sin alforja y sin calzado, ¿les faltó algo?

—Nada —respondieron.

[36]—Pues ahora el que tenga dinero, que lo tome, y que no se le quede la alforja. Y el que no tenga espada, venda la ropa y cómprese una. [37]Ha llegado la hora en que se ha de cumplir aquella profecía acerca de mí que dice: "Lo condenarán como a delincuente". Todo, absolutamente todo lo que los profetas dijeron de mí se cumplirá.

[38]—Maestro —le respondieron—, tenemos aquí dos espadas.

—¡Basta! —dijo, y salió seguido de sus discípulos.

[39]Se dirigieron, como de costumbre, al monte de los Olivos. [40]Allí les dijo:

—Pídanle a Dios que no los venza la tentación.

[41]Se apartó, quizás a una distancia de un tiro de piedra, y se tiró de rodillas a orar:

[42]—Padre, si quieres, aparta de mí esta copa de espantoso dolor. Pero deseo que se haga tu voluntad y no la mía.

[43]Mientras oraba, un ángel del cielo se presentó a fortalecerlo. [44]Era tal su agonía, era tan intensa su oración, que el sudor que le brotaba de la frente parecía enormes gotas de sangre que caían al suelo. [45]Por último, se puso de pie y volvió junto a sus discípulos...y los encontró dormidos: ¡el cansancio y la tristeza los habían vencido!

[46]—¿Durmiendo? —les dijo—. ¡Levántense! Pídanle a Dios que no los deje caer en

days, [29] and because my Father has granted me a Kingdom, I, here and now, grant you the right [30] to eat and drink at my table in that Kingdom; and you will sit on thrones judging the twelve tribes of Israel.

[31] "Simon, Simon, Satan has asked to have you, to sift you like wheat, [32] but I have pleaded in prayer for you that your faith should not completely fail. So when you have repented and turned to me again, strengthen and build up the faith of your brothers."

[33] Simon said, "Lord, I am ready to go to jail with you, and even to die with you."

[34] But Jesus said, "Peter, let me tell you something. Between now and tomorrow morning when the rooster crows, you will deny me three times, declaring that you don't even know me.'

[35] Then Jesus asked them, "When I sent you out to preach the Good News and you were without money, duffle bag, or extra clothing, how did you get along?"

"Fine," they replied.

[36] "But now," he said, "take a duffle bag if you have one, and your money. And if you don't have a sword, better sell your clothes and buy one! [37] For the time has come for this prophecy about me to come true: 'He will be condemned as a criminal!' Yes, everything written about me by the prophets will come true."

[38] "Master," they replied, "we have two swords among us."

"Enough!" he said.

[39] Then, accompanied by the disciples, he left the upstairs room and went as usual to the Mount of Olives. [40] There he told them, "Pray God that you will not be overcome by temptation."

[41,42] He walked away, perhaps a stone's throw, and knelt down and prayed this prayer: "Father, if you are willing, please take away this cup of horror from me. But I want your will, not mine." [43] Then an angel from heaven appeared and strengthened him, [44] for he was in such agony of spirit that he broke into a sweat of blood, with great drops falling to the ground as he prayed more and more earnestly. [45] At last he stood up again and returned to the disciples—only to find them asleep, exhausted from grief.

[46] "Asleep!" he said. "Get up! Pray God that you will not fall when you are

tentación.

⁴⁷Mientras decía esto, una turba se acercaba con Judas al frente. Judas, que era uno de los doce discípulos, se paró frente a Jesús y lo besó en la mejilla como fiel amigo.

⁴⁸—Judas, ¿con un beso entregas al Hijo del Hombre? —le dijo el Señor.

⁴⁹Cuando los demás discípulos se dieron cuenta cabal de lo que estaba sucediendo, exclamaron:

—Maestro, ¿nos defendemos? Aquí tenemos las espadas.

⁵⁰Y uno de ellos le arrancó de un tajo la oreja derecha a un siervo del sumo sacerdote.

⁵¹—Basta ya —dijo Jesús mientras tocaba el sitio de donde le habían arrancado la oreja a aquel hombre para restaurársela.

⁵²,⁵³—¿Soy yo tan temible ladrón que han tenido que venir con espadas y palos a prenderme? —preguntó Jesús a los principales sacerdotes, a los jefes de la guardia del Templo y a los jefes judíos que encabezaban la turba—. ¿Por qué no me arrestaron en el Templo? Todos los días iba allí. Pero, claro, éste es el momento que esperaban; Satanás reina.

⁵⁴La turba condujo prisionero a Jesús a casa del sumo sacerdote. Y Pedro los seguía de lejos. ⁵⁵Los soldados prendieron una hoguera en el patio y se sentaron alrededor a calentarse. Pedro se sentó entre ellos. ⁵⁶Una criada, al verlo sentado al calor de la hoguera, exclamó:

—¡Este hombre andaba con Jesús!

⁵⁷—Mujer —dijo Pedro nerviosamente—, ¡ni siquiera lo conozco!

⁵⁸Al poco rato alguien lo vio también y dijo:

—¡Tú tienes que ser uno de ellos!

—No, señor. ¡No soy uno de ellos!

⁵⁹Como una hora después alguien afirmó categóricamente:

—Este es uno de los discípulos de Jesús. ¡Es galileo también!

⁶⁰—Hombre, no sé de qué hablas —le respondió Pedro.

Y mientras hablaba, el gallo cantó.

⁶¹En el instante mismo en que el gallo cantaba, Jesús se volvió y miró a Pedro, y éste recordó lo que le había dicho: "Antes que el gallo cante mañana, negarás tres veces que me conoces". ⁶²Y Pedro salió a llorar amargamente.

tempted."

⁴⁷ But even as he said this, a mob approached, led by Judas, one of his twelve disciples. Judas walked over to Jesus and kissed him on the cheek in friendly greeting.

⁴⁸ But Jesus said, "Judas, how can you do this—betray the Messiah with a kiss?"

⁴⁹ When the other disciples saw what was about to happen, they exclaimed, "Master, shall we fight? We brought along the swords!" ⁵⁰ And one of them slashed at the High Priest's servant, and cut off his right ear.

⁵¹ But Jesus said, "Don't resist any more." And he touched the place where the man's ear had been and restored it. ⁵² Then Jesus addressed the chief priests and captains of the Temple guards and the religious leaders who headed the mob. "Am I a robber," he asked, "that you have come armed with swords and clubs to get me? ⁵³ Why didn't you arrest me in the Temple? I was there every day. But this is your moment—the time when Satan's power reigns supreme."

⁵⁴ So they seized him and led him to the High Priest's residence, and Peter followed at a distance. ⁵⁵ The soldiers lit a fire in the courtyard and sat around it for warmth, and Peter joined them there.

⁵⁶ A servant girl noticed him in the firelight and began staring at him. Finally she spoke: "This man was with Jesus!"

⁵⁷ Peter denied it. "Woman," he said, "I don't even know the man!"

⁵⁸ After a while someone else looked at him and said, "You must be one of them!"

"No sir, I am not!" Peter replied.

⁵⁹ About an hour later someone else flatly stated, "I know this fellow is one of Jesus' disciples, for both are from Galilee."

⁶⁰ But Peter said, "Man, I don't know what you are talking about." And as he said the words, a rooster crowed.

⁶¹ At that moment Jesus turned and looked at Peter. Then Peter remembered what he had said—"Before the rooster crows tomorrow morning, you will deny me three times." ⁶² And Peter walked out of the courtyard, crying bitterly.

⁶³Los que custodiaban a Jesús se burlaban de El. ⁶⁴Por ejemplo, en una ocasión le vendaron los ojos y varios le pegaron en el rostro:

—A ver, profeta, ¿quién te golpeó? —le dijeron.

⁶⁵Y no cesaban de insultarlo.

⁶⁶Cuando despuntó el día a la mañana siguiente, se juntó la corte suprema judía, compuesta de los principales sacerdotes y las más altas autoridades religiosas de la nación. Llevaron a Jesús ante ellos.

⁶⁷—A ver, ¿eres tú el Cristo? —le preguntaron.

—Si digo que sí, no me lo van a creer, ⁶⁸ni van a dejar que me defienda. ⁶⁹Pero ya se acerca la hora en que yo, el Hijo del Hombre, me sentaré a la derecha de Dios todopoderoso.

⁷⁰—Luego entonces, eres el Hijo de Dios, ¿no? —dijeron a una voz.

—Ustedes lo han dicho.

⁷¹—¿Qué más testigos necesitamos? —gritaron—. ¡Ya nos lo dijo El mismo!

23 INMEDIATAMENTE LO LLEVARON ante Pilato, el gobernador.

²—Este hombre pervierte al pueblo diciendo que no se debe pagar impuestos al gobierno romano y que es el Cristo y, por lo tanto, rey.

³—¿Eres tú el Rey de los judíos? —le preguntó Pilato.

—Tú lo dices —respondió Jesús.

⁴Pilato, volviéndose a los principales sacerdotes y a la gente, dijo:

—Bueno, ¿y qué? ¡Eso no es delito!

⁵Pero, porfiados, insistieron:

—¿Cómo que no? ¡Por todas partes incita al pueblo contra el gobierno! ¡Y ya ha andado por toda Judea, desde Galilea hasta Jerusalén!

⁶—Luego entonces es galileo, ¿verdad? —preguntó Pilato.

⁷Cuando le respondieron afirmativamente, ordenó que lo remitieran a Herodes, porque Galilea estaba bajo su jurisdicción, y Herodes estaba en Jerusalén en aquellos días.

⁸Herodes se alegró, porque había oído hablar mucho de Jesús y tenía la esperanza de verle realizar algún milagro. ⁹Pero Jesús ni siquiera le contestó sus muchas preguntas. ¹⁰Ante esto, e incitados por las acusaciones que con vehemencia formulaban los

⁶³,⁶⁴ Now the guards in charge of Jesus began mocking him. They blindfolded him and hit him with their fists and asked, "Who hit you that time, prophet?" ⁶⁵ And they threw all sorts of other insults at him.

⁶⁶ Early the next morning at daybreak the Jewish Supreme Court assembled, including the chief priests and all the top religious authorities of the nation. Jesus was led before this Council, ⁶⁷,⁶⁸ and instructed to state whether or not he claimed to be the Messiah.

But he replied, "If I tell you, you won't believe me or let me present my case. ⁶⁹ But the time is soon coming when I, the Messiah, shall be enthroned beside Almighty God."

⁷⁰ They all shouted, "Then you claim you are the Son of God?"

And he replied, "Yes, I am."

⁷¹ "What need do we have for other witnesses?" they shouted. "For we ourselves have heard him say it."

23 THEN THE ENTIRE Council took Jesus over to Pilate, the governor. ² They began at once accusing him: "This fellow has been leading our people to ruin by telling them not to pay their taxes to the Roman government and by claiming he is our Messiah—a King."

³ So Pilate asked him, "Are you their Messiah—their King?"

"Yes," Jesus replied, "it is as you say."

⁴ Then Pilate turned to the chief priests and to the mob and said, "So? That isn't a crime!"

⁵ Then they became desperate. "But he is causing riots against the government everywhere he goes, all over Judea, from Galilee to Jerusalem!"

⁶ "Is he then a Galilean?" Pilate asked.

⁷ When they told him yes, Pilate said to take him to King Herod, for Galilee was under Herod's jurisdiction; and Herod happened to be in Jerusalem at the time. ⁸ Herod was delighted at the opportunity to see Jesus, for he had heard a lot about him and had been hoping to see him perform a miracle.

⁹ He asked Jesus question after question, but there was no reply. ¹⁰ Meanwhile, the chief priests and the other religious leaders

principales sacerdotes y escribas, [11]Herodes y sus soldados se pusieron a burlarse de Jesús, a ofenderlo. Por último, le tiraron encima un manto real y lo enviaron de vuelta a Pilato. [12]Aquel día Herodes y Pilato, enemigos hasta entonces, se reconciliaron.

[13]Pilato convocó a los principales sacerdotes, a los dirigentes judíos y al pueblo, [14]y les declaró:

—Me trajeron a este hombre acusado de incitar a la rebelión contra el gobierno romano. Yo lo interrogué y lo hallo inocente. [15]Herodes llegó a la misma conclusión y me lo devolvió. Este hombre no ha hecho nada que merezca pena de muerte. [16]Por lo tanto, mandaré que lo azoten antes de soltarlo.

[17]Era costumbre que en aquella fecha festiva soltaran a algún preso. [18]Un fuerte murmullo brotó de la multitud y a una voz gritaron:

—¡Mátalo y suéltanos a Barrabás!

[19]Barrabás era un sujeto que estaba en prisión por haber provocado una insurrección en Jerusalén, y por asesinato. [20]Pilato trató de disuadirlos de aquella idea, pues deseaba soltar a Jesús, [21]pero el gentío no cesaba de gritar:

—¡Crucifícalo! ¡Crucifícalo!

[22]—Pero, ¿por qué? —dijo Pilato por tercera vez—. ¿Por qué? ¿Qué delito ha cometido? No he hallado en El nada por lo cual deba condenarlo a muerte. Voy a ordenar que lo azoten y lo suelten.

[23]Pero el gentío gritó aún más fuerte que querían que mataran a Jesús, y sus voces prevalecieron por fin. [24]Pilato accedió a mandar matar a Jesús. [25]Luego de ordenar que soltaran a Barrabás, el hombre que estaba preso por sedición y homicidio, les entregó a Jesús para que hicieran con El lo que les viniera en gana.

[26]Cuando la turba conducía a Jesús hacia la muerte, Simón de Cirene entraba a la ciudad procedente del campo, y lo obligaron a cargar la cruz que doblegaba el cuerpo del Señor. [27]Detrás marchaba una gran multitud, y un gran número de mujeres lloraban y lamentaban la suerte del Señor. [28,29]Jesús se detuvo y les dijo:

—Hijas de Jerusalén, no lloren por mí. Lloren por ustedes y por sus hijos, porque se acerca el día en que la mujer sin hijos se considerará afortunada. [30]Entonces la hu-

stood there shouting their accusations.

[11] Now Herod and his soldiers began mocking and ridiculing Jesus; and putting a kingly robe on him, they sent him back to Pilate. [12] That day Herod and Pilate —enemies before—became fast friends.

[13] Then Pilate called together the chief priests and other Jewish leaders, along with the people, [14] and announced his verdict:

"You brought this man to me, accusing him of leading a revolt against the Roman government. I have examined him thoroughly on this point and find him innocent. [15] Herod came to the same conclusion and sent him back to us—nothing this man has done calls for the death penalty. [16] I will therefore have him scourged with leaded thongs, and release him."

[17,d18] But now a mighty roar rose from the crowd as with one voice they shouted, "Kill him, and release Barabbas to us!" [19] (Barabbas was in prison for starting an insurrection in Jerusalem against the government, and for murder.) [20] Pilate argued with them, for he wanted to release Jesus. [21] But they shouted, "Crucify him! Crucify him!"

[22] Once more, for the third time, he demanded, "Why? What crime has he committed? I have found no reason to sentence him to death. I will therefore scourge him and let him go." [23] But they shouted louder and louder for Jesus' death, and their voices prevailed.

[24] So Pilate sentenced Jesus to die as they demanded. [25] And he released Barabbas, the man in prison for insurrection and murder, at their request. But he delivered Jesus over to them to do with as they would.

[26] As the crowd led Jesus away to his death, Simon of Cyrene, who was just coming into Jerusalem from the country, was forced to follow, carrying Jesus' cross. [27] Great crowds trailed along behind, and many grief-stricken women.

[28] But Jesus turned and said to them, "Daughters of Jerusalem, don't weep for me, but for yourselves and for your children. [29] For the days are coming when the women who have no children will be counted fortunate indeed. [30] Mankind will

manidad deseará que las montañas le caigan encima y que los collados la cubran. ³¹¡Si esto me lo hacen a mí, el árbol vivo, qué no harán a ustedes!

³²Junto a Jesús marchaban dos delincuentes que también iban a ser crucificados. ³³Cuando llegaron al lugar llamado la Calavera, los crucificaron. Jesús quedó al centro con un delincuente a cada lado.

³⁴—¡Padre, perdónalos! —exclamó Jesús—. ¡No saben lo que hacen!

Los soldados se sorteaban su ropa, ³⁵mientras el gentío contemplaba la escena. Los dirigentes judíos, satisfechos, se burlaban:

—Si a otros ayudó con tantos milagros, sálvese ahora y demuéstrenos que es el Cristo, el Escogido de Dios.

³⁶Unos soldados que le ofrecían vinagre se burlaban también:

³⁷—Si eres el Rey de los judíos —decían—, sálvate ahora.

³⁸Encima de la cruz clavaron un letrero que decía: ESTE ES EL REY DE LOS JUDIOS.

³⁹Uno de los delincuentes que morían con El en la cruz le dijo con burla:

—¡Conque eres el Mesías! ¡Demuéstralo salvándote y salvándonos a nosotros!

^{40,41}—¡Calla! —le respondió el otro—. ¿Ni siquiera temes a Dios en la hora de la muerte? ¡Nosotros merecemos esto, pero este hombre es inocente!

⁴²Y dijo a Jesús:

—¡Acuérdate de mí cuando estés en tu reino!

⁴³—Solemnemente te lo prometo: hoy estarás conmigo en el paraíso.

⁴⁴Como al mediodía, todo quedó a oscuras, y la oscuridad se prolongó como hasta las tres de la tarde. ⁴⁵La luz del sol se fue, y el velo del Templo se rasgó por la mitad. ⁴⁶En aquel mismo instante Jesús gritó:

—Padre, en tus manos encomiendo mi espíritu.

Y tras decir esto murió.

⁴⁷Cuando el jefe de los soldados romanos encargados de la ejecución vio lo ocurrido, alabó a Dios y dijo:

—Verdaderamente, este hombre era inocente.

⁴⁸Y cuando la multitud vio que Jesús ya estaba muerto, y todos los prodigios, regresó llena de dolor profundo. ⁴⁹Pero los

beg the mountains to fall on them and crush them, and the hills to bury them. ³¹ For if such things as this are done to me, the Living Tree, what will they do to you?"

^{32,33} Two others, criminals, were led out to be executed with him at a place called "The Skull." There all three were crucified—Jesus on the center cross, and the two criminals on either side.

³⁴ "Father, forgive these people," Jesus said, "for they don't know what they are doing."

And the soldiers gambled for his clothing, throwing dice for each piece. ³⁵ The crowd watched. And the Jewish leaders laughed and scoffed. "He was so good at helping others," they said, "let's see him save himself if he is really God's Chosen One, the Messiah."

³⁶ The soldiers mocked him, too, by offering him a drink—of sour wine. ³⁷ And they called to him, "If you are the King of the Jews, save yourself!"

³⁸ A signboard was nailed to the cross above him with these words: This is the King of the Jews.

³⁹ One of the criminals hanging beside him scoffed, "So you're the Messiah, are you? Prove it by saving yourself—and us, too, while you're at it!"

^{40,41} But the other criminal protested. "Don't you even fear God when you are dying? We deserve to die for our evil deeds, but this man hasn't done one thing wrong."

⁴² Then he said, "Jesus, remember me when you come into your Kingdom."

⁴³ And Jesus replied, "Today you will be with me in Paradise. This is a solemn promise."

⁴⁴ By now it was noon, and darkness fell across the whole land for three hours, until three o'clock. ⁴⁵ The light from the sun was gone—and suddenly the thick veil hanging in the Temple split apart.

⁴⁶ Then Jesus shouted, "Father, I commit my spirit to you," and with those words he died.

⁴⁷ When the captain of the Roman military unit handling the executions saw what had happened, he was stricken with awe before God and said, "Surely this man was innocent."

⁴⁸ And when the crowd that came to see the crucifixion saw that Jesus was dead, they went home in deep sorrow. ⁴⁹ Mean-

amigos de Jesús, entre los que estaban las mujeres que lo habían seguido desde Galilea, lo contemplaban todo a una prudente distancia.

⁵⁰José de Arimatea, miembro de la corte suprema judía, varón bueno y justo, ⁵¹que al igual que muchos esperaba el advenimiento del Mesías y no había estado de acuerdo con los últimos acuerdos y acciones de los demás miembros de la corte, ⁵²fue a Pilato a solicitar el cuerpo de Jesús. ⁵³Obtenido el permiso, corrió hasta el lugar de la ejecución, bajó el cuerpo de Jesús, lo envolvió en una sábana y lo colocó en una tumba completamente nueva labrada en una peña.

⁵⁴Esto sucedió el viernes por la tarde, día en que se preparaban para el sábado. ⁵⁵Las mujeres que habían seguido a Jesús desde Galilea lo acompañaron hasta la tumba misma, y presenciaron el entierro. ⁵⁶Una vez concluido todo, regresaron y prepararon especias aromáticas y ungüentos, y descansaron el día del reposo según demandaba la ley.

24 MUY TEMPRANO EN la mañana del domingo, tomaron las especias aromáticas que habían preparado y se dirigieron a la tumba con algunas otras mujeres. ²Para asombro de ellas, hallaron que la piedra del sepulcro había sido removida ³y que el cuerpo del Señor Jesús no estaba allí. ⁴Perplejas, trataron de descifrar qué había sucedido. En eso dos varones se les presentaron delante con ropa resplandeciente, deslumbrante. ⁵Atemorizadas, las mujeres se postraron rostro en tierra.

—¿Por qué buscan en la tumba al que vive? ⁶,⁷¡Aquí no está! ¡Ya resucitó! ¿No recuerdan que en Galilea les dijo que era necesario que el Mesías fuera entregado en manos de los pecadores, que lo crucificarían y que resucitaría al tercer día?

⁸Entonces recordaron que sí, que era cierto, ⁹y corrieron a Jerusalén a contar a los once discípulos y a los demás lo que había sucedido. ¹⁰Aquellas mujeres eran María Magdalena, Juana, María la madre de Jacobo y varias más.

¹¹Aquello era demasiado difícil para que ellos lo creyeran. ¹²Sin embargo, Pedro corrió a la tumba. Al llegar a la entrada se

while, Jesus' friends, including the women who had followed him down from Galilee, stood in the distance watching.

⁵⁰,⁵¹,⁵² Then a man named Joseph, a member of the Jewish Supreme Court, from the city of Arimathea in Judea, went to Pilate and asked for the body of Jesus. He was a godly man who had been expecting the Messiah's coming and had not agreed with the decision and actions of the other Jewish leaders. ⁵³ So he took down Jesus' body and wrapped it in a long linen cloth and laid it in a new, unused tomb hewn into the rock [at the side of a hill]. ⁵⁴ This was done late on Friday afternoon, the day of preparation for the Sabbath.

⁵⁵ As the body was taken away, the women from Galilee followed and saw it carried into the tomb. ⁵⁶ Then they went home and prepared spices and ointments to embalm him; but by the time they were finished it was the Sabbath, so they rested all that day as required by the Jewish law.

24 BUT VERY EARLY on Sunday morning they took the ointments to the tomb— ² and found that the huge stone covering the entrance had been rolled aside. ³ So they went in—but the Lord Jesus' body was gone.

⁴ They stood there puzzled, trying to think what could have happened to it. Suddenly two men appeared before them, clothed in shining robes so bright their eyes were dazzled. ⁵ The women were terrified and bowed low before them.

Then the men asked, "Why are you looking in a tomb for someone who is alive? ⁶,⁷ He isn't here! He has come back to life again! Don't you remember what he told you back in Galilee—that the Messiah must be betrayed into the power of evil men and be crucified and that he would rise again the third day?"

⁸ Then they remembered, ⁹ and rushed back to Jerusalem to tell his eleven disciples—and everyone else—what had happened. ¹⁰ (The women who went to the tomb were Mary Magdalene and Joanna and Mary the mother of James, and several others.) ¹¹ But the story sounded like a fairy tale to the men—they didn't believe it.

¹² However, Peter ran to the tomb to look. Stooping, he peered in and saw the

detuvo y miró: ¡allí estaban los lienzos solos! Y regresó intrigado por lo que había sucedido.

¹³Aquel mismo día, domingo, dos de los discípulos se dirigían al pueblo de Emaús, a doce kilómetros de Jerusalén. ¹⁴En el camino iban hablando de la muerte de Jesús. ¹⁵Apenas se dieron cuenta que alguien se les había acercado y caminaba con ellos. ¡Era Jesús mismo! ¹⁶Pero Dios no quiso que lo reconocieran en seguida.

¹⁷—¿De qué están hablando y por qué están tan tristes? —les preguntó.

Se detuvieron. En el rostro de aquellos dos hombres se reflejaba el inmenso dolor que los embargaba. ¹⁸Uno de ellos, Cleofas, le dijo:

—Al parecer, eres la única persona en Jerusalén que no sabe lo que ha estado pasando en estos días.

¹⁹—¿Qué ha estado pasando?

—Pues que a Jesús de Nazaret, profeta milagroso y extraordinario Maestro que gozaba de la más alta estimación de Dios y los hombres, ²⁰los principales sacerdotes y jefes religiosos lo entregaron a los romanos para que lo condenaran a morir en la cruz. ²¹Creíamos que era el Mesías y que había venido a rescatar a Israel. Pero bueno...hace tres días que murió. ²²Lo más curioso del caso es que varias mujeres que lo seguían fueron a la tumba esta mañana ²³y regresaron contando que el cuerpo no estaba allí, y que unos ángeles les dijeron que Jesús estaba vivo. ²⁴Algunos de los nuestros corrieron al sepulcro y, de veras, allí no estaba. Las mujeres tenían razón.

²⁵—Insensatos y tardos de corazón —les dijo Jesús entonces—. ¿Así que les cuesta creer lo que los profetas afirman en las Escrituras? ²⁶¿No está claro allí que el Mesías había de sufrir todas esas cosas antes de entrar en su gloria?

²⁷A continuación les fue citando pasajes de las Escrituras desde el Génesis hasta los profetas, y a medida que los citaba les iba explicando lo que decían de El.

²⁸Llegaron a Emaús y Jesús hizo como

empty linen wrappings; and then he went back home again, wondering what had happened.

¹³ That same day, Sunday, two of Jesus' followers were walking to the village of Emmaus, seven miles out of Jerusalem. ¹⁴ As they walked along they were talking of Jesus' death, ¹⁵ when suddenly Jesus himself came along and joined them and began walking beside them. ¹⁶ But they didn't recognize him, for God kept them from it.

¹⁷ "You seem to be in a deep discussion about something," he said. "What are you so concerned about?" They stopped short, sadness written across their faces. ¹⁸ And one of them, Cleopas, replied, "You must be the only person in Jerusalem who hasn't heard about the terrible things that happened there last week."

¹⁹ "What things?" Jesus asked.

"The things that happened to Jesus, the Man from Nazareth," they said. "He was a Prophet who did incredible miracles and was a mighty Teacher, highly regarded by both God and man. ²⁰ But the chief priests and our religious leaders arrested him and handed him over to the Roman government to be condemned to death, and they crucified him. ²¹ We had thought he was the glorious Messiah and that he had come to rescue Israel.

"And now, besides all this—which happened three days ago— ²²˒²³ some women from our group of his followers were at his tomb early this morning and came back with an amazing report that his body was missing, and that they had seen some angels there who told them Jesus is alive! ²⁴ Some of our men ran out to see, and sure enough, Jesus' body was gone, just as the women had said."

²⁵ Then Jesus said to them, "You are such foolish, foolish people! You find it so hard to believe all that the prophets wrote in the Scriptures! ²⁶ Wasn't it clearly predicted by the prophets that the Messiah would have to suffer all these things before entering his time of glory?"

²⁷ Then Jesus quoted them passage after passage from the writings of the prophets, beginning with the book of Genesis and going right on through the Scriptures, explaining what the passages meant and what they said about himself.

²⁸ By this time they were nearing Em-

que iba a seguir, ²⁹pero ellos le suplicaron que se quedara con ellos, porque ya había anochecido. Y se quedó.

³⁰Una vez sentados a la mesa, tomó el pan, lo bendijo y lo fue pasando. ³¹En aquel mismo instante, los discípulos sintieron como si los ojos se les hubieran abierto de pronto y lo reconocieron. Pero se les desapareció de la vista.

³²—¿No nos ardía el corazón mientras nos explicaba las Escrituras a lo largo del camino? —se dijeron pasmados de asombro.

³³,³⁴Al poco rato partían de regreso a Jerusalén. Cuando llegaron a donde estaban los once discípulos y los demás miembros del grupo, éstos los recibieron con una gran noticia:

—¡El Señor ha resucitado de veras! ¡Se le apareció a Pedro!

³⁵Los recién llegados relataron en seguida que Jesús se les había aparecido y que lo habían reconocido al partir el pan. ³⁶Y mientras hablaban, Jesús mismo se apareció entre ellos y los saludó. ³⁷Los discípulos, temblando de miedo, creían que era un fantasma.

³⁸—¿Por qué están tan asustados? —les preguntó—. ¿Por qué dudan de que sea yo? ³⁹Mírenme las manos y los pies. Tóquenme si quieren y verán que soy yo. Los fantasmas no tienen cuerpo.

⁴⁰Y al decir esto les mostró las manos y los pies traspasados por los clavos de la crucifixión. ⁴¹Los discípulos no sabían si dudar o saltar de alegría.

—¿Tienen algo de comer? —les preguntó.

⁴²Le dieron un pedazo de pescado asado y un panal de miel, ⁴³y se los comió delante de ellos.

⁴⁴—¿No recuerdan que cuando todavía estaba con ustedes les dije que cuanto Moisés, los profetas y los salmos dicen tenía que cumplirse?

⁴⁵Entonces les abrió el entendimiento y comprendieron las Escrituras, ⁴⁶y les explicó:

—Está escrito y era necesario que el Mesías sufriera, muriera y resucitara al tercer día, ⁴⁷y que, comenzando en Jerusalén, en el mundo entero se proclamara que hay perdón de los pecados para los que se

maus and the end of their journey. Jesus would have gone on, ²⁹ but they begged him to stay the night with them, as it was getting late. So he went home with them. ³⁰ As they sat down to eat, he asked God's blessing on the food and then took a small loaf of bread and broke it and was passing it over to them, ³¹ when suddenly—it was as though their eyes were opened—they recognized him! And at that moment he disappeared!

³² They began telling each other how their hearts had felt strangely warm as he talked with them and explained the Scriptures during the walk down the road. ³³,³⁴ Within the hour they were on their way back to Jerusalem, where the eleven disciples and the other followers of Jesus greeted them with these words, "The Lord has really risen! He appeared to Peter!"

³⁵ Then the two from Emmaus told their story of how Jesus had appeared to them as they were walking along the road and how they had recognized him as he was breaking the bread. ³⁶ And just as they were telling about it, Jesus himself was suddenly standing there among them, and greeted them. ³⁷ But the whole group was terribly frightened, thinking they were seeing a ghost!

³⁸ "Why are you frightened?" he asked. "Why do you doubt that it is really I? ³⁹ Look at my hands! Look at my feet! You can see that it is I, myself! Touch me and make sure that I am not a ghost! For ghosts don't have bodies, as you see that I do!" ⁴⁰ As he spoke, he held out his hands for them to see [the marks of the nails], and showed them [the wounds in] his feet.

⁴¹ Still they stood there undecided, filled with joy and doubt.

Then he asked them, "Do you have anything here to eat?"

⁴² They gave him a piece of broiled fish, ⁴³ and he ate it as they watched!

⁴⁴ Then he said, "When I was with you before, don't you remember my telling you that everything written about me by Moses and the prophets and in the Psalms must all come true?" ⁴⁵ Then he opened their minds to understand at last these many Scriptures! ⁴⁶ And he said, "Yes, it was written long ago that the Messiah must suffer and die and rise again from the dead on the third day; ⁴⁷ and that this message of salvation should be taken from Jerusalem to all the nations: *There is forgiveness of sins for all who turn*

arrepienten y creen en mí. [48]Ustedes son testigos de que las Escrituras se cumplieron. [49]Pronto enviaré sobre ustedes al Espíritu Santo, tal como lo prometió el Padre. No salgan ahora mismo a proclamar el mensaje. Quédense en Jerusalén hasta que descienda el Espíritu Santo y los llene con poder de lo alto.

[50]Tras aquellas palabras los condujo a Betania. Una vez allí, alzó las manos y los bendijo. [51]Y mientras los bendecía fue elevándose hasta que desapareció. ¡Acababa de ser llevado al cielo!

[52]Después de adorar, los discípulos regresaron a Jerusalén henchidos de gozo. [53]Desde aquel día en adelante pasaban el Tiempo en el Templo, alabando y bendiciendo a Dios.

to me. [48] You have seen these prophecies come true.

[49] "And now I will send the Holy Spirit upon you, just as my Father promised. Don't begin telling others yet—stay here in the city until the Holy Spirit comes and fills you with power from heaven."

[50] Then Jesus led them out along the road to Bethany, and lifting his hands to heaven, he blessed them, [51] and then began rising into the sky, and went on to heaven. [52] And they worshiped him, and returned to Jerusalem filled with mighty joy, [53] and were continually in the Temple, praising God.

JUAN / JOHN

1 ANTES QUE NADA existiera, ya existía Cristo con Dios. Cristo siempre ha existido porque El es Dios. [3]El creó todo lo que existe; nada existe que El no haya creado. [4]En El está la vida eterna, vida que resplandece sobre la humanidad. [5]Su vida es la Luz que brilla en la oscuridad, y las tinieblas no pueden extinguirla.

[6,7]Dios envió a Juan el Bautista como testigo de que ̶ ̶ ̶ ̶ ̶ ̶ ̶ era la luz verdadera. [8]Juan no era la luz, era sólo ̶ ̶ ̶ ̶ ̶ ̶ que la identificaría. [9]Más tarde el que era la verdad la Luz llegó para alumbrar a cuantos nacieran en este mundo.

[10]Mas aunque El hizo el mundo, el mundo no lo reconoció cuando vino. [11]Y ni aun en su país, entre su propia gente, lo aceptaron. Sólo un puñado de hombres le dio la bienvenida y lo recibió. [12]Pero a todos los que lo recibieron, a los que creen en su nombre, les concedió el poder de convertirse en hijos de Dios. [13]Los que creyeron ¡nacieron de nuevo! Desde luego, no fue éste un nacimiento corporal, fruto de pasiones y planes humanos, sino un producto de la voluntad de Dios.

[14]Y Cristo tomó cuerpo humano y vivió en la tierra entre nosotros, lleno de verdad y de amor que perdona. Y nosotros vimos su

1 BEFORE ANYTHING ELSE existed, there was Christ, with God. He has always been alive and is himself God. [3] He created everything there is—nothing exists that he didn't make. [4] Eternal life is in him, and this life gives light to all mankind. [5] His life is the light that shines through the darkness —and the darkness can never extinguish it.

[6,7] God sent John the Baptist as a witness to the fact that Jesus Christ is the true Light. [8] John himself was not the Light; he was only a witness to identify it. [9] Later on, the one who is the true Light arrived to shine on everyone coming into the world.

[10] But although he made the world, the world didn't recognize him when he came. [11,12] Even in his own land and among his own people, the Jews, he was not accepted. Only a few would welcome and receive him. But to all who received him, he gave the right to become children of God. All they needed to do was to trust him to save them. [13] All those who believe this are reborn!—not a physical rebirth resulting from human passion or plan—but from the will of God.

[14] And Christ became a human being and lived here on earth among us and was full of loving forgiveness and truth. And

gloria, la gloria del único Hijo del Padre celestial.

¹⁵Juan lo señaló delante de la multitud y dijo:

—A El me refería cuando dije: "Después de mí vendrá uno que es muy superior a mí, porque existía desde mucho antes que yo naciera".

¹⁶Todos nos beneficiamos con las ricas bendiciones que El derramó a raudales en nosotros.¹⁷De Moisés recibimos sólo la ley, con sus rígidas demandas e implacable rectitud; Jesús nos dio, además de la verdad, amor que perdona.

¹⁸Nadie ha visto a Dios jamás; pero su único Hijo, que es Dios mismo, siempre está con el Padre y nos lo dio a conocer.

¹⁹Los jefes judíos enviaron sacerdotes y asistentes de sacerdotes desde Jerusalén a averiguar si Juan afirmaba que era el Mesías.

²⁰—Yo no soy el Mesías —afirmó Juan categóricamente.

²¹—¿Y quién eres entonces? —le preguntaron—. ¿Eres acaso Elías?

—No —respondió.

—¿Eres el Profeta?

—No.

²²—¿Quién eres entonces? Dínoslo, para llevar una respuesta a los que nos enviaron. ¿Qué dices de ti mismo?

²³—Yo soy la voz que clama en el desierto tal como lo profetizó Isaías: "¡Prepárense para la venida del Señor!"

²⁴A esto los enviados de los fariseos replicaron:

²⁵—Si no eres el Mesías ni Elías ni el Profeta, ¿con qué derecho bautizas?

²⁶—Yo sólo bautizo con agua —les respondió—, mas en medio de esta multitud hay alguien a quien ustedes no conocen, ²⁷que pronto comenzará su ministerio terrenal, y de quien no soy digno ni de ser su esclavo.

²⁸Este incidente ocurrió en Betania, pueblo situado al otro lado del río Jordán, donde Juan bautizaba.

²⁹Al siguiente día vio Juan que Jesús se le acercaba.

—¡Miren! —exclamó—. ¡Ahí está el Cordero de Dios que quita el pecado del mundo! ³⁰El es aquél de quien dije: "Pronto vendrá un hombre muy superior a mí, que existe desde mucho antes que yo existiera".

³¹Yo no sabía que El era el que esperába-

some of us have seen his glory —the glory of the only Son of the heavenly Father!

¹⁵ John pointed him out to the people, telling the crowds, "This is the one I was talking about when I said, 'Someone is coming who is greater by far than I am—for he existed long before I did!' " ¹⁶ We have all benefited from the rich blessings he brought to us—blessing upon blessing heaped upon us! ¹⁷ For Moses gave us only the Law with its rigid demands and merciless justice, while Jesus Christ brought us loving forgiveness as well. ¹⁸ No one has ever actually seen God, but, of course, his only Son has, for he is the companion of the Father and has told us all about him.

¹⁹ The Jewish leaders sent priests and assistant priests from Jerusalem to ask John whether he claimed to be the Messiah.

²⁰ He denied it flatly. "I am not the Christ," he said.

²¹ "Well then, who are you?" they asked. "Are you Elijah?"

"No," he replied.

"Are you the Prophet?"

"No."

²² "Then who are you? Tell us, so we can give an answer to those who sent us. What do you have to say for yourself?"

²³ He replied, "I am a voice from the barren wilderness, shouting as Isaiah prophesied, 'Get ready for the coming of the Lord!' "

^{24,25} Then those who were sent by the Pharisees asked him, "If you aren't the Messiah or Elijah or the Prophet, what right do you have to baptize?"

²⁶ John told them, "I merely baptize with water, but right here in the crowd is someone you have never met, ²⁷ who will soon begin his ministry among you, and I am not even fit to be his slave."

²⁸ This incident took place at Bethany, a village on the other side of the Jordan River where John was baptizing.

²⁹ The next day John saw Jesus coming toward him and said, "Look! There is the Lamb of God who takes away the world's sin! ³⁰ He is the one I was talking about when I said, 'Soon a man far greater than I am is coming, who existed long before me!' ³¹ I didn't know he was the one, but I am

mos, pero he estado bautizando con agua con el objeto de señalárselo a la nación israelita.

³²Y relató cómo había visto al Espíritu Santo descender del cielo en forma de paloma y posarse en Jesús.

³³—Yo no sabía que El era el que esperábamos —reiteró Juan—. Pero cuando Dios me mandó a bautizar me dijo: "Cuando veas al Espíritu Santo descender y posarse sobre alguno, ésa es la persona que andas buscando, la que bautiza con el Espíritu Santo". ³⁴Yo soy testigo de que esto ocurrió con este hombre. Por lo tanto, declaro que El es el Hijo de Dios.

³⁵Al día siguiente, estando Juan con dos de sus discípulos, ³⁶Jesús pasaba. Juan clavó en El la mirada y declaró:

—¡El es el Cordero de Dios!

³⁷Inmediatamente los dos discípulos se volvieron y siguieron a Jesús. ³⁸En eso Jesús volvió la cabeza; y al ver que lo seguían, preguntó:

—¿Qué desean?

—Maestro —contestaron—, ¿dónde vives?

³⁹—Vengan y vean.

Los dos jóvenes lo acompañaron al lugar donde se alojaba y se quedaron con El desde las cuatro de la tarde hasta el anochecer. ⁴⁰Luego uno de aquellos hombres, Andrés, hermano de Simón Pedro, ⁴¹se fue hasta donde estaba éste y le dijo:

—¡Hemos hallado al Mesías!

⁴²Y llevó a Pedro ante Jesús.

Jesús lo miró fijamente un instante.

—Tú eres Simón —le dijo al fin, el hijo de Jonás; mas de ahora en adelante te llamarás Pedro (Piedra).

⁴³Al siguiente día Jesús decidió irse a Galilea, y allí encontró a Felipe.

—Ven conmigo —le ordenó.

⁴⁴Felipe era de Betsaida, pueblo natal de Pedro y Andrés.

⁴⁵Felipe, a su vez, salió en busca de Natanael.

—¡Hemos hallado al Mesías —le dijo—, aquél de quien Moisés y los profetas hablan! ¡Es Jesús, el hijo de José de Nazaret!

⁴⁶—¿De Nazaret? —exclamó Natanael—. ¿Puede salir algo bueno de Nazaret?

—Pues ven y te convencerás.

⁴⁷Al acercarse ellos a Jesús, El dijo:

here baptizing with water in order to point him out to the nation of Israel."

³² Then John told about seeing the Holy Spirit in the form of a dove descending from heaven and resting upon Jesus.

³³ "I didn't know he was the one," John said again, "but at the time God sent me to baptize he told me, 'When you see the Holy Spirit descending and resting upon someone—he is the one you are looking for. He is the one who baptizes with the Holy Spirit.' ³⁴ I saw it happen to this man, and I therefore testify that he is the Son of God."

³⁵ The following day as John was standing with two of his disciples, ³⁶ Jesus walked by. John looked at him intently and then declared, "See! There is the Lamb of God!"

³⁷ Then John's two disciples turned and followed Jesus.

³⁸ Jesus looked around and saw them following. "What do you want?" he asked them.

"Sir," they replied, "where do you live?"

³⁹ "Come and see," he said. So they went with him to the place where he was staying and were with him from about four o'clock that afternoon until the evening. ⁴⁰ (One of these men was Andrew, Simon Peter's brother.)

⁴¹ Andrew then went to find his brother Peter and told him, "We have found the Messiah!" ⁴² And he brought Peter to meet Jesus.

Jesus looked intently at Peter for a moment and then said, "You are Simon, John's son—but you shall be called Peter, the rock!"

⁴³ The next day Jesus decided to go to Galilee. He found Philip and told him, "Come with me." ⁴⁴ (Philip was from Bethsaida, Andrew and Peter's home town.)

⁴⁵ Philip now went off to look for Nathanael and told him, "We have found the Messiah!—the very person Moses and the prophets told about! His name is Jesus, the son of Joseph from Nazareth!"

⁴⁶ "Nazareth!" exclaimed Nathanael. "Can anything good come from there?"

"Just come and see for yourself," Philip declared.

⁴⁷ As they approached, Jesus said, "Here

—Ahí está un hombre íntegro, un verdadero israelita.

⁴⁸—¿En qué te basas para afirmarlo? —preguntó Natanael.

—Te vi debajo de la higuera antes que Felipe te encontrara —contestó Jesús.

⁴⁹—¡Señor —exclamó Natanael emocionado—, eres el Hijo de Dios, el Rey de Israel!

⁵⁰—¿Lo crees sólo porque te dije que te vi debajo de la higuera? Pruebas mayores que ésta tendrás. ⁵¹Llegarás a ver el cielo abierto y a los ángeles de Dios que suben y descienden sobre mí, el Hijo del Hombre.

2 DOS DÍAS MAS tarde invitaron a la madre de Jesús a una boda en el pueblo de Caná de Galilea, ²e invitaron también a Jesús y a sus discípulos. ³En medio de la fiesta se acabó el vino, y la madre de Jesús acudió a El a contarle el problema.

⁴—No te puedo ayudar ahora —contestó Jesús—. Aún no ha llegado el momento oportuno.

⁵Pero su madre dijo a los sirvientes:

—Hagan lo que El les ordene.

⁶Había allí seis tinajas de piedra de unos cien litros de capacidad, de las que usaban los judíos para las ceremonias. ⁷Jesús ordenó a los sirvientes que las llenaran de agua. ⁸Una vez llenas, les dijo:

—Saquen un poco y llévenselo al maestro de ceremonias.

⁹Cuando el maestro de ceremonias probó el agua, que ya se había convertido en vino, al no saber de dónde procedía (aunque, claro está, los sirvientes lo sabían), se acercó al novio.

¹⁰—Este vino es formidable —le dijo—. ¡Eres diferente a todo el mundo! Por lo general los anfitriones usan el mejor vino primero, y después, cuando la gente ya está satisfecha y no les importa, les sirven el vino barato. Pero tú has guardado el mejor hasta el final.

¹¹Aquel milagro en Caná de Galilea fue la primera señal pública del poder sobrenatural de Jesucristo. Y los discípulos creyeron que El realmente era el Mesías.

¹²Después de la boda salió para Capernaum a pasarse unos días con su madre, sus hermanos y sus discípulos.

¹³Luego, como se acercaba la Pascua, festividad anual de los judíos, se dirigió a

comes an honest man—a true son of Israel."

⁴⁸ "How do you know what I am like?" Nathanael demanded.

And Jesus replied, "I could see you under the fig tree before Philip found you."

⁴⁹ Nathanael replied, "Sir, you are the Son of God—the King of Israel!"

⁵⁰ Jesus asked him, "Do you believe all this just because I told you I had seen you under the fig tree? You will see greater proofs than this. ⁵¹ You will even see heaven open and the angels of God coming back and forth to me, the Messiah."

2 TWO DAYS LATER Jesus' mother was a guest at a wedding in the village of Cana in Galilee, ² and Jesus and his disciples were invited too. ³ The wine supply ran out during the festivities, and Jesus' mother came to him with the problem.

⁴ "I can't help you now," he said. "It isn't yet my time for miracles."

⁵ But his mother told the servants, "Do whatever he tells you to."

⁶ Six stone waterpots were standing there; they were used for Jewish ceremonial purposes and held perhaps twenty to thirty gallons each. ⁷,⁸ Then Jesus told the servants to fill them to the brim with water. When this was done he said, "Dip some out and take it to the master of ceremonies."

⁹ When the master of ceremonies tasted the water that was now wine, not knowing where it had come from (though, of course, the servants did), he called the bridegroom over.

¹⁰ "This is wonderful stuff!" he said. "You're different from most. Usually a host uses the best wine first, and afterwards, when everyone is full and doesn't care, then he brings out the less expensive brands. But you have kept the best for the last!"

¹¹ This miracle at Cana in Galilee was Jesus' first public demonstration of his heaven-sent power. And his disciples believed that he really was the Messiah.

¹² After the wedding he left for Capernaum for a few days with his mother, brothers, and disciples.

¹³ Then it was time for the annual Jewish Passover celebration, and Jesus went to

Jerusalén.

¹⁴Dentro del Templo vio a los mercaderes que vendían bueyes, ovejas y palomas para los sacrificios, y a los que cambiaban dinero detrás de unas mesas. ¹⁵Sin vacilar, preparó un látigo con algunas cuerdas que encontró y los echó fuera junto con sus ovejas y bueyes; luego tiró al suelo las monedas de los cambistas, volcó las mesas, ¹⁶y dijo a los vendedores de palomas:

—¡Saquen esto de aquí ahora mismo! ¡No conviertan la casa de mi Padre en mercado!

¹⁷Los discípulos recordaron entonces que las Escrituras habían profetizado: "El celo por la casa de Dios me consume".

¹⁸—¿Con qué derecho los expulsaste? —demandaron los dirigentes judíos—. Si Dios te ha concedido tal autoridad, demuéstralo con un milagro.

¹⁹—Muy bien —respondió Jesús—, les puedo hacer un milagro; destruyan este santuario y en tres días lo reedificaré.

²⁰—¿Qué? —repusieron incrédulos—. ¡Nos llevó cuarenta y seis años construir este Templo, y dices que en tres días lo puedes rehacer!

²¹Mas cuando El dijo "este santuario" se refería a su cuerpo. ²²Por eso, después que resucitó, los discípulos se acordaron de estas palabras y comprendieron que aquel pasaje bíblico se refería a El mismo, ¡y que se había cumplido al pie de la letra!

²³En vista de los milagros que Jesús realizó en Jerusalén durante la Pascua, muchas personas quedaron convencidas de que en verdad era el Mesías. ²⁴Mas El no se confiaba de ellos, porque conocía demasiado bien a la humanidad. ²⁵¡No tenía necesidad de que se le advirtiera cuán voluble es el ser humano!

3 YA CAÍDA LA NOCHE, un dirigente judío llamado Nicodemo, miembro de la secta de los fariseos, llegó a entrevistarse con Jesús.

²—Señor —comenzó—, sabemos que Dios te ha enviado a enseñarnos. Tus milagros lo demuestran.

³—Con toda sinceridad te lo digo —interrumpió Jesús—, que si no naces de nuevo no podrás entrar al reino de Dios.

⁴—¿Cómo que si no nazco de nuevo? —protestó Nicodemo—. ¿Qué me quieres

Jerusalem.

¹⁴ In the Temple area he saw merchants selling cattle, sheep, and doves for sacrifices, and money changers behind their counters. ¹⁵ Jesus made a whip from some ropes and chased them all out, and drove out the sheep and oxen, scattering the money changers' coins over the floor and turning over their tables! ¹⁶ Then, going over to the men selling doves, he told them, "Get these things out of here. Don't turn my Father's House into a market!"

¹⁷ Then his disciples remembered this prophecy from the Scriptures: "Concern for God's House will be my undoing."

¹⁸ "What right have you to order them out?" the Jewish leaders demanded. "If you have this authority from God, show us a miracle to prove it."

¹⁹ "All right," Jesus replied, "this is the miracle I will do for you: Destroy this sanctuary and in three days I will raise it up!"

²⁰ "What!" they exclaimed. "It took forty-six years to build this Temple, and you can do it in three days?" ²¹ But by "this sanctuary" he meant his body. ²² After he came back to life again, the disciples remembered his saying this and realized that what he had quoted from the Scriptures really did refer to him, and had all come true!

²³ Because of the miracles he did in Jerusalem at the Passover celebration, many people were convinced that he was indeed the Messiah. ²⁴,²⁵ But Jesus didn't trust them, for he knew mankind to the core. No one needed to tell him how changeable human nature is!

3 AFTER DARK ONE night a Jewish religious leader named Nicodemus, a member of the sect of the Pharisees, came for an interview with Jesus. "Sir," he said, "we all know that God has sent you to teach us. Your miracles are proof enough of this."

³ Jesus replied, "With all the earnestness I possess I tell you this: Unless you are born again, you can never get into the Kingdom of God."

⁴ "Born again!" exclaimed Nicodemus. "What do you mean? How can an old man

decir? ¿Cómo puede un hombre viejo regresar al vientre de su madre y nacer de nuevo?

⁵—Quiero decir—contestó Jesús—, que no basta nacer físicamente. Uno tiene que nacer espiritualmente también si es que desea entrar al reino de Dios. ⁶Del hombre sólo puede nacer vida humana, mas del Espíritu Santo nace una nueva vida que procede del cielo. ⁷¡No te sorprenda que te diga que tienes que nacer de nuevo! ⁸Esto es como el viento, que uno no sabe de dónde viene ni a dónde va; uno tampoco sabe de qué forma actúa el Espíritu sobre las personas a quienes otorga la vida celestial.

⁹—¿Qué quiere decir esto? —preguntó Nicodemo.

¹⁰—¡No me digas que tú, un maestro judío tan respetado, no entiendes estas cosas! ¹¹Te estoy hablando de las cosas que conozco y he visto, y sin embargo no me crees. ¹²Y si no me crees ni siquiera cuando te hablo de las cosas que suceden entre los hombres, ¿cómo me vas a creer si te hablo de lo que sucede en el cielo? ¹³El único que ha venido a la tierra y ha de regresar al cielo soy yo, el Hombre Celestial. ¹⁴Y de la misma manera que en el desierto Moisés levantó sobre un madero una serpiente de bronce, yo he de ser levantado en un madero, ¹⁵para que el que crea en mí tenga vida eterna. ¹⁶Porque de tal manera amó Dios al mundo que ha dado a su único Hijo para que todo aquel que en El cree no se pierda, mas tenga vida eterna. ¹⁷Dios no envió a su Hijo para que condene al mundo, sino para que lo salve. ¹⁸En virtud de esto, a aquellos que han depositado en El sus esperanzas de salvación no les espera ninguna condenación eterna. Pero aquellos que no creen en El ya están condenados por no creer en el único Hijo de Dios. ¹⁹Lo más grave de todo, es que la Luz del cielo bajó al mundo y ellos amaron más las tinieblas que la Luz, porque sus obras eran malas. ²⁰Aborrecieron la Luz del cielo porque querían pecar en la oscuridad. Se mantuvieron alejados de la Luz por temor a que sus pecados quedaran expuestos y se les castigara. ²¹¡Los que actúan correctamente se acercan gustosos a la Luz para que los demás vean que están haciendo la voluntad de Dios!

²²Después de esto, Jesús salió de Jerusalén con los discípulos, y se fue a Judea donde se quedó bautizando.

go back into his mother's womb and be born again?"

⁵ Jesus replied, "What I am telling you so earnestly is this: Unless one is born of water and the Spirit, he cannot enter the Kingdom of God. ⁶ Men can only reproduce human life, but the Holy Spirit gives new life from heaven; ⁷ so don't be surprised at my statement that you must be born again! ⁸ Just as you can hear the wind but can't tell where it comes from or where it will go next, so it is with the Spirit. We do not know on whom he will next bestow this life from heaven."

⁹ "What do you mean?" Nicodemus asked.

¹⁰,¹¹ Jesus replied, "You, a respected Jewish teacher, and yet you don't understand these things? I am telling you what I know and have seen—and yet you won't believe me. ¹² But if you don't even believe me when I tell you about such things as these that happen here among men, how can you possibly believe if I tell you what is going on in heaven? ¹³ For only I, the Messiah, have come to earth and will return to heaven again. ¹⁴ And as Moses in the wilderness lifted up the bronze image of a serpent on a pole, even so I must be lifted up upon a pole, ¹⁵ so that anyone who believes in me will have eternal life. ¹⁶ For God loved the world so much that he gave his only Son so that anyone who believes in him shall not perish but have eternal life. ¹⁷ God did not send his Son into the world to condemn it, but to save it.

¹⁸ "There is no eternal doom awaiting those who trust him to save them. But those who don't trust him have already been tried and condemned for not believing in the only Son of God. ¹⁹ Their sentence is based on this fact: that the Light from heaven came into the world, but they loved the darkness more than the Light, for their deeds were evil. ²⁰ They hated the heavenly Light because they wanted to sin in the darkness. They stayed away from that Light for fear their sins would be exposed and they would be punished. ²¹ But those doing right come gladly to the Light to let everyone see that they are doing what God wants them to."

²² Afterwards Jesus and his disciples left Jerusalem and stayed for a while in Judea and baptized there.

²³,²⁴En aquellos días Juan el Bautista todavía no había sido encarcelado, y bautizaba en Enón cerca de Salim, donde el agua era abundante. ²⁵Cierto día se suscitó una discusión entre los discípulos de Juan y alguien que afirmaba que el bautismo de Jesús era mejor que el de Juan.

²⁶—Maestro —le dijeron a Juan sus discípulos—, el hombre con quien estuviste al otro lado del Jordán, el que según tus propias palabras es el Mesías, está bautizando también y todo el mundo está yendo allá en vez de venir a nosotros.

²⁷—Dios determina desde el cielo el trabajo de cada individuo —les respondió Juan—. ²⁸Mi tarea es prepararle el camino a ese hombre para que todo el mundo se vaya tras El. Ya les dije que no soy el Mesías. Estoy aquí única y exclusivamente para prepararle el camino. ²⁹Es natural que las multitudes corran tras lo principal, que el novio se deleite en la presencia de la novia, y que el amigo del novio se regocije con él. Yo soy el amigo del novio y me alegra que triunfe. ³⁰El tiene que crecer en importancia cada día; yo, al contrario, tengo que decrecer. ³¹El descendió del cielo y por lo tanto es mayor que cualquiera. Yo soy de este mundo y mis conocimientos se limitan a lo terrenal. ³²El, en cambio, habla de lo que ha visto y oído. ¡Lástima que tan pocas personas crean en sus palabras! ³³Los que creen en El descubren en Dios una fuente de verdad. ³⁴Es que Jesús, el enviado de Dios, habla palabras de Dios, porque el Espíritu está en El sin medidas ni límites. ³⁵El Padre ama al Hijo y ha puesto en sus manos cuanto existe. ³⁶Los que creen que El, el Hijo de Dios, los puede salvar, tienen vida eterna. Los que no creen en El ni lo obedecen, jamas verán el cielo. ¡La ira de Dios permanece sobre ellos!

4 CUANDO EL SEÑOR entendió que había llegado a los fariseos la noticia de que a El iban más personas a bautizarse y a hacerse ²sus discípulos que las que iban a Juan ²(aunque los que bautizaban eran los discípulos y no Jesús), ³salió de Judea y regresó a la provincia de Galilea.

⁴En el viaje tuvo que pasar por Samaria. ⁵Como era alrededor del mediodía y se encontraba cerca del pueblo de Sicar, ⁶se dirigió al pozo de Jacob, situado en la

²³,²⁴ At this time John the Baptist was not yet in prison. He was baptizing at Aenon, near Salim, because there was plenty of water there. ²⁵ One day someone began an argument with John's disciples, telling them that Jesus' baptism was best. ²⁶ So they came to John and said, "Master, the man you met on the other side of the Jordan River—the one you said was the Messiah—he is baptizing too, and everybody is going over there instead of coming here to us."

²⁷ John replied, "God in heaven appoints each man's work. ²⁸ My work is to prepare the way for that man so that everyone will go to him. You yourselves know how plainly I told you that I am not the Messiah. I am here to prepare the way for him—that is all. ²⁹ The crowds will naturally go to the main attraction —the bride will go where the bridegroom is! A bridegroom's friends rejoice with him. I am the Bridegroom's friend, and I am filled with joy at his success. ³⁰ He must become greater and greater, and I must become less and less.

³¹ "He has come from heaven and is greater than anyone else. I am of the earth, and my understanding is limited to the things of earth. ³² He tells what he has seen and heard, but how few believe what he tells them! ³³,³⁴ Those who believe him discover that God is a fountain of truth. For this one—sent by God—speaks God's words, for God's Spirit is upon him without measure or limit. ³⁵ The Father loves this man because he is his Son, and God has given him everything there is. ³⁶ And all who trust him—God's Son—to save them have eternal life; those who don't believe and obey him shall never see heaven, but the wrath of God remains upon them."

4 WHEN THE LORD knew that the Pharisees had heard about the greater crowds coming to him than to John to be baptized and to become his disciples—(though Jesus himself didn't baptize them, but his disciples did)— ³ he left Judea and returned to the province of Galilee.

⁴ He had to go through Samaria on the way, ⁵,⁶ and around noon as he approached the village of Sychar, he came to Jacob's Well, located on the parcel of ground Jacob

parcela de terreno que Jacob le dejó a su hijo José. Cansado de la larga caminata bajo el sol ardiente, se sentó extenuado en el brocal del pozo.

⁷Al poco rato, una mujer samaritana llegó a sacar agua.

—Dame de beber —le dijo Jesús.

⁸Sus discípulos poco antes habían salido hacia el pueblo cercano a comprar alimentos, y por lo tanto El estaba solo.

⁹La mujer, sorprendida de que un judío le pidiera agua a una "despreciable samaritana" como ella, cuando los judíos ni siquiera dirigían la palabra a los samaritanos, le expresó a Jesús su sorpresa. ¹⁰El le respondió:

—Si supieras cuán maravilloso es el regalo que Dios tiene para ti, y quién soy yo, tú me pedirías agua viva.

¹¹—Pero si no tienes soga ni cubo —arguyó ella—, ¿cómo me vas a dar agua viva? ¡Este pozo es profundo! ¹²Además, ¿eres acaso mayor que Jacob, nuestro antepasado? ¿Cómo vas a poder darnos mejor agua que la que él, sus hijos y su ganado obtuvieron?

¹³—Los que beben de esta agua —respondió Jesús— pronto vuelven a tener sed; ¹⁴pero el agua que yo ofrezco se convierte dentro del ser en una fuente perpetua de vida eterna.

¹⁵—¡Señor —exclamó la mujer—, dame un poco de esa agua! ¡Si es verdad que no volveré a tener sed jamás, no tendré que caminar hasta aquí todos los días!

¹⁶—Vé y busca a tu esposo.

¹⁷—No soy casada —respondió la mujer.

—Tienes razón. ¹⁸Has tenido cinco maridos y ni siquiera estás casada con el hombre con quien ahora vives. ¡Has dicho una gran verdad!

¹⁹—Señor —dijo la mujer—, me parece que eres profeta. ²⁰A ver, dime, ¿por qué ustedes los judíos insisten en que Jerusalén es el único lugar de adoración? Nosotros los samaritanos afirmamos que se debe adorar en el monte Jerizim, donde nuestros antepasados adoraron.

²¹⁻²⁴—Mujer —respondió Jesús—, se acerca el día en que ya no ha de preocuparnos si hemos de adorar al Padre acá o en Jerusalén. Lo que importa no es el lugar donde se adore, sino la forma espiritual y verdadera en que adoremos con la ayuda

gave to his son Joseph. Jesus was tired from the long walk in the hot sun and sat wearily beside the well.

⁷ Soon a Samaritan woman came to draw water, and Jesus asked her for a drink. ⁸ He was alone at the time as his disciples had gone into the village to buy some food. ⁹ The woman was surprised that a Jew would ask a "despised Samaritan" for anything—usually they wouldn't even speak to them! —and she remarked about this to Jesus.

¹⁰ He replied, "If you only knew what a wonderful gift God has for you, and who I am, you would ask me for some *living* water!"

¹¹ "But you don't have a rope or a bucket," she said, "and this is a very deep well! Where would you get this living water? ¹² And besides, are you greater than our ancestor Jacob? How can you offer better water than this which he and his sons and cattle enjoyed?"

¹³ Jesus replied that people soon became thirsty again after drinking this water. ¹⁴ "But the water I give them," he said, "becomes a perpetual spring within them, watering them forever with eternal life."

¹⁵ "Please, sir," the woman said, "give me some of that water! Then I'll never be thirsty again and won't have to make this long trip out here every day."

¹⁶ "Go and get your husband," Jesus told her.

¹⁷,¹⁸ "But I'm not married," the woman replied.

"All too true!" Jesus said. "For you have had five husbands, and you aren't even married to the man you're living with now."

¹⁹ "Sir," the woman said, "you must be a prophet. ²⁰ But say, tell me, why is it that you Jews insist that Jerusalem is the only place of worship, while we Samaritans claim it is here [at Mount Gerazim], where our ancestors worshiped?"

²¹⁻²⁴ Jesus replied, "The time is coming, ma'am, when we will no longer be concerned about whether to worship the Father here or in Jerusalem. For it's not *where* we worship that counts, but *how* we worship —is our worship spiritual and real? Do we

del Espíritu Santo, porque Dios es Espíritu y necesitamos que nos ayude a adorar como debemos. Ese es el tipo de adoración que el Padre quiere de nosotros. Pero ustedes los samaritanos conocen tan poco de Dios que lo adoran a ciegas, mientras que nosotros los judíos sabemos lo que adoramos, porque la salvación viene al mundo a través de los judíos.

²⁵—Bueno —replicó la mujer—, por lo menos sé que el Mesías, el que llaman el Cristo, vendrá. Cuando esto suceda, El nos explicará todas las cosas.

²⁶—¡Yo soy el Mesías!

²⁷En ese preciso momento llegaron sus discípulos. Aunque se sorprendieron de hallarlo hablando con una mujer, no se atrevieron a preguntarle por qué lo hacía ni de qué habían estado hablando.

²⁸Entonces la mujer dejó el cántaro y corrió al pueblo gritando:

²⁹—¡Vengan para que conozcan a uno que me ha adivinado el pasado! ¿No será éste el Cristo?

³⁰Y la gente acudió presurosa a verlo.

³¹Mientras tanto, los discípulos le suplicaban a Jesús que comiera.

³²—No —respondió El—. Estoy comiendo una comida que ustedes no conocen.

³³—¿Quién se la traería? —se preguntaron los discípulos.

³⁴—Mi comida es hacer la voluntad de Dios que me envió y terminar su obra. ³⁵¿Creen ustedes acaso que la siega comienza hasta dentro de cuatro meses, cuando finalice el verano? ¡Miren a su alrededor! ¡Los campos están repletos de almas maduras y listas para que las cosechemos! ³⁶¡Los que recojan tal cosecha recibirán grandes recompensas y estarán almacenando almas eternas en los graneros del cielo! ¡Y qué alegría produce esto a los que siembran y a los que recogen! ³⁷Porque es cierto que unos son los que siembran y otros son los que recogen. ³⁸Yo los he enviado a ustedes a recoger donde otros sembraron; otros hicieron el trabajo y a ustedes les toca recoger los frutos.

³⁹Muchos de los samaritanos del pueblo, al oír a la mujer afirmar que Jesús le había adivinado el pasado, creyeron en El. ⁴⁰Cuando llegaron a donde estaba, junto al pozo, le suplicaron que se quedara en el pueblo. El accedió y se quedó dos días, ⁴¹lo

have the Holy Spirit's help? For God is Spirit, and we must have his help to worship as we should. The Father wants this kind of worship from us. But you Samaritans know so little about him, worshiping blindly, while we Jews know all about him, for salvation comes to the world through the Jews."

²⁵ The woman said, "Well, at least I know that the Messiah will come—the one they call Christ—and when he does, he will explain everything to us."

²⁶ Then Jesus told her, "I am the Messiah!"

²⁷ Just then his disciples arrived. They were surprised to find him talking to a woman, but none of them asked him why, or what they had been discussing.

²⁸,²⁹ Then the woman left her waterpot beside the well and went back to the village and told everyone, "Come and meet a man who told me everything I ever did! Can this be the Messiah?" ³⁰ So the people came streaming from the village to see him.

³¹ Meanwhile, the disciples were urging Jesus to eat. ³² "No," he said, "I have some food you don't know about."

³³ "Who brought it to him?" the disciples asked each other.

³⁴ Then Jesus explained: "My nourishment comes from doing the will of God who sent me, and from finishing his work. ³⁵ Do you think the work of harvesting will not begin until the summer ends four months from now? Look around you! Vast fields of human souls are ripening all around us, and are ready now for reaping. ³⁶ The reapers will be paid good wages and will be gathering eternal souls into the granaries of heaven! What joys await the sower and the reaper, both together! ³⁷ For it is true that one sows and someone else reaps. ³⁸ I sent you to reap where you didn't sow; others did the work, and you received the harvest."

³⁹ Many from the Samaritan village believed he was the Messiah because of the woman's report: "He told me everything I ever did!" ⁴⁰,⁴¹ When they came out to see him at the well, they begged him to stay at their village; and he did, for two days, long

suficiente para que muchos de ellos creyeran en El después de oírlo.

⁴²—Ahora creemos porque nosotros mismos lo hemos oído —le dijeron a la mujer— y no porque alguien nos lo haya dicho. Sí, El es el Salvador del mundo.

⁴³Al cabo de los dos días, se fue a Galilea, ⁴⁴a pesar de que El mismo solía decir que "al profeta nunca lo aceptan en su propia tierra"; pero ⁴⁵los galileos lo recibieron con los brazos abiertos. Muchos habían estado en Jerusalén durante la Pascua y habían presenciado algunos de sus milagros.

⁴⁶En el viaje, llegó a Caná, donde anteriormente había convertido el agua en vino. Un hombre de Capernaum, funcionario del gobierno, cuyo hijo estaba enfermo, ⁴⁷se enteró de que Jesús había llegado de Judea y que iba rumbo a Galilea. Sin pérdida de tiempo corrió a Caná y le suplicó a Jesús que lo acompañara a Capernaum a sanar a su hijo, que estaba al borde de la muerte.

⁴⁸—¿Es que acaso tengo que estar haciendo milagros para que crean en mí? —protestó Jesús.

⁴⁹—Por favor, Señor —suplicó el funcionario—, ¡ven antes de que se muera mi hijo!

⁵⁰—Vete —le dijo Jesús—. ¡Ya tu hijo está bien!

El hombre creyó en Jesús y partió de regreso. ⁵¹En el camino, uno de sus sirvientes le salió al encuentro con la noticia de que su hijo ya estaba bien.

⁵²—¿Cuándo empezó a sentirse mejor? —le preguntó.

—Ayer por la tarde, a eso de la una, la fiebre desapareció de pronto.

⁵³Entonces se dio cuenta que en aquella misma hora Jesús le había dicho que su hijo ya estaba sano. El funcionario y toda su familia creyeron que Jesús era el Mesías.

⁵⁴Era el segundo milagro que realizaba Jesús en Galilea después de venir de Judea.

5 DESPUÉS DE ESTO, Jesús regresó a Jerusalén, donde iba a celebrarse una de las fiestas religiosas judías.

²Dentro de la ciudad, cerca de la puerta de las ovejas, estaba el estanque de Betesda con las cinco plataformas techadas o portales que lo rodeaban.

³Multitud de enfermos, ciegos, cojos y lisiados yacían en los portales esperando

enough for many of them to believe in him after hearing him. ⁴² Then they said to the woman, "Now we believe because we have heard him ourselves, not just because of what you told us. He is indeed the Savior of the world."

⁴³,⁴⁴ At the end of the two days' stay he went on into Galilee. Jesus used to say, "A prophet is honored everywhere except in his own country!" ⁴⁵ But the Galileans welcomed him with open arms, for they had been in Jerusalem at the Passover celebration and had seen some of his miracles.

⁴⁶,⁴⁷ In the course of his journey through Galilee he arrived at the town of Cana, where he had turned the water into wine. While he was there, a man in the city of Capernaum, a government official, whose son was very sick, heard that Jesus had come from Judea and was traveling in Galilee. This man went over to Cana, found Jesus, and begged him to come to Capernaum with him and heal his son, who was now at death's door.

⁴⁸ Jesus asked, "Won't any of you believe in me unless I do more and more miracles?"

⁴⁹ The official pled, "Sir, please come now before my child dies."

⁵⁰ Then Jesus told him, "Go back home. Your son is healed!" And the man believed Jesus and started home. ⁵¹ While he was on his way, some of his servants met him with the news that all was well—his son had recovered. ⁵² He asked them when the lad had begun to feel better, and they replied, "Yesterday afternoon at about one o'clock his fever suddenly disappeared!" ⁵³ Then the father realized it was the same moment that Jesus had told him, "Your son is healed." And the officer and his entire household believed that Jesus was the Messiah.

⁵⁴ This was Jesus' second miracle in Galilee after coming from Judea.

5 AFTERWARDS JESUS RETURNED to Jerusalem for one of the Jewish religious holidays. ² Inside the city, near the Sheep Gate, was Bethesda Pool, with five covered platforms or porches surrounding it. ³ Crowds of sick folks—lame, blind, or with paralyzed limbs—lay on the platforms

que se produjera cierto movimiento en las aguas, *porque se decía que un ángel del Señor descendía de vez en cuando y las agitaba, y la primera persona que se tirara al agua sanaba.

⁵Uno de ellos había pasado treinta y ocho años enfermo. ⁶Cuando Jesús lo vio y supo el largo tiempo que había estado enfermo, le preguntó:

—¿Quieres curarte?

⁷—No puedo, Señor —respondió el enfermo—. No tengo a nadie que me ayude a lanzarme al agua cuando ésta se agita. Siempre, en lo que trato de hacerlo, alguien se me adelanta.

⁸—¡Levántate, recoge la cama y vete para tu casa! —le dijo entonces Jesús.

⁹E inmediatamente el hombre quedó curado. Sin pérdida de tiempo recogió su cama y salió caminando.

Pero como era sábado el día en que ocurrió el milagro, ¹⁰los dirigentes judíos se pusieron a criticarlo.

—¡No debes trabajar los sábados! ¡Es ilegal que cargues esa cama!

¹¹—El hombre que me sanó me dijo que lo hiciera —fue su respuesta.

¹²—¿Quién se atrevió a decirte que lo hicieras?

¹³El hombre no lo sabía y Jesús ya había desaparecido entre la multitud. ¹⁴Más tarde Jesús lo encontró en el Templo.

—Ahora que estás bien —le dijo—, no peques como lo hacías antes, porque si lo haces, puede venirte algo peor.

¹⁵El hombre corrió entonces a informar a los dirigentes judíos que Jesús era el que lo había sanado. ¹⁶En consecuencia, éstos empezaron a hostigar a Jesús por haber quebrantado el sábado.

¹⁷—Mi Padre está haciendo el bien constantemente, —les respondió Jesús—, y yo sigo su ejemplo.

¹⁸Tras esta respuesta los judíos sintieron mayores deseos de matarlo. ¡No podían soportar que, además de desobedecer la ley de ellos acerca del sábado, Jesús afirmara que Dios era su Padre, con la cual se igualaba a Dios! ¹⁹Mas Jesús añadió:

—El Hijo no puede hacer nada por sí mismo, sino que se limita a ver y a hacer lo que el Padre hace. ²⁰El Padre ama al Hijo y le muestra las cosas que hace; por lo tanto, el Hijo hará milagros mucho más sorprendentes que la curación de este hombre. ²¹Si

(waiting for a certain movement of the water, ⁴for an angel of the Lord came from time to time and disturbed the water, and the first person to step down into it afterwards was healed).

⁵One of the men lying there had been sick for thirty-eight years. ⁶When Jesus saw him and knew how long he had been ill, he asked him, "Would you like to get well?"

⁷"I can't," the sick man said, "for I have no one to help me into the pool at the movement of the water. While I am trying to get there, someone else always gets in ahead of me."

⁸Jesus told him, "Stand up, roll up your sleeping mat and go on home!"

⁹Instantly, the man was healed! He rolled up the mat and began walking!

But it was on the Sabbath when this miracle was done. ¹⁰So the Jewish leaders objected. They said to the man who was cured, "You can't work on the Sabbath! It's illegal to carry that sleeping mat!"

¹¹"The man who healed me told me to," was his reply.

¹²"Who said such a thing as that?" they demanded.

¹³The man didn't know, and Jesus had disappeared into the crowd. ¹⁴But afterwards Jesus found him in the Temple and told him, "Now you are well; don't sin as you did before, or something even worse may happen to you."

¹⁵Then the man went to find the Jewish leaders and told them it was Jesus who had healed him.

¹⁶So they began harassing Jesus as a Sabbath breaker. ¹⁷But Jesus replied, "My Father constantly does good, and I'm following his example."

¹⁸Then the Jewish leaders were all the more eager to kill him because in addition to disobeying their Sabbath laws, he had spoken of God as his Father, thereby making himself equal with God.

¹⁹Jesus replied, "The Son can do nothing by himself. He does only what he sees the Father doing, and in the same way. ²⁰For the Father loves the Son, and tells him everything he is doing; and the Son will do far more awesome miracles than this man's

desea resucitar a alguna persona, lo hará de la misma forma que el Padre lo hace. ²²Y el Padre ha dejado que sea el Hijo el que juzgue el pecado, ²³para que el mundo entero honre al Hijo de la misma manera que honra al Padre. Mas si ustedes se niegan a honrar al Hijo de Dios que les ha sido enviado, ciertamente no están honrando al Padre.

²⁴"De todo corazón les digo: Cualquiera que cree mi mensaje y cree en Dios que me envió, tiene vida eterna, y nunca recibirá condenación por sus pecados, porque ha pasado de la muerte a la vida. ²⁵Solemnemente declaro que viene el día, y ya ha llegado ese día, cuando los muertos han de oír mi voz, la voz del Hijo de Dios, y los que la escuchen vivirán. ²⁶El Padre tiene vida en sí mismo, y ha permitido que el Hijo tenga también vida en sí mismo ²⁷y que juzgue los pecados de la humanidad, ya que es el Hijo del Hombre.

²⁸"¡No se sorprendan! Ciertamente se aproxima el día en que los muertos escucharán desde sus tumbas la voz del Hijo de Dios, ²⁹y resucitarán. Los que hayan hecho lo bueno, resucitarán para vida eterna; mas los que hayan continuado en el pecado, resucitarán para condenación.

³⁰"Pero yo no condeno sin consultar al Padre. Juzgo según se me ha ordenado, y mi juicio es completamente imparcial y justo, porque está de acuerdo con la voluntad de Dios que me envió, y no simplemente de acuerdo con la mía.

³¹"Si yo dijera algo acerca de mi propia persona, se podría poner en duda. ³²Pero hay alguien, Juan el Bautista, que dice de mí las mismas cosas. ³³A veces ustedes han ido a escucharlo; yo les aseguro que cuanto él ha dicho de mí es cierto. ³⁴Pero no, aunque les he hablado del testimonio de Juan para que crean en mí y se salven, mi mejor testigo no es humano. ³⁵Juan brilló vivamente por un tiempo, y en él ustedes se beneficiaron y regocijaron. ³⁶Pero tengo un mejor testigo que Juan: los milagros que realizo. Mi Padre me ha permitido hacerlos; y ellos demuestran que El me envió. ³⁷Además, el Padre mismo ha testificado acerca de mí, aun cuando no se ha presentado delante de ustedes personalmente, ni les ha hablado directamente. ³⁸Ustedes no lo escuchan, porque rehúsan creer en mí, y yo soy el que Dios envió con su mensaje.

healing. ²¹ He will even raise from the dead anyone he wants to, just as the Father does. ²² And the Father leaves all judgment of sin to his Son, ²³ so that everyone will honor the Son, just as they honor the Father. But if you refuse to honor God's Son, whom he sent to you, then you are certainly not honoring the Father.

²⁴ "I say emphatically that anyone who listens to my message and believes in God who sent me has eternal life, and will never be damned for his sins, but has already passed out of death into life. ²⁵ And I solemnly declare that the time is coming, in fact, it is here, when the dead shall hear my voice—the voice of the Son of God—and those who listen shall live. ²⁶ The Father has life in himself, and has granted his Son to have life in himself, ²⁷ and to judge the sins of all mankind because he is the Son of Man. ²⁸ Don't be so surprised! Indeed the time is coming when all the dead in their graves shall hear the voice of God's Son, ²⁹ and shall rise again—those who have done good, to eternal life; and those who have continued in evil, to judgment.

³⁰ "But I pass no judgment without consulting the Father. I judge as I am told. And my judgment is absolutely fair and just, for it is according to the will of God who sent me and is not merely my own.

³¹ "When I make claims about myself they aren't believed, ³²,³³ but someone else, yes, John the Baptist, is making these claims for me too. You have gone out to listen to his preaching, and I can assure you that all he says about me is true! ³⁴ But the truest witness I have is not from a man, though I have reminded you about John's witness so that you will believe in me and be saved. ³⁵ John shone brightly for a while, and you benefited and rejoiced, ³⁶ but I have a greater witness than John. I refer to the miracles I do; these have been assigned me by the Father, and they prove that the Father has sent me. ³⁷ And the Father himself has also testified about me, though not appearing to you personally, or speaking to you directly. ³⁸ But you are not listening to him, for you refuse to believe me—the one sent to you with God's message.

³⁹"Ustedes escudriñan las Escrituras porque piensan que ellas les darán vida eterna. Sin embargo, aunque las Escrituras me señalan a mí, ⁴⁰ustedes no desean acercarse a mí, para que yo les dé vida eterna. ⁴¹La aprobación o desaprobación de ustedes no me significa nada, ⁴²porque sé bien que en ustedes no existe el amor de Dios. ⁴³Lo sé porque yo llegué ante ustedes representando a mi Padre y no me recibieron bien; en cambio, reciben solícitamente a quienes Él no ha enviado y vienen en nombre de ellos mismos. ⁴⁴¡Por algo les cuesta creer! Ustedes gustosamente se honran entre sí, pero no buscan la honra que viene del único Dios. ⁴⁵No obstante, no los acusaré ante el Padre. ¡Moisés los acusará! Sí, Moisés, en cuya ley ustedes cifran la esperanza de alcanzar el cielo, los acusará, porque ustedes se han negado a creer en él. ⁴⁶El escribió acerca de mí; pero como no creen en él, tampoco quieren creer en mí. ⁴⁷Claro, si no creen en lo que él escribió ¿cómo van a creer lo que yo les digo?

6 DESPUÉS DE ESTO, Jesús cruzó el lago de Galilea o de Tiberias, como algunos lo llamaban también. ²Tras Él marchaba una inmensa multitud que lo seguía a dondequiera que iba, ansiosa de presenciar la curación de algún enfermo. ³,⁴Entre ella había muchos peregrinos que se dirigían a Jerusalén para celebrar la festividad anual de la Pascua.

Jesús subió a un monte y se sentó rodeado de sus discípulos. ⁵Entonces alcanzó a ver debajo, subiendo por la ladera, la enorme multitud que había acudido en busca suya.

—Felipe —preguntó, volviéndose a uno de sus discípulos—, ¿dónde vamos a hallar pan para tanta gente?

⁶Claro que estaba tratando de probar a Felipe, porque ya tenía pensado lo que iba a hacer.

⁷—Costaría una fortuna sólo el intentarlo —respondió Felipe.

⁸,⁹—Por ahí anda un muchacho —intervino Andrés, hermano de Simón Pedro—, que trae cinco panes de cebada y dos pescados. Pero, ¿qué es eso para tanta gente?

¹⁰—Díganles que se sienten —ordenó Jesús.

Y aquella muchedumbre de cinco mil personas (contando solamente a los hom-

³⁹ "You search the Scriptures, for you believe they give you eternal life. And the Scriptures point to me! ⁴⁰ Yet you won't come to me so that I can give you this life eternal!

⁴¹,⁴² "Your approval or disapproval means nothing to me, for as I know so well, you don't have God's love within you. ⁴³ I know, because I have come to you representing my Father and you refuse to welcome me, though you readily enough receive those who aren't sent from him, but represent only themselves! ⁴⁴ No wonder you can't believe! For you gladly honor each other, but you don't care about the honor that comes from the only God!

⁴⁵ "Yet it is not I who will accuse you of this to the Father—Moses will! Moses, on whose laws you set your hopes of heaven. ⁴⁶ For you have refused to believe Moses. He wrote about me, but you refuse to believe him, so you refuse to believe in me. ⁴⁷ And since you don't believe what he wrote, no wonder you don't believe me either."

6 AFTER THIS, JESUS crossed over the Sea of Galilee, also known as the Sea of Tiberias. ²⁻⁵ And a huge crowd, many of them pilgrims on their way to Jerusalem for the annual Passover celebration , were following him wherever he went, to watch him heal the sick. So when Jesus went up into the hills and sat down with his disciples around him, he soon saw a great multitude of people climbing the hill, looking for him.

Turning to Philip he asked, "Philip, where can we buy bread to feed all these people?" ⁶ (He was testing Philip, for he already knew what he was going to do.)

⁷ Philip replied, "It would take a fortune to begin to do it!"

⁸,⁹ Then Andrew, Simon Peter's brother, spoke up. "There's a youngster here with five barley loaves and a couple of fish! But what good is that with all this mob?"

¹⁰ "Tell everyone to sit down," Jesus ordered. And all of them—the approximate count of the men only was 5,000—sat down

bres) se fue sentando en las laderas. [11]Jesús tomó los panes, dio gracias a Dios y los fue repartiendo. Luego hizo lo mismo con los pescados. ¡Y comieron hasta saciarse!

[12]—¡Recojan los sobrantes! —ordenó luego a los discípulos—. ¡Qué nada se pierda!

[13]¡Y llenaron doce cestas de sobrantes!

[14]Al darse cuenta la gente que había presenciado un gran milagro, exclamó:

—No cabe duda de que éste es el profeta que estábamos esperando.

[15]Y como Jesús entendió que estaban a punto de apoderarse de El para coronarlo rey a la fuerza, se retiró a lo más alto de la montaña.

[16]Al anochecer, sus discípulos fueron a esperarlo a la orilla del lago. [17]Pero como ya había oscurecido y Jesús todavía no regresaba, subieron a la barca y se dispusieron a cruzar el lago rumbo a Capernaum.

[18,19]No pudieron avanzar mucho, porque se levantó un vendaval que los azotaba mientras el lago se embravecía por segundos. Estando a cinco o seis kilómetros de la orilla, vieron de pronto que Jesús caminaba hacia la barca. El terror se apoderó de ellos, [20]pero Jesús les gritó que no tuvieran miedo. [21]Entonces, ya calmados y contentos, lo dejaron subir a bordo; e inmediatamente la barca llegó a donde iban.

[22]A la mañana siguiente las multitudes se arremolinaron de nuevo junto al lago con la esperanza de ver a Jesús. Sabían que El y sus discípulos habían llegado juntos a aquel lugar, pero que luego los discípulos habían salido solos en la barca, sin Jesús. [23]Como había allí varias barcas de Tiberias [24]y la gente se convenció de que ni Jesús ni los discípulos estaban en los alrededores, se fueron a buscarlos a Capernaum. Y allí los encontraron.

[25]—Señor —le preguntaron—, ¿cómo llegaste hasta acá?

[26]—La verdad del caso —respondió Jesús— es que ustedes quieren estar conmigo no porque crean en mí sino porque yo los alimenté. [27]¡No se preocupen tanto por algo tan perecedero como el alimento! ¡Gasten sus energías en buscar la vida eterna que yo, el Hombre Celestial, les puedo dar! Para eso me envió Dios el Padre.

[28]—¿Qué podemos hacer para complacer a Dios? —le preguntaron.

[29]—Lo único que Dios desea —les res-

on the grassy slopes. [11] Then Jesus took the loaves and gave thanks to God and passed them out to the people. Afterwards he did the same with the fish. And everyone ate until full!

[12] "Now gather the scraps," Jesus told his disciples, "so that nothing is wasted."
[13] And twelve baskets were filled with the leftovers!

[14] When the people realized what a great miracle had happened, they exclaimed, "Surely, he is the Prophet we have been expecting!"

[15] Jesus saw that they were ready to take him by force and make him their king, so he went higher into the mountains alone.

[16] That evening his disciples went down to the shore to wait for him. [17] But as darkness fell and Jesus still hadn't come back, they got into the boat and headed out across the lake toward Capernaum. [18,19] But soon a gale swept down upon them as they rowed, and the sea grew very rough. They were three or four miles out when suddenly they saw Jesus walking toward the boat! They were terrified, [20] but he called out to them and told them not to be afraid. [21] Then they were willing to let him in, and immediately the boat was where they were going!

[22,23] The next morning, back across the lake, crowds began gathering on the shore [waiting to see Jesus]. For they knew that he and his disciples had come over together and that the disciples had gone off in their boat, leaving him behind. Several small boats from Tiberias were nearby, [24] so when the people saw that Jesus wasn't there, nor his disciples, they got into the boats and went across to Capernaum to look for him.

[25] When they arrived and found him, they said, "Sir, how did you get here?" [26] Jesus replied, "The truth of the matter is that you want to be with me because I fed you, not because you believe in me. [27] But you shouldn't be so concerned about perishable things like food. No, spend your energy seeking the eternal life that I, the Messiah, can give you. For God the Father has sent me for this very purpose."

[28] They replied, "What should we do to satisfy God?"

[29] Jesus told them, "This is the will of

pondió Jesús— es que crean en el que El ha enviado.

³⁰—Tienes que realizar algunos milagros más delante de nosotros para que creamos que eres el Mesías. ³¹Haz más milagros todos los días como se hizo con nuestros padres durante la jornada del desierto. Las Escrituras dicen que Moisés les dio pan del cielo.

³²—No, no fue Moisés —aclaró Jesús—. Fue mi Padre el que les dio aquel pan. Y ahora les está ofreciendo el verdadero Pan del cielo. ³³El verdadero Pan es la persona que Dios envió del cielo a darle vida al mundo.

³⁴—Señor —dijeron ellos—, ¡danos de ese pan todos los días de nuestras vidas!

³⁵—Yo soy el Pan de vida —respondió Jesús—. Los que a mí vienen no volverán a tener hambre, ni volverán a tener sed los que creen en mí. ³⁶Como les dije, ¡es una lástima que ustedes, aunque me han visto, no crean en mí! ³⁷A todos los que vengan a mí enviados por el Padre los recibiré, ³⁸porque yo he venido del cielo a cumplir la voluntad de Dios que me envió y no la mía. ³⁹Y ésta es la voluntad de Dios: que no pierda ninguno de los que El me ha dado, sino que los resucite a la vida eterna en el día postrero. ⁴⁰Es la voluntad de mi Padre que cualquiera que venga al Hijo y crea en El tenga vida eterna, y que yo lo resucite en el día postrero.

⁴¹Entonces los judíos murmuraron contra El porque había dicho: "Yo soy el Pan del cielo".

⁴²—El no es más que Jesús, el hijo de José. Yo conozco a su madre y a su padre. ¿Cómo se atreve a decir que descendió del cielo?

⁴³—Déjense de murmurar contra lo que les dije —replicó Jesús—. ⁴⁴Nadie puede venir a mí si el Padre que me envió no lo trae; y a los que El traiga yo los resucitaré en el día postrero. ⁴⁵Como dicen las Escrituras: "Dios les enseñará". Aquellos a quienes el Padre hable, aprenderán de El la verdad, y vendrán a mí. ⁴⁶No quiero decir con esto que tales personas hayan visto al Padre, pues yo soy el único que lo ha visto. ⁴⁷Créanme lo que les digo: ¡El que cree en mí ya tiene vida eterna! ⁴⁸Sí, yo soy el Pan

God, that you believe in the one he has sent."

³⁰,³¹ They replied, "You must show us more miracles if you want us to believe you are the Messiah. Give us free bread every day, like our fathers had while they journeyed through the wilderness! As the Scriptures say, 'Moses gave them bread from heaven.' "

³² Jesus said, "Moses didn't give it to them. My Father did. And now he offers you true Bread from heaven. ³³ The true Bread is a Person—the one sent by God from heaven, and he gives life to the world."

³⁴ "Sir," they said, "give us that bread every day of our lives!"

³⁵ Jesus replied, "I am the Bread of Life. No one coming to me will ever be hungry again. Those believing in me will never thirst. ³⁶ But the trouble is, as I have told you before, you haven't believed even though you have seen me. ³⁷ But some will come to me—those the Father has given me—and I will never, never reject them. ³⁸ For I have come here from heaven to do the will of God who sent me, not to have my own way. ³⁹ And this is the will of God, that I should not lose even one of all those he has given me, but that I should raise them to eternal life at the Last Day. ⁴⁰ For it is my Father's will that everyone who sees his Son and believes on him should have eternal life—that I should raise him at the Last Day."

⁴¹ Then the Jews began to murmur against him because he claimed to be the Bread from heaven.

⁴² "What?" they exclaimed. "Why, he is merely Jesus the son of Joseph, whose father and mother we know. What is this he is saying, that he came down from heaven?"

⁴³ But Jesus replied, "Don't murmur among yourselves about my saying that. ⁴⁴ For no one can come to me unless the Father who sent me draws him to me, and at the Last Day I will cause all such to rise again from the dead. ⁴⁵ As it is written in the Scriptures, 'They shall all be taught of God.' Those the Father speaks to, who learn the truth from him, will be attracted to me. ⁴⁶ (Not that anyone actually sees the Father, for only I have seen him.)

⁴⁷ "How earnestly I tell you this—anyone who believes in me already has eternal life! ⁴⁸⁻⁵¹ Yes, I am the Bread of Life! When

de vida. ⁴⁹En el pan del cielo que comieron los padres de ustedes en el desierto no había verdadera vida, porque todos ellos murieron. ⁵⁰Mas hay un Pan del cielo que imparte vida eterna a los que lo comen. ⁵¹Yo soy el Pan de vida que descendió del cielo. El que coma de este Pan vivirá para siempre, y este Pan es mi cuerpo que ha sido entregado para redimir a la humanidad.

⁵²Entonces los judíos se pusieron a discutir entre sí acerca del significado de aquellas palabras.

—¿Es que acaso piensa este hombre darnos a comer su carne?

⁵³—Créanme —repitió Jesús—, que el que no come la carne del Hombre de la Gloria ni bebe su sangre no podrá tener vida eterna dentro de sí. ⁵⁴Pero el que come mi carne y bebe mi sangre tiene vida eterna y yo lo resucitaré en el día postrero. ⁵⁵Porque mi cuerpo es verdadero alimento, y mi sangre es verdadera bebida. ⁵⁶El que come mi cuerpo y bebe mi sangre está en mí y yo en él. ⁵⁷Yo vivo mediante el poder del Padre viviente que me envió; por lo tanto, los que me comen vivirán gracias a mí. ⁵⁸Yo soy el verdadero Pan del cielo; cualquiera que coma de este Pan vivirá para siempre y no morirá como murieron sus padres a pesar de haber comido pan del cielo.

⁵⁹Jesús predicó el sermón anterior en la sinagoga de Capernaum.

⁶⁰Al terminar, aun sus discípulos se dijeron:

—Esto está muy difícil de entender. ¡Quién sabe lo que quiso decir!

⁶¹Jesús comprendió que los discípulos se estaban quejando.

—¿Se ofenden por esto? —les preguntó—. ⁶²¿Qué pensarían entonces si me vieran a mí, el Hijo del Hombre, regresar al cielo? ⁶³La vida que perdura se origina en el espíritu; lo que se origina en la naturaleza humana muere y por lo tanto de nada aprovecha; mis palabras, que son espirituales, dan vida que permanece para siempre. ⁶⁴Mas algunos de ustedes no me creen.

Es que Jesús sabía desde el principio quiénes no creían y quién lo traicionaría.

⁶⁵—A eso me refería cuando les dije que nadie puede venir a mí, a menos que el Padre los traiga —recalcó.

⁶⁶Desde ese momento muchos de los discípulos lo abandonaron.

⁶⁷—¿Quieren ustedes irse también?

your fathers in the wilderness ate bread from the skies, they all died. But the Bread from heaven gives eternal life to everyone who eats it. I am that Living Bread that came down out of heaven. Anyone eating this Bread shall live forever; this Bread is my flesh given to redeem humanity."

⁵² Then the Jews began arguing with each other about what he meant. "How can this man give us his flesh to eat?" they asked.

⁵³ So Jesus said it again, "With all the earnestness I possess I tell you this: Unless you eat the flesh of the Messiah and drink his blood, you cannot have eternal life within you. ⁵⁴ But anyone who does eat my flesh and drink my blood has eternal life, and I will raise him at the Last Day. ⁵⁵ For my flesh is the true food, and my blood is the true drink. ⁵⁶ Everyone who eats my flesh and drinks my blood is in me, and I in him. ⁵⁷ I live by the power of the living Father who sent me, and in the same way those who partake of me shall live because of me! ⁵⁸ I am the true Bread from heaven; and anyone who eats this Bread shall live forever, and not die as your fathers did—though they ate bread from heaven." ⁵⁹ (He preached this sermon in the synagogue in Capernaum.)

⁶⁰ Even his disciples said, "This is very hard to understand. Who can tell what he means?"

⁶¹ Jesus knew within himself that his disciples were complaining and said to them, "Does *this* offend you? ⁶² Then what will you think if you see me, the Messiah, return to heaven again? ⁶³ Only the Holy Spirit gives eternal life. Those born only once, with physical birth, will never receive this gift. But now I have told you how to get this true spiritual life. ⁶⁴ But some of you don't believe me." (For Jesus knew from the beginning who didn't believe and knew the one who would betray him.)

⁶⁵ And he remarked, "That is what I meant when I said that no one can come to me unless the Father attracts him to me."

⁶⁶ At this point many of his disciples turned away and deserted him.

⁶⁷ Then Jesus turned to the Twelve and

—preguntó Jesús, volviéndose a los doce.

⁶⁸—Maestro —contestó Simón Pedro—, ¿a quién iríamos? Tú eres el único que tiene palabras que dan vida eterna, ⁶⁹y nosotros las creemos y sabemos que eres el Santo Hijo de Dios.

⁷⁰—Yo los escogí a ustedes doce, pero uno de ustedes es un diablo —les dijo entonces.

⁷¹Hablaba de Judas, hijo de Simón Iscariote, uno de los doce, que lo traicionaría.

7 TRAS ESTO, JESÚS anduvo de pueblo en pueblo por toda Galilea. Deseaba mantenerse alejado de Judea, donde los dirigentes judíos planeaban asesinarlo. ²Pero cuando se aproximaba la Fiesta de los Tabernáculos, una de las celebraciones anuales judías, ³sus hermanos lo instaron a que asistiera.

—Tienes que ir donde un mayor número de personas te vean hacer milagros —le dijeron en tono de burla—. ⁴Nadie puede ser famoso si se esconde como tú lo haces. Si eres tan grande, demuéstralo al mundo.

⁵Estaba claro que sus hermanos no creían en El.

⁶—Ahora no es conveniente que vaya —les respondió—, pero ustedes pueden ir cuando lo deseen. ⁷El mundo no los puede aborrecer a ustedes; me aborrece a mí porque yo lo acuso de pecado y maldad. ⁸Váyanse, que yo iré después, en el momento oportuno.

⁹Y se quedó en Galilea. ¹⁰Pero después que sus hermanos partieron rumbo a la fiesta, partió también, aunque secretamente y evitando que lo viera la gente.

¹¹Los dirigentes judíos trataban de encontrarlo en la fiesta y no se cansaban de preguntar si lo habían visto. ¹²Entre la multitud abundaban las discusiones acerca de Jesús. Mientras unos decían: "¡Es un gran hombre!", otros alegaban: "No, porque engaña al pueblo". ¹³Pero nadie se atrevía a hablar de El en público por miedo a las represalias de los dirigentes judíos.

¹⁴A la mitad de la fiesta, Jesús subió al Templo y predicó abiertamente. ¹⁵Los dirigentes judíos, estupefactos, le preguntaron:

—¿Cómo sabes tanto si nunca has estado en una de nuestras escuelas?

¹⁶—Yo no les estoy enseñando mis propios conceptos —les respondió Jesús—,

asked, "Are you going too?"

⁶⁸ Simon Peter replied, "Master, to whom shall we go? You alone have the words that give eternal life, ⁶⁹ and we believe them and know you are the holy Son of God."

⁷⁰ Then Jesus said, "I chose the twelve of you, and one is a devil." ⁷¹ He was speaking of Judas, son of Simon Iscariot, one of the Twelve, who would betray him.

7 AFTER THIS, JESUS went to Galilee, going from village to village, for he wanted to stay out of Judea where the Jewish leaders were plotting his death. ² But soon it was time for the Tabernacle Ceremonies, one of the annual Jewish holidays, ³ and Jesus' brothers urged him to go to Judea for the celebration.

"Go where more people can see your miracles!" they scoffed. ⁴ "You can't be famous when you hide like this! If you're so great, prove it to the world!" ⁵ For even his brothers didn't believe in him.

⁶ Jesus replied, "It is not the right time for me to go now. But you can go anytime and it will make no difference, ⁷ for the world can't hate you; but it does hate me, because I accuse it of sin and evil. ⁸ You go on, and I'll come later when it is the right time." ⁹ So he remained in Galilee.

¹⁰ But after his brothers had left for the celebration, then he went too, though secretly, staying out of the public eye. ¹¹ The Jewish leaders tried to find him at the celebration and kept asking if anyone had seen him. ¹² There was a lot of discussion about him among the crowds. Some said, "He's a wonderful man," while others said, "No, he's duping the public." ¹³ But no one had the courage to speak out for him in public for fear of reprisals from the Jewish leaders.

¹⁴ Then, midway through the festival, Jesus went up to the Temple and preached openly. ¹⁵ The Jewish leaders were surprised when they heard him. "How can he know so much when he's never been to our schools?" they asked.

¹⁶ So Jesus told them, "I'm not teaching you my own thoughts, but those of God

sino los de Dios que me envió. ¹⁷Si alguno de ustedes se decidiera realmente a hacer la voluntad de Dios, se daría cuenta si mis enseñanzas son de Dios o simplemente mías. ¹⁸El que presenta sus propias ideas anda en busca de alabanza, pero el que trata de honrar al que lo envió es bueno y verdadero. ¹⁹¡Ninguno de ustedes obedece la ley de Moisés! ¿Por qué me hostigan entonces si yo la rompo? ¿Por qué me quieren matar?

²⁰—¡Estás loco! —respondió la gente—. ¿Quién te quiere matar?

²¹—Una vez trabajé el sábado por sanar a un hombre —repuso Jesús—, y ustedes se sorprendieron. ²²Sin embargo, a veces ustedes trabajan los sábados por obedecer la ley que les dio Moisés sobre la circuncisión (aunque la tradición de la circuncisión es mucho más antigua que la ley de Moisés). ²³Si el día de circuncidar a un niño cae en sábado, ustedes cumplen con el deber de hacerlo. ¿Cómo pueden condenarme entonces por sanar a un hombre en sábado? ²⁴Piénsenlo bien y verán que tengo razón.

²⁵Algunos residentes de Jerusalén se decían: "¿No es éste el que andaban buscando para matarlo? ²⁶Ahí está predicando en público y no le dicen nada. ¿Será que nuestros dirigentes se han convencido ya de que es el Mesías? ²⁷Pero no puede ser. Nosotros sabemos dónde nació, y cuando el Cristo venga, aparecerá sin que nadie sepa de dónde viene".

²⁸Durante un sermón en el Templo, Jesús clamó:

—Sí, ustedes saben dónde nací y dónde crecí. Mas represento a alguien que ustedes no conocen, quien es la Verdad. ²⁹Yo lo conozco porque estaba con El y me envió a ustedes.

³⁰Entonces los dirigentes judíos trataron de arrestarlo; pero nadie le echó mano, porque todavía no había llegado su hora.

³¹Muchos de los que estaban en el Templo creyeron en El.

—Después de todo —decían—, ¿qué milagros podrá hacer el Mesías que éste no haya hecho?

³²Cuando los fariseos oyeron que la gente murmuraba estas cosas, se pusieron de acuerdo con los principales sacerdotes para enviar soldados a prenderlo.

³³—¡Todavía no! —dijo Jesús a los soldados—. Todavía estaré aquí un poco más

who sent me. ¹⁷ If any of you really determines to do God's will, then you will certainly know whether my teaching is from God or is merely my own. ¹⁸ Anyone presenting his own ideas is looking for praise for himself, but anyone seeking to honor the one who sent him is a good and true person. ¹⁹ None of *you* obeys the laws of Moses! So why pick on *me* for breaking them? Why kill *me* for this?"

²⁰ The crowd replied, "You're out of your mind! Who's trying to kill you?"

²¹,²²,²³ Jesus replied, "I worked on the Sabbath by healing a man, and you were surprised. But you work on the Sabbath, too, whenever you obey Moses' law of circumcision (actually, however, this tradition of circumcision is older than the Mosaic law); for if the correct time for circumcising your children falls on the Sabbath, you go ahead and do it, as you should. So why should I be condemned for making a man completely well on the Sabbath? ²⁴ Think this through and you will see that I am right."

²⁵ Some of the people who lived there in Jerusalem said among themselves, "Isn't this the man they are trying to kill? ²⁶ But here he is preaching in public, and they say nothing to him. Can it be that our leaders have learned, after all, that he really is the Messiah? ²⁷ But how could he be? For we know where this man was born; when Christ comes, he will just appear and no one will know where he comes from."

²⁸ So Jesus, in a sermon in the Temple, called out, "Yes, you know me and where I was born and raised, but I am the representative of one you don't know, and he is Truth. ²⁹ I know him because I was with him, and he sent me to you."

³⁰ Then the Jewish leaders sought to arrest him; but no hand was laid on him, for God's time had not yet come.

³¹ Many among the crowds at the Temple believed on him. "After all," they said, "what miracles do you expect the Messiah to do that this man hasn't done?"

³² When the Pharisees heard that the crowds were in this mood, they and the chief priests sent officers to arrest Jesus. ³³ But Jesus told them, "[Not yet!] I am to be here a little longer. Then I shall return

de tiempo. Después regresaré al que me envió. ³⁴Ustedes me buscarán, pero no me hallarán. ¡Y no podrán llegar a donde voy a estar!

³⁵Los dirigentes judíos se sintieron intrigados ante aquella declaración.

—¿A dónde pensará irse? —se preguntaban—. Quizá piensa abandonar el país e irse de misionero entre los judíos que viven en tierras extrañas, o quizás a los gentiles. ³⁶¿Qué querría decir con eso de que andaríamos buscándolo y no lo hallaríamos y que no podríamos ir donde estuviera?

³⁷El último día de la fiesta, cuando ésta llegaba a su culminación, Jesús clamó delante de la multitud:

—Si alguno tiene sed, venga a mí y beba. ³⁸Las Escrituras declaran que ríos de agua viva fluirán desde lo más profundo de los individuos que crean en mí.

³⁹Se estaba refiriendo al Espíritu Santo que recibirían los que creyeran en El. El Espíritu Santo todavía no había venido, porque Jesús aún no había regresado a su gloria en el cielo.

⁴⁰—No cabe duda —declararon algunos de los que lo escuchaban— que éste es el profeta que vendría antes del Mesías.

⁴¹—¡No! ¡*Es el* Mesías! —afirmaron otros.

—¡*No puede ser!* —dijeron otros—. ¿Cómo va a venir de *Galilea* el Mesías? ⁴²Las Escrituras afirman claramente que el Mesías surgirá de la descendencia real de David y nacerá en *Belén*, el pueblo donde nació David.

⁴³Así que la opinión de la multitud estaba dividida en cuanto a El. ⁴⁴Algunos querían que lo arrestaran, pero nadie se atrevía a tocarlo. ⁴⁵La policía del Templo que había ido a prenderlo regresó ante los principales sacerdotes y fariseos.

—¿Por qué no lo trajeron? —demandaron éstos.

⁴⁶—¡Es que dice tantas cosas bellas! Jamás habíamos oído hablar así a nadie.

⁴⁷—¿Es que también ustedes se han dejado engañar? —preguntaron en son de burla los fariseos—. ⁴⁸¡A que ningún gobernante judío ni fariseo cree que El es el Mesías! ⁴⁹La gente ignorante sí, claro; pero ¿qué saben ellos de eso? ¡Están malditos!

⁵⁰Entonces Nicodemo, el dirigente judío que había ido a entrevistarse secretamente con Jesús, pidió la palabra y preguntó:

to the one who sent me. ³⁴ You will search for me but not find me. And you won't be able to come where I am!"

³⁵ The Jewish leaders were puzzled by this statement. "Where is he planning to go?" they asked. "Maybe he is thinking of leaving the country and going as a missionary among the Jews in other lands, or maybe even to the Gentiles! ³⁶ What does he mean about our looking for him and not being able to find him, and, 'You won't be able to come where I am'?"

³⁷ On the last day, the climax of the holidays, Jesus shouted to the crowds, "If anyone is thirsty, let him come to me and drink. ³⁸ For the Scriptures declare that rivers of living water shall flow from the inmost being of anyone who believes in me." ³⁹ (He was speaking of the Holy Spirit, who would be given to everyone believing in him; but the Spirit had not yet been given, because Jesus had not yet returned to his glory in heaven.)

⁴⁰ When the crowds heard him say this, some of them declared, "This man surely is the prophet who will come just before the Messiah." ⁴¹,⁴² Others said, "He *is* the Messiah." Still others, "But he *can't* be! Will the Messiah come from *Galilee?* For the Scriptures clearly state that the Messiah will be born of the royal line of David, in *Bethlehem,* the village where David was born." ⁴³ So the crowd was divided about him. ⁴⁴ And some wanted him arrested, but no one touched him.

⁴⁵ The Temple police who had been sent to arrest him returned to the chief priests and Pharisees. "Why didn't you bring him in?" they demanded.

⁴⁶ "He says such wonderful things!" they mumbled. "We've never heard anything like it."

⁴⁷ "So you also have been led astray?" the Pharisees mocked. ⁴⁸ "Is there a single one of us Jewish rulers or Pharisees who believes he is the Messiah? ⁴⁹ These stupid crowds do, yes; but what do they know about it? A curse upon them anyway!"

⁵⁰ Then Nicodemus spoke up. (Remember him? He was the Jewish leader who came secretly to interview Jesus.) ⁵¹ "Is it

⁵¹—¿Es legal que se condene a un hombre sin que se le juzgue primero?

⁵²—¿Eres tú también uno de esos miserables galileos? ¡Busca en las Escrituras y convéncete por ti mismo que de Galilea jamás saldrá un profeta!

⁵³Y allí mismo terminó la reunión. Cada quien se fue para su casa.

8 JESÚS REGRESÓ AL monte de los Olivos, ²pero a la mañana siguiente estaba ya de regreso en el Templo. Como la gente comenzara a amontonarse alrededor de El, se sentó para hablarles. ³Mientras hablaba, los dirigentes judíos y los fariseos trajeron a una mujer que había sido sorprendida en adulterio y la pusieron frente a la expectante multitud.

⁴—Maestro, esta mujer ha sido sorprendida en el acto mismo del adulterio. ⁵La ley de Moisés dice que la debemos matar. ¿Qué crees tú?

⁶La intención de ellos era obligarlo a decir algo que luego pudieran usar contra El, pero Jesús se limitó a inclinarse y a escribir en tierra con el dedo.

⁷Pero como los judíos insistieron en preguntarle, se irguió y les dijo:

—Muy bien, mátenla a pedradas. ¡Pero que arroje la primera piedra la persona que jamás haya pecado!

⁸Y se inclinó de nuevo a escribir en tierra. ⁹Los jefes judíos, reprendidos por su conciencia, fueron saliendo uno por uno empezando por los ancianos, hasta que Jesús quedó solo ante la multitud y la mujer.

¹⁰Al poco rato Jesús se puso de pie.

—¿Dónde están los que te acusaban? —preguntó a la mujer—. ¿Ninguno te condenó?

¹¹—No, Señor.

—Ni yo tampoco. Vete y no peques más.

¹²Poco después, en una de sus pláticas, Jesús dijo:

—Yo soy la Luz del mundo. El que me sigue no andará tropezando en la oscuridad, porque la Luz de la vida le iluminará el camino.

¹³—¡Fanfarronadas! ¡Fanfarronadas! ¡Mentiras! —gritaron los fariseos.

¹⁴—Les estoy diciendo la verdad aunque hable de mí mismo —repuso Jesús—. Yo sé de dónde vengo y a dónde voy; pero

legal to convict a man before he is even tried?" he asked.

⁵² They replied, "Are you a wretched Galilean too? Search the Scriptures and see for yourself—no prophets will come from Galilee!" ⁵³ Then the meeting broke up and everybody went home.

8 JESUS RETURNED TO the Mount of Olives, ² but early the next morning he was back again at the Temple. A crowd soon gathered, and he sat down and talked to them. ³ As he was speaking, the Jewish leaders and Pharisees brought a woman caught in adultery and placed her out in front of the staring crowd.

⁴ "Teacher," they said to Jesus, "this woman was caught in the very act of adultery. ⁵ Moses' law says to kill her. What about it?"

⁶ They were trying to trap him into saying something they could use against him, but Jesus stooped down and wrote in the dust with his finger. ⁷ They kept demanding an answer, so he stood up again and said, "All right, hurl the stones at her until she dies. But only he who never sinned may throw the first!"

⁸ Then he stooped down again and wrote some more in the dust. ⁹ And the Jewish leaders slipped away one by one, beginning with the eldest, until only Jesus was left in front of the crowd with the woman.

¹⁰ Then Jesus stood up again and said to her, "Where are your accusers? Didn't even one of them condemn you?"

¹¹ "No, sir," she said.

And Jesus said, "Neither do I. Go and sin no more."

¹² Later, in one of his talks, Jesus said to the people, "I am the Light of the world. So if you follow me, you won't be stumbling through the darkness, for living light will flood your path."

¹³ The Pharisees replied, "You are boasting—and lying!"

¹⁴ Jesus told them, "These claims are true even though I make them concerning myself. For I know where I came from and where I am going, but you don't know this

ustedes no lo saben, y por lo tanto [15]me han enjuiciado sin conocer los hechos. Por ahora no voy a juzgar a nadie, [16]pero si lo hiciera, mi juicio sería absolutamente correcto, porque el Padre que me envió está conmigo. [17]Las leyes de ustedes dicen que si dos hombres concuerdan en afirmar algo, se les debe aceptar el testimonio como verdadero. [18]Muy bien, yo soy uno de los testigos y mi Padre que me envió es el otro.

[19]—¿Dónde está tu padre? —le preguntaron.

—Ustedes no saben quién es mi Padre porque no saben quién soy yo. Si me conocieran, lo conocerían a El también.

[20]Jesús formuló estas declaraciones en el lugar de las ofrendas del Templo. Pero no lo arrestaron porque todavía no había llegado su hora.

[21]Poco después volvió a dirigirles la palabra:

—Me voy. Ustedes tratarán de encontrarme, pero morirán en sus pecados porque no podrán ir a donde yo voy.

[22]—¿Será que está pensando suicidarse? —se preguntaban los judíos—. ¿Qué quiere decir con eso de que a donde El va nosotros no podemos ir?

[23]—Ustedes son de abajo —les dijo Jesús—; yo soy de arriba. Ustedes son de este mundo; yo no lo soy. [24]Por eso les dije que morirían en sus pecados. Si no creen que yo soy el Mesías, el Hijo de Dios, morirán en su pecados.

[25]—Dinos por fin quién eres —demandaron.

[26]—Yo soy el que siempre les he dicho que soy. Tengo mucho que decir en contra de ustedes y mucho que enseñarles, pero no lo hago porque me limito a decirles lo que me ordena el que me envió; y el que me envió es la Verdad.

[27]Mas ellos seguían sin entender que les estaba hablando de Dios.

[28]—Cuando hayan dado muerte al Hijo del Hombre, comprenderán que yo soy El y que no les he estado expresando mis propios conceptos sino los que el Padre me enseñó. [29]El que me envió está conmigo y no me ha abandonado, porque siempre hago lo que le agrada.

[30,31]Muchos de los jefes judíos que lo oyeron expresarse así comenzaron a creer que era el Mesías. Pero Jesús les aclaró:

—Ustedes serán verdaderamente mis

about me. [15]You pass judgment on me without knowing the facts. I am not judging you now; [16]but if I were, it would be an absolutely correct judgment in every respect, for I have with me the Father who sent me. [17]Your laws say that if two men agree on something that has happened, their witness is accepted as fact. [18]Well, I am one witness, and my Father who sent me is the other."

[19]"Where is your father?" they asked.

Jesus answered, "You don't know who I am, so you don't know who my Father is. If you knew me, then you would know him too."

[20]Jesus made these statements while in the section of the Temple known as the Treasury. But he was not arrested, for his time had not yet run out.

[21]Later he said to them again, "I am going away; and you will search for me, and die in your sins. And you cannot come where I am going."

[22]The Jews asked, "Is he planning suicide? What does he mean, 'You cannot come where I am going'?"

[23]Then he said to them, "You are from below; I am from above. You are of this world; I am not. [24]That is why I said that you will die in your sins; for unless you believe that I am the Messiah, the Son of God, you will die in your sins."

[25]"Tell us who you are," they demanded.

He replied, "I am the one I have always claimed to be. [26]I could condemn you for much and teach you much, but I won't, for I say only what I am told to by the one who sent me; and he is Truth." [27]But they still didn't understand that he was talking to them about God.

[28]So Jesus said, "When you have killed the Messiah, then you will realize that I am he and that I have not been telling you my own ideas, but have spoken what the Father taught me. [29]And he who sent me is with me—he has not deserted me—for I always do those things that are pleasing to him."

[30,31]Then many of the Jewish leaders who heard him say these things began believing him to be the Messiah.

Jesus said to them, "You are truly my

discípulos cuando vivan como yo les he enseñado. ³²Entonces conocerán la Verdad, y la Verdad los libertará.

³³—¡Pero nosotros somos descendientes de Abraham —exclamaron—, y nunca hemos sido esclavos de nadie! ¿Qué quieres decir con eso de que la verdad nos libertará?

³⁴—Ustedes practican el pecado y por lo tanto son esclavos del pecado. ³⁵Los esclavos no tienen derecho alguno; en cambio, el Hijo tiene todos los derechos. ³⁶Así que si el Hijo los liberta, serán verdaderamente libres. ³⁷Sí, yo sé que ustedes son descendientes de Abraham; sin embargo, algunos están tratando de asesinarme porque no le dan cabida en su corazón a mi mensaje. ³⁸Yo les estoy hablando de lo que he visto junto a mi Padre, pero ustedes están siguiendo los consejos de su padre.

³⁹—¡Nuestro padre es Abraham! —aclararon.

—¡No! —respondió Jesús—. Si él lo fuera, seguirían su buen ejemplo ⁴⁰y no estarían tratando de matarme porque les he dicho la verdad que escuché de los labios de Dios. ¡Abraham no haría eso! ⁴¹No, si actúan así, están obedeciendo a otro, al verdadero padre de ustedes.

—¡Nosotros no somos bastardos! —replicaron—. Nuestro verdadero padre es Dios.

⁴²—Si así fuera, me amarían, porque vine de Dios. No vine aquí por mi propia cuenta, sino porque Dios me envió. ⁴³¿Saben por qué no pueden entender lo que les digo? ¡Porque están impedidos! ⁴⁴Ustedes son hijos del diablo y les encanta actuar como él. Desde el principio el diablo ha sido un asesino y un enemigo de la verdad. Para él la verdad no existe. En él mentir es algo completamente normal, porque es el padre de la mentira. ⁴⁵¡Por eso es natural que no me crean cuando les digo la verdad! ⁴⁶¿Quién puede, sin mentir, acusarme de algún pecado? ¡Nadie! Y si les estoy diciendo la verdad, ¿por qué no me creen? ⁴⁷Los verdaderos hijos de Dios se regocijan escuchando la palabra de Dios. El hecho de que no sea así, prueba que ustedes no son hijos de El.

⁴⁸—¡Samaritano malvado! —gruñeron los jefes judíos—. ¡Con razón decíamos que estabas endemoniado!

⁴⁹—No —dijo Jesús—. No tengo ningún

disciples if you live as I tell you to, ³²and you will know the truth, and the truth will set you free."

³³"But we are descendants of Abraham," they said, "and have never been slaves to any man on earth! What do you mean, 'set free'?"

³⁴Jesus replied, "You are slaves of sin, every one of you. ³⁵And slaves don't have rights, but the Son has every right there is! ³⁶So if the Son sets you free, you will indeed be free— ³⁷(Yes, I realize that you are descendants of Abraham!) And yet some of you are trying to kill me because my message does not find a home within your hearts. ³⁸I am telling you what I saw when I was with my Father. But you are following the advice of *your* father."

³⁹"Our father is Abraham," they declared.

"No!" Jesus replied, "for if he were, you would follow his good example. ⁴⁰But instead you are trying to kill me—and all because I told you the truth I heard from God. Abraham wouldn't do a thing like that! ⁴¹No, you are obeying your *real* father when you act that way."

They replied, "We were not born out of wedlock—our true Father is God himself."

⁴²Jesus told them, "If that were so, then you would love me, for I have come to you from God. I am not here on my own, but he sent me. ⁴³Why can't you understand what I am saying? It is because you are prevented from doing so! ⁴⁴For you are the children of your father the devil and you love to do the evil things he does. He was a murderer from the beginning and a hater of truth—there is not an iota of truth in him. When he lies, it is perfectly normal; for he is the father of liars. ⁴⁵And so when I tell the truth, you just naturally don't believe it!

⁴⁶"Which of you can truthfully accuse me of one single sin? [No one!] And since I am telling you the truth, why don't you believe me? ⁴⁷Anyone whose Father is God listens gladly to the words of God. Since you don't, it proves you aren't his children."

⁴⁸"You Samaritan! Foreigner! Devil!" the Jewish leaders snarled. "Didn't we say all along you were possessed by a demon?"

⁴⁹"No," Jesus said, "I have no demon

demonio. Lo que estoy tratando de hacer es honrar a mi Padre. Ustedes en cambio, tratan de deshonrarlo. ⁵⁰Y aunque mi deseo no es enaltecerme, Dios sí lo desea y ha de juzgar a los que me rechazan. ⁵¹Pero créanme lo que les digo: ¡Ninguno de los que me obedecen morirá!

⁵²—Ahora más que nunca creemos que tienes demonios. Así que Abraham y los profetas más poderosos murieron, pero los que te obedecen jamás morirán. ⁵³¿Eres acaso mayor que nuestro padre Abraham, que murió? ¿Eres mayor que los profetas, que murieron? ¿Quién te has creído que eres?

⁵⁴—Si yo me estuviera jactando de mí mismo —les respondió Jesús—, mis palabras carecerían de valor. Pero es mi Padre, el que ustedes llaman Dios, el que se expresa tan gloriosamente de mí. ⁵⁵Pero ustedes no lo conocen. Yo sí. Si les dijera otra cosa, sería tan mentiroso como ustedes. Pero es verdad, yo lo conozco y lo obedezco sin reservas. ⁵⁶Abraham, el padre de ustedes, se regocijaba al pensar que vería mi día. Y lo vio y se alegró de saber que yo iba a venir.

⁵⁷—¡Pero ¿cómo puedes haber visto a Abraham si ni siquiera tienes cincuenta años de edad?!

⁵⁸—Pero es cierto: ¡Ya existía desde mucho antes que Abraham naciera!

⁵⁹Entonces los jefes judíos agarraron piedras para matarlo, pero Jesús se les desapareció de la vista, caminó entre ellos y salió del Templo.

9 MIENTRAS PASABA, JESÚS vio a un ciego de nacimiento.
²—Maestro —le preguntaron sus discípulos—, ¿por qué nacería ciego este hombre? ¿Sería por sus pecados o por los pecados de sus padres?
³—Ni una cosa ni otra —respondió Jesús—. Nació ciego para que el poder de Dios se manifestara. ⁴Debemos realizar con prontitud las tareas que nos señaló el que me envió porque ya falta poco para que la noche caiga y nadie pueda trabajar. ⁵Pero mientras yo esté en el mundo, le daré mi luz.
⁶Entonces escupió en tierra, formó lodo con la saliva y se lo untó al ciego en los ojos
⁷—Vé y lávate en el estanque de Siloé —le dijo (Siloé quiere decir "enviado").

in me. For I honor my Father—and you dishonor me. ⁵⁰ And though I have no wish to make myself great, God wants this for me and judges [those who reject me]. ⁵¹ With all the earnestness I have I tell you this—no one who obeys me shall ever die!"

⁵² The leaders of the Jews said, "Now we know you are possessed by a demon. Even Abraham and the mightiest prophets died, and yet you say that obeying you will keep a man from dying! ⁵³ So you are greater than our father Abraham, who died? And greater than the prophets, who died? Who do you think you are?" ⁵⁴ Then Jesus told them this: "If I am merely boasting about myself, it doesn't count. But it is my Father —and you claim him as your God—who is saying these glorious things about me. ⁵⁵ But you do not even know him. I do. If I said otherwise, I would be as great a liar as you! But it is true—I know him and fully obey him. ⁵⁶ Your father Abraham rejoiced to see my day. He knew I was coming and was glad."

⁵⁷ The Jewish leaders: "You aren't even fifty years old—sure, you've seen Abraham!"

⁵⁸ Jesus: "The absolute truth is that I was in existence before Abraham was ever born!"

⁵⁹ At that point the Jewish leaders picked up stones to kill him. But Jesus was hidden from them, and walked past them and left the Temple.

9 AS HE WAS walking along, he saw a man blind from birth.
² "Master," his disciples asked him, "why was this man born blind? Was it a result of his own sins or those of his parents?"
³ "Neither," Jesus answered. "But to demonstrate the power of God. ⁴ All of us must quickly carry out the tasks assigned us by the one who sent me, for there is little time left before the night falls and all work comes to an end. ⁵ But while I am still here in the world, I give it my light."

⁶ Then he spat on the ground and made mud from the spittle and smoothed the mud over the blind man's eyes, ⁷ and told him, "Go and wash in the Pool of Siloam" (the word "Siloam" means "Sent"). So the man

El hombre fue al estanque, se lavó y regresó viendo.

⁸Los vecinos del ciego y los que lo conocían como pordiosero se preguntaban:

—¿No es éste el que antes pedía limosna?

⁹Algunos decían que sí y otros que no. "No puede ser el mismo hombre", pensaban, "¡pero en verdad que se parece a él!" Mas el pordiosero decía:

—Yo soy aquel hombre.

¹⁰Al preguntársele cómo era que veía y qué había sucedido, respondía:

¹¹—Un tal Jesús preparó lodo, me lo untó en los ojos y me dijo que fuera a lavarme al estanque de Siloé. Lo hice y ahora veo.

¹²—¿Dónde está El ahora? —le preguntaron entonces.

—No sé —respondió.

¹³Lo llevaron ante los fariseos. ¹⁴Como el hecho había ocurrido en sábado, ¹⁵los fariseos le pidieron que relatara los pormenores del caso; y él les relató cómo Jesús le había untado lodo en los ojos y cómo al lavárselos había podido ver.

¹⁶—Jesús no es de Dios —dijeron algunos de ellos—, porque trabaja los sábados.

—¿Podría acaso un vil pecador realizar un milagro así? —dijeron otros. Y no se ponían de acuerdo.

¹⁷Entonces se volvieron al que había sido ciego.

—¿Qué opinas de ese hombre que te abrió los ojos?

—Que tiene que ser un profeta de Dios —les respondió.

¹⁸Los dirigentes judíos no se convencieron de que aquel hombre había sido ciego hasta que mandaron a buscar a sus padres y les preguntaron:

¹⁹—¿Es éste su hijo? ¿Es verdad que nació ciego? ¿Cómo es que ahora ve?

²⁰—Sabemos que es nuestro hijo y que nació ciego, ²¹pero no sabemos cómo obtuvo la vista ni quién se la dio. El ya tiene edad y puede expresarse por sí mismo. Pregúntenle a él.

²²,²³Los ancianos se expresaron así por temor a los jefes judíos, que habían amenazado con expulsar de la sinagoga al que se atreviera a insinuar que Jesús era el Mesías.

²⁴Entonces volvieron a llamar al que había sido ciego.

went where he was sent and washed and came back seeing!

⁸ His neighbors and others who knew him as a blind beggar asked each other, "Is this the same fellow—that beggar?"

⁹ Some said yes, and some said no. "It can't be the same man," they thought, "but he surely looks like him!"

And the beggar said, "I *am* the same man!"

¹⁰ Then they asked him how in the world he could see. What had happened?

¹¹ And he told them, "A man they call Jesus made mud and smoothed it over my eyes and told me to go to the Pool of Siloam and wash off the mud. I did, and I can see!"

¹² "Where is he now?" they asked.

"I don't know," he replied.

¹³ Then they took the man to the Pharisees. ¹⁴ Now as it happened, this all occurred on a Sabbath. ¹⁵ Then the Pharisees asked him all about it. So he told them how Jesus had smoothed the mud over his eyes, and when it was washed away, he could see!

¹⁶ Some of them said, "Then this fellow Jesus is not from God, because he is working on the Sabbath."

Others said, "But how could an ordinary sinner do such miracles?" So there was a deep division of opinion among them.

¹⁷ Then the Pharisees turned on the man who had been blind and demanded, "This man who opened your eyes—who do you say he is?"

"I think he must be a prophet sent from God," the man replied.

¹⁸ The Jewish leaders wouldn't believe he had been blind, until they called in his parents ¹⁹ and asked them, "Is this your son? Was he born blind? If so, how can he see?"

²⁰ His parents replied, "We know this is our son and that he was born blind, ²¹ but we don't know what happened to make him see, or who did it. He is old enough to speak for himself. Ask him."

²²,²³ They said this in fear of the Jewish leaders who had announced that anyone saying Jesus was the Messiah would be excommunicated.

²⁴ So for the second time they called in the man who had been blind and told him,

—Dale las gracias a Dios y no a Jesús, porque Jesús es pecador.

²⁵ —Yo no sé si El es bueno o malo —replicó el hombre—. Lo único que sé es que yo era ciego y ahora veo.

²⁶ —¿Pero qué te hizo? —insistieron—. ¿Cómo te curó?

²⁷ —¡Escúchenme bien! —exclamó el hombre—. Ya se lo dije una vez. ¿No me oyeron? ¿Para qué lo quieren oír de nuevo? ¿Acaso quieren convertirse en discípulos de Jesús?

²⁸ —Tú eres discípulo de ese hombre —le dijeron después de maldecirlo—, pero nosotros somos discípulos de Moisés. ²⁹Sabemos que Dios le habló a Moisés, pero de este individuo no sabemos nada.

³⁰ —¿Cómo? —replicó el hombre—. ¡Qué extraño que ustedes no sepan nada de una persona que puede dar la vista a los ciegos! ³¹Dios no escucha a los pecadores, pero a los que lo adoran y lo obedecen sí los escucha. ³²Desde que el mundo es mundo nadie había podido abrirle los ojos a un ciego de nacimiento. ³³Si este hombre no fuera de Dios no lo habría podido hacer.

³⁴ —¡Cállate, pecador miserable! —le gritaron—. ¿Cómo te atreves a enseñarnos?

Y lo echaron de allí.

³⁵Cuando Jesús se enteró de lo ocurrido y se encontró con el hombre, le dijo:

—¿Crees en el Mesías?

³⁶ —¿Quién es, Señor? Quisiera creer en El.

³⁷ —Pues lo has visto. ¡Yo soy el Mesías!

³⁸ —Creo en ti, Señor —susurró el hombre, y adoró a Jesús.

³⁹ —He venido al mundo a hacer justicia —le dijo Jesús entonces—, a dar la vista a los que están ciegos de espíritu, y a mostrar a los que creen que ven, que están ciegos.

⁴⁰ —¿Quieres decir que estamos ciegos? —intervinieron algunos fariseos que andaban por allí.

⁴¹ —Si estuvieran ciegos, no serían culpables —les respondió Jesús—. Son culpables porque afirman saber lo que están haciendo.

10 "CUALQUIERA QUE PARA entrar en un corral de ovejas salta la cerca en vez de ir por la puerta, es un ladrón, ²porque el pastor verdadero entra por la puerta. ³El portero le abre la puerta y las ovejas oyen

"Give the glory to God, not to Jesus, for we know Jesus is an evil person."

²⁵ "I don't know whether he is good or bad," the man replied, "but I know this: *I was blind, and now I see!*"

²⁶ "But what did he do?" they asked. "How did he heal you?"

²⁷ "Look!" the man exclaimed. "I told you once; didn't you listen? Why do you want to hear it again? Do you want to become his disciples too?"

²⁸ Then they cursed him and said, "You are his disciple, but we are disciples of Moses. ²⁹ We know God has spoken to Moses, but as for this fellow, we don't know anything about him."

³⁰ "Why, that's very strange!" the man replied. "He can heal blind men, and yet you don't know anything about him! ³¹ Well, God doesn't listen to evil men, but he has open ears to those who worship him and do his will. ³² Since the world began there has never been anyone who could open the eyes of someone born blind. ³³ If this man were not from God, he couldn't do it."

³⁴ "You illegitimate bastard, you!" they shouted. "Are you trying to teach *us?*" And they threw him out.

³⁵ When Jesus heard what had happened, he found the man and said, "Do you believe in the Messiah?"

³⁶ The man answered, "Who is he, sir, for I want to."

³⁷ "You have seen him," Jesus said, "and he is speaking to you!"

³⁸ "Yes, Lord," the man said, "I believe!" And he worshiped Jesus.

³⁹ Then Jesus told him, "I have come into the world to give sight to those who are spiritually blind and to show those who think they see that they are blind."

⁴⁰ The Pharisees who were standing there asked, "Are you saying we are blind?"

⁴¹ "If you were blind, you wouldn't be guilty," Jesus replied. "But your guilt remains because you claim to know what you are doing.

10 "ANYONE REFUSING TO walk through the gate into a sheepfold, who sneaks over the wall, must surely be a thief! ² For a shepherd comes through the gate. ³ The gatekeeper opens the gate for him, and the

su voz y van a donde él está; él las llama por su nombre y las saca. ⁴El va delante siempre; y las ovejas lo siguen y reconocen su voz. ⁵A un extraño no lo siguen; al contrario, huyen de él porque no le reconocen la voz.

⁶Pero como los presentes no lograron entender las enseñanzas que encerraban aquellos simbolismos, ⁷Jesús les explicó:

—Yo soy la Puerta por donde entran las ovejas. ⁸Los que vinieron antes que yo eran ladrones y salteadores, mas las verdaderas ovejas no los escucharon. ⁹Sí, yo soy la Puerta. Los que entren a través de esta Puerta se salvarán, entrarán y saldrán y hallarán pastos verdes. ¹⁰El propósito del ladrón es robar, matar y destruir. Mi propósito es dar vida eterna y abundante.

¹¹"Yo soy el Buen Pastor. El Buen Pastor da su vida por sus ovejas. ¹²Cuando el pastor no es más que un asalariado, huye y abandona las ovejas al ver que el lobo se acerca; es que ni las ovejas son de él ni él es el pastor de las ovejas; por lo tanto el lobo salta sobre el rebaño y lo dispersa. ¹³El asalariado corre porque es un asalariado y no le preocupan demasiado las ovejas. ¹⁴Yo soy el Buen Pastor y conozco mis ovejas, y ellas me conocen, ¹⁵de la misma forma que mi Padre me conoce y yo lo conozco a El. Yo doy mi vida por mis ovejas.

¹⁶"Además de éstas, tengo otras ovejas que no están en este redil. Es preciso que las traiga también. Ellas obedecerán mi voz y habrá un solo rebaño y un solo pastor.

¹⁷"El Padre me ama porque doy mi vida para recuperarla después. ¹⁸Nadie puede matarme sin mi consentimiento. Yo doy la vida voluntariamente. Tengo el derecho y el poder de darla cuando quiera, pero también el poder de recuperarla. El Padre me ha dado ese derecho.

¹⁹Al decir estas cosas, hubo de nuevo disensión entre los jefes judíos acerca de Jesús.

²⁰—O tiene demonios o está loco —decían algunos—. ¿Por qué le hacen caso?

²¹—Los endemoniados no hablan así —decían otros—. Además, ¿puede un demonio abrirle los ojos a un ciego?

²²Era invierno. Jesús se hallaba en Jerusalén en ocasión de la Fiesta de la Dedicación ²³y se paseaba en el Templo por la sección llamada Portal de Salomón.

sheep hear his voice and come to him; and he calls his own sheep by name and leads them out. ⁴ He walks ahead of them; and they follow him, for they recognize his voice. ⁵ They won't follow a stranger but will run from him, for they don't recognize his voice."

⁶ Those who heard Jesus use this illustration didn't understand what he meant, ⁷ so he explained it to them.

"I am the Gate for the sheep," he said. ⁸ "All others who came before me were thieves and robbers. But the true sheep did not listen to them. ⁹ Yes, I am the Gate. Those who come in by way of the Gate will be saved and will go in and out and find green pastures. ¹⁰ The thief's purpose is to steal, kill and destroy. My purpose is to give life in all its fullness.

¹¹ "I am the Good Shepherd. The Good Shepherd lays down his life for the sheep. ¹² A hired man will run when he sees a wolf coming and will leave the sheep, for they aren't his and he isn't their shepherd. And so the wolf leaps on them and scatters the flock. ¹³ The hired man runs because he is hired and has no real concern for the sheep.

¹⁴ "I am the Good Shepherd and know my own sheep, and they know me, ¹⁵ just as my Father knows me and I know the Father; and I lay down my life for the sheep. ¹⁶ I have other sheep, too, in another fold. I must bring them also, and they will heed my voice; and there will be one flock with one Shepherd.

¹⁷ "The Father loves me because I lay down my life that I may have it back again. ¹⁸ No one can kill me without my consent—I lay down my life voluntarily. For I have the right and power to lay it down when I want to and also the right and power to take it again. For the Father has given me this right."

¹⁹ When he said these things, the Jewish leaders were again divided in their opinions about him. ²⁰ Some of them said, "He has a demon or else is crazy. Why listen to a man like that?"

²¹ Others said, "This doesn't sound to us like a man possessed by a demon! Can a demon open the eyes of blind men?"

²²,²³ It was winter, and Jesus was in Jerusalem at the time of the Dedication Celebration. He was at the Temple, walking through the section known as Solomon's

²⁴Los jefes judíos lo rodearon y le preguntaron:

—¿Hasta cuándo nos vas a tener en suspenso? Si eres el Mesías, dínoslo claramente.

²⁵—Ya se lo he dicho y no me lo han creído —replicó Jesús—. ¿Qué más pruebas quieren que los milagros que realizo en el nombre de mi Padre? ²⁶Ustedes no me creen porque no pertenecen a mi rebaño. ²⁷Mis ovejas me reconocen la voz; yo las conozco y ellas me siguen. ²⁸Yo les doy vida eterna y jamás perecerán. Nadie podrá arrebatármelas, ²⁹porque mi Padre me las dio, y El es más poderoso que cualquiera; por lo tanto, nadie me las podrá quitar. ³⁰Mi Padre y yo somos uno.

³¹Entonces los jefes judíos volvieron a tomar piedras para matarlo. ³²Y Jesús les dijo:

—Bajo la dirección de Dios he realizado muchos milagros en favor del pueblo. ¿Por cuál de ellos me van a matar?

³³—¡Claro que no te matamos por ninguna de tus buenas obras, sino porque eres un blasfemo! ¡Tú, un simple mortal, has declarado que eres Dios!

³⁴—¡Pero la ley de ustedes llama dioses a ciertos hombres! —respondió Jesús—. ³⁵Y si en las Escrituras, que no mienten, se llamó dioses a aquellos que recibieron el mensaje de Dios, ³⁶¿es blasfemia el que una persona que el Padre santificó y envió al mundo diga: "Yo soy el Hijo de Dios"? ³⁷Si yo no realizo milagros divinos, no me crean. ³⁸Pero si los realizo, crean en ellos aun cuando no crean en mí. Así se convencerán de que el Padre está en mi y yo en el Padre.

³⁹Una vez más trataron de apresarlo, pero El se les escapó de entre las manos ⁴⁰y se fue al otro lado del río Jordán, cerca del lugar donde Juan solía bautizar, y allí se quedó.

⁴¹—Juan no realizó ningún milagro —decían entre sí los que lo seguían—, pero todas las predicciones que hizo sobre este hombre se han cumplido.

⁴²Y muchos llegaron a la conclusión de que Jesús era el Mesías.

11 EN AQUELLOS DÍAS cayó enfermo Lázaro, quien vivía en Betania con sus hermanas Marta y María. ²(María fue la que más tarde derramó el perfume costoso en los pies de Jesús y luego los secó con sus

Hall. ²⁴ The Jewish leaders surrounded him and asked, "How long are you going to keep us in suspense? If you are the Messiah, tell us plainly."

²⁵ "I have already told you, and you don't believe me," Jesus replied. "The proof is in the miracles I do in the name of my Father. ²⁶ But you don't believe me because you are not part of my flock. ²⁷ My sheep recognize my voice, and I know them, and they follow me. ²⁸ I give them eternal life and they shall never perish. No one shall snatch them away from me, ²⁹ for my Father has given them to me, and he is more powerful than anyone else, so no one can kidnap them from me. ³⁰ I and the Father are one."

³¹ Then again the Jewish leaders picked up stones to kill him.

³² Jesus said, "At God's direction I have done many a miracle to help the people. For which one are you killing me?"

³³ They replied, "Not for any good work, but for blasphemy; you, a mere man, have declared yourself to be God."

³⁴,³⁵,³⁶ "In your own Law it says that men are gods!" he replied. "So if the Scripture, which cannot be untrue, speaks of those as gods to whom the message of God came, do you call it blasphemy when the one sanctified and sent into the world by the Father says, 'I am the Son of God'? ³⁷ Don't believe me unless I do miracles of God. ³⁸ But if I do, believe them even if you don't believe me. Then you will become convinced that the Father is in me, and I in the Father."

³⁹ Once again they started to arrest him. But he walked away and left them, ⁴⁰ and went beyond the Jordan River to stay near the place where John was first baptizing. ⁴¹ And many followed him.

"John didn't do miracles," they remarked to one another, "but all his predictions concerning this man have come true." ⁴² And many came to the decision that he was the Messiah.

11 DO YOU REMEMBER Mary, who poured the costly perfume on Jesus' feet and wiped them with her hair? Well, her brother Lazarus, who lived in Bethany with Mary and her sister Martha, was sick.

cabellos). ³Las dos hermanas le enviaron un mensaje a Jesús en el que le decían: "Señor, tu buen amigo está gravemente enfermo".

⁴Al recibir el mensaje, Jesús dijo:

—El propósito de esta enfermedad no es que él muera, sino que Dios se glorifique. Yo, el Hijo de Dios, recibiré gloria como resultado de esta enfermedad.

⁵Aunque Jesús amaba mucho a Marta, a María y a Lázaro, ⁶permaneció dos días más donde estaba. ⁷Finalmente, al cabo de los dos días, dijo a sus discípulos:

—Vayamos a Judea.

⁸—Maestro —objetaron los discípulos—, hace apenas unos días los jefes judíos trataron de matarte. ¿Vas a volver por allá?

⁹—La luz del día dura sólo doce horas —les respondió Jesús—, durante cada una de las cuales uno puede caminar con seguridad y sin tropiezos. ¹⁰Sólo de noche existe el peligro de dar un mal paso a causa de la oscuridad.

¹¹Más tarde añadió:

—Nuestro amigo Lázaro duerme, y voy a despertarlo.

¹²,¹³Los discípulos entendieron que Jesús afirmaba que Lázaro estaba descansando.

—¡Entonces ya está mejor! —exclamaron.

Mas Jesús quería decir que Lázaro había muerto. ¹⁴Por fin lo dijo claramente:

—Lázaro ha muerto. ¹⁵Y por el bien de ustedes me alegro de no haber estado allí, porque esto les dará otra oportunidad de creer en mí. Vengan, vayamos a él.

¹⁶Tomás, a quien apodaban el Gemelo, dijo a los demás discípulos:

—Sí, vamos nosotros también para que muramos con El.

¹⁷Cuando llegaron a Betania, les dijeron que hacía cuatro días Lázaro estaba en la tumba.

¹⁸Betania estaba a sólo tres kilómetros de Jerusalén, ¹⁹y muchos de los dirigentes judíos habían ido a dar el pésame y a consolar a Marta y a María en su dolor.

²⁰Cuando Marta vio que Jesús llegaba, le salió al encuentro. Pero María se quedó en la casa.

²¹—Señor —le dijo Marta a Jesús—, si hubieras estado aquí, mi hermano no habría muerto, ²²porque sé que Dios te concede lo que le pides.

²³—Tu hermano volverá a vivir —le dijo

³ So the two sisters sent a message to Jesus telling him, "Sir, your good friend is very, very sick."

⁴ But when Jesus heard about it he said, "The purpose of his illness is not death, but for the glory of God. I, the Son of God, will receive glory from this situation."

⁵ Although Jesus was very fond of Martha, Mary, and Lazarus, ⁶ he stayed where he was for the next two days and made no move to go to them. ⁷ Finally, after the two days, he said to his disciples, "Let's go to Judea."

⁸ But his disciples objected. "Master," they said, "only a few days ago the Jewish leaders in Judea were trying to kill you. Are you going there again?"

⁹ Jesus replied, "There are twelve hours of daylight every day, and during every hour of it a man can walk safely and not stumble. ¹⁰ Only at night is there danger of a wrong step, because of the dark." ¹¹ Then he said, "Our friend Lazarus has gone to sleep, but now I will go and waken him!"

¹²,¹³ The disciples, thinking Jesus meant Lazarus was having a good night's rest, said, "That means he is getting better!" But Jesus meant Lazarus had died.

¹⁴ Then he told them plainly, "Lazarus is dead. ¹⁵ And for your sake, I am glad I wasn't there, for this will give you another opportunity to believe in me. Come, let's go to him."

¹⁶ Thomas, nicknamed "The Twin," said to his fellow disciples, "Let's go too—and die with him."

¹⁷ When they arrived at Bethany, they were told that Lazarus had already been in his tomb for four days. ¹⁸ Bethany was only a couple of miles down the road from Jerusalem, ¹⁹ and many of the Jewish leaders had come to pay their respects and to console Martha and Mary on their loss. ²⁰ When Martha got word that Jesus was coming, she went to meet him. But Mary stayed at home.

²¹ Martha said to Jesus, "Sir, if you had been here, my brother wouldn't have died. ²² And even now it's not too late, for I know that God will bring my brother back to life again, if you will only ask him to."

²³ Jesus told her, "Your brother will

Jesús.

²⁴ —Sí —dijo Marta—, cuando resucitemos en el día de la resurrección.

²⁵ —Yo soy la fuente de la vida y la resurrección —le dijo Jesús—. El que cree en mí, aunque muera como los demás, recobrará la vida. ²⁶Porque el que cree en mí recibe vida eterna, y por lo tanto nunca perecerá. ¿Crees esto, Marta?

²⁷ —Sí, Maestro —le respondió—. Creo que eres el Mesías, el Hijo de Dios que hace tiempo esperábamos.

²⁸Y tras esto corrió a donde estaba María. Llamándola a un lado, para que no la oyeran los presentes, le dijo:

—El está aquí, y quiere verte.

²⁹Sin perder tiempo, María corrió a donde El estaba. ³⁰Jesús había permanecido fuera del pueblo, en el mismo punto donde Marta lo había encontrado. ³¹Los jefes judíos que estaban en la casa tratando de consolar a María, al verla salir con tanta precipitación, pensaron que iba a la tumba de Lázaro a llorar, y la siguieron.

³²María llegó a donde estaba Jesús y cayó a los pies de El.

—Señor —le dijo—, si hubieras estado aquí, mi hermano estaría vivo.

³³ —Al verla llorar así, entre los lamentos de los jefes judíos que estaban con ella, Jesús se sintió conmovido y profundamente turbado.

³⁴ —¿Dónde lo enterraron? —les preguntó.

—Ven a ver.

³⁵Los ojos de Jesús se bañaron de lágrimas.

³⁶ —Eran grandes amigos —comentaron los jefes judíos—. ¡Miren cuánto lo amaba!

³⁷ —Si este hombre sanó a un ciego, ¿no podía haber evitado que Lázaro muriera?

³⁸Y de nuevo Jesús se sintió muy turbado. Ya llegaban a la cueva que servía de tumba. Una pesada piedra cerraba la entrada.

³⁹ —Quiten la piedra —ordenó Jesús.

—¡Pero ya debe heder horriblemente! —exclamó Marta, la hermana del muerto—. Hace cuatro días que murió.

⁴⁰ —¿No te dije que si crees presenciarás un maravilloso milagro de Dios? —le contestó Jesús.

⁴¹Así que echaron a un lado la piedra. Jesús elevó la mirada al cielo y oró:

—Padre, gracias por escucharme. ⁴²Sé

come back to life again."

²⁴ "Yes," Martha said, "when everyone else does, on Resurrection Day."

²⁵ Jesus told her, "I am the one who raises the dead and gives them life again. Anyone who believes in me, even though he dies like anyone else, shall live again. ²⁶ He is given eternal life for believing in me and shall never perish. Do you believe this, Martha?"

²⁷ "Yes, Master," she told him. "I believe you are the Messiah, the Son of God, the one we have so long awaited."

²⁸ Then she left him and returned to Mary and, calling her aside from the mourners, told her, "He is here and wants to see you." ²⁹ So Mary went to him at once.

³⁰ Now Jesus had stayed outside the village, at the place where Martha met him. ³¹ When the Jewish leaders who were at the house trying to console Mary saw her leave so hastily, they assumed she was going to Lazarus' tomb to weep; so they followed her.

³² When Mary arrived where Jesus was, she fell down at his feet, saying, "Sir, if you had been here, my brother would still be alive."

³³ When Jesus saw her weeping and the Jewish leaders wailing with her, he was moved with indignation and deeply troubled. ³⁴ "Where is he buried?" he asked them.

They told him, "Come and see." ³⁵ Tears came to Jesus' eyes.

³⁶ "They were close friends," the Jewish leaders said. "See how much he loved him."

³⁷,³⁸ But some said, "This fellow healed a blind man—why couldn't he keep Lazarus from dying?" And again Jesus was moved with deep anger. Then they came to the tomb. It was a cave with a heavy stone rolled across its door.

³⁹ "Roll the stone aside," Jesus told them.

But Martha, the dead man's sister, said, "By now the smell will be terrible, for he has been dead four days."

⁴⁰ "But didn't I tell you that you will see a wonderful miracle from God if you believe?" Jesus asked her.

⁴¹ So they rolled the stone aside. Then Jesus looked up to heaven and said, "Father, thank you for hearing me. ⁴² (You al-

que siempre me escuchas, pero lo digo para que los que están a mi alrededor crean que tú me enviaste.

⁴³Entonces gritó:

—¡Lázaro, ven fuera!

⁴⁴Y Lázaro salió atado de pies y manos con vendas, y con el rostro envuelto en un sudario.

—¡Desátenlo y déjenlo ir! —ordenó Jesús.

⁴⁵Al presenciar aquel milagro, muchos de los dirigentes judíos que habían ido allí a acompañar a María creyeron al fin en El. ⁴⁶Pero otros corrieron a dar la noticia a los fariseos. ⁴⁷Sin perder tiempo los principales sacerdotes y fariseos convocaron a una reunión.

—¿Qué vamos a hacer? —se preguntaban—, porque este hombre de veras hace milagros. ⁴⁸Si lo dejamos, la nación entera se irá tras El, y los romanos vendrán y nos matarán, y asumirán por completo el gobierno de los judíos.

⁴⁹Uno de ellos, Caifás, sumo sacerdote de aquel año, dijo:

—¡Ignorantes! ⁵⁰¿Es que no comprenden que es mucho mejor que un hombre muera por el pueblo y no que la nación entera perezca?

⁵¹Esta profecía de que Jesús habría de morir por el pueblo la pronunció Caifás desde su posición de sumo sacerdote, no porque a él se le ocurriera, sino porque fue inspirado a hacerlo. Era una predicción de que Jesús habría de morir por Israel; ⁵²pero no solamente por Israel, sino por todos los hijos de Dios esparcidos por el mundo entero.

⁵³Desde aquel momento los jefes judíos comenzaron a urdir un plan para matar a Jesús. ⁵⁴Este interrumpió entonces su ministerio público y se fue al pueblo de Efraín, junto al desierto, y se quedó allí con los discípulos.

⁵⁵La Pascua, fiesta religiosa judía, se acercaba. Muchos provincianos comenzaron a llegar a Jerusalén con varios días de anticipación para asistir a las ceremonias de la purificación antes de que comenzara la Pascua. ⁵⁶Como querían ver a Jesús, no cesaban de cuchichear en el Templo:

—¿Qué creen ustedes? ¿Vendrá a la fiesta?

⁵⁷Los principales sacerdotes y fariseos habían anunciado públicamente que cual-

ways hear me, of course, but I said it because of all these people standing here, so that they will believe you sent me.)" ⁴³ Then he shouted, "Lazarus, come out!"

⁴⁴ And Lazarus came—bound up in the gravecloth, his face muffled in a head swath. Jesus told them, "Unwrap him and let him go!"

⁴⁵ And so at last many of the Jewish leaders who were with Mary and saw it happen, finally believed on him. ⁴⁶ But some went away to the Pharisees and reported it to them.

⁴⁷ Then the chief priests and Pharisees convened a council to discuss the situation. "What are we going to do?" they asked each other. "For this man certainly does miracles. ⁴⁸ If we let him alone the whole nation will follow him—and then the Roman army will come and kill us and take over the Jewish government."

⁴⁹ And one of them, Caiaphas, who was High Priest that year, said, "You stupid idiots— ⁵⁰ let this one man die for the people—why should the whole nation perish?"

⁵¹ This prophecy that Jesus should die for the entire nation came from Caiaphas in his position as High Priest—he didn't think of it by himself, but was inspired to say it. ⁵² It was a prediction that Jesus' death would not be for Israel only, but for all the children of God scattered around the world. ⁵³ So from that time on the Jewish leaders began plotting Jesus' death.

⁵⁴ Jesus now stopped his public ministry and left Jerusalem; he went to the edge of the desert, to the village of Ephraim, and stayed there with his disciples.

⁵⁵ The Passover, a Jewish holy day, was near, and many country people arrived in Jerusalem several days early so that they could go through the cleansing ceremony before the Passover began. ⁵⁶ They wanted to see Jesus, and as they gossiped in the Temple, they asked each other, "What do you think? Will he come for the Passover?" ⁵⁷ Meanwhile the chief priests and Pharisees had publicly announced that anyone seeing

quiera que viera a Jesús debía comunicarlo inmediatamente para arrestarlo.

12 SEIS DÍAS ANTES de las ceremonias de la Pascua, Jesús llegó a Betania, donde vivía Lázaro, el hombre al que había resucitado. ²La familia de éste preparó un banquete en honor de Jesús.

Mientras Marta servía y Lázaro estaba sentado a la mesa con Jesús, ³María tomó un frasco de un costoso perfume de esencia de nardo, le ungió los pies a Jesús y luego los secó con sus cabellos. La casa se llenó de fragancia.

⁴Pero Judas Iscariote, uno de los discípulos de Jesús, el que lo traicionaría, dijo:

⁵—Ese perfume vale una fortuna. Debían haberlo vendido para darle el dinero a los pobres.

⁶Y no era que él se preocupara tanto por los pobres, sino que manipulaba los fondos del grupo y muchas veces sustraía dinero para usarlo en beneficio propio.

⁷—Déjenla —replicó Jesús—. Ella está haciendo esto en preparación para mi entierro. ⁸A los pobres siempre los podrán ayudar, pero yo no voy a permanecer con ustedes mucho tiempo.

⁹Cuando la gente de Jerusalén se enteró que Jesús había llegado a Betania, corrió a verlo y también a ver a Lázaro, el resucitado. ¹⁰En vista de esto, los principales sacerdotes decidieron matar a Lázaro también, ¹¹porque por causa de él muchos dirigentes judíos habían desertado y creían que Jesús era el Mesías.

¹²Al siguiente día, la noticia de que Jesús iba camino a Jerusalén corrió por la ciudad como un reguero de pólvora. Una enorme multitud de visitantes pascuales, ¹³con palmas en las manos, se lanzó al camino al encuentro de Jesús y gritaba: "¡Salvador! ¡Que Dios bendiga al Rey de Israel! ¡Que viva el Enviado de Dios!"

¹⁴Jesús marchaba por el camino a lomos de un burrito, con lo cual se cumplió la profecía:

¹⁵"No temas, pueblo de Israel, porque tu Rey vendrá a ti sentado humildemente sobre un burrito".

¹⁶En aquel preciso momento sus discípulos no se dieron cuenta de que se estaba cumpliendo la profecía; pero des-

Jesus must report him immediately so that they could arrest him.

12 SIX DAYS BEFORE the Passover ceremonies began, Jesus arrived in Bethany where Lazarus was—the man he had brought back to life. ² A banquet was prepared in Jesus' honor. Martha served, and Lazarus sat at the table with him. ³ Then Mary took a jar of costly perfume made from essence of nard, and anointed Jesus' feet with it and wiped them with her hair. And the house was filled with fragrance.

⁴ But Judas Iscariot, one of his disciples—the one who would betray him—said, ⁵ "That perfume was worth a fortune. It should have been sold and the money given to the poor." ⁶ Not that he cared for the poor, but he was in charge of the disciples' funds and often dipped into them for his own use!

⁷ Jesus replied, "Let her alone. She did it in preparation for my burial. ⁸ You can always help the poor, but I won't be with you very long."

⁹ When the ordinary people of Jerusalem heard of his arrival, they flocked to see him and also to see Lazarus—the man who had come back to life again. ¹⁰ Then the chief priests decided to kill Lazarus too, ¹¹ for it was because of him that many of the Jewish leaders had deserted and believed in Jesus as their Messiah.

¹² The next day, the news that Jesus was on the way to Jerusalem swept through the city, and a huge crowd of Passover visitors ¹³ took palm branches and went down the road to meet him, shouting, "The Savior! God bless the King of Israel! Hail to God's Ambassador!"

¹⁴ Jesus rode along on a young donkey, fulfilling the prophecy that said: ¹⁵ "Don't be afraid of your King, people of Israel, for he will come to you meekly, sitting on a donkey's colt!"

¹⁶ (His disciples didn't realize at the time that this was a fulfillment of prophecy; but after Jesus returned to his glory in heaven,

pués que Jesús regresó a su gloria celestial, comprendieron que muchas profecías de las Escrituras se habían cumplido delante de sus ojos.

¹⁷Algunos de los que estaban entre la multitud, que habían presenciado cómo Jesús llamó a Lázaro de entre los muertos y lo resucitó, lo contaban a viva voz. ¹⁸La mayoría de aquellas personas habían salido al encuentro del Señor porque se enteraron de aquel asombroso milagro.

¹⁹—¡Estamos perdidos! —se decían los fariseos—. ¡Miren! ¡Todo el mundo se va tras El!

²⁰Algunos griegos que habían ido a Jerusalén para asistir a la Pascua ²¹se acercaron a Felipe de Betsaida, y le dijeron:

—Señor, queremos conocer a Jesús.

²²Felipe se lo contó a Andrés y luego fueron juntos a decírselo a Jesús.

²³El les respondió que ya había llegado la hora de regresar a la gloria ²⁴y que tendría que caer y morir de la misma manera que muere el grano de trigo que cae en el surco.

—Si no muero —añadió—, siempre estaré solo. Pero mi muerte producirá muchos granos de trigo en abundante cosecha de vidas nuevas. ²⁵Si ustedes aman esta vida, la perderán. Pero el que desprecia la vida terrenal, recibirá la vida eterna. ²⁶Si esos griegos desean ser mis discípulos, díganles que vengan y me sigan, porque mis siervos deben estar donde yo estoy. Y si me siguen, el Padre los honrará. ²⁷En este momento tengo el alma profundamente turbada. ¿He de orar acaso: "Padre, sálvame de lo que me espera"? ¡No, porque para eso vine! ¡Padre, glorifica ²⁸y honra tu nombre!

Entonces se escuchó una voz del cielo que decía:

—Lo glorifiqué y lo volveré a glorificar.

²⁹Al escuchar aquella voz, algunos de los presentes pensaron que tronaba. Otros, en cambio, afirmaban que un ángel le había hablado a Jesús.

³⁰—Esa voz habló para beneficio de ustedes, no para beneficio mío. ³¹Al mundo le ha llegado la hora del juicio, y a Satanás, el príncipe de este mundo, la hora de la derrota. ³²Cuando me alcen en la cruz atraeré hacia mí a todos los hombres.

³³Con estas palabras estaba indicando cómo habría de morir.

³⁴—¿Vas a morir? —preguntó la mu-

then they noticed how many prophecies of Scripture had come true before their eyes.)

¹⁷ And those in the crowd who had seen Jesus call Lazarus back to life were telling all about it. ¹⁸ That was the main reason why so many went out to meet him— because they had heard about this mighty miracle.

¹⁹ Then the Pharisees said to each other, "We've lost. Look—the whole world has gone after him!"

²⁰ Some Greeks who had come to Jerusalem to attend the Passover ²¹ paid a visit to Philip, who was from Bethsaida, and said, "Sir, we want to meet Jesus." ²² Philip told Andrew about it, and they went together to ask Jesus.

²³,²⁴ Jesus replied that the time had come for him to return to his glory in heaven, and that "I must fall and die like a kernel of wheat that falls into the furrows of the earth. Unless I die I will be alone—a single seed. But my death will produce many new wheat kernels—a plentiful harvest of new lives. ²⁵ If you love your life down here —you will lose it. If you despise your life down here—you will exchange it for eternal glory.

²⁶ "If these Greeks want to be my disciples, tell them to come and follow me, for my servants must be where I am. And if they follow me, the Father will honor them. ²⁷ Now my soul is deeply troubled. Shall I pray, 'Father, save me from what lies ahead'? But that is the very reason why I came! ²⁸ Father, bring glory and honor to your name."

Then a voice spoke from heaven saying, "I have already done this, and I will do it again." ²⁹ When the crowd heard the voice, some of them thought it was thunder, while others declared an angel had spoken to him.

³⁰ Then Jesus told them, "The voice was for your benefit, not mine. ³¹ The time of judgment for the world has come—and the time when Satan, the prince of this world, shall be cast out. ³² And when I am lifted up [on the cross], I will draw everyone to me." ³³ He said this to indicate how he was going to die.

³⁴ "Die?" asked the crowd. "We under-

chedumbre—. Nosotros teníamos entendido que el Mesías viviría para siempre, que nunca moriría. ¿Cómo dices que vas a morir? ¿A qué Mesías te estás refiriendo?

³⁵—Mi luz brillará entre ustedes sólo un poco más de tiempo —les respondió Jesús—. Caminen en ella mientras puedan; vayan a donde quieran ir, antes que los envuelva la oscuridad porque entonces será demasiado tarde para encontrar el camino. ³⁶Mientras la luz esté con ustedes, crean en la luz, para que se conviertan en portadores de luz.

Al terminar de hablar, se apartó y se escondió de ellos. ³⁷A pesar de los milagros que había realizado, la mayoría no creía que El fuera el Mesías. ³⁸No es extraño que así ocurriera, porque el profeta Isaías había profetizado: "Señor, ¿quién nos creerá? ¿Quién aceptará los asombrosos milagros de Dios como prueba?"

³⁹Aquella gente no podía creer, porque Isaías también había predicho: ⁴⁰"Dios les cegó los ojos y les endureció el corazón para que no puedan ver ni entender ni volverse hacia El en busca de salud". ⁴¹Isaías habló así de Jesús porque contempló una visión de la gloria del Mesías. ⁴²Pero además de eso, muchos de los dirigentes judíos que creían que El era el Mesías no lo admitían públicamente por temor a que los fariseos los expulsaran de la sinagoga. ⁴³¡Amaban más el aplauso de los hombres que el aplauso de Dios!

⁴⁴—¡El que cree en mí —clamó Jesús ante la muchedumbre—, está creyendo en Dios! ⁴⁵¡El que me mira, está mirando al que me envió! ⁴⁶Yo he venido a brillar como luz en la oscuridad del mundo, para que los que depositen su fe en mí dejen de andar en oscuridad. ⁴⁷Al que me oye y no me obedece, no lo juzgo; he venido a salvar al mundo y no a juzgarlo. ⁴⁸Pero las verdades que he expresado juzgarán en el día del juicio a los que me rechazan y rechazan mi mensaje, ⁴⁹porque me ha estado diciendo lo que el Padre me pidió que les dijera, y no lo que yo quiero. ⁵⁰Sé que las enseñanzas de mi Padre conducen a la vida eterna y, por lo tanto, lo que El me pide que les diga se lo digo.

13 JESÚS SABÍA QUE aquella noche de Pascua iba a ser su última noche en la tierra antes de regresar al Padre. ²Ya, du-

stood that the Messiah would live forever and never die. Why are you saying he will die? What Messiah are you talking about?"

³⁵ Jesus replied, "My light will shine out for you just a little while longer. Walk in it while you can, and go where you want to go before the darkness falls, for then it will be too late for you to find your way. ³⁶ Make use of the Light while there is still time; then you will become light bearers." After saying these things, Jesus went away and was hidden from them.

³⁷ But despite all the miracles he had done, most of the people would not believe he was the Messiah. ³⁸ This is exactly what Isaiah the prophet had predicted: "Lord, who will believe us? Who will accept God's mighty miracles as proof?" ³⁹ But they couldn't believe, for as Isaiah also said: ⁴⁰ "God has blinded their eyes and hardened their hearts so that they can neither see nor understand nor turn to me to heal them." ⁴¹ Isaiah was referring to Jesus when he made this prediction, for he had seen a vision of the Messiah's glory.

⁴² However, even many of the Jewish leaders believed him to be the Messiah but wouldn't admit it to anyone because of their fear that the Pharisees would excommunicate them from the synagogue; ⁴³ for they loved the praise of men more than the praise of God.

⁴⁴ Jesus shouted to the crowds, "If you trust me, you are really trusting God. ⁴⁵ For when you see me, you are seeing the one who sent me. ⁴⁶ I have come as a Light to shine in this dark world, so that all who put their trust in me will no longer wander in the darkness. ⁴⁷ If anyone hears me and doesn't obey me, I am not his judge—for I have come to save the world and not to judge it. ⁴⁸ But all who reject me and my message will be judged at the Day of Judgment by the truths I have spoken. ⁴⁹ For these are not my own ideas, but I have told you what the Father said to tell you. ⁵⁰ And I know his instructions lead to eternal life; so whatever he tells me to say, I say!"

13 JESUS KNEW ON the evening of Passover Day that it would be his last night on earth before returning to his Fa-

rante la cena, el diablo le había sugerido a Judas Iscariote, hijo de Simón, que esa noche debía llevar a cabo el plan para traicionar a Jesús. ³Jesús sabía que el Padre lo había puesto todo en sus manos, y también que tal como había venido de Dios, a Dios debía regresar.

¡Pero cuánto amaba a sus discípulos! ⁴Se levantó, pues, de la mesa, se quitó el manto, se ciñó una toalla a la cintura, ⁵echó agua en una palangana y se puso a lavarles los pies y a secárselos con la toalla con que se había ceñido. ⁶Cuando le tocó el turno a Simón Pedro, éste le dijo:

—Maestro, ¡no debías estar lavándonos los pies!

⁷—En este momento no entiendes por qué lo hago —le respondió Jesús—, pero algún día lo entenderás.

⁸—¡No! —protestó Pedro—. ¡Jamás permitiré que me laves los pies!

—Si no lo hago —replicó Jesús—, no podrás identificarte conmigo.

⁹—¡Entonces no me laves solamente los pies! —exclamó Pedro—. ¡Lávame de pies a cabeza!

¹⁰—El que está bien bañado —respondió Jesús— sólo tiene que lavarse los pies para quedar completamente limpio. Ustedes están limpios ya, aunque no todos, por cierto.

¹¹Jesús sabía quién lo iba a traicionar y por eso dijo que no todos estaban limpios.

¹²Al terminar de lavarles los pies, se puso de nuevo el manto y se sentó.

—¿Entendieron bien lo que hice? —les preguntó—. ¹³Ustedes me llaman "Maestro" y "Señor", y hacen bien en llamarme así porque es verdad que lo soy. ¹⁴Y si yo, el Señor y Maestro, les he lavado los pies, ustedes deben lavarse los pies unos a otros. ¹⁵Yo les he dado el ejemplo. Háganlo como lo he hecho. ¹⁶Les digo que el siervo no es mayor que el amo, ni es más importante el mensajero que la persona que lo envió. ¹⁷Así que ya lo saben. Pónganlo en práctica y estarán marchando por un sendero de bendición.

¹⁸"Ahora les voy a decir algo, pero no me refiero a todos ustedes. Yo conozco muy bien a cada uno de los que escogí y sé que las Escrituras declaran que uno de los que suelen comer conmigo me ha de traicionar. Esto ocurrirá pronto. ¹⁹Se lo digo ahora para que, cuando suceda, crean en mí. ²⁰Y

ther. During supper the devil had already suggested to Judas Iscariot, Simon's son, that this was the night to carry out his plan to betray Jesus. Jesus knew that the Father had given him everything and that he had come from God and would return to God. And how he loved his disciples! ⁴ So he got up from the supper table, took off his robe, wrapped a towel around his loins, ⁵ poured water into a basin, and began to wash the disciples' feet and to wipe them with the towel he had around him.

⁶ When he came to Simon Peter, Peter said to him, "Master, you shouldn't be washing our feet like this!"

⁷ Jesus replied, "You don't understand now why I am doing it; some day you will."

⁸ "No," Peter protested, "you shall never wash my feet!"

"But if I don't, you can't be my partner," Jesus replied.

⁹ Simon Peter exclaimed, "Then wash my hands and head as well—not just my feet!"

¹⁰ Jesus replied, "One who has bathed all over needs only to have his feet washed to be entirely clean. Now you are clean—but that isn't true of everyone here." ¹¹ For Jesus knew who would betray him. That is what he meant when he said, "Not all of you are clean."

¹² After washing their feet he put on his robe again and sat down and asked, "Do you understand what I was doing? ¹³ You call me 'Master' and 'Lord,' and you do well to say it, for it is true. ¹⁴ And since I, the Lord and Teacher, have washed your feet, you ought to wash each other's feet. ¹⁵ I have given you an example to follow: do as I have done to you. ¹⁶ How true it is that a servant is not greater than his master. Nor is the messenger more important than the one who sends him. ¹⁷ You know these things—now do them! That is the path of blessing.

¹⁸ "I am not saying these things to all of you; I know so well each one of you I chose. The Scripture declares, 'One who eats supper with me will betray me,' and this will soon come true. ¹⁹ I tell you this now so that when it happens, you will believe on me.

déjenme decirles: El que recibe al Espíritu Santo que he de enviar, me está recibiendo a mí. Y cualquiera que me recibe, está recibiendo al Padre que me envió.

²¹En aquel instante Jesús sintió que un gran dolor le oprimía el pecho.

—Sí, es cierto —exclamó—; uno de ustedes me traicionará.

²²Los discípulos se miraron entre sí. ¿A quién se estaría refiriendo Jesús?

²³Junto a Jesús estaba el discípulo que El amaba. ²⁴Simón Pedro le hizo señas para que le preguntara quién habría de realizar tan repugnante hecho. ²⁵El discípulo amado se recostó junto al pecho del Maestro y le preguntó:

—Señor, ¿a quién te refieres?

²⁶—Me refiero a la persona a quien voy a darle pan con salsa.

E introdujo el pan en la salsa y se lo dio a Judas, el hijo de Simón Iscariote. ²⁷Inmediatamente que Judas tomó aquel bocado, Satanás entró en él.

—¡Apúrate! —le dijo Jesús—. ¡Hazlo ahora mismo!

²⁸Los demás que estaban sentados a la mesa no entendieron el significado de las palabras de Jesús. ²⁹Algunos creyeron que, como Judas era el tesorero, Jesús le estaba ordenando que fuera a pagar la comida o a darle dinero a algún pobre.

³⁰Judas salió sin pérdida de tiempo y se perdió en la noche.

³¹Tan pronto Judas abandonó el aposento, Jesús dijo:

—Ha llegado la hora; muy pronto la gloria de Dios me envolverá, y Dios recibirá grandes alabanzas por lo que me va a suceder. ³²Dios muy pronto me dará su gloria. ³³Queridos hijos míos: ¡qué cortos son los momentos que me quedan antes que me vaya y los deje! Al igual que dije a los jefes judíos, después no podrán ir a donde esté aunque me busquen. ³⁴Por lo tanto, les voy a dar un nuevo mandamiento: ámense con la misma intensidad con que yo los amo. ³⁵La intensidad del amor que se tengan, será una prueba ante el mundo de que son mis discípulos.

³⁶—¿A dónde vas, Maestro? —preguntó Pedro.

—Ahora no puedes venir conmigo, pero me seguirás después.

³⁷—Pero, ¿por qué no puedo ir ahora? ¡Estoy dispuesto a morir por ti!

²⁰"Truly, anyone welcoming my messenger is welcoming me. And to welcome me is to welcome the Father who sent me."

²¹Now Jesus was in great anguish of spirit and exclaimed, "Yes, it is true—one of you will betray me." ²²The disciples looked at each other, wondering whom he could mean. ²³Since I was sitting next to Jesus at the table, being his closest friend, ²⁴Simon Peter motioned to me to ask him who it was who would do this terrible deed.

²⁵So I turned and asked him, "Lord, who is it?"

²⁶He told me, "It is the one I honor by giving the bread dipped in the sauce."

And when he had dipped it, he gave it to Judas, son of Simon Iscariot.

²⁷As soon as Judas had eaten it, Satan entered into him. Then Jesus told him, "Hurry—do it now."

²⁸None of the others at the table knew what Jesus meant. ²⁹Some thought that since Judas was their treasurer, Jesus was telling him to go and pay for the food or to give some money to the poor. ³⁰Judas left at once, going out into the night.

³¹As soon as Judas left the room, Jesus said, "My time has come; the glory of God will soon surround me—and God shall receive great praise because of all that happens to me. ³²And God shall give me his own glory, and this so very soon. ³³Dear, dear children, how brief are these moments before I must go away and leave you! Then, though you search for me, you cannot come to me—just as I told the Jewish leaders.

³⁴"And so I am giving a new commandment to you now—love each other just as much as I love you. ³⁵Your strong love for each other will prove to the world that you are my disciples."

³⁶Simon Peter said, "Master, where are you going?"

And Jesus replied, "You can't go with me now; but you will follow me later."

³⁷"But why can't I come now?" he asked, "for I am ready to die for you."

³⁸—¿A morir por mí? —respondió Jesús—. No. Mañana por la mañana, antes que el gallo cante, ya habrás negado tres veces que me conoces.

14 "NO SE PREOCUPEN ni sufran. Si confían en Dios, confíen también en mí. ²,³Allá donde vive mi Padre hay muchas moradas y voy a prepararlas para cuando vayan. Cuando todo esté listo, volveré y me llevaré a ustedes, para que estén siempre donde yo esté. Si no fuera así, se lo diría claramente. ⁴Y ustedes saben a dónde voy y cómo se llega allá.

⁵—No —dijo Tomás—, no lo sabemos. Si no tenemos ni la más remota idea de a dónde vas, ¿cómo vamos a saber el camino?

⁶—Yo soy el Camino, la Verdad y la Vida. Nadie podrá ir al Padre si no va a través de mí. ⁷Si ustedes supieran quién soy, sabrían quién es mi Padre. Desde ahora lo conocen y lo han visto.

⁸—Señor —dijo Felipe—, enséñanos al Padre y nos basta.

⁹—¿Es que todavía, Felipe, no sabes quién soy después de haber estado tanto tiempo con ustedes? ¡El que me ha visto ha visto al Padre! ¿Cómo es que pides que se lo enseñe? ¹⁰¿Es que acaso no crees que estoy en el Padre y que el Padre está en mí? Las palabras que les digo no son mías, sino del Padre que vive en mí. El actúa a través de mí. ¹¹Lo único que tienen que hacer es creer que estoy en el Padre y que el Padre está en mí. O si no, créanlo por los grandes milagros que han presenciado.

¹²"Solemnemente declaro: Cualquiera que crea en mí realizará los mismos milagros que he realizado y aun mayores, porque voy a estar con el Padre. ¹³Ustedes podrán pedirle al Padre cualquier cosa en mi nombre, y yo se la concederé para que el Padre se enaltezca en las obras que he de hacer en favor de ustedes. ¹⁴Sí, pidan cualquier cosa en mi nombre, y se la concederé.

¹⁵"Si me aman, obedézcanme; ¹⁶y yo le pediré al Padre que les mande un Consolador que nunca los abandone, y El les enviará al Espíritu Santo, ¹⁷Espíritu que conduce hacia la verdad. El mundo no lo puede recibir porque no lo busca ni lo reconoce. Pero ustedes sí, porque El vive con ustedes ahora, y algún día estará en ustedes.

³⁸ Jesus answered, "Die for me? No—three times before the cock crows tomorrow morning, you will deny that you even know me!

14 "LET NOT YOUR heart be troubled. You are trusting God, now trust in me. ²,³ There are many homes up there where my Father lives, and I am going to prepare them for your coming. When everything is ready, then I will come and get you, so that you can always be with me where I am. If this weren't so, I would tell you plainly. ⁴ And you know where I am going and how to get there."

⁵ "No, we don't," Thomas said. "We haven't any idea where you are going, so how can we know the way?"

⁶ Jesus told him, "I am the Way—yes, and the Truth and the Life. No one can get to the Father except by means of me. ⁷ If you had known who I am, then you would have known who my Father is. From now on you know him—and have seen him!"

⁸ Philip said, "Sir, show us the Father and we will be satisfied."

⁹ Jesus replied, "Don't you even yet know who I am, Philip, even after all this time I have been with you? Anyone who has seen me has seen the Father! So why are you asking to see him? ¹⁰ Don't you believe that I am in the Father and the Father is in me? The words I say are not my own but are from my Father who lives in me. And he does his work through me. ¹¹ Just believe it—that I am in the Father and the Father is in me. Or else believe it because of the mighty miracles you have seen me do.

¹²,¹³ "In solemn truth I tell you, anyone believing in me shall do the same miracles I have done, and even greater ones, because I am going to be with the Father. You can ask him for *anything,* using my name, and I will do it, for this will bring praise to the Father because of what I, the Son, will do for you. ¹⁴ Yes, ask *anything,* using my name, and I will do it!

¹⁵,¹⁶ "If you love me, obey me; and I will ask the Father and he will give you another Comforter, and he will never leave you. ¹⁷ He is the Holy Spirit, the Spirit who leads into all truth. The world at large cannot receive him, for it isn't looking for him and doesn't recognize him. But you do, for he lives with you now and some day shall be

¹⁸"No, no los abandonaré ni los dejaré como huérfanos en medio de una tormenta. Vendré a ustedes. ¹⁹Dentro de poco ya me habré ido de este mundo, pero estaré presente con ustedes. Y por cuanto he de volver a la vida, ustedes volverán también a la vida. ²⁰Cuando yo vuelva a vivir, comprenderán que estoy en el Padre, que ustedes están en mí y que yo estoy en ustedes. ²¹El que me obedece, me obedece porque me ama; y por cuanto me ama, el Padre lo amará; y yo lo amaré también y me revelaré a él.

²²Judas, no Judas Iscariote sino otro discípulo que tenía el mismo nombre, le dijo:

—Señor, ¿por qué te has de revelar sólo a nosotros tus discípulos y no a todo el mundo?

²³—Porque sólo me revelo a los que me aman y obedecen. Y, además, el Padre los amará, y vendremos a ellos y viviremos con ellos. ²⁴El que no me obedece no me ama. Y recuerden: Yo no soy el que está formulando la respuesta a la pregunta de ustedes. Esta es la respuesta del Padre que me envió. ²⁵He querido decirles estas cosas mientras estoy con ustedes. ²⁶Pero cuando el Padre envíe al Consolador que me ha de representar (y cuando hablo del Consolador me estoy refiriendo al Espíritu Santo) El les enseñará muchas cosas y les recordará todo lo que les he dicho.

²⁷"Les voy a dejar un regalo: paz en el alma. La paz que doy no es frágil como la paz que el mundo ofrece. Nunca estén afligidos ni temerosos. ²⁸Recuerden lo que les he dicho: Me voy pero regresaré. Si me aman de verdad, estarán contentos de que me vaya al Padre, que es mayor que yo. ²⁹Les he dicho estas cosas con anticipación para que cuando ocurran crean en mí. ³⁰No me queda mucho tiempo para hablar con ustedes, porque el perverso príncipe de este mundo se acerca. El no tiene poder sobre mí, ³¹pero hago lo que el Padre me ha ordenado, para que el mundo sepa que amo al Padre. Vengan, vámonos ya.

15 ¹"YO SOY LA vid verdadera, mi Padre es el viñador. ²Si alguna rama no produce, la corta. En cambio, poda las que producen fruto para obtener aun mayores cosechas.

³"Los mandamientos que yo les he dado

in you. ¹⁸ No, I will not abandon you or leave you as orphans in the storm—I will come to you. ¹⁹ In just a little while I will be gone from the world, but I will still be present with you. For I will live again—and you will too. ²⁰ When I come back to life again, you will know that I am in my Father, and you in me, and I in you. ²¹ The one who obeys me is the one who loves me; and because he loves me, my Father will love him; and I will too, and I will reveal myself to him."

²² Judas (not Judas Iscariot, but his other disciple with that name) said to him, "Sir, why are you going to reveal yourself only to us disciples and not to the world at large?"

²³ Jesus replied, "Because I will only reveal myself to those who love me and obey me. The Father will love them too, and we will come to them and live with them. ²⁴ Anyone who doesn't obey me doesn't love me. And remember, I am not making up this answer to your question! It is the answer given by the Father who sent me. ²⁵ I am telling you these things now while I am still with you. ²⁶ But when the Father sends the Comforter instead of me — and by the Comforter I mean the Holy Spirit—he will teach you much, as well as remind you of everything I myself have told you.

²⁷ "I am leaving you with a gift—peace of mind and heart! And the peace I give isn't fragile like the peace the world gives. So don't be troubled or afraid.   ²⁸ Remember what I told you—I am going away, but I will come back to you again. If you really love me, you will be very happy for me, for now I can go to the Father, who is greater than I am. ²⁹ I have told you these things before they happen so that when they do, you will believe [in me].

³⁰ "I don't have much more time to talk to you, for the evil prince of this world approaches. He has no power over me, ³¹ but I will freely do what the Father requires of me so that the world will know that I love the Father. Come, let's be going.

15 ¹"I AM THE true Vine, and my Father is the Gardener. ² He lops off every branch that doesn't produce. And he prunes those branches that bear fruit for even larger crops. ³ He has already tended you by

son el instrumento que el Padre ha empleado ya para podarlos o purificarlos a ustedes, a fin de que sean más fuertes y útiles. ⁴Procuren vivir en mí y que yo viva en ustedes. Una rama no puede producir fruto cuando está separada de la vid, ni ustedes pueden producir frutos si se apartan de mí. ⁵Sí, yo soy la vid; ustedes son las ramas. Cualquiera que viva en mí y yo en él producirá una gran cantidad de frutos, pero separado de mí nadie puede hacer nada. ⁶Si alguno se aparta de mí, se le arroja como rama inútil que al secarse se amontona con otras y se quema. ⁷Pero si ustedes permanecen en mí y obedecen mis mandamientos, pueden pedir cuanto quieran, y les será concedido.

⁸"Mis verdaderos discípulos producen cosechas abundantes para gloria de mi Padre.

⁹"Yo los he amado a ustedes tanto como el Padre me ama. Vivan en mi amor. ¹⁰Cuando me obedecen están viviendo en mi amor, de la misma manera que yo, que obedezco a mi Padre, vivo en su amor. ¹¹Les he dicho esto para que se sientan llenos de regocijo. Sí, para que se sientan henchidos de gozo. ¹²Les exijo que se amen como yo los amo. Y les voy a enseñar cómo medir la intensidad de ese amor: ¹³No hay amor más grande que el que se demuestra cuando una persona da la vida por los amigos.

¹⁴"Y el que de ustedes me obedece es mi amigo. ¹⁵Ya no puedo llamarlos esclavos, porque un amo no puede fiarse de sus esclavos; ahora ustedes son mis amigos, y lo prueba el hecho de que les haya dicho absolutamente todas las cosas que el Padre me ordenó. ¹⁶Ustedes no me escogieron a mí. ¡Yo los escogí a ustedes! Los he puesto para que vayan y produzcan siempre frutos hermosos, de manera que puedan pedirle al Padre cualquier cosa en nombre mío, y Él se la dé. ¹⁷Les exijo que se amen, ¹⁸porque ya bastante aborrecimiento han recibido ustedes del mundo. Ahora bien, el mundo me aborreció a mí antes que a ustedes. ¹⁹Si ustedes le pertenecieran, él los amaría; pero como no es así, debido a que los extraje del mundo, éste los aborrece. ²⁰¿Recuerdan lo que les dije? ¡El esclavo no es mayor que el amo! Así que si me persiguieron a mí, es natural que los persigan a ustedes; y si me prestaron atención, se la prestarán también a ustedes.

pruning you back for greater strength and usefulness by means of the commands I gave you. ⁴ Take care to live in me, and let me live in you. For a branch can't produce fruit when severed from the vine. Nor can you be fruitful apart from me.

⁵ "Yes, I am the Vine; you are the branches. Whoever lives in me and I in him shall produce a large crop of fruit. For apart from me you can't do a thing. ⁶ If anyone separates from me, he is thrown away like a useless branch, withers, and is gathered into a pile with all the others and burned. ⁷ But if you stay in me and obey my commands, you may ask any request you like, and it will be granted! ⁸ My true disciples produce bountiful harvests. This brings great glory to my Father.

⁹ "I have loved you even as the Father has loved me. Live within my love. ¹⁰ When you obey me you are living in my love, just as I obey my Father and live in his love. ¹¹ I have told you this so that you will be filled with my joy. Yes, your cup of joy will overflow! ¹² I demand that you love each other as much as I love you. ¹³ And here is how to measure it—the greatest love is shown when a person lays down his life for his friends; ¹⁴ and you are my friends if you obey me. ¹⁵ I no longer call you slaves, for a master doesn't confide in his slaves; now you are my friends, proved by the fact that I have told you everything the Father told me.

¹⁶ "You didn't choose me! I chose you! I appointed you to go and produce lovely fruit always, so that no matter what you ask for from the Father, using my name, he will give it to you. ¹⁷ I demand that you love each other, ¹⁸ for you get enough hate from the world! But then, it hated me before it hated you. ¹⁹ The world would love you if you belonged to it; but you don't—for I chose you to come out of the world, and so it hates you. ²⁰ Do you remember what I told you? 'A slave isn't greater than his master!' So since they persecuted me, naturally they will persecute you. And if they had listened to me, they would listen to you!

²¹"'Los ciudadanos de este mundo los perseguirán porque ustedes me pertenecen y ellos no conocen a Dios que me envió. ²²Se habría podido decir que son inocentes si yo no hubiera venido y no les hubiera hablado. Pero ya no se les puede excusar de su pecado. ²³Cualquiera que me aborrece, aborrece al Padre. ²⁴Si yo no hubiera realizado entre ellos tan grandes milagros, no se les podría llamar culpables. Pero el caso es que presenciaron los milagros y a pesar de todo nos aborrecieron al Padre y a mí. ²⁵"'Claro está que con esto se cumple lo que los profetas predijeron acerca del Mesías: "Sin ningún motivo me aborrecen".

²⁶"'Pero yo les mandaré al Consolador, al Espíritu Santo, el manantial de toda verdad. El vendrá a ustedes procedente del Padre y les hablará de mí. ²⁷Y ustedes también deben hablar de mí delante de todo el mundo, ya que han estado conmigo desde el principio.

16 "LES HE DICHO estas cosas para que permanezcan firmes ante lo que les espera, ²porque los expulsarán de las sinagogas y sin duda llegará el momento en que cualquiera que los mate pensará que está prestando un servicio a Dios. ³Lo harán porque nunca han llegado a conocer al Padre ni a mí.

⁴"Sí, les digo estas cosas para que cuando ocurran se acuerden que se las advertí. No se las dije antes porque sabía que iba a estar con ustedes un tiempo. ⁵Mas ahora que estoy a punto de partir hacia donde está el que me envió, ninguno de ustedes parece estar interesado en el propósito de mi partida, ni nadie ha preguntado por qué me voy. ⁶En cambio, están llenos de tristeza.

⁷"Mas la realidad es que es mucho mejor para ustedes que me vaya, porque si no, el Consolador no vendría. Si me voy, vendrá porque yo mismo lo enviaré. ⁸Y cuando venga convencerá al mundo de que ha pecado, de que la justicia de Dios está al alcance de todos y de que hay liberación del juicio. ⁹El pecado del mundo es su incredulidad en mí; ¹⁰la justicia está al alcance de todos porque voy al Padre y ustedes no me verán más; ¹¹y hay liberación del juicio porque el príncipe de este mundo ya ha sido juzgado.

²¹ The people of the world will persecute you because you belong to me, for they don't know God who sent me.

²² "They would not be guilty if I had not come and spoken to them. But now they have no excuse for their sin. ²³ Anyone hating me is also hating my Father. ²⁴ If I hadn't done such mighty miracles among them they would not be counted guilty. But as it is, they saw these miracles and yet they hated both of us—me and my Father. ²⁵ This has fulfilled what the prophets said concerning the Messiah, 'They hated me without reason.'

²⁶ "But I will send you the Comforter—the Holy Spirit, the source of all truth. He will come to you from the Father and will tell you all about me. ²⁷ And you also must tell everyone about me, because you have been with me from the beginning.

16 "I HAVE TOLD you these things so that you won't be staggered [by all that lies ahead.] ² For you will be excommunicated from the synagogues, and indeed the time is coming when those who kill you will think they are doing God a service. ³ This is because they have never known the Father or me. ⁴ Yes, I'm telling you these things now so that when they happen you will remember I warned you. I didn't tell you earlier because I was going to be with you for a while longer.

⁵ "But now I am going away to the one who sent me; and none of you seems interested in the purpose of my going; none wonders why. ⁶ Instead you are only filled with sorrow. ⁷ But the fact of the matter is that it is best for you that I go away, for if I don't, the Comforter won't come. If I do, he will—for I will send him to you.

⁸ "And when he has come he will convince the world of its sin, and of the availability of God's goodness, and of deliverance from judgment. ⁹ The world's sin is unbelief in me; ¹⁰ there is righteousness available because I go to the Father and you shall see me no more; ¹¹ there is deliverance from judgment because the prince of this world has already been judged.

¹²"¡Cuántas cosas más quisiera decirles! Pero no, ustedes no las entenderían. ¹³Cuando venga el Espíritu Santo, que es la Verdad, El los guiará a toda la verdad, porque no les estará expresando sus propias ideas sino lo que ha oído. El les hablará acerca del futuro. ¹⁴El me alabará y me honrará al mostrarles mi gloria. ¹⁵La gloria del Padre es mía, y a ella me refiero cuando digo que El les mostrará mi gloria. ¹⁶Dentro de poco ya me habré ido y me dejarán de ver; pero no mucho después, me volverán a ver, antes de irme al Padre.

¹⁷,¹⁸—¿Qué quiere decir con eso? —se preguntaron algunos de los discípulos—. ¿Qué será eso de irse al Padre? ¡Quién sabe lo que querrá decir!

¹⁹Jesús se dio cuenta que querían preguntarle algo.

—¿Se están preguntando qué quiero decir? ²⁰Mientras ustedes lloran, el mundo se llenará de regocijo ante lo que me va a ocurrir. Mas el llanto de ustedes se convertirá en inmensurable alegría cuando me vuelvan a ver. ²¹Será algo así como el gozo de la mujer cuando le nace un hijo; la angustia cede ante el sublime gozo de haber dado a luz a un nuevo ser. ²²Ustedes tienen ahora tristeza, pero cuando les vuelva a ver, se regocijarán y nadie podrá arrebatarles la alegría. ²³Cuando llegue ese día no tendrán que pedirme nada, porque podrán dirigirse directamente al Padre y pedírselo, y El les concederá lo que pidan, porque lo hacen en mi nombre. ²⁴Hasta ahora no lo habían intentado, pero comiencen a ponerlo en práctica; pidan en mi nombre y recibirán respuesta, y se sentirán henchidos de alegría. ²⁵Les he estado hablando con bastante reserva, pero pronto no será necesario que sea así, y les hablaré del Padre claramente. ²⁶Entonces podrán elevar sus peticiones como si éstas ostentaran mi firma. Y no tendré necesidad de pedirle al Padre que se las conceda, ²⁷porque el Padre mismo los ama a ustedes profundamente por el hecho de que me han amado a mí y han creído que vine de El. ²⁸Sí, yo vine del Padre al mundo y he de abandonar el mundo y regresar al Padre.

²⁹—¡Al fin nos estás hablando claro —exclamaron los discípulos—, y no en simbolismos! ³⁰Ya nos damos cuenta que sabes todas las cosas y que no necesitas que nadie te diga nada. Por eso creemos que

¹² "Oh, there is so much more I want to tell you, but you can't understand it now. ¹³ When the Holy Spirit, who is truth, comes, he shall guide you into all truth, for he will not be presenting his own ideas, but will be passing on to you what he has heard. He will tell you about the future. ¹⁴ He shall praise me and bring me great honor by showing you my glory. ¹⁵ All the Father's glory is mine; this is what I mean when I say that he will show you my glory. ¹⁶ In just a little while I will be gone, and you will see me no more; but just a little while after that, and you will see me again!"

¹⁷,¹⁸ "Whatever is he saying?" some of his disciples asked. "What is this about 'going to the Father'? We don't know what he means."

¹⁹ Jesus realized they wanted to ask him so he said, "Are you asking yourselves what I mean? ²⁰ The world will greatly rejoice over what is going to happen to me, and you will weep. But your weeping shall suddenly be turned to wonderful joy [when you see me again]. ²¹ It will be the same joy as that of a woman in labor when her child is born—her anguish gives place to rapturous joy and the pain is forgotten. ²² You have sorrow now, but I will see you again and then you will rejoice; and no one can rob you of that joy. ²³ At that time you won't need to ask me for anything, for you can go directly to the Father and ask him, and he will give you what you ask for because you use my name. ²⁴ You haven't tried this before, [but begin now]. Ask, using my name, and you will receive, and your cup of joy will overflow.

²⁵ "I have spoken of these matters very guardedly, but the time will come when this will not be necessary and I will tell you plainly all about the Father. ²⁶ Then you will present your petitions over my signature! And I won't need to ask the Father to grant you these requests, ²⁷ for the Father himself loves you dearly because you love me and believe that I came from the Father. ²⁸ Yes, I came from the Father into the world and will leave the world and return to the Father."

²⁹ "At last you are speaking plainly," his disciples said, "and not in riddles. ³⁰ Now we understand that you know everything and don't need anyone to tell you anything. From this we believe that you came

viniste de Dios.

³¹—¡Conque al fin lo han creído! —respondió Jesús—. ³²La hora se acerca, y en realidad ya ha llegado, en que ustedes se dispersarán y regresarán a sus hogares respectivos tras dejarme solo. Pero no, no estaré solo, porque el Padre está conmigo. ³³Se lo digo para que tengan tranquilidad de espíritu. En esta tierra les abundarán siempre las pruebas y las tristezas, pero no teman, porque yo he vencido al mundo.

17 AL TERMINAR DE decir estas cosas, Jesús miró al cielo y exclamó:

—Padre, la hora ha llegado. Revela la gloria de tu Hijo para que El pueda glorificarte, ²otorgándoles la vida eterna a los que creen en El, mediante la autoridad que le concediste sobre los hombres y las mujeres de este mundo. ³Y éste es el requisito para que obtengan la vida eterna: que te conozcan a ti, el único Dios verdadero, y a Jesucristo, el que tú enviaste a la tierra. ⁴Yo te he enaltecido en este mundo, haciendo todas y cada una de las cosas que me ordenaste. ⁵Y ahora, Padre, glorifícame ante tu presencia con la misma gloria que tú y yo compartíamos desde antes de la fundación del mundo.

⁶"Yo he dado a conocer a estos hombres quién eres tú. Ellos estaban en el mundo, pero tú me los diste. Realmente siempre han sido tuyos pero me los diste y te han obedecido. ⁷Ya saben que me has dado todo lo que tengo, ⁸porque les he transmitido las órdenes que me entregaste; ellos las aceptaron y están absolutamente seguros de que salí de ti para venir a la tierra, y creen que tú me enviaste. ⁹No te ruego por el mundo, sino por aquellos que por ser tuyos me has entregado. ¹⁰Por cuanto son míos, te pertenecen; y me los has entregado junto con todo lo tuyo y ahora constituyen mi gloria. ¹¹Pronto saldré del mundo para irme contigo, y aquí quedan ellos. Padre Santo, protege a los que me has dado, para que ninguno se pierda y para que permanezcan unidos como nosotros. ¹²Durante mi estancia aquí me he protegido a los que me diste. Y mi protección fue tal que ninguno se perdió, excepto el hijo del infierno que las Escrituras habían predicho que se perdería.

¹³"Ahora estoy regresando a ti. Mientras estuve con ellos les dije muchas cosas para que se sintieran llenos del gozo mío.

from God."

³¹ "Do you finally believe this?" Jesus asked. ³² "But the time is coming—in fact, it is here—when you will be scattered, each one returning to his own home, leaving me alone. Yet I will not be alone, for the Father is with me. ³³ I have told you all this so that you will have peace of heart and mind. Here on earth you will have many trials and sorrows; but cheer up, for I have overcome the world."

17 WHEN JESUS HAD finished saying all these things he looked up to heaven and said, "Father, the time has come. Reveal the glory of your Son so that he can give the glory back to you. ² For you have given him authority over every man and woman in all the earth. He gives eternal life to each one you have given him. ³ And this is the way to have eternal life—by knowing you, the only true God, and Jesus Christ, the one you sent to earth! ⁴ I brought glory to you here on earth by doing everything you told me to. ⁵ And now, Father, reveal my glory as I stand in your presence, the glory we shared before the world began.

⁶ "I have told these men all about you. They were in the world, but then you gave them to me. Actually, they were always yours, and you gave them to me; and they have obeyed you. ⁷ Now they know that everything I have is a gift from you, ⁸ for I have passed on to them the commands you gave me; and they accepted them and know of a certainty that I came down to earth from you, and they believe you sent me.

⁹ "My plea is not for the world but for those you have given me because they belong to you. ¹⁰ And all of them, since they are mine, belong to you; and you have given them back to me with everything else of yours, and so *they are my glory!* ¹¹ Now I am leaving the world, and leaving them behind, and coming to you. Holy Father, keep them in your own care—all those you have given me—so that they will be united just as we are, with none missing. ¹² During my time here I have kept safe within your family all of these you gave me. I guarded them so that not one perished, except the son of hell, as the Scriptures foretold.

¹³ "And now I am coming to you. I have told them many things while I was with them so that they would be filled with my

¹⁴Y les di tus mandamientos. El mundo los aborrece porque no son del mundo, como yo tampoco lo soy. ¹⁵No te estoy pidiendo que los saques del mundo, sino que los guardes del mal. ¹⁶Al igual que yo, ellos no pertenecen a este mundo. ¹⁷Santifícalos con las enseñanzas de tu palabra, que es la verdad. ¹⁸Así como me enviaste al mundo, los estoy enviando al mundo, ¹⁹y para que puedan crecer en la verdad y la santidad, me santifico a mí mismo.

²⁰"No oro solamente por ellos, sino también por las personas que en el futuro han de creer en mí por el testimonio de ellos. ²¹Mi ruego es que mantengan siempre la unidad espiritual como tú y yo, Padre, la mantenemos. Y que de la misma forma que tú estás en mí y yo en ti, que ellos estén en nosotros. ²²Yo les he dado la gloria que me diste, la gloria de ser uno, como nosotros lo somos. ²³Yo en ellos y tú en mí formamos una unidad perfecta, para que el mundo sepa que tú me enviaste y entienda que tú los amaste tanto como me has amado a mí. ²⁴Padre, ruego que los que me has dado estén conmigo para que vean mi gloria. Tú me enalteciste porque me amaste desde mucho antes de la fundación del mundo.

²⁵"Padre Santo, el mundo no te conoce, pero yo te conozco; y mis discípulos saben que me enviaste. ²⁶Yo les he revelado quién eres, y se lo seguiré revelando para que el inmenso amor que me tienes pueda estar en ellos, como yo lo estoy.

18 AL TERMINAR DE pronunciar aquellas palabras, Jesús cruzó el barranco del Cedrón y entró con sus discípulos en un olivar. ²Judas, el traidor, conocía bien el lugar, porque Jesús había estado allí muchas veces con sus discípulos. ³Los principales sacerdotes y fariseos pusieron a la disposición del traidor un pelotón de soldados y policías, con los cuales llegó al olivar. Portaban antorchas, linternas y armas. ⁴Jesús, que sabía lo que iba a acontecer, les salió al encuentro.

—¿A quién buscan? —les preguntó.

—A Jesús de Nazaret —respondieron.

⁵—Yo soy.

⁶Al oírle decir: "Yo soy", cayeron de

joy. ¹⁴ I have given them your commands. And the world hates them because they don't fit in with it, just as I don't. ¹⁵ I'm not asking you to take them out of the world, but to keep them safe from Satan's power. ¹⁶ They are not part of this world any more than I am. ¹⁷ Make them pure and holy through teaching them your words of truth. ¹⁸ As you sent me into the world, I am sending them into the world, ¹⁹ and I consecrate myself to meet their need for growth in truth and holiness.

²⁰ "I am not praying for these alone but also for the future believers who will come to me because of the testimony of these. ²¹ My prayer for all of them is that they will be of one heart and mind, just as you and I are, Father—that just as you are in me and I am in you, so they will be in us, and the world will believe you sent me.

²² "I have given them the glory you gave me—the glorious unity of being one, as we are— ²³ I in them and you in me, all being perfected into one—so that the world will know you sent me and will understand that you love them as much as you love me. ²⁴ Father, I want them with me—these you've given me—so that they can see my glory. You gave me the glory because you loved me before the world began!

²⁵ "O righteous Father, the world doesn't know you, but I do; and these disciples know you sent me. ²⁶ And I have revealed you to them, and will keep on revealing you so that the mighty love you have for me may be in them, and I in them."

18 AFTER SAYING THESE things Jesus crossed the Kidron ravine with his disciples and entered a grove of olive trees. ² Judas, the betrayer, knew this place, for Jesus had gone there many times with his disciples.

³ The chief priests and Pharisees had given Judas a squad of soldiers and police to accompany him. Now with blazing torches, lanterns, and weapons they arrived at the olive grove.

⁴,⁵ Jesus fully realized all that was going to happen to him. Stepping forward to meet them he asked, "Whom are you looking for?"

"Jesus of Nazareth," they replied.

"I am he," Jesus said. ⁶ And as he said

espaldas.

⁷—¿A quién buscan?

—A Jesús de Nazaret —le respondieron.

⁸—Ya les he dicho que soy yo. Yo soy el que ustedes andan buscando. Dejen que los demás se vayan.

⁹Al decir esto se cumplió lo que no mucho antes había profetizado: "Mi protección fue tal que ninguno se perdió".

¹⁰Mas de súbito, Simón Pedro extrajo una espada y le cortó de un tajo la oreja derecha a Malco, el siervo del sumo sacerdote.

¹¹—¡Pedro! —gritó Jesús—. ¡Guarda esa espada! ¿Es que acaso no he de beber la copa que el Padre me ha dado?

¹²Entonces la policía judía, junto con algunos soldados y oficiales romanos, arrestaron a Jesús y se lo llevaron atado.

¹³Lo llevaron primero a casa de Anás, suegro de Caifás, sumo sacerdote de aquel año. ¹⁴Caifás era el que había expresado ante los dirigentes judíos que era mejor que uno muriera por todos. ¹⁵Simón Pedro los seguía detrás, acompañado de uno de los discípulos. Como ese discípulo conocía al sumo sacerdote, le permitieron entrar al patio de la casa con Jesús. ¹⁶Pedro se quedó afuera hasta que el otro discípulo habló con la muchacha que cuidaba la entrada y ella lo dejó entrar.

¹⁷—¿No eres tú uno de los discípulos de Jesús? —le preguntó la muchacha.

—¡No! —respondió el interpelado—. Yo no soy discípulo de Jesús.

¹⁸La policía y los siervos de la casa estaban de pie al calor de una hoguera. Como hacía frío, Pedro se paró allí también para calentarse.

¹⁹Dentro, el sumo sacerdote comenzaba ya a interrogar a Jesús acerca de sus discípulos y sus enseñanzas.

²⁰—Todo el mundo conoce mis enseñanzas —contestó Jesús—. Siempre he enseñado en la sinagoga y en el Templo, y los dirigentes judíos me han escuchado. Nunca enseñé en privado lo que no he dicho en público. ²¹¿Por qué me preguntas a mí? Pregúntales a los que me oyeron. Aquí hay algunos de ellos que bien saben lo que dije.

²²—¡Así no se le contesta al sumo sacerdote! —gritó uno de los soldados mientras le propinaba una bofetada.

²³—Si he dicho una mentira, demués-

it, they all fell backwards to the ground!

⁷ Once more he asked them, "Whom are you searching for?"

And again they replied, "Jesus of Nazareth."

⁸ "I told you I am he," Jesus said; "and since I am the one you are after, let these others go." ⁹ He did this to carry out the prophecy he had just made, "I have not lost a single one of those you gave me . . . ."

¹⁰ Then Simon Peter drew a sword and slashed off the right ear of Malchus, the High Priest's servant.

¹¹ But Jesus said to Peter, "Put your sword away. Shall I not drink from the cup the Father has given me?"

¹² So the Jewish police, with the soldiers and their lieutenant, arrested Jesus and tied him. ¹³ First they took him to Annas, the father-in-law of Caiaphas, the High Priest that year. ¹⁴ Caiaphas was the one who told the other Jewish leaders, "Better that one should die for all." ¹⁵ Simon Peter followed along behind, as did another of the disciples who was acquainted with the High Priest. So that other disciple was permitted into the courtyard along with Jesus, ¹⁶ while Peter stood outside the gate. Then the other disciple spoke to the girl watching at the gate, and she let Peter in. ¹⁷ The girl asked Peter, "Aren't you one of Jesus' disciples?"

"No," he said, "I am not!"

¹⁸ The police and the household servants were standing around a fire they had made, for it was cold. And Peter stood there with them, warming himself.

¹⁹ Inside, the High Priest began asking Jesus about his followers and what he had been teaching them.

²⁰ Jesus replied, "What I teach is widely known, for I have preached regularly in the synagogue and Temple; I have been heard by all the Jewish leaders and teach nothing in private that I have not said in public. ²¹ Why are you asking me this question? Ask those who heard me. You have some of them here. They know what I said."

²² One of the soldiers standing there struck Jesus with his fist. "Is that the way to answer the High Priest?" he demanded.

²³ "If I lied, prove it," Jesus replied.

tralo —le respondió Jesús—. ¿O es que acostumbras pegarles a los que dicen la verdad?

²⁴Anás había atado a Jesús antes de enviárselo a Caifás, el sumo sacerdote.

²⁵Mientras tanto, Simón Pedro permanecía de pie junto a la hoguera.

—¿No eres tú uno de sus discípulos? —le preguntaron.

—¡Claro que no! —respondió.

²⁶Pero uno de los esclavos de la casa del sumo sacerdote, pariente del hombre a quien Pedro le había cortado la oreja, le preguntó:

—¿No te vi yo a ti en el olivar con Jesús?

²⁷Pedro lo negó de nuevo. E inmediatamente un gallo cantó.

²⁸El interrogatorio a que Jesús fue sometido delante de Caifás terminó en las primeras horas de la mañana. Luego lo llevaron al palacio del gobernador romano. Los acusadores no entraron porque aquello los "contaminaría", como decían, y no les sería permitido entonces comer el cordero pascual. ²⁹Pilato salió a interrogarlos:

—¿Qué cargos presentan contra este hombre? ¿De qué delito lo acusan?

³⁰—¡No lo habríamos arrestado si no fuera un delincuente! —respondieron.

³¹—Pues llévenselo entonces y júzguenlo según la ley judía —les dijo Pilato.

—Queremos que lo crucifiquen —dijeron—, pero para eso necesitamos tu aprobación.

³²Con esto se cumplieron las predicciones de Jesús en cuanto a la forma en que lo habrían de ejecutar.

³³Pilato regresó al palacio y pidió que le trajeran a Jesús.

—¿Eres tú el rey de los judíos? —le preguntó.

³⁴—Cuando usas la palabra "rey", ¿la usas como la emplean ustedes o en el sentido en que la usan los judíos? —le preguntó Jesús.

³⁵—¿Soy yo acaso judío? —replicó Pilato—. Fue tu propio pueblo y los principales sacerdotes los que te trajeron aquí. ¿Por qué? ¿Qué has hecho?

³⁶—Mi reino no es de este mundo. Si lo fuera, mis seguidores habrían peleado cuando los jefes judíos me fueron a arrestar. No, mi reino no es de este mundo.

³⁷—¿Eres rey entonces?

"Should you hit a man for telling the truth?"

²⁴ Then Annas sent Jesus, bound, to Caiaphas the High Priest.

²⁵ Meanwhile, as Simon Peter was standing by the fire, he was asked again, "Aren't you one of his disciples?"

"Of course not," he replied.

²⁶ But one of the household slaves of the High Priest—a relative of the man whose ear Peter had cut off—asked, "Didn't I see you out there in the olive grove with Jesus?"

²⁷ Again Peter denied it. And immediately a rooster crowed.

²⁸ Jesus' trial before Caiaphas ended in the early hours of the morning. Next he was taken to the palace of the Roman governor. His accusers wouldn't go in themselves for that would "defile" them, they said, and they wouldn't be allowed to eat the Passover lamb. ²⁹ So Pilate, the governor, went out to them and asked, "What is your charge against this man? What are you accusing him of doing?"

³⁰ "We wouldn't have arrested him if he weren't a criminal!" they retorted.

³¹ "Then take him away and judge him yourselves by your own laws," Pilate told them.

"But we want him crucified," they demanded, "and your approval is required."

³² This fulfilled Jesus' prediction concerning the method of his execution.

³³ Then Pilate went back into the palace and called for Jesus to be brought to him. "Are you the King of the Jews?" he asked him.

³⁴ " 'King' as *you* use the word or as the *Jews* use it?" Jesus asked.

³⁵ "Am I a Jew?" Pilate retorted. "Your own people and their chief priests brought you here. Why? What have you done?"

³⁶ Then Jesus answered, "I am not an earthly king. If I were, my followers would have fought when I was arrested by the Jewish leaders. But my Kingdom is not of the world."

³⁷ Pilate replied, "But you are a king then?"

—Sí soy Rey —afirmó Jesús—. Nací para eso y para traer la verdad a este mundo. Quienes aman la verdad son súbditos míos.

[38] —¿Y qué es la verdad? —dijo Pilato.

Y sin esperar respuesta salió de nuevo ante el pueblo.

—Este hombre no ha cometido ningún delito —declaró—. [39]Pero ustedes todos los años acostumbran pedirme que les suelte a un preso en la Pascua. Así que, si lo desean, soltaré al "Rey de los judíos".

[40] —¡No! ¡Mejor suéltanos a Barrabás! —gritó la turba.

Barrabás era un ladrón.

19 ENTONCES PILATO ORDENÓ que azotaran a Jesús con un látigo de punta de plomo. [2]Luego los soldados prepararon una corona de espinas y se la colocaron en la cabeza tras vestirlo con un manto de púrpura real.

[3] —¡Viva el Rey de los judíos! —gritaban en son de burla mientras le daban puñetazos.

[4]Pilato volvió a presentarse delante de los judíos.

—Ahora les voy a enseñar de nuevo al hombre, pero entiendan bien que no lo encuentro culpable.

[5]Entonces apareció Jesús. Traía puesta la corona de espinas y el manto de púrpura.

—¡Ahí está el hombre! —dijo Pilato.

[6]Al verlo, los principales sacerdotes y funcionarios judíos gritaron:

—¡Crucifícalo! ¡Crucifícalo!

—¡Crucifíquenlo ustedes! —les dijo Pilato—. Yo no lo hallo culpable de nada.

[7] —¡Según nuestra ley tiene que morir —respondieron ellos—, porque se hizo pasar por el Hijo de Dios!

[8]Cuando Pilato escuchó aquello, sintió más miedo todavía. [9]Entonces se llevó a Jesús de nuevo hacia adentro y le preguntó:

—¿De dónde eres tú?

Jesús no le respondió.

[10] —¿No me respondes? —demandó Pilato—. ¿No te das cuenta que lo mismo podría soltarte que crucificarte?

[11] —No tendrías poderes sobre mí si no te fueran dados de arriba. Así que los que me trajeron delante de ti son los que más han pecado.

[12]Entonces Pilato trató de soltarlo pero los jefes judíos le dijeron:

"Yes," Jesus said. "I was born for that purpose. And I came to bring truth to the world. All who love the truth are my followers."

[38] "What is truth?" Pilate exclaimed. Then he went out again to the people and told them, "He is not guilty of any crime. [39] But you have a custom of asking me to release someone from prison each year at Passover. So if you want me to, I'll release the 'King of the Jews.' "

[40] But they screamed back, "No! Not this man, but Barabbas!" Barabbas was a robber.

19 THEN PILATE LAID open Jesus' back with a leaded whip, [2] and the soldiers made a crown of thorns and placed it on his head and robed him in royal purple. [3] "Hail, 'King of the Jews!' " they mocked, and struck him with their fists.

[4] Pilate went outside again and said to the Jews, "I am going to bring him out to you now, but understand clearly that I find him *not guilty.*"

[5] Then Jesus came out wearing the crown of thorns and the purple robe. And Pilate said, "Behold the man!"

[6] At sight of him the chief priests and Jewish officials began yelling, "Crucify! Crucify!"

"*You* crucify him," Pilate said. "I find him *not guilty.*"

[7] They replied, "By our laws he ought to die because he called himself the Son of God."

[8] When Pilate heard this, he was more frightened than ever. [9] He took Jesus back into the palace again and asked him, "Where are you from?" but Jesus gave no answer.

[10] "You won't talk to me?" Pilate demanded. "Don't you realize that I have the power to release you or to crucify you?"

[11] Then Jesus said, "You would have no power at all over me unless it were given to you from above. So those who brought me to you have the greater sin."

[12] Then Pilate tried to release him, but the Jewish leaders told him, "If you release

—Si sueltas a ese hombre, no eres amigo del César. Cualquiera que se declare rey se está rebelando contra el César.

¹³Pilato al oír aquello, volvió a sacar a Jesús y fue a sentarse en el banco del tribunal sobre la plataforma empedrada. ¹⁴Era alrededor del mediodía, en la víspera de la Pascua.

—¡Ahí tienen al rey! —les dijo Pilato.

¹⁵—¡Muera! —rugieron ellos—. ¡Muera! ¡Crucifícalo!

—Pero ¿cómo voy a crucificar al Rey de los judíos? —exclamó Pilato.

—¡Nuestro único rey es el César! —gritaron en respuesta los principales sacerdotes.

¹⁶Entonces Pilato les entregó a Jesús para que lo crucificaran.

¹⁷Ya con Jesús en poder de ellos, lo sacaron de la ciudad y lo llevaron con la cruz a cuestas hacia el lugar llamado la Calavera (o Gólgota, como lo llamaban en hebreo). ¹⁸Allí lo crucificaron junto a otros hombres. Jesús quedó en el centro con un reo a cada lado.

¹⁹Pilato le colocó encima un letrero que decía: "Jesús de Nazaret, Rey de los judíos". ²⁰Como el lugar donde crucificaron a Jesús estaba cerca de la ciudad, escribieron el letrero en hebreo, latín y griego, para que la mayoría de las personas pudieran leerlo. ²¹Los principales sacerdotes corrieron al palacio de Pilato.

—No digas que es el Rey de los judíos —demandaron—. Di mejor que decía ser el rey de los judíos.

²²—¡Lo escrito escrito está, y así se queda! —les respondió Pilato.

²³Cuando los soldados terminaron de crucificarlo, dividieron la ropa de Jesús en cuatro partes, una para cada uno de ellos. Pero el manto era de una sola pieza sin costura.

²⁴—Es una lástima partir el manto —dijo uno de ellos—. Mejor vamos a sortearlo para ver a quién le toca.

Con esto se cumplieron las Escrituras que dicen: Repartieron entre sí mi ropa y sobre mi manto echaron suertes. Así, pues, lo hicieron los soldados.

²⁵De pie junto a la cruz estaban María la madre de Jesús, una tía de Él, la esposa de Cleofas y María Magdalena. ²⁶Al ver Jesús a su madre de pie junto al discípulo que amaba, le dijo:

this man, you are no friend of Caesar's. Anyone who declares himself a king is a rebel against Caesar."

¹³ At these words Pilate brought Jesus out to them again and sat down at the judgment bench on the stone-paved platform. ¹⁴ It was now about noon of the day before Passover.

And Pilate said to the Jews, "Here is your king!"

¹⁵ "Away with him," they yelled. "Away with him—crucify him!"

"What? Crucify your king?" Pilate asked.

"We have no king but Caesar," the chief priests shouted back.

¹⁶ Then Pilate gave Jesus to them to be crucified.

¹⁷ So they had him at last, and he was taken out of the city, carrying his cross to the place known as "The Skull," in Hebrew, "Golgotha." ¹⁸ There they crucified him and two others with him, one on either side, with Jesus between them. ¹⁹ And Pilate posted a sign over him reading, "Jesus of Nazareth, the King of the Jews." ²⁰ The place where Jesus was crucified was near the city; and the signboard was written in Hebrew, Latin, and Greek, so that many people read it.

²¹ Then the chief priests said to Pilate, "Change it from 'The King of the Jews' to 'He said, I am King of the Jews.'"

²² Pilate replied, "What I have written, I have written. It stays exactly as it is."

²³,²⁴ When the soldiers had crucified Jesus, they put his garments into four piles, one for each of them. But they said, "Let's not tear up his robe," for it was seamless. "Let's throw dice to see who gets it." This fulfilled the Scripture that says,

"They divided my clothes among them, and cast lots for my robe."

²⁵ So that is what they did.

Standing near the cross were Jesus' mother, Mary, his aunt, the wife of Cleopas, and Mary Magdalene. ²⁶ When Jesus saw his mother standing there beside me, his close friend, he said to her, "He is your

—Ahí tienes a tu hijo.

²⁷Luego, dirigiéndose al discípulo, le dijo:

—¡Ahí tienes a tu madre!

Desde entonces él cuidó de ella.

²⁸Jesús sabía que ya se acercaba el fin y, para que se cumplieran las Escrituras, exclamó:

—Tengo sed.

²⁹Por allí había una vasija llena de vinagre y alguien tomó una esponja, la empapó de vinagre, la colocó en una rama de hisopo y se la alzó hasta los labios.

³⁰—¡Está consumado! —exclamó Jesús tras sorber un poco.

Acto seguido, dobló la cabeza y entregó su espíritu.

³¹Como los dirigentes judíos no querían que los cuerpos de las víctimas permanecieran allí colgados durante el día siguiente, que era sábado y además día de Pascua, le pidieron a Pilato que ordenara a sus hombres partirles las piernas para apresurarles la muerte, con el objeto de poder bajar los cuerpos.

³²Los soldados fueron y quebraron las piernas de los dos hombres crucificados con Jesús; ³³pero cuando fueron a quebrar las piernas del Señor, vieron que ya estaba muerto, y no lo hicieron. ³⁴Uno de los soldados le atravesó entonces el costado, y de aquella herida brotó sangre y agua.

³⁵Yo fui testigo presencial de estos hechos, y se los he narrado con exactitud para que ustedes también crean. ³⁶Los soldados actuaron de esta manera porque se tenían que cumplir las Escrituras que dicen: "Ninguno de sus huesos será quebrado", ³⁷y: "Mirarán al que traspasaron".

³⁸No mucho después José de Arimatea, quien por temor a los jefes judíos hasta entonces había guardado en secreto que era discípulo de Jesús, se atrevió a pedirle permiso a Pilato para llevarse el cuerpo de Jesús. Pilato se lo concedió.

³⁹Nicodemo, el hombre que había acudido de noche a Jesús, acompañó a José de Arimatea y llevó consigo unos treinta y tres kilos de ungüento para embalsamar, compuesto de mirra y áloes. ⁴⁰Entre los dos envolvieron el cuerpo de Jesús en lienzos saturados de especias aromáticas, como era costumbre en los funerales judíos.

⁴¹La crucifixión tuvo lugar cerca de un huerto donde había una tumba nueva. ⁴²En

son."

²⁷ And to me he said, "She is your mother!" And from then on I took her into my home.

²⁸ Jesus knew that everything was now finished, and to fulfill the Scriptures said, "I'm thirsty." ²⁹ A jar of sour wine was sitting there, so a sponge was soaked in it and put on a hyssop branch and held up to his lips.

³⁰ When Jesus had tasted it, he said, "It is finished," and bowed his head and dismissed his spirit.

³¹ The Jewish leaders didn't want the victims hanging there the next day, which was the Sabbath (and a very special Sabbath at that, for it was the Passover), so they asked Pilate to order the legs of the men broken to hasten death; then their bodies could be taken down. ³² So the soldiers came and broke the legs of the two men crucified with Jesus; ³³ but when they came to him, they saw that he was dead already, so they didn't break his. ³⁴ However, one of the soldiers pierced his side with a spear, and blood and water flowed out. ³⁵ I saw all this myself and have given an accurate report so that you also can believe. ³⁶,³⁷ The soldiers did this in fulfillment of the Scripture that says, "Not one of his bones shall be broken," and, "They shall look on him whom they pierced."

³⁸ Afterwards Joseph of Arimathea, who had been a secret disciple of Jesus for fear of the Jewish leaders, boldly asked Pilate for permission to take Jesus' body down; and Pilate told him to go ahead. So he came and took it away. ³⁹ Nicodemus, the man who had come to Jesus at night, came too, bringing a hundred pounds of embalming ointment made from myrrh and aloes. ⁴⁰ Together they wrapped Jesus' body in a long linen cloth saturated with the spices, as is the Jewish custom of burial. ⁴¹ The place of crucifixion was near a grove of trees, where there was a new tomb, never

vista de la necesidad de apresurarse antes que los sorprendiera el sábado, y por cuanto la tumba estaba cerca, lo pusieron allí.

20 EL DOMINGO MUY temprano, antes que despuntara el alba, María Magdalena fue a la tumba y notó que habían rodado la piedra que cerraba la entrada.

²Sin perder tiempo, corrió a donde estaban Pedro y el discípulo amado.

—¡Sacaron de la tumba el cadáver del Señor — llegó gritando—, y no sé dónde lo han puesto!

³Corrieron a la tumba. ⁴El discípulo amado, más veloz, llegó primero. ⁵Se detuvo, miró dentro y vio las sábanas sobre el suelo, pero no se atrevió a entrar. ⁶En eso llegó Simón Pedro y entró a la tumba tras fijarse también en los lienzos. ⁷El sudario que había envuelto la cabeza de Jesús descansaba enrollado a un lado.

⁸Entonces entró también el discípulo amado; y al ver, creyó que Jesús había resucitado. ⁹¡Hasta entonces no se habían dado cuenta que las Escrituras profetizaban que El habría de retornar a la vida!

¹⁰Se fueron para la casa. ¹¹Pero María, que ya había regresado a la tumba, se quedó por allí afuera, de pie y llorando. Mientras sollozaba, se detuvo a mirar adentro y ¹²vio a dos ángeles vestidos de blanco sentados uno a la cabecera y otro a los pies del lugar donde el cuerpo de Jesús había reposado.

¹³—¿Por qué lloras? —le preguntaron los ángeles.

—Porque se han llevado a mi Señor —respondió ella—, y no sé dónde lo han puesto.

¹⁴En eso volvió la mirada y vio que alguien estaba de pie detrás de ella. ¡Era Jesús!, pero María no lo reconoció de momento.

¹⁵—¿Por qué lloras? —le preguntó El—. ¿A quién buscas?

Ella, creyendo que era el hortelano, le dijo:

—Señor, si te lo llevaste, dime dónde lo tienes para que vaya por El.

¹⁶—¡María!

Ella entonces se volvió hacia El.

—¡Maestro!

¹⁷—¡No me toques! —le advirtió Jesús—. Todavía no he ascendido al Padre.

used before. ⁴²And so, because of the need for haste before the Sabbath, and because the tomb was close at hand, they laid him there.

20 EARLY SUNDAY MORNING, while it was still dark, Mary Magdalene came to the tomb and found that the stone was rolled aside from the entrance.

²She ran and found Simon Peter and me and said, "They have taken the Lord's body out of the tomb, and I don't know where they have put him!"

³,⁴We ran to the tomb to see; I outran Peter and got there first, ⁵and stooped and looked in and saw the linen cloth lying there, but I didn't go in. ⁶Then Simon Peter arrived and went on inside. He also noticed the cloth lying there, ⁷while the swath that had covered Jesus' head was rolled up in a bundle and was lying at the side. ⁸Then I went in too, and saw, and believed [that he had risen]— ⁹for until then we hadn't realized that the Scriptures said he would come to life again!

¹⁰We went on home, ¹¹and by that time Mary had returned to the tomb and was standing outside crying. And as she wept, she stooped and looked in ¹²and saw two white-robed angels sitting at the head and foot of the place where the body of Jesus had been lying.

¹³"Why are you crying?" the angels asked her.

"Because they have taken away my Lord," she replied, "and I don't know where they have put him."

¹⁴She glanced over her shoulder and saw someone standing behind her. It was Jesus, but she didn't recognize him!

¹⁵"Why are you crying?" he asked her. "Whom are you looking for?"

She thought he was the gardener. "Sir," she said, "if you have taken him away, tell me where you have put him, and I will go and get him."

¹⁶"Mary!" Jesus said. She turned toward him.

"Master!" she exclaimed.

¹⁷"Don't touch me," he cautioned, "for I haven't yet ascended to the Father. But

Pero vé, busca a mis hermanos y diles que subo a mi Padre y al Padre de ustedes, a mi Dios y al Dios de ustedes.

¹⁸María Magdalena corrió en busca de los discípulos.

—¡He visto al Señor! —les dijo, y les comunicó el mensaje.

¹⁹Aquella noche los discípulos se reunieron a puertas cerradas por temor a los dirigentes judíos. Mas, de pronto, Jesús se apareció en medio de ellos. Después de saludarlos, ²⁰les mostró las manos y el costado. ¡Qué alegría les produjo ver al Señor de nuevo!

²¹—De la misma forma que el Padre me envió —les dijo—, yo los envío a ustedes ²²Entonces sopló sobre ellos y les dijo:

—Reciban el Espíritu Santo. ²³Si perdonan el pecado a alguna persona, ésta quedará perdonada. Si rehúsan perdonárselo, no quedará perdonada.

²⁴Uno de los discípulos, Tomás el Gemelo, no se encontraba a la sazón entre ellos. ²⁵Cuando los demás le dijeron que habían visto al Señor, les respondió:

—Sólo creeré si veo las heridas de los clavos en sus manos y meto en ellas el dedo, y le meto la mano en el costado.

²⁶Ocho días más tarde los discípulos se reunieron de nuevo; esta vez Tomás estaba con ellos. Las puertas estaban cerradas. Mas, de pronto, al igual que antes, Jesús se apareció en medio de ellos y los saludó.

²⁷—Pon aquí el dedo —dijo, dirigiéndose a Tomás y señalándose las heridas de las manos— y méteme la mano en el costado para que no seas incrédulo sino creyente.

²⁸—¡Señor mío y Dios mío! —le respondió Tomás.

²⁹—Has creído en mí porque me viste. ¡Benditos los que sin verme han creído!

³⁰Los discípulos de Jesús lo vieron realizar muchos otros milagros, aparte de los que les he relatado en este libro. ³¹Estos se los he narrado para que crean que Jesús es el Mesías, el Hijo de Dios, y para que creyendo en El, obtengan la vida.

21 DESPUÉS DE ESTO Jesús volvió a presentarse delante de los discípulos junto al lago de Galilea. Sucedió así: ²Simón Pedro, Tomás el Gemelo, Natanael el de Caná de Galilea, mi hermano Santiago,

go find my brothers and tell them that I ascend to my Father and your Father, my God and your God."

¹⁸ Mary Magdalene found the disciples and told them, "I have seen the Lord!" Then she gave them his message.

¹⁹ That evening the disciples were meeting behind locked doors, in fear of the Jewish leaders, when suddenly Jesus was standing there among them! After greeting them, ²⁰ he showed them his hands and side. And how wonderful was their joy as they saw their Lord!

²¹ He spoke to them again and said, "As the Father has sent me, even so I am sending you." ²² Then he breathed on them and told them, "Receive the Holy Spirit. ²³ If you forgive anyone's sins, they are forgiven. If you refuse to forgive them, they are unforgiven."

²⁴ One of the disciples, Thomas, "The Twin," was not there at the time with the others. ²⁵ When they kept telling him, "We have seen the Lord," he replied, "I won't believe it unless I see the nail wounds in his hands—and put my fingers into them—and place my hand into his side."

²⁶ Eight days later the disciples were together again, and this time Thomas was with them. The doors were locked; but suddenly, as before, Jesus was standing among them and greeting them.

²⁷ Then he said to Thomas, "Put your finger into my hands. Put your hand into my side. Don't be faithless any longer. Believe!"

²⁸ "My Lord and my God!" Thomas said.

²⁹ Then Jesus told him, "You believe because you have seen me. But blessed are those who haven't seen me and believe anyway."

^{30,31} Jesus' disciples saw him do many other miracles besides the ones told about in this book, but these are recorded so that you will believe that he is the Messiah, the Son of God, and that believing in him you will have life.

21 LATER JESUS APPEARED again to the disciples beside the Lake of Galilee. This is how it happened:

² A group of us were there—Simon Peter, Thomas, "The Twin," Nathanael from Cana in Galilee, my brother James

dos discípulos más y yo, estábamos allí reunidos.

³—Me voy a pescar —dijo Simón Pedro.

—Pues nosotros también —le dijimos.

Pero en toda la noche no pescamos nada.

⁴Al amanecer vimos a un desconocido de pie en la orilla.

⁵—¿Pescaron algo, muchachos? —nos gritó.

—No —respondimos.

⁶—Pues tiren la red a la mano derecha —dijo—, y atraparán bastantes peces.

Así lo hicimos, y fue tanto el peso de los peces que atrapamos que no podíamos alzar la red.

⁷—¡Es el Señor! —le dijo a Pedro el discípulo a quien Jesús amaba.

Pedro, que estaba desnudo hasta la cintura, se puso la túnica, se lanzó al agua y nadó hasta la orilla. ⁸Los demás nos quedamos en la barca y arrastramos la sobrecargada red hasta la playa, a más de noventa metros de distancia.

⁹Al llegar, vimos unas brasas encendidas y sobre ellas un pescado que se cocinaba, y pan.

¹⁰—Tráiganme algunos de los pescados que acaban de sacar —ordenó Jesús.

¹¹Simón Pedro corrió y sacó la red a tierra. Los contó y había ciento cincuenta y tres pescados grandes, a pesar de lo cual la red no se rompió.

¹²—¡Vengan y desayunen! —ordenó Jesús.

Ninguno de nosotros se atrevió a preguntarle si verdaderamente era el Señor; ¡estábamos seguros de ello!

¹³Entonces nos fue sirviendo pan y pescado. ¹⁴Era la tercera vez que se aparecía ante nosotros desde que regresara de la muerte.

¹⁵Después del desayuno, Jesús le dijo a Simón Pedro:

—Simón, hijo de Jonás, ¿me amas más que los demás?

—Sí —respondió Pedro—, tú sabes que te aprecio mucho.

—Entonces alimenta a mis ovejas.

¹⁶Acto seguido Jesús repitió la pregunta:

—Simón, hijo de Jonás, ¿me amas?

—Sí, Señor —respondió Pedro—, tú sabes que te aprecio mucho.

—Pastorea a mis ovejas —le respondió

and I and two other disciples.

³ Simon Peter said, "I'm going fishing."

"We'll come too," we all said. We did, but caught nothing all night. ⁴ At dawn we saw a man standing on the beach but couldn't see who he was.

⁵ He called, "Any fish, boys?"

"No," we replied.

⁶ Then he said, "Throw out your net on the right-hand side of the boat, and you'll get plenty of them!" So we did, and couldn't draw in the net because of the weight of the fish, there were so many!

⁷ Then I said to Peter, "It is the Lord!" At that, Simon Peter put on his tunic (for he was stripped to the waist) and jumped into the water [and swam ashore]. ⁸ The rest of us stayed in the boat and pulled the loaded net to the beach, about 300 feet away. ⁹ When we got there, we saw that a fire was kindled and fish were frying over it, and there was bread.

¹⁰ "Bring some of the fish you've just caught," Jesus said. ¹¹ So Simon Peter went out and dragged the net ashore. By his count there were 153 large fish; and yet the net hadn't torn.

¹² "Now come and have some breakfast!" Jesus said; and none of us dared ask him if he really was the Lord, for we were quite sure of it. ¹³ Then Jesus went around serving us the bread and fish.

¹⁴ This was the third time Jesus had appeared to us since his return from the dead.

¹⁵ After breakfast Jesus said to Simon Peter, "Simon, son of John, do you love me more than these others?"ᵉ

"Yes," Peter replied, "You know I am your friend."

"Then feed my lambs," Jesus told him.

¹⁶ Jesus repeated the question: "Simon, son of John, do you *really* love me?"

"Yes, Lord," Peter said, "you know I am your friend."

"Then take care of my sheep," Jesus

el Señor.

¹⁷Pero a la tercera vez le preguntó:

—Simón, hijo de Jonás, ¿de veras me aprecias mucho?

Pedro se entristeció por la forma en que Jesús le formuló la tercera pregunta.

—Señor —le dijo—, tú conoces mi corazón. Tú sabes cuánto te aprecio.

—Entonces, alimenta a mis corderos.

¹⁸"Cuando eras joven podías hacer lo que te parecía e ir a donde querías; mas cuando seas viejo, estirarás los brazos y otros te conducirán y te llevarán a donde no quieras ir.

¹⁹Jesús dijo esto para dar a conocer el tipo de muerte con la que Pedro habría de glorificar a Dios. Y añadió:

—Sígueme.

²⁰Pedro se volvió entonces. Al ver que el discípulo que Jesús amaba, el que se había recostado junto al Señor durante la última cena para preguntarle quién lo habría de traicionar, lo seguía, ²¹le preguntó a Jesús:

—¿Y qué de éste, Señor? ¿De qué forma va a morir?

²²—Si quiero que él se quede hasta que yo regrese —le respondió Jesús—, ¿qué te importa? ¡Tú sígueme!

²³Por este motivo se corrió el rumor entre la hermandad de que aquel discípulo no moriría. Pero Jesús no dijo eso. El sólo dijo: "Si yo quiero que él se quede hasta que yo regrese, ¿qué te importa?"

²⁴¡Yo soy aquel discípulo! Yo presencié los acontecimientos que he narrado en este libro. Nosotros sabemos que todo cuanto he relatado es cierto.

²⁵Y creo que si lo demás hechos de la vida de Jesús se escribieran, en el mundo entero no cabrían los libros.

said.

¹⁷ Once more he asked him, "Simon, son of John, are you even my friend?"

Peter was grieved at the way Jesus asked the question this third time. "Lord, you know my heart; you know I am," he said.

Jesus said, "Then feed my little sheep. ¹⁸ When you were young, you were able to do as you liked and go wherever you wanted to; but when you are old, you will stretch out your hands and others will direct you and take you where you don't want to go." ¹⁹ Jesus said this to let him know what kind of death he would die to glorify God. Then Jesus told him, "Follow me."

²⁰ Peter turned around and saw the disciple Jesus loved following, the one who had leaned around at supper that time to ask Jesus, "Master, which of us will betray you?" ²¹ Peter asked Jesus, "What about him, Lord? What sort of death will he die?"ᵍ

²² Jesus replied, "If I want him to live until I return, what is that to you? *You* follow me."

²³ So the rumor spread among the brotherhood that that disciple wouldn't die! But that isn't what Jesus said at all! He only said, "If I want him to live until I come, what is that to you?"

²⁴ *I am that disciple!* I saw these events and have recorded them here. And we all know that my account of these things is accurate.

²⁵ And I suppose that if all the other events in Jesus' life were written, the whole world could hardly contain the books!

HECHOS / ACTS

1 AMIGO MÍO QUE amas a Dios:

En mi primera carta te hablé de la vida de Jesucristo, de sus enseñanzas, ²y de cómo regresó al cielo después de comunicar algunas instrucciones adicionales, a través del Espíritu Santo, a los apóstoles que había escogido.

³Durante los cuarenta días siguientes a su crucifixión, repetidas veces se presentó

1 DEAR FRIEND WHO loves God:

In my first letter I told you about Jesus' life and teachings and how he returned to heaven after giving his chosen apostles further instructions from the Holy Spirit. ³ During the forty days after his crucifixion he appeared to the apostles from time to

ante los apóstoles y les demostró hasta la saciedad la realidad de su presencia corporal. Y en todas las ocasiones les habló del reino de Dios.

⁴En uno de aquellos encuentros les pidió que no salieran de Jerusalén hasta que, tal como ya les había dicho, el Espíritu Santo descendiera sobre ellos en cumplimiento de la promesa del Padre.

⁵—Juan los bautizó con agua —les recordó—, pero dentro de pocos días serán bautizados con el Espíritu Santo.

⁶En otra ocasión los discípulos le preguntaron:

—Señor, ¿vas ahora a libertar a Israel de Roma y a restaurar la independencia de nuestra nación?

⁷—El Padre es el que señala esas fechas —les contestó—, y a ustedes no les corresponde saberlas. ⁸Sin embargo, cuando el Espíritu Santo descienda sobre ustedes, recibirán poder para proclamar con efectividad mi muerte y resurrección ante el pueblo de Jerusalén, en toda Judea, en Samaria y hasta lo último de la tierra.

⁹No mucho después ascendió al cielo y desapareció envuelto en una nube ante los ojos atónitos de sus discípulos.

¹⁰Mientras éstos seguían con la mirada fija en la figura que se perdía en las alturas, dos varones vestidos de blanco se pusieron junto a ellos.

¹¹—Varones galileos —les dijeron—, ¿por qué se han quedado mirando al cielo? Jesús se ha ido, sí, pero algún día regresará de la misma forma en que lo han visto ascender al cielo.

¹²Como estaban en el monte de los Olivos, tuvieron que caminar casi un kilómetro para regresar a Jerusalén. ¹³,¹⁴Allí, en el aposento alto de la casa en que vivían, celebraron un culto de oración. Estuvieron presentes Pedro, Juan, Santiago, Andrés, Felipe, Tomás, Bartolomé, Mateo, Santiago el hijo de Alfeo, Simón el Zelote, Judas el hijo de Santiago y los hermanos de Jesús, además de varias mujeres, entre las que se encontraba la madre de Jesús.

¹⁵La reunión se prolongó varios días. En una ocasión en que había ciento veinte

time, actually alive, and proved to them in many ways that it was really he himself they were seeing. And on these occasions he talked to them about the Kingdom of God.

⁴ In one of these meetings he told them not to leave Jerusalem until the Holy Spirit came upon them in fulfillment of the Father's promise, a matter he had previously discussed with them.

⁵ "John baptized you with water," he reminded them, "but you shall be baptized with the Holy Spirit in just a few days."

⁶ And another time when he appeared to them, they asked him, "Lord, are you going to free Israel [from Rome] now and restore us as an independent nation?"

⁷ "The Father sets those dates," he replied, "and they are not for you to know. ⁸ But when the Holy Spirit has come upon you, you will receive power to testify about me with great effect, to the people in Jerusalem, throughout Judea, in Samaria, and to the ends of the earth, about my death and resurrection."

⁹ It was not long afterwards that he rose into the sky and disappeared into a cloud, leaving them staring after him. ¹⁰ As they were straining their eyes for another glimpse, suddenly two white-robed men were standing there among them, ¹¹ and said, "Men of Galilee, why are you standing here staring at the sky? Jesus has gone away to heaven, and some day, just as he went, he will return!"

¹² They were at the Mount of Olives when this happened, so now they walked the half mile back to Jerusalem ¹³ and held a prayer meeting in an upstairs room of the house where they were staying.

¹⁴ Here is the list of those who were present at the meeting:

Peter,
John, James,
Andrew,
Philip, Thomas,
Bartholomew,
Matthew,
James (son of Alphaeus),
Simon (also called "The Zealot"),
Judas (son of James),
And the brothers of Jesus.
Several women, including Jesus' mother, were also there.

¹⁵ This prayer meeting went on for several days. During this time, on a day when about

personas presentes, Pedro se puso de pie y pronunció el siguiente discurso:

¹⁶—Hermanos, era necesario que se cumplieran las Escrituras en cuanto a Judas, el que sirvió de guía a la turba que apresó a Jesús, porque su traición la predijo hace mucho tiempo el Espíritu Santo por boca del rey David.

¹⁷"Judas era uno de nosotros, tan escogido para ser apóstol como lo somos nosotros; ¹⁸sin embargo, con el dinero que recibió en pago a su traición, compró un terreno en el que al precipitarse de cabeza, se le reventó el vientre y se le salieron las entrañas. ¹⁹La noticia de su muerte se corrió rápidamente entre los habitantes de Jerusalén, quienes bautizaron el lugar con el nombre de "Campo de Sangre".

²⁰"El rey David lo predijo así en el libro de los Salmos: "Quede desierta su casa y no haya quien more en ella". Y luego añade: "¡Que otro se encargue de su trabajo!"

²¹"Por lo tanto, tenemos que elegir a la persona que ocupará el puesto de Judas y se unirá a nosotros como testigo de la resurrección de Jesús. ²²Seleccionemos, pues, a alguien que haya estado con nosotros desde el momento mismo en que nos unimos al Señor, o sea, desde que Juan lo bautizó hasta que ascendió al cielo.

²³La asamblea postuló a José Justo (llamado también Barsabás) y a Matías.

²⁴,²⁵Luego oraron: "Señor, tú que conoces los corazones, muéstranos cuál de estos hombres has escogido para asumir el apostolado de Judas el traidor, quien ya está donde le corresponde estar".

²⁶Y a continuación echaron suertes y la suerte cayó sobre Matías. El nombre de Matías, pues, se sumó al de los once apóstoles.

2 SIETE SEMANAS DESPUÉS de la muerte y resurrección de Jesucristo llegó el día de Pentecostés.

Los creyentes que se reunieron aquel día ²escucharon de pronto en el cielo un estruendo semejante al de un vendaval, que hacía retumbar la casa en que estaban congregados. ³Acto seguido aparecieron llamas o lengüetas de fuego que se les fueron posando en la cabeza. ⁴Entonces cada uno de los presentes quedó lleno del Espíritu Santo y empezó a hablar en idio-

120 people were present, Peter stood up and addressed them as follows:

¹⁶ "Brothers, it was necessary for the Scriptures to come true concerning Judas, who betrayed Jesus by guiding the mob to him, for this was predicted long ago by the Holy Spirit, speaking through King David. ¹⁷ Judas was one of us, chosen to be an apostle just as we were. ¹⁸ He bought a field with the money he received for his treachery and falling headlong there, he burst open, spilling out his bowels. ¹⁹ The news of his death spread rapidly among all the people of Jerusalem, and they named the place 'The Field of Blood.' ²⁰ King David's prediction of this appears in the Book of Psalms, where he says, 'Let his home become desolate with no one living in it.' And again, 'Let his work be given to someone else to do.'

²¹,²² "So now we must choose someone else to take Judas' place and to join us as witnesses of Jesus' resurrection. Let us select someone who has been with us constantly from our first association with the Lord—from the time he was baptized by John until the day he was taken from us into heaven."

²³ The assembly nominated two men: Joseph Justus (also called Barsabbas) and Matthias. ²⁴,²⁵ Then they all prayed for the right man to be chosen. "O Lord," they said, "you know every heart; show us which of these men you have chosen as an apostle to replace Judas the traitor, who has gone on to his proper place."

²⁶ Then they drew straws, and in this manner Matthias was chosen and became an apostle with the other eleven.

2 SEVEN WEEKS HAD gone by since Jesus' death and resurrection, and the Day of Pentecost had now arrived. As the believers met together that day, ² suddenly there was a sound like the roaring of a mighty windstorm in the skies above them and it filled the house where they were meeting. ³ Then, what looked like flames or tongues of fire appeared and settled on their heads. ⁴ And everyone present was filled with the Holy Spirit and began speaking in lan-

mas que no conocía, pero que el Espíritu Santo le permitía articular.

⁵En aquellos días de celebraciones religiosas había en Jerusalén una gran cantidad de judíos piadosos de muchas nacionalidades diferentes. ⁶Al escuchar el estruendo que se producía sobre la casa, multitudes de personas corrieron a ver qué sucedía, y los extranjeros se quedaron pasmados al oír el idioma de sus respectivos países en boca de los discípulos.

⁷,⁸—¿Cómo es posible? —exclamaban—. ¡Estos hombres son galileos y sin embargo los escuchamos hablar en el idioma que se habla en los países en que hemos nacido! ⁹Entre nosotros hay gente de Partia, Media, Elam, Mesopotamia, Judea, Capadocia, Ponto, ¹⁰Frigia, Panfilia, Egipto, las regiones de Africa más allá de Cirene, Creta y Arabia, aparte de los judíos y conversos que han venido de Roma. ¹¹Sin embargo, cada cual los oye relatar en su propia lengua los grandes milagros de Dios.

¹²—¿Qué significará esto? —se preguntaban algunos, atónitos y perplejos.

¹³—¡Es que están borrachos! —les respondían otros en son de burla.

¹⁴Entonces Pedro se puso de pie con los once apóstoles y tomó la palabra:

—¡Escúchenme bien, visitantes y residentes de Jerusalén! Algunos de ustedes están diciendo que estos hombres están borrachos. ¹⁵No es cierto, no. ¡La gente no se emborracha a las nueve de la mañana! ¹⁶Ustedes han presenciado esta mañana lo que el profeta Joel predijo hace siglos:

¹⁷"En los postreros días, dijo Dios, derramaré mi Espíritu Santo sobre la humanidad, y sus hijos e hijas profetizarán, sus jóvenes verán visiones y sus viejos soñarán sueños. ¹⁸Sí, el Espíritu Santo vendrá sobre mis siervos y siervas, y ellos profetizarán. ¹⁹Y provocaré extrañas manifestaciones en el cielo y en la tierra en forma de sangre, fuego y nubes de humo; ²⁰el sol se pondrá negro y la luna adquirirá un color rojo sangre antes que llegue el pavoroso día del Señor. ²¹Pero todo aquel que le implore a Dios misericordia, se salvará.

²²,²³"¡Escúchenme, varones israelitas! Como ustedes bien saben, Dios respaldó a Jesús de Nazaret con los milagros prodigiosos que realizó a través de El. Pero, de acuerdo al plan que ya se tenía trazado,

guages they didn't know, for the Holy Spirit gave them this ability.

⁵ Many godly Jews were in Jerusalem that day for the religious celebrations, having arrived from many nations. ⁶ And when they heard the roaring in the sky above the house, crowds came running to see what it was all about, and were stunned to hear their own languages being spoken by the disciples.

⁷ "How can this be?" they exclaimed. "For these men are all from Galilee, ⁸ and yet we hear them speaking all the native languages of the lands where we were born! ⁹ Here we are—Parthians, Medes, Elamites, men from Mesopotamia, Judea, Cappadocia, Pontus, Ausia, ¹⁰ Phrygia, Pamphylia, Egypt, the Cyrene language areas of Libya, visitors from Rome—both Jews and Jewish converts— ¹¹ Cretans, and Arabians. And we all hear these men telling in our own languages about the mighty miracles of God!"

¹² They stood there amazed and perplexed. "What can this mean?" they asked each other.

¹³ But others in the crowd were mocking. "They're drunk, that's all!" they said.

¹⁴ Then Peter stepped forward with the eleven apostles, and shouted to the crowd, "Listen, all of you, visitors and residents of Jerusalem alike! ¹⁵ Some of you are saying these men are drunk! It isn't true! It's much too early for that! People don't get drunk by 9 A.M.! ¹⁶ No! What you see this morning was predicted centuries ago by the prophet Joel— ¹⁷ 'In the last days,' God said, 'I will pour out my Holy Spirit upon all mankind, and your sons and daughters shall prophesy, and your young men shall see visions, and your old men dream dreams. ¹⁸ Yes, the Holy Spirit shall come upon all my servants, men and women alike, and they shall prophesy. ¹⁹ And I will cause strange demonstrations in the heavens and on the earth—blood and fire and clouds of smoke; ²⁰ the sun shall turn black and the moon blood-red before that awesome Day of the Lord arrives. ²¹ But anyone who asks for mercy from the Lord shall have it and shall be saved.'

²² "O men of Israel, listen! God publicly endorsed Jesus of Nazareth by doing tremendous miracles through him, as you well know. ²³ But God, following his prear-

permitió primero que ustedes lo clavaran en la cruz y lo asesinaran por mediación del gobierno romano, ²⁴pero luego lo soltó de los horrores de la muerte y le devolvió la vida, porque la muerte no podía mantener clavadas en El sus garras perpetuamente.

²⁵"El rey David se expresó en nombre de Jesús de la siguiente manera:

Sé que el Señor está siempre conmigo y que me está ayudando. Su omnipotencia me sostiene. ²⁶Por eso tengo el corazón lleno de gozo y la lengua de alabanza. Sé que no me pasará nada al morir, ²⁷porque no dejarás mi alma en el infierno ni permitirás que el cuerpo de tu santo Hijo se pudra. ²⁸Al contrario, me llenarás de gozo en tu presencia.

²⁹"Amados hermanos, piensen. David no se refería a sí mismo al expresar las palabras que he citado, porque murió, lo enterraron y su tumba está todavía entre nosotros. ³⁰Pero, como profeta, sabía que Dios había prometido bajo juramento inquebrantable que un descendiente suyo sería el Mesías y se sentaría en el trono que ocupaba. ³¹Mirando, pues, al futuro, predijo la resurrección del Mesías, cuya alma no quedaría en el infierno y cuyo cuerpo no se corrompería.

³²"Al hacerlo, hablaba de Jesús, porque nosotros mismos somos testigos de que Jesús se levantó de la muerte, ³³y está ahora en el cielo sentado en un trono junto a Dios. Luego, tal como lo prometiera, el Padre envió al Espíritu Santo, lo cual trajo como resultado lo que ustedes han visto y escuchado.

³⁴"No, David, no hablaba de sí mismo, porque nunca había ascendido al cielo. Sin embargo añade: "Dios le habló a mi Señor, el Mesías, y le dijo: Siéntate aquí junto a mí ³⁵hasta que ponga a tus enemigos bajo completa sumisión".

³⁶"Por lo tanto, ciudadanos de Israel, declaro que Dios ha hecho Señor y Cristo al Jesús que ustedes crucificaron.

³⁷Aquellas palabras de Pedro los conmovieron tan profundamente que le dijeron a Pedro y a los demás apóstoles:

—Hermanos, ¿qué haremos?

³⁸—Cada uno de ustedes, arrepentido, tiene que darle la espalda al pecado —les

ranged plan, let you use the Roman government to nail him to the cross and murder him. ²⁴ Then God released him from the horrors of death and brought him back to life again, for death could not keep this man within its grip.

²⁵ "King David quoted Jesus as saying: 'I know the Lord is always with me. He is helping me. God's mighty power supports me.

²⁶ 'No wonder my heart is filled with joy and my tongue shouts his praises! For I know all will be well with me in death—

²⁷ 'You will not leave my soul in hell or let the body of your Holy Son decay.

²⁸ 'You will give me back my life, and give me wonderful joy in your presence.'

²⁹ "Dear brothers, think! David wasn't referring to himself when he spoke these words I have quoted, for he died and was buried, and his tomb is still here among us. ³⁰ But he was a prophet, and knew God had promised with an unbreakable oath that one of David's own descendants would [be the Messiah and] sit on David's throne. ³¹ David was looking far into the future and predicting the Messiah's resurrection, and saying that the Messiah's soul would not be left in hell and his body would not decay. ³² He was speaking of Jesus, and we all are witnesses that Jesus rose from the dead.

³³ "And now he sits on the throne of highest honor in heaven, next to God. And just as promised, the Father gave him the authority to send the Holy Spirit—with the results you are seeing and hearing today.

³⁴ "[No, David was not speaking of himself in these words of his I have quoted], for he never ascended into the skies. Moreover, he further stated, 'God spoke to my Lord, the Messiah, and said to him, Sit here in honor beside me ³⁵ until I bring your enemies into complete subjection.'

³⁶ "Therefore I clearly state to everyone in Israel that God has made this Jesus you crucified to be the Lord, the Messiah!"

³⁷ These words of Peter's moved them deeply, and they said to him and to the other apostles, "Brothers, what should we do?"

³⁸ And Peter replied, "Each one of you must turn from sin, return to God, and be

respondió Pedro—, regresar a Dios y bautizarse en el nombre de Jesucristo, si desea alcanzar el perdón de los pecados. Entonces recibirán también el don del Espíritu Santo, [39]porque Cristo prometió que lo recibiría cada uno de los que el Señor nuestro Dios llame, los hijos de éstos y aun los que viven en tierras lejanas.

[40]Entonces Pedro predicó un largo sermón acerca de Jesús y exhortó ardientemente a los oyentes a huir de las perversidades del mundo. [41]Los que creyeron sus palabras, unos tres mil en total, se bautizaron [42]y se unieron a los demás creyentes que se congregaban regularmente para escuchar las enseñanzas de los apóstoles y para participar en los servicios de comunión y oración. [43]Un profundo temor reverencial los dominaba; y los apóstoles seguían realizando milagros incontables.

[44,45]Los creyentes permanecían constantemente reunidos y compartían entre sí todas las cosas; a tal efecto, vendían sus propiedades y repartían el dinero entre los que estaban en necesidad. [46]Todos los días se reunían en el Templo; luego se reunían en pequeños grupos para celebrar la comunión en diferentes hogares, para compartir los alimentos con profundo regocijo y gratitud, [47]y para alabar a Dios. La ciudad entera simpatizaba con ellos, y todos los días el Señor añadía al grupo a los que habían de ser salvos.

3 EN CIERTA OCASIÓN Pedro y Juan fueron al Templo a participar en el servicio de oración de las tres de la tarde. [2]Al acercarse, vieron que por la calle traían a un lisiado de nacimiento y lo colocaban junto a la puerta del Templo llamada la Hermosa, tal como solían hacerlo todos los días.

[3,4]Cuando Pedro y Juan pasaron junto al lisiado, éste les pidió dinero. Los apóstoles lo miraron fijamente.

—¡Míranos! —le dijo Pedro.

[5]El lisiado los miró con ansiedad, esperando recibir una limosna.

[6]—No tenemos dinero que darte —continuó Pedro—. Pero te daremos otra cosa. ¡En el nombre de Jesucristo de Nazaret, te ordeno que camines!

[7]Entonces lo tomó de la mano y lo levantó. Al instante los pies y los tobillos se le sanaron y fortalecieron [8]a tal grado que

baptized in the name of Jesus Christ for the forgiveness of your sins; then you also shall receive this gift, the Holy Spirit. [39]For Christ promised him to each one of you who has been called by the Lord our God, and to your children and even to those in distant lands!"

[40]Then Peter preached a long sermon, telling about Jesus and strongly urging all his listeners to save themselves from the evils of their nation. [41]And those who believed Peter were baptized—about 3,000 in all! [42]They joined with the other believers in regular attendance at the apostles' teaching sessions and at the Communion services and prayer meetings. [43]A deep sense of awe was on them all, and the apostles did many miracles.

[44]And all the believers met together constantly and shared everything with each other, [45]selling their possessions and dividing with those in need. [46]They worshiped together regularly at the Temple each day, met in small groups in homes for Communion, and shared their meals with great joy and thankfulness, [47]praising God. The whole city was favorable to them, and each day God added to them all who were being saved.

3 PETER AND JOHN went to the Temple one afternoon to take part in the three o'clock daily prayer meeting. [2]As they approached the Temple, they saw a man lame from birth carried along the street and laid beside the Temple gate—the one called The Beautiful Gate—as was his custom every day. [3]As Peter and John were passing by, he asked them for some money.

[4]They looked at him intently, and then Peter said, "Look here!"

[5]The lame man looked at them eagerly, expecting a gift.

[6]But Peter said, "We don't have any money for you! But I'll give you something else! I command you in the name of Jesus Christ of Nazareth, *walk!*"

[7,8]Then Peter took the lame man by the hand and pulled him to his feet. And as he did, the man's feet and ankle-bones were

logró dar un salto, detenerse un instante y luego echar a andar. Más tarde entró al Templo con ellos, caminando, saltando y alabando a Dios.

⁹Cuando las personas que estaban dentro lo vieron caminando y alabando a Dios, ¹⁰reconocieron en él al lisiado que tan acostumbrados estaban a ver junto a la Hermosa y quedaron mudos de asombro. ¹¹Inmediatamente, atónitos, corrieron al portal de Salomón, donde el exlisiado tenía firmemente asidos a Pedro y a Juan. ¹²Y Pedro comprendió que era la oportunidad de dirigirles la palabra.

—Varones israelitas —les dijo—, ¿qué hay de sorprendente en esto? ¿Por qué nos miran como si hubiéramos hecho andar a este hombre mediante nuestro propio poder y piedad? ¹³El Dios de Abraham, de Isaac, de Jacob y de nuestros antepasados, a través de este milagro ha glorificado a su siervo Jesús, al Jesús que ustedes rechazaron delante de Pilato, a pesar de que éste estaba resuelto a ponerlo en libertad. ¹⁴No, ustedes no quisieron que libertaran al Santo y Justo; al contrario, demandaron la libertad de un asesino ¹⁵y mataron al autor de la vida. Pero Dios le devolvió la vida, de lo cual Juan y yo somos testigos, porque lo vimos con vida después que lo mataron.

¹⁶"Este hombre sanó en el nombre de Jesús, y ustedes saben cuán inválido estaba. La fe en el nombre de Jesús, fe que nos dio el Señor, logró la perfecta curación de este individuo.

¹⁷"Amados hermanos, comprendo que lo que ustedes le hicieron a Jesús lo hicieron en ignorancia, y lo mismo podría decirse de los dirigentes de ustedes, ¹⁸porque Dios estaba cumpliendo así las profecías acerca de los sufrimientos del Mesías. ¹⁹Arrepiéntanse, pues, cambien de actitud hacia Dios y vuélvanse a El para que El pueda limpiarles sus pecados; para que El les envíe desde su misma presencia tiempos de deleitoso refrigerio, ²⁰y para que les envíe de nuevo al Mesías, ²¹,²²quien ha de permanecer en el cielo hasta que todas las cosas queden libres de los efectos del pecado, como está profetizado desde tiempos remotos. Moisés, por ejemplo, hace siglos dijo: "Dios el Señor levantará entre ustedes un profeta parecido a mí. Presten esmerada atención a cuanto él les diga. ²³Quien no lo escuche será totalmente destruido". ²⁴Samuel y los

healed and strengthened so that he came up with a leap, stood there a moment and began walking! Then, walking, leaping, and praising God, he went into the Temple with them.

⁹ When the people inside saw him walking and heard him praising God, ¹⁰ and realized he was the lame beggar they had seen so often at The Beautiful Gate, they were inexpressibly surprised! ¹¹ They all rushed out to Solomon's Hall, where he was holding tightly to Peter and John! Everyone stood there awed by the wonderful thing that had happened.

¹² Peter saw his opportunity and addressed the crowd. "Men of Israel," he said, "what is so surprising about this? And why look at us as though we by our own power and godliness had made this man walk? ¹³ For it is the God of Abraham, Isaac, Jacob and of all our ancestors who has brought glory to his servant Jesus by doing this. I refer to the Jesus whom you rejected before Pilate, despite Pilate's determination to release him. ¹⁴ You didn't want him freed—this holy, righteous one. Instead you demanded the release of a murderer. ¹⁵ And you killed the Author of Life; but God brought him back to life again. And John and I are witnesses of this fact, for after you killed him we saw him alive!

¹⁶ "Jesus' name has healed this man —and you know how lame he was before. Faith in Jesus' name—faith given us from God—has caused this perfect healing.

¹⁷ "Dear brothers, I realize that what you did to Jesus was done in ignorance; and the same can be said of your leaders. ¹⁸ But God was fulfilling the prophecies that the Messiah must suffer all these things. ¹⁹ Now change your mind and attitude to God and turn to him so he can cleanse away your sins and send you wonderful times of refreshment from the presence of the Lord ²⁰ and send Jesus your Messiah back to you again. ²¹,²² For he must remain in heaven until the final recovery of all things from sin, as prophesied from ancient times. Moses, for instance, said long ago, 'The Lord God will raise up a Prophet among you, who will resemble me! Listen carefully to everything he tells you. ²³ Anyone who will not listen to him shall be utterly destroyed.'

²⁴ "Samuel and every prophet since have

profetas que le sucedieron hablaron de lo que está sucediendo hoy en día. ²⁵Ustedes son los hijos de aquellos profetas y están incluidos entre los beneficiarios de la promesa que Dios les hiciera a nuestros antepasados, de bendecir al mundo entero a través de la raza judía. Dios se lo prometió así a Abraham. ²⁶Y cuando Dios le devolvió la vida a su Siervo, lo envió primero a ustedes los israelitas, a fin de concederles la bendición de poder apartarse del pecado.

4 MIENTRAS HABLABAN AL pueblo, los principales sacerdotes, el jefe de la guardia del Templo y varios de los saduceos se presentaron ante ellos. ²Enojados porque Pedro y Juan estaban proclamando que Jesús se había levantado de entre los muertos, ³los arrestaron y los mantuvieron presos hasta el día siguiente. ⁴Pero a pesar de todo, muchos de los que oyeron el mensaje lo creyeron, y el número de los creyentes se elevó a cinco mil hombres.

⁵Al siguiente día se reunió en Jerusalén el concilio de dirigentes judíos. ⁶Entre los presentes se encontraba Ananías el sumo sacerdote, Caifás, Juan, Alejandro y todos los miembros de la familia pontifical.

⁷Cuando los dos discípulos comparecieron ante ellos, les preguntaron:

—¿Quién les ha dado potestad o autoridad para hacer esto?

⁸Entonces Pedro, lleno del Espíritu Santo, les respondió:

—Distinguidos dirigentes y ancianos de nuestra patria: ⁹Si se refieren al bien que le hicimos al lisiado y si desean saber cómo fue sanado, ¹⁰permítanme declarar ante ustedes y ante todo el pueblo de Israel que este hombre recibió la salud en el nombre y mediante el poder de Jesús de Nazaret, el Mesías, el hombre que ustedes crucificaron pero que Dios resucitó. Gracias a El este hombre está hoy aquí sano.

¹¹Jesús, el Mesías, es el que las Escrituras llaman "la piedra que rechazaron los edificadores, que se convirtió en cabeza de ángulo". ¹²¡En ningún otro hay salvación! No hay otro nombre bajo el cielo que los hombres puedan invocar para salvarse.

¹³Ante la osadía de Pedro y Juan, quienes a todas luces carecían de instrucción profesional, los miembros del concilio se maravillaban y comprendían el alcance de la obra que Jesús había realizado en

all spoken about what is going on today. ²⁵You are the children of those prophets; and you are included in God's promise to your ancestors to bless the entire world through the Jewish race—that is the promise God gave to Abraham. ²⁶And as soon as God had brought his servant to life again, he sent him first of all to you men of Israel, to bless you by turning you back from your sins."

4 WHILE THEY WERE talking to the people, the chief priests, the captain of the Temple police, and some of the Sadducees came over to them, ²very disturbed that Peter and John were claiming that Jesus had risen from the dead. ³They arrested them and since it was already evening, jailed them overnight. ⁴But many of the people who heard their message believed it, so that the number of believers now reached a new high of about 5,000 men!

⁵The next day it happened that the Council of all the Jewish leaders was in session in Jerusalem— ⁶Annas the High Priest was there, and Caiaphas, John, Alexander, and others of the High Priest's relatives. ⁷So the two disciples were brought in before them.

"By what power, or by whose authority have you done this?" the Council demanded.

⁸Then Peter, filled with the Holy Spirit, said to them, "Honorable leaders and elders of our nation, ⁹if you mean the good deed done to the cripple, and how he was healed, ¹⁰let me clearly state to you and to all the people of Israel that it was done in the name and power of Jesus from Nazareth, the Messiah, the man you crucified—but God raised back to life again. It is by his authority that this man stands here healed! ¹¹For Jesus the Messiah is (the one referred to in the Scriptures when they speak of) a 'stone discarded by the builders which became the capstone of the arch.' ¹²There is salvation in no one else! Under all heaven there is no other name for men to call upon to save them."

¹³When the Council saw the boldness of Peter and John, and could see that they were obviously uneducated non-professionals, they were amazed and realized what being with Jesus had done for them! ¹⁴And

ellos. [14]Y no podían negar la curación de aquel hombre que estaba allí mismo de pie junto a ellos. [15]Les ordenaron entonces que salieran de la reunión y continuaron discutiendo el caso.

[16]—¿Qué vamos a hacer con estos hombres? —se preguntaban—. No podemos negar que han realizado un gran milagro, porque ya toda Jerusalén está enterada. [17]Pero quizás podamos evitar que lo sigan divulgando. Digámosles que si este hecho se repite, haremos caer sobre ellos el peso de la ley.

[18]Los llamaron, pues, y les ordenaron que no volvieran a hablar de Jesús. [19]Mas Pedro y Juan respondieron:

—Díganos, ¿preferirá Dios que los obedezcamos a ustedes antes que a El? [20]No podemos dejar de hablar de las maravillas que vimos realizar y que escuchamos junto a Jesús.

[21]Entonces los volvieron a amenazar, pero luego los soltaron. No hallaban la manera de castigarlos sin suscitar desórdenes, pues no había quien no estuviera alabando a Dios por el portentoso milagro [22]de sanar a un hombre que había estado tullido cuarenta años.

[23]Una vez libres, Pedro y Juan fueron en busca de los demás discípulos y les contaron lo que el concilio les había dicho. [24]Entonces los creyentes, unánimemente, oraron así: "Soberano Señor, creador del cielo, de la tierra, del mar y de cuanto en ellos existe: [25]Hace mucho tiempo el Espíritu Santo se expresó a través del rey David, tu siervo, de esta manera:

¿Por qué braman los paganos contra el Señor y por qué hablan en vano las naciones contra el omnipotente Dios? [26]Los reyes de la tierra se unieron para pelear contra El, contra el ungido Hijo de Dios.

[27]Eso es exactamente lo que está sucediendo en esta ciudad. Porque el rey Herodes, el gobernador Poncio Pilato y los demás romanos, así como el pueblo de Israel, están unidos contra Jesús, tu ungido, tu santo siervo, [28]y no vacilarán en hacer cuanto tú en tu sabiduría infinita les permitas.

[29,30]Ahora, oh Señor, mira sus amenazas y concede a tus siervos denuedo al predicar; y envía tu poder sanador para que

the Council could hardly discredit the healing when the man they had healed was standing right there beside them! [15] So they sent them out of the Council chamber and conferred among themselves.

[16] "What shall we do with these men?" they asked each other. "We can't deny that they have done a tremendous miracle, and everybody in Jerusalem knows about it. [17] But perhaps we can stop them from spreading their propaganda. We'll tell them that if they do it again we'll really throw the book at them." [18] So they called them back in, and told them never again to speak about Jesus.

[19] But Peter and John replied, "You decide whether God wants us to obey you instead of him! [20] We cannot stop telling about the wonderful things we saw Jesus do and heard him say."

[21] The Council then threatened them further, and finally let them go because they didn't know how to punish them without starting a riot. For everyone was praising God for this wonderful miracle— [22] the healing of a man who had been lame for forty years.

[23] As soon as they were freed, Peter and John found the other disciples and told them what the Council had said.

[24] Then all the believers united in this prayer:

"O Lord, Creator of heaven and earth and of the sea and everything in them— [25,26] you spoke long ago by the Holy Spirit through our ancestor King David, your servant, saying, 'Why do the heathen rage against the Lord, and the foolish nations plan their little plots against Almighty God? The kings of the earth unite to fight against him, and against the anointed Son of God!'

[27] "That is what is happening here in this city today! For Herod the king, and Pontius Pilate the governor, and all the Romans—as well as the people of Israel—are united against Jesus, your anointed Son, your holy servant. [28] They won't stop at anything that you in your wise power will let them do. [29] And now, O Lord, hear their threats, and grant to your servants great boldness in their preaching, [30] and send your

muchos milagros y maravillas se realicen en el nombre de tu santo siervo Jesucristo".

³¹Después de esta oración, el edificio donde estaban reunidos se estremeció y quedaron llenos del Espíritu Santo, y se entregaron a predicar con arrojo el mensaje de Dios. ³²Unidos enteramente en alma y corazón, ninguno tenía por suyo lo que poseía, sino que lo compartía con los demás. ³³Los sermones que predicaban los apóstoles acerca de la resurrección del Señor eran poderosísimos, y el compañerismo que había era tan cálido ³⁴,³⁵que no existía entre ellos la pobreza, porque los dueños de haciendas o casas las vendían y entregaban el dinero a los apóstoles para repartirlo entre los necesitados. ³⁶Lo hizo así, por ejemplo, José, el que los apóstoles apodaron Bernabé el predicador, miembro de la tribu de Leví y natural de la isla de Chipre, ³⁷que vendió un terreno que poseía y llevó el dinero para que los apóstoles lo distribuyeran entre los necesitados.

5 PERO SE DIO el caso de un hombre llamado Ananías, esposo de Safira, que vendió cierta propiedad ²y, haciéndose el que entregaba el importe total de la venta, entregó a los apóstoles sólo una parte del dinero. Su esposa, desde luego, estaba enterada de todo.

³—Ananías —lo reprendió Pedro—, ¿por qué has permitido que Satanás te llene el corazón? ¿Por qué dices que éste es el importe total de la venta? Le estás mintiendo al Espíritu Santo. ⁴¿Acaso no era tuya esa propiedad? ¿No podías hacer de ella lo que te viniera en gana? ¿Acaso no tenías el derecho de decidir la cantidad que ibas a ofrendar? ¿Por qué lo has hecho, dime? No nos has mentido a nosotros, sino a Dios.

⁵Al escuchar estas palabras, Ananías cayó al suelo y murió, y un gran temor se apoderó de los presentes. ⁶Los jóvenes cubrieron entonces el cadáver con una sábana y salieron a enterrarlo.

⁷Como tres horas más tarde, llegó la esposa, sin saber lo ocurrido.

⁸—¿Vendiste el terreno en tal precio? —le preguntó Pedro.

Sí —respondió.

⁹—¿Cómo se les ocurrió hacer tal cosa? —le dijo Pedro—. ¿Es que acaso no creen

healing power, and may miracles and wonders be done by the name of your holy servant Jesus."

³¹ After this prayer, the building where they were meeting shook and they were all filled with the Holy Spirit and boldly preached God's message.

³² All the believers were of one heart and mind, and no one felt that what he owned was his own; everyone was sharing. ³³ And the apostles preached powerful sermons about the resurrection of the Lord Jesus, and there was warm fellowship among all the believers, ³⁴,³⁵ and no poverty—for all who owned land or houses sold them and brought the money to the apostles to give to others in need.

³⁶ For instance, there was Joseph (the one the apostles nicknamed "Barny the Preacher"! He was of the tribe of Levi, from the island of Cyprus). ³⁷ He was one of those who sold a field he owned and brought the money to the apostles for distribution to those in need.

5 BUT THERE WAS a man named Ananias (with his wife Sapphira) who sold some property, ² and brought only part of the money, claiming it was the full price. (His wife had agreed to this deception.)

³ But Peter said, "Ananias, Satan has filled your heart. When you claimed this was the full price, you were lying to the Holy Spirit. ⁴ The property was yours to sell or not, as you wished. And after selling it, it was yours to decide how much to give. How could you do a thing like this? You weren't lying to us, but to God."

⁵ As soon as Ananias heard these words, he fell to the floor, dead! Everyone was terrified, ⁶ and the younger men covered him with a sheet and took him out and buried him.

⁷ About three hours later his wife came in, not knowing what had happened. ⁸ Peter asked her, "Did you people sell your land for such and such a price?"

"Yes," she replied, "we did."

⁹ And Peter said, "How could you and your husband even think of doing a thing

que es demasiado atrevimiento poner a prueba la capacidad del Espíritu Santo para conocer la realidad de los hechos? Tras de esa puerta están los jóvenes que acaban de enterrar a tu esposo y te sacarán también a ti.

[10] Instantáneamente cayó al suelo muerta. Los jóvenes entraron y, al verla muerta, la sacaron y la enterraron junto a su esposo. [11] En vista de lo ocurrido, un gran terror se apoderó de la iglesia y las personas que presenciaron los hechos.

[12] Los apóstoles siguieron reuniéndose regularmente en el portal de Salomón, y realizando milagros extraordinarios entre el pueblo. [13] Aunque los demás creyentes no se atrevían a unírseles, a pesar del alto aprecio que les tenían, [14] el número de hombres y mujeres que creían en el Señor aumentaba constantemente. [15] La gente colocaba a los enfermos en las calles en camas y en lechos para que la sombra de Pedro los tocara aunque fuera al pasar. [16] Grandes multitudes acudían de los suburbios de Jerusalén trayendo enfermos y endemoniados, los cuales sanaban.

[17] El sumo sacerdote y sus colegas de la secta de los saduceos reaccionaron con violento celo, [18] y arrestaron a los apóstoles y los metieron en la cárcel. [19] Mas un ángel del Señor abrió de noche las puertas de la cárcel y los sacó de allí.

[20] —Vayan al Templo y prediquen acerca de la Vida —les ordenó el ángel.

[21] Llegaron, pues, al Templo al rayar el día, e inmediatamente se pusieron a predicar.

Aquella misma mañana el sumo sacerdote llegó al Templo acompañado de su corte y, tras reunir al concilio judío y la junta de ancianos, ordenó que trajeran a los apóstoles para someterlos a juicio. [22] Pero cuando los policías llegaron a la cárcel, no los encontraron allí y regresaron a notificarlo.

[23] —Las puertas de la cárcel estaban cerradas —dijeron— y los guardias estaban fuera, pero al abrir la puerta no encontramos a nadie.

[24] Después de escuchar esto, el jefe de la guardia y los principales sacerdotes, enfurecidos, se preguntaban qué ocurriría luego y a dónde iría a parar todo aquello. [25] En ese preciso instante llegaban con la noticia de que los prisioneros estaban en el Templo

like this—conspiring together to test the Spirit of God's ability to know what is going on? Just outside that door are the young men who buried your husband, and they will carry you out too."

[10] Instantly she fell to the floor, dead, and the young men came in and, seeing that she was dead, carried her out and buried her beside her husband. [11] Terror gripped the entire church and all others who heard what had happened.

[12] Meanwhile, the apostles were meeting regularly at the Temple in the area known as Solomon's Hall, and they did many remarkable miracles among the people. [13] The other believers didn't dare join them, though, but all had the highest regard for them. [14] And more and more believers were added to the Lord, crowds both of men and women. [15] Sick people were brought out into the streets on beds and mats so that at least Peter's shadow would fall across some of them as he went by! [16] And crowds came in from the Jerusalem suburbs, bringing their sick folk and those possessed by demons; and every one of them was healed.

[17] The High Priest and his relatives and friends among the Sadducees reacted with violent jealousy [18] and arrested the apostles, and put them in the public jail.

[19] But an angel of the Lord came at night, opened the gates of the jail and brought them out. Then he told them, [20] "Go over to the Temple and preach about this Life!"

[21] They arrived at the Temple about daybreak, and immediately began preaching! Later that morning the High Priest and his courtiers arrived at the Temple, and, convening the Jewish Council and the entire Senate, they sent for the apostles to be brought for trial. [22] But when the police arrived at the jail, the men weren't there, so they returned to the Council and reported, [23] "The jail doors were locked, and the guards were standing outside, but when we opened the gates, no one was there!"

[24] When the police captain and the chief priests heard this, they were frantic, wondering what would happen next and where all this would end! [25] Then someone arrived with the news that the men they had jailed were out in the Temple, preaching to the

predicándole al pueblo y, ²⁶sin pérdida de tiempo, el jefe de la guarnición corrió con los alguaciles a arrestarlos. Poco después, tratando por todos los medios de evitar la violencia por temor a que el pueblo los matara si maltrataban a los discípulos, ²⁷los condujeron ante el concilio. Entonces el sumo sacerdote demandó:

²⁸—¿No les habíamos prohibido que volvieran a predicar acerca de Jesús? Ustedes han llenado a Jerusalén de sus enseñanzas y tratan de descargar en nosotros la culpa de la muerte de ese hombre.

²⁹—Tenemos que obedecer a Dios antes que a los hombres —respondieron Pedro y los apóstoles—. ³⁰El Dios de nuestros antepasados resucitó a Jesús, el que ustedes mataron, colgándolo en una cruz. ³¹Luego, con su gran poder, lo exaltó a Príncipe y Salvador, para que el pueblo de Israel tuviera la oportunidad de arrepentirse y alcanzar el perdón de sus pecados. ³²Nosotros somos testigos de ese milagro, y testigo es también el Espíritu Santo que Dios ha concedido a los que lo obedecen.

³³Entonces el concilio, rabiando de furia, decidió matarlos. ³⁴Pero uno de sus miembros, un fariseo llamado Gamaliel, experto en cuestiones de leyes religiosas y muy popular entre el pueblo, pidió la palabra y solicitó que sacaran a los apóstoles del salón para que no escucharan lo que iba a decir. ³⁵A continuación se dirigió a sus colegas con las siguientes palabras:

—Varones de Israel, mediten bien lo que van a hacer con estos hombres. ³⁶Hace algún tiempo se levantó con sueños de grandeza un tal Teudas, al que se le unieron unas cuatrocientas personas; pero murió asesinado y los seguidores se dispersaron sin provocar mayores dolores de cabeza. ³⁷Después de éste, durante los días del censo, surgió Judas de Galilea, quien logró que muchas personas se hicieran discípulos suyos; pero también murió y sus seguidores se dispersaron. ³⁸Por lo tanto, recomiendo que dejen tranquilos a estos hombres. Si lo que enseñan y hacen obedece a impulsos personales, pronto se desvanecerá. ³⁹Mas si es de Dios, ustedes no podrán detenerlos. ¡Quién quita que, si lo intentan, un día descubran que han estado peleando contra Dios!

⁴⁰El concilio aceptó la recomendación, llamó a los apóstoles y, después de azotar-

people!

²⁶,²⁷ The police captain went with his officers and arrested them (without violence, for they were afraid the people would kill them if they roughed up the disciples) and brought them in before the Council.

²⁸ "Didn't we tell you never again to preach about this Jesus?" the High Priest demanded. "And instead you have filled all Jerusalem with your teaching and intend to bring the blame for this man's death on us!"

²⁹ But Peter and the apostles replied, "We must obey God rather than men. ³⁰ The God of our ancestors brought Jesus back to life again after you had killed him by hanging him on a cross. ³¹ Then, with mighty power, God exalted him to be a Prince and Savior, so that the people of Israel would have an opportunity for repentance, and for their sins to be forgiven. ³² And we are witnesses of these things, and so is the Holy Spirit, who is given by God to all who obey him."

³³ At this, the Council was furious, and decided to kill them. ³⁴ But one of their members, a Pharisee named Gamaliel (an expert on religious law and very popular with the people), stood up and requested that the apostles be sent outside the Council chamber while he talked.

³⁵ Then he addressed his colleagues as follows:

"Men of Israel, take care what you are planning to do to these men! ³⁶ Some time ago there was that fellow Theudas, who pretended to be someone great. About 400 others joined him, but he was killed, and his followers were harmlessly dispersed.

³⁷ "After him, at the time of the taxation, there was Judas of Galilee. He drew away some people as disciples, but he also died, and his followers scattered.

³⁸ "And so my advice is, leave these men alone. If what they teach and do is merely on their own, it will soon be overthrown. ³⁹ But if it is of God, you will not be able to stop them, lest you find yourselves fighting even against God."

⁴⁰ The Council accepted his advice, called in the apostles, had them beaten, and

los, les exigieron que no volvieran a hablar en el nombre de Jesús. Finalmente, los pusieron en libertad.

⁴¹Al salir del concilio, los discípulos iban gozosos de haber sido tenidos por dignos de sufrir ultrajes por la causa de Cristo. ⁴²Y siguieron enseñando y predicando todos los días, en el Templo y de casa en casa, que Jesús era el Mesías.

6 PERO CON LA rápida multiplicación de los creyentes, aparecieron nubes de descontento. Los que sólo hablaban griego se quejaban de que sus viudas sufrían discriminación y de que, en la distribución diaria de los alimentos, no recibían la misma cantidad que las viudas de los que hablaban hebreo.

²Entonces los doce convocaron a los creyentes a una reunión.

—Nosotros, los apóstoles, debemos dedicarnos a predicar y no a administrar el programa de alimentación —dijeron—. ³Por lo tanto, amados hermanos, seleccionen de entre ustedes a siete hombres sabios, llenos del Espíritu Santo y que gocen de buena reputación, y pongámoslos al frente de este trabajo. ⁴Así podremos nosotros dedicarnos a orar, predicar y enseñar.

⁵La asamblea en pleno aprobó la recomendación y eligieron a Esteban, varón extraordinario, lleno de fe y del Espíritu Santo, y también a Felipe, Prócoro, Nicanor, Timón, Parmenas y Nicolás de Antioquía (gentil que primero aceptó la fe judía y después se convirtió al cristianismo).

⁶Presentaron entonces a estos siete ante los apóstoles, quienes oraron por ellos y los bendijeron, poniéndoles las manos encima.

⁷La predicación del mensaje de Dios alcanzaba círculos cada vez más amplios, y el número de los discípulos aumentaba enormemente en Jerusalén, donde muchos de los sacerdotes judíos llegaron a convertirse.

⁸Esteban, lleno de fe y del Espíritu Santo, realizaba milagros asombrosos entre el pueblo. ⁹Pero un día varios miembros de la congregación judía llamada "los Libertos" se pusieron a discutir con él. Pronto se les unieron en contra de Esteban varios judíos de Cirene, de Alejandría, de la provincia turca de Cilicia y de Asia. ¹⁰Pero

then told them never again to speak in the name of Jesus, and finally let them go. ⁴¹ They left the Council chamber rejoicing that God had counted them worthy to suffer dishonor for his name. ⁴² And every day, in the Temple and in their home Bible classes, they continued to teach and preach that Jesus is the Messiah.

6 BUT WITH THE believers multiplying rapidly, there were rumblings of discontent. Those who spoke only Greek complained that their widows were being discriminated against, that they were not being given as much food, in the daily distribution, as the widows who spoke Hebrew. ² So the Twelve called a meeting of all the believers.

"We should spend our time preaching, not administering a feeding program," they said ³ "Now look around among yourselves, dear brothers, and select seven men, wise and full of the Holy Spirit, who are well thought of by everyone; and we will put them in charge of this business. ⁴ Then we can spend our time in prayer, preaching, and teaching."

⁵ This sounded reasonable to the whole assembly, and they elected the following:
Stephen (a man unusually full of faith and the Holy Spirit),
Philip,
Prochorus,
Nicanor,
Timon,
Parmenas,
Nicolaus of Antioch (a Gentile convert to the Jewish faith, who had become a Christian).

⁶ These seven were presented to the apostles, who prayed for them and laid their hands on them in blessing.

⁷ God's message was preached in ever-widening circles, and the number of disciples increased vastly in Jerusalem; and many of the Jewish priests were converted too. ⁸ Stephen, the man so full of faith and the Holy Spirit's power, did spectacular miracles among the people.

⁹ But one day some of the men from the Jewish cult of "The Freedmen" started an argument with him, and they were soon joined by Jews from Cyrene, Alexandria in Egypt, and the Turkish provinces of Cilicia,

como no podían resistir la sabiduría ni el Espíritu que tenía Esteban, ¹¹contrataron a testigos falsos para que dijeran que lo habían escuchado blasfemar contra Moisés y aun contra Dios.

¹²Tal acusación encendió los ánimos del pueblo contra Esteban, y los dirigentes judíos lo arrestaron y lo presentaron ante el concilio. ¹³Allí, una vez más, los falsos testigos afirmaron que Esteban no cesaba de hablar contra el Templo y la ley de Moisés.

¹⁴—Le oímos decir —declararon— que Jesús de Nazaret destruirá el Templo y proscribirá las leyes de Moisés.

¹⁵Entonces los presentes en el salón del concilio vieron que el rostro de Esteban se volvía radiante como el de un ángel.

7 —¿SON CIERTAS ESTAS acusaciones? —le preguntó el sumo sacerdote.

²Entonces Esteban formuló su larga respuesta:

—El Dios de la gloria se le apareció a nuestro antepasado Abraham en Irak antes de que éste se trasladara a Siria, ³y le pidió que saliera de su tierra natal, se despidiera de sus familiares y emprendiera viaje hacia una tierra a la que lo conduciría.

⁴"Salió entonces Abraham de la tierra de los caldeos y vivió en Harán, Siria, hasta la muerte de su padre. Al producirse ésta, Dios lo condujo hasta la tierra de Israel, ⁵pero no le concedió que poseyera en ella ni el más mínimo pedazo de terreno. En cambio, le prometió que a su debido tiempo él y sus descendientes poseerían todo aquel país. ¡Y Abraham no tenía hijos! ⁶Sin embargo, Dios le dijo además que sus descendientes saldrían del país rumbo a una tierra extraña, donde pasarían cuatrocientos años sometidos a esclavitud. ⁷"Pero yo castigaré a la nación que los esclavice", añadió Dios, "y mi pueblo regresará a Palestina y me adorará allí".

⁸"Para que sirviera como evidencia de su pacto con el pueblo de Abraham, Dios instituyó la ceremonia de la circuncisión. E Isaac, el hijo de Abraham, fue circuncidado a los ocho días de nacido. Isaac fue el padre de Jacob y Jacob fue el padre de los doce patriarcas de la nación judía.

⁹"Estos últimos, encendidos de envidia, vendieron a José como esclavo a Egipto. Pero Dios, que estaba con él, ¹⁰lo libró de

and Ausia. ¹⁰ But none of them were able to stand against Stephen's wisdom and spirit.

¹¹ So they brought in some men to lie about him, claiming they had heard Stephen curse Moses, and even God.

¹² This accusation roused the crowds to fury against Stephen, and the Jewish leaders arrested him and brought him before the Council. ¹³ The lying witnesses testified again that Stephen was constantly speaking against the Temple and against the laws of Moses.

¹⁴ They declared, "We have heard him say that this fellow Jesus of Nazareth will destroy the Temple, and throw out all of Moses' laws." ¹⁵ At this point everyone in the Council chamber saw Stephen's face become as radiant as an angel's!

7 THEN THE HIGH Priest asked him, "Are these accusations true?"

² This was Stephen's lengthy reply: "The glorious God appeared to our ancestor Abraham in Iraq before he moved to Syria, ³ and told him to leave his native land, to say good-bye to his relatives and to start out for a country that God would direct him to. ⁴ So he left the land of the Chaldeans and lived in Haran, in Syria, until his father died. Then God brought him here to the land of Israel, ⁵ but gave him no property of his own, not one little tract of land.

"However, God promised that eventually the whole country would belong to him and his descendants—though as yet he had no children! ⁶ But God also told him that these descendants of his would leave the land and live in a foreign country and there become slaves for 400 years. ⁷ 'But I will punish the nation that enslaves them,' God told him, 'and afterwards my people will return to this land of Israel and worship me here.'

⁸ "God also gave Abraham the ceremony of circumcision at that time, as evidence of the covenant between God and the people of Abraham. And so Isaac, Abraham's son, was circumcised when he was eight days old. Isaac became the father of Jacob, and Jacob was the father of the twelve patriarchs of the Jewish nation. ⁹ These men were very jealous of Joseph and sold him to be a slave in Egypt. But God was with him, ¹⁰ and delivered him out of

angustias y le concedió el favor del faraón, rey de Egipto. Además, lo dotó de una sabiduría tan extraordinaria que el faraón lo nombró gobernador de todo el Egipto, además de encargado de los asuntos palaciegos.

¹¹"Hubo entonces hambre en Egipto y Canaán, para aflicción de nuestros antepasados. Cuando se les estaban terminando los alimentos, ¹²Jacob se enteró de que todavía en Egipto había trigo, y envió a sus hijos a comprar el que necesitaban.

¹³"En el segundo viaje que los hijos de Jacob hicieron a Egipto, José se dio a conocer a sus hermanos, y se los presentó al faraón. ¹⁴Luego mandó traer a su padre Jacob y a las familias de sus hermanos, setenta y cinco personas en total.

¹⁵"A medida que fueron muriendo en Egipto Jacob y sus hijos, ¹⁶fueron transportando sus cadáveres a Siquem para enterrarlos en la tumba que Abraham les había comprado a los hijos de Hamor, padre de Siquem. ¹⁷Y pasó el tiempo. Cuando se acercaba el día en que Dios cumpliría la promesa que le hiciera a Abraham de arrancar a sus descendientes de las garras de la esclavitud, ya el pueblo judío se había multiplicado enormemente en Egipto. ¹⁸Ocupó entonces el trono de Egipto un rey que no le guardaba respeto a la memoria de José. ¹⁹Dicho rey se puso en contra de nuestro pueblo y obligó a los padres a abandonar a sus hijos a la intemperie.

²⁰"Bajo esas circunstancias nació Moisés, niño de divina hermosura. Sus padres lo escondieron en la casa tres meses. ²¹Cuando ya no pudieron seguir escondiéndolo y se vieron obligados a abandonarlo, la hija del faraón lo encontró, lo adoptó ²²y le enseñó la sabiduría de los egipcios, hasta convertirlo en príncipe poderoso y gran orador.

²³"Un día, estando a punto de cumplir los cuarenta años de edad, se le ocurrió a Moisés visitar a sus hermanos, los israelitas. ²⁴Durante la visita, al ver que un egipcio maltrataba a un israelita, Moisés mató al egipcio.

²⁵"Moisés pensaba que sus hermanos comprenderían que Dios lo había enviado para ayudarlos, pero no fue así. ²⁶Al siguiente día volvió a visitarlos y al ver que dos israelitas peleaban, corrió a separarlos. "Caballeros", les dijo, "los hermanos no

all of his anguish, and gave him favor before Pharaoh, king of Egypt. God also gave Joseph unusual wisdom, so that Pharaoh appointed him governor over all Egypt, as well as putting him in charge of all the affairs of the palace.

¹¹ "But a famine developed in Egypt and Canaan and there was great misery for our ancestors. When their food was gone, ¹² Jacob heard that there was still grain in Egypt, so he sent his sons to buy some. ¹³ The second time they went, Joseph revealed his identity to his brothers, and they were introduced to Pharaoh. ¹⁴ Then Joseph sent for his father Jacob and all his brothers' families to come to Egypt, seventy-five persons in all. ¹⁵ So Jacob came to Egypt, where he died, and all his sons. ¹⁶ All of them were taken to Shechem and buried in the tomb Abraham bought from the sons of Hamor, Shechem's father.

¹⁷,¹⁸ "As the time drew near when God would fulfill his promise to Abraham to free his descendants from slavery, the Jewish people greatly multiplied in Egypt; but then a king was crowned who had no respect for Joseph's memory. ¹⁹ This king plotted against our race, forcing parents to abandon their children in the fields.

²⁰ "About that time Moses was born—a child of divine beauty. His parents hid him at home for three months, ²¹ and when at last they could no longer keep him hidden, and had to abandon him, Pharaoh's daughter found him and adopted him as her own son, ²² and taught him all the wisdom of the Egyptians, and he became a mighty prince and orator.

²³ "One day as he was nearing his fortieth birthday, it came into his mind to visit his brothers, the people of Israel. ²⁴ During this visit he saw an Egyptian mistreating a man of Israel. So Moses killed the Egyptian. ²⁵ Moses supposed his brothers would realize that God had sent him to help them, but they didn't.

²⁶ "The next day he visited them again and saw two men of Israel fighting. He tried to be a peacemaker. 'Gentlemen,' he said, 'you are brothers and shouldn't be fighting

deben pelear. ¡No es correcto que lo hagan!" ²⁷"¿Quién te ha puesto de gobernante o juez?", le dijo uno de los dos, el que estaba maltratando al otro. ²⁸"¿O es que piensas matarme como mataste ayer al egipcio?"

²⁹"Al escuchar aquello, Moisés huyó del país y se fue a vivir a la tierra de Madián, donde le nacieron dos hijos.

³⁰"Cuarenta años más tarde, en el desierto del monte Sinaí, un ángel se le apareció en la llama de una zarza que ardía. ³¹Al ver aquel fuego, Moisés, maravillado, se acercó para verla de cerca, y al acercarse, la voz del Señor le dijo: ³²"Yo soy el Dios de tus padres, Abraham, Isaac y Jacob".

"Moisés, aterrorizado, no se atrevía ni a mirar. ³³El Señor añadió: "Quítate los zapatos, porque estás sobre tierra santa. ³⁴He visto los sufrimientos que pasa mi pueblo en Egipto y he escuchado sus clamores. He venido a libertarlos. Ven, te enviaré a Egipto".

³⁵"Y lo envió de regreso al pueblo que lo había rechazado diciendo: "¿Quién te ha puesto de gobernante o juez?" Dios lo enviaba a aquel mismo pueblo como gobernante y libertador.

³⁶"Por medio de innumerables y portentosos milagros, Moisés guio a Israel en la huida de Egipto, al cruzar el Mar Rojo y en las vueltas y revueltas que estuvieron dando en el desierto durante cuarenta años.

³⁷"Mas Moisés le dijo al pueblo de Israel que de entre sus hermanos Dios levantaría un profeta muy semejante a él. ³⁸¡Qué al pie de la letra se cumplieron sus palabras! En el desierto, Moisés fue el intermediario, el mediador entre el pueblo de Israel y el Ángel que en la cumbre del Sinaí les entregó la ley de Dios, la palabra viviente.

³⁹Pero nuestros padres rechazaron a Moisés y, como sentían deseos de regresar a Egipto, ⁴⁰le dijeron a Aarón: "Constrúyenos ídolos que nos sirvan de dioses que nos guíen de regreso, porque no sabemos qué le ha sucedido a Moisés, el que nos sacó de Egipto".

⁴¹"Se hicieron, pues, un becerro y le ofrecieron sacrificios y se regocijaron por haberlo hecho ellos mismos. ⁴²Pero entonces Dios se apartó de ellos, y los dejó entregarse a la adoración del sol, la luna y las estrellas.

"En el libro del profeta Amós el Señor

like this! It is wrong!'

²⁷ "But the man in the wrong told Moses to mind his own business. 'Who made *you* a ruler and judge over us?' he asked. ²⁸ 'Are you going to kill me as you killed that Egyptian yesterday?'

²⁹ "At this, Moses fled the country, and lived in the land of Midian, where his two sons were born.

³⁰ "Forty years later, in the desert near Mount Sinai, an Angel appeared to him in a flame of fire in a bush. ³¹ Moses saw it and wondered what it was, and as he ran to see, the voice of the Lord called out to him, ³² 'I am the God of your ancestors—of Abraham, Isaac and Jacob.' Moses shook with terror and dared not look.

³³ "And the Lord said to him, 'Take off your shoes, for you are standing on holy ground. ³⁴ I have seen the anguish of my people in Egypt and have heard their cries. I have come down to deliver them. Come, I will send you to Egypt.' ³⁵ And so God sent back the same man his people had previously rejected by demanding, 'Who made *you* a ruler and judge over us?' Moses was sent to be their ruler and savior. ³⁶ And by means of many remarkable miracles he led them out of Egypt and through the Red Sea, and back and forth through the wilderness for forty years.

³⁷ "Moses himself told the people of Israel, 'God will raise up a Prophet much like me from among your brothers.' ³⁸ How true this proved to be, for in the wilderness, Moses was the go-between—the mediator between the people of Israel and the Angel who gave them the Law of God—the Living Word—on Mount Sinai.

³⁹ "But our fathers rejected Moses and wanted to return to Egypt. ⁴⁰ They told Aaron, 'Make idols for us, so that we will have gods to lead us back; for we don't know what has become of this Moses, who brought us out of Egypt.' ⁴¹ So they made a calf-idol and sacrificed to it, and rejoiced in this thing they had made.

⁴² "Then God turned away from them and gave them up, and let them serve the sun, moon and stars as their gods! In the book of Amos' prophecies the Lord God

pregunta: "¿Fue a mí al que le estuviste ofreciendo sacrificios durante los cuarenta años que pasaste en el desierto, Israel? ⁴³No, quienes te interesaban eran los dioses paganos como Moloc, la estrella del dios Renfán y los demás ídolos que te hiciste. Por lo tanto, te enviaré cautivo más allá de Babilonia".

⁴⁴"Nuestros antepasados anduvieron por el desierto con un Templo portátil o Tabernáculo, en el que guardaban las piedras donde estaban escritos los Diez Mandamientos. El Tabernáculo en cuestión estaba construido exactamente de acuerdo al plan que el Ángel le había mostrado a Moisés. ⁴⁵"Años más tarde, cuando Josué conducía las batallas contra las naciones gentiles, Israel llevó consigo el Tabernáculo al nuevo territorio, y lo estuvieron usando hasta los días de David.

⁴⁶"Dios bendijo enormemente a David, y David solicitó el privilegio de edificar un Templo permanente para el Dios de Jacob. ⁴⁷Mas fue Salomón el que lo construyó. ⁴⁸Sin embargo, Dios no vive en Templo hecho por hombres. ⁴⁹"El cielo es mi trono," dijo el Señor a través de los profetas, "y la tierra es mi estrado. ¿Qué casa me pueden edificar ustedes? ¿Podré yo vivir en ella? ⁵⁰¿No fui yo el que hizo los cielos y la tierra?"

⁵¹"¡Tercos! ¡Infieles! ¿Hasta cuándo van a estar resistiendo al Espíritu Santo? Claro, ¡a tal padre tales hijos! ⁵²¿A cuál de los profetas no persiguieron los padres de ustedes, que hasta mataron a los que predijeron la venida del Justo, del Mesías que ustedes acaban de traicionar y asesinar? ⁵³Sí, sí, ustedes quebrantan deliberadamente las leyes divinas que recibieron de mano de los ángeles.

⁵⁴Los jefes judíos, al escuchar la acusación de Esteban, rabiaban de furia y crujían los dientes amenazadoramente. ⁵⁵Pero Esteban, lleno del Espíritu Santo, elevó los ojos al cielo y contempló la gloria de Dios y a Jesús a la derecha del Altísimo.

⁵⁶—En este mismo instante —les dijo— veo los cielos abiertos y a Jesucristo a la derecha de Dios.

⁵⁷Entonces ellos, tapándose los oídos y gritando para no escucharlo más, se le echaron encima, y lo sacaron de la ciudad. ⁵⁸Los testigos oficiales, convertidos en ver-

asks, 'Was it to me you were sacrificing during those forty years in the desert, Israel? ⁴³ No, your real interest was in your heathen gods—Sakkuth, and the star god Kaiway, and in all the images you made. So I will send you into captivity far away beyond Babylon.'

⁴⁴ "Our ancestors carried along with them a portable Temple, or Tabernacle, through the wilderness. In it they kept the stone tablets with the Ten Commandments written on them. This building was constructed in exact accordance with the plan shown to Moses by the Angel. ⁴⁵ Years later, when Joshua led the battles against the Gentile nations, this Tabernacle was taken with them into their new territory, and used until the time of King David.

⁴⁶ "God blessed David greatly, and David asked for the privilege of building a permanent Temple for the God of Jacob. ⁴⁷ But it was Solomon who actually built it. ⁴⁸,⁴⁹ However, God doesn't live in temples made by human hands. 'The heaven is my throne,' says the Lord through his prophets, 'and earth is my footstool. What kind of home could you build?' asks the Lord. 'Would I stay in it? ⁵⁰ Didn't I make both heaven and earth?'

⁵¹ "You stiff-necked heathen! Must you forever resist the Holy Spirit? But your fathers did, and so do you! ⁵² Name one prophet your ancestors didn't persecute! They even killed the ones who predicted the coming of the Righteous One—the Messiah whom you betrayed and murdered. ⁵³ Yes, and you deliberately destroyed God's Laws, though you received them from the hands of angels."

⁵⁴ The Jewish leaders were stung to fury by Stephen's accusation, and ground their teeth in rage. ⁵⁵ But Stephen, full of the Holy Spirit, gazed steadily upward into heaven and saw the glory of God and Jesus standing at God's right hand. ⁵⁶ And he told them, "Look, I see the heavens opened and Jesus the Messiah standing beside God, at his right hand!"

⁵⁷ Then they mobbed him, putting their hands over their ears, and drowning out his voice with their shouts, ⁵⁸ and dragged him out of the city to stone him. The official

dugos, se quitaron la ropa, la pusieron a los pies de un joven llamado Pablo, y apedrearon a Esteban hasta matarlo.

⁵⁹Mientras las piedras asesinas le golpeaban el cuerpo, Esteban oraba:

—Señor Jesús, recibe mi espíritu.

⁶⁰Luego cayó de rodillas.

—Señor, no les tomes en cuenta este pecado.

Y al terminar de pronunciar aquellas palabras, reposó en el Señor.

8 PABLO ESTUVO COMPLETAMENTE de acuerdo en que asesinaran a Esteban.

Aquel mismo día, una gran ola de persecución se levantó contra los creyentes y barrió la iglesia de Jerusalén. Todos, excepto los apóstoles, huyeron a Judea y Samaria. ²Pero varios judíos piadosos, llenos de tristeza, enterraron a Esteban.

³Pablo actuaba como un salvaje. Su misión era ir por todas partes asolando a la cristiandad. A veces entraba a las casas y arrastraba a hombres y mujeres y los metía en la cárcel.

⁴A pesar de todo, los creyentes que huyeron de Jerusalén continuaron predicando las buenas noticias acerca de Jesús. ⁵Felipe, por ejemplo, huyó a Samaria y se puso a hablarle de Cristo al pueblo. ⁶Grandes grupos lo escuchaban atentamente, intrigados por los milagros que realizaba, ⁷tales como el de echar fuera demonios, que salían de sus víctimas dando gritos, y el de sanar paralíticos y cojos. ⁸Y había gran gozo en la ciudad.

⁹,¹⁰,¹¹Vivía en Samaria un tal Simón que había ejercido la magia durante muchos años, muy influyente y muy orgulloso de las maravillas que podía realizar, de quien muchas veces los samaritanos decían que era el Mesías. ¹²Cuando los samaritanos creyeron el mensaje de Felipe, en el que afirmaba que Jesús era el Mesías y hablaba del reino de Dios, y se bautizaban en Samaria muchos hombres y mujeres, ¹³Simón también creyó, recibió el bautismo y se dio a seguir a Felipe a dondequiera que éste iba, maravillado por los milagros que realizaba.

¹⁴Cuando los apóstoles que estaban en Jerusalén se enteraron de que el pueblo de Samaria había aceptado el mensaje de Dios, les enviaron a Pedro y a Juan. ¹⁵Tan pronto llegaron a Samaria, comenzaron a

witnesses—the executioners—took off their coats and laid them at the feet of a young man named Paul.

⁵⁹ And as the murderous stones came hurtling at him, Stephen prayed, "Lord Jesus, receive my spirit." ⁶⁰ And he fell to his knees, shouting, "Lord, don't charge them with this sin!" and with that, he died.

8 PAUL WAS IN complete agreement with the killing of Stephen. And a great wave of persecution of the believers began that day, sweeping over the church in Jerusalem, and everyone except the apostles fled into Judea and Samaria. ² (But some godly Jews came and with great sorrow buried Stephen.) ³ Paul was like a wild man, going everywhere to devastate the believers, even entering private homes and dragging out men and women alike and jailing them.

⁴ But the believers who had fled Jerusalem went everywhere preaching the Good News about Jesus! ⁵ Philip, for instance, went to the city of Samaria and told the people there about Christ. ⁶ Crowds listened intently to what he had to say because of the miracles he did. ⁷ Many evil spirits were cast out, screaming as they left their victims, and many who were paralyzed or lame were healed, ⁸ so there was much joy in that city!

⁹,¹⁰,¹¹ A man named Simon had formerly been a sorcerer there for many years; he was a very influential, proud man because of the amazing things he could do—in fact, the Samaritan people often spoke of him as the Messiah. ¹² But now they believed Philip's message that Jesus was the Messiah, and his words concerning the Kingdom of God; and many men and women were baptized. ¹³ Then Simon himself believed and was baptized and began following Philip wherever he went, and was amazed by the miracles he did.

¹⁴ When the apostles back in Jerusalem heard that the people of Samaria had accepted God's message, they sent down Peter and John. ¹⁵ As soon as they arrived, they

orar para que los nuevos cristianos recibieran el Espíritu Santo, [16]que todavía no había descendido sobre ellos y sólo estaban bautizados en el nombre de Jesús. [17]Entonces pusieron las manos sobre los creyentes y ellos recibieron el Espíritu Santo.

[18,19]Al ver Simón que el Espíritu Santo descendía sobre quienes los apóstoles ponían las manos, les hizo una oferta.

—Este dinero es para que me permitan obtener ese poder —les dijo—. Quiero que al imponer las manos sobre la gente, reciban el Espíritu Santo.

[20]—Que tu dinero perezca contigo —le contestó Pedro—, que piensas que los dones de Dios se pueden comprar. [21]Tú no puedes tener parte en esto porque tu corazón no es recto ante Dios. [22]Arrepiéntete de esta maldad y ora. Quizás Dios te perdone los malos pensamientos, [23]porque veo que tienes el corazón lleno de envidia y de pecado.

[24]—Oren por mí —suplicó Simón—. No quiero que eso tan horrible me suceda.

[25]Tras testificar y predicar en Samaria, Pedro y Juan regresaron a Jerusalén. A lo largo del camino fueron deteniéndose en los pueblos samaritanos, a predicar las buenas noticias.

[26]En cuanto a Felipe, un ángel del Señor le dijo:

—Vé hacia el sur por el camino que va de Jerusalén al desierto de Gaza.

[27]Así lo hizo. Por el camino se encontró nada menos que con el ministro de economía de Etiopía, funcionario poderoso de la reina Candace, que había ido a Jerusalén a adorar en el Templo. [28]En el viaje de regreso, el funcionario iba leyendo en la carroza el libro del profeta Isaías.

[29]—Da alcance a esa carroza —le dijo el Espíritu Santo a Felipe—, y marcha junto a ella.

[30]Felipe obedeció presuroso y, al acercarse, escuchó lo que el funcionario iba leyendo.

—¿Entiendes eso? —le preguntó.

[31]—¿Cómo lo voy a entender si nadie me lo ha explicado? —contestó.

Entonces le suplicó a Felipe que subiera a la carroza y se sentara con él.

[32]El pasaje de las Escrituras que el funcionario estaba leyendo era el siguiente:

Como oveja a la muerte lo llevaron, y como cordero mudo ante los que lo

began praying for these new Christians to receive the Holy Spirit, [16] for as yet he had not come upon any of them. For they had only been baptized in the name of the Lord Jesus. [17] Then Peter and John laid their hands upon these believers, and they received the Holy Spirit.

[18] When Simon saw this—that the Holy Spirit was given when the apostles placed their hands upon people's heads—he offered money to buy this power.

[19] "Let me have this power too," he exclaimed, "so that when I lay my hands on people, they will receive the Holy Spirit!"

[20] But Peter replied, "Your money perish with you for thinking God's gift can be bought! [21] You can have no part in this, for your heart is not right before God. [22] Turn from this great wickedness and pray. Perhaps God will yet forgive your evil thoughts— [23] for I can see that there is jealousy and sin in your heart."

[24] "Pray for me," Simon exclaimed, "that these terrible things won't happen to me."

[25] After testifying and preaching in Samaria, Peter and John returned to Jerusalem, stopping at several Samaritan villages along the way to preach the Good News to them too.

[26] But as for Philip, an angel of the Lord said to him, "Go over to the road that runs from Jerusalem through the Gaza Desert, arriving around noon." [27] So he did, and who should be coming down the road but the Treasurer of Ethiopia, a eunuch of great authority under Candace the queen. He had gone to Jerusalem to worship at the Temple, [28] and was now returning in his chariot, reading aloud from the book of the prophet Isaiah.

[29] The Holy Spirit said to Philip, "Go over and walk along beside the chariot."

[30] Philip ran over and heard what he was reading and asked, "Do you understand it?"

[31] "Of course not!" the man replied. "How can I when there is no one to instruct me?" And he begged Philip to come up into the chariot and sit with him.

[32] The passage of Scripture he had been reading from was this:

"He was led as a sheep to the slaughter, and as a lamb is silent before the

trasquilan, no abrió la boca. ³³En su humillación, no se le hizo justicia. ¿Quién puede expresar con palabras la perversidad de la gente de su generación?, porque quitaron su vida de esta tierra.

³⁴—¿Hablaba Isaías de sí mismo o de otra persona? —le preguntó el funcionario de la reina Candace a Felipe.

³⁵Y Felipe, basado en aquel pasaje bíblico y en muchos otros, se puso a hablarle de Jesús.

³⁶A un lado del camino encontraron agua.

—¡Mira! ¡Aquí hay agua! —exclamó el funcionario—. ¿Por qué no me bautizas?

³⁷—Siempre y cuando creas de corazón, no hay nada que lo impida —le dijo Felipe.

—Creo que Jesucristo es el Hijo de Dios.

³⁸Detuvieron entonces la carroza, bajaron ambos al agua y Felipe lo bautizó.

³⁹Al salir del agua, el Espíritu del Señor se llevó a Felipe y el funcionario ya no lo vio. Pero a pesar de esto, siguió gozoso su camino.

⁴⁰Mientras tanto, Felipe descubría que estaba en Azoto, y allí, como en cada una de las ciudades que encontró en el viaje a Cesarea, predicó las buenas noticias.

9 PABLO, RESPIRANDO AMENAZAS de muerte contra los cristianos, acudió al sumo sacerdote de Jerusalén ²para pedirle una carta dirigida a cada una de las sinagogas de Damasco, en la que se solicitara cooperación de éstas en la persecución de cualquier hombre o mujer creyente que Pablo pudiera hallar, así como en el traslado de los mismos, encadenados, a Jerusalén.

³Cuando se aproximaba a Damasco a donde se dirigía para cumplir su misión, una luz celestial deslumbrante lo bañó de pronto. ⁴Cayó al suelo, e inmediatamente escuchó una voz que le decía:

—Pablo, Pablo, ¿por qué me persigues?

⁵—¿Quién eres, Señor? —preguntó Pablo.

—Yo soy Jesús —le contestó la voz—, el que tú persigues. Duro te es dar coces contra el aguijón. ⁶Pero levántate, entra en la ciudad y espera instrucciones.

⁷Los hombres que iban con Pablo quedaron mudos de asombro, porque escucha-

shearers, so he opened not his mouth; ³³ in his humiliation, justice was denied him; and who can express the wickedness of the people of his generation? For his life is taken from the earth."

³⁴ The eunuch asked Philip, "Was Isaiah talking about himself or someone else?"

³⁵ So Philip began with this same Scripture and then used many others to tell him about Jesus.

³⁶ As they rode along, they came to a small body of water, and the eunuch said, "Look! Water! Why can't I be baptized?"

³⁷f "You can," Philip answered, "if you believe with all your heart."

And the eunuch replied, "I believe that Jesus Christ is the Son of God."

³⁸ He stopped the chariot, and they went down into the water and Philip baptized him. ³⁹ And when they came up out of the water, the Spirit of the Lord caught away Philip, and the eunuch never saw him again, but went on his way rejoicing. ⁴⁰ Meanwhile, Philip found himself at Azotus! He preached the Good News there and in every city along the way, as he traveled to Caesarea.

9 BUT PAUL, THREATENING with every breath and eager to destroy every Christian, went to the High Priest in Jerusalem. ² He requested a letter addressed to synagogues in Damascus, requiring their cooperation in the persecution of any believers he found there, both men and women, so that he could bring them in chains to Jerusalem.

³ As he was nearing Damascus on this mission, suddenly a brilliant light from heaven spotted down upon him! ⁴ He fell to the ground and heard a voice saying to him, "Paul! Paul! Why are you persecuting me?"

⁵ "Who is speaking, sir?" Paul asked.

And the voice replied, "I am Jesus, the one you are persecuting! ⁶ Now get up and go into the city and await my further instructions."

⁷ The men with Paul stood speechless with surprise, for they heard the sound of

ron la voz, pero no vieron a nadie.

⁸Pablo se levantó del suelo trabajosamente; ¡estaba ciego! ⁹Entonces lo llevaron de la mano a Damasco, donde permaneció tres días ciego, sin tomar alimentos ni agua.

¹⁰Vivía en Damasco un creyente llamado Ananías, y el Señor le habló en visión:

—¡Ananías!

—Aquí estoy, Señor —respondió el interpelado.

¹¹—Vete a la calle la Derecha, a la casa de un hombre llamado Judas. Pregunta allí por Pablo de Tarso. Ahora mismo él está orando, porque ¹²yo le he mostrado en visión a un hombre llamado Ananías que se le acerca y le pone las manos en la cabeza para que recupere la vista.

¹³—Pero, Señor —exclamó Ananías—, he oído contar cosas horribles acerca de las atrocidades que ese hombre ha cometido contra los creyentes de Jerusalén. ¹⁴Y sabemos que tiene órdenes de arresto, firmadas por los principales sacerdotes, contra cada uno de los creyentes de Damasco.

¹⁵—Vé y haz lo que te digo —le respondió el Señor—. Yo he escogido a Pablo para que pregone mi mensaje entre las naciones, delante de reyes y al pueblo de Israel. ¹⁶Y yo le mostraré cuánto tendrá que sufrir por mí.

¹⁷Ananías obedeció. Al llegar a donde estaba Pablo, le puso las manos encima y le dijo:

—Hermano Pablo, el Señor Jesús, el que se te apareció en el camino, me ha enviado para que recobres la vista y recibas el Espíritu Santo.

¹⁸Al instante recobró la vista y cayeron de sus ojos algo así como escamas. Inmediatamente lo bautizaron. ¹⁹Luego comió para recuperar sus fuerzas.

Después de permanecer con los creyentes de Damasco varios días, ²⁰salió por las sinagogas a contar abiertamente las buenas noticias de Jesús, quien, no le cabía duda, era el Hijo de Dios.

²¹Los que lo escuchaban quedaban atónitos.

—¿No es éste el mismo que perseguía tan encarnizadamente a los seguidores de Jesús en Jerusalén? —se preguntaban—. Según sabíamos, venía a arrestarlos y a llevárselos encadenados a los principales

someone's voice but saw no one! ⁸,⁹ As Paul picked himself up off the ground, he found that he was blind. He had to be led into Damascus and was there three days, blind, going without food and water all that time.

¹⁰ Now there was in Damascus a believer named Ananias. The Lord spoke to him in a vision, calling, "Ananias!"

"Yes, Lord!" he replied.

¹¹ And the Lord said, "Go over to Straight Street and find the house of a man named Judas and ask there for Paul of Tarsus. He is praying to me right now, for ¹² I have shown him a vision of a man named Ananias coming in and laying his hands on him so that he can see again!"

¹³ "But Lord," exclaimed Ananias, "I have heard about the terrible things this man has done to the believers in Jerusalem! ¹⁴ And we hear that he has arrest warrants with him from the chief priests, authorizing him to arrest every believer in Damascus!"

¹⁵ But the Lord said, "Go and do what I say. For Paul is my chosen instrument to take my message to the nations and before kings, as well as to the people of Israel. ¹⁶ And I will show him how much he must suffer for me."

¹⁷ So Ananias went over and found Paul and laid his hands on him and said, "Brother Paul, the Lord Jesus, who appeared to you on the road, has sent me so that you may be filled with the Holy Spirit and get your sight back."

¹⁸ Instantly (it was as though scales fell from his eyes) Paul could see, and was immediately baptized. ¹⁹ Then he ate and was strengthened. He stayed with the believers in Damascus for a few days ²⁰ and went at once to the synagogue to tell everyone there the Good News about Jesus—that he is indeed the Son of God!

²¹ All who heard him were amazed. "Isn't this the same man who persecuted Jesus' followers so bitterly in Jerusalem?" they asked. "And we understand that he came here to arrest them all and take them in chains to the chief priests."

sacerdotes.

²²Pablo, mientras tanto, se volvía cada vez más ferviente en la predicación, y los judíos de Damasco no podían refutarle los argumentos con que probaba que Jesús era el Cristo.

²³,²⁴Los judíos decidieron matarlo, pero el plan llegó a oídos de Pablo y, como sus enemigos vigilaban día y noche las puertas de la ciudad para matarlo, ²⁵una noche varios de sus conversos lo descolgaron en una canasta a través de una abertura en la muralla.

²⁶Cuando llegó a Jerusalén trató de reunirse con los creyentes, pero éstos estaban temerosos de caer víctimas de un engaño. ²⁷Pero Bernabé lo presentó a los apóstoles y les contó cómo Pablo había visto al Señor en el camino de Damasco, lo que el Señor le había dicho y el poder con que predicaba en el nombre de Jesús. ²⁸Entonces lo aceptaron. Desde aquel instante anduvo constantemente con los creyentes, ²⁹y predicó resueltamente en el nombre del Señor.

No pasó mucho tiempo sin que algunos judíos de habla griega, con los cuales había discutido, se pusieran de acuerdo para matarlo. ³⁰Cuando los demás creyentes se enteraron del peligro que corría, lo llevaron a Cesarea y de allí lo enviaron a Tarso, su ciudad natal.

³¹Mientras tanto, las iglesias de Judea, Galilea y Samaria tenían paz y crecían en fortaleza y número. Los creyentes aprendían cómo andar en el temor del Señor y en la consolación del Espíritu Santo.

³²Pedro viajaba de lugar en lugar visitándolos. En uno de sus viajes visitó a los creyentes del pueblo de Lida. ³³Allí conoció a un tal Eneas, paralítico que hacía ocho años que estaba en cama.

³⁴—¡Eneas —le dijo Pedro—, Jesucristo te sana! Levántate y arregla tu cama.

El paralítico quedó curado instantáneamente. ³⁵Al verlo caminando, los habitantes de Lida y Sarón se convirtieron al Señor.

³⁶En la ciudad de Jope vivía una mujer llamada Dorcas (Gacela), creyente que siempre estaba haciendo algo por los demás, especialmente por los pobres. ³⁷En aquellos días precisamente, cayó enferma y murió. Los amigos que la amortajaron y la colocaron en una sala del segundo piso, ³⁸al enterarse de que Pedro andaba cerca de Lida, enviaron a dos hombres a rogarle que

²² Paul became more and more fervent in his preaching, and the Damascus Jews couldn't withstand his proofs that Jesus was indeed the Christ.

²³ After a while the Jewish leaders determined to kill him. ²⁴ But Paul was told about their plans, that they were watching the gates of the city day and night prepared to murder him. ²⁵ So during the night some of his converts let him down in a basket through an opening in the city wall!

²⁶ Upon arrival in Jerusalem he tried to meet with the believers, but they were all afraid of him. They thought he was faking! ²⁷ Then Barnabas brought him to the apostles and told them how Paul had seen the Lord on the way to Damascus, what the Lord had said to him, and all about his powerful preaching in the name of Jesus. ²⁸ Then they accepted him, and after that he was constantly with the believers ²⁹ and preached boldly in the name of the Lord. But then some Greek-speaking Jews with whom he had argued plotted to murder him. ³⁰ However, when the other believers heard about his danger, they took him to Caesarea and then sent him to his home in Tarsus.

³¹ Meanwhile, the church had peace throughout Judea, Galilee and Samaria, and grew in strength and numbers. The believers learned how to walk in the fear of the Lord and in the comfort of the Holy Spirit.

³² Peter traveled from place to place to visit them, and in his travels came to the believers in the town of Lydda. ³³ There he met a man named Aeneas, paralyzed and bedridden for eight years.

³⁴ Peter said to him, "Aeneas! Jesus Christ has healed you! Get up and make your bed." And he was healed instantly. ³⁵ Then the whole population of Lydda and Sharon turned to the Lord when they saw Aeneas walking around.

³⁶ In the city of Joppa there was a woman named Dorcas ("Gazelle"), a believer who was always doing kind things for others, especially for the poor. ³⁷ About this time she became ill and died. Her friends prepared her for burial and laid her in an upstairs room. ³⁸ But when they learned that Peter was nearby at Lydda, they sent two men to beg him to return with them to

fuera a Jope.

³⁹Pedro accedió. Al llegar, lo llevaron a la sala donde reposaba el cadáver de Dorcas. El cuarto estaba lleno de viudas que sollozaban mientras mostraban las túnicas y vestidos que Dorcas les había hecho.

⁴⁰Pedro les ordenó que salieran del cuarto y se arrodilló a orar. Luego se volvió hacia el cadáver:

—Levántate, Dorcas —le ordenó.

Inmediatamente Dorcas abrió los ojos, y al ver a Pedro, se incorporó. ⁴¹El le dio la mano, la ayudó a ponerse de pie y llamó a los creyentes y a las viudas para que la vieran.

⁴²Y cuando la noticia se esparció por el pueblo, muchos creyeron en el Señor.

⁴³Pedro permaneció varios días en Jope en casa de Simón el curtidor.

10 EN CESAREA VIVÍA un oficial del ejército romano llamado Cornelio, capitán de un regimiento italiano. ²Hombre piadoso, al igual que su familia, daba limosnas a manos llenas y oraba sin cesar.

³Una tarde en que estaba bien despierto tuvo una visión. Eran aproximadamente las tres de la tarde. En la visión vio a un ángel de Dios que se le acercaba.

—¡Cornelio! —le dijo el ángel. ⁴Cornelio se quedó mirándolo lleno de temor.

—¿Qué quieres, Señor? —le preguntó al ángel.

—Dios no ha pasado por alto tus oraciones ni tus limosnas. ⁵,⁶Envía varios hombres a Jope en busca de un hombre llamado Simón Pedro, que está alojado en casa de Simón el curtidor, y pídele que te venga a visitar.

⁷Al irse el ángel, Cornelio llamó a dos de sus sirvientes y a un soldado piadoso miembro de su guardia personal. ⁸Tras contarles lo sucedido, los envió a Jope.

⁹Al siguiente día, mientras los emisarios se aproximaban a la ciudad, Pedro subió a la azotea de la casa a orar. ¹⁰Era medio día y tenía hambre. Mientras le preparaban el almuerzo, cayó en éxtasis y ¹¹vio el cielo abierto y un gran lienzo que bajaba a la tierra sostenido por las cuatro puntas. ¹²En el lienzo había toda clase de cuadrúpedos, reptiles y pájaros de los que a los judíos les estaba prohibido comer.

¹³—Pedro —le dijo una voz—, mata y

Joppa. ³⁹This he did; as soon as he arrived, they took him upstairs where Dorcas lay. The room was filled with weeping widows who were showing one another the coats and other garments Dorcas had made for them. ⁴⁰But Peter asked them all to leave the room; then he knelt and prayed. Turning to the body he said, "Get up, Dorcas," and she opened her eyes! And when she saw Peter, she sat up! ⁴¹He gave her his hand and helped her up and called in the believers and widows, presenting her to them.

⁴²The news raced through the town, and many believed in the Lord. ⁴³And Peter stayed a long time in Joppa, living with Simon, the tanner.

10 IN CAESAREA THERE lived a Roman army officer, Cornelius, a captain of an Italian regiment. ²He was a godly man, deeply reverent, as was his entire household. He gave generously to charity and was a man of prayer. ³While wide awake one afternoon he had a vision—it was about three o'clock—and in this vision he saw an angel of God coming toward him.

"Cornelius!" the angel said.

⁴Cornelius stared at him in terror. "What do you want, sir?" he asked the angel.

And the angel replied, "Your prayers and charities have not gone unnoticed by God! ⁵,⁶Now send some men to Joppa to find a man named Simon Peter, who is staying with Simon, the tanner, down by the shore, and ask him to come and visit you."

⁷As soon as the angel was gone, Cornelius called two of his household servants and a godly soldier, one of his personal bodyguard, ⁸and told them what had happened and sent them off to Joppa.

⁹,¹⁰The next day, as they were nearing the city, Peter went up on the flat roof of his house to pray. It was noon and he was hungry, but while lunch was being prepared, he fell into a trance. ¹¹He saw the sky open, and a great canvas sheet, suspended by its four corners, settle to the ground. ¹²In the sheet were all sorts of animals, snakes and birds [forbidden to the Jews for food].

¹³Then a voice said to him, "Go kill and

come lo que desees.

¹⁴—¡Señor, no! —exclamó Pedro—. Nunca en la vida he comido animales que estén prohibidos en nuestra ley judía.

¹⁵—No contradigas a Dios —le volvió a decir la voz—. Lo que Dios ha limpiado, limpio está.

¹⁶La misma visión se le presentó tres veces. Luego el lienzo volvió a ser recogido en el cielo.

¹⁷Pedro quedó perplejo. ¿Qué significaría aquella visión? ¿Qué esperaba Dios que hiciera?

En aquel preciso momento, los hombres de Cornelio ya habían encontrado la casa y estaban de pie a la puerta, ¹⁸preguntando si allí vivía Simón Pedro.

¹⁹Pedro, que estaba tratando de descifrar el significado de la visión, escuchó que el Espíritu Santo le decía:

—Tres hombres han venido a verte. ²⁰Baja, recíbelos y vé con ellos. Está bien que lo hagas, porque yo los he enviado.

²¹Pedro bajó entonces.

—Yo soy el hombre que ustedes andan buscando —les dijo—. ¿Qué desean?

²²Entonces le contaron cómo a Cornelio, oficial del ejército romano, hombre bueno y piadoso, de buena reputación entre los judíos, un ángel le había ordenado que mandara a buscar a Pedro para que le dijera lo que Dios quería de él.

²³Pedro entonces los invitó a pasar y los albergó aquella noche. Por la mañana partió con ellos, acompañado de algunos creyentes de Jope. ²⁴Llegaron a Cesarea al día siguiente. Cornelio, que los estaba esperando, había reunido a sus familiares y amigos más íntimos para que conocieran a Pedro. ²⁵Al entrar a la casa, Cornelio se tiró al suelo delante de él para adorarlo.

²⁶—¡Levántate! —le gritó Pedro—. ¡Yo no soy Dios!

²⁷El militar se levantó. Tras intercambiar algunas palabras, fueron a donde los demás estaban reunidos.

²⁸—Ustedes saben que al entrar yo aquí estoy quebrantando la ley judía que prohíbe entrar a la casa de un gentil. Pero Dios me ha mostrado en visión que no debo considerar inferior a ninguna persona. ²⁹Por eso acudí tan pronto llegaron a buscarme. Díganme, pues, qué desean.

³⁰—Hace cuatro días —contestó Cornelio—, mientras oraba en la tarde como es

eat any of them you wish."

¹⁴ "Never, Lord," Peter declared, "I have never in all my life eaten such creatures, for they are forbidden by our Jewish laws."

¹⁵ The voice spoke again, "Don't contradict God! If he says something is kosher, then it is."

¹⁶ The same vision was repeated three times. Then the sheet was pulled up again to heaven. ¹⁷ Peter was very perplexed. What could the vision mean? What was he supposed to do?

Just then the men sent by Cornelius had found the house and were standing outside at the gate, ¹⁸ inquiring whether this was the place where Simon Peter lived!

¹⁹ Meanwhile, as Peter was puzzling over the vision, the Holy Spirit said to him, "Three men have come to see you. ²⁰ Go down and meet them and go with them. All is well, I have sent them."

²¹ So Peter went down. "I'm the man you're looking for," he said. "Now what is it you want?"

²² Then they told him about Cornelius the Roman officer, a good and godly man, well thought of by the Jews, and how an angel had instructed him to send for Peter to come and tell him what God wanted him to do.

²³ So Peter invited them in and lodged them overnight. The next day he went with them, accompanied by some other believers from Joppa.

²⁴ They arrived in Caesarea the following day, and Cornelius was waiting for him, and had called together his relatives and close friends to meet Peter. ²⁵ As Peter entered his home, Cornelius fell to the floor before him in worship.

²⁶ But Peter said, "Stand up! I'm not a god!"

²⁷ So he got up and they talked together for a while and then went in where the others were assembled.

²⁸ Peter told them, "You know it is against the Jewish laws for me to come into a Gentile home like this. But God has shown me in a vision that I should never think of anyone as inferior. ²⁹ So I came as soon as I was sent for. Now tell me what you want."

³⁰ Cornelius replied, "Four days ago I was praying as usual at this time of the

mi costumbre, se me presentó de pronto un hombre vestido con un manto resplandeciente. [31,32]"Cornelio", me dijo, "Dios ha tomado en cuenta tus oraciones y tus limosnas. Envía varios hombres a Jope en busca de Simón Pedro, quien está alojando en casa de Simón el curtidor, junto a la orilla del mar". [33]En seguida te mandé a buscar, e hiciste bien en venir pronto. Aquí estamos delante del Señor, ansiosos de escuchar lo que El te ha ordenado que nos digas.

[34]—¡Ya veo que Dios no favorece sólo a los judíos! [35]En todas las naciones tiene personas que lo adoran y practican el bien, de las cuales se agrada. [36,37]Estoy seguro que ya ustedes habían oído hablar de las buenas noticias que recibió el pueblo de Israel sobre la paz con Dios que se puede obtener mediante Jesús el Mesías, Señor de la creación. Este mensaje ha estado resonando en Judea desde que Juan el Bautista comenzó a predicar en Galilea. [38]Sin duda ustedes saben que Dios ungió con el Espíritu Santo y con poder a Jesús de Nazaret; y que El anduvo haciendo el bien y sanando a los oprimidos por el diablo, porque Dios estaba con El. [39]Nosotros, los apóstoles, somos testigos presenciales de las obras que realizó en todo Israel y en Jerusalén. En Jerusalén lo condenaron a morir en la cruz, [40]pero Dios le devolvió la vida al tercer día y lo presentó, [41]no delante de todo el pueblo, sino delante de ciertos testigos que había seleccionado de antemano: nosotros, los apóstoles. Sí, nosotros comimos y bebimos con El después que resucitó de entre los muertos, [42]y luego nos envió a predicar las buenas noticias por todas partes y a testificar que El es el que Dios ha nombrado juez de todas las personas, vivas o muertas. [43]Y los profetas afirmaron que cualquiera que crea en El, alcanzará el perdón de los pecados en virtud de su nombre.

[44]Todavía Pedro no había terminado de decir estas cosas, cuando el Espíritu Santo cayó sobre los que lo escuchaban. [45]Y los judíos que andaban con Pedro estaban asombrados de que el don del Espíritu Santo lo recibieran también los gentiles. [46]Pero no cabía duda de que era así, porque los oían hablando en lenguas y alabando a Dios.

[47]—¿Quién puede oponerse a que yo bautice a estas personas que han recibido el

afternoon, when suddenly a man was standing before me clothed in a radiant robe! [31] He told me, 'Cornelius, your prayers are heard and your charities have been noticed by God! [32] Now send some men to Joppa and summon Simon Peter, who is staying in the home of Simon, a tanner, down by the shore.' [33] So I sent for you at once, and you have done well to come so soon. Now here we are, waiting before the Lord, anxious to hear what he has told you to tell us!"

[34] Then Peter replied, "I see very clearly that the Jews are not God's only favorites! [35] In every nation he has those who worship him and do good deeds and are acceptable to him. [36,37] I'm sure you have heard about the Good News for the people of Israel— that there is peace with God through Jesus, the Messiah, who is Lord of all creation. This message has spread all through Judea, beginning with John the Baptist in Galilee. [38] And you no doubt know that Jesus of Nazareth was anointed by God with the Holy Spirit and with power, and he went around doing good and healing all who were possessed by demons, for God was with him.

[39] "And we apostles are witnesses of all he did throughout Israel and in Jerusalem, where he was murdered on a cross. [40,41] But God brought him back to life again three days later and showed him to certain witnesses God had selected beforehand—not to the general public, but to us who ate and drank with him after he rose from the dead. [42] And he sent us to preach the Good News everywhere and to testify that Jesus is ordained of God to be the Judge of all—living and dead. [43] And all the prophets have written about him, saying that everyone who believes in him will have their sins forgiven through his name."

[44] Even as Peter was saying these things, the Holy Spirit fell upon all those listening! [45] The Jews who came with Peter were amazed that the gift of the Holy Spirit would be given to Gentiles too! [46,47] But there could be no doubt about it, for they heard them speaking in tongues and praising God.

Peter asked, "Can anyone object to my baptizing them, now that they have received

Espíritu Santo de la misma forma que lo recibimos nosotros?

⁴⁸Y los bautizó en el nombre de Jesús, el Mesías.

Entonces Cornelio le suplicó que se quedara con ellos varios días.

11 LA NOTICIA DE que también los gentiles se estaban convirtiendo no tardó en llegar a oídos de los apóstoles y de los demás hermanos de Judea. ²Cuando Pedro llegó a Jerusalén, los creyentes judíos le armaron una discusión.

³—¿Por qué anduviste con gentiles y hasta comiste con ellos? —le preguntaron.

⁴Pedro se limitó a contarles los pormenores del caso.

⁵—Un día en Jope —les dijo—, mientras oraba, se me presentó una visión: del cielo bajaba un gran lienzo atado por las cuatro puntas. ⁶Sobre el lienzo había toda clase de cuadrúpedos, reptiles y pájaros que no comemos. ⁷Entonces escuché una voz que me dijo: "Mata y come lo que quieras". ⁸"Señor, no", repliqué. "Porque nunca he comido nada que las leyes judías prohíban comer". ⁹Entonces la voz me dijo: "No contradigas a Dios. Lo que Dios ha limpiado, limpio está".

¹⁰"La visión se repitió tres veces. Luego el lienzo y todo lo que contenía desapareció en el cielo.

¹¹"En aquel mismo instante llegaron a la casa donde yo estaba tres hombres que me venían a invitar para ir a Cesarea. ¹²El Espíritu Santo me dijo que fuera con ellos y que no me preocupara de que fueran gentiles. Estos seis hermanos que están aquí conmigo me acompañaron, y llegamos a la casa del hombre que había enviado a los mensajeros.

¹³"Aquel hombre nos contó cómo un ángel se le había aparecido y le había dicho que enviara mensajeros a Jope a buscar a un tal Simón Pedro. ¹⁴El ángel le aseguró que yo le diría como él y su familia podrían alcanzar la salvación.

¹⁵"Pues bien, cuando apenas estaba comenzando a contarles las buenas noticias, el Espíritu Santo cayó sobre ellos de la misma forma en que cayó sobre nosotros al principio. ¹⁶Eso me hizo recordar las palabras del Señor: "Sí, Juan bautizó con agua, pero ustedes serán bautizados con el Espíritu Santo". ¹⁷Y, díganme, si Dios

the Holy Spirit just as we did?" ⁴⁸ So he did, baptizing them in the name of Jesus, the Messiah. Afterwards Cornelius begged him to stay with them for several days.

11 SOON THE NEWS reached the apostles and other brothers in Judea that Gentiles also were being converted! ² But when Peter arrived back in Jerusalem, the Jewish believers argued with him.

³ "You fellowshiped with Gentiles and even ate with them," they accused.

⁴ Then Peter told them the whole story. ⁵ "One day in Joppa," he said, "while I was praying, I saw a vision—a huge sheet, let down by its four corners from the sky. ⁶ Inside the sheet were all sorts of animals, reptiles and birds [which we are not to eat]. ⁷ And I heard a voice say, 'Kill and eat whatever you wish.'

⁸ " 'Never, Lord,' I replied. 'For I have never yet eaten anything forbidden by our Jewish laws!'

⁹ "But the voice came again, 'Don't say it isn't right when God declares it is!'

¹⁰ "This happened *three times* before the sheet and all it contained disappeared into heaven. ¹¹ Just then three men who had come to take me with them to Caesarea arrived at the house where I was staying! ¹² The Holy Spirit told me to go with them and not to worry about their being Gentiles! These six brothers here accompanied me, and we soon arrived at the home of the man who had sent the messengers. ¹³ He told us how an angel had appeared to him and told him to send messengers to Joppa to find Simon Peter! ¹⁴ 'He will tell you how you and all your household can be saved!' the angel had told him.

¹⁵ "Well, I began telling them the Good News, but just as I was getting started with my sermon, the Holy Spirit fell on them, just as he fell on us at the beginning! ¹⁶ Then I thought of the Lord's words when he said, 'Yes, John baptized with water, but you shall be baptized with the Holy Spirit.' ¹⁷ And since it was *God* who gave these Gen-

mismo les dio a los gentiles el mismo don que nos dio a nosotros cuando creímos en el Señor Jesucristo, ¿quién era yo para ponerme a discutir?

¹⁸Aquellas palabras bastaron para acallar las objeciones, y alabaron a Dios.

—Sí —exclamaban—, Dios ha concedido también a los gentiles el privilegio de volverse a El para recibir la vida eterna.

¹⁹Los creyentes que habían huido de Jerusalén durante la persecución, después de la muerte de Esteban, fueron a parar a Fenicia, Chipre y Antioquía. A lo largo del camino fueron esparciendo las buenas noticias, pero sólo entre los judíos. ²⁰Sin embargo, varios de los creyentes que fueron a Antioquía desde Chipre y Cirene, comunicaron también el mensaje de Jesucristo a varios griegos. ²¹El Señor apoyó el esfuerzo y un gran número de aquellos gentiles se hicieron creyentes.

²²Cuando la iglesia de Jerusalén se enteró de lo que estaba pasando, enviaron a Bernabé a Antioquía a ayudar a los nuevos conversos. ²³Al llegar éste a Antioquía y al ver las maravillas que Dios estaba haciendo, lleno de emoción y regocijo, alentó a los creyentes a permanecer cerca del Señor a cualquier costo.

²⁴Bernabé era bondadoso, lleno del Espíritu Santo y poseedor de una fe robusta. Como resultado de sus palabras, un gran número de personas quedaron añadidas al pueblo del Señor.

²⁵Después fue a Tarso a buscar a Pablo, y lo llevó a Antioquía, ²⁶donde permanecieron juntos un año entero dedicados a adoctrinar a los nuevos conversos.

Fue en Antioquía donde por primera vez llamaron cristianos a los creyentes.

²⁷En aquellos días llegaron a Antioquía, procedentes de Jerusalén, varios profetas. ²⁸Uno de ellos, Agabo, se puso de pie en una de las reuniones y predijo a través del Espíritu Santo que una gran hambre clavaría sus garras en Israel (lo cual se cumplió durante el reinado de Claudio)

²⁹Ante aquel presagio, los creyentes decidieron enviar ayuda a los cristianos de Judea, para lo cual cada uno contribuyó en la medida de sus fuerzas. ³⁰Y encomendaron a Bernabé y a Pablo la tarea de llevar las ofrendas a los ancianos de la iglesia de Jerusalén.

tiles the same gift he gave us when we believed on the Lord Jesus Christ, who was I to argue?"

¹⁸ When the others heard this, all their objections were answered and they began praising God! "Yes," they said, "God has given to the Gentiles, too, the privilege of turning to him and receiving eternal life!"

¹⁹ Meanwhile, the believers who fled from Jerusalem during the persecution after Stephen's death traveled as far as Phoenicia, Cyprus, and Antioch, scattering the Good News, but only to Jews. ²⁰ However, some of the believers who went to Antioch from Cyprus and Cyrene also gave their message about the Lord Jesus to some Greeks. ²¹ And the Lord honored this effort so that large numbers of these Gentiles became believers.

²² When the church at Jerusalem heard what had happened, they sent Barnabas to Antioch to help the new converts. ²³ When he arrived and saw the wonderful things God was doing, he was filled with excitement and joy, and encouraged the believers to stay close to the Lord, whatever the cost. ²⁴ Barnabas was a kindly person, full of the Holy Spirit and strong in faith. As a result large numbers of people were added to the Lord.

²⁵ Then Barnabas went on to Tarsus to hunt for Paul. ²⁶ When he found him, he brought him back to Antioch; and both of them stayed there for a full year, teaching the many new converts. (It was there at Antioch that the believers were first called "Christians.")

²⁷ During this time some prophets came down from Jerusalem to Antioch, ²⁸ and one of them, named Agabus, stood up in one of the meetings to predict by the Spirit that a great famine was coming upon the land of Israel. (This was fulfilled during the reign of Claudius.) ²⁹ So the believers decided to send relief to the Christians in Judea, each giving as much as he could. ³⁰ This they did, consigning their gifts to Barnabas and Paul to take to the elders of the church in Jerusalem.

12 PRECISAMENTE EN AQUELLOS días el rey Herodes se volvió de nuevo contra los creyentes, [2]y mató al apóstol Santiago, hermano de Juan. [3]Al ver lo mucho que con aquello había agradado a los dirigentes judíos, arrestó a Pedro durante la celebración de la Pascua, [4]y lo puso en prisión bajo la custodia de dieciséis soldados. La intención de Herodes era entregar a Pedro en manos de los judíos para que lo ejecutaran después de la Pascua.

[5]La iglesia, al enterarse, se entregó a orar fervientemente por la seguridad del apóstol mientras estuviera en prisión.

[6]La noche antes de la ejecución, cuando Pedro dormía encadenado entre dos soldados, mientras los demás custodiaban la entrada de la prisión, [7]una luz repentina inundó la celda y un ángel del Señor se paró junto a Pedro. El ángel, tras darle unas palmadas en el costado para despertarlo, le dijo:

—¡Levántate! ¡Rápido!

Y las cadenas se le cayeron de las manos.

[8]—¡Vístete y ponte el calzado! —le ordenó el ángel—. Muy bien. Ponte ahora el manto y sígueme.

[9]Entonces Pedro salió de la prisión tras el ángel. Aquello no le parecía real; para él no era más que una visión.

[10]Cruzaron la primera y la segunda unidad de celdas y llegaron a la puerta de hierro que daba a la calle. Esta se les abrió automáticamente. La atravesaron y caminaron juntos una cuadra, tras lo cual el ángel lo dejó solo.

[11]Fue entonces cuando Pedro comprendió la realidad. "No cabe duda", se dijo. "El Señor ha enviado a su ángel a salvarme de Herodes y de lo que los judíos esperaban hacer de mí".

[12]Con este pensamiento fue a casa de María, la madre de Juan Marcos, donde muchos estaban reunidos orando. [13]Tocó a la puerta del patio.

[14]Una muchacha llamada Rode fue a abrir, pero al reconocer la voz de Pedro se emocionó tanto que corrió llena de alegría a informar a los demás de la casa que Pedro estaba en el patio.

[15]—¿Estás loca? —le dijeron incrédulos.

Pero como la muchacha insistía en afirmarlo, argumentaron:

—Pues tiene que ser su ángel, porque a

12 ABOUT THAT TIME King Herod moved against some of the believers, [2]and killed the apostle James (John's brother). [3]When Herod saw how much this pleased the Jewish leaders, he arrested Peter during the Passover celebration [4]and imprisoned him, placing him under the guard of sixteen soldiers. Herod's intention was to deliver Peter to the Jews for execution after the Passover. [5]But earnest prayer was going up to God from the Church for his safety all the time he was in prison.

[6]The night before he was to be executed, he was asleep, double-chained between two soldiers with others standing guard before the prison gate, [7]when suddenly there was a light in the cell and an angel of the Lord stood beside Peter! The angel slapped him on the side to awaken him and said, "Quick! Get up!" And the chains fell off his wrists! [8]Then the angel told him, "Get dressed and put on your shoes." And he did. "Now put on your coat and follow me!" the angel ordered.

[9]So Peter left the cell, following the angel. But all the time he thought it was a dream or vision, and didn't believe it was really happening. [10]They passed the first and second cell blocks and came to the iron gate to the street, and this opened to them of its own accord! So they passed through and walked along together for a block, and then the angel left him.

[11]Peter finally realized what had happened! "It's really true!" he said to himself. "The Lord has sent his angel and saved me from Herod and from what the Jews were hoping to do to me!" [12]After a little thought he went to the home of Mary, mother of John Mark, where many were gathered for a prayer meeting.

[13]He knocked at the door in the gate, and a girl named Rhoda came to open it. [14]When she recognized Peter's voice, she was so overjoyed that she ran back inside to tell everyone that Peter was standing outside in the street. [15]They didn't believe her. "You're out of your mind," they said. When she insisted they decided, "It must be

estas alturas ya tienen que haber matado a Pedro.

¹⁶Mientras tanto, Pedro seguía tocando a la puerta. Cuando finalmente la abrieron, se quedaron pasmados de sorpresa. ¹⁷Pero el apóstol, después de hacerles señas para que se callaran, les relató cómo el Señor lo había libertado de la cárcel.

—Mándenle a decir a Jacobo y a los demás lo que ha ocurrido —les dijo, y se fue a otro lugar más seguro.

¹⁸Al despuntar el alba, se armó un gran alboroto en la cárcel. ¿Qué se había hecho Pedro? ¹⁹Y cuando Herodes lo mandó buscar y supo que no estaba allí, mandó arrestar a los dieciséis guardias, les formó consejo de guerra y los sentenció a muerte. Después se fue a vivir un tiempo a Cesarea.

²⁰Una delegación de Tiro y Sidón fue a verlo a Cesarea. Herodes estaba enojado con los habitantes de esas dos ciudades, pero los miembros de la delegación se compraron la amistad de Blasto, el secretario del rey, y solicitaron la paz, porque sus ciudades dependían económicamente del comercio con el territorio de Herodes.

²¹Herodes les concedió audiencia. El día señalado se vistió sus mantos reales, se sentó en el trono y pronunció un discurso ante ellos. ²²Al concluir, el público le concedió una gran ovación mientras gritaba:

—¡Ha hablado un dios, no un hombre!

²³En aquel mismo instante un ángel del Señor lo hirió con una enfermedad tan terrible que Herodes expiró, comido por los gusanos. ¡Era el castigo por haber aceptado la adoración del pueblo en vez de darle la gloria a Dios!

²⁴Las buenas noticias de Dios se propagaban rápidamente y había un buen grupo de nuevos creyentes. ²⁵Bernabé y Pablo, quienes estaban de visita en Jerusalén, concluyeron sus actividades allí y regresaron a Antioquía, acompañados de Juan Marcos.

13 ENTRE LOS PROFETAS y maestros de la iglesia de Antioquía estaban Bernabé, Simón el Negro, Lucio de Cirene, Manaén (hermano de crianza del rey Herodes) y Pablo.

²Un día en que estos hombres estaban adorando y ayunando, el Espíritu Santo les dijo:

—Apártenme a Bernabé y a Pablo para cierta tarea que les voy a encomendar.

his angel. [They must have killed him.]"

¹⁶ Meanwhile Peter continued knocking. When they finally went out and opened the door, their surprise knew no bounds. ¹⁷ He motioned for them to quiet down and told them what had happened and how the Lord had brought him out of jail. "Tell James and the others what happened," he said —and left for safer quarters.

¹⁸ At dawn, the jail was in great commotion. What had happened to Peter? ¹⁹ When Herod sent for him and found that he wasn't there, he had the sixteen guards arrested, court-martialed and sentenced to death. Afterwards he left to live in Caesarea for a while.

²⁰ While he was in Caesarea, a delegation from Tyre and Sidon arrived to see him. He was highly displeased with the people of those two cities, but the delegates made friends with Blastus, the royal secretary, and asked for peace, for their cities were economically dependent upon trade with Herod's country. ²¹ An appointment with Herod was granted, and when the day arrived he put on his royal robes, sat on his throne and made a speech to them. ²² At its conclusion the people gave him a great ovation, shouting, "It is the voice of a god and not of a man!"

²³ Instantly, an angel of the Lord struck Herod with a sickness so that he was filled with maggots and died—because he accepted the people's worship instead of giving the glory to God.

²⁴ God's Good News was spreading rapidly and there were many new believers.

²⁵ Barnabas and Paul now visited Jerusalem and, as soon as they had finished their business, returned to Antioch, taking John Mark with them.

13 AMONG THE PROPHETS and teachers of the church at Antioch were Barnabas and Symeon (also called "The Black Man"), Lucius (from Cyrene), Manaen (the foster-brother of King Herod), and Paul. ² One day as these men were worshiping and fasting the Holy Spirit said, "Dedicate Barnabas and Paul for a special job I have for

³Después de ayunar y orar un poco más, les pusieron las manos encima y los despidieron.

⁴Dirigidos por el Espíritu Santo, Pablo y Bernabé fueron a Seleucia y de allí navegaron a Chipre. ⁵Juan Marcos viajaba con ellos como ayudante.

Después de predicar en la sinagoga del pueblo de Salamina, ⁶fueron predicando de pueblo en pueblo por toda la isla hasta llegar a Pafos, donde conocieron a cierto mago y falso profeta llamado Barjesús, ⁷quien se había apegado al gobernador Sergio Paulo, hombre de percepción clara y gran entendimiento. El gobernador invitó a Bernabé y a Pablo a visitarlo, porque deseaba escuchar el mensaje de Dios; ⁸pero Elimas el mago (así se llamaba en griego), procurando apartarlo de la fe en el Señor tomó cartas en el asunto y urgió al gobernador a no prestarle atención a lo que Pablo y Bernabé decían.

⁹Entonces Pablo, lleno del Espíritu Santo, clavó con enojo los ojos en el mago y le dijo:

¹⁰—Hijo del diablo, mentiroso y villano, enemigo del bien, ¿hasta cuándo vas a estar oponiéndote al Señor? ¹¹La mano de Dios se está levantando en este momento contra ti para castigarte, y quedarás temporalmente ciego.

Instantáneamente cayeron sobre él oscuridad y tinieblas y comenzó a andar a tientas, suplicando que alguien le tomara una mano y lo guiara.

¹²Cuando el gobernador vio aquello, creyó, maravillado del poder del mensaje de Dios.

¹³Pablo y los que andaban con él zarparon de Pafos rumbo a Turquía, y desembarcaron en la ciudad portuaria de Perge. Allí Juan Marcos los abandonó para regresar a Jerusalén, ¹⁴pero Bernabé y Pablo continuaron su viaje a Antioquía, ciudad de la provincia de Pisidia.

Al llegar el día del reposo, asistieron a los servicios de la sinagoga de Antioquía. ¹⁵Después de la acostumbrada lectura en los libros de Moisés y los profetas, los encargados del culto les mandaron el siguiente mensaje: "Hermanos, si tienen alguna enseñanza que ofrecernos, pasen adelante y tomen la palabra."

¹⁶Pablo se puso entonces de pie, los saludó con la mano, y les dijo:

them." ³ So after more fasting and prayer, the men laid their hands on them—and sent them on their way.

⁴ Directed by the Holy Spirit they went to Seleucia and then sailed for Cyprus. ⁵ There, in the town of Salamis, they went to the Jewish synagogue and preached. (John Mark went with them as their assistant.)

⁶,⁷ Afterwards they preached from town to town across the entire island until finally they reached Paphos where they met a Jewish sorcerer, a fake prophet named Bar-Jesus. He had attached himself to the governor, Sergius Paulus, a man of considerable insight and understanding. The governor invited Barnabas and Paul to visit him, for he wanted to hear their message from God. ⁸ But the sorcerer, Elymas (his name in Greek), interfered and urged the governor to pay no attention to what Paul and Barnabas said, trying to keep him from trusting the Lord.

⁹ Then Paul, filled with the Holy Spirit, glared angrily at the sorcerer and said, ¹⁰ "You son of the devil, full of every sort of trickery and villainy, enemy of all that is good, will you never end your opposition to the Lord? ¹¹ And now God has laid his hand of punishment upon you, and you will be stricken awhile with blindness."

Instantly mist and darkness fell upon him, and he began wandering around begging for someone to take his hand and lead him. ¹² When the governor saw what happened he believed and was astonished at the power of God's message.

¹³ Now Paul and those with him left Paphos by ship for Turkey, landing at the port town of Perga. There John deserted them and returned to Jerusalem. ¹⁴ But Barnabas and Paul went on to Antioch, a city in the province of Pisidia.

On the Sabbath they went into the synagogue for the services. ¹⁵ After the usual readings from the Books of Moses and from the Prophets, those in charge of the service sent them this message: "Brothers, if you have any word of instruction for us come and give it!"

¹⁶ So Paul stood, waved a greeting to them and began. "Men of Israel," he said,

—Varones de Israel, y cualquiera que tema al Señor, permítanme comenzar con un breve recuento histórico.

[17,18] El Dios de la nación israelita escogió a nuestros antepasados y, después de enaltecerlos en Egipto, rescatándolos milagrosamente de la esclavitud, los estuvo alimentando durante cuarenta años de peregrinación en el desierto. [19,20] Luego destruyó siete naciones de Canaán y le dio a Israel aquel territorio como herencia. Después de esto, durante unos cuatrocientos cincuenta años, les estuvo dando jueces que los gobernaran, el último de los cuales fue el profeta Samuel. [21] Entonces el pueblo imploró un rey, y Dios les dio a Saúl, hijo de Cis, varón de la tribu de Benjamín, quien reinó cuarenta años. [22] Al cabo de los cuarenta años, Dios lo quitó y puso en su lugar a David, hombre de quien Dios mismo dijo: "David, hijo de Isaí, es un hombre conforme a mi corazón y me obedecerá". [23] Precisamente, uno de los descendientes del rey David, Jesús, es el Salvador que Dios le prometió a Israel.

[24] "Antes que El viniera, Juan el Bautista proclamó la necesidad que tenían los israelitas de arrepentirse de sus pecados y de volverse a Dios. [25] Al final de su carrera, Juan declaró: "¿Creen ustedes acaso que soy el Mesías? ¡No! Pero El vendrá pronto. En comparación con El yo no valgo nada".

[26] "Hermanos, hijos de Abraham, y cualquier gentil que reverencie a Dios, esta salvación es para todos nosotros. [27] Los judíos y los jefes judíos de Jerusalén cumplieron la profecía al matar a Jesús. Ellos no lo reconocieron, ni se dieron cuenta que El era Aquél de quien los profetas habían escrito, a pesar de que escuchaban la lectura de los profetas todos los sábados. [28] Como no hallaban ninguna causa justa para condenarlo, buscaron la manera de que Pilato lo matara.

[29] "Después de que se cumplieron las profecías acerca de la muerte del Mesías, lo bajaron de la cruz y lo colocaron en una tumba. [30] Pero Dios lo resucitó. [31] Y muchos de los hombres que lo habían acompañado a Jerusalén desde Galilea, lo vieron varias veces. Y aquellos hombres, testigos presenciales del milagro, han estado testificándolo en público.

[32,33] "Bernabé y yo hemos venido aquí para darles a conocer la buena noticia de

"and all others here who reverence God, [let me begin my remarks with a bit of history].

[17] "The God of this nation Israel chose our ancestors and honored them in Egypt by gloriously leading them out of their slavery. [18] And he nursed them through forty years of wandering around in the wilderness. [19,20] Then he destroyed seven nations in Canaan, and gave Israel their land as an inheritance. Judges ruled for about 450 years, and were followed by Samuel the prophet.

[21] "Then the people begged for a king, and God gave them Saul (son of Kish), a man of the tribe of Benjamin, who reigned for forty years. [22] But God removed him and replaced him with David as king, a man about whom God said, 'David (son of Jesse) is a man after my own heart, for he will obey me.' [23] And it is one of King David's descendants, Jesus, who is God's promised Savior of Israel!

[24] "But before he came, John the Baptist preached the need for everyone in Israel to turn from sin to God. [25] As John was finishing his work he asked, 'Do you think I am the Messiah? No! But he is coming soon —and in comparison with him, I am utterly worthless.'

[26] "Brothers—you sons of Abraham, and also all of you Gentiles here who reverence God—this salvation is for all of us! [27] The Jews in Jerusalem and their leaders fulfilled prophecy by killing Jesus; for they didn't recognize him, or realize that he is the one the prophets had written about, though they heard the prophets' words read every Sabbath. [28] They found no just cause to execute him, but asked Pilate to have him killed anyway. [29] When they had fulfilled all the prophecies concerning his death, he was taken from the cross and placed in a tomb.

[30] "But God brought him back to life again! [31] And he was seen many times during the next few days by the men who had accompanied him to Jerusalem from Galilee—these men have constantly testified to this in public witness.

[32,33] "And now Barnabas and I are here to bring you this Good News—that God's

que Dios, al resucitar a Jesús, ha cumplido la promesa que les hiciera a nuestros antepasados. El Salmo dos, refiriéndose a Jesús, expresa lo siguiente: "Hoy te he concedido el honor de ser hijo mío". ³⁴Porque Dios había prometido que lo levantaría de entre los muertos y no volvería a morir. Así lo declaran las Escrituras: "Yo te daré las maravillas que le prometí a David". ³⁵En otro Salmo lo dice más claramente: "Dios no dejará que su Santo se pudra". ³⁶Esto, por cierto, no se refería a David, porque después que David sirvió a su generación de acuerdo a la voluntad de Dios, murió, fue enterrado y su cuerpo se descompuso. ³⁷No; se refería a otra persona, a alguien a quien Dios resucitaría, cuyo cuerpo no sufriría en lo más mínimo los estragos de la muerte.

³⁸,³⁹"¡Hermanos! ¡Escúchenme! ¡Jesús perdona los pecados! Cualquiera que crea en El queda libre de culpa y se le declara justo, lo cual la ley judía nunca pudo hacer.

⁴⁰"¡Cuidado, por favor! Procuren que las siguientes palabras de los profetas no se apliquen a ustedes: ⁴¹Miren y perezcan, menospreciadores de la verdad, porque en los días de ustedes estoy realizando una obra que no creerán cuando alguien se la anuncie."

⁴²Al salir de la sinagoga, le pidieron a Pablo que regresara a hablarles la siguiente semana. ⁴³Pero muchos judíos y gentiles piadosos que adoraban en la sinagoga siguieron a Pablo y a Bernabé, quienes iban por la calle, apremiándolos a aceptar las mercedes que Dios les ofrecía.

⁴⁴A la semana siguiente, casi la ciudad entera fue a escucharlos predicar la palabra de Dios. ⁴⁵Pero cuando los dirigentes judíos vieron el gentío, llenos de celos se pusieron a blasfemar y a rebatir las palabras de Pablo. ⁴⁶,⁴⁷Entonces Pablo y Bernabé valientemente les dijeron:

—Era necesario que las buenas noticias de Dios las conocieran primero ustedes los judíos. Pero como se muestran indignos de la vida eterna, no nos queda otro remedio que ofrecérselas a los gentiles. Después de todo, el Señor nos lo ha ordenado: "Te he convertido en luz que ilumina a los gentiles y, por lo tanto, les has de llevar la salvación hasta lo más recóndito del mundo".

⁴⁸Al oír esto los gentiles sintieron una

promise to our ancestors has come true in our own time, in that God brought Jesus back to life again. This is what the second Psalm is talking about when it says concerning Jesus, 'Today I have honored you as my son.'

³⁴ "For God had promised to bring him back to life again, no more to die. This is stated in the Scripture that says, 'I will do for you the wonderful thing I promised David.' ³⁵ In another Psalm he explained more fully, saying, 'God will not let his Holy One decay.' ³⁶ This was not a reference to David, for after David had served his generation according to the will of God, he died and was buried, and his body decayed. ³⁷ [No, it was a reference to another]—someone God brought back to life, whose body was not touched at all by the ravages of death.

³⁸ "Brothers! Listen! In this man Jesus, there is forgiveness for your sins! ³⁹ Everyone who trusts in him is freed from all guilt and declared righteous—something the Jewish law could never do. ⁴⁰ Oh, be careful! Don't let the prophets' words apply to you. For they said, ⁴¹ 'Look and perish, you despisers [of the truth], for I am doing something in your day—something that you won't believe when you hear it announced.' "

⁴² As the people left the synagogue that day, they asked Paul to return and speak to them again the next week. ⁴³ And many Jews and godly Gentiles who worshiped at the synagogue followed Paul and Barnabas down the street as the two men urged them to accept the mercies God was offering. ⁴⁴ The following week almost the entire city turned out to hear them preach the Word of God.

⁴⁵ But when the Jewish leaders saw the crowds, they were jealous, and cursed and argued against whatever Paul said. ⁴⁶ Then Paul and Barnabas spoke out boldly and declared, "It was necessary that this Good News from God should be given first to you Jews. But since you have rejected it, and shown yourselves unworthy of eternal life—well, we will offer it to Gentiles. ⁴⁷ For this is as the Lord commanded when he said, 'I have made you a light to the Gentiles, to lead them from the farthest corners of the earth to my salvation.' "

⁴⁸ When the Gentiles heard this, they

gran alegría y se regocijaron con el mensaje de Pablo. Los que estaban ordenados para obtener la vida eterna, creyeron, [49]y el mensaje de Dios se propagó en toda aquella región.

[50]Pero un día, los dirigentes judíos instigaron a mujeres piadosas y a los jefes de la comunidad a que expulsaran a Pablo y Bernabé de la localidad. [51]Los dos misioneros se sacudieron entonces el polvo de los pies contra la ciudad y se fueron a Iconio. [52]Pero sus conversos continuaron llenos de gozo y del Espíritu Santo.

14 PABLO Y BERNABÉ fueron juntos a la sinagoga de Iconio y predicaron con tanto poder que un gran número de gentiles y judíos se entregó a la fe. [2]Pero los judíos que desdeñaban el mensaje de Dios se pusieron a hablar mal de Pablo y Bernabé, con el propósito de sembrar desconfianza entre los gentiles. [3]Sin embargo, los misioneros permanecieron allí bastante tiempo predicando abiertamente; y el Señor les concedía el poder de hacer grandes milagros que demostraban el origen divino del mensaje que predicaban.

[4]La opinión de los habitantes de la ciudad estaba dividida. Unos estaban de parte de los dirigentes judíos, y otros respaldaban a los apóstoles. [5]Cuando Pablo y Bernabé se enteraron de que estaban urdiendo un plan para incitar a una turba de gentiles, judíos y dirigentes judíos para que los atacaran y apedrearan, [6]huyeron a Listra y a Derbe, ciudades de Licaonia, y a las regiones adyacentes, [7]y allí predicaron el evangelio.

[8]Estando en Listra, pasaron junto a un hombre inválido de nacimiento, que nunca había caminado porque tenía los pies tullidos, [9]que estaba prestando atención a la predicación de Pablo. Pablo, al notarlo, comprendió que aquel hombre tenía suficiente fe para obtener la salud.

[10]—¡Levántate! —le ordenó Pablo.

E inmediatamente el hombre se puso de pie y salió caminando.

[11]Cuando el gentío vio lo que Pablo había hecho, gritaron (en el dialecto local, por supuesto):

—¡Estos son dioses con cuerpos humanos!

[12]¡Habían llegado a la conclusión de que Bernabé era Júpiter, el dios griego, y de que Pablo, por cuanto era el orador princi-

were very glad and rejoiced in Paul's message; and as many as wanted eternal life, believed. [49] So God's message spread all through that region.

[50] Then the Jewish leaders stirred up both the godly women and the civic leaders of the city and incited a mob against Paul and Barnabas, and ran them out of town. [51] But they shook off the dust of their feet against the town and went on to the city of Iconium. [52] And their converts were filled with joy and with the Holy Spirit.

14 AT ICONIUM, PAUL and Barnabas went together to the synagogue and preached with such power that many—both Jews and Gentiles—believed.

[2] But the Jews who spurned God's message stirred up distrust among the Gentiles against Paul and Barnabas, saying all sorts of evil things about them. [3] Nevertheless, they stayed there a long time, preaching boldly, and the Lord proved their message was from him by giving them power to do great miracles. [4] But the people of the city were divided in their opinion about them. Some agreed with the Jewish leaders, and some backed the apostles.

[5,6] When Paul and Barnabas learned of a plot to incite a mob of Gentiles, Jews, and Jewish leaders to attack and stone them, they fled for their lives, going to the cities of Lycaonia, Lystra, Derbe, and the surrounding area, [7] and preaching the Good News there.

[8] While they were at Lystra, they came upon a man with crippled feet who had been that way from birth, so he had never walked. [9] He was listening as Paul preached, and Paul noticed him and realized he had faith to be healed. [10] So Paul called to him, "Stand up!" and the man leaped to his feet and started walking!

[11] When the listening crowd saw what Paul had done, they shouted (in their local dialect, of course), "These men are gods in human bodies!" [12] They decided that Barnabas was the Greek god Jupiter, and that Paul, because he was the chief speaker, was

pal, era Mercurio! ¹³El sacerdote del templo de Júpiter de la localidad, situado en las afueras de la ciudad, corrió a buscar carretadas de flores y toros para ofrecerles sacrificio delante del gentío. ¹⁴Pero Bernabé y Pablo se dieron cuenta de lo que estaba ocurriendo y horrorizados, se rasgaron la ropa y se lanzaron entre la multitud gritando:

¹⁵—¡Señores! ¿Qué están haciendo? ¡Nosotros somos seres humanos como cualquiera de ustedes! Hemos venido a traerles las buenas noticias de que están invitados a apartarse de la necedad de sus adoraciones y orar al Dios viviente que hizo los cielos, la tierra, el mar y cuanto en ellos existe. ¹⁶En el pasado, Dios permitió que las naciones anduvieran en sus propios caminos, ¹⁷pero nunca las dejó sin algo que hablara de El. ¡Y qué mejores testigos que la lluvia, las buenas cosechas, los alimentos y la alegría tan maravillosa que nos proporciona!

¹⁸Mas aun así, Pablo y Bernabé por poco no pudieron evitar que el gentío les ofreciera sacrificio.

¹⁹Sin embargo, pocos días más tarde, llegaron de Antioquía e Iconio varios judíos que convirtieron aquel mismo gentío en una turba asesina que apedreó a Pablo y, creyéndolo muerto, lo arrastró fuera de la ciudad. ²⁰Pero luego, mientras los creyentes lo rodeaban, se levantó y regresó a la ciudad. Al día siguiente él y Bernabé partieron rumbo a Derbe.

²¹Después de predicar el evangelio en Derbe y ganar muchos discípulos, regresaron a Listra, a Iconio y a Antioquía, ²²donde se dedicaron a cultivar el amor de los creyentes hacia Dios y a los demás hermanos y a exhortarlos a permanecer en la fe a pesar de las persecuciones, ya que era necesario que entraran al reino de Dios a través de muchas tribulaciones.

²³Además, nombraron oficiales en cada iglesia, a los cuales, después de orar y ayunar con ellos, los encomendaron al cuidado del Señor en quien habían creído.

²⁴Luego, ya de regreso, pasaron por Pisidia y Panfilia, ²⁵predicaron de nuevo en Perge y fueron a Atalia. ²⁶Finalmente, regresaron por barco a Antioquía de Siria, el punto de partida, donde los habían encomendado a Dios para que realizaran el trabajo que acababan de completar.

²⁷Sin perder tiempo, reunieron a los cre-

Mercury! ¹³ The local priest of the Temple of Jupiter, located on the outskirts of the city, brought them cartloads of flowers and prepared to sacrifice oxen to them at the city gates before the crowds.

¹⁴ But when Barnabas and Paul saw what was happening they ripped at their clothing in dismay and ran out among the people, shouting, ¹⁵ "Men! What are you doing? We are merely human beings like yourselves! We have come to bring you the Good News that you are invited to turn from the worship of these foolish things and to pray instead to the living God who made heaven and earth and sea and everything in them. ¹⁶ In bygone days he permitted the nations to go their own ways, ¹⁷ but he never left himself without a witness; there were always his reminders—the kind things he did such as sending you rain and good crops and giving you food and gladness."

¹⁸ But even so, Paul and Barnabas could scarcely restrain the people from sacrificing to them!

¹⁹ Yet only a few days later, some Jews arrived from Antioch and Iconium and turned the crowds into a murderous mob that stoned Paul and dragged him out of the city, apparently dead. ²⁰ But as the believers stood around him, he got up and went back into the city!

The next day he left with Barnabas for Derbe. ²¹ After preaching the Good News there and making many disciples, they returned again to Lystra, Iconium and Antioch, ²² where they helped the believers to grow in love for God and each other. They encouraged them to continue in the faith in spite of all the persecution, reminding them that they must enter into the Kingdom of God through many tribulations. ²³ Paul and Barnabas also appointed elders in every church and prayed for them with fasting, turning them over to the care of the Lord in whom they trusted.

²⁴ Then they traveled back through Pisidia to Pamphylia, ²⁵ preached again in Perga, and went on to Attalia.

²⁶ Finally they returned by ship to Antioch, where their journey had begun, and where they had been committed to God for the work now completed.

²⁷ Upon arrival they called together the

yentes y les rindieron informes sobre el viaje, y les contaron cómo Dios había abierto la puerta de la fe también a los gentiles.

²⁸Y permanecieron mucho tiempo con los creyentes de Antioquía.

15 PABLO Y BERNABÉ estaban en Antioquía cuando llegaron varias personas de Judea y empezaron a enseñar a los creyentes que, a menos que adoptaran la antigua costumbre judía de circuncidarse, no podrían alcanzar la salvación.

²Como Pablo y Bernabé discutieron y se opusieron con todas sus fuerzas, los creyentes los enviaron a Jerusalén, acompañados de varios miembros de la comunidad, para que consultaran el asunto con los apóstoles y los ancianos de Jerusalén.

³Después de despedirse de la congregación en pleno, que los acompañó hasta las afueras de la ciudad, los delegados continuaron su viaje hacia Jerusalén. A lo largo del camino fueron deteniéndose en las ciudades de Fenicia y Samaria para visitar a los creyentes y contarles cómo, para regocijo de todos, los gentiles también estaban convirtiéndose.

⁴Al llegar a Jerusalén, se reunieron con los dirigentes de la iglesia. Todos los apóstoles y los ancianos estaban presentes, y Pablo y Bernabé los pusieron al tanto de lo que Dios había hecho a través del trabajo de ellos dos. ⁵Entonces algunos de los que antes de convertirse habían sido fariseos se pusieron de pie y declararon que era necesario circuncidar a los gentiles conversos y exigirles que adoptaran las costumbres y los ritos judíos.

⁶En vista de esto, los apóstoles y los ancianos de la iglesia convocaron a otra reunión para tratar el asunto. ⁷En dicha reunión, y en medio de las discusiones, Pedro se puso de pie y pidió la palabra:

—Hermanos, ustedes saben que Dios me escogió de entre ustedes hace mucho tiempo para que predicara las buenas noticias entre los gentiles, a fin de que éstos pudieran creer. ⁸Dios, que conoce los corazones de los hombres, nos demostró que aceptaba a los gentiles al otorgarles el Espíritu Santo de la misma forma en que nos lo había otorgado a nosotros. ⁹Y no hizo ninguna distinción entre ellos y nosotros, porque les había limpiado sus vidas de la

believers and reported on their trip, telling how God had opened the door of faith to the Gentiles foo. ²⁸ And they stayed there with the believers at Antioch for a long while.

15 WHILE PAUL AND Barnabas were at Antioch, some men from Judea arrived and began to teach the believers that unless they adhered to the ancient Jewish custom of circumcision, they could not be saved. ² Paul and Barnabas argued and discussed this with them at length, and finally the believers sent them to Jerusalem, accompanied by some local men, to talk to the apostles and elders there about this question. ³ After the entire congregation had escorted them out of the city the delegates went on to Jerusalem, stopping along the way in the cities of Phoenicia and Samaria to visit the believers, telling them—much to everyone's joy—that the Gentiles, too, were being converted.

⁴ Arriving in Jerusalem, they met with the church leaders—all the apostles and elders were present—and Paul and Barnabas reported on what God had been doing through their ministry. ⁵ But then some of the men who had been Pharisees before their conversion stood to their feet and declared that all Gentile converts must be circumcised and required to follow all the Jewish customs and ceremonies. ⁶ So the apostles and church elders set a further meeting to decide this question.

⁷ At the meeting, after long discussion, Peter stood and addressed them as follows: "Brothers, you all know that God chose me from among you long ago to preach the Good News to the Gentiles, so that they also could believe. ⁸ God, who knows men's hearts, confirmed the fact that he accepts Gentiles by giving them the Holy Spirit, just as he gave him to us. ⁹ He made no distinction between them and us, for he cleansed their lives through faith, just as he

misma forma que a nosotros: por medio de la fe. ¹⁰¿Nos atreveremos a tratar de enmendar la obra de Dios, poniendo sobre los gentiles un yugo que ni nosotros ni nuestros padres hemos podido llevar? ¹¹¿No creen ustedes que los gentiles se salvan de la misma forma en que nos salvamos nosotros, es decir, por medio de la gracia del Señor Jesús?

¹²Allí mismo terminaron las discusiones, y todo el mundo prestó atención a las palabras de Bernabé y de Pablo que relataban los milagros que Dios había realizado a través de ellos entre los gentiles.

¹³Cuando Pablo y Bernabé terminaron, Jacobo pidió la palabra:

—Hermanos —les dijo—, escúchenme. ¹⁴Ya Pedro les ha relatado cómo Dios visitó por primera vez a los gentiles para escoger de entre ellos un pueblo que honre su nombre. ¹⁵La conversión de gentiles concuerda perfectamente con lo que los profetas predijeron. Escuchen lo que dice este pasaje del profeta Amós:

¹⁶Después de esto, dice el Señor, regresaré y renovaré el contrato de David que quedó roto, ¹⁷para que encuentren también al Señor los gentiles marcados con mi nombre. ¹⁸Esto lo dijo el Señor, el que da a conocer el plan que tenía trazado desde el principio.

¹⁹"Por lo tanto, opino que no debemos insistir en que los gentiles que se hayan convertido al Señor obedezcan nuestras leyes judías. ²⁰Pero mandémosles a decir por carta que se abstengan de comer las carnes sacrificadas a los ídolos, de los vicios sexuales y de comer carnes de animales sin desangrar o ahogados. ²¹Estas son las cosas contra las cuales a través de los tiempos se ha estado predicando en las sinagogas judías de todas partes del mundo.

²²Entonces los apóstoles, los ancianos y la congregación en pleno decidieron nombrar delegados que fueran con Pablo y Bernabé a Antioquía a dar a conocer la decisión. Los delegados escogidos fueron dos dirigentes de la iglesia, llamados Judas (conocido también como Barsabás) y Silas. ²³Y llevaron con ellos la siguiente carta:

"Los apóstoles, ancianos y hermanos de Jerusalén, a los hermanos gentiles de Antioquía, Siria y Cilicia: ¡Saludos!

²⁴"Hemos sabido que varios creyentes

did ours. ¹⁰ And now are you going to correct God by burdening the Gentiles with a yoke that neither we nor our fathers were able to bear? ¹¹ Don't you believe that all are saved the same way, by the free gift of the Lord Jesus?"

¹² There was no further discussion, and everyone now listened as Barnabas and Paul told about the miracles God had done through them among the Gentiles.

¹³ When they had finished, James took the floor. "Brothers," he said, "listen to me. ¹⁴ Peter has told you about the time God first visited the Gentiles to take from them a people to bring honor to his name. ¹⁵ And this fact of Gentile conversion agrees with what the prophets predicted. For instance, listen to this passage from the prophet Amos :

¹⁶ 'Afterwards' [says the Lord], 'I will return and renew the broken contract with David, ¹⁷ so that Gentiles, too, will find the Lord —all those marked with my name.'

¹⁸ That is what the Lord says, who reveals his plans made from the beginning.

¹⁹ "And so my judgment is that we should not insist that the Gentiles who turn to God must obey our Jewish laws, ²⁰ except that we should write to them to refrain from eating meat sacrificed to idols, from all fornication, and also from eating unbled meat of strangled animals. ²¹ For these things have been preached against in Jewish synagogues in every city on every Sabbath for many generations."

²² Then the apostles and elders and the whole congregation voted to send delegates to Antioch with Paul and Barnabas, to report on this decision. The men chosen were two of the church leaders—Judas (also called Barsabbas) and Silas.

²³ This is the letter they took along with them:

"From: The apostles, elders and brothers at Jerusalem.

"To: The Gentile brothers in Antioch, Syria and Cilicia. Greetings!

²⁴ "We understand that some believers

de Judea, sin la autorización nuestra, los han estado molestando y poniendo en duda la salvación de ustedes.

²⁵''Nos ha parecido sabio, y así lo hemos acordado unánimemente, enviar con Pablo y Bernabé —quienes han expuesto la vida por la causa de nuestro Señor Jesucristo— a dos representantes oficiales nuestros. ²⁶Judas y Silas, nuestros representantes, confirmarán oralmente lo que hemos acordado en cuanto al caso de ustedes.

²⁷⁻²⁹''Porque nos ha parecido bien al Espíritu Santo y a nosotros no imponer sobre ustedes ninguna carga de leyes judías mayor que la necesaria. Por lo tanto, sólo les pedimos que se abstengan de comer carnes ofrecidas a los ídolos y carnes sin desangrar de animales ahogados, y que, por supuesto, se aparten de los vicios sexuales. Bastará que se abstengan de estas cosas. Adiós''.

³⁰Los cuatro mensajeros partieron inmediatamente rumbo a Antioquía, donde convocaron a una reunión general de todos los cristianos y les leyeron la carta. ³¹Al hacerlo, un júbilo desbordante se fue apoderando de la iglesia. ³²Luego Judas y Silas, oradores dotados, predicaron extensos sermones ante los creyentes con el propósito de fortalecerlos en la fe.

³³Judas y Silas permanecieron varios días en Antioquía, al cabo de los cuales los despidieron para que regresaran a Jerusalén con saludos y palabras de agradecimiento para aquellos que los habían enviado. ³⁴Pablo y Bernabé se quedaron ³⁵para ayudar a los que predicaban y enseñaban en aquella ciudad.

³⁶Varios días más tarde Pablo le propuso a Bernabé regresar a Turquía y visitar las ciudades donde anteriormente habían predicado, a fin de ver cómo andaban los nuevos convertidos. ³⁷Bernabé estuvo de acuerdo, y sugirió que Juan Marcos fuera con ellos; ³⁸pero a Pablo no le agradó la idea, porque Juan los había abandonado en Panfilia. ³⁹El desacuerdo que surgió entre ellos fue tan grande que se separaron. Bernabé tomó entonces a Marcos y zarpó con él hacia Chipre, ⁴⁰,⁴¹mientras que Pablo se unía a Silas y, con la bendición de los creyentes, partía hacia Siria y Cilicia a alentar a las iglesias de aquellos lugares.

from here have upset you and questioned your salvation, but they had no such instructions from us. ²⁵ So it seemed wise to us, having unanimously agreed on our decision, to send to you these two official representatives, along with our beloved Barnabas and Paul. ²⁶ These men—Judas and Silas, who have risked their lives for the sake of our Lord Jesus Christ—will confirm orally what we have decided concerning your question.

²⁷,²⁸,²⁹ "For it seemed good to the Holy Spirit and to us to lay no greater burden of Jewish laws on you than to abstain from eating food offered to idols and from unbled meat of strangled animals, and, of course, from fornication. If you do this, it is enough. Farewell."

³⁰ The four messengers went at once to Antioch, where they called a general meeting of the Christians and gave them the letter. ³¹ And there was great joy throughout the church that day as they read it.

³² Then Judas and Silas, both being gifted speakers, preached long sermons to the believers, strengthening their faith. ³³ They stayed several days, and then Judas and Silas returned to Jerusalem taking greetings and appreciation to those who had sent them. ³⁴,³⁵ Paul and Barnabas stayed on at Antioch to assist several others who were preaching and teaching there.

³⁶ Several days later Paul suggested to Barnabas that they return again to Turkey, and visit each city where they had preached before, to see how the new converts were getting along. ³⁷ Barnabas agreed, and wanted to take along John Mark. ³⁸ But Paul didn't like that idea at all, since John had deserted them in Pamphylia. ³⁹ Their disagreement over this was so sharp that they separated. Barnabas took Mark with him and sailed for Cyprus, ⁴⁰,⁴¹ while Paul chose Silas and, with the blessing of the believers, left for Syria and Cilicia, to encourage the churches there.

16 PABLO Y SILAS fueron primero a Derbe y luego a Listra, donde conocieron a un creyente llamado Timoteo, hijo de una judía cristiana, pero de padre griego.

²Como Timoteo gozaba del aprecio de los hermanos de Listra e Iconio, ³Pablo le pidió que fuera con él en el viaje. Y como todos sabían que no estaba circuncidado porque su padre, que era griego, no lo había permitido, lo circuncidó antes de salir como una deferencia a los judíos de la región.

⁴Entonces emprendieron el viaje, y de ciudad en ciudad fueron comunicando a los gentiles la decisión que, en cuanto a ellos, habían tomado los apóstoles y los ancianos en Jerusalén. ⁵De esta forma, las iglesias se afianzaban en la fe y crecían en número todos los días.

⁶Seguidamente atravesaron Frigia y Galacia, porque el Espíritu Santo por el momento les tenía prohibido ir a predicar a la provincia turca de Asia. ⁷Luego bordearon las fronteras de Misia y tomaron rumbo norte con el propósito de ir hasta la provincia de Bitinia; pero el Espíritu les ordenó que no lo hicieran. ⁸En vista de esto, atravesaron la provincia de Misia y llegaron a Troas.

⁹Aquella noche Pablo tuvo una visión. En el sueño vio a un varón de Macedonia, Grecia, que le suplicaba: "Ven y ayúdanos".

¹⁰No había nada más que decir. Iríamos a Macedonia, porque la única conclusión lógica era que Dios nos estaba enviando allá a predicar las buenas noticias.

¹¹En Troas tomamos un barco y navegamos en línea recta hacia Samotracia, y de allí a Neápolis al siguiente día. ¹²Por último, llegamos a Filipos, colonia romana situada inmediatamente al otro lado de los límites de Macedonia, y nos quedamos allí varios días.

¹³El día del reposo, fuimos a la orilla del río que está al otro lado de la muralla, donde sabíamos que varias personas acostumbraban reunirse para orar, y tuvimos la oportunidad de explicarles las Escrituras a las mujeres que se habían reunido. ¹⁴A una de ellas, llamada Lidia, que era vendedora de púrpura en Tiatira y ya desde antes adoraba a Dios, mientras escuchaba, el Señor le abrió el corazón para que aceptara lo que Pablo decía.

16 PAUL AND SILAS went first to Derbe and then on to Lystra where they met Timothy, a believer whose mother was a Christian Jewess but his father a Greek. ² Timothy was well thought of by the brothers in Lystra and Iconium, ³ so Paul asked him to join them on their journey. In deference to the Jews of the area, he circumcised Timothy before they left, for everyone knew that his father was a Greek [and hadn't permitted this before]. ⁴ Then they went from city to city, making known the decision concerning the Gentiles, as decided by the apostles and elders in Jerusalem. ⁵ So the church grew daily in faith and numbers.

⁶ Next they traveled through Phrygia and Galatia, because the Holy Spirit had told them not to go into the Turkish province of Ausia at that time. ⁷ Then going along the borders of Mysia they headed north for the province of Bithynia, but again the Spirit of Jesus said no. ⁸ So instead they went on through Mysia province to the city of Troas.

⁹ That night Paul had a vision. In his dream he saw a man over in Macedonia, Greece, pleading with him, "Come over here and help us." ¹⁰ Well, that settled it. We would go to Macedonia, for we could only conclude that God was sending us to preach the Good News there.

¹¹ We went aboard a boat at Troas, and sailed straight across to Samothrace, and the next day on to Neapolis, ¹² and finally reached Philippi, a Roman colony just inside the Macedonian border, and stayed there several days.

¹³ On the Sabbath, we went a little way outside the city to a river bank where we understood some people met for prayer; and we taught the Scriptures to some women who came. ¹⁴ One of them was Lydia, a saleswoman from Thyatira, a merchant of purple cloth. She was already a worshiper of God and, as she listened to us, the Lord opened her heart and she accepted all that Paul was saying. ¹⁵ She was baptized along

[15]Entonces la bautizamos junto con los demás miembros de su familia.

—Si ustedes creen que soy fiel al Señor —nos dijo después del servicio bautismal—, vengan a hospedarse a mi casa.

Su insistencia fue tal que aceptamos.

[16]Un día en que nos dirigíamos al lugar donde acostumbrábamos orar, junto al río, nos salió al encuentro una joven esclava endemoniada que tenía la facultad de adivinar y les estaba proporcionando jugosas ganancias a sus amos con las adivinaciones. [17]La joven empezó a seguirnos.

—¡Estos hombres son siervos de Dios que han venido a enseñarles cómo obtener el perdón de sus pecados! —gritaba a nuestras espaldas.

[18]El problema se repitió varios días hasta que Pablo, muy molesto, se volvió y le dijo al demonio que estaba en la joven:

—Te ordeno en el nombre de Jesucristo que salgas de esta joven.

E instantáneamente el demonio obedeció.

[19]Pero como con la salida del demonio se desvanecieron las esperanzas de riqueza de los dueños de la esclava, éstos tomaron a Pablo y lo llevaron ante los magistrados de la plaza pública.

[20,21]—Estos judíos están corrompiendo nuestra ciudad —dijeron—. Están enseñándole al pueblo costumbres contrarias a las leyes romanas.

[22]El pueblo se agolpó entonces contra Pablo y Silas, y los jueces ordenaron que los desvistieran y azotaran con varas.

[23]Así se hizo, y los azotes rasgaron repetidas veces las espaldas desnudas y bañadas de sangre de los dos misioneros. Al terminar el suplicio, los arrojaron en una prisión y le advirtieron al carcelero que le costaría la vida si los prisioneros escapaban. [24]Ante tal amenaza el carcelero no quiso correr riesgos; además de encerrarlos en el calabozo de más adentro, les aprisionó los pies en el cepo.

[25]Era ya media noche. Pablo y Silas todavía estaban orando y cantando himnos al Señor. Los demás prisioneros escuchaban. [26]De pronto un gran terremoto sacudió los cimientos de la cárcel y las puertas se abrieron y las cadenas saltaron de las carnes de los prisioneros.

[27]El carcelero, al despertar y al ver las puertas abiertas, creyó que los prisioneros

with all her household and asked us to be her guests. "If you agree that I am faithful to the Lord," she said, "come and stay at my home." And she urged us until we did.

[16] One day as we were going down to the place of prayer beside the river, we met a demon-possessed slave girl who was a fortune-teller, and earned much money for her masters. [17] She followed along behind us shouting, "These men are servants of God and they have come to tell you how to have your sins forgiven."

[18] This went on day after day until Paul, in great distress, turned and spoke to the demon within her. "I command you in the name of Jesus Christ to come out of her," he said. And instantly it left her.

[19] Her masters' hopes of wealth were now shattered; they grabbed Paul and Silas and dragged them before the judges at the marketplace.

[20,21] "These Jews are corrupting our city," they shouted. "They are teaching the people to do things that are against the Roman laws."

[22] A mob was quickly formed against Paul and Silas, and the judges ordered them stripped and beaten with wooden whips. [23] Again and again the rods slashed down across their bared backs; and afterwards they were thrown into prison. The jailer was threatened with death if they escaped, [24] so he took no chances, but put them into the inner dungeon and clamped their feet into the stocks.

[25] Around midnight, as Paul and Silas were praying and singing hymns to the Lord—and the other prisoners were listening— [26] suddenly there was a great earthquake; the prison was shaken to its foundations, all the doors flew open—and the chains of every prisoner fell off! [27] The jailer wakened to see the prison doors wide open, and assuming the prisoners had es-

habían escapado y sacó la espada para matarse.

²⁸—¡No lo hagas! —le gritó Pablo—. ¡Todos estamos aquí!

²⁹Temblando de miedo, el carcelero ordenó que trajeran luz, corrió al calabozo y se tiró de rodillas ante Pablo y Silas.

³⁰—Señores, ¿qué tengo que hacer para salvarme? —les preguntó suplicante, después de sacarlos.

³¹—Cree en el Señor Jesucristo y serán salvos tú y tu familia —le respondieron.

³²Entonces le contaron delante de sus familiares las buenas noticias del Señor. ³³Y en aquella misma hora, el carcelero les lavó las heridas y se bautizó junto con los demás miembros de su familia. ³⁴Después prepararon un banquete y los invitaron a comer. El carcelero rebosaba de gozo, al igual que sus familiares, porque ya todos creían en Dios.

³⁵A la siguiente mañana se presentaron ante el carcelero varios alguaciles.

—Dicen los magistrados que sueltes a esos hombres —le dijeron.

³⁶El carcelero corrió a notificarle a Pablo que estaba en libertad. ³⁷Pero éste le respondió:

—¡Ah, no! ¡Así que a pesar de que somos ciudadanos romanos nos azotan públicamente sin someternos a juicio, nos encarcelan y ahora quieren ponernos en libertad secretamente! ¡No, señor! ¡Qué vengan ellos mismos a sacarnos!

³⁸Los alguaciles transmitieron a los magistrados estas palabras y éstos, muertos de miedo al enterarse de que Pablo y Silas eran ciudadanos romanos, ³⁹corrieron a la cárcel a suplicarles que salieran y abandonaran la ciudad.

⁴⁰Pablo y Silas entonces regresaron a casa de Lidia y allí volvieron a reunirse con los creyentes para predicarles una vez más antes de partir.

17 VIAJARON A TRAVÉS de las ciudades de Anfípolis y Apolonia y llegaron a Tesalónica, donde había una sinagoga judía. ²Como ya era costumbre en Pablo, entró allí a predicar, y tres días de reposo consecutivos estuvo disertando sobre las Escrituras, ³explicándole al pueblo las profecías acerca de los sufrimientos del Mesías y su resurrección, y probándoles que Jesús era el Mesías.

caped, he drew his sword to kill himself.

²⁸ But Paul yelled to him, "Don't do it! We are all here!"

²⁹ Trembling with fear, the jailer called for lights and ran to the dungeon and fell down before Paul and Silas. ³⁰ He brought them out and begged them, "Sirs, what must I do to be saved?"

³¹ They replied, "Believe on the Lord Jesus and you will be saved, and your entire household."

³² Then they told him and all his household the Good News from the Lord. ³³ That same hour he washed their stripes and he and all his family were baptized. ³⁴ Then he brought them up into his house and set a meal before them. How he and his household rejoiced because all were now believers! ³⁵ The next morning the judges sent police officers over to tell the jailer, "Let those men go!" ³⁶ So the jailer told Paul they were free to leave.

³⁷ But Paul replied, "Oh, no they don't! They have publicly beaten us without trial and jailed us—and we are Roman citizens! So now they want us to leave secretly? Never! Let them come themselves and release us!"

³⁸ The police officers reported to the judges, who feared for their lives when they heard Paul and Silas were Roman citizens. ³⁹ So they came to the jail and begged them to go, and brought them out and pled with them to leave the city. ⁴⁰ Paul and Silas then returned to the home of Lydia where they met with the believers and preached to them once more before leaving town.

17 NOW THEY TRAVELED through the cities of Amphipolis and Apollonia and came to Thessalonica, where there was a Jewish synagogue. ² As was Paul's custom, he went there to preach, and for three Sabbaths in a row he opened the Scriptures to the people, ³ explaining the prophecies about the sufferings of the Messiah and his coming back to life, and proving that Jesus is the Messiah. ⁴ Some who listened were

4,5Varios de los oyentes, convencidos, se convirtieron, entre ellos un gran número de griegos piadosos y muchas mujeres importantes de la ciudad. Pero los dirigentes judíos, celosos, anduvieron por las calles incitando revueltas entre individuos de la peor calaña. Luego la turba se dirigió a casa de Jasón, con el propósito de apoderarse de Pablo y Silas y llevarlos ante el consejo municipal para que los castigaran.

6Al no hallarlos allí, arrastraron fuera a Jasón y a varios creyentes más y los llevaron ante el consejo municipal.

—Pablo y Silas tienen al mundo trastornado y ahora andan por la ciudad provocando disturbios —gritaron—. 7Y Jasón los tiene alojados en su casa. Estos son unos traidores, porque andan diciendo que el rey es Jesús y no el César.

8Los ciudadanos y las autoridades de la ciudad, se sobresaltaron ante aquellas acusaciones, 9pero como Jasón y los demás pagaron una fianza, los pusieron en libertad.

10Aquella misma noche los cristianos mandaron para Berea a Pablo y a Silas.

En Berea, como de costumbre, se fueron a predicar a la sinagoga. 11Los bereanos eran mucho más abiertos que los tesalonicenses, y escucharon gustosos el mensaje. Todos los días examinaban las Escrituras para comprobar si lo que Pablo y Silas decían era cierto. 12En consecuencia, un buen grupo creyó junto con varias griegas prominentes y muchos hombres.

13Pero cuando los judíos de Tesalónica se enteraron de que Pablo estaba predicando en Berea, se apresuraron a ocasionarle problemas. 14Los creyentes se movilizaron inmediatamente y mandaron a Pablo para la costa; mas Silas y Timoteo se quedaron.

15Los acompañantes de Pablo lo condujeron a Atenas y de allí regresaron a Berea con un mensaje para Silas y Timoteo, en el que Pablo les suplicaba que fueran cuanto antes.

16Mientras los esperaba en Atenas, Pablo se sentía afligido ante la gran cantidad de ídolos que veía por todas partes. 17Por eso, además de concurrir a la sinagoga, donde discutía con los judíos y los devotos gentiles, hablaba diariamente en la plaza pública ante quienes estuvieran allí. 18En una ocasión se enfrentó a varios

persuaded and became converts—including a large number of godly Greek men, and also many important women of the city.

5 But the Jewish leaders were jealous and incited some worthless fellows from the streets to form a mob and start a riot. They attacked the home of Jason, planning to take Paul and Silas to the City Council for punishment.

6 Not finding them there, they dragged out Jason and some of the other believers, and took them before the Council instead. "Paul and Silas have turned the rest of the world upside down, and now they are here disturbing our city," they shouted, 7 "and Jason has let them into his home. They are all guilty of treason, for they claim another king, Jesus, instead of Caesar."

8,9 The people of the city, as well as the judges, were concerned at these reports and let them go only after they had posted bail.

10 That night the Christians hurried Paul and Silas to Beroea, and, as usual, they went to the synagogue to preach. 11 But the people of Beroea were more open minded than those in Thessalonica, and gladly listened to the message. They searched the Scriptures day by day to check up on Paul and Silas' statements to see if they were really so. 12 As a result, many of them believed, including several prominent Greek women and many men also.

13 But when the Jews in Thessalonica learned that Paul was preaching in Beroea, they went over and stirred up trouble. 14 The believers acted at once, sending Paul on to the coast, while Silas and Timothy remained behind. 15 Those accompanying Paul went on with him to Athens, and then returned to Beroea with a message for Silas and Timothy to hurry and join him.

16 While Paul was waiting for them in Athens, he was deeply troubled by all the idols he saw everywhere throughout the city. 17 He went to the synagogue for discussions with the Jews and the devout Gentiles, and spoke daily in the public square to all who happened to be there.

18 He also had an encounter with some

filósofos epicúreos y estoicos.

—¡Pobre iluso! —exclamaron algunos cuando lo oyeron hablar acerca de Jesús y de su resurrección.

Otros, en cambio, pensaron que era un extranjero que intentaba introducir alguna religión nueva, ^{19,20}y lo invitaron a ir al cerro de Marte o Areópago.

—Ven y cuéntanos más acerca de esa nueva religión —le dijeron—, porque has estado diciendo algunas cosas bastantes sorprendentes y quisiéramos oírlas bien.

²¹Era que a los atenienses, al igual que a los extranjeros que residían en Atenas, les gustaba matar el tiempo discutiendo cualquier idea nueva.

²²Al llegar ante el Areópago, Pablo se expresó así:

—Varones atenienses, he notado que ustedes son muy religiosos, ²³porque al andar por la ciudad hallé que entre todos los altares que poseen hay uno con la siguiente inscripción: "Al Dios desconocido". En este día deseo hablarles de ese Dios que ustedes han estado adorando sin conocer.

²⁴"Ese Dios fue el que hizo el mundo y cuanto en él existe y, por cuanto es Señor del cielo y de la tierra, no habita en templos que el hombre construya, ²⁵ni necesita que los seres humanos satisfagan sus necesidades, porque no tiene necesidades. El es el que da vida y aliento a las cosas y el que satisface cualquier necesidad. ²⁶De un solo hombre, Adán, creó a la humanidad y luego distribuyó las naciones sobre la faz de la tierra, tras decidir de antemano cuáles habrían de surgir y desmoronarse, y cuándo ocurriría esto. Y determinó sus fronteras. ²⁷En todo esto el propósito de Dios era que las naciones lo buscaran y, quizás palpando, descubrieran el camino donde se le pudiera hallar. Pero El no está lejos de ninguno de nosotros, ²⁸porque en El vivimos, nos movemos y somos. Como uno de sus poetas dijo: "Somos los hijos de Dios".

²⁹"Si esto es verdad, no debíamos llamar dios a un ídolo que un grupo de hombres se hayan hecho de oro, plata y piedra esculpida. ³⁰Dios toleró la ignorancia que el hombre tenía en cuanto a esto en el pasado, pero ahora ordena que todos arrojen a un lado los ídolos y lo adoren sólo a El, ³¹porque ha establecido un día en el cual juzgará

of the Epicurean and Stoic philosophers. Their reaction, when he told them about Jesus and his resurrection, was, "He's a dreamer," or, "He's pushing some foreign religion."

¹⁹ But they invited him to the forum at Mars Hill. "Come and tell us more about this new religion," they said, ²⁰ "for you are saying some rather startling things and we want to hear more." ²¹ (I should explain that all the Athenians as well as the foreigners in Athens seemed to spend all their time discussing the latest new ideas!)

²² So Paul, standing before them at the Mars Hill forum, addressed them as follows:

"Men of Athens, I notice that you are very religious, ²³ for as I was out walking I saw your many altars, and one of them had this inscription on it—'To the Unknown God.' You have been worshiping him without knowing who he is, and now I wish to tell you about him.

²⁴ "He made the world and everything in it, and since he is Lord of heaven and earth, he doesn't live in man-made temples; ²⁵ and human hands can't minister to his needs—for he has no needs! He himself gives life and breath to everything, and satisfies every need there is. ²⁶ He created all the people of the world from one man, Adam, and scattered the nations across the face of the earth. He decided beforehand which should rise and fall, and when. He determined their boundaries.

²⁷ "His purpose in all of this is that they should seek after God, and perhaps feel their way toward him and find him—though he is not far from any one of us. ²⁸ For in him we live and move and are! As one of your own poets says it, 'We are the sons of God.' ²⁹ If this is true, we shouldn't think of God as an idol made by men from gold or silver or chipped from stone. ³⁰ God tolerated man's past ignorance about these things, but now he commands everyone to put away idols and worship only him. ³¹ For he has set a day for justly judging the world

al mundo con justicia por medio del varón que escogió y que nos señaló al levantarlo de entre los muertos.

³²Al oírlo hablar de la resurrección de un muerto, algunos se rieron; pero otros dijeron:

—Queremos que después nos hables de esto.

³³Allí terminó el diálogo. ³⁴Sin embargo, algunos creyeron y se les unieron; como por ejemplo, Dionisio (miembro del consejo municipal) y una mujer llamada Dámaris.

18 PABLO SALIÓ DE Atenas y se fue a Corinto. ²En Corinto conoció a un judío llamado Aquila, natural de Ponto, que acababa de llegar de Italia con Priscila su mujer. Habían salido de Italia a raíz de la orden de Claudio César de expulsar de Roma a todos los judíos. ³Como eran fabricantes de tiendas al igual que Pablo, éste se fue a vivir y a trabajar con ellos.

⁴No había sábado que no sorprendiera a Pablo en la sinagoga tratando de convencer a judíos y a griegos. ⁵Y después que Silas y Timoteo llegaron de Macedonia, se dedicó por entero a predicar y testificar entre los judíos. ⁶Pero cuando éstos se le enfrentaron y blasfemaron el nombre de Cristo, se sacudió el polvo de su ropa y les dijo:

—Que su sangre caiga sobre sus cabezas. Yo he cumplido ya con mi deber. De ahora en adelante me iré a predicar entre los gentiles.

⁷Después del incidente se fue a vivir con Tito Justo, gentil que adoraba a Dios y que vivía al lado de la sinagoga.

⁸Crispo, el principal de la sinagoga, creyó en el Señor y se bautizó. Lo mismo hicieron todos los de su familia y muchos otros corintios.

⁹Una noche el Señor se le apareció a Pablo en visión.

—¡No tengas miedo! —le dijo—. ¡No calles! ¡No te des por vencido! ¹⁰Nadie podrá hacerte daño, porque yo estoy a tu lado. En esta ciudad hay un buen grupo de personas que me pertenecen.

¹¹Pablo, pues, se quedó allí otro año y medio enseñando las verdades de Dios.

¹²Pero cuando Galión tomó posesión como gobernador de Acaya, los judíos conspiraron contra Pablo y lo llevaron a juicio ante el gobernador, ¹³bajo la acusación de "andar persuadiendo a la gente a

by the man he has appointed, and has pointed him out by bringing him back to life again."

³² When they heard Paul speak of the resurrection of a person who had been dead, some laughed, but others said, "We want to hear more about this later." ³³ That ended Paul's discussion with them, ³⁴ but a few joined him and became believers. Among them was Dionysius, a member of the City Council, and a woman named Damaris, and others.

18 THEN PAUL LEFT Athens and went to Corinth. ²,³ There he became acquainted with a Jew named Aquila, born in Pontus, who had recently arrived from Italy with his wife, Priscilla. They had been expelled from Italy as a result of Claudius Caesar's order to deport all Jews from Rome. Paul lived and worked with them, for they were tentmakers just as he was.

⁴ Each Sabbath found Paul at the synagogue, trying to convince the Jews and Greeks alike. ⁵ And after the arrival of Silas and Timothy from Macedonia, Paul spent his full time preaching and testifying to the Jews that Jesus is the Messiah. ⁶ But when the Jews opposed him and blasphemed, hurling abuse at Jesus, Paul shook off the dust from his robe and said, "Your blood be upon your own heads—I am innocent—from now on I will preach to the Gentiles."

⁷ After that he stayed with Titus Justus, a Gentile who worshiped God and lived next door to the synagogue. ⁸ However, Crispus, the leader of the synagogue, and all his household believed in the Lord and were baptized—as were many others in Corinth.

⁹ One night the Lord spoke to Paul in a vision and told him, "Don't be afraid! Speak out! Don't quit! ¹⁰ For I am with you and no one can harm you. Many people here in this city belong to me." ¹¹ So Paul stayed there the next year and a half, teaching the truths of God.

¹² But when Gallio became governor of Achaia, the Jews rose in concerted action against Paul and brought him before the governor for judgment. ¹³ They accused Paul of "persuading men to worship God

> Pero Cristo me hizo más que vencedor.
>
> He made me more than a winner (conqueror)

ALEX DIAS RIBERIO

Piloto del Coche Fórmula Uno—Brasil   Formula One Racing
Driver — Brazil

Dios me acompaña cuando manejo a la velocidad máxima tanto como cuando estoy metido en un lío de tránsito. Dios me concedió el placer de salir victorioso en la importante carrera de la Fórmula 2 y me sostuvo cuando tuve que enfrentarme con las mayores frustraciones de mi vida, especialmente cuando me vi obligado a abandonar mi carrera automovilística por falta de un patrocinador. Fue un golpe para mí porque yo creía que estaba en plena forma. Me sentí del todo vencido. Pero Cristo me hizo más que vencedor. Él me dio Su victoria—la victoria sin fin, la victoria que Él ganó para mí en la cruz.

"God is with me at high speeds, or when I am stuck in a traffic jam. God gave me the joy of the victory at the important Formula 2 race and upheld me when I faced the greatest frustrations of my life, being forced to abandon my racing career due to lack of sponsors, when I was at my best. He made me more than a winner (conqueror) when I was a defeated man, and offered me the joy of an endless victory, the victory conquered by Christ on the cross."

> Hallé la meta de mi vida en Jesús.
>
> I found meaning in life in Jesus Christ.

JULIUS ERVING

El Baloncesto Profesional   Professional Basketball

Hallé la meta de mi vida en Jesús. Deseo aprovechar la oportunidad de expresar mi más profundo agradecimiento a Jesucristo por lo que ha hecho por mí. Cuando la entregué el control de mi vida empecé a comprender el verdadero propósito de esta vida terrenal. Este propósito es conocer el plan de Dios para mi vida y seguirlo de todo corazón.

"I found meaning in life in Jesus Christ. My biggest thanks of all goes to my Lord and Savior Jesus Christ. When I gave my life to Jesus, I began to understand my true purpose for being here. That purpose is understanding what the Lord's plan is and following that plan."

> El correr con Cristo convierte la vida en una carrera 'de medalla de oro.'
>
> That's real Gold Medal living.

JIM RYUN

Campeón Olímpico de la Carrera   Olympic Champion — Track

Recientemente mi familia y yo nos mudamos de casa. Volvimos al estado de Kansas—el lugar donde todo había empezado para mí; sin embargo, no volví a mi vida de antes. Hoy corro con un nuevo deseo—el de representar a Jesucristo y su maravilloso modo de vivir. La meta de mi vida es vivir una vida de disciplina en obediencia a Él. Yo no vivo para agradarme a mí mismo como lo hacía antes. Por supuesto, ya no soy el corredor más rápido ni necesito serlo. El correr con Jesús me ha hecho feliz y siento una libertad que no experimenté nunca cuando corría solamente por mismo. El correr con Cristo convierte la vida en una carrera "de medalla de oro.' "

"Recently my family and I have moved back to Kansas, back where it all began, but not back to the old routine of running for myself. I am running — with a new desire: to share Jesus Christ and His wonderful, obedient, disciplined lifestyle.

No, I'm not the fastest man alive anymore. I don't need to be. Running with Jesus has brought me the freedom and happiness that running for myself never could.

That's real Gold Medal living."

Photos courtesy Indianapolis Convention & Visitors Association

The Tenth
Pan American Games™
Indianapolis
7–23 August 1987

> Es como el botón de la flor que empieza a abrirse.
>
> It's like a flower that begins to bloom!

MADELINE MANNING MIMS

Cuatro veces ganadora de la medalla de oro en la carrera
(Olimpíadas)   Four-time Olympian, gold and silver medalist

No tardé en descubrir que cuando Cristo se manifiesta y su palabra empieza a obrar en el corazón, algo ocurre. Es como el botón de la flor que empieza a abrirse. Deseo que usted, mi amigo, conozca a este mismo Cristo que me ha dado una vida completa. Sólo tiene que invitarlo a venir a su corazón, a pedirle el perdón de sus pecados. Verá que cumple sus promesas. Nunca se arrepentirá de haberlo hecho. Deseo que llene su vida de su presencia así como llenó la mía.

"I soon discovered that when Jesus comes on the scene and His Word begins to work inside you, it's like a flower that begins to bloom! The same Christ who has made my life full, I offer to you. All you have to do is ask for Him to come into your life, forgive you of your sins and go for it! You'll never be sorry for making such a wise decision. May He now fill your life the way He has filled mine."

> No he alcanzado la perfección ni mucho menos, pero estoy en camino.
>
> I'm not the finished product.

MIKE McCOY

El Fútbol Americano Profesional   Professional Football

Me crié en una familia religiosa y asistí a la iglesia rutinamente; sin embargo, no conocía a Jesucristo. Cuando decidí ser "profesional" fui el primero de los jugadores que fue eligido ese año, en mi caso por los "Empacadores" de Green Bay. Así conocí a un amigo que me invitó a asistir a unos servicios en la capilla. Empecé a enterarme de la diferencia entre la "religión" (que yo tenía) y lo que tenía mi compañero—el conocimiento personal de Jesucristo. Mi búsqueda espiritual cesó cuando lo invité a venir a mi corazón. No he alcanzado la perfección ni mucho menos, pero estoy en camino. Voy creciendo cada día más.

"I was brought up in a religious family and attended church regularly. However, after being selected by the Green Bay Packers as their first round draft choice I was introduced to the chapel program by a team member. I saw a difference between what I had, 'religion', and what he had, 'a personal relationship with Christ'. My quest for this same relationship ended when I personally invited Christ into my life. I'm not the finished product. I'm still growing and striving to be a better person."

> Me he decidido andar por fe, confiando en las promesas del Señor.
>
> I choose to walk in faith believing His promises.

PETE MARAVICH

El Baloncesto Profesional   Professional Basketball

Por la gracia de Dios somos salvos, por medio de la fe en Cristo Jesús. La paz y el gozo que me ha dado el Señor son inexplicables. Nadie puede quitármelos si descanso en Él. ¡Alabado sea Dios! Estoy decidido a seguir a mi Salvador llevando mi cruz porque sé que sin la cruz no hay salvación. Me he decidido andar por fe, confiando en las promesas del Señor. ¡Bendito sea el nombre de nuestro Salvador Jesucristo!

"It is by God's grace through faith that we are saved. The inner peace and joy that Christ has given me cannot be explained or removed, unless I choose not to rest in Him. But, praise our Lord, for I have chosen to follow my Savior by taking up my cross because salvation without the cross is no salvation at all. Jesus has been ever-present and ever-faithful to me, and I choose to walk in faith believing His promises. Blessed be the name of our Lord.

adorar a Dios en maneras contrarias a las leyes romanas". ¹⁴Mas apenas Pablo expresó algunas palabras en defensa propia, Galión se volvió contra los que acusaban al apóstol.

—Escúchenme, judíos. Si este individuo hubiera cometido algún delito, me vería obligado a atender el caso. ¹⁵Pero como se trata de cuestiones de semánticas y personalidades en relación con un montón de leyes judías tontas, arréglenselas ustedes. A mí no me interesa.

¹⁶Y los echó del juzgado.

¹⁷Entonces unos griegos se apoderaron de Sóstenes, el nuevo jefe de la sinagoga, y lo golpearon frente al juzgado. Y a Galión no le importó que lo hicieran.

¹⁸Pablo permaneció en la ciudad varios días más y luego se despidió de los cristianos para zarpar hacia las costas de Siria en compañía de Priscila y Aquila. En Cencrea, se afeitó la cabeza según la costumbre judía, porque tenía hecho voto.

¹⁹Al llegar al puerto de Efeso, nos dejó a bordo y se fue a predicar entre los judíos. ²⁰Estos le pidieron que se quedara unos días más, pero al apóstol no le fue posible complacerlos.

²¹—Tengo de todas maneras que estar en Jerusalén durante la fiesta —les dijo—. Pero les prometo volver a Efeso algún día, si Dios me lo permite.

Zarpamos de nuevo. ²²El próximo puerto de parada fue Cesarea, desde donde visitó la iglesia de Jerusalén antes de seguir su viaje a Antioquía. ²³De Antioquía, donde pasó algún tiempo, se dirigió de nuevo a Turquía a través de Galacia y Frigia, oportunidad que aprovechó para visitar a los creyentes de esas regiones y alentarlos a crecer en el Señor.

²⁴Mientras tanto, un judío llamado Apolos, maestro de la Biblia y formidable predicador, llegaba a Efeso procedente de Alejandría, Egipto. ²⁵En Egipto alguien le había hablado de Juan el Bautista y lo que éste había dicho acerca de Jesús; pero hasta ahí llegaban sus conocimientos acerca del cristianismo. Como desconocía los demás acontecimientos, ²⁶en su mensaje en la sinagoga se limitó a proclamar valiente y fervientemente: "¡El Mesías viene! ¡Prepárense para recibirlo!"

Entre los que escucharon aquel pode-

in ways that are contrary to Roman law." ¹⁴ But just as Paul started to make his defense, Gallio turned to his accusers and said, "Listen, you Jews, if this were a case involving some crime, I would be obliged to listen to you, ¹⁵ but since it is merely a bunch of questions of semantics and personalities and your silly Jewish laws, you take care of it. I'm not interested and I'm not touching it." ¹⁶ And he drove them out of the courtroom.

¹⁷ Then the mob grabbed Sosthenes, the new leader of the synagogue, and beat him outside the courtroom. But Gallio couldn't have cared less.

¹⁸ Paul stayed in the city several days after that and then said good-bye to the Christians and sailed for the coast of Syria, taking Priscilla and Aquila with him. At Cenchreae, Paul had his head shaved according to Jewish custom, for he had taken a vow. ¹⁹ Arriving at the port of Ephesus, he left us aboard ship while he went over to the synagogue for a discussion with the Jews. ²⁰ They asked him to stay for a few days, but he felt that he had no time to lose.

²¹ "I must by all means be at Jerusalem for the holiday," he said. But he promised to return to Ephesus later if God permitted; and so we set sail again.

²² The next stop was at the port of Caesarea from where he visited the church [at Jerusalem] and then sailed on to Antioch. ²³ After spending some time there, he left for Turkey again, going through Galatia and Phrygia visiting all the believers, encouraging them and helping them grow in the Lord.

²⁴ As it happened, a Jew named Apollos, a wonderful Bible teacher and preacher, had just arrived in Ephesus from Alexandria in Egypt. ²⁵,²⁶ While he was in Egypt, someone had told him about John the Baptist and what John had said about Jesus, but that is all he knew. He had never heard the rest of the story! So he was preaching boldly and enthusiastically in the synagogue, "The Messiah is coming! Get ready to receive him!" Priscilla and Aquila were there and

roso mensaje estaban Priscila y Aquila. Al final del servicio se presentaron a Apolos y le explicaron lo que le había sucedido a Jesús después de las predicaciones de Juan, y el significado de cada uno de los acontecimientos.

²⁷Como Apolos había estado acariciando la idea de ir a Grecia, los creyentes lo animaron a hacerlo y escribieron a los cristianos para que le dieran la bienvenida. En Grecia, Dios lo usó para el fortalecimiento de la iglesia, ²⁸porque él refutaba ardiente y abiertamente los argumentos judíos, y demostraba por medio de las Escrituras que Jesús era el Mesías.

19 MIENTRAS APOLOS ESTABA en Corinto, Pablo viajaba a través de Turquía y llegaba a Efeso, donde encontró a varios discípulos.

²—¿Recibieron ustedes el Espíritu Santo cuando creyeron? —les preguntó.

—No —le respondieron—. ¿Qué quiere decir eso? ¿Qué es el Espíritu Santo?

³—¿Qué creencias manifestaron tener al bautizarse? —les preguntó.

—Las que Juan el Bautista enseñó —le respondieron.

⁴Entonces Pablo les explicó que el bautismo de Juan simbolizaba el deseo de darle la espalda al pecado y volverse a Dios, y que los que recibían tal bautismo tenían que creer en Jesús del que Juan dijo que habría de venir.

⁵Al oír esto, se bautizaron en el nombre del Señor Jesús. ⁶Y cuando Pablo les puso las manos sobre la cabeza, el Espíritu Santo vino sobre ellos y hablaron en lenguas extrañas y profetizaron. ⁷Eran en total unos doce hombres.

⁸Durante los tres meses siguientes Pablo estuvo visitando la sinagoga, y se pasó los días de reposo proclamando abiertamente sus creencias, contando porqué las había adoptado y persuadiendo a muchos a creer en Jesús. ⁹Pero como muchos rechazaron el mensaje y se expresaron públicamente en contra de Cristo, Pablo decidió no predicarles más. Separó entonces a los creyentes y comenzó a celebrar reuniones diarias de predicación en el salón de conferencias de Tirano.

¹⁰Así continuó durante los dos años siguientes. No quedó en la provincia turca de

heard him—and it was a powerful sermon. Afterwards they met with him and explained what had happened to Jesus since the time of John, and all that it meant!

²⁷ Apollos had been thinking about going to Greece, and the believers encouraged him in this. They wrote to their fellow-believers there, telling them to welcome him. And upon his arrival in Greece, he was greatly used of God to strengthen the church, ²⁸ for he powerfully refuted all the Jewish arguments in public debate, showing by the Scriptures that Jesus is indeed the Messiah.

19 WHILE APOLLOS WAS in Corinth, Paul traveled through Turkey and arrived in Ephesus, where he found several disciples. ² "Did you receive the Holy Spirit when you believed?" he asked them.

"No," they replied, "we don't know what you mean. What is the Holy Spirit?"

³ "Then what beliefs did you acknowledge at your baptism?" he asked.

And they replied, "What John the Baptist taught."

⁴ Then Paul pointed out to them that John's baptism was to demonstrate a desire to turn from sin to God and that those receiving his baptism must then go on to believe in Jesus, the one John said would come later.

⁵ As soon as they heard this, they were baptized in the name of the Lord Jesus. ⁶ Then, when Paul laid his hands upon their heads, the Holy Spirit came on them, and they spoke in other languages and prophesied. ⁷ The men involved were about twelve in number.

⁸ Then Paul went to the synagogue and preached boldly each Sabbath day for three months, telling what he believed and why, and persuading many to believe in Jesus. ⁹ But some rejected his message and publicly spoke against Christ, so he left, refusing to preach to them again. Pulling out the believers, he began a separate meeting at the lecture hall of Tyrannus and preached there daily. ¹⁰ This went on for the next two years, so that everyone in the

Asia, judío o griego, que no escuchara el mensaje del Señor. [11]Dios le dio a Pablo el poder de hacer milagros asombrosos; [12]a veces bastaba poner sobre el enfermo un pañuelo o alguna prenda de Pablo para que el enfermo sanara o los demonios salieran.

[13]A unos judíos que viajaban de pueblo en pueblo echando fuera demonios, se les ocurrió invocar el nombre del Señor Jesús, a manera de experimento. Decidieron emplear las siguientes palabras: "¡Te conjuro por Jesús, el que Pablo predica, que salgas!"

[14]Los siete hijos de un tal Esceva, sacerdote judío, pusieron en práctica la idea. [15]Pero cuando intentaron usarla con un hombre endemoniado, el demonio les respondió:

—Conozco a Jesús y sé quién es Pablo, pero ¿quiénes son ustedes?

[16]Y el endemoniado se apoderó de ellos y los golpeó de tal manera que salieron de la casa desnudos y mal heridos.

[17]La noticia se corrió en un dos por tres entre los judíos y los griegos de Efeso. Un temor solemne cayó sobre la ciudad y todos glorificaban el nombre del Señor Jesús.

[18]Muchos creyentes que habían practicado la magia negra lo confesaron y [19]trajeron sus libros de magias y sortilegios para quemarlos en una hoguera pública. Se calcula que el valor de aquellos libros era de unas cincuenta mil piezas de plata. [20]Esto indica lo profundo que el mensaje del evangelio había penetrado en los corazones de los habitantes de aquella región.

[21]Al cabo de cierto tiempo, Pablo sintió que el Espíritu Santo lo impulsaba a emprender un recorrido por Grecia antes de regresar a Jerusalén.

—Y de Jerusalén tendré que ir a Roma —dijo.

[22]Pero decidió enviar a Timoteo y a Erasto a Grecia, mientras él permanecía un poco más de tiempo en Turquía.

[23]En aquellos días se produjo en Efeso un gran disturbio contra los cristianos. [24,25]Todo comenzó cuando Demetrio, platero que tenía empleado un considerable grupo de artífices que hacían templecillos de Diana, la diosa griega, reunió a sus empleados y a varias otras personas que se dedicaban al mismo oficio, y les dijo:

—Señores, nosotros nos ganamos la vida en este negocio. [26]Como ustedes bien

Turkish province of Ausia—both Jews and Greeks—heard the Lord's message. [11] And God gave Paul the power to do unusual miracles, [12] so that even when his handkerchiefs or parts of his clothing were placed upon sick people, they were healed, and any demons within them came out.

[13] A team of itinerant Jews who were traveling from town to town casting out demons planned to experiment by using the name of the Lord Jesus. The incantation they decided on was this: "I adjure you by Jesus, whom Paul preaches, to come out!" [14] Seven sons of Sceva, a Jewish priest, were doing this. [15] But when they tried it on a man possessed by a demon, the demon replied, "I know Jesus and I know Paul, but who are you?" [16] And he leaped on two of them and beat them up, so that they fled out of his house naked and badly injured.

[17] The story of what happened spread quickly all through Ephesus, to Jews and Greeks alike; and a solemn fear descended on the city, and the name of the Lord Jesus was greatly honored. [18,19] Many of the believers who had been practicing black magic confessed their deeds and brought their incantation books and charms and burned them at a public bonfire. (Someone estimated the value of the books at $10,000.) [20] This indicates how deeply the whole area was stirred by God's message.

[21] Afterwards, Paul felt impelled by the Holy Spirit to go across to Greece before returning to Jerusalem. "And after that," he said, "I must go on to Rome!" [22] He sent his two assistants, Timothy and Erastus, on ahead to Greece while he stayed awhile longer in Turkey.

[23] But about that time, a big blowup developed in Ephesus concerning the Christians. [24] It began with Demetrius, a silversmith who employed many craftsmen to manufacture silver shrines of the Greek goddess Diana. [25] He called a meeting of his men, together with others employed in related trades, and addressed them as follows:

"Gentlemen, this business is our income. [26] As you know so well from what you've

saben, porque lo han visto y oído, ese tal Pablo ha convencido a un grupo numeroso de personas de que los dioses fabricados no son dioses. Como resultado, nuestras ventas están decayendo. Y esto no es evidente sólo aquí en Efeso, sino en toda la provincia.

[27]"Claro está que no es sólo el aspecto comercial del asunto y la disminución de nuestros ingresos lo que nos preocupa. Sobre todas las cosas, nos preocupa la posibilidad de que el templo de la gran diosa Diana pierda su influencia, y que Diana, la gran diosa que recibe adoración no sólo en esta parte de Turquía sino en todo el mundo, quede abandonada al olvido.

[28,29]Al decir esto, sus oyentes montaron en cólera y comenzaron a gritar:

—¡Grande es Diana de los efesios!

El gentío fue aumentando hasta que la ciudad entera estuvo llena de confusión. Entonces una turba se apoderó de Gayo y Aristarco, compañeros de viaje de Pablo, y los llevaron al anfiteatro para juzgarlos.

[30]Pablo quería presentarse ante el pueblo, pero los discípulos no lo dejaron. [31]Además, varios oficiales romanos amigos de Pablo le enviaron mensajes en los que le suplicaban que no arriesgara la vida yendo al teatro.

[32]En el anfiteatro todo era confusión. Unos gritaban una cosa y otros otra, y muchos ni siquiera sabían por qué estaban allí. [33]Pero varios judíos descubrieron que entre la multitud se encontraba Alejandro y lo arrastraron al frente. Alejandro pidió que guardaran silencio e intentó hablarles. [34]Pero al darse cuenta el gentío de que Alejandro era judío, se pusieron a gritar de nuevo:

—¡Grande es Diana de los efesios! ¡Grande es Diana de los efesios!

Y la gritería duró dos horas.

[35]Cuando al fin el alcalde pudo acallarla lo suficiente para poder hablar, dijo:

—Varones efesios, todo el mundo sabe que Efeso es el centro religioso de la gran diosa Diana, cuya imagen nos cayó del cielo. [36]Como esto es un hecho incontrovertible, ustedes no tienen por qué perder los estribos por lo que digan ni deben obrar precipitadamente. [37]Ustedes han traído aquí a estos hombres, pero ellos ni se han robado nada del templo ni han difamado a nuestra diosa. [38]Si Demetrio y los artífices

seen and heard, this man Paul has persuaded many, many people that handmade gods aren't gods at all. As a result, our sales volume is going down! And this trend is evident not only here in Ephesus, but throughout the entire province! [27] Of course, I am not only talking about the business aspects of this situation and our loss of income, but also of the possibility that the temple of the great goddess Diana will lose its influence, and that Diana—this magnificent goddess worshiped not only throughout this part of Turkey but all around the world—will be forgotten!"

[28] At this their anger boiled and they began shouting, "Great is Diana of the Ephesians!"

[29] A crowd began to gather and soon the city was filled with confusion. Everyone rushed to the amphitheater, dragging along Gaius and Aristarchus, Paul's traveling companions, for trial. [30] Paul wanted to go in, but the disciples wouldn't let him. [31] Some of the Roman officers of the province, friends of Paul, also sent a message to him, begging him not to risk his life by entering.

[32] Inside, the people were all shouting, some one thing and some another—everything was in confusion. In fact, most of them didn't even know why they were there.

[33] Alexander was spotted among the crowd by some of the Jews and dragged forward. He motioned for silence and tried to speak. [34] But when the crowd realized he was a Jew, they started shouting again and kept it up for two hours: "Great is Diana of the Ephesians! Great is Diana of the Ephesians!"

[35] At last the mayor was able to quiet them down enough to speak. "Men of Ephesus," he said, "everyone knows that Ephesus is the center of the religion of the great Diana, whose image fell down to us from heaven. [36] Since this is an indisputable fact, you shouldn't be disturbed no matter what is said, and should do nothing rash. [37] Yet you have brought these men here who have stolen nothing from her temple and have not defamed her. [38] If Demetrius and

tienen algo de qué acusarlos, pueden llevar el caso ante los jueces, que las cortes están siempre listas a atenderlos. Dejen que utilicen los canales legales. ³⁹Y si hay algunas otras quejas además, podemos ventilarlas en alguna sesión del consejo municipal. ⁴⁰Tenemos que evitar que el gobierno romano nos llame a cuentas por causa de estos disturbios, ya que no tenemos ninguna excusa que los justifique. Y si Roma demanda alguna explicación, no sabríamos qué responder.

• ⁴¹Entonces los despidió y se dispersaron.

20 DESPUÉS QUE CESARON los disturbios, Pablo mandó buscar a los discípulos y les predicó un sermón de despedida. Poco después les decía adiós y partía rumbo a Grecia. ²A lo largo del viaje fue predicando entre los creyentes de las ciudades que encontraba. ³Tres meses estuvo en Grecia.

Cuando se disponía a zarpar hacia Siria, descubrió que los judíos planeaban atentar contra su vida, y decidió por lo tanto tomar la ruta norte que pasa por Macedonia.

⁴Varios hombres lo acompañaron hasta Turquía. Entre éstos se encontraban Sópater de Berea, hijo de Pirro; Aristarco y Segundo, de Tesalónica; Gayo de Derbe; Timoteo; y Tíquico y Trófimo, que viajaban de regreso a Turquía, donde residían.

⁵Los acompañantes partieron primero y nos esperaron en Troas. ⁶Tan pronto terminaron las ceremonias de la Pascua, tomamos un barco en Filipos, al norte de Grecia, y cinco días más tarde arribábamos a Troas, Turquía, donde permanecimos una semana.

⁷El domingo nos reunimos a celebrar un servicio de comunión, y Pablo predicó. Como al siguiente día partía, estuvo hablando hasta la medianoche. ⁸La habitación que ocupábamos en el tercer piso estaba iluminada por la parpadeante luz de varias lámparas. Como el discurso de Pablo se prolongaba, ⁹un joven llamado Eutico, que estaba sentado en la ventana, se quedó dormido y cayó a la calle. Lo levantaron muerto.

¹⁰Pablo corrió escaleras abajo y lo tomó en brazos.

—¡No se alarmen! —dijo—. ¡No morirá!

¡Y no murió! ¹¹,¹²Una ola de temor y

---

the craftsmen have a case against them, the courts are currently in session and the judges can take the case at once. Let them go through legal channels. ³⁹ And if there are complaints about other matters, they can be settled at the regular City Council meetings; ⁴⁰ for we are in danger of being called to account by the Roman government for today's riot, since there is no cause for it. And if Rome demands an explanation, I won't know what to say."

⁴¹ Then he dismissed them, and they dispersed.

20 WHEN IT WAS all over, Paul sent for the disciples, preached a farewell message to them, said good-bye and left for Greece, ² preaching to the believers along the way, in all the cities he passed through. ³ He was in Greece three months and was preparing to sail for Syria when he discovered a plot by the Jews against his life, so he decided to go north to Macedonia first.

⁴ Several men were traveling with him, going as far as Turkey; they were Sopater of Beroea, the son of Pyrrhus; Aristarchus and Secundus, from Thessalonica; Gaius, from Derbe; and Timothy; and Tychicus and Trophimus, who were returning to their homes in Turkey, ⁵ and had gone on ahead and were waiting for us at Troas. ⁶ As soon as the Passover ceremonies ended, we boarded ship at Philippi in northern Greece and five days later arrived in Troas, Turkey, where we stayed a week.

⁷ On Sunday, we gathered for a communion service, with Paul preaching. And since he was leaving the next day, he talked until midnight! ⁸ The upstairs room where we met was lighted with many flickering lamps; ⁹ and as Paul spoke on and on, a young man named Eutychus, sitting on the window sill, went fast asleep and fell three stories to his death below. ¹⁰,¹¹,¹² Paul went down and took him into his arms. "Don't worry," he said, "he's all right!" And he was! What a wave of awesome joy swept

alegría a la vez llenó los corazones de los presentes, y regresaron al tercer piso a comer juntos la cena del Señor. Luego Pablo predicó otro sermón que se prolongó hasta el alba, y al terminar, partió.

¹³Se fue por tierra a Asón, mientras nosotros nos adelantamos por barco. ¹⁴Nos volvimos a reunir en Asón y desde allí zarpamos hacia Mitilene. ¹⁵Al siguiente día pasábamos por Quío, y al otro, hacíamos escala en Samos. Veinticuatro horas más tarde llegábamos a Mileto.

¹⁶Pablo había decidido no visitar Efeso esa vez, porque deseaba llegar a tiempo a Jerusalén para la celebración del Pentecostés. ¹⁷Pero cuando desembarcamos en Mileto, envió un mensaje a los ancianos de la iglesia de Efeso en el cual les suplicaba que lo fueran a ver al barco. ¹⁸Al llegar, les dijo:

—Ustedes saben bien que, desde el día en que puse los pies por primera vez en Turquía hasta hoy, ¹⁹he estado trabajando para el Señor con humildad y lágrimas, y que he corrido el grave peligro de caer en los atentados que los judíos han preparado contra mi vida. ²⁰Pero a pesar de todo, jamás he vacilado en decirles la verdad en público o en privado. ²¹Para judíos y gentiles he tenido siempre el mismo mensaje: que necesitan arrepentirse de sus pecados y volverse a Dios por medio de la fe en nuestro Señor Jesucristo. ²²Al ir a Jerusalén lo hago guiado por el impulso irresistible del Espíritu Santo. No sé lo que me espera, ²³pero sé que el Espíritu Santo me ha estado repitiendo en cada ciudad que visito, que me esperan prisiones y sufrimientos. ²⁴Mas no me importa cuánto haya de sufrir; después de todo, la vida carecería de valor si no la empleara para terminar con gozo la tarea que me señaló el Señor Jesús: pregonar las buenas noticias acerca del inmenso amor de Dios. ²⁵Sé que ninguno de ustedes, entre quienes he andado pregonando el reino de Dios, me volverá a ver. ²⁶Mas puedo declarar con la frente bien alta que si alguno perece, la culpa no es mía, ²⁷,²⁸porque jamás he eludido la responsabilidad de declararles el mensaje de Dios. Por lo tanto, ¡cuídense y cuiden el rebaño de Dios! ¡Que a la iglesia que El compró con su sangre no le falte alimento ni cuidado! ¡El Espíritu Santo les ha dado a ustedes la responsabilidad de cuidarla!

²⁹"Sé bien que después que yo parta, se

through the crowd! They all went back upstairs and ate the Lord's Supper together; then Paul preached another long sermon—so it was dawn when he finally left them!

¹³ Paul was going by land to Assos, and we went on ahead by ship. ¹⁴ He joined us there and we sailed together to Mitylene; ¹⁵ the next day we passed Chios; the next, we touched at Samos; and a day later we arrived at Miletus.

¹⁶ Paul had decided against stopping at Ephesus this time, as he was hurrying to get to Jerusalem, if possible, for the celebration of Pentecost. ¹⁷ But when we landed at Miletus, he sent a message to the elders of the church at Ephesus asking them to come down to the boat to meet him.

¹⁸ When they arrived he told them, "You men know that from the day I set foot in Turkey until now ¹⁹ I have done the Lord's work humbly—yes, and with tears—and have faced grave danger from the plots of the Jews against my life. ²⁰ Yet I never shrank from telling you the truth, either publicly or in your homes. ²¹ I have had one message for Jews and Gentiles alike—the necessity of turning from sin to God through faith in our Lord Jesus Christ.

²² "And now I am going to Jerusalem, drawn there irresistibly by the Holy Spirit, not knowing what awaits me, ²³ except that the Holy Spirit has told me in city after city that jail and suffering lie ahead. ²⁴ But life is worth nothing unless I use it for doing the work assigned me by the Lord Jesus—the work of telling others the Good News about God's mighty kindness and love.

²⁵ "And now I know that none of you among whom I went about teaching the Kingdom will ever see me again. ²⁶ Let me say plainly that no man's blood can be laid at my door, ²⁷ for I didn't shrink from declaring all God's message to you.

²⁸ "And now beware! Be sure that you feed and shepherd God's flock—his church, purchased with his blood—for the Holy Spirit is holding you responsible as overseers. ²⁹ I know full well that after I leave

presentarán ante ustedes falsos maestros que, como lobos rapaces, no perdonarán el rebaño. ³⁰Y algunos de ustedes mismos falsearán la verdad para arrastrar seguidores. ³¹¡Estén alertas! Recuerden los tres años que pasé con ustedes, el cuidado constante que de día y noche les dispensé, y las lágrimas que derramé por ustedes. ³²Ahora los encomiendo al cuidado de Dios y a su maravillosa palabra que es capaz de fortalecer la fe y de darles la herencia con los demás que están apartados para Dios.

³³"Jamás he codiciado dinero ni ropa lujosa. ³⁴Ustedes saben que con estas manos he trabajado para ganar el sustento propio y el de los que andaban conmigo. ³⁵Y les fui un ejemplo constante de cómo se debe ayudar a los pobres, porque recordaba las palabras del Señor Jesús que dicen: "Es más bienaventurado dar que recibir".

³⁶Al terminar el discurso, se arrodilló y oró con ellos. ³⁷Luego uno a uno se fueron despidiendo de él con un abrazo. No podían contener el llanto ³⁸al pensar que, según las palabras del apóstol, no lo volverían a ver. Luego lo acompañaron al barco.

21 DESPUÉS DE SEPARARNOS de los ancianos de Efeso, navegamos en línea recta hasta Cos. Al siguiente día llegamos a Rodas, y de Rodas seguimos a Pátara. ²Allí abordamos un barco que se dirigía a la provincia siria de Fenicia. ³En la travesía avistamos a la izquierda la isla de Chipre, pero seguimos de largo hasta el puerto de Tiro, en Siria, donde descargaron el barco. ⁴Desembarcamos. Inmediatamente nos pusimos en contacto con los creyentes de la localidad y estuvimos una semana con ellos. Estos, iluminados por el Espíritu Santo, le advirtieron a Pablo que no fuera a Jerusalén.

⁵Al cabo de la semana, cuando regresamos al barco, la congregación en pleno, incluyendo esposas e hijos, nos acompañaron hasta la orilla del mar, donde oramos y nos despedimos de ellos. ⁶Abordamos entonces la nave, y ellos regresaron a sus casas.

⁷Tras partir de Tiro, hicimos escala en Tolemaida, donde tuvimos la oportunidad de saludar a los creyentes y estar con ellos un día.

⁸De allí fuimos a Cesarea, y nos alojamos en casa de Felipe el evangelista, uno de

you, false teachers, like vicious wolves, will appear among you, not sparing the flock. ³⁰Some of you yourselves will distort the truth in order to draw a following. ³¹Watch out! Remember the three years I was with you—my constant watchcare over you night and day and my many tears for you.

³²"And now I entrust you to God and his care and to his wonderful words which are able to build your faith and give you all the inheritance of those who are set apart for himself.

³³"I have never been hungry for money or fine clothing— ³⁴you know that these hands of mine worked to pay my own way and even to supply the needs of those who were with me. ³⁵And I was a constant example to you in helping the poor; for I remembered the words of the Lord Jesus, 'It is more blessed to give than to receive.' "

³⁶When he had finished speaking, he knelt and prayed with them, ³⁷and they wept aloud as they embraced him in farewell, ³⁸sorrowing most of all because he said that he would never see them again. Then they accompanied him down to the ship.

21 AFTER PARTING FROM the Ephesian elders, we sailed straight to Cos. The next day we reached Rhodes and then went to Patara. ²There we boarded a ship sailing for the Syrian province of Phoenicia. ³We sighted the island of Cyprus, passed it on our left and landed at the harbor of Tyre, in Syria, where the ship unloaded. ⁴We went ashore, found the local believers and stayed with them a week. These disciples warned Paul—the Holy Spirit prophesying through them—not to go on to Jerusalem. ⁵At the end of the week when we returned to the ship, the entire congregation including wives and children walked down to the beach with us where we prayed and said our farewells. ⁶Then we went aboard and they returned home.

⁷The next stop after leaving Tyre was Ptolemais where we greeted the believers, but stayed only one day. ⁸Then we went on to Caesarea and stayed at the home of Philip the Evangelist, one of the first seven

los primeros siete diáconos. ⁹Felipe tenía cuatro hijas solteras que poseían el don de la profecía.

¹⁰Durante nuestra estancia, que se prolongó varios días, un hombre llamado Agabo, profeta también, llegó procedente de Judea ¹¹y fue a visitarnos. Al ver a Pablo, le arrebató el cinturón, se ató con él de pies y manos y dijo:

—El Espíritu Santo dice: "Así atarán los judíos de Jerusalén al dueño de este cinturón y lo entregarán a los romanos".

¹²Al escuchar aquello, los creyentes de Cesarea y nosotros, sus compañeros de viaje, le suplicamos que no fuera a Jerusalén.

¹³—¿A qué viene tanto llanto? —nos respondió—. ¿Quieren destrozarme el corazón? Estoy dispuesto no sólo a sufrir las prisiones de Jerusalén sino también a morir por la causa del Señor Jesús.

¹⁴Al darnos cuenta que no podríamos disuadirlo, nos dimos por vencidos y dijimos:

—Hágase la voluntad del Señor.

¹⁵Poco después recogimos el equipaje y partimos hacia Jerusalén, ¹⁶acompañados por varios discípulos de Cesarea.

En Jerusalén, nos hospedamos en la casa de Mnasón, oriundo de Chipre y uno de los primeros creyentes, ¹⁷y los creyentes de Jerusalén nos dieron una bienvenida cordial.

¹⁸Al segundo día, Pablo nos llevó consigo a visitar a Jacobo y a los ancianos de la iglesia de Jerusalén. ¹⁹Luego de intercambiar saludos, les hizo un recuento de lo que Dios había realizado entre los gentiles a través de su persona. ²⁰Los allí presentes alabaron a Dios, pero le dijeron:

—Hermano, como sabes, miles de judíos han creído también, e insisten en que los creyentes de origen judío continúen guardando las costumbres y las tradiciones judaicas. ²¹Y el caso es que los cristianos judíos de Jerusalén han oído decir que te opones a la ley de Moisés y a nuestras costumbres judías, y que prohíbes que circunciden a los niños. ²²¿Qué vamos a hacer? Como no podemos ocultarles que has venido, ²³se nos ocurre lo siguiente: Aquí tenemos cuatro hombres que se van a rasurar las cabezas para cumplir sus votos. ²⁴Vé con ellos al Templo, aféitate la cabeza y paga para que los afeiten a ellos. Así todo

deacons. ⁹ He had four unmarried daughters who had the gift of prophecy.

¹⁰ During our stay of several days, a man named Agabus, who also had the gift of prophecy, arrived from Judea ¹¹ and visited us. He took Paul's belt, bound his own feet and hands with it and said, "The Holy Spirit declares, 'So shall the owner of this belt be bound by the Jews in Jerusalem and turned over to the Romans.' " ¹² Hearing this, all of us—the local believers and his traveling companions—begged Paul not to go on to Jerusalem.

¹³ But he said, "Why all this weeping? You are breaking my heart! For I am ready not only to be jailed at Jerusalem, but also to die for the sake of the Lord Jesus." ¹⁴ When it was clear that he wouldn't be dissuaded, we gave up and said, "The will of the Lord be done."

¹⁵ So shortly afterwards, we packed our things and left for Jerusalem. ¹⁶ Some disciples from Caesarea accompanied us, and on arrival we were guests at the home of Mnason, originally from Cyprus, one of the early believers; ¹⁷ and all the believers at Jerusalem welcomed us cordially.

¹⁸ The second day Paul took us with him to meet with James and the elders of the Jerusalem church. ¹⁹ After greetings were exchanged, Paul recounted the many things God had accomplished among the Gentiles through his work.

²⁰ They praised God but then said, "You know, dear brother, how many thousands of Jews have also believed, and they are all very insistent that Jewish believers must continue to follow the Jewish traditions and customs. ²¹ Our Jewish Christians here at Jerusalem have been told that you are against the laws of Moses, against our Jewish customs, and that you forbid the circumcision of their children. ²² Now what can be done? For they will certainly hear that you have come.

²³ "We suggest this: We have four men here who are preparing to shave their heads and take some vows. ²⁴ Go with them to the Temple and have your head shaved too —and pay for theirs to be shaved.

el mundo se convencerá de que apruebas esta costumbre como cristiano hebreo, que obedeces las leyes judaicas y que andas conforme a nuestra opinión sobre estos asuntos. ²⁵En cuanto a los cristianos gentiles, no les vamos a pedir que observen las costumbres judías, sino que cumplan aquello acerca de lo cual les escribimos: no comer alimentos ofrecidos a los ídolos, no comer carne sin desangrar de animales ahogados, y no fornicar.

²⁶Pablo estuvo de acuerdo, y al día siguiente fue al Templo con aquellos individuos a observar la ceremonia y a proclamar su voto de ofrecer siete días más tarde un sacrificio junto con los demás. ²⁷Casi al final de los siete días varios judíos de Turquía lo vieron en el Templo y provocaron un desorden contra él.

²⁸—¡Varones israelitas! —gritaron agarrándolo por los brazos—. ¡Ayúdennos! Este es el hombre que predica contra nuestro pueblo y anda por ahí aconsejando que desobedezcan las leyes judías. ¡Y hasta se ha atrevido a hablar contra el Templo y a profanarlo introduciendo gentiles en él!

²⁹Seguramente decían esto porque en las primeras horas del día lo habían visto por la ciudad con Trófimo, un gentil de Efeso, Turquía, y pensaban que Pablo lo había metido en el Templo. ³⁰Al escuchar la acusación, la ciudad entera, exaltada, se agolpó contra él y lo sacaron del Templo, e inmediatamente le cerraron la puerta.

³¹Cuando estaban a punto de matarlo, alguien le avisó al jefe de la guarnición romana que la ciudad de Jerusalén estaba alborotada. ³²Este corrió entonces a la zona de los disturbios, acompañado de soldados y oficiales. Cuando la turba vio que el ejército se acercaba, dejó de golpear a Pablo.

³³El jefe de la guarnición arrestó al apóstol y ordenó que lo ataran con cadenas dobles. Luego preguntó quién era Pablo y qué estaba haciendo. ³⁴Unos contestaron una cosa y otros contestaron otra. Al ver que en medio de aquel tumulto no podía entender nada, ordenó que llevaran a Pablo a la fortaleza.

³⁵Al aproximarse a las gradas de la fortaleza, la turba se volvió tan violenta que los soldados tuvieron que levantar en peso a Pablo para protegerlo.

³⁶—¡Muera! ¡Muera! —gritaba la mul-

"Then everyone will know that you approve of this custom for the Hebrew Christians and that you yourself obey the Jewish laws and are in line with our thinking in these matters.

²⁵ "As for the Gentile Christians, we aren't asking them to follow these Jewish customs at all—except for the ones we wrote to them about: not to eat food offered to idols, not to eat unbled meat from strangled animals, and not to commit fornication."

²⁶,²⁷ So Paul agreed to their request and the next day went with the men to the Temple for the ceremony, thus publicizing his vow to offer a sacrifice seven days later with the others.

The seven days were almost ended when some Jews from Turkey saw him in the Temple and roused a mob against him. They grabbed him, ²⁸ yelling, "Men of Israel! Help! Help! This is the man who preaches against our people and tells everybody to disobey the Jewish laws. He even talks against the Temple and defiles it by bringing Gentiles in!" ²⁹ (For down in the city earlier that day, they had seen him with Trophimus, a Gentile from Ephesus in Turkey, and assumed that Paul had taken him into the Temple.)

³⁰ The whole population of the city was electrified by these accusations and a great riot followed. Paul was dragged out of the Temple, and immediately the gates were closed behind him. ³¹ As they were killing him, word reached the commander of the Roman garrison that all Jerusalem was in an uproar. ³² He quickly ordered out his soldiers and officers and ran down among the crowd. When the mob saw the troops coming, they quit beating Paul. ³³ The commander arrested him and ordered him bound with double chains. Then he asked the crowd who he was and what he had done. ³⁴ Some shouted one thing and some another. When he couldn't find out anything in all the uproar and confusion, he ordered Paul to be taken to the armory. ³⁵ As they reached the stairs, the mob grew so violent that the soldiers lifted Paul to their shoulders to protect him, ³⁶ and the crowd surged behind shouting, "Away with

titud detrás de ellos.

³⁷Ya lo iban a meter en la fortaleza cuando el apóstol le dijo al comandante: —¿Puedo decirte algo?

—¡Conque sabes griego! —le dijo el comandante, sorprendido—. ³⁸¿No eres tú el egipcio que encabezó una rebelión hace varios años y se fue al desierto seguido de cuatro mil asesinos?

³⁹—No —respondió Pablo—. Soy sólo un judío de Tarso, ciudad de Cilicia no demasiado pequeña. Quisiera que me dejaras hablarle al pueblo.

⁴⁰El comandante accedió. Pablo erguido en las gradas, pidió silencio con las manos. Pronto un profundo silencio envolvió a la multitud, y Pablo se dirigió a ellos en hebreo.

22 —VARONES HERMANOS Y padres, presten ahora atención a mi defensa. ²Al oírlo hablar en hebreo, el silencio se hizo aún mayor. Pablo continuó:

³—Soy judío, natural de Tarso, ciudad de Cilicia, pero estudié aquí en Jerusalén con el maestro Gamaliel, a cuyos pies aprendí a observar meticulosamente las costumbres y las leyes judaicas. Y a los pies de Gamaliel aprendí también a honrar celosamente el nombre de Dios en todos mis actos. Por cierto, realicé actos semejantes a los que ustedes trataron de realizar hoy ⁴y perseguía a los cristianos hasta la muerte, y al hallarlos los ataba y encarcelaba sin importarme si eran hombres o mujeres. ⁵El sumo sacerdote y los miembros del concilio me son testigos de que fue así, porque les pedí cartas para los jefes judíos de Damasco, para que me permitieran traer encadenado a Jerusalén a todo cristiano que encontrara, para que fueran castigados.

⁶"Pero al aproximarme a Damasco, a eso del mediodía, el repentino resplandor de una luz celestial me envolvió. ⁷Caí al suelo e inmediatamente escuché una voz que me decía: "Saulo, Saulo, ¿por qué me persigues?" ⁸"¿Quién eres, Señor?" pregunté. "Soy Jesús de Nazaret, el que tú persigues", me respondió.

⁹"Los hombres que andaban conmigo vieron la luz, pero no entendieron lo que me decían. ¹⁰"¿Qué haré, Señor?" le pregunté. "Levántate", me respondió el Señor, "y vete a Damasco. Allí se te dirá lo que te espera en los años venideros".

him, away with him!"

³⁷,³⁸ As Paul was about to be taken inside, he said to the commander, "May I have a word with you?"

"Do you know Greek?" the commander asked, surprised. "Aren't you that Egyptian who led a rebellion a few years ago and took 4,000 members of the Assassins with him into the desert?"

³⁹ "No," Paul replied, "I am a Jew from Tarsus in Cilicia which is no small town. I request permission to talk to these people."

⁴⁰ The commander agreed, so Paul stood on the stairs and motioned to the people to be quiet; soon a deep silence enveloped the crowd, and he addressed them in Hebrew as follows:

22 "BROTHERS AND FATHERS, listen to me as I offer my defense." ² (When they heard him speaking in Hebrew, the silence was even greater.) ³ "I am a Jew," he said, "born in Tarsus, a city in Cilicia, but educated here in Jerusalem under Gamaliel, at whose feet I learned to follow our Jewish laws and customs very carefully. I became very anxious to honor God in everything I did, just as you have tried to do today. ⁴ And I persecuted the Christians, hounding them to death, binding and delivering both men and women to prison. ⁵ The High Priest or any member of the Council can testify that this is so. For I asked them for letters to the Jewish leaders in Damascus, with instructions to let me bring any Christians I found to Jerusalem in chains to be punished.

⁶ "As I was on the road, nearing Damascus, suddenly about noon a very bright light from heaven shone around me. ⁷ And I fell to the ground and heard a voice saying to me, 'Saul, Saul, why are you persecuting me?'

⁸ " 'Who is it speaking to me, sir?' I asked. And he replied, 'I am Jesus of Nazareth, the one you are persecuting.' ⁹ The men with me saw the light but didn't understand what was said.

¹⁰ "And I said, 'What shall I do, Lord?'

"And the Lord told me, 'Get up and go into Damascus, and there you will be told what awaits you in the years ahead.'

¹¹"Como quedé ciego por causa del intenso y celeste resplandor, mis compañeros me tuvieron que conducir de la mano hasta Damasco. ¹²Allí, un señor llamado Ananías, piadoso, obediente a la ley y de buena reputación entre los judíos de Damasco, ¹³vino a donde yo estaba y me dijo: "Hermano Saulo, recibe la vista". Y en aquel mismo instante recobré la vista y lo miré. ¹⁴El prosiguió: "El Dios de nuestros padres te ha escogido para que conozcas su voluntad y veas al Mesías y lo escuches. ¹⁵Tú habrás de ir por todas partes proclamando el mensaje y contando lo que has visto y oído. ¹⁶No hay tiempo que perder. Levántate y bautízate, y lava tus pecados en el nombre del Señor".

¹⁷"Un día, ya de regreso en Jerusalén, mientras oraba en el Templo, caí en éxtasis ¹⁸y contemplé a Dios que en visión me decía: "¡Date prisa! Sal de Jerusalén, porque la gente de este lugar no creerá en ti cuando tú les expreses mi mensaje". ¹⁹"Pero, Señor", repliqué, "ellos saben que yo andaba por las sinagogas encarcelando y azotando a los que creían en ti, ²⁰y que cuando mataban a Esteban, tu testigo, estuve presente y no sólo consentí que lo mataran sino que cuidé la ropa de los que lo apedrearon". ²¹Pero Dios me dijo: "Sal de Jerusalén, porque quiero enviarte lejos a los gentiles".

²²Al oír esto último, la turba dejó de escucharlo.

—¡Muera! —gritaron a una voz—. ¡Mátenlo! ¡No merece la vida!

²³Y mientras gritaban, lanzaban su ropa y arrojaban al aire puñados de polvo.

²⁴Entonces el jefe de la guarnición lo llevó dentro y ordenó que le dieran latigazos hasta que confesara el delito que había cometido. Quería saber por qué la multitud estaba tan enardecida.

²⁵—¿Es legal que azoten a un ciudadano romano que ni siquiera ha sido juzgado? —le preguntó Pablo a uno de los soldados que lo ataban para azotarlo.

²⁶El soldado corrió inmediatamente a donde estaba el jefe.

—¿Sabes lo que estás haciendo? ¡Ese hombre es ciudadano romano!

²⁷Sin pérdida de tiempo, el jefe fue adonde estaba Pablo.

—Dime —le preguntó—, ¿es verdad que eres ciudadano romano?

¹¹ "I was blinded by the intense light, and had to be led into Damascus by my companions. ¹² There a man named Ananias, as godly a man as you could find for obeying the law, and well thought of by all the Jews of Damascus, ¹³ came to me, and standing beside me said, 'Brother Saul, receive your sight!' And that very hour I could see him!

¹⁴ "Then he told me, 'The God of our fathers has chosen you to know his will and to see the Messiah and hear him speak. ¹⁵ You are to take his message everywhere, telling what you have seen and heard. ¹⁶ And now, why delay? Go and be baptized, and be cleansed from your sins, calling on the name of the Lord.'

¹⁷,¹⁸ "One day after my return to Jerusalem, while I was praying in the Temple, I fell into a trance and saw a vision of God saying to me, 'Hurry! Leave Jerusalem, for the people here won't believe you when you give them my message.'

¹⁹ " 'But Lord,' I argued, 'they certainly know that I imprisoned and beat those in every synagogue who believed on you. ²⁰ And when your witness Stephen was killed, I was standing there agreeing—keeping the coats they laid aside as they stoned him.'

²¹ "But God said to me, 'Leave Jerusalem, for I will send you far away to the *Gentiles!*' "

²² The crowd listened until Paul came to that word, then with one voice they shouted, "Away with such a fellow! Kill him! He isn't fit to live!" ²³ They yelled and threw their coats in the air and tossed up handfuls of dust.

²⁴ So the commander brought him inside and ordered him lashed with whips to make him confess his crime. He wanted to find out why the crowd had become so furious!

²⁵ As they tied Paul down to lash him, Paul said to an officer standing there, "Is it legal for you to whip a Roman citizen who hasn't even been tried?"

²⁶ The officer went to the commander and asked, "What are you doing? This man is a Roman citizen!"

²⁷ So the commander went over and asked Paul, "Tell me, are you a Roman citizen?"

—Sí, señor; soy ciudadano romano.

²⁸—Te voy a decir una cosa —masculló el militar—. ¡A mí me costó muchísimo dinero lograr la ciudadanía!

—Sí, pero yo lo soy de nacimiento.

²⁹Los soldados que iban a azotarlo, al oír que Pablo era ciudadano romano se apartaron de él inmediatamente, mientras el jefe palidecía de temor al pensar en las consecuencias que le traería el haber ordenado que lo ataran y azotaran.

³⁰Al siguiente día ordenó que le quitaran las cadenas a Pablo y convocó a los principales sacerdotes a una reunión del concilio judío. Ante ellos presentó a Pablo. Quería saber cuál era en verdad la raíz del problema.

23 PABLO CLAVÓ LA mirada en cada uno de los miembros del concilio.

—Hermanos —les dijo—, siempre he procurado tener limpia la conciencia delante de Dios.

²—¡Denle un tapaboca! —ordenó el sumo sacerdote Ananías a los que estaban junto al apóstol.

³—¡Dios te tape la boca a tí, corral de cerdos blanqueado! —le respondió Pablo—. ¿Qué clase de juez eres que quebrantas la ley ordenando que me golpeen?

⁴—¿Cómo te atreves a hablarle así al sumo sacerdote de Dios? —terciaron los que estaban cerca de Pablo.

⁵—Perdonen, hermanos —les respondió Pablo—. No sabía que él era el sumo sacerdote. Sé que las Escrituras dicen: "No maldecirás a ningún príncipe de tu pueblo".

⁶Como una parte del concilio estaba compuesta de saduceos y la otra de fariseos, a Pablo se le ocurrió una idea genial.

—¡Hermanos —exclamó—, soy fariseo, al igual que mis antepasados! ¡Y se me está juzgando porque creo en la resurrección de los muertos!

⁷Al escuchar aquello, el concilio se dividió en dos grupos adversos, fariseos y saduceos, ⁸porque los saduceos afirman que no hay resurrección ni ángeles ni espíritu eterno en nosotros, mientras que los fariseos afirman que sí los hay. ⁹La algarabía que se formó era indescriptible. Varios de los dirigentes judíos saltaron de sus asientos para discutir que Pablo estaba en lo cierto.

"Yes, I certainly am."

²⁸ "I am too," the commander muttered, "and it cost me plenty!"

"But I am a citizen by birth!"

²⁹ The soldiers standing ready to lash him, quickly disappeared when they heard Paul was a Roman citizen, and the commander was frightened because he had ordered him bound and whipped.

³⁰ The next day the commander freed him from his chains and ordered the chief priests into session with the Jewish Council. He had Paul brought in before them to try to find out what the trouble was all about.

23 GAZING INTENTLY AT the Council, Paul began:

"Brothers, I have always lived before God in all good conscience!"

² Instantly Ananias the High Priest commanded those close to Paul to slap him on the mouth.

³ Paul said to him, "God shall slap you, you whitewashed pigpen. What kind of judge are you to break the law yourself by ordering me struck like that?"

⁴ Those standing near Paul said to him, "Is that the way to talk to God's High Priest?"

⁵ "I didn't realize he was the High Priest, brothers," Paul replied, "for the Scriptures say, 'Never speak evil of any of your rulers.'"

⁶ Then Paul thought of something! Part of the Council were Sadducees, and part were Pharisees! So he shouted, "Brothers, I am a Pharisee, as were all my ancestors! And I am being tried here today because I believe in the resurrection of the dead!"

⁷ This divided the Council right down the middle—the Pharisees against the Sadducees— ⁸ for the Sadducees say there is no resurrection or angels or even eternal spirit within us, but the Pharisees believe in all of these.

⁹ So a great clamor arose. Some of the Jewish leaders jumped up to argue that Paul was all right. "We see nothing wrong

—¡Este hombre no ha hecho nada malo! —gritaban—. ¡Quizás un espíritu o un ángel le habló en el camino a Damasco!

¹⁰La gritería iba aumentando. Entre ambos bandos traían a Pablo de un lado a otro. Finalmente, el comandante, temiendo que despedazaran al apóstol, ordenó a los soldados que lo retiraran a la fuerza y lo llevaran de vuelta a la fortaleza.

¹¹Aquella noche el Señor se presentó delante de Pablo.

—No temas, Pablo —le dijo—. De la misma manera que has hablado de mí en Jerusalén, lo harás en Roma.

¹²,¹³A la siguiente mañana, más de cuarenta judíos se juramentaron bajo maldición que no comerían ni beberían hasta que mataran a Pablo, ¹⁴y fueron hasta donde estaban los principales sacerdotes y ancianos a contarles la decisión que habían tomado.

¹⁵—Pídanle al jefe de la guarnición que vuelva a presentar a Pablo ante el concilio —les solicitaron—. Díganle que quieren formularle dos o tres preguntas más. Nosotros lo mataremos en el camino.

¹⁶Pero el sobrino de Pablo se enteró de la celada que estaban preparando y corrió a la fortaleza a poner sobre aviso al apóstol.

¹⁷Inmediatamente Pablo llamó a uno de los soldados y le dijo:

—Lleva a este muchacho donde está el comandante. El tiene algo importante que decirle.

¹⁸El soldado obedeció.

—Pablo, el prisionero, me pidió que trajera a este joven ante ti, pues tiene algo que decirte.

¹⁹El comandante, tomando al muchacho de la mano, lo condujo hacia un rincón.

—¿Qué tienes que decirme, hijo?

²⁰Que los judíos te van a pedir que mañana presentes de nuevo a Pablo ante el concilio, con el pretexto de querer formularle algunas preguntas más. ²¹No les hagas caso. En el camino habrá más de cuarenta hombres emboscados que asaltarán a la comitiva y matarán a Pablo. Se han juramentado bajo maldición que no comerán ni beberán hasta matar a mi tío. Allá afuera están ellos esperando que tú accedas a la petición.

²²—No le digas a nadie que me has dicho esto —le advirtió el oficial, y salió.

²³Sin pérdida de tiempo, el jefe de la

with him," they shouted. "Perhaps a spirit or angel spoke to him [there on the Damascus road]."

¹⁰ The shouting grew louder and louder, and the men were tugging at Paul from both sides, pulling him this way and that. Finally the commander, fearing they would tear him apart, ordered his soldiers to take him away from them by force and bring him back to the armory.

¹¹ That night the Lord stood beside Paul and said, "Don't worry, Paul; just as you have told the people about me here in Jerusalem, so you must also in Rome."

¹²,¹³ The next morning some forty or more of the Jews got together and bound themselves by a curse neither to eat nor drink until they had killed Paul! ¹⁴ Then they went to the chief priests and elders and told them what they had done. ¹⁵ "Ask the commander to bring Paul back to the Council again," they requested. "Pretend you want to ask a few more questions. We will kill him on the way."

¹⁶ But Paul's nephew got wind of their plan and came to the armory and told Paul.

¹⁷ Paul called one of the officers and said, "Take this boy to the commander. He has something important to tell him."

¹⁸ So the officer did, explaining, "Paul, the prisoner, called me over and asked me to bring this young man to you to tell you something."

¹⁹ The commander took the boy by the hand, and leading him aside asked, "What is it you want to tell me, lad?"

²⁰ "Tomorrow," he told him, "the Jews are going to ask you to bring Paul before the Council again, pretending they want to get some more information. ²¹ But don't do it! There are more than forty men hiding along the road ready to jump him and kill him. They have bound themselves under a curse to neither eat nor drink till he is dead. They are out there now, expecting you to agree to their request."

²² "Don't let a soul know you told me this," the commander warned the boy as he left. ²³,²⁴ Then the commander called two of

guarnición llamó a dos oficiales y les ordenó:

—Prepárenme doscientos soldados para que salgan a Cesarea esta noche a las nueve. Ah, y tengan listos también doscientos flecheros y setenta jinetes. ²⁴Consíganse un caballo para Pablo y que lo lleven sano y salvo a Félix el gobernador.

²⁵Entonces escribió la siguiente carta:

²⁶"De: Claudio Lisias

"Al Excelentísimo Gobernador Félix.

";¡Saludos!

²⁷"Los judíos se apoderaron de este hombre y lo habrían matado si yo no me entero que era ciudadano romano y envío soldados a rescatarlo. ²⁸Luego lo presenté ante el concilio judío para averiguar de qué se le acusaba. ²⁹No tardé en descubrir que se trataba de una disputa sobre creencias judías, y que el acusado no era digno de prisión ni de muerte. ³⁰Pero al enterarme que estaban urdiendo un plan para matarlo, decidí pedirles a los acusadores que presenten las acusaciones ante ti. Que te vaya bien".

³¹Aquella noche, cumpliendo las órdenes, los soldados llevaron a Pablo a Antípatris. ³²Al día siguiente regresaron a la fortaleza, tras dejar al apóstol al cuidado de la caballería que lo había de conducir a Cesarea.

³³Ya en Cesarea, entregaron en manos del gobernador a Pablo y la carta de Claudio Lisias.

³⁴Félix leyó la carta, y luego le preguntó a Pablo dónde había nacido.

—Soy de Cilicia —respondió Pablo.

³⁵—Oiré el caso completo cuando lleguen tus acusadores —le dijo el gobernador, y ordenó que lo guardaran en la prisión del palacio de Herodes.

24 CINCO DÍAS MÁS tarde llegó el sumo sacerdote Ananías, acompañado de varios dirigentes judíos y de Tértulo el abogado, a presentar las acusaciones contra Pablo.

²Cuando se le concedió la palabra, Tértulo dio un paso al frente y se expresó contra Pablo de la siguiente manera:

—Excelencia, gracias a ti los judíos gozamos de paz y tranquilidad y ha disminuido la discriminación contra nosotros. ³Te estamos infinitamente agradecidos. ⁴Pero, si no te es molestia, quisiera que

his officers and ordered, "Get 200 soldiers ready to leave for Caesarea at nine o'clock tonight! Take 200 spearmen and 70 mounted cavalry. Give Paul a horse to ride and get him safely to Governor Felix."

²⁵ Then he wrote this letter to the governor:

²⁶ *"From:* Claudius Lysias

"To: His Excellency, Governor Felix.

"Greetings!

²⁷ "This man was seized by the Jews and they were killing him when I sent the soldiers to rescue him, for I learned that he was a Roman citizen. ²⁸ Then I took him to their Council to try to find out what he had done. ²⁹ I soon discovered it was something about their Jewish beliefs, certainly nothing worthy of imprisonment or death. ³⁰ But when I was informed of a plot to kill him, I decided to send him on to you and will tell his accusers to bring their charges before you."

³¹ So that night, as ordered, the soldiers took Paul to Antipatris. ³² They returned to the armory the next morning, leaving him with the cavalry to take him on to Caesarea.

³³ When they arrived in Caesarea, they presented Paul and the letter to the governor. ³⁴ He read it and then asked Paul where he was from.

"Cilicia," Paul answered.

³⁵ "I will hear your case fully when your accusers arrive," the governor told him, and ordered him kept in the prison at King Herod's palace.

24 FIVE DAYS LATER Ananias the High Priest arrived with some of the Jewish leaders and the lawyer Tertullus, to make their accusations against Paul. ² When Tertullus was called forward, he laid charges against Paul in the following address to the governor:

"Your Excellency, you have given quietness and peace to us Jews and have greatly reduced the discrimination against us. ³ And for this we are very, very grateful to you. ⁴ But lest I bore you, kindly give me

tuvieras la bondad de prestarme atención sólo un instante, mientras expreso brevemente las acusaciones que tenemos contra este hombre. ⁵Según hemos comprobado, este individuo es un perturbador que anda constantemente incitando a los judíos del mundo entero a armar desórdenes y rebelarse contra el gobierno romano. El es uno de los cabecillas de la secta de los nazarenos. ⁶Cuando lo arrestamos, estaba tratando de profanar el Templo. Quisimos aplicarle el castigo que justamente merecía; ⁷pero Lisias, el jefe de la guarnición, llegó y nos lo arrancó de las manos, ⁸pues opinaba que debía juzgársele según las leyes romanas. Si quieres que no te queden dudas de la veracidad de nuestras acusaciones, interrógalo tú mismo.

⁹Los demás judíos, claro está, ratificaron las palabras de Tértulo.

¹⁰Le llegó el turno a Pablo. El gobernador le hizo señas para que se pusiera de pie y hablara.

—Sé que hace años que juzgas cuestiones judías —comenzó Pablo—, y esto me hace sentirme confiado al pronunciar mi defensa. ¹¹"Como bien podrás cerciorarte, no hace más de doce días que llegué a Jerusalén con el propósito de adorar en el Templo, ¹²y jamás he incitado revueltas en ninguna sinagoga ni en las calles de ninguna ciudad. ¹³Estos hombres jamás podrán probar las acusaciones que presentan contra mí.

¹⁴"Admito que creo en el Camino de la salvación que ellos llaman herejía, y que practico ese sistema de servir al Dios de nuestros antepasados; pero creo firmemente en la ley judía y en cuanto está escrito en los libros de la profecía. ¹⁵Creo, al igual que estos individuos, que habrá resurrección de justos e injustos. ¹⁶Y como esas son mis creencias, trato con todas mis fuerzas de mantener la conciencia limpia delante de Dios y los hombres.

¹⁷"Tras varios años de ausencia, regresé a Jerusalén a entregar el dinero que recogí para ayudar a los judíos, y a ofrecer un sacrificio a Dios. ¹⁸Mis acusadores me vieron en el Templo mientras presentaba mi ofrenda de acción de gracias. Me había afeitado la cabeza, tal como lo requiere la ley, y a mi alrededor no había ningún gentío ni se produjo ningún tumulto. Los únicos que estaban allí eran varios judíos

your attention for only a moment as I briefly outline our case against this man. ⁵For we have found him to be a troublemaker, a man who is constantly inciting the Jews throughout the entire world to riots and rebellions against the Roman government. He is a ringleader of the sect known as the Nazarenes. ⁶Moreover, he was trying to defile the Temple when we arrested him.

"We would have given him what he justly deserves, ⁷but Lysias, the commander of the garrison, came and took him violently away from us, ⁸demanding that he be tried by Roman law. You can find out the truth of our accusations by examining him yourself."

⁹Then all the other Jews chimed in, declaring that everything Tertullus said was true.

¹⁰Now it was Paul's turn. The governor motioned for him to rise and speak.

Paul began: "I know, sir, that you have been a judge of Jewish affairs for many years, and this gives me confidence as I make my defense. ¹¹You can quickly discover that it was no more than twelve days ago that I arrived in Jerusalem to worship at the Temple, ¹²and you will discover that I have never incited a riot in any synagogue or on the streets of any city; ¹³and these men certainly cannot prove the things they accuse me of doing.

¹⁴"But one thing I do confess, that I believe in the way of salvation, which they refer to as a sect; I follow that system of serving the God of our ancestors; I firmly believe in the Jewish law and everything written in the books of prophecy; ¹⁵and I believe, just as these men do, that there will be a resurrection of both the righteous and ungodly. ¹⁶Because of this I try with all my strength to always maintain a clear conscience before God and man.

¹⁷"After several years away, I returned to Jerusalem with money to aid the Jews, and to offer a sacrifice to God. ¹⁸My accusers saw me in the Temple as I was presenting my thank offering. I had shaved my head as their laws required, and there was no crowd around me, and no rioting! But some Jews from Turkey were there ¹⁹(who

de Turquía, [19]quienes debían estar aquí para acusarme si algo malo hice. [20]Pero ya que no es así, pregúntales a estos individuos qué delito encontró en mí el concilio, [21]aparte de algo que dije que quizás nunca debí decir: que estaba allí delante del concilio para defender mi creencia en que los muertos resucitarán.

[22]Félix, que sabía que los cristianos no acostumbraban provocar desórdenes, dijo a los judíos que esperaría la llegada de Lisias, el jefe de la guarnición, y que entonces pronunciaría el fallo. [23]Ordenó que mantuvieran a Pablo en prisión, pero que lo trataran bien y que no prohibieran que los amigos del prisionero lo visitaran o le llevaran regalos para hacerle la estadía un poco más llevadera.

[24]Pocos días después Félix, acompañado de Drusila, la judía con quien estaba legítimamente casado, mandó buscar a Pablo para oírlo hablar de su fe en Cristo. [25]Pero cuando el apóstol tocó el tema de la justicia, el dominio propio y el juicio venidero, Félix se espantó.

—¡Está bueno ya! —le dijo—. Cuando encuentre un momento oportuno te volveré a llamar.

[26]Como tenía la esperanza de que Pablo le ofreciera dinero, de vez en cuando lo mandaba a buscar para hablar con él. [27]Así transcurrieron dos años, hasta que Porcio Festo llegó para sustituir a Félix. Y como Félix quería ganarse el favor de los judíos, dejó preso a Pablo.

25 TRES DÍAS DESPUÉS de arribar Festo a Cesarea para tomar posesión de su nuevo cargo, partió para Jerusalén.

[2]Los principales sacerdotes y demás dirigentes judíos, enterados de su presencia allí, acudieron presurosos a contarle su versión acerca de Pablo, [3]y suplicarle que lo llevara a Jerusalén inmediatamente. Tenían el plan de tenderle una celada y matarlo. [4]Pero Festo les respondió que como Pablo estaba en Cesarea y dentro de poco regresaría, [5]las personas interesadas en el asunto tenían que regresar con él para celebrar allá el juicio.

[6]Ocho o diez días después, regresó a Cesarea y al siguiente día abrió el juicio contra Pablo. [7]Cuando el apóstol apareció en la corte, los judíos lo rodearon y presentaron acusaciones serias que no podían pro-

ought to be here if they have anything against me)— [20]but look! Ask these men right here what wrongdoing their Council found in me, [21]except that I said one thing I shouldn't when I shouted out, 'I am here before the Council to defend myself for believing that the dead will rise again!'"

[22]Felix, who knew Christians didn't go around starting riots, told the Jews to wait for the arrival of Lysias, the garrison commander, and then he would decide the case. [23]He ordered Paul to prison but instructed the guards to treat him gently and not to forbid any of his friends from visiting him or bringing him gifts to make his stay more comfortable.

[24]A few days later Felix came with Drusilla, his legal wife, a Jewess. Sending for Paul, they listened as he told them about faith in Christ Jesus. [25]And as he reasoned with them about righteousness and self-control and the judgment to come, Felix was terrified.

"Go away for now," he replied, "and when I have a more convenient time, I'll call for you again."

[26]He also hoped that Paul would bribe him, so he sent for him from time to time and talked with him. [27]Two years went by in this way; then Felix was succeeded by Porcius Festus. And because Felix wanted to gain favor with the Jews, he left Paul in chains.

25 THREE DAYS AFTER Festus arrived in Caesarea to take over his new responsibilities, he left for Jerusalem, [2]where the chief priests and other Jewish leaders got hold of him and gave him their story about Paul. [3]They begged him to bring Paul to Jerusalem at once. (Their plan was to waylay and kill him.) [4]But Festus replied that since Paul was at Caesarea and he himself was returning there soon, [5]those with authority in this affair should return with him for the trial.

[6]Eight or ten days later he returned to Caesarea and the following day opened Paul's trial.

[7]On Paul's arrival in court the Jews from Jerusalem gathered around, hurling many serious accusations which they

bar.

⁸—Soy inocente —declaró Pablo tras negar los cargos—. Jamás me he opuesto a las leyes judías ni he profanado el Templo ni me he rebelado contra el gobierno romano.

⁹Entonces Festo, ansioso de complacer a los judíos, le preguntó:

—¿Quieres que yo mismo te juzgue en Jerusalén?

¹⁰—¡No! —respondió Pablo—. ¡Demando que se me concedan mis derechos de comparecer ante el emperador mismo! Tú sabes bien que soy inocente. ¹¹Si he hecho algo digno de muerte, no me niego a morir. Pero si soy inocente, ni tú ni nadie tiene el derecho de entregarme a estos hombres para que me maten. ¡Apelo al César!

¹²Festo entonces conferenció con el consejo.

—Muy bien —dijo al fin—. ¡Al César has apelado y ante el César comparecerás!

¹³No muchos días después llegó el rey Agripa, acompañado de su hermana Berenice, a visitar a Festo. ¹⁴Durante su estadía, que se prolongó varios días, Festo discutió con el rey el caso de Pablo.

—Tengo aquí un prisionero —le dijo— cuyo caso me dejó Félix para que lo resolviera. ¹⁵En Jerusalén, los principales sacerdotes y dirigentes judíos me contaron su versión del caso y me pidieron que lo matara. ¹⁶Por supuesto, inmediatamente les recordé que las leyes romanas no condenan a un hombre sin someterlo a juicio, y que se le daría al acusado la oportunidad de defenderse en presencia de sus acusadores. ¹⁷Al llegar éstos a Cesarea, convoqué a juicio para el siguiente día y ordené que presentaran a Pablo. ¹⁸Pero las acusaciones que presentaron contra él no eran ni remotamente lo que yo suponía. ¹⁹Tenían que ver con religión y un tal Jesús que murió, pero que Pablo insiste que está vivo. ²⁰Sin saber qué juicio formular en cuanto al caso, le pregunté si estaría dispuesto a responder a los cargos delante de mí en Jerusalén. ²¹¡Pero apeló al César! En vista de eso, ordené que lo metieran en la celda de nuevo hasta que le consiga audiencia con el emperador.

²²—Me gustaría escuchar a ese hombre —le dijo Agripa.

—¡Pues lo escucharás mañana!

²³Al siguiente día, después que el rey y

couldn't prove. ⁸ Paul denied the charges: "I am not guilty," he said. "I have not opposed the Jewish laws or desecrated the Temple or rebelled against the Roman government."

⁹ Then Festus, anxious to please the Jews, asked him, "Are you willing to go to Jerusalem and stand trial before me?"

¹⁰,¹¹ But Paul replied, "No! I demand my privilege of a hearing before the Emperor himself. You know very well I am not guilty. If I have done something worthy of death, I don't refuse to die! But if I am innocent, neither you nor anyone else has a right to turn me over to these men to kill me. *I appeal to Caesar.*"

¹² Festus conferred with his advisors and then replied, "Very well! You have appealed to Caesar, and to Caesar you shall go!"

¹³ A few days later King Agrippa arrived with Bernice for a visit with Festus. ¹⁴ During their stay of several days Festus discussed Paul's case with the king. "There is a prisoner here," he told him, "whose case was left for me by Felix. ¹⁵ When I was in Jerusalem, the chief priests and other Jewish leaders gave me their side of the story and asked me to have him killed. ¹⁶ Of course I quickly pointed out to them that Roman law does not convict a man before he is tried. He is given an opportunity to defend himself face to face with his accusers.

¹⁷ "When they came here for the trial, I called the case the very next day and ordered Paul brought in. ¹⁸ But the accusations made against him weren't at all what I supposed they would be. ¹⁹ It was something about their religion, and about someone called Jesus who died, but Paul insists is alive! ²⁰ I was perplexed as to how to decide a case of this kind and asked him whether he would be willing to stand trial on these charges in Jerusalem. ²¹ But Paul appealed to Caesar! So I ordered him back to jail until I could arrange to get him to the Emperor."

²² "I'd like to hear the man myself," Agrippa said.

And Festus replied, "You shall—tomorrow!"

²³ So the next day, after the king and

Berenice llegaron a la audiencia en medio de gran pompa, acompañados de oficiales del ejército y hombres prominentes de la ciudad, Festo ordenó que trajeran a Pablo.

²⁴—¡Rey Agripa y demás presentes —dijo Festo al entrar Pablo—, éste es el hombre cuya muerte demandan los judíos de la localidad y de Jerusalén! ²⁵En mi opinión, no ha hecho nada digno de muerte; sin embargo, ha apelado al César y no me queda más remedio que enviarlo a él. ²⁶¿Qué le debo decir por carta al emperador? ¡No hay ninguna acusación válida contra este preso! Por eso lo he traído ante ustedes y, especialmente ante ti, rey Agripa, para que lo examines y me digas qué debo decir en la carta. ²⁷¡No me parece razonable enviarle un preso al emperador si no hay acusación válida contra él!

26 ENTONCES AGRIPA LE dijo a Pablo: —A ver, dinos qué es lo que pasa.

Entonces Pablo extendió la mano y expuso su defensa:

²—Me siento dichoso, rey Agripa, de poder exponer mi defensa ante ti, ³porque sé que eres un experto en leyes y costumbres judías. ¡Te ruego que me escuches con paciencia!

⁴"Como bien saben los judíos, estuve recibiendo la mejor educación judaica desde mi más tierna infancia en Tarso y luego en Jerusalén, donde viví de acuerdo a lo aprendido. ⁵Si ellos quisieran, podrían atestiguar que siempre he sido el más estricto de los fariseos en lo que a obediencia a las leyes y a las costumbres judías se refiere. ⁶Pero la verdadera razón que se esconde tras la acusación que presentan es que yo tengo la mirada puesta en el cumplimiento de la promesa que Dios hiciera a nuestros antepasados.

⁷"¡Las doce tribus de Israel se empeñan día y noche por alcanzar la esperanza que yo tengo! Sin embargo, oh rey, según ellos es un delito en mí. ¿Es acaso un delito creer en la resurrección de los muertos? ⁸¿Te parece increíble que Dios pueda devolverle la vida a los hombres?

⁹"Yo antes me creía en el deber de hostigar a los seguidores de Jesús de Nazaret. ¹⁰Yo encarcelé a muchos de los santos de Jerusalén, autorizado por los principales sacerdotes; y cuando los condenaban a muerte, daba mi voto de aprobación. ¹¹Yo

Bernice had arrived at the courtroom with great pomp, accompanied by military officers and prominent men of the city, Festus ordered Paul brought in.

²⁴ Then Festus addressed the audience: "King Agrippa and all present," he said, "this is the man whose death is demanded both by the local Jews and by those in Jerusalem! ²⁵ But in my opinion he has done nothing worthy of death. However, he appealed his case to Caesar, and I have no alternative but to send him. ²⁶ But what shall I write the Emperor? For there is no real charge against him! So I have brought him before you all, and especially you, King Agrippa, to examine him and then tell me what to write. ²⁷ For it doesn't seem reasonable to send a prisoner to the Emperor without any charges against him!"

26 THEN AGRIPPA SAID to Paul, "Go ahead. Tell us your story."

So Paul, with many gestures, presented his defense:

² "I am fortunate, King Agrippa," he began, "to be able to present my answer before you, ³ for I know you are an expert on Jewish laws and customs. Now please listen patiently!

⁴ "As the Jews are well aware, I was given a thorough Jewish training from my earliest childhood in Tarsus and later at Jerusalem, and I lived accordingly. ⁵ If they would admit it, they know that I have always been the strictest of Pharisees when it comes to obedience to Jewish laws and customs. ⁶ But the real reason behind their accusations is something else—it is because I am looking forward to the fulfillment of God's promise made to our ancestors. ⁷ The twelve tribes of Israel strive night and day to attain this same hope I have! Yet, O King, for me it is a crime, they say! ⁸ But is it a crime to believe in the resurrection of the dead? Does it seem incredible to you that God can bring men back to life again?

⁹ "I used to believe that I ought to do many horrible things to the followers of Jesus of Nazareth. ¹⁰ I imprisoned many of the saints in Jerusalem, as authorized by the High Priests; and when they were condemned to death, I cast my vote against

torturé a los cristianos para obligarlos a blasfemar contra Cristo. Tan violentamente me opuse a ellos que aun los anduve cazando en ciudades extranjeras.

¹²"En cierta ocasión en que me dirigía a Damasco a cumplir una de aquellas misiones, amparado por la autoridad que me confería el ir comisionado por los principales sacerdotes, ¹³una luz del cielo más brillante que el sol del mediodía que nos alumbraba cayó sobre mí y mis acompañantes. ¹⁴Caímos al suelo y yo escuché una voz que me decía en hebreo: "Pablo, Pablo, ¿por qué me persigues? Tú mismo te estás haciendo daño". ¹⁵"¿Quién eres, Señor?" pregunté. Y el Señor me respondió: "Soy Jesús, el que tú persigues. ¹⁶¡Levántate! Me he aparecido a ti porque quiero que seas mi esclavo y mi testigo. Has de ir por el mundo contando esta experiencia y relatando las demás ocasiones en que yo me aparezca ante ti. ¹⁷Yo te protegeré de tu propio pueblo y de los gentiles. Sí, porque te voy a enviar a los gentiles. ¹⁸Tú has de abrirles los ojos al verdadero estado en que se encuentran, para que se arrepientan y vivan en la luz de Dios y no en las tinieblas de Satanás, y para que reciban por fe en mí el perdón de sus pecados y la herencia de Dios junto con las personas que han quedado limpias de pecado y están consagradas al Señor".

¹⁹"Por lo tanto, oh rey Agripa, no quise desobedecer aquella visión celestial. ²⁰Primero prediqué en Damasco, después en Jerusalén y en toda Judea, y luego entre los gentiles. El tema de mi mensaje es que debían apartarse del pecado, volverse a Dios y demostrar arrepentimiento por medio de buenas obras.

²¹"Los judíos me arrestaron en el Templo por predicar esto y trataron de matarme, ²²pero Dios me protegió y todavía estoy vivo y dispuesto a proclamar estas verdades ante cualquier persona, pequeña o grande. Mis enseñanzas se limitan a lo que dijeron Moisés y los profetas: ²³que el Mesías sufriría, y que sería el primero en levantarse de entre los muertos para dar luz a judíos y a gentiles.

²⁴—¡Pablo, estás loco! —gritó de pronto Festo—. ¡Los muchos estudios te han perturbado el juicio!

²⁵—No, no estoy loco, excelentísimo Festo —respondió Pablo—. Mis palabras

them. ¹¹ I used torture to try to make Christians everywhere curse Christ. I was so violently opposed to them that I even hounded them in distant cities in foreign lands.

¹² "I was on such a mission to Damascus, armed with the authority and commission of the chief priests, ¹³ when one day about noon, sir, a light from heaven brighter than the sun shone down on me and my companions. ¹⁴ We all fell down, and I heard a voice speaking to me in Hebrew, 'Saul, Saul, why are you persecuting me? You are only hurting yourself.'

¹⁵ " 'Who are you, sir?' I asked.

"And the Lord replied, 'I am Jesus, the one you are persecuting. ¹⁶ Now stand up! For I have appeared to you to appoint you as my servant and my witness. You are to tell the world about this experience and about the many other occasions when I shall appear to you. ¹⁷ And I will protect you from both your own people and the Gentiles. Yes, I am going to send you to the Gentiles ¹⁸ to open their eyes to their true condition so that they may repent and live in the light of God instead of in Satan's darkness, so that they may receive forgiveness for their sins and God's inheritance along with all people everywhere whose sins are cleansed away, who are set apart by faith in me.'

¹⁹ "And so, O King Agrippa, I was not disobedient to that vision from heaven! ²⁰ I preached first to those in Damascus, then in Jerusalem and through Judea, and also to the Gentiles that all must forsake their sins and turn to God—and prove their repentance by doing good deeds. ²¹ The Jews arrested me in the Temple for preaching this, and tried to kill me, ²² but God protected me so that I am still alive today to tell these facts to everyone, both great and small. I teach nothing except what the prophets and Moses said— ²³ that the Messiah would suffer, and be the First to rise from the dead, to bring light to Jews and Gentiles alike."

²⁴ Suddenly Festus shouted, "Paul, you are insane. Your long studying has broken your mind!"

²⁵ But Paul replied, "I am not insane, Most Excellent Festus. I speak words of

están revestidas de la más excelsa verdad, [26]y el rey Agripa lo sabe. He hablado con toda franqueza porque estoy seguro que está familiarizado con los hechos que he narrado, ya que no se produjeron en ningún rincón oculto. [27]¿Crees, oh rey Agripa, a los profetas? Yo sé que sí...

[28]—¿Crees que me vas a persuadir a ser cristiano con tan débiles argumentos? —le interrumpió Agripa.

[29]—¡Ojalá que, débiles o fuertes mis argumentos, tú y todos los que están aquí llegaran a tener lo que yo tengo, excepto estas cadenas!

[30]Entonces el rey, el gobernador, Berenice y los demás se pusieron de pie y salieron. [31]Luego, comentando el caso, llegaron a la conclusión de que aquel hombre no había hecho nada digno de muerte ni de prisión.

[32]—Lo habríamos podido poner en libertad si no hubiera apelado al César —le dijo Agripa a Festo.

27 POR FIN TODO quedó dispuesto para que iniciáramos el viaje a Roma por barco. Pablo y varios otros prisioneros quedaron bajo la custodia de un oficial llamado Julio, miembro de la guardia imperial. [2]Zarpamos en una nave que se dirigía a Grecia, e iba a ir haciendo escala a lo largo de la costa de Turquía. Debo añadir que Aristarco, griego de Tesalónica, iba con nosotros.

[3]Al siguiente día, al llegar a Sidón, Julio se mostró bondadoso con Pablo y lo dejó desembarcar, visitar varios amigos y aceptar la hospitalidad que le ofrecían. [4]De allí nos hicimos a la mar y encontramos vientos contrarios que, al hacernos difícil mantener el rumbo, nos obligaron a navegar al norte de Chipre, entre la isla y la tierra firme [5]y a lo largo de la costa de las provincias de Cilicia y Panfilia. Por fin, desembarcamos en Mira, provincia de Licia. [6]En Mira, el oficial encontró un barco egipcio de Alejandría que se dirigía a Italia, y nos embarcó en él.

[7]Tuvimos varios días de navegación tan difícil que a duras penas llegamos frente a Gnido; los vientos llegaron a ser tan fuertes que nos vimos obligados a navegar directamente hacia Creta, hasta llegar frente al puerto de Salmón. [8]Luchando contra los

sober truth. [26]And King Agrippa knows about these things. I speak frankly for I am sure these events are all familiar to him, for they were not done in a corner! [27]King Agrippa, do you believe the prophets? But I know you do—"

[28]Agrippa interrupted him. "With trivial proofs like these, you expect me to become a Christian?"

[29]And Paul replied, "Would to God that whether my arguments are trivial or strong, both you and everyone here in this audience might become the same as I am, except for these chains."

[30]Then the king, the governor, Bernice, and all the others stood and left. [31]As they talked it over afterwards they agreed, "This man hasn't done anything worthy of death or imprisonment."

[32]And Agrippa said to Festus, "He could be set free if he hadn't appealed to Caesar!"

27 ARRANGEMENTS WERE FINALLY made to start us on our way to Rome by ship; so Paul and several other prisoners were placed in the custody of an officer named Julius, a member of the imperial guard. [2]We left on a boat which was scheduled to make several stops along the Turkish coast. I should add that Aristarchus, a Greek from Thessalonica, was with us.

[3]The next day when we docked at Sidon, Julius was very kind to Paul and let him go ashore to visit with friends and receive their hospitality. [4]Putting to sea from there, we encountered headwinds that made it difficult to keep the ship on course, so we sailed north of Cyprus between the island and the mainland, [5]and passed along the coast of the provinces of Cilicia and Pamphylia, landing at Myra, in the province of Lycia. [6]There our officer found an Egyptian ship from Alexandria, bound for Italy, and put us aboard.

[7,8]We had several days of rough sailing, and finally neared Cnidus; but the winds had become too strong, so we ran across to Crete, passing the port of Salmone. Beating

vientos, fuimos bordeando con gran dificultad la costa sur de la isla hasta que arribamos a un lugar llamado Buenos Puertos, cerca de la ciudad de Lasea. ⁹Allí nos pasamos varios días. Como el tiempo estaba demasiado peligroso para viajes largos, dado lo avanzado de la fecha en el año, Pablo les dijo a los oficiales del barco:

¹⁰—Señores, creo que si zarpamos ahora vamos a naufragar, y no sólo se perderá el cargamento, sino que habrá entre nosotros heridos y muertos.

¹¹Pero el oficial encargado de los prisioneros prestó más atención al capitán del barco y al patrón de la nave que a Pablo. ¹²Y como Buenos Puertos era un lugar incómodo para pasar el invierno, la mayoría de los tripulantes recomendó que se intentara llegar a Fenice, para pasar el invierno allí. Fenice es un buen puerto, pues mira sólo al nordeste y al sudeste.

¹³Precisamente entonces comenzaba a soplar una brisa del sur que parecía pronosticar un perfecto día para el viaje. Sin pérdida de tiempo, levaron anclas y navegaron a lo largo de la costa.

¹⁴Pero poco después el tiempo cambió bruscamente y un viento huracanado o viento del nordeste, como lo llamaban, sorprendió el barco y lo llevó a mar abierto. ¹⁵Al principio trataron de dar la vuelta y poner proa a tierra, pero no lo lograron y se vieron obligados a darse por vencidos y dejar la nave a merced del viento.

¹⁶Por fin navegamos al otro lado de una isla llamada Clauda, donde con gran dificultad logramos subir a bordo el bote salvavidas que llevábamos a remolque, ¹⁷y entonces reforzaron con sogas el casco de la nave. Los marineros temiendo ir a dar contra los bancos de arena de la costa africana, arriaron las velas y dejaron el barco a la deriva.

¹⁸Al siguiente día, al ver que las olas aumentaban de tamaño, la tripulación comenzó a arrojar la carga. ¹⁹Al tercer día arrojaron los aparejos de la nave y cuanto tenían al alcance de la mano.

²⁰La terrible tormenta nos azotó sin clemencia durante varios días, y llegamos a perder las esperanzas de sobrevivir. ²¹Como hacía tiempo que no comíamos, Pablo reunió a la tripulación y le dijo:

—Señores, si me hubieran hecho caso y no hubieran salido de Buenos Puertos, nos

into the wind with great difficulty and moving slowly along the southern coast, we arrived at Fair Havens, near the city of Lasea. ⁹ There we stayed for several days. The weather was becoming dangerous for long voyages by then, because it was late in the year, and Paul spoke to the ship's officers about it.

¹⁰ "Sirs," he said, "I believe there is trouble ahead if we go on—perhaps shipwreck, loss of cargo, injuries, and death." ¹¹ But the officers in charge of the prisoners listened more to the ship's captain and the owner than to Paul. ¹² And since Fair Havens was an exposed harbor—a poor place to spend the winter—most of the crew advised trying to go further up the coast to Phoenix, in order to winter there; Phoenix was a good harbor with only a northwest and southwest exposure.

¹³ Just then a light wind began blowing from the south, and it looked like a perfect day for the trip; so they pulled up anchor and sailed along close to shore.

¹⁴,¹⁵ But shortly afterwards, the weather changed abruptly and a heavy wind of typhoon strength (a "northeaster," they called it) caught the ship and blew it out to sea. They tried at first to face back to shore but couldn't, so they gave up and let the ship run before the gale.

¹⁶ We finally sailed behind a small island named Clauda, where with great difficulty we hoisted aboard the lifeboat that was being towed behind us, ¹⁷ and then banded the ship with ropes to strengthen the hull. The sailors were afraid of being driven across to the quicksands of the African coast, so they lowered the topsails and were thus driven before the wind.

¹⁸ The next day as the seas grew higher, the crew began throwing the cargo overboard. ¹⁹ The following day they threw out the tackle and anything else they could lay their hands on. ²⁰ The terrible storm raged unabated many days, until at last all hope was gone.

²¹ No one had eaten for a long time, but finally Paul called the crew together and said, "Men, you should have listened to me in the first place and not left Fair Havens

habríamos evitado este perjuicio y esta pérdida. ²²¡Pero no teman! ¡Ninguno de nosotros perderá la vida, aunque el barco se hundirá! ²³Anoche un ángel de Dios, a quien pertenezco y sirvo, estuvo junto a mí ²⁴y dijo: "No temas, Pablo, porque de todas maneras vas a comparecer ante el César. Y es más, Dios ha escuchado tus ruegos y te concederá las vidas de los que navegan contigo". ²⁵Por lo tanto, ¡ánimo! Creo en Dios y sé que sucederá tal como me lo dijo el ángel. ²⁶Pero vamos a ser arrojados contra una isla.

²⁷A la medianoche del décimocuarto día de tormenta, mientras éramos llevados de acá para allá en el mar Adriático, los marineros sospecharon que estaban cerca de tierra. ²⁸Sondearon y hallaron que estaban en una zona de trienta y seis metros de profundidad. Poco después volvieron a sondear y midieron solamente veintisiete metros y medio. A juzgar por el promedio de profundidad, pronto llegarían a la costa; ²⁹y como temían que hubiera escollos a lo largo de la costa, lanzaron cuatro anclas por la popa y ansiaron que amaneciera pronto.

³⁰Varios de los marineros, con intenciones de abandonar el barco, echaron al agua el bote salvavidas haciéndose los que iban a echar las anclas de proa. ³¹Pero Pablo dijo al oficial y a los soldados:

—Si esa gente no se queda a bordo, ustedes perecerán.

³²Entonces los soldados cortaron las sogas y dejaron el bote al garete.

³³Cuando la oscuridad fue cediendo ante la luz de la mañana, Pablo suplicó a todo el mundo que comiera.

—No han probado bocado desde hace dos semanas —les dijo—. ³⁴Por su propio bien, coman, que ni un solo cabello de su cabeza perecerá.

³⁵Y dicho y hecho, tomó pan, dio gracias a Dios en presencia de todos, y se puso a comer.

³⁶Inmediatamente, al verlo comer pan, se animaron y se pusieron a comer también. ³⁷En total los que íbamos en el barco éramos doscientos setenta y seis.

³⁸Después de comer, la tripulación aligeró aún más el barco tirando por la borda el trigo que llevaba. ³⁹Cuando ya fue de día, aunque no podían reconocer el lugar donde estaban, alcanzaron a ver una bahía bordeada de playa a la que quizás podrían llegar

—you would have avoided all this injury and loss! ²² But cheer up! Not one of us will lose our lives, even though the ship will go down.

²³ "For last night an angel of the God to whom I belong and whom I serve stood beside me, ²⁴ and said, 'Don't be afraid, Paul—for you will surely stand trial before Caesar! What's more, God has granted your request and will save the lives of all those sailing with you.' ²⁵ So take courage! For I believe God! It will be just as he said! ²⁶ But we will be shipwrecked on an island."

²⁷ About midnight on the fourteenth night of the storm, as we were being driven to and fro on the Adriatic Sea, the sailors suspected land was near. ²⁸ They sounded, and found 120 feet of water below them. A little later they sounded again, and found only ninety feet. ²⁹ At this rate they knew they would soon be driven ashore; and fearing rocks along the coast, they threw out four anchors from the stern and prayed for daylight.

³⁰ Some of the sailors planned to abandon the ship, and lowered the emergency boat as though they were going to put out anchors from the prow. ³¹ But Paul said to the soldiers and commanding officer, "You will all die unless everyone stays aboard." ³² So the soldiers cut the ropes and let the boat fall off.

³³ As the darkness gave way to the early morning light, Paul begged everyone to eat. "You haven't touched food for two weeks," he said. ³⁴ "Please eat something now for your own good! For not a hair of your heads shall perish!"

³⁵ Then he took some hardtack and gave thanks to God before them all, and broke off a piece and ate it. ³⁶ Suddenly everyone felt better and began eating, ³⁷ all two hundred seventy-six of us—for that is the number we had aboard. ³⁸ After eating, the crew lightened the ship further by throwing all the wheat overboard.

³⁹ When it was day, they didn't recognize the coastline, but noticed a bay with a beach and wondered whether they could get be-

entre los escollos, para varar la nave en la playa.

⁴⁰Decidieron intentarlo. Tras cortar las anclas y dejarlas abandonadas en el mar, soltaron el timón, alzaron la vela de proa y enfilaron hacia la playa.

⁴¹Desafortunadamente, fueron a dar contra un bajío de arena y la nave encalló. La proa no tardó en quedar hincada e inmóvil; la popa, en cambio, quedó expuesta a la violencia de las olas y comenzó a partirse en dos.

⁴²Los soldados le pidieron al oficial que los dejara matar a los prisioneros para que ninguno pudiera nadar a la orilla y escapar. ⁴³Pero Julio, por salvarle la vida a Pablo, negó el permiso y ordenó que los que pudieran nadar saltaran sobre la borda y trataran de llegar a la orilla, ⁴⁴y que los demás trataran de lograrlo sobre los tablones y los escombros del navío. Todos llegamos a tierra salvos.

28 NO TARDAMOS EN enterarnos que acabábamos de llegar a la isla de Malta. ²Los isleños, bondadosamente, encendieron una hoguera en la playa para darnos la bienvenida y calentarnos en medio del frío y la lluvia que caía.

³Mientras Pablo recogía una brazada de leña para echarla en el fuego, una serpiente venenosa que huía del calor se le prendió en la mano. ⁴Los isleños, al ver que le colgaba de la mano, se dijeron:

—¡No cabe duda que es un asesino! Escapó de las furias del mar, pero la justicia no le permite que viva.

⁵Pero Pablo sacudió la serpiente en el fuego y no le pasó nada. ⁶La gente esperaba que comenzara a hincharse o que en cualquier momento cayera muerto; pero después de esperar bastante y ver que nada le pasaba, cambiaron de opinión y pensaron que era un dios.

⁷Cerca del lugar donde habíamos llegado, el gobernador de la isla, Publio, tenía una propiedad, y nos acogió solícitamente y nos estuvo alimentando tres días.

⁸Precisamente en aquellos días, el padre de Publio estaba enfermo de fiebre y disentería. Pablo se le acercó, le puso las manos encima, después de orar y lo sanó. ⁹Al enterarse de esto, los demás enfermos de la isla acudieron a Pablo y él los curó. ¹⁰Agradecidos, nos trajeron regalos, y cuando

tween the rocks and be driven up onto the beach. ⁴⁰They finally decided to try. Cutting off the anchors and leaving them in the sea, they lowered the rudders, raised the foresail and headed ashore. ⁴¹But the ship hit a sandbar and ran aground. The bow of the ship stuck fast, while the stern was exposed to the violence of the waves and began to break apart.

⁴²The soldiers advised their commanding officer to let them kill the prisoners lest any of them swim ashore and escape. ⁴³But Julius wanted to spare Paul, so he told them no. Then he ordered all who could swim to jump overboard and make for land, ⁴⁴and the rest to try for it on planks and debris from the broken ship. So everyone escaped safely ashore!

28 WE SOON LEARNED that we were on the island of Malta. The people of the island were very kind to us, building a bonfire on the beach to welcome and warm us in the rain and cold.

³As Paul gathered an armful of sticks to lay on the fire, a poisonous snake, driven out by the heat, fastened itself onto his hand! ⁴The people of the island saw it hanging there and said to each other, "A murderer, no doubt! Though he escaped the sea, justice will not permit him to live!"

⁵But Paul shook off the snake into the fire and was unharmed. ⁶The people waited for him to begin swelling or suddenly fall dead; but when they had waited a long time and no harm came to him, they changed their minds and decided he was a god.

⁷Near the shore where we landed was an estate belonging to Publius, the governor of the island. He welcomed us courteously and fed us for three days. ⁸As it happened, Publius' father was ill with fever and dysentery. Paul went in and prayed for him, and laying his hands on him, healed him! ⁹Then all the other sick people in the island came and were cured. ¹⁰As a result we were showered with gifts, and when the time came to sail,

llegó el momento de partir, pusieron en el barco de todo lo que pudiéramos necesitar para el viaje.

¹¹Tres meses después del naufragio nos hicimos de nuevo a la mar en una nave alejandrina llamada Los Gemelos, que había invernado en la isla.

¹²Nuestra primera escala fue en Siracusa, donde permanecimos tres días. ¹³De allí, costeando la isla, llegamos a Regio; al siguiente día un viento del sur comenzó a soplar y veinticuatro horas más tarde llegamos a Puteoli, ¹⁴donde hallamos algunos creyentes. Cediendo a las súplicas de éstos, nos quedamos con ellos siete días, al cabo de los cuales partimos para Roma.

¹⁵Los hermanos de Roma, enterados de que íbamos, fueron a recibirnos al Foro de Apio. En las Tres Tabernas nos esperaba otro grupo. Al verlos, Pablo dio gracias a Dios, alentado.

¹⁶Ya en Roma, le permitieron a Pablo vivir donde quisiera, aunque bajo la custodia de un soldado.

¹⁷Tres días después de su llegada, convocó a los dirigentes judíos de la localidad y les habló en estos términos:

—Hermanos, los judíos de Jerusalén me arrestaron y me entregaron al gobierno romano para que me juzgara, a pesar de que no le he hecho daño a nadie ni he violado las costumbres de nuestros antepasados. ¹⁸Los romanos me sometieron a juicio y me querían soltar, porque hallaron que yo no merecía la pena de muerte que demandaban los dirigentes judíos.

¹⁹"Pero cuando los judíos protestaron contra aquella decisión, creí necesario, sin ninguna mala intención contra ellos, apelar al César. ²⁰Yo les he pedido que vengan aquí hoy para que nos conozcamos y para poder decirles que si estoy atado a estas cadenas es porque creo que el Mesías ya vino.

²¹—¡Nadie nos ha hablado mal de ti! Ninguno de los que han llegado de Jerusalén nos ha traído ninguna carta o informe de Judea. ²²Pero nos gustaría saber lo que crees, porque lo único que sabemos de los cristianos es que en todas partes se les persigue.

²³Señalaron entonces una fecha, y un gran número de personas acudió a la cita. Pablo les habló del reino de Dios y les explicó los pasajes de las Escrituras que

people put on board all sorts of things we would need for the trip.

¹¹ It was three months after the shipwreck before we set sail again, and this time it was in *The Twin Brothers* of Alexandria, a ship that had wintered at the island. ¹² Our first stop was Syracuse, where we stayed three days. ¹³ From there we circled around to Rhegium; a day later a south wind began blowing, so the following day we arrived at Puteoli, ¹⁴ where we found some believers! They begged us to stay with them seven days. Then we went on to Rome.

¹⁵ The brothers in Rome had heard we were coming and came to meet us at the Forum on the Appian Way. Others joined us at The Three Taverns. When Paul saw them, he thanked God and took courage.

¹⁶ When we arrived in Rome, Paul was permitted to live wherever he wanted to, though guarded by a soldier. ¹⁷ Three days after his arrival, he called together the local Jewish leaders and spoke to them as follows:

"Brothers, I was arrested by the Jews in Jerusalem and handed over to the Roman government for prosecution, even though I had harmed no one nor violated the customs of our ancestors. ¹⁸ The Romans gave me a trial and wanted to release me, for they found no cause for the death sentence demanded by the Jewish leaders. ¹⁹ But when the Jews protested the decision, I felt it necessary, with no malice against them, to appeal to Caesar. ²⁰ I asked you to come here today so we could get acquainted and I could tell you that it is because I believe the Messiah has come that I am bound with this chain."

²¹ They replied, "We have heard nothing against you! We have had no letters from Judea or reports from those arriving from Jerusalem. ²² But we want to hear what you believe, for the only thing we know about these Christians is that they are denounced everywhere!"

²³ So a time was set and on that day large numbers came to his house. He told them about the Kingdom of God and taught them about Jesus from the Scriptures—

hablan de Jesús, desde los cinco libros de Moisés hasta los libros proféticos. Las conferencias empezaban en la mañana y se prolongaban hasta por la noche.

²⁴Algunos creyeron; otros no. ²⁵Al terminar de intercambiar argumentos entre ellos mismos, salieron de allí con las palabras finales de Pablo resonándoles en los oídos.

—Bien dijo el Espíritu Santo cuando, a través del profeta, ²⁶dijo a los judíos: "Ustedes me oirán y verán pero no entenderán, ²⁷porque tienen el corazón endurecido y no escuchan con los oídos y tienen cerrados los ojos del entendimiento, porque no quieren ver ni oír ni entender ni volverse a mí para que yo los sane". ²⁸,²⁹Quiero que sepan que esta salvación de Dios está también al alcance de los gentiles, y que ellos la aceptarán.

³⁰Dos años más vivió Pablo en aquella casa alquilada. Allí recibió a los que lo visitaron, ³¹y les habló abiertamente del reino de Dios y del Señor Jesucristo. Y nadie intentó impedírselo.

from the five books of Moses and the books of prophecy. He began lecturing in the morning and went on into the evening!

²⁴ Some believed, and some didn't. ²⁵ But after they had argued back and forth among themselves, they left with this final word from Paul ringing in their ears: "The Holy Spirit was right when he said through Isaiah the prophet,

²⁶ " 'Say to the Jews, "You will hear and see but not understand, ²⁷ for your hearts are too fat and your ears don't listen and you have closed your eyes against understanding, for you don't want to see and hear and understand and turn to me to heal you." ' ²⁸,²⁹ So I want you to realize that this salvation from God is available to the Gentiles too, and they will accept it."

³⁰ Paul lived for the next two years in his rented house and welcomed all who visited him, ³¹ telling them with all boldness about the Kingdom of God and about the Lord Jesus Christ; and no one tried to stop him.

ROMANOS / ROMANS

1 MIS QUERIDOS AMIGOS de Roma:
¹Les escribe Pablo, esclavo de Jesucristo, escogido para ser misionero y enviado a predicar las Buenas Noticias de Dios.

²Dios, a través de los profetas del Antiguo Testamento, había prometido estas Buenas Noticias; ³Buenas Noticias acerca de su Hijo, Jesucristo nuestro Señor, quien nació como niño en el seno de la familia del rey David, ⁴y al resucitar de entre los muertos probó ser el todopoderoso Hijo de Dios, y poseedor de la naturaleza santa de Dios mismo.

⁵A través de Cristo, Dios derramó sus misericordias sobre nosotros, y luego nos envió alrededor del mundo a contar a las gentes de todas partes las grandes cosas que Dios ha hecho por ellos, para que crean y lo obedezcan.

⁶Ustedes, mis amigos de Roma, están incluidos entre los que Él ama con vehemencia; ⁷sí, ustedes también están invitados a ser de Jesucristo, a formar parte de su santo pueblo. ¡Que la gracia y la paz de

1 DEAR FRIENDS IN Rome: ¹ This letter is from Paul, Jesus Christ's slave, chosen to be a missionary, and sent out to preach God's Good News. ² This Good News was promised long ago by God's prophets in the Old Testament. ³ It is the Good News about his Son, Jesus Christ our Lord, who came as a human baby, born into King David's royal family line; ⁴ and by being raised from the dead he was proved to be the mighty Son of God, with the holy nature of God himself.

⁵ And now, through Christ, all the kindness of God has been poured out upon us undeserving sinners; and now he is sending us out around the world to tell all people everywhere the great things God has done for them, so that they, too, will believe and obey him.

⁶,⁷ And you, dear friends in Rome, are among those he dearly loves; you, too, are invited by Jesus Christ to be God's very own—yes, his holy people. May all God's mercies and peace be yours from God our

Dios nuestro Padre y de nuestro Señor Jesucristo se derrame sobre ustedes! [8]Antes que nada les diré que dondequiera que voy oigo hablar bien de ustedes. Casi el mundo entero sabe la fe que tienen en Dios. No saben cuántas gracias le doy a Dios a través de Jesucristo por esto, y por cada uno de ustedes. [9]Dios sabe cuántas veces de día y de noche los llevo en oración ante Aquél a quien sirvo con todas mis fuerzas, dando a conocer a otros las Buenas Noticias del Hijo de Dios.

[10]Una de mis repetidas oraciones es que, si es la voluntad de Dios, me permita ir a visitarlos y me conceda un buen viaje. [11]Tengo muchos deseos de verlos para llevarles algún alimento espiritual que los ayude a crecer fuertes en el Señor. [12]Yo necesito también la ayuda de ustedes, y no quiero sólo comunicarles mi fe sino alentarme con la de ustedes. Así nos seremos de mutua bendición.

[13]Quiero que sepan, amados hermanos, que muchas veces he tratado de ir a visitarlos para trabajar entre ustedes y ver buenos resultados, como en las otras iglesias gentiles en que he estado, pero Dios no me ha dejado. [14]Me siento en deuda con ustedes y con la humanidad entera, con los pueblos civilizados y con las naciones paganas; lo mismo con el hombre culto que con el inculto. [15]Así que, en cuanto a lo que a mí respecta, estoy listo a ir a Roma para predicar también allí las Buenas Noticias de Dios.

[16]Porque nunca me avergüenzo de las Buenas Noticias de Cristo. Ellas constituyen el poderoso método de Dios para llevar al cielo a los que creen. Los judíos fueron los primeros en escuchar la predicación de este mensaje, pero ya el mundo entero está invitado a acercarse a Dios en la misma forma.

[17]Las Buenas Noticias nos dicen que Dios nos acepta por la fe y sólo por la fe. Como dice el Antiguo Testamento: "El que es aceptado y halla la vida, es aceptado por creer en Dios".

[18]Mas Dios muestra desde el cielo su ira contra los pecadores malvados que hacen a un lado la verdad; [19]ellos conocen la verdad de Dios por instinto, pues El ha puesto ese conocimiento en sus corazones. [20]Desde los tiempos más remotos, los hombres han estado contemplando la tierra, el cielo, la

Father and from Jesus Christ our Lord.

[8] Let me say first of all that wherever I go I hear you being talked about! For your faith in God is becoming known around the world. How I thank God through Jesus Christ for this good report, and for each one of you. [9] God knows how often I pray for you. Day and night I bring you and your needs in prayer to the one I serve with all my might, telling others the Good News about his Son.

[10] And one of the things I keep on praying for is the opportunity, God willing, to come at last to see you and, if possible, that I will have a safe trip. [11,12] For I long to visit you so that I can impart to you the faith that will help your church grow strong in the Lord. Then, too, I need your help, for I want not only to share my faith with you but to be encouraged by yours: Each of us will be a blessing to the other.

[13] I want you to know, dear brothers, that I planned to come many times before (but was prevented) so that I could work among you and see good results, just as I have among the other Gentile churches. [14] For I owe a great debt to you and to everyone else, both to civilized people and uncivilized alike; yes, to the educated and uneducated alike. [15] So, to the fullest extent of my ability, I am ready to come also to you in Rome to preach God's Good News.

[16] For I am not ashamed of this Good News about Christ. It is God's powerful method of bringing all who believe it to heaven. This message was preached first to the Jews alone, but now everyone is invited to come to God in this same way. [17] This Good News tells us that God makes us ready for heaven—makes us right in God's sight—when we put our faith and trust in Christ to save us. This is accomplished from start to finish by faith. As the Scripture says it, "The man who finds life will find it through trusting God."

[18] But God shows his anger from heaven against all sinful, evil men who push away the truth from them. [19] For the truth about God is known to them instinctively; God has put this knowledge in their hearts. [20] Since earliest times men have seen the earth and sky and all God made, and have

creación entera; y han sabido que Dios existe, que su poder es eterno. Por lo tanto, no podrán excusarse diciendo que no sabían si Dios existía o no. ²¹Lo sabían muy bien, pero no querían admitirlo, ni adorar a Dios, ni darle gracias por el cuidado de todos los días. Al contrario, se pusieron a concebir ideas estúpidas sobre la semejanza de Dios y lo que El quiere de ellos. En consecuencia, sus necios entendimientos se oscurecieron y confundieron. ²²Y al creerse sabios sin Dios, se volvieron aún más necios.

²³Luego, en vez de adorar al glorioso y sempiterno Dios, tomaron madera y piedra y se tallaron dioses con forma de pájaros, animales, reptiles y simples mortales, y los proclamaron y adoraron como al gran Dios eterno. ²⁴Por eso Dios los dejó caer en toda clase de pecado sexual, y hacer lo que les viniera en gana, aun los más viles y perversos actos los unos con los otros.

²⁵En vez de creer la verdad de Dios que conocían, deliberadamente creyeron la mentira. Oraron a las cosas que Dios hizo, pero no quisieron obedecer al bendito Dios que hizo aquellas cosas. ²⁶Por eso Dios los dejó desbordarse y realizar perversidades hasta el punto de que sus mujeres se rebelaron contra el plan natural de Dios y se entregaron al sexo unas con otras. ²⁷Y los hombres, en vez de sostener relaciones sexuales normales con mujeres, se encendieron en sus deseos entre ellos mismos, y cometieron actos vergonzosos hombres con hombres y, como resultado, recibieron en sus propias almas el pago que bien se merecían.

²⁸A tal grado llegaron que, al dejar a un lado a Dios y no querer ni siquiera tenerlo en cuenta, Dios los abandonó a que hicieran lo que sus mentes corruptas pudieran concebir. ²⁹Sus vidas se llenaron de toda clase de impiedades y pecados, de codicias y odios, de envidias, homicidios, contiendas, engaños, amarguras y chismes. ³⁰Se volvieron murmuradores, aborrecedores de Dios, insolentes, engreídos, siempre pensando en nuevas formas de pecar y continuamente desobedeciendo a sus padres. ³¹Fingiendo no entender, quebrantaron sus promesas y se volvieron crueles, inmisericordes.

³²Sabían hasta la saciedad que el castigo

known of his existence and great eternal power. So they will have no excuse [when they stand before God at Judgment Day].

²¹ Yes, they knew about him all right, but they wouldn't admit it or worship him or even thank him for all his daily care. And after awhile they began to think up silly ideas of what God was like and what he wanted them to do. The result was that their foolish minds became dark and confused. ²² Claiming themselves to be wise without God, they became utter fools instead. ²³ And then, instead of worshiping the glorious, ever-living God, they took wood and stone and made idols for themselves, carving them to look like mere birds and animals and snakes and puny men.

²⁴ So God let them go ahead into every sort of sex sin, and do whatever they wanted to—yes, vile and sinful things with each other's bodies. ²⁵ Instead of believing what they knew was the truth about God, they deliberately chose to believe lies. So they prayed to the things God made, but wouldn't obey the blessed God who made these things.

²⁶ That is why God let go of them and let them do all these evil things, so that even their women turned against God's natural plan for them and indulged in sex sin with each other. ²⁷ And the men, instead of having a normal sex relationship with women, burned with lust for each other, men doing shameful things with other men and, as a result, getting paid within their own souls with the penalty they so richly deserved.

²⁸ So it was that when they gave God up and would not even acknowledge him, God gave them up to doing everything their evil minds could think of. ²⁹ Their lives became full of every kind of wickedness and sin, of greed and hate, envy, murder, fighting, lying, bitterness, and gossip. ³⁰ They were backbiters, haters of God, insolent, proud braggarts, always thinking of new ways of sinning and continually being disobedient to their parents. ³¹ They tried to misunderstand, broke their promises, and were heartless—without pity. ³² They were fully

que impone Dios a esos delitos es la muerte, y sin embargo continuaron cometiéndolos, e incitaron a otros a cometerlos también.

2 "¡QUÉ GENTE TAN horrible!", te estarás diciendo.
¡Espera un momento!
¡Tú eres tan malo como ellos! Cuando me dices que aquellos malvados deben ser castigados, estás hablando contra ti mismo, porque cometes los mismos actos. ²Y sabemos que Dios, en su justicia, castigará a cualquiera que actúe de esa forma.

³¿Es que acaso crees que Dios juzgará y condenará a los demás y te perdonará a ti que haces las mismas cosas? ⁴¿No ves que ha estado aguardando sin castigarte para darte tiempo de apartarte de tus pecados? El propósito de su magnanimidad es guiarte al arrepentimiento. ⁵Pero no le haces caso, y en consecuencia estás almacenando contra ti mismo un terrible castigo por la terca dureza de tu corazón, porque llegará el día de la ira en que Dios se constituirá en el justo juez de todos.

⁶El dará a cada quien el pago que merece. ⁷Dará la vida eterna a quienes con paciencia cumplan la voluntad de Dios y busquen gloria, honra y vida eterna. ⁸Pero castigará terriblemente a quienes luchen contra la verdad de Dios y anden en caminos perversos; la ira de Dios caerá sobre ellos.

⁹Habrá dolor y sufrimiento para los judíos y los gentiles que continúen en sus pecados. ¹⁰Mas habrá gloria, honra y paz de Dios para quienes obedezcan al Señor, ya sean judíos o gentiles, ¹¹pues para Dios no hay diferencia.

¹²,¹³El condenará el pecado dondequiera que se manifieste. Castigará a los paganos por sus pecados, ¹⁴porque aun cuando éstos nunca hayan tenido escrita la ley de Dios, en lo más profundo de sus corazones conocen el bien y el mal. La ley de Dios está escrita dentro de ellos mismos; ¹⁵su conciencia los acusa a veces, y a veces los excusa. Y Dios castigará a los judíos por sus pecados, porque tienen la ley de Dios escrita y no la obedecen. Conocen el bien, pero no lo hacen. Al fin de cuentas, no se otorga salvación a los que conocen el bien, sino a los que lo practican. ¹⁶Ciertamente vendrá

aware of God's death penalty for these crimes, yet they went right ahead and did them anyway, and encouraged others to do them, too.

2 "WELL," YOU MAY be saying, "what terrible people you have been talking about!" But wait a minute! You are just as bad. When you say they are wicked and should be punished, you are talking about yourselves, for you do these very same things. ² And we know that God, in justice, will punish anyone who does such things as these. ³ Do you think that God will judge and condemn others for doing them and overlook you when you do them, too? ⁴ Don't you realize how patient he is being with you? Or don't you care? Can't you see that he has been waiting all this time without punishing you, to give you time to turn from your sin? His kindness is meant to lead you to repentance.

⁵ But no, you won't listen; and so you are saving up terrible punishment for yourselves because of your stubbornness in refusing to turn from your sin; for there is going to come a day of wrath when God will be the just Judge of all the world. ⁶ He will give each one whatever his deeds deserve. ⁷ He will give eternal life to those who patiently do the will of God, seeking for the unseen glory and honor and eternal life that he offers. ⁸ But he will terribly punish those who fight against the truth of God and walk in evil ways—God's anger will be poured out upon them. ⁹ There will be sorrow and suffering for Jews and Gentiles alike who keep on sinning. ¹⁰ But there will be glory and honor and peace from God for all who obey him, whether they are Jews or Gentiles. ¹¹ For God treats everyone the same.

¹²⁻¹⁵ He will punish sin wherever it is found. He will punish the heathen when they sin, even though they never had God's written laws, for down in their hearts they know right from wrong. God's laws are written within them; their own conscience accuses them, or sometimes excuses them. And God will punish the Jews for sinning because they have his written laws but don't obey them. They know what is right but don't do it. After all, salvation is not given to those who know what to do, unless they do it. ¹⁶ The day will surely come when at

el día en que, por mandato del Padre, Jesucristo juzgará la vida íntima de cada uno, sus más recónditos pensamientos e impulsos; esto forma parte del gran plan de Dios de que les he estado hablando.

¹⁷Tú, como judío, piensas que todo anda bien entre ti y Dios porque El te dio la ley; te jactas de ser su amigo preferido. ¹⁸Sí, sabes cuál es la voluntad de Dios; conoces la diferencia entre el bien y el mal, y apruebas el bien, porque te han enseñado la ley desde la niñez. ¹⁹Estás tan seguro de conocer el camino a Dios que podrías señalárselo a un ciego. ²⁰Te autoconsideras un faro luminoso que conduce hombres a Dios. Crees que puedes guiar al simple y enseñar a los niños las cosas de Dios, porque conoces de verdad la ley, la cual está llena de sabiduría y verdad.

²¹Mas si instruyes a otros, ¿por qué no te instruyes a ti mismo?

Dices que no se ha de robar. ¿No robas tú?

²²Dices que es malo cometer adulterio. ¿No lo cometes tú?

Dices que no se ha de rezar a los ídolos, pero saqueas los templos de los ídolos, lo cual es igualmente abominable.

²³Te jactas de conocer la ley de Dios, pero la deshonras al violarla. ²⁴No en vano las Escrituras declaran que el mundo aborrece a Dios por culpa tuya.

²⁵El ser judío es de valor cuando se obedece la ley de Dios; si no la obedeces no estás en mejor posición que los paganos. ²⁶Y si los paganos obedecen la ley de Dios, ¿no es justo que Dios les conceda los derechos y honores que esperaba otorgar a los judíos? ²⁷En honor a la verdad, tales paganos están en mejor posición que los judíos que saben mucho de Dios y sus promesas, pero no obedecen la ley divina.

²⁸Nadie es verdadero judío por haber nacido de familia judía, ni por haber pasado la ceremonia judía de iniciación conocida como la circuncisión. ²⁹No, judío es aquel cuyo corazón es recto ante Dios. Dios no anda en busca de quienes se marquen el cuerpo con la circuncisión, sino de individuos con corazones e intelectos transformados. Quienes hayan experimentado ese tipo de transformación en la vida recibirán la alabanza de Dios, aun cuando no la reciban de ustedes.

God's command Jesus Christ will judge the secret lives of everyone, their inmost thoughts and motives; this is all part of God's great plan which I proclaim.

¹⁷ You Jews think all is well between yourselves and God because he gave his laws to you; you brag that you are his special friends. ¹⁸ Yes, you know what he wants; you know right from wrong and favor the right because you have been taught his laws from earliest youth. ¹⁹ You are so sure of the way to God that you could point it out to a blind man. You think of yourselves as beacon lights, directing men who are lost in darkness to God. ²⁰ You think that you can guide the simple and teach even children the affairs of God, for you really know his laws, which are full of all knowledge and truth.

²¹ Yes, you teach others—then why don't you teach yourselves? You tell others not to steal—do *you* steal? ²² You say it is wrong to commit adultery—do *you* do it? You say, "Don't pray to idols," and then make money your god instead.

²³ You are so proud of knowing God's laws, *but you dishonor him by breaking them.* ²⁴ No wonder the Scriptures say that the world speaks evil of God because of you.

²⁵ Being a Jew is worth something if you obey God's laws; but if you don't, then you are no better off than the heathen. ²⁶ And if the heathen obey God's laws, won't God give them all the rights and honors he planned to give the Jews? ²⁷ In fact, those heathen will be much better off than you Jews who know so much about God and have his promises but don't obey his laws.

²⁸ For you are not real Jews just because you were born of Jewish parents or because you have gone through the Jewish initiation ceremony of circumcision. ²⁹ No, a real Jew is anyone whose heart is right with God. For God is not looking for those who cut their bodies in actual body circumcision, but he is looking for those with changed hearts and minds. Whoever has that kind of change in his life will get his praise from God, even if not from you.

3 ENTONCES, ¿DE QUÉ vale ser judío? ¿Tiene Dios alguna bendición extraordinaria para ellos? ¿Qué valor tiene la ceremonia judía de la circuncisión?

²Sí, el ser judío ofrece muchas ventajas. En primer lugar, Dios les encomendó la ley para que conocieran su voluntad y la cumplieran. ³Es cierto que muchos no han sido fieles, pero ¿puede Dios faltar a sus promesas para los que lo aman, por el hecho de que algunos hayan faltado a la promesa que habían hecho a Dios? ⁴¡Por supuesto que no! Aunque el mundo entero sea mentiroso, Dios no lo es. ¿Recuerdan lo que dice el libro de los Salmos acerca de esto? Dice que las promesas de Dios son verdaderas y justas, dúdelo quien lo dude.

⁵"Pero al fin y al cabo", dicen algunos, "es bueno que faltemos a nuestra fe en Dios. Nuestros pecados sirven a un buen propósito en el sentido de que la gente comprende mejor la bondad de Dios al ver lo malo que somos. Y si esto es así, ¿es justo que Dios nos castigue cuando con nuestros pecados lo estamos ayudando?"

⁶¡Dios nos libre! ¿Qué clase de Dios sería si pasara por alto el pecado? ¿Cómo podría condenar después? ⁷No podría juzgarme ni condenarme por pecador si con mi infidelidad se glorificara al resaltar su verdad en contraste con mi mentira. Si mantuviéramos la misma línea de pensamiento, llegaríamos a afirmar que mientras más malos somos más se complace Dios. ⁸Los que dicen tales cosas tienen bien merecida la condenación. ¡Y hay quien se atreve a decir que esto es lo que yo predico!

⁹Bueno, ¿somos los judíos mejores que los demás? En ninguna manera. Ya les he demostrado que todos los hombres son pecadores, ya sean judíos o gentiles.

¹⁰Como dicen las Escrituras: "Nadie es bueno, nadie en lo absoluto". ¹¹Nadie ha llegado a conocer de verdad los senderos de Dios, ni nadie ha querido de veras conocerlos.

¹²Todos han pecado; todos son despreciables ante Dios. Nadie vive siempre correctamente; nadie. ¹³Sus conversaciones son necias y obscenas como el hedor de una tumba abierta. Sus lenguas están cargadas de mentiras. ¹⁴Cuanto dicen está impregnado de mortal veneno de serpientes. Sus bocas están llenas de maldición y amargura. ¹⁵Matan con ligereza, y aborrecen a

3 THEN WHAT'S THE use of being a Jew? Are there any special benefits for them from God? Is there any value in the Jewish circumcision ceremony? ² Yes, being a Jew has many advantages.

First of all, God trusted them with his laws [so that they could know and do his will]. ³ True, some of them were unfaithful, but just because they broke their promises to God, does that mean God will break his promises? ⁴ Of course not! Though everyone else in the world is a liar, God is not. Do you remember what the book of Psalms says about this? That God's words will always prove true and right, no matter who questions them.

⁵ "But," some say, "our breaking faith with God is good, our sins serve a good purpose, for people will notice how good God is when they see how bad we are. Is it fair, then, for him to punish us when our sins are helping him?" (That is the way some people talk.) ⁶ God forbid! Then what kind of God would he be, to overlook sin? How could he ever condemn anyone? ⁷ For he could not judge and condemn me as a sinner if my dishonesty brought him glory by pointing up his honesty in contrast to my lies. ⁸ If you follow through with that idea you come to this: the worse we are, the better God likes it! But the damnation of those who say such things is just. Yet some claim that this is what I preach!

⁹ Well, then, are we Jews *better* than others? No, not at all, for we have already shown that all men alike are sinners, whether Jews or Gentiles. ¹⁰ As the Scriptures say,

"No one is good—no one in all the world is innocent."

¹¹ No one has ever really followed God's paths, or even truly wanted to.

¹² Every one has turned away; all have gone wrong. No one anywhere has kept on doing what is right; not one.

¹³ Their talk is foul and filthy like the stench from an open grave. Their tongues are loaded with lies. Everything they say has in it the sting and poison of deadly snakes.

¹⁴ Their mouths are full of cursing and bitterness.

¹⁵ They are quick to kill, hating anyone

los que no están de acuerdo con ellos.
¹⁶Dondequiera que van, dejan tras sí quebranto y desventura. ¹⁷Nunca han sabido lo que es ser bondadoso y bueno. ¹⁸No les importa Dios ni lo que El piense de ellos.

¹⁹Así que la maldición de Dios pesa enormemente sobre los judíos, porque siendo los encargados de preservar la ley de Dios, cometen toda clase de perversidades como las que mencionamos. Ninguno de ellos tiene excusa; es más, el mundo entero tiene que callar ante el Todopoderoso y admitir su culpabilidad.

²⁰Así que, como ustedes ven, nadie puede alcanzar el favor de Dios por ser lo suficientemente bueno. Porque mientras mejor conocemos la ley de Dios, más nos damos cuenta de que no la obedecemos; la ley nos hace vernos pecadores.

²¹Pero Dios nos ha mostrado ahora una forma de ir al cielo que antes no entendíamos —no es nueva, por cierto, porque el Antiguo Testamento la declaró hace tiempo—, y que no consiste en ser lo suficientemente buenos ni en tratar de guardar la ley. ²²Dios dice que nos aceptará, purificará y llevará al cielo si dejamos por fe que Jesucristo nos limpie de pecados. Y todos podemos salvarnos en la misma forma, acercándonos con fe a Cristo, no importa quiénes seamos ni cómo hayamos sido.

²³Sí, todos hemos pecado; ninguno de nosotros alcanza el glorioso ideal divino. ²⁴Pero Dios nos declara inocentes del delito de haberlo ofendido si confiamos en Jesucristo, quien gratuitamente borró nuestros pecados. ²⁵,²⁶Porque Dios envió a Jesucristo para que sufriera el castigo de nuestros pecados y extinguiera el enojo de Dios contra nosotros. El usó la sangre de Cristo y nuestra fe para salvarnos de la ira divina. De este modo actuó con justicia absoluta, aun cuando no castigó a los que pecaron en los tiempos antiguos. No lo hizo porque en ese entonces proyectaba la mirada al momento en que Cristo vendría a quitar nuestros pecados. Y ahora, en el presente, puede El recibir también a los pecadores en la misma forma, porque Jesús quitó los pecados de ellos. Pero, ¿no es injusto el que Dios absuelva a los transgresores y los declare inocentes? No, porque lo hace con base en la fe de ellos en Jesús, quien quitó sus pecados.

²⁷¿De qué podemos jactarnos entonces

who disagrees with them.

¹⁶ Wherever they go they leave misery and trouble behind them, ¹⁷ and they have never known what it is to feel secure or enjoy God's blessing.

¹⁸ They care nothing about God nor what he thinks of them.

¹⁹ So the judgment of God lies very heavily upon the Jews, for they are responsible to keep God's laws instead of doing all these evil things; not one of them has any excuse; in fact, all the world stands hushed and guilty before Almighty God.

²⁰ Now do you see it? No one can ever be made right in God's sight by doing what the law commands. For the more we know of God's laws, the clearer it becomes that we aren't obeying them; his laws serve only to make us see that we are sinners.

²¹,²² But now God has shown us a different way to heaven —not by "being good enough" and trying to keep his laws, but by a new way (though not new, really, for the Scriptures told about it long ago). Now God says he will accept and acquit us—declare us "not guilty"—if we trust Jesus Christ to take away our sins. And we all can be saved in this same way, by coming to Christ, no matter who we are or what we have been like. ²³ Yes, all have sinned; all fall short of God's glorious ideal; ²⁴ yet now God declares us "not guilty" of offending him if we trust Jesus Christ, who in his kindness freely takes away our sins.

²⁵ For God sent Christ Jesus to take the punishment for our sins and to end all God's anger against us. He used Christ's blood and our faith as the means of saving us from his wrath. In this way he was being entirely fair, even though he did not punish those who sinned in former times. For he was looking forward to the time when Christ would come and take away those sins. ²⁶ And now in these days also he can receive sinners in this same way, because Jesus took away their sins.

But isn't this unfair for God to let criminals go free, and say that they are innocent? No, for he does it on the basis of their trust in Jesus who took away their sins.

²⁷ Then what can we boast about doing,

en lo que a la salvación se refiere?

Absolutamente de nada.

¿Por qué?

Porque el fundamento de nuestra salvación no está en nuestras buenas obras, sino en la obra de Cristo y en nuestra fe en El. ²⁸Tan es así que nos salvamos por fe en Cristo y no en virtud del bien que hayamos hecho.

²⁹¿Sólo a los judíos salva Dios de esta forma? No, los gentiles también pueden acercarse a El de la misma manera. ³⁰Dios nos trata por igual; ya seamos judíos o gentiles, se nos aprueba si tenemos fe.

³¹¿Quiere decir esto que si nos salvamos por la fe ya no tenemos que obedecer totalmente la ley de Dios? Mil veces no. Es más, sólo se puede obedecer la ley cuando se confía en Cristo.

4 ABRAHAM FUE, HUMANAMENTE hablando, el fundador de la nación hebrea.

¿Cuáles fueron sus experiencias en cuanto a la salvación por fe?

²¿Lo aceptó Dios por las buenas obras que había realizado? Si así hubiera sido tendría de qué gloriarse.

³Pero, desde el punto de vista divino, Abraham no tiene nada de qué gloriarse. Las Escrituras nos dicen que Abraham creyó a Dios, y por eso Dios pasó por alto sus pecados y lo declaró inocente.

⁴¿Obtuvo su derecho al cielo en virtud del bien que hizo?

No, porque la salvación es un regalo; si alguien pudiera ganarla siendo bueno, no sería gratis. ¡Y es gratis! ⁵Se concede a los que no hacen nada para obtenerla: Porque Dios declara sin culpa a los pecadores que simplemente tengan fe en que Cristo es el que los puede librar de la ira de Dios.

⁶El rey David se refirió a esto al describir la alegría del pecador indigno que Dios declara inocente.

⁷"Bienaventurados y dignos de envidia", dijo, "aquéllos cuyos pecados han sido perdonados y encubiertos. Sí, dichoso el hombre a quien el Señor no le toma en cuenta los pecados".

⁸,⁹Entonces surge la pregunta: ¿Es esta bendición sólo para quienes tengan fe en Cristo y a la vez guarden la ley judaica, o se otorga también a quienes no la guardan, pero creen en Cristo?

to earn our salvation? Nothing at all. Why? Because our acquittal is not based on our good deeds; it is based on what Christ has done and our faith in him. ²⁸ So it is that we are saved by faith in Christ and not by the good things we do.

²⁹ And does God save only the Jews in this way? No, the Gentiles, too, may come to him in this same manner. ³⁰ God treats us all the same; all, whether Jews or Gentiles, are acquitted if they have faith. ³¹ Well then, if we are saved by faith, does this mean that we no longer need obey God's laws? Just the opposite! In fact, only when we trust Jesus can we truly obey him.

4 ABRAHAM WAS, HUMANLY speaking, the founder of our Jewish nation. What were his experiences concerning this question of being saved by faith? Was it because of his good deeds that God accepted him? If so, then he would have something to boast about. But from God's point of view Abraham had no basis at all for pride. ³ For the Scriptures tell us Abraham *believed God,* and that is why God canceled his sins and declared him "not guilty."

⁴,⁵ But didn't he earn his right to heaven by all the good things he did? No, for being saved is a gift; if a person could earn it by being good, then it wouldn't be free—but it is! It is *given* to those who do *not* work for it. For God declares sinners to be good in his sight if they have faith in Christ to save them from God's wrath.

⁶ King David spoke of this, describing the happiness of an undeserving sinner who is declared "not guilty" by God. ⁷ "Blessed, and to be envied," he said, "are those whose sins are forgiven and put out of sight. ⁸ Yes, what joy there is for anyone whose sins are no longer counted against him by the Lord."

⁹ Now then, the question: Is this blessing given only to those who have faith in Christ but also keep the Jewish laws, or is the blessing also given to those who do not keep the Jewish rules, but only trust in Christ? Well,

¿Qué decimos de Abraham? Decimos que recibió estas bendiciones por fe.

¿Por fe solamente, o por haber guardado también la ley? ¹⁰Como respuesta a esta pregunta, contéstenme esta otra: *¿Cuándo* le dio Dios la bendición a Abraham? Fue antes de hacerse judío, es decir, *antes de iniciarse como judío* por medio de la circuncisión. ¹¹El no se circuncidó sino hasta después que Dios prometiera bendecirlo *en virtud de la fe* que tenía. La circuncisión constituyó la señal de que Abraham ya tenía fe y de que Dios ya lo había aceptado y lo había declarado justo y bueno ante sus ojos, hecho que ocurrió *antes de que se circundidara.*

¹²,¹³Abraham, pues, es ejemplo del creyente que se salva sin obedecer la ley judaica.

Vemos, entonces, que Dios justifica por medio de la fe a los que no guardan la ley. Y los que la guardan y están circuncidados pueden estar seguros de que no es esta ceremonia lo que los salva, porque Abraham alcanzó el favor de Dios por fe solamente, antes de circuncidarse. Está claro que Dios prometió otorgar toda la tierra a Abraham y su descendencia, no en virtud de la obediencia de Abraham a la ley, sino en virtud de la confianza de éste en que Dios cumpliría su promesa.

¹⁴Pero si ustedes insisten en que Dios bendice sólo a los que son lo suficientemente buenos, están dando a entender que la promesa de Dios a los creyentes carece de valor y que es tonto tener fe. ¹⁵Mas lo cierto es que, cuando tratamos de guardar la ley para ganar la bendición de Dios y la salvación, nos buscamos su ira, porque no podemos guardarla. ¡La única forma de no quebrantar la ley sería no tener ninguna ley que quebrantar!

¹⁶Así que las bendiciones de Dios se obtienen por fe, gratuitamente; y estamos seguros de recibirlas, guardemos o no guardemos las costumbres judías, si tenemos una fe como la de Abraham, porque Abraham es nuestro padre en lo que a fe se refiere. ¹⁷Eso es lo que quieren decir las Escrituras cuando expresan que Dios hizo a Abraham el padre de muchas naciones. Dios aceptará a cualquier persona de cualquier nación que crea en Dios como Abraham lo hizo. ¡Y es una promesa del mismo Dios que hace que los muertos resuciten y

what about Abraham? We say that he received these blessings through his faith. Was it by faith alone? Or because he also kept the Jewish rules?

¹⁰ For the answer to that question, answer this one: *When* did God give this blessing to Abraham? It was *before he became a Jew*—before he went through the Jewish initiation ceremony of circumcision.

¹¹ It wasn't until later on, *after* God had promised to bless him *because of his faith,* that he was circumcised. The circumcision ceremony was a sign that Abraham already had faith and that God had already accepted him and declared him just and good in his sight—before the ceremony took place. So Abraham is the spiritual father of those who believe and are saved without obeying Jewish laws. We see, then, that those who do not keep these rules are justified by God through faith. ¹² And Abraham is also the spiritual father of those Jews who have been circumcised. They can see from his example that it is not this ceremony that saves them, for Abraham found favor with God by faith alone, *before he was circumcised.*

¹³ It is clear, then, that God's promise to give the whole earth to Abraham and his descendants was not because Abraham obeyed God's laws but because he trusted God to keep his promise. ¹⁴ So if you still claim that God's blessings go to those who are "good enough," then you are saying that God's promises to those who have faith are meaningless, and faith is foolish. ¹⁵ But the fact of the matter is this: when we try to gain God's blessing and salvation by keeping his laws we always end up under his anger, for we always fail to keep them. The only way we can keep from breaking laws is not to have any to break!

¹⁶ So God's blessings are given to us by faith, as a free gift; we are certain to get them whether or not we follow Jewish customs if we have faith like Abraham's, for Abraham is the father of us all when it comes to these matters of faith. ¹⁷ That is what the Scriptures mean when they say that God made Abraham the father of many nations. God will accept all people in every nation who trust God as Abraham did. And this promise is from God himself, who makes the dead live again and speaks

que habla de los acontecimientos futuros con tanta certeza como si hubieran ocurrido ya!

¹⁸Por eso, cuando Dios le dijo a Abraham que le iba a dar un hijo cuya descendencia sería tan numerosa como para formar una nación, Abraham lo creyó, aun cuando aquello estaba al borde de lo imposible. ¹⁹Y porque su fe era robusta, no se preocupó del hecho de que, a la edad de cien años, era demasiado viejo para ser padre, ni de que su esposa Sara tuviera noventa años y por lo tanto fuera demasiado vieja para tener hijos. ²⁰Pero Abraham no dudó jamás. Con la más profunda fe y confianza, creyó a Dios, y le dio las gracias por aquella bendición antes de que se produjera. ²¹¡Estaba completamente seguro de que Dios podría cumplir cualquier promesa!

²²En vista de aquella fe, Dios perdonó los pecados de Abraham y lo declaró justo e inocente.

²³Pero aquella maravillosa promesa, la promesa de ser aceptado y aprobado por fe, no era sólo para Abraham. ²⁴También nos beneficia a nosotros, al asegurarnos que Dios nos ha de aceptar bajo las mismas condiciones en que aceptó a Abraham; esto es, si creemos las promesas del Padre, quien levantó a Jesús, nuestro Señor, de entre los muertos.

²⁵El murió por nuestros pecados y resucitó para poder presentarnos justos ante Dios y llenarnos de las virtudes divinas.

5 ASÍ QUE, AHORA que Dios nos ha declarado rectos por haber creído sus promesas, podemos disfrutar una verdadera paz con Dios gracias a lo que Jesucristo hizo por nosotros. ²Porque, en vista de nuestra fe, El nos ha situado en la posición altamente privilegiada que ocupamos, donde confiada y gozosamente esperamos alcanzar a ser lo que Dios quiere que seamos.

³Si vienen aflicciones a nuestras vidas, podemos regocijarnos también en ellas, porque nos enseñan a tener paciencia; ⁴y la paciencia engendra en nosotros fortaleza de carácter y nos ayuda a confiar cada vez más en Dios, hasta que nuestra esperanza y nuestra fe sean fuertes y constantes. ⁵Entonces podremos mantener la frente en alto en cualquier circunstancia, sabiendo que todo irá bien, pues conocemos la ternura

of future events with as much certainty as though they were already past.

¹⁸ So, when God told Abraham that he would give him a son who would have many descendants and become a great nation, Abraham believed God even though such a promise just couldn't come to pass! ¹⁹ And because his faith was strong, he didn't worry about the fact that he was too old to be a father, at the age of one hundred, and that Sarah his wife, at ninety, was also much too old to have a baby.

²⁰ But Abraham never doubted. He believed God, for his faith and trust grew ever stronger, and he praised God for this blessing even before it happened. ²¹ He was completely sure that God was well able to do anything he promised. ²² And because of Abraham's faith God forgave his sins and declared him "not guilty."

²³ Now this wonderful statement—that he was accepted and approved through his faith—wasn't just for Abraham's benefit. ²⁴ It was for us, too, assuring us that God will accept us in the same way he accepted Abraham—when we believe the promises of God who brought back Jesus our Lord from the dead. ²⁵ He died for our sins and rose again to make us right with God, filling us with God's goodness.

5 SO NOW, SINCE we have been made right in God's sight by faith in his promises, we can have real peace with him because of what Jesus Christ our Lord has done for us. ² For because of our faith, he has brought us into this place of highest privilege where we now stand, and we confidently and joyfully look forward to actually becoming all that God has had in mind for us to be.

³ We can rejoice, too, when we run into problems and trials for we know that they are good for us—they help us learn to be patient. ⁴ And patience develops strength of character in us and helps us trust God more each time we use it until finally our hope and faith are strong and steady. ⁵ Then, when that happens, we are able to hold our heads high no matter what happens and know that all is well, for we know how

del amor de Dios hacia nosotros, y sentiremos su calor dondequiera que estemos, porque El nos ha dado el Espíritu Santo para que llene nuestros corazones de su amor.

⁶Cuando, impotentes, no teníamos medio de escape, Cristo llegó en el momento oportuno y murió por nosotros, a pesar de nuestra impiedad.

⁷Ni aún siendo buenos podría esperarse que alguien muriera por nosotros, aunque pudiera suceder. ⁸Mas Dios nos demostró la inmensidad de su amor enviando a Cristo a morir por nosotros, aun cuando éramos pecadores.

⁹Y si siendo pecadores hizo esto en nosotros por medio de su sangre, ¿cuánto más no hará ahora que nos ha declarado justos y buenos? Nos salvará de la ira de Dios que ha de venir. ¹⁰Y si siendo enemigos se nos reconcilió con Dios por la muerte de su Hijo, ¡gloriosas serán sus bendiciones ahora que somos amigos y El vive en nosotros! ¹¹Ahora tenemos la maravillosa alegría del Señor en nuestras vidas, gracias a que Cristo murió por nuestros pecados y nos hizo sus amigos

¹²Al pecar Adán, el pecado entró a la raza humana. Su pecado esparció la muerte en el mundo y todos comenzaron a envejecer y a morir, porque todos pecaron. ¹³Antes de la ley, los hombres pecaban; pero como no había ley, no se les podía declarar culpables de haberla transgredido. ¹⁴Mas la gente continuó muriendo desde Adán hasta Moisés, aunque su pecado no fue igual que el de Adán, que había trasgredido una ley de Dios que prohibía comer cierta fruta.

¹⁵Es inmenso el contraste entre Adán y el Cristo que habría de venir. ¡Y qué contraste tan grande entre el pecado del hombre y el perdón de Dios! El primer hombre, Adán, provocó la muerte de muchos con su pecado. Pero otro hombre, Jesucristo, trajo el perdón de muchos por la misericordia de Dios. ¹⁶Aquel solo pecado de Adán trajo condenación a muchos, mientras que Cristo borra abiertamente los muchos pecados y ofrece una vida gloriosa. ¹⁷El pecado de aquel solo hombre, Adán, trajo por consecuencia el que la muerte reinara sobre nosotros, pero los que aceptan de Dios el

dearly God loves us, and we feel this warm love everywhere within us because God has given us the Holy Spirit to fill our hearts with his love.

⁶ When we were utterly helpless with no way of escape, Christ came at just the right time and died for us sinners who had no use for him. ⁷ Even if we were good, we really wouldn't expect anyone to die for us, though, of course, that might be barely possible. ⁸ But God showed his great love for us by sending Christ to die for us while we were still sinners. ⁹ And since by his blood he did all this for us as sinners, how much more will he do for us now that he has declared us not guilty? Now he will save us from all of God's wrath to come. ¹⁰ And since, when we were his enemies, we were brought back to God by the death of his Son, what blessings he must have for us now that we are his friends, and he is living within us!

¹¹ Now we rejoice in our wonderful new relationship with God—all because of what our Lord Jesus Christ has done in dying for our sins—making us friends of God.

¹² When Adam sinned, sin entered the entire human race. His sin spread death throughout all the world, so everything began to grow old and die, for all sinned. ¹³ [We know that it was Adam's sin that caused this] because although, of course, people were sinning from the time of Adam until Moses, God did not in those days judge them guilty of death for breaking his laws—because he had not yet given his laws to them, nor told them what he wanted them to do. ¹⁴ So when their bodies died it was not for their own sins since they themselves had never disobeyed God's special law against eating the forbidden fruit, as Adam had.

What a contrast between Adam and Christ who was yet to come! ¹⁵ And what a difference between man's sin and God's forgiveness!

For this one man, Adam, brought death to many through his *sin.* But this one man, Jesus Christ, brought forgiveness to many through God's *mercy.* ¹⁶ Adam's *one* sin brought the penalty of death to many, while Christ freely takes away *many* sins and gives glorious life instead. ¹⁷ The sin of this one man, Adam, caused *death to be king over all,* but all who will take God's gift of

regalo del perdón y la aprobación, reinan en la vida mediante otro hombre: Jesucristo. ¹⁸Sí, el pecado de Adán nos trajo castigo, pero el acto misericordioso de Cristo hace a los hombres rectos ante Dios, para que puedan vivir. ¹⁹En otras palabras, al desobedecer a Dios, Adán hizo que nos volviéramos pecadores, pero Cristo, que obedeció, nos hizo aceptables ante Dios.

²⁰El propósito de los Diez Mandamientos es que podamos ver la magnitud de nuestra desobediencia a Dios. Y mientras mayor es nuestra pecaminosidad, mucho mayor es la abundante gracia perdonadora de Dios.

²¹Así que el pecado se enseñoreó del hombre y lo condujo a la muerte, pero ahora la gracia de Dios nos gobierna, y nos coloca en buena estima ante Dios, lo cual trae por resultado la vida eterna a través de Cristo nuestro Señor.

6 BUENO, ¿SEGUIREMOS PECANDO entonces para que Dios pueda seguir mostrando cada vez más misericordia y perdón?

²,³¡Por supuesto que no!

¿Seguiremos pecando ahora que no tenemos que hacerlo? El poder que ejercía el pecado en nosotros quedó roto cuando nos hicimos cristianos y nos bautizamos para entrar a formar parte de Jesucristo, cuya muerte desbarató el poder de nuestra naturaleza pecadora. ⁴Simbólicamente nuestra vieja naturaleza amante del pecado quedó sepultada con El en el bautismo en el momento que moría, y cuando Dios el Padre, con poder glorioso, lo volvió a la vida, se nos concedió su maravillosa nueva vida para que la disfrutáramos.

⁵Así que pasamos a formar parte de El mismo, y por decirlo así, morimos con El cuando murió; pero ahora compartimos su nueva vida, porque resucitamos con El en su resurrección. ⁶Ciertamente también nuestros viejos deseos pecaminosos fueron clavados en la cruz junto con El; y aquella porción de nuestras vidas que amaba el pecado quedó aplastada y mortalmente herida, de manera tal que nuestro cuerpo pecador ya no está bajo el dominio del pecado, ni tiene que someterse a la esclavitud del mismo; ⁷porque al morir al pecado quedamos libres de su dominio y del poder que ejercía en nosotros. ⁸Y, por cuanto

forgiveness and acquittal are *kings of life* because of this one man, Jesus Christ. ¹⁸ Yes, Adam's *sin* brought *punishment* to all, but Christ's *righteousness* makes men *right with God,* so that they can live. ¹⁹ Adam caused many to be sinners because he *disobeyed* God, and Christ caused many to be made acceptable to God because he *obeyed.*

²⁰ The Ten Commandments were given so that all could see the extent of their failure to obey God's laws. But the more we see our sinfulness, the more we see God's abounding grace forgiving us. ²¹ Before, sin ruled over all men and brought them to death, but now God's kindness rules instead, giving us right standing with God and resulting in eternal life through Jesus Christ our Lord.

6 WELL THEN, SHALL we keep on sinning so that God can keep on showing us more and more kindness and forgiveness?

²,³ Of course not! Should we keep on sinning when we don't have to? For sin's power over us was broken when we became Christians and were baptized to become a part of Jesus Christ; through his death the power of your sinful nature was shattered. ⁴ Your old sin-loving nature was buried with him by baptism when he died, and when God the Father, with glorious power, brought him back to life again, you were given his wonderful new life to enjoy.

⁵ For you have become a part of him, and so you died with him, so to speak, when he died ; and now you share his new life, and shall rise as he did. ⁶ Your old evil desires were nailed to the cross with him; that part of you that loves to sin was crushed and fatally wounded, so that your sin-loving body is no longer under sin's control, no longer needs to be a slave to sin; ⁷ for when you are deadened to sin you are freed from all its allure and its power over you. ⁸ And

nuestra naturaleza pecadora murió con Cristo, creemos que ahora compartimos su nueva vida.

⁹Cristo resucitó y no volverá a morir jamás. Nunca más la muerte ejercerá en El poder alguno.

¹⁰Murió una vez por todas para poner fin al poderío del pecado, mas ahora vive para siempre en inquebrantable unión con Dios. ¹¹Así que considérense ustedes muertos a la vieja naturaleza pecadora, sordos al pecado, y vivan para Dios alertas a El, a través de Jesucristo nuestro Señor. ¹²No dejen que el pecado domine sus débiles cuerpos; no lo obedezcan; no se entreguen a los deseos pecaminosos. ¹³No dejen que ninguna parte de su cuerpo se convierta en instrumento del mal, útil al pecado; entréguense por completo a Dios, enteramente, porque ustedes han escapado de la muerte y desean ser instrumentos en las manos de Dios que El use para sus buenos propósitos.

¹⁴¡Que el pecado no vuelva a dominarlos! Ya no estamos atados a la ley, bajo la cual nos esclavizó el pecado; ahora somos libres bajo la gracia y la misericordia de Dios.

¹⁵Entonces, como nuestra salvación no depende de guardar la ley sino de aceptar la gracia de Dios, ¿podemos pecar y despreocuparnos?

¡Claro que no!

¹⁶¿No comprenden que ustedes pueden escoger de quién ser esclavos? Pueden escoger el pecado y morir, o la obediencia y ser justos. Aquello que escojan se apoderará de ustedes y los esclavizará. ¹⁷Gracias a Dios que, si bien antes habían escogido ser esclavos del pecado, ya están obedeciendo de todo corazón las enseñanzas que Dios les ha dado. ¹⁸Y ya están libres del viejo amo, el pecado; y han pasado a servir a un Señor benevolente y justo.

¹⁹Les hablo así, usando el ejemplo del esclavo y el amo, para que me entiendan mejor; así como antes eran esclavos de toda clase de pecados, ahora deben volverse esclavos de lo que es justo y santo. ²⁰En aquellos días en que eran esclavos del pecado, no les importaba mucho la virtud.

²¹¿Con qué resultado?

No muy bueno, por cierto; y por eso se avergüenzan ahora al pensar en lo que antes hacían, que tanto los degradaba.

²²Mas ahora están libres del dominio del pecado y son esclavos de Dios, y esto les

since your old sin-loving nature "died" with Christ, we know that you will share his new life. ⁹Christ rose from the dead and will never die again. Death no longer has any power over him. ¹⁰He died once for all to end sin's power, but now he lives forever in unbroken fellowship with God. ¹¹So look upon your old sin nature as dead and unresponsive to sin, and instead be alive to God, alert to him, through Jesus Christ our Lord.

¹²Do not let sin control your puny body any longer; do not give in to its sinful desires. ¹³Do not let any part of your bodies become tools of wickedness, to be used for sinning; but give yourselves completely to God—every part of you—for you are back from death and you want to be tools in the hands of God, to be used for his good purposes. ¹⁴Sin need never again be your master, for now you are no longer tied to the law where sin enslaves you, but you are free under God's favor and mercy.

¹⁵Does this mean that now we can go ahead and sin and not worry about it? (For our salvation does not depend on keeping the law, but on receiving God's grace!) Of course not!

¹⁶Don't you realize that you can choose your own master? You can choose sin (with death) or else obedience (with acquittal). The one to whom you offer yourself—he will take you and be your master and you will be his slave. ¹⁷Thank God that though you once chose to be slaves of sin, now you have obeyed with all your heart the teaching to which God has committed you. ¹⁸And now you are free from your old master, sin; and you have become slaves to your new master, righteousness.

¹⁹I speak this way, using the illustration of slaves and masters, because it is easy to understand: just as you used to be slaves to all kinds of sin, so now you must let yourselves be slaves to all that is right and holy.

²⁰In those days when you were slaves of sin you didn't bother much with goodness. ²¹And what was the result? Evidently not good, since you are ashamed now even to think about those things you used to do, for all of them end in eternal doom. ²²But now you are free from the power of sin and are slaves of God, and his benefits to you in-

trae como beneficio la santidad y la vida eterna.

²³Porque si bien la paga del pecado es muerte, el regalo que nos da Dios es vida eterna a través de Jesucristo nuestro Señor.

7 ¿ES QUE NO comprenden todavía, mis hermanos en Cristo conocedores de la ley, que cuando una persona muere, la ley pierde todo su poder sobre ella?

²Por ejemplo, cuando una mujer se casa, la ley la ata al esposo mientras éste viva. Pero si el esposo muere, ella deja de estar atada a él y deja de estar sujeta a las leyes matrimoniales. Si desea casarse de nuevo, puede hacerlo. ³Esto sería incorrecto si el esposo viviera, pero es correcto si éste muere.

⁴Como ustedes murieron con Cristo en la cruz, y están muertos, ya no están "casados con la ley", ni ella sigue teniendo poder sobre ustedes. Después, al volver a la vida con la resurrección de Cristo, lo hicieron como nuevas personas. Y ahora están casados, por decirlo así, con Aquel que resucitó, para producir buenos frutos, es decir, para hacer buenas obras para Dios.

⁵Cuando nuestra naturaleza vieja estaba activa, los deseos pecaminosos actuaban dentro de nosotros; nos hacían desear lo que Dios había prohibido, y producían en nosotros el fruto maligno de la muerte. ⁶Mas no tenemos ya que preocuparnos de las tradiciones judías, porque estamos muertos con respecto a ellas, y ahora podemos servir de verdad a Dios, no como antes, cuando obedecíamos mecánicamente un montón de leyes, sino de todo corazón y con todo propósito.

⁷¿Es que acaso estoy dando a entender que la ley de Dios es pecado?

¡Claro que no!

La ley no es pecado, pero fue la ley la que me enseñó que en mí había pecado. Jamás me habría dado cuenta del pecado que había en mi corazón, ni de todos los deseos perversos que encerraba, si la ley no me hubiera dicho: "No darás albergue en tu corazón a los deseos impuros". ⁸Pero el pecado usó aquella ley que condena los deseos perversos para despertar en mí los deseos impuros. Si no hubiera ninguna ley que transgredir, técnicamente nadie pecaría.

⁹Por eso, antes de entender lo que la ley

clude holiness and everlasting life. ²³ For the wages of sin is death, but the free gift of God is eternal life through Jesus Christ our Lord.

7 DON'T YOU UNDERSTAND yet, dear Jewish brothers in Christ, that when a person dies the law no longer holds him in its power?

² Let me illustrate: when a woman marries, the law binds her to her husband as long as he is alive. But if he dies, she is no longer bound to him; the laws of marriage no longer apply to her. ³ Then she can marry someone else if she wants to. That would be wrong while he was alive, but it is perfectly all right after he dies.

⁴ Your "husband," your master, used to be the Jewish law; but you "died," as it were, with Christ on the cross; and since you are "dead," you are no longer "married to the law," and it has no more control over you. Then you came back to life again when Christ did, and are a new person. And now you are "married," so to speak, to the one who rose from the dead, so that you can produce good fruit, that is, good deeds for God. ⁵ When your old nature was still active, sinful desires were at work within you, making you want to do whatever God said not to, and producing sinful deeds, the rotting fruit of death. ⁶ But now you need no longer worry about the Jewish laws and customs because you "died" while in their captivity, and now you can really serve God; not in the old way, mechanically obeying a set of rules, but in the new way, [with all of your hearts and minds].

⁷ Well then, am I suggesting that these laws of God are evil? Of course not! No, the law is not sinful but it was the law that showed me my sin. I would never have known the sin in my heart—the evil desires that are hidden there—if the law had not said, "You must not have evil desires in your heart." ⁸ But sin used this law against evil desires by reminding me that such desires are wrong and arousing all kinds of forbidden desires within me! Only if there were no laws to break would there be no sinning.

⁹ That is why I felt fine so long as I did

demanda realmente, me sentía bien. Pero cuando lo entendí, comprendí que había quebrantado la ley y que estaba sentenciado a muerte por pecador. ¹⁰Es decir, que la santa ley que debía haberme mostrado el camino de la vida, me condenó a muerte; ¹¹porque el pecado me engañó, pues tomó las santas leyes de Dios y las usó para hacerme digno de muerte. ¹²Así que, como ven, la ley en sí es santa y buena.

¹³¿Y acaso la ley no causó mi perdición? ¿Cómo va a ser buena entonces? No, el pecado, diabólicamente usó lo que era bueno para acarrearme condenación. Así que, a juzgar por la forma en que el pecado utiliza la santa ley de Dios para lograr sus malvados propósitos, es astuto, mortal e infame. ¹⁴La ley es buena. El problema no está en ella sino en mí, porque estoy vendido en esclavitud al pecado, que es mi dueño.

¹⁵Yo no me entiendo a mí mismo, porque quiero sinceramente hacer lo bueno, pero no puedo. Hago lo que no quiero hacer, lo que aborrezco. ¹⁶Sé bien que no estoy actuando correctamente y la conciencia me dice que las leyes que estoy quebrantando son buenas. ¹⁷Mas de nada me sirve, porque no soy yo el que lo hace. Es el pecado que está dentro de mí, que es más fuerte que yo, el que me hace cometer perversidades. ¹⁸Sé que en cuanto a mi vieja y malvada naturaleza soy un hombre corrupto. Haga lo que haga, no me puedo corregir. Lo deseo, pero no puedo. ¹⁹Cuando quiero hacer el bien, no lo hago; y cuando trato de no hacer lo malo, lo hago de todos modos. ²⁰Entonces, si hago lo que no quiero hacer, está claro cuál es el problema: el pecado tiene aún clavadas en mí sus perversas garras. ²¹Parece que la vida es así, que cuando quiero hacer lo recto, inevitablemente hago lo malo. ²²A mi nueva naturaleza le encanta obedecer la voluntad de Dios, ²³pero hay algo allá en lo más profundo de mi ser, en mi baja naturaleza, que está en guerra contra mi voluntad y gana las peleas y me lleva cautivo al pecado, que está todavía en mí. Mi intención es ser un siervo de la voluntad de Dios, pero me hallo esclavo del pecado. Así que ya ven: mi nueva vida me indica lo que es recto, pero a la vieja naturaleza que está aún en mí le encanta el pecado.

¡Qué triste es el estado en que me encuentro!

not understand what the law really demanded. But when I learned the truth, I realized that I had broken the law and was a sinner, doomed to die. ¹⁰ So as far as I was concerned, the good law which was supposed to show me the way of life resulted instead in my being given the death penalty. ¹¹ Sin fooled me by taking the good laws of God and using them to make me guilty of death. ¹² But still, you see, the law itself was wholly right and good.

¹³ But how can that be? Didn't the law cause my doom? How then can it be good? No, it was sin, devilish stuff that it is, that used what was good to bring about my condemnation. So you can see how cunning and deadly and damnable it is. For it uses God's good laws for its own evil purposes. ¹⁴ The law is good, then, and the trouble is not there but with *me,* because I am sold into slavery with Sin as my owner.

¹⁵ I don't understand myself at all, for I really want to do what is right, but I can't. I do what I don't want to—what I hate. ¹⁶ I know perfectly well that what I am doing is wrong, and my bad conscience proves that I agree with these laws I am breaking. ¹⁷ But I can't help myself, because I'm no longer doing it. It is sin inside me that is stronger than I am that makes me do these evil things.

¹⁸ I know I am rotten through and through so far as my old sinful nature is concerned. No matter which way I turn I can't make myself do right. I want to but I can't. ¹⁹ When I want to do good, I don't; and when I try not to do wrong, I do it anyway. ²⁰ Now if I am doing what I don't want to, it is plain where the trouble is: sin still has me in its evil grasp.

²¹ It seems to be a fact of life that when I want to do what is right, I inevitably do what is wrong. ²² I love to do God's will so far as my new nature is concerned; ²³,²⁴,²⁵ but there is something else deep within me, in my lower nature, that is at war with my mind and wins the fight and makes me a slave to the sin that is still within me. In my mind I want to be God's willing servant but instead I find myself still enslaved to sin.

So you see how it is: my new life tells me to do right, but the old nature that is still inside me loves to sin. Oh, what a terrible

²⁴¿Quién me libertará de la esclavitud de esta mortal naturaleza pecadora?

²⁵¡Gracias a Dios que Cristo lo ha logrado!

¡Jesús me libertó!

8 ASÍ QUE A los que pertenecen a Jesucristo ya no les espera ninguna condenación, ²porque el poder vivificador del Espíritu, poder que reciben a través de Jesucristo, los libera del círculo vicioso del pecado y de la muerte.

³El conocer los mandamientos de Dios no nos arranca de las garras del pecado, porque no podemos guardar la ley ni la guardamos. Pero Dios, para salvarnos, puso en vigor un plan diferente. Envió a su propio Hijo con un cuerpo humano igual en todo al nuestro, salvo que no era pecador, y al entregarlo en sacrificio por nuestros pecados, destruyó el dominio del pecado sobre nosotros.

⁴Por lo tanto, si nos dejamos conducir por el Espíritu Santo y negamos obediencia a la vieja naturaleza pecaminosa que está en nosotros, podemos obedecer la ley de Dios.

⁵Los que se dejan dominar por la baja naturaleza, viven sólo para autocomplacerse, pero los que viven de acuerdo con el Espíritu Santo se conducen como agrada a Dios.

⁶El dejarse conducir por el Espíritu Santo produce vida y paz, pero el dejarse conducir por la vieja naturaleza produce muerte, ⁷porque la vieja naturaleza pecaminosa que está en nosotros, siempre se rebela contra Dios. Nunca ha obedecido la ley de Dios y nunca podrá obedecerla.

⁸Por eso, los que continúan bajo el dominio de su antiguo yo pecador y se empeñan en continuar con sus perversidades, jamás podrán agradar a Dios.

⁹Pero ustedes no son así. Si el Espíritu de Dios mora en ustedes, están bajo el dominio de la nueva naturaleza. (Y recuerden que no es cristiano quien en su interior no tenga el Espíritu de Cristo.) ¹⁰Mas aunque Cristo viva en ustedes, sus cuerpos están muertos a consecuencia del pecado; pero sus espíritus viven porque Cristo los ha perdonado.

¹¹Y si el Espíritu de Dios que levantó a Jesús de entre los muertos vive en ustedes, El hará que sus cuerpos mortales despier-

predicament I'm in! Who will free me from my slavery to this deadly lower nature? Thank God! It has been done by Jesus Christ our Lord. He has set me free.

8 SO THERE IS now no condemnation awaiting those who belong to Christ Jesus. ² For the power of the life-giving Spirit—and this power is mine through Christ Jesus—has freed me from the vicious circle of sin and death. ³ We aren't saved from sin's grasp by knowing the commandments of God, because we can't and don't keep them, but God put into effect a different plan to save us. He sent his own Son in a human body like ours—except that ours are sinful—and destroyed sin's control over us by giving himself as a sacrifice for our sins. ⁴ So now we can obey God's laws if we follow after the Holy Spirit and no longer obey the old evil nature within us.

⁵ Those who let themselves be controlled by their lower natures live only to please themselves, but those who follow after the Holy Spirit find themselves doing those things that please God. ⁶ Following after the Holy Spirit leads to life and peace, but following after the old nature leads to death, ⁷ because the old sinful nature within us is against God. It never did obey God's laws and it never will. ⁸ That's why those who are still under the control of their old sinful selves, bent on following their old evil desires, can never please God.

⁹ But you are not like that. You are controlled by your new nature if you have the Spirit of God living in you. (And remember that if anyone doesn't have the Spirit of Christ living in him, he is not a Christian at all.) ¹⁰ Yet, even though Christ lives within you, your body will die because of sin; but your spirit will live, for Christ has pardoned it. ¹¹ And if the Spirit of God, who raised up Jesus from the dead, lives in you, he will make your dying bodies live

ten a la vida después de la muerte por medio del mismo Espíritu Santo que vive en ustedes.

¹²Así que, amados hermanos, ustedes no están obligados a hacer lo que la vieja naturaleza les dice. ¹³Si lo siguen haciendo están perdidos y perecerán; pero si mediante el poder del Espíritu Santo destruyen la vieja naturaleza y sus obras, vivirán. ¹⁴Porque los que se dejan conducir por el Espíritu de Dios son hijos de Dios.

¹⁵No debemos actuar como esclavos serviles y cobardes, sino como verdaderos hijos de Dios, como miembros adoptivos de su familia que pueden llamarlo: "Padre, Padre". ¹⁶Porque el Espíritu Santo nos habla a lo más profundo del alma y nos asegura que somos hijos de Dios.

¹⁷Y como somos sus hijos, compartimos sus riquezas, pues todo lo que Dios le da a Jesucristo es ahora también nuestro.

Pero si compartimos su gloria, también hemos de compartir sus sufrimientos.

¹⁸Sin embargo, lo que ahora sufrimos no tiene comparación con la gloria que nos dará después. ¹⁹Porque la creación aguarda con paciencia y esperanza el día en que Dios ha de resucitar a sus hijos. ²⁰,²¹Ese día, las espinas, los cardos, el pecado, la muerte y la podredumbre, impuestos al mundo por mandato de Dios, desaparecerán; y el mundo que nos circunda compartirá la gloriosa libertad del pecado que disfrutan los hijos de Dios.

²²Sabemos que la naturaleza misma, los animales, las plantas, sufren enfermedades y muerte mientras esperan el gran acontecimiento. Y aun nosotros los cristianos, que llevamos dentro el Espíritu Santo como un anticipo de la gloria que nos espera, clamamos que se nos libre de penas y sufrimientos. ²³Nosotros también esperamos ansiosamente el día en que se nos concedan nuestros plenos derechos como hijos de Dios, que incluyen el tener los cuerpos nuevos que nos ha prometido, cuerpos que jamás volverán a enfermar ni a morir.

²⁴Uno se salva si tiene fe. Y tener fe significa esperar algo que no se ha recibido todavía. Si uno lo tiene ya, no tiene que esperar ni confiar en recibirlo. ²⁵Pero mantenernos esperando de Dios lo que todavía no se ha manifestado nos enseña a tener paciencia y confianza. ²⁶De igual manera, por fe, el Espíritu Santo nos ayuda en

again after you die, by means of this same Holy Spirit living within you.

¹² So, dear brothers, you have no obligations whatever to your old sinful nature to do what it begs you to do. ¹³ For if you keep on following it you are lost and will perish, but if through the power of the Holy Spirit you crush it and its evil deeds, you shall live. ¹⁴ For all who are led by the Spirit of God are sons of God.

¹⁵ And so we should not be like cringing, fearful slaves, but we should behave like God's very own children, adopted into the bosom of his family, and calling to him, "Father, Father." ¹⁶ For his Holy Spirit speaks to us deep in our hearts, and tells us that we really are God's children. ¹⁷ And since we are his children, we will share his treasures—for all God gives to his Son Jesus is now ours too. But if we are to share his glory, we must also share his suffering.

¹⁸ Yet what we suffer now is nothing compared to the glory he will give us later. ¹⁹ For all creation is waiting patiently and hopefully for that future day when God will resurrect his children. ²⁰,²¹ For on that day thorns and thistles, sin, death, and decay —the things that overcame the world against its will at God's command—will all disappear, and the world around us will share in the glorious freedom from sin which God's children enjoy.

²² For we know that even the things of nature, like animals and plants, suffer in sickness and death as they await this great event. ²³ And even we Christians, although we have the Holy Spirit within us as a foretaste of future glory, also groan to be released from pain and suffering. We, too, wait anxiously for that day when God will give us our full rights as his children, including the new bodies he has promised us—bodies that will never be sick again and will never die.

²⁴ We are saved by trusting. And trusting means looking forward to getting something we don't yet have—for a man who already has something doesn't need to hope and trust that he will get it. ²⁵ But if we must keep trusting God for something that hasn't happened yet, it teaches us to wait patiently and confidently.

²⁶ And in the same way—by our faith —the Holy Spirit helps us with our daily

nuestros problemas diarios y en la oración. Porque no sabemos qué debemos pedir ni sabemos pedir como debemos; pero el Espíritu Santo ora por nosotros con un ardor tal que no se puede expresar con palabras. ²⁷Y el Padre, que además conoce los corazones, claro está que entiende lo que el Espíritu dice, porque El pide por nosotros de acuerdo a la voluntad de Dios.

²⁸Además, sabemos que si amamos a Dios y nos adaptamos a sus planes, todo cuanto nos sucede ha de ser para el bien nuestro. ²⁹Desde el mismo principio Dios decidió que los que se le acercaran (y El sabía quiénes se le habrían de acercar) fueran como el Hijo, para que El fuera el mayor entre muchos hermanos. ³⁰Y tras escogernos, nos llamó; y al ir a El, nos declaró inocentes, nos llenó de las virtudes de Cristo, nos puso en buena estima ante sí mismo, y nos prometió su gloria.

³¹Ante tanta maravilla, ¿qué más se puede decir? Si Dios está de parte nuestra, ¿quién podrá estar contra nosotros? ³²Si no vaciló al entregar a su Hijo por nosotros, ¿no nos dará también todas las cosas?

³³¿Quién se atreve a acusarnos si somos los escogidos de Dios? ¡Nadie! Dios mismo nos ha perdonado y nos ha puesto en buena estima ante El. ³⁴¿Quién nos condenará entonces? ¿Cristo? ¡No! El fue el que murió por nosotros y volvió a la vida por nosotros y está en el cielo en un sitial de honor junto a Dios Padre intercediendo por nosotros. ³⁵¿Quién podrá apartarnos del amor de Cristo? Si nos vienen problemas o calamidades, si nos persiguen o matan, ¿es acaso que El ha dejado de amarnos? Y si tenemos hambre o necesidad, o si estamos en peligro, amenazados de muerte, ¿es acaso que Dios nos ha abandonado? ³⁶No, las Escrituras dicen que debemos estar dispuestos a morir en cualquier momento por la causa de Cristo, que somos como ovejas de matadero, ³⁷pero que a pesar de todo, nuestra victoria es absoluta, gracias a Cristo que nos amó hasta la muerte.

³⁸Estoy convencido que nada podrá apartarnos de su amor. Ni la muerte, ni la vida, ni los temores al presente, ni nuestra preocupación por el futuro, ³⁹ni el lugar

problems and in our praying. For we don't even know what we should pray for, nor how to pray as we should; but the Holy Spirit prays for us with such feeling that it cannot be expressed in words. ²⁷ And the Father who knows all hearts knows, of course, what the Spirit is saying as he pleads for us in harmony with God's own will. ²⁸ And we know that all that happens to us is working for our good if we love God and are fitting into his plans.

²⁹ For from the very beginning God decided that those who came to him—and all along he knew who would—should become like his Son, so that his Son would be the First, with many brothers. ³⁰ And having chosen us, he called us to come to him; and when we came, he declared us "not guilty," filled us with Christ's goodness, gave us right standing with himself, and promised us his glory.

³¹ What can we ever say to such wonderful things as these? If God is on our side, who can ever be against us? ³² Since he did not spare even his own Son for us but gave him up for us all, won't he also surely give us everything else?

³³ Who dares accuse us whom God has chosen for his own? Will God? No! He is the one who has forgiven us and given us right standing with himself.

³⁴ Who then will condemn us? Will Christ? *No!* For he is the one who died for us and came back to life again for us and is sitting at the place of highest honor next to God, pleading for us there in heaven.

³⁵ Who then can ever keep Christ's love from us? When we have trouble or calamity, when we are hunted down or destroyed, is it because he doesn't love us anymore? And if we are hungry, or penniless, or in danger, or threatened with death, has God deserted us?

³⁶ No, for the Scriptures tell us that for his sake we must be ready to face death at every moment of the day—we are like sheep awaiting slaughter; ³⁷ but despite all this, overwhelming victory is ours through Christ who loved us enough to die for us. ³⁸ For I am convinced that nothing can ever separate us from his love. Death can't, and life can't. The angels won't, and all the powers of hell itself cannot keep God's love away. Our fears for today, our worries about tomorrow, ³⁹ or where we are—high

donde estemos (ya sea el más alto o el más profundo), ni los ángeles, ni los poderes del mismo infierno, ¡Nada, podrá separarnos del amor de Dios que demostró nuestro Señor Jesucristo al morir por nosotros!

9 ¡OH ISRAEL, MI pueblo! ¡Hermanos míos! ¡Cuánto anhelo que se acerquen a Cristo! ²Me duele el corazón y siento día y noche una gran amargura al pensar en ustedes. ³Cristo y el Espíritu Santo saben que no miento al decir que estaría dispuesto a condenarme eternamente si con ello ustedes se salvaran.

⁴Dios les ha dado muchas cosas, mas ustedes no le prestan atención. El los tomó por pueblo suyo, los guio mediante el resplandor de una nube de gloria y les expresó lo mucho que deseaba bendecirlos. El les dio preceptos para la vida diaria, para que supieran lo que El deseaba que hicieran. El les dio la oportunidad de adorarlo y les prometió grandes cosas. ⁵Los padres de ustedes fueron grandes hombres de Dios, y Cristo mismo, que ahora gobierna todas las cosas, fue también judío en lo que a la naturaleza humana se refiere. ¡Bendito sea Dios para siempre!

⁶Entonces, ¿perdieron valor las promesas de Dios a su pueblo judío al rehusar éste la salvación?

Por supuesto que no.

Pero las promesas de Dios son para los que aceptan la salvación. Los que la aceptan forman parte del verdadero pueblo de Dios, son los judíos verdaderos. ⁷Así que no todo el que nace de familia judía es judío verdadero. El simple hecho de descender de Abraham no los hace verdaderos hijos de Abraham. Porque las Escrituras dicen que las promesas se aplican sólo a un hijo de Abraham, Isaac, y a los descendientes de éste, aunque Abraham tuvo más hijos. ⁸Esto quiere decir que no todos los hijos de Abraham son hijos de Dios. Hijo de Dios es el que cree en la promesa de salvación que El hiciera a Abraham. ⁹Porque lo que el Señor prometió fue esto: "El año que viene les daré a ti y a Sara un hijo".

¹⁰,¹¹Años más tarde, al crecer aquel hijo, Isaac, y casarse, estando Rebeca su mujer a punto de dar a luz mellizos, ¹²Dios le dijo que Esaú, el que nacería primero, serviría a Jacob, el hermano mellizo. ¹³Como dicen las Escrituras: "Escogí bendecir a Jacob y

above the sky, or in the deepest ocean— nothing will ever be able to separate us from the love of God demonstrated by our Lord Jesus Christ when he died for us.

9 OH, ISRAEL, MY people! Oh, my Jewish brothers! How I long for you to come to Christ. My heart is heavy within me and I grieve bitterly day and night because of you. Christ knows and the Holy Spirit knows that it is no mere pretense when I say that I would be willing to be forever damned if that would save you. ⁴ God has given you so much, but still you will not listen to him. He took you as his own special, chosen people and led you along with a bright cloud of glory and told you how very much he wanted to bless you. He gave you his rules for daily life so you would know what he wanted you to do. He let you worship him, and gave you mighty promises. ⁵ Great men of God were your fathers, and Christ himself was one of you, a Jew so far as his human nature is concerned, he who now rules over all things. Praise God forever!

⁶ Well then, has God failed to fulfill his promises to the Jews? No! [For these promises are only to those who are truly Jews.] And not everyone born into a Jewish family is truly a Jew! ⁷ Just the fact that they come from Abraham doesn't make them truly Abraham's children. For the Scriptures say that the promises apply only to Abraham's son Isaac and Isaac's descendants, though Abraham had other children too. ⁸ This means that not all of Abraham's children are children of God, but only those who believe the promise of salvation which he made to Abraham.

⁹ For God had promised, "Next year I will give you and Sarah a son." ¹⁰⁻¹³ And years later, when this son, Isaac, was grown up and married, and Rebecca his wife was about to bear him twin children, God told her that Esau, the child born first, would be a servant to Jacob, his twin brother. In the words of the Scripture, "I chose to bless

no a Esaú". ¹⁴,¹⁵Y Dios lo dijo antes que los niños nacieran, antes que hubieran hecho bien o mal. Esto prueba que Dios estaba haciendo lo que ya había decidido desde el principio; no era que los niños lo merecieran sino que Dios así lo había deseado y determinado.

¿Es Dios injusto?

¡Claro que no! Una vez le dijo a Moisés: "Si quiero ser bondadoso con alguien, lo soy. Y me apiadaré de quien yo quiera". ¹⁶Así que las bendiciones de Dios no las obtienen los que se deciden a buscarlas, ni los que se esfuerzan por obtenerlas. Dios otorga sus bendiciones a aquellos de quienes desea apiadarse. ¹⁷Encontramos un ejemplo de esto en la historia del faraón, rey de Egipto. Dios le dijo que le había dado el trono de Egipto con determinado propósito de mostrar en él lo terrible del poder divino, para que el mundo entero conociera el nombre de Dios.

¹⁸Como ven, Dios se apiada de algunos cuando le place, y hace que algunos se nieguen a escuchar. ¹⁹,²⁰Entonces, ¿por qué los condena después por no escuchar? ¿Acaso no actúan como Dios que actuaran? No, no digan eso. ¿Quiénes son ustedes para criticar a Dios? ¿Podrá un objeto decirle a quien lo hizo: "por qué me has hecho así"? ²¹¿No tiene acaso el derecho el que hace vasos de barro a hacer con el mismo barro una vasija hermosa que sirva de florero y otra que sirva para echar basura?

²²¿No tiene Dios el mismo perfecto derecho a desatar su ira y su poder contra los que ha preparado precisamente para destrucción, con los cuales ha sido hasta entonces paciente? ²³,²⁴El tiene también derecho a tomar a personas como nosotros, judíos o gentiles, a quienes creó para derramar en ellas las riquezas de su gloria, y tener misericordia de ellas, con el propósito de mostrar al mundo la inmensidad de su gloria.

²⁵¿Recuerdan lo que dice la profecía de Oseas? Dice que Dios buscaría hijos fuera de la familia judía y los amaría a pesar de que ellos jamás habían amado a Dios. ²⁶Y añade que los paganos, a los cuales había dicho: "No eres mi pueblo", serían llamados "hijos del Dios viviente".

²⁷El profeta Isaías clamó tocante a los judíos que, aunque fueran millones, sólo un

Jacob, but not Esau." And God said this before the children were even born, before they had done anything either good or bad. This proves that God was doing what he had decided from the beginning; it was not because of what the children did but because of what God wanted and chose.

¹⁴ Was God being unfair? Of course not. ¹⁵ For God had said to Moses, "If I want to be kind to someone, I will. And I will take pity on anyone I want to." ¹⁶ And so God's blessings are not given just because someone decides to have them or works hard to get them. They are given because God takes pity on those he wants to.

¹⁷ Pharaoh, king of Egypt, was an example of this fact. For God told him he had given him the kingdom of Egypt for the very purpose of displaying the awesome power of God against him: so that all the world would hear about God's glorious name. ¹⁸ So you see, God is kind to some just because he wants to be, and he makes some refuse to listen. ¹⁹ Well then, why does God blame them for not listening? Haven't they done what he made them do?

²⁰ No, don't say that. Who are you to criticize God? Should the thing made say to the one who made it, "Why have you made me like this?" ²¹ When a man makes a jar out of clay, doesn't he have a right to use the same lump of clay to make one jar beautiful, to be used for holding flowers, and another to throw garbage into? ²² Does not God have a perfect right to show his fury and power against those who are fit only for destruction, those he has been patient with for all this time? ²³,²⁴ And he has a right to take others such as ourselves, who have been made for pouring the riches of his glory into, whether we are Jews or Gentiles, and to be kind to us so that everyone can see how very great his glory is.

²⁵ Remember what the prophecy of Hosea says? There God says that he will find other children for himself (who are not from his Jewish family) and will love them, though no one had ever loved them before. ²⁶ And the heathen, of whom it once was said, "You are not my people," shall be called "sons of the Living God."

²⁷ Isaiah the prophet cried out concerning the Jews that though there would be millions of them, only a small number

pequeño grupo se salvaría. ²⁸"Porque el Señor ejecutará su sentencia sobre la tierra y súbitamente, con justicia, terminará sus relaciones con ellos". ²⁹Y añade en otro lugar que si no fuera por su misericordia, Dios destruiría por completo a los judíos, como destruyó a los habitantes de Sodoma y Gomorra.

³⁰Bueno, ¿qué diremos a esto? Pues que Dios ha dado a los gentiles la oportunidad de salir absueltos por fe, a pesar de que no se puede decir que andaban buscando a Dios. ³¹Pero los judíos, que con tanto ardor trataron de guardar la ley para ponerse bien con Dios, nunca lo lograron. ³²¿Por qué no? Porque trataban de salvarse cumpliendo con la ley y haciendo buenas obras, en vez de depender de la fe. Dieron contra la gran piedra de tropiezo.

³³Dios se lo advirtió en las Escrituras al decir: "He puesto una Roca (a Jesús) en el camino de los judíos, y muchos tropezarán con ella. Mas los que crean en ella jamás se arrepentirán de haberlo hecho".

10 AMADOS HERMANOS, EL anhelo de mi corazón y mi oración es que el pueblo judío se salve.

²Yo sé el celo que sienten por la causa de Dios, pero es un celo equivocado. ³Como no entienden que Cristo murió para disculparlos ante Dios, tratan de hacerse justos guardando la ley y las costumbres judías con el propósito de conquistar el favor de Dios. Pero Dios no nos salva de esa manera. ⁴Entiéndanlo bien: Cristo concede a quienes creen en El lo que ustedes están tratando de lograr por esfuerzo propio, pues Cristo es el fin de la ley. ⁵Como dijo Moisés: "Si una persona llega a ser enteramente buena, y se guarda para siempre de la tentación y nunca peca, Dios la podrá perdonar y salvar".

⁶Mas acerca de la salvación por fe dice: "No tienes que subir al cielo a pedirle a Cristo que descienda a ayudarte, ⁷ni tienes que ir a donde están los muertos para retornar a Cristo a la vida", ⁸porque la salvación que se obtiene confiando en Cristo, que es la que predicamos, está a nuestro alcance, está tan cerca de nosotros como el corazón y la boca. ⁹Y si declaras con tus propios labios que Jesucristo es tu

would ever be saved. ²⁸ "For the Lord will execute his sentence upon the earth, quickly ending his dealings, justly cutting them short."

²⁹ And Isaiah says in another place that except for God's mercy all the Jews would be destroyed—all of them—just as everyone in the cities of Sodom and Gomorrah perished.

³⁰ Well then, what shall we say about these things? Just this, that God has given the Gentiles the opportunity to be acquitted by faith, even though they had not been really seeking God. ³¹ But the Jews, who tried so hard to get right with God by keeping his laws, never succeeded. ³² Why not? Because they were trying to be saved by keeping the law and being good instead of by depending on faith. They have stumbled over the great stumbling stone. ³³ God warned them of this in the Scriptures when he said, "I have put a Rock in the path of the Jews, and many will stumble over him (Jesus). Those who believe in him will never be disappointed."

10 DEAR BROTHERS, THE longing of my heart and my prayer is that the Jewish people might be saved. ² I know what enthusiasm they have for the honor of God, but it is misdirected zeal. ³ For they don't understand that Christ has died to make them right with God. Instead they are trying to make themselves good enough to gain God's favor by keeping the Jewish laws and customs, but that is not God's way of salvation. ⁴ They don't understand that Christ gives to those who trust in him everything they are trying to get by keeping his laws. He ends all of that.

⁵ For Moses wrote that if a person could be perfectly good and hold out against temptation all his life and never sin once, only then could he be pardoned and saved. ⁶ But the salvation that comes through faith says, "You don't need to search the heavens to find Christ and bring him down to help you," and, ⁷ "You don't need to go among the dead to bring Christ back to life again." ⁸ For salvation that comes from trusting Christ—which is what we preach—is already within easy reach of each of us; in fact, it is as near as our own hearts and mouths. ⁹ For if you tell others with your own mouth that Jesus Christ is your Lord,

Señor, y crees de corazón que Dios lo levantó de entre los muertos, te salvarás. [10]Porque cuando un individuo cree de corazón, Dios lo da por justo; y cuando confiesa ante los demás que tiene fe, asegura la salvación, [11]pues las Escrituras afirman que los que creen en Cristo jamás se sentirán defraudados.

[12]El judío y el gentil son iguales en cuanto a esto: los dos tienen un mismo Señor, y El otorga generosamente sus riquezas a los que se las pidan.

[13]Porque todo aquel que invoque el nombre de Cristo será salvo. [14]Pero, ¿cómo van a invocar a alguien en quien no creen? ¿Y cómo van a creer en alguien de quien no han oído hablar? ¿Y cómo van a oír de El si no se les habla? [15]¿Y quien puede ir a hablarles si no lo envía nadie? De esto hablan las Escrituras cuando expresan: "¡Qué hermosos son los pies de los que proclaman el evangelio de la paz con Dios y pregonan sus buenas noticias! En otras palabras: ¡Benditos los que van pregonando las Buenas Noticias de Dios!"

[16]No todos los que escuchan las Buenas Noticias las reciben con gozo. El profeta Isaías exclamó: "Señor, ¿quién ha creído lo que he dicho?" [17]Mas la fe nace cuando se presta atención a las Buenas Noticias acerca de Jesucristo.

[18]¿Y qué han hecho los judíos? ¿Han oído el mensaje de Dios? Sí, porque ha llegado a todas partes; las Buenas Nuevas han llegado hasta los confines del mundo.

[19]¿Entenderían ellos que Dios iba a dar la salvación a otros si la rechazaban? Sí, porque aun en tiempos de Moisés, Dios dijo que concedería la salvación a los insensatos pueblos paganos, para que Israel sintiera celos y despertara. [20]Luego dice claramente, en Isaías, que naciones que ni siquiera andaban buscando a Dios lo hallarían.

[21]Mas El sigue esperando a los judíos con los brazos abiertos, a pesar de que éstos continúan discutiendo con El y negándose a ir.

11 PREGUNTO ENTONCES: ¿HA rechazado o abandonado Dios a su pueblo judío? ¡No, no, no! Recuerden que yo mismo soy judío, descendiente de Abraham y miembro de la familia de Benjamín. [2]No, Dios no ha descartado al pueblo que El

and believe in your own heart that God has raised him from the dead, you will be saved. [10] For it is by believing in his heart that a man becomes right with God; and with his mouth he tells others of his faith, confirming his salvation. [11] For the Scriptures tell us that no one who believes in Christ will ever be disappointed. [12] Jew and Gentile are the same in this respect: they all have the same Lord who generously gives his riches to all those who ask him for them. [13] Anyone who calls upon the name of the Lord will be saved.

[14] But how shall they ask him to save them unless they believe in him? And how can they believe in him if they have never heard about him? And how can they hear about him unless someone tells them? [15] And how will anyone go and tell them unless someone sends him? That is what the Scriptures are talking about when they say, "How beautiful are the feet of those who preach the Gospel of peace with God and bring glad tidings of good things." In other words, how welcome are those who come preaching God's Good News!

[16] But not everyone who hears the Good News has welcomed it, for Isaiah the prophet said, "Lord, who has believed me when I told them?" [17] Yet faith comes from listening to this Good News—the Good News about Christ.

[18] But what about the Jews? Have they heard God's Word? Yes, for it has gone wherever they are; the Good News has been told to the ends of the earth. [19] And did they understand [that God would give his salvation to others if they refused to take it]? Yes, for even back in the time of Moses, God had said that he would make his people jealous and try to wake them up by giving his salvation to the foolish heathen nations. [20] And later on Isaiah said boldly that God would be found by people who weren't even looking for him. [21] In the meantime, he keeps on reaching out his hands to the Jews, but they keep arguing and refusing to come.

11 I ASK THEN, has God rejected and deserted his people the Jews? Oh no, not at all. Remember that I myself am a Jew, a descendant of Abraham and a member of Benjamin's family.

[2,3] No, God has not discarded his own

mismo escogió desde el principio. ¿Recuerdan lo que dicen las Escrituras en cuanto a esto? ³Elías el profeta se quejaba a Dios de que los judíos habían matado a los profetas y derrumbado los altares de Dios, de que él era el único que quedaba de los que amaban a Dios, y trataban de matarlo también. ⁴¿Recuerdan lo que le respondió Dios? "No, tú no eres el único que me queda. ¡Tengo además siete mil personas que todavía me aman y no se han arrodillado ante los ídolos!"

⁵En la actualidad sucede lo mismo. No todos los judíos están apartados de Dios y algunos se están salvando, gracias a que Dios en su bondad los ha escogido. ⁶Y decimos "gracias a la bondad de Dios" porque no es que sean lo suficientemente buenos. Si así fuera, la salvación dejaría de ser gratuita. ¡Lo que es gratis, gratis es!

⁷El caso, pues, es el siguiente: la mayoría de los judíos no han alcanzado el favor de Dios que andaban buscando. Algunos lo han alcanzado porque Dios los ha escogido, mas los demás están ciegos. ⁸A esto se refieren las Escrituras cuando dicen que Dios los ha adormecido, que les ha cerrado los ojos y oídos para que no entiendan el significado de nuestras palabras al hablarles de Cristo. Eso es lo que está pasando. ⁹Y David, también exclamó: "¡Que las buenas comidas y las bendiciones se conviertan en trampas que los hagan creer que andan bien con Dios! ¡Que los placeres se les conviertan en castigo! ¹⁰¡Que se les oscurezca la vista y no puedan ver! ¡Que anden para siempre con la espalda agobiada bajo un gran peso!"

¹¹¿Quiere decir esto que Dios ha arrojado lejos de sí al pueblo judío para siempre? ¡Naturalmente que no! El sólo ha querido poner la salvación al alcance de los gentiles, para que los judíos sientan celo y deseen obtenerla.

¹²Ahora bien, si el mundo entero se ha enriquecido con la oferta de la salvación al tropezar con ella los judíos y rechazarla, ¿cuánto más grande no serán las bendiciones que recibirá el mundo cuando también los judíos se acerquen a Cristo?

¹³Como ustedes saben, Dios me nombró mensajero especial para ustedes los genti-

people whom he chose from the very beginning. Do you remember what the Scriptures say about this? Elijah the prophet was complaining to God about the Jews, telling God how they had killed the prophets and torn down God's altars; Elijah claimed that he was the only one left in all the land who still loved God, and now they were trying to kill him too.

⁴ And do you remember how God replied? God said, "No, you are not the only one left. I have seven thousand others besides you who still love me and have not bowed down to idols!"

⁵ It is the same today. Not all the Jews have turned away from God; there are a few being saved as a result of God's kindness in choosing them. ⁶ And if it is by God's kindness, then it is not by their being good enough. For in that case the free gift would no longer be free—it isn't free when it is earned.

⁷ So this is the situation: Most of the Jews have not found the favor of God they are looking for. A few have—the ones God has picked out—but the eyes of the others have been blinded. ⁸ This is what our Scriptures refer to when they say that God has put them to sleep, shutting their eyes and ears so that they do not understand what we are talking about when we tell them of Christ. And so it is to this very day.

⁹ King David spoke of this same thing when he said, "Let their good food and other blessings trap them into thinking all is well between themselves and God. Let these good things boomerang on them and fall back upon their heads to justly crush them. ¹⁰ Let their eyes be dim," he said, "so that they cannot see, and let them walk bent-backed forever with a heavy load."

¹¹ Does this mean that God has rejected his Jewish people forever? Of course not! His purpose was to make his salvation available to the Gentiles, and then the Jews would be jealous and begin to want God's salvation for themselves. ¹² Now if the whole world became rich as a result of God's offer of salvation, when the Jews stumbled over it and turned it down, think how much greater a blessing the world will share in later on when the Jews, too, come to Christ.

¹³ As you know, God has appointed me as a special messenger to you Gentiles. I lay

les. Pongo énfasis en esto y cada vez que puedo se lo recuerdo a los judíos, ¹⁴para ver si así se interesan por obtener lo que ustedes tienen, y se salvan algunos. ¹⁵¡Qué glorioso será cuando ellos acepten a Cristo! El que Dios diera la espalda a los judíos significó que se volvía al resto del mundo a ofrecerle salvación. ¡Por eso es tan maravilloso cada vez que un judío se convierte a Cristo! Es como si un muerto despertara a la vida.

¹⁶Como Abraham y los profetas pertenecen al pueblo de Dios, sus hijos pertenecerán también a ese pueblo. Si las raíces de un árbol son santas, las ramas lo son también. ¹⁷Mas algunas de las ramas del árbol de Abraham (es decir, algunos de los judíos) se quebraron. Y ustedes los gentiles, que eran, digamos, ramas de olivo silvestre, han sido injertados. En vista de esto participan de las bendiciones que Dios prometió a Abraham y a sus hijos, y se nutren también de la rica savia del olivo de Dios.

¹⁸Sin embargo, cuídense de no jactarse de estar suplantando las ramas desgajadas. Recuerden que lo único importante que tienen ustedes es el hecho de formar parte del árbol de Dios, y sólo como ramas, no como raíces.

¹⁹Bueno, quizás te estés diciendo: "Si desgajaron aquellas ramas para colocarme a mí, será porque soy lo suficientemente bueno".

²⁰¡Cuidado! Recuerda que aquellas ramas (los judíos) fueron taladas por no creer en Dios, y tú estás allí porque crees. No estés orgulloso; sé humilde, agradecido y prudente. ²¹Si Dios no vaciló en cortar las ramas que había puesto allí primero, no vacilará tampoco en cortarte.

²²Fíjate que Dios es a la vez bondadoso y severo. Aunque es implacable contra los que lo desobedecen, es bondadoso contigo si lo amas y confías en El. Pero si no lo haces, también te cortará.

²³Por otro lado, si los judíos echaran a un lado su incredulidad y volvieran a Dios, Dios los restauraría al árbol. ¡El puede hacerlo! ²⁴Porque si Dios te amó a ti, que estabas alejadísimo de El como rama de olivo silvestre, y te injertó en su propio buen olivo (lo cual no se acostumbra a hacer), ¿no crees que estará mucho más dispuesto a reinjertar a los judíos, que esta-

great stress on this and remind the Jews about it as often as I can, ¹⁴ so that if possible I can make them want what you Gentiles have and in that way save some of them. ¹⁵ And how wonderful it will be when they become Christians! When God turned away from them it meant that God turned to the rest of the world to offer his salvation; and now it is even more wonderful when the Jews come to Christ. It will be like dead people coming back to life. ¹⁶ And since Abraham and the prophets are God's people, their children will be too. For if the roots of the tree are holy, the branches will be too.

¹⁷ But some of these branches from Abraham's tree, some of the Jews, have been broken off. And you Gentiles who were branches from, we might say, a wild olive tree, were grafted in. So now you, too, receive the blessing God has promised Abraham and his children, sharing in God's rich nourishment of his own special olive tree.

¹⁸ But you must be careful not to brag about being put in to replace the branches that were broken off. Remember that you are important only because you are now a part of God's tree; you are just a branch, not a root.

¹⁹ "Well," you may be saying, "those branches were broken off to make room for me so I must be pretty good."

²⁰ Watch out! Remember that those branches, the Jews, were broken off because they didn't believe God, and you are there only because you do. Do not be proud; be humble and grateful—and careful. ²¹ For if God did not spare the branches he put there in the first place, he won't spare you either.

²² Notice how God is both kind and severe. He is very hard on those who disobey, but very good to you if you continue to love and trust him. But if you don't, you too will be cut off. ²³ On the other hand, if the Jews leave their unbelief behind them and come back to God, God will graft them back into the tree again. He has the power to do it.

²⁴ For if God was willing to take you who were so far away from him—being part of a wild olive tree—and graft you into his own good tree—a very unusual thing to do—don't you see that he will be far more ready to put the Jews back again, who were

ban allí primero?

²⁵Quiero que sepan bien, amados hermanos, esta verdad de Dios, para que no sean arrogantes ni se jacten de nada. Sí, es cierto que algunos de los judíos se han vuelto contra el evangelio, pero esto será sólo hasta que todos los gentiles se hayan acercado a Cristo, es decir, los que lo han de hacer. ²⁶Y después de esto todo Israel obtendrá la salvación. ¿Recuerdan lo que dijeron los profetas en cuanto a esto? "De Sión saldrá un Libertador que apartará a los judíos de la impiedad. ²⁷Y entonces les quitaré sus pecados, como he prometido".

²⁸Hoy día hay muchos judíos enemigos del evangelio, que lo aborrecen. Esto los ha beneficiado a ustedes, porque en vista de ello Dios ha otorgado sus dádivas a los gentiles. Sin embargo, Dios aún ama a los judíos como lo prometió a Abraham, Isaac y Jacob. ²⁹Dios jamás retira sus dádivas ni sus reclamos, ni se retracta de sus promesas. ³⁰Anteriormente ustedes se rebelaban contra Dios, pero, al rechazar los judíos las dádivas divinas, Dios dirigió hacia ustedes su compasión. ³¹Ahora los rebeldes son los judíos, mas algún día alcanzarán también misericordia. ³²Porque a judíos y a gentiles Dios los ha encerrado en la cárcel de la desobediencia para después poder tener misericordia de ambos.

³³¡Qué maravilloso es nuestro Dios! ¡Qué inmensa su sabiduría, sus conocimientos, sus riquezas! ¡Qué imposible nos es entender sus determinaciones y métodos! ³⁴¿Quién de nosotros podrá escudriñar los pensamientos del Señor? ¿Quién es lo suficientemente sabio como para constituirse en consejero o guía del Altísimo? ³⁵¿Y quién puede haber ofrecido al Señor suficiente para sentirse con derecho a demandar recompensa? ³⁶Porque, ¿qué no proviene de Dios? Su poder sustenta la vida, y las cosas existen para gloria suya.

¡A El sea la gloria siempre! Así sea.

12 POR ESTO, AMADOS hermanos, les ruego que se entreguen de cuerpo entero a Dios, como sacrificio vivo y santo; éste es el único sacrificio que El puede aceptar. Teniendo en cuenta lo que El ha hecho por nosotros, ¿será demasiado pedir?

²No imiten la conducta ni las costumbres de este mundo; sean personas nuevas, diferentes, de novedosa frescura en cuanto

there in the first place?

²⁵ I want you to know about this truth from God, dear brothers, so that you will not feel proud and start bragging. Yes, it is true that some of the Jews have set themselves against the Gospel now, but this will last only until all of you Gentiles have come to Christ—those of you who will. ²⁶ And then all Israel will be saved.

Do you remember what the prophets said about this? "There shall come out of Zion a Deliverer, and he shall turn the Jews from all ungodliness. ²⁷ At that time I will take away their sins, just as I promised."

²⁸ Now many of the Jews are enemies of the Gospel. They hate it. But this has been a benefit to you, for it has resulted in God's giving his gifts to you Gentiles. Yet the Jews are still beloved of God because of his promises to Abraham, Isaac, and Jacob. ²⁹ For God's gifts and his call can never be withdrawn; he will never go back on his promises. ³⁰ Once you were rebels against God, but when the Jews refused his gifts God was merciful to you instead. ³¹ And now the Jews are the rebels, but some day they, too, will share in God's mercy upon you. ³² For God has given them all up to sin so that he could have mercy upon all alike.

³³ Oh, what a wonderful God we have! How great are his wisdom and knowledge and riches! How impossible it is for us to understand his decisions and his methods! ³⁴ For who among us can know the mind of the Lord? Who knows enough to be his counselor and guide? ³⁵ And who could ever offer to the Lord enough to induce him to act? ³⁶ For everything comes from God alone. Everything lives by his power, and everything is for his glory. To him be glory evermore.

12 AND SO, DEAR brothers, I plead with you to give your bodies to God. Let them be a living sacrifice, holy—the kind he can accept. When you think of what he has done for you, is this too much to ask? ² Don't copy the behavior and customs of this world, but be a new and different person with a fresh newness in all you do and

a conducta y pensamiento. Así aprenderán por experiencia la satisfacción que se disfruta al seguir al Señor. ³Como mensajero de Dios les advierto: no se consideren mejores de lo que son; valórense de acuerdo al grado de fe que Dios les ha permitido.

⁴El cuerpo de Cristo, al igual que nuestros propios cuerpos, tiene muchas partes. Cada uno de nosotros forma parte de ese cuerpo, y éste no estaría completo si faltara alguno, ya que cada quien desempeña una tarea diferente. ⁵Así que entre nosotros hay dependencia mutua; nos necesitamos unos a otros.

⁶Dios ha concedido a cada persona el don de realizar bien cierta tarea. Así que si Dios te ha dado el don de profetizar, ejercítalo de acuerdo a la proporción de la fe que posees.

⁷Si posees el don de servir a los demás, sirve bien. Si eres maestro, sé un buen maestro. ⁸Si eres predicador, procura que tu sermón sea poderoso y útil. Si Dios te ha dado dinero, ayuda generosamente a los demás. Si Dios te ha concedido habilidades administrativas y te ha hecho responsable del trabajo de otros, cumple con seriedad tu deber. Y quienes consuelen a los afligidos, háganlo con alegría cristiana.

⁹No finjas amar; ama de veras. Aborrece lo malo. Ponte de parte del bien. ¹⁰Amense con cariño de hermanos y deléitense en el respeto mutuo.

¹¹No seas perezoso en el trabajo; sirve al Señor con entusiasmo. ¹²Regocíjate en los planes que Dios tiene para ti. Ten paciencia si sufres, y nunca dejes de orar.

¹³Cuando veas a algún hijo de Dios en necesidad, sé tú el que corra a ayudarlo. Y fórmate el hábito de invitar a comer en tu casa y ofrecer alojamiento a los que lo necesiten.

¹⁴Si alguien te maltrata por ser cristiano, no lo maldigas; al contrario, ora que Dios lo bendiga.

¹⁵Si alguien se alegra, alégrate con él. Si alguien está triste, acompáñalo en la tristeza. ¹⁶Trabaja con armonía. No te afanes por conquistar sólo el favor de los importantes; alégrate en la compañía de la gente común. ¡Y no te hagas el que lo sabe todo!

¹⁷Nunca pagues mal con mal. Actúa siempre honrada y limpiamente.

¹⁸No riñas con nadie. Procura en lo que te sea posible estar en paz con todo el

think. Then you will learn from your own experience how his ways will really satisfy you.

³ As God's messenger I give each of you God's warning: Be honest in your estimate of yourselves, measuring your value by how much faith God has given you. ⁴,⁵ Just as there are many parts to our bodies, so it is with Christ's body. We are all parts of it, and it takes every one of us to make it complete, for we each have different work to do. So we belong to each other, and each needs all the others.

⁶ God has given each of us the ability to do certain things well. So if God has given you the ability to prophesy, then prophesy whenever you can—as often as your faith is strong enough to receive a message from God. ⁷ If your gift is that of serving others, serve them well. If you are a teacher, do a good job of teaching. ⁸ If you are a preacher, see to it that your sermons are strong and helpful. If God has given you money, be generous in helping others with it. If God has given you administrative ability and put you in charge of the work of others, take the responsibility seriously. Those who offer comfort to the sorrowing should do so with Christian cheer.

⁹ Don't just pretend that you love others: really love them. Hate what is wrong. Stand on the side of the good. ¹⁰ Love each other with brotherly affection and take delight in honoring each other. ¹¹ Never be lazy in your work but serve the Lord enthusiastically.

¹² Be glad for all God is planning for you. Be patient in trouble, and prayerful always. ¹³ When God's children are in need, you be the one to help them out. And get into the habit of inviting guests home for dinner or, if they need lodging, for the night.

¹⁴ If someone mistreats you because you are a Christian, don't curse him; pray that God will bless him. ¹⁵ When others are happy, be happy with them. If they are sad, share their sorrow. ¹⁶ Work happily together. Don't try to act big. Don't try to get into the good graces of important people, but enjoy the company of ordinary folks. And don't think you know it all!

¹⁷ Never pay back evil for evil. Do things in such a way that everyone can see you are honest clear through. ¹⁸ Don't quarrel with anyone. Be at peace with everyone, just as

mundo. ¹⁹Querido hermano, nunca tomes venganza. Déjasela a Dios, porque El ha dicho que castigará a los que se lo merezcan. ²⁰Al contrario, da de comer al enemigo hambriento. Si tiene sed, dale de beber. Así estarás "amontonando ascuas de fuego sobre su cabeza". En otras palabras, así se avergonzará de lo que te ha hecho. ²¹No te dejes, pues, vencer por el mal, sino vence el mal haciendo el bien.

13 OBEDECE A LOS superiores legales, porque Dios es quien les ha otorgado el cargo. No hay ningún gobierno en la tierra que Dios no haya permitido llegar al poder. ²Así que los que se niegan a obedecer las leyes recibirán castigo. ³La gente de bien no teme a los jueces; pero los maleantes tiemblan ante ellos. Así que si no deseas temerles, obedece las leyes y no tendrás problemas. ⁴Dios ha puesto a los jueces para ayudarte. Pero si estás haciendo algo malo, claro que tienes que temerles, porque ellos harán que te castiguen. Para eso los ha puesto Dios, para actuar con justicia. ⁵Obedece las leyes, pues. por dos motivos; primero, para que no te castiguen; segundo, porque es tu deber obedecerlas.

⁶Por esos mismos motivos, paga los impuestos. Los empleados del gobierno tienen que recibir salario para poder continuar sirviéndote en el trabajo que Dios les ha encomendado. ⁷Cumple con alegría tus obligaciones; paga los impuestos y las contribuciones, obedece a tus superiores, y honra y respeta a quienes haya que honrar y respetar.

⁸Paga las deudas, excepto las deudas de amor hacia otros; pues éstas nunca se terminan de pagar. Al amarlos estarás obedeciendo la ley de Dios y satisfaciendo sus demandas. ⁹Porque si amas a tu prójimo como a ti mismo, jamás sentirás deseos de perjudicarlo, engañarlo, matarlo ni robarle; jamás pecarás con su esposa ni desearás lo que le pertenece. No harás contra él nada que los Diez Mandamientos prohíban, porque todos se resumen en uno solo: Amarás a tu prójimo como a ti mismo. ¹⁰El amor no hace mal a nadie y, por lo tanto, satisface las demandas de Dios. Es la única ley que necesitamos.

¹¹Tenemos que vivir como Dios manda,

much as possible.

¹⁹ Dear friends, never avenge yourselves. Leave that to God, for he has said that he will repay those who deserve it. [Don't take the law into your own hands.] ²⁰ Instead, feed your enemy if he is hungry. If he is thirsty give him something to drink and you will be "heaping coals of fire on his head." In other words, he will feel ashamed of himself for what he has done to you. ²¹ Don't let evil get the upper hand but conquer evil by doing good.

13 OBEY THE GOVERNMENT, for God is the one who has put it there. There is no government anywhere that God has not placed in power. ² So those who refuse to obey the laws of the land are refusing to obey God, and punishment will follow. ³ For the policeman does not frighten people who are doing right; but those doing evil will always fear him. So if you don't want to be afraid, keep the laws and you will get along well. ⁴ The policeman is sent by God to help you. But if you are doing something wrong, of course you should be afraid, for he will have you punished. He is sent by God for that very purpose. ⁵ Obey the laws, then, for two reasons: first, to keep from being punished, and second, just because you know you should.

⁶ Pay your taxes too, for these same two reasons. For government workers need to be paid so that they can keep on doing God's work, serving you. ⁷ Pay everyone whatever he ought to have: pay your taxes and import duties gladly, obey those over you, and give honor and respect to all those to whom it is due. ⁸ Pay all your debts except the debt of love for others—never finish paying that! For if you love them, you will be obeying all of God's laws, fulfilling all his requirements. ⁹ If you love your neighbor as much as you love yourself you will not want to harm or cheat him, or kill him or steal from him. And you won't sin with his wife or want what is his, or do anything else the Ten Commandments say is wrong. All ten are wrapped up in this one, to love your neighbor as you love yourself. ¹⁰ Love does no wrong to anyone. That's why it fully satisfies all of God's requirements. It is the only law you need.

¹¹ Another reason for right living is this:

por otro motivo: sabemos que se está haciendo tarde; el tiempo vuela. ¡Despertemos! El regreso del Señor está más cerca ahora que cuando creímos en El. ¹²La noche ya se extingue; el día de su regreso despuntará pronto. Dejemos de actuar en las tinieblas y vistámonos las armaduras del bien, como corresponde a quienes viven a la luz del día. ¹³Seamos siempre decentes y honrados, para que nadie pueda criticarnos. No gastemos el tiempo en fiestas exageradas, borracheras, adulterios, sensualidad, pleitos ni envidias. ¹⁴Pidámosle a Jesucristo que nos ayude a vivir como debemos, y no tramemos complacernos con impiedades.

14 RECIBAN CON UNA calurosa bienvenida a cualquier hermano que desee unírseles, aun cuando la fe de éste sea débil. No lo critiquen si sus ideas no concuerdan con las de ustedes en cuanto a lo que está bien o mal. ²Por ejemplo, no discutan con él acerca de si se debe o no se debe comer las carnes ofrecidas a los ídolos. Quizá uno piense que no es malo comerlas, pero el otro, el de la fe más débil, puede pensar que no es correcto hacerlo, y quizás preferiría vivir comiendo sólo vegetales que comer ese tipo de carne. ³Los que creen correcto el comer tales carnes no deben menospreciar a los que creen lo opuesto. Si tú eres de los que no las comen, no critiques a los que lo hacen, porque Dios los ha aceptado como a hijos. ⁴Ellos son siervos de Dios, no de ustedes. Y son responsables ante Dios, no ante ustedes. Dejen que sea El el que les diga si están haciendo bien o mal. Dios puede persuadirlos a actuar como es debido.

⁵Hay quienes creen que los cristianos deben observar las festividades judaicas como días especiales de adoración, y hay los que dicen que es incorrecto y disparatado hacerlo, porque no hay día que no sea de Dios. En cuestiones como éstas, cada uno debe escoger. ⁶Si observas ciertos días especiales de adoración al Señor tratando de honrarlo, haces bien. Asimismo, si la persona que come carne ofrecida a los ídolos da gracias al Señor, hace bien. Pero la persona que no se atreve ni siquiera a tocar tales carnes trata también de agradar al Señor, y también le da las gracias.

⁷Nosotros no somos tan independientes

you know how late it is; time is running out. Wake up, for the coming of the Lord is nearer now than when we first believed. ¹²,¹³ The night is far gone, the day of his return will soon be here. So quit the evil deeds of darkness and put on the armor of right living, as we who live in the daylight should! Be decent and true in everything you do so that all can approve your behavior. Don't spend your time in wild parties and getting drunk or in adultery and lust, or fighting, or jealousy. ¹⁴ But ask the Lord Jesus Christ to help you live as you should, and don't make plans to enjoy evil.

14 GIVE A WARM welcome to any brother who wants to join you, even though his faith is weak. Don't criticize him for having different ideas from yours about what is right and wrong. ² For instance, don't argue with him about whether or not to eat meat that has been offered to idols. You may believe there is no harm in this, but the faith of others is weaker; they think it is wrong, and will go without any meat at all and eat vegetables rather than eat that kind of meat. ³ Those who think it is all right to eat such meat must not look down on those who won't. And if you are one of those who won't, don't find fault with those who do. For God has accepted them to be his children. ⁴ They are God's servants, not yours. They are responsible to him, not to you. Let him tell them whether they are right or wrong. And God is able to make them do as they should.

⁵ Some think that Christians should observe the Jewish holidays as special days to worship God, but others say it is wrong and foolish to go to all that trouble, for every day alike belongs to God. On questions of this kind everyone must decide for himself. ⁶ If you have special days for worshiping the Lord, you are trying to honor him; you are doing a good thing. So is the person who eats meat that has been offered to idols; he is thankful to the Lord for it; he is doing right. And the person who won't touch such meat, he, too, is anxious to please the Lord, and is thankful. ⁷ We are not our own bosses

como para poder vivir o morir según nos plazca. ⁸Al vivir o morir lo hacemos por El. Al vivir o morir suyos somos. ⁹Cristo murió y resucitó precisamente para poder ser nuestro Señor mientras vivimos y cuando muramos.

¹⁰Tú no tienes derecho a criticar a tu hermano ni a menospreciarlo. Recuerda que cada uno de nosotros tendrá que comparecer personalmente ante el tribunal de Cristo. ¹¹Porque está escrito: "Yo vivo", dice el Señor, "y ante mí se doblará toda rodilla, y toda lengua reconocerá en público a Dios". ¹²Sí, cada uno tendrá que dar cuentas a Dios de sus actos.

¹³Así que dejen de estarse criticando. Traten de vivir de tal manera que ningún hermano se tambalee al verlos haciendo algo que crea incorrecto. ¹⁴En cuanto a mí, como siervo de Jesucristo, tengo la seguridad más absoluta de que no es malo comer de la carne ofrecida a los ídolos. Mas si alguien piensa que es malo, no debe comerla, porque sería malo si lo hiciera. ¹⁵Y si a tu hermano le molesta lo que comes, sería una falta de amor persistir en hacerlo. No permitas que tu comer arruine la vida de aquél por quien Cristo murió.

¹⁶No hagas nada por lo cual se te pueda criticar, ni aun cuando sepas que no es malo. ¹⁷Después de todo, para el cristiano lo más importante no es comer ni beber sino procurar virtud, paz y gozo del Espíritu Santo. ¹⁸Si dejas que Cristo te guíe en estas cuestiones, Dios se alegrará y tus amigos también. ¹⁹Además, estarás contribuyendo a la armonía en la iglesia, y a la edificación mutua. ²⁰No destruyas la obra de Dios por un trozo de carne. Recuerda, lo malo no es la carne; lo malo es comerla si con ello alguien tropieza. ²¹Lo mejor que uno puede hacer es dejar de comer carne, beber vino o cualquier cosa que pueda ofender al hermano o inducirlo a pecar.

²²Quizás estés convencido de que no es malo lo que haces, ni siquiera desde el punto de vista divino; mas guárdalo para ti solo. No te jactes de tus opiniones ante quienes podrían sentirse heridos. En un caso así, dichoso el hombre que no peca haciendo lo que sabe que no es malo.

²³Mas si piensa que lo que desea hacer pudiera no estar correcto, no debe hacerlo. Y peca si lo hace, porque cree que es malo y por lo tanto es malo para él. Cualquier cosa

to live or die as we ourselves might choose. ⁸ Living or dying we follow the Lord. Either way we are his. ⁹ Christ died and rose again for this very purpose, so that he can be our Lord both while we live and when we die.

¹⁰ You have no right to criticize your brother or look down on him. Remember, each of us will stand personally before the Judgment Seat of God. ¹¹ For it is written, "As I live," says the Lord, "every knee shall bow to me and every tongue confess to God." ¹² Yes, each of us will give an account of himself to God. ¹³ So don't criticize each other any more. Try instead to live in such a way that you will never make your brother stumble by letting him see you doing something he thinks is wrong.

¹⁴ As for myself, I am perfectly sure on the authority of the Lord Jesus that there is nothing really wrong with eating meat that has been offered to idols. But if someone believes it is wrong, then he shouldn't do it because for him it is wrong. ¹⁵ And if your brother is bothered by what you eat, you are not acting in love if you go ahead and eat it. Don't let your eating ruin someone for whom Christ died. ¹⁶ Don't do anything that will cause criticism against yourself even though you know that what you do is right. ¹⁷ For, after all, the important thing for us as Christians is not what we eat or drink but stirring up goodness and peace and joy from the Holy Spirit. ¹⁸ If you let Christ be Lord in these affairs, God will be glad; and so will others. ¹⁹ In this way aim for harmony in the church and try to build each other up.

²⁰ Don't undo the work of God for a chunk of meat. Remember, there is nothing wrong with the meat, but it is wrong to eat it if it makes another stumble. ²¹ The right thing to do is to quit eating meat or drinking wine or doing anything else that offends your brother or makes him sin. ²² You may know that there is nothing wrong with what you do, even from God's point of view, but keep it to yourself; don't flaunt your faith in front of others who might be hurt by it. In this situation, happy is the man who does not sin by doing what he knows is right. ²³ But anyone who believes that something he wants to do is wrong shouldn't do it. He sins if he does, for he thinks it is wrong, and so for him it *is* wrong. Anything that is done

que se haga fuera de lo que uno cree correcto, es pecado.

15 AUN CUANDO CREAMOS que a Dios lo tiene sin cuidado el que lo hagamos, no debemos hacerlo por el simple hecho de que nos plazca. Debemos llevar sobre nuestros hombros la responsabilidad de velar por las dudas y los temores de los que piensan que aquello es incorrecto. ²Agrademos al prójimo, no a nosotros mismos; hagamos cuanto contribuya al bien y a la edificación de la fe del prójimo.

³Cristo no trató de complacerse. Como dice el Salmista: "Vino precisamente a sufrir los insultos de los enemigos de Dios".

⁴Y esto fue escrito hace tiempo para enseñarnos a tener paciencia y a animarnos a fijar la mirada en el día final en que Dios ha de vencer en nosotros el pecado y la muerte.

⁵¡Dios, que da paciencia, estímulo y consolación, les ayude a vivir en armonía con los demás, tal como Cristo nos lo enseñó, ⁶para que podamos juntos y a una voz alabar y glorificar a Dios, el Padre de nuestro Señor Jesucristo!

⁷Así que, para gloria de Dios, trátense en la iglesia con el mismo afecto con que Cristo los ha recibido.

⁸Recuerden que Jesucristo vino a demostrar que Dios es fiel a su promesa, y a ayudar a los judíos. ⁹Recuerden que El vino también para que los gentiles pudieran salvarse y alabar a Dios por sus mercedes hacia ellos. A esto se refiere el Salmista cuando dice: "Te alabaré entre los gentiles, cantaré a tu nombre". ¹⁰Y en otro lugar exclama: "Gentiles, alégrense juntamente con el pueblo judío". ¹¹Y además: "Gentiles, alaben al Señor; que nadie deje de alabarlo". ¹²Y el profeta Isaías añade: "Habrá un heredero en la casa de Isaí y reinará sobre los gentiles; sólo en El depositarán éstos sus esperanzas". ¹³Por lo tanto, gentiles, oro que el Dios que les concedió esperanza los inunde siempre de felicidad y paz al creer en El. Oro que Dios los haga rebosar de esperanza en El a través del poder del Espíritu Santo que está en ustedes.

¹⁴Sé que ustedes son sabios y bondado-

apart from what he feels is right is sin.

15 EVEN IF WE believe that it makes no difference to the Lord whether we do these things, still we cannot just go ahead and do them to please ourselves; for we must bear the "burden" of being considerate of the doubts and fears of others—of those who feel these things are wrong. Let's please the other fellow, not ourselves, and do what is for his good and thus build him up in the Lord. ³ Christ didn't please himself. As the Psalmist said, "He came for the very purpose of suffering under the insults of those who were against the Lord."

⁴ These things that were written in the Scriptures so long ago are to teach us patience and to encourage us, so that we will look forward expectantly to the time when God will conquer sin and death.

⁵ May God who gives patience, steadiness, and encouragement help you to live in complete harmony with each other—each with the attitude of Christ toward the other. ⁶ And then all of us can praise the Lord together with one voice, giving glory to God, the Father of our Lord Jesus Christ.

⁷ So, warmly welcome each other into the church, just as Christ has warmly welcomed you; then God will be glorified. ⁸ Remember that Jesus Christ came to show that God is true to his promises and to help the Jews. ⁹ And remember that he came also that the Gentiles might be saved and give glory to God for his mercies to them. That is what the Psalmist meant when he wrote: "I will praise you among the Gentiles, and sing to your name."

¹⁰ And in another place, "Be glad, O you Gentiles, along with his people the Jews."

¹¹ And yet again, "Praise the Lord, O you Gentiles, let everyone praise him."

¹² And the prophet Isaiah said, "There shall be an Heir in the house of Jesse, and he will be King over the Gentiles; they will pin their hopes on him alone."

¹³ So I pray for you Gentiles that God who gives you hope will keep you happy and full of peace as you believe in him. I pray that God will help you overflow with hope in him through the Holy Spirit's power within you.

¹⁴ I know that you are wise and good, my

sos, hermanos míos, y que están tan empapados en estos asuntos que podrían enseñar a otros; ¹⁵mas he sido bien franco porque he deseado puntualizarlos a manera de recordatorio, que es todo lo que ustedes necesitan. ¹⁶Soy, por la gracia de Dios, un mensajero especial de Cristo a los gentiles; mi tarea es traerles el evangelio, y luego presentarlos ante Dios como ofrenda perfumada, porque el Espíritu Santo los ha purificado y los ha hecho agradables a Dios.

¹⁷Así que no está mal que me sienta algo orgulloso de lo que Jesucristo ha hecho a través de mi persona. ¹⁸No me atrevería a evaluar la efectividad del trabajo de los demás, pero sí sé esto: Dios me ha usado para ganar a los gentiles. Los he ganado con mi palabra, con el ejemplo de la vida que he vivido ante ellos, ¹⁹y con los milagros que, a manera de señales, he realizado mediante el poder del Espíritu Santo. He estado predicando así desde Jerusalén hasta Ilírico. ²⁰Siempre ha sido mi ambición predicar, no donde ya otros han comenzado iglesias, sino más allá, donde el nombre de Cristo jamás ha sido proclamado. ²¹He cumplido lo que Isaías predijo en las Escrituras: "Quienes nunca antes habían escuchado el nombre de Cristo, verían y entenderían".

²²En realidad, por eso me he demorado tanto en ir a visitarlos. ²³Pero al fin, tras años de espera, ya he terminado mi trabajo por estos lugares y puedo ir. ²⁴Estoy pensando ir a España; cuando lo haga, pasaré por Roma y tendré el gusto de estar con ustedes algún tiempo, tras lo cual ustedes mismos me encaminarán de nuevo.

²⁵Pero antes tengo que ir a Jerusalén a llevar un regalo a los cristianos judíos. ²⁶No sé si saben que los cristianos de Macedonia y Acaya han estado recogiendo dinero para los hermanos de Jerusalén, que tantas necesidades están pasando. ²⁷Ellos lo han hecho con alegría porque se sienten en deuda con los cristianos de Jerusalén. ¿Por qué? Porque las noticias acerca de Cristo les llegaron a través de la iglesia de Jerusalén. Y como recibieron de ellos el maravilloso donativo espiritual del evangelio, piensan que lo menos que pueden hacer en reciprocidad es ofrecerles ayuda material. ²⁸Tan pronto entregue el dinero y con-

brothers, and that you know these things so well that you are able to teach others all about them. ¹⁵,¹⁶But even so I have been bold enough to emphasize some of these points, knowing that all you need is this reminder from me; for I am, by God's grace, a special messenger from Jesus Christ to you Gentiles, bringing you the Gospel and offering you up as a fragrant sacrifice to God; for you have been made pure and pleasing to him by the Holy Spirit. ¹⁷So it is right for me to be a little proud of all Christ Jesus has done through me. ¹⁸I dare not judge how effectively he has used others, but I know this: he has used me to win the Gentiles to God. ¹⁹I have won them by my message and by the good way I have lived before them, and by the miracles done through me as signs from God—all by the Holy Spirit's power. In this way I have preached the full Gospel of Christ all the way from Jerusalem clear over into Illyricum.

²⁰But all the while my ambition has been to go still farther, preaching where the name of Christ has never yet been heard, rather than where a church has already been started by someone else. ²¹I have been following the plan spoken of in the Scriptures where Isaiah says that those who have never heard the name of Christ before will see and understand. ²²In fact that is the very reason I have been so long in coming to visit you.

²³But now at last I am through with my work here, and I am ready to come after all these long years of waiting. ²⁴For I am planning to take a trip to Spain, and when I do, I will stop off there in Rome; and after we have had a good time together for a little while, you can send me on my way again.

²⁵But before I come, I must go down to Jerusalem to take a gift to the Jewish Christians there. ²⁶For you see, the Christians in Macedonia and Achaia have taken up an offering for those in Jerusalem who are going through such hard times. ²⁷They were very glad to do this, for they feel that they owe a real debt to the Jerusalem Christians. Why? Because the news about Christ came to these Gentiles from the church in Jerusalem. And since they received this wonderful spiritual gift of the Gospel from there, they feel that the least they can do in return is to give some material aid. ²⁸As soon as I

cluya tan buena acción, llegaré a verlos de paso a España. ²⁹Estoy seguro de que cuando vaya, el Señor les enviará conmigo grandes bendiciones.

³⁰¿Orarán por mí? En nombre del Señor Jesucristo y en nombre del amor que me profesan, y que el Espíritu Santo ha puesto en ustedes, les ruego que oren por mi trabajo. ³¹Oren que el Señor me proteja en Jerusalén de los que no son cristianos. Oren que los cristianos de allí acepten el dinero que les llevo. ³²Podré entonces, Dios mediante, ir a ustedes con el corazón alegre y nos confortaremos unos a otros. ³³¡Que el Dios de paz esté con todos ustedes! Amén.

have delivered this money and completed this good deed of theirs, I will come to see you on my way to Spain. ²⁹ And I am sure that when I come the Lord will give me a great blessing for you.

³⁰ Will you be my prayer partners? For the Lord Jesus Christ's sake, and because of your love for me—given to you by the Holy Spirit—pray much with me for my work. ³¹ Pray that I will be protected in Jerusalem from those who are not Christians. Pray also that the Christians there will be willing to accept the money I am bringing them. ³² Then I will be able to come to you with a happy heart by the will of God, and we can refresh each other.

³³ And now may our God, who gives peace, be with you all. Amen.

16 FEBE, UNA CRISTIANA de Cencrea muy amada, irá pronto a visitarlos. Ella ha trabajado mucho en la iglesia de ese pueblo. ²Recíbanla como a una hermana en el Señor, con una calurosa bienvenida. Ayúdenla en todo cuanto puedan, porque ella ha ayudado mucho a otras personas y a mí mismo.

³Saluden en mi nombre a Priscila y a Aquila. Ellos han colaborado mucho conmigo en la obra de Jesucristo. ⁴Hasta han arriesgado la vida por mí. Y no soy el único que les está agradecido; las iglesias gentiles lo están también.

⁵Salúdenme también a las personas que se congregan en la casa de Priscila y Aquila a adorar al Señor. También a Epeneto, mi gran amigo; él fue el primero en convertirse al cristianismo en Asia.

⁶Recuerdos a María, quien se ha esforzado tanto por ayudarnos.

⁷Lo mismo a Andrónico y a Junias, parientes míos y compañeros de prisión. Los apóstoles los aprecian mucho; ellos se hicieron cristianos antes que yo. Denles mis saludos.

⁸Saludos a Amplias, a quien amo como verdadero hijo de Dios, ⁹y a Urbano, nuestro compañero de trabajo, y al muy amado Estaquis. ¹⁰Luego salúdenme a Apeles, buen hombre a quien el Señor aprueba. Y recuerdos a los que trabajan en casa de Aristóbulo.

¹¹Recuerdos también a mi pariente Herodión, a los esclavos cristianos de la casa

16 PHOEBE, A DEAR Christian woman from the town of Cenchreae, will be coming to see you soon. She has worked hard in the church there. Receive her as your sister in the Lord, giving her a warm Christian welcome. Help her in every way you can, for she has helped many in their needs, including me. ³ Tell Priscilla and Aquila "hello." They have been my fellow workers in the affairs of Christ Jesus. ⁴ In fact, they risked their lives for me; and I am not the only one who is thankful to them: so are all the Gentile churches.

⁵ Please give my greetings to all those who meet to worship in their home. Greet my friend Epaenetus. He was the very first person to become a Christian in Asia. ⁶ Remember me to Mary, too, who has worked so hard to help us. ⁷ Then there are Andronicus and Junias, my relatives who were in prison with me. They are respected by the apostles, and became Christians before I did. Please give them my greetings. ⁸ Say "hello" to Ampliatus, whom I love as one of God's own children, ⁹ and Urbanus, our fellow worker, and beloved Stachys.

¹⁰ Then there is Apelles, a good man whom the Lord approves; greet him for me. And give my best regards to those working at the house of Aristobulus. ¹¹ Remember me to Herodion my relative. Remember me to the Christian slaves over at Narcissus

de Narciso; [12]a Trifena y a Trifosa, obreras del Señor; y a mi querida Pérsida, que ha trabajado tanto por el Señor.

[13]Saludos a Rufo, a quien el Señor escogió para ser suyo, así como a su querida madre, que ha sido como una madre para mí. [14]Y denles saludos a Asíncrito, a Flegonte, a Hermas, a Patrobas, a Hermes y a los otros hermanos que están con ellos.

[15]Cariños a Filólogo, a Julia, a Nereo y a su hermana, a Olimpas y a los demás cristianos que estén con ellos.

[16]Y dense todos un fuerte abrazo en mi nombre. Las iglesias de por acá les envían saludos.

[17]Y antes de terminar esta carta, déjenme decirles algo más: Apártense de los que causan divisiones y perjudican la fe de los demás con enseñanzas acerca de Cristo que están en contra de lo que a ustedes se les ha enseñado.

[18]Dichos maestros no están trabajando para Jesucristo, sino para su propio beneficio personal. Son buenos oradores, y engañan fácilmente a los ingenuos. [19]Mas todo el mundo sabe que ustedes son leales y obedientes. Esto me alegra mucho. Quiero que estén siempre bien claros en cuanto a qué es lo correcto y que permanezcan inocentes de todo mal. [20]Pronto el Dios de paz aplastará a Satanás bajo sus pies. Que la gracia de nuestro Señor esté con ustedes.

[21]Timoteo, mi colaborador, y Lucio, Jasón y Sosípater, mis parientes, les envían el más afectuoso saludo.

[22]Yo, Tercio, a quien Pablo ha dictado esta carta, les envío saludos también como hermano en Cristo. [23]Gayo me pide que los salude en su nombre. Yo estoy alojado en su casa. Aquí también se reúne la iglesia. Erasto, el tesorero municipal, les envía saludos, al igual que el hermano Cuarto.

[24]Adiós. Que la gracia de nuestro Señor Jesucristo esté con todos ustedes. [25]Los dejo con Dios, quien puede fortalecerlos y afirmarlos en el Señor, como dice el evangelio y como yo les he dicho. Este es el plan de salvación que Dios tenía para ustedes los gentiles, y que había estado en secreto desde el principio de los tiempos. [26]Mas, tal como lo predijeron los profetas y tal como Dios lo ordena, en todas partes se está predicando este mensaje, para que los pueblos del mundo tengan fe en Cristo y lo

House. [12] Say "hello" to Tryphaena and Tryphosa, the Lord's workers, and to dear Persis, who has worked so hard for the Lord. [13] Greet Rufus for me, whom the Lord picked out to be his very own; and also his dear mother who has been such a mother to me. [14] And please give my greetings to Asyncritus, Phlegon, Hermes, Patrobas, Hermas, and the other brothers who are with them. [15] Give my love to Philologus, Julia, Nereus and his sister, and to Olympas, and all the Christians who are with them. [16] Shake hands warmly with each other. All the churches here send you their greetings.

[17] And now there is one more thing to say before I end this letter. Stay away from those who cause divisions and are upsetting people's faith, teaching things about Christ that are contrary to what you have been taught. [18] Such teachers are not working for our Lord Jesus, but only want gain for themselves. They are good speakers, and simple-minded people are often fooled by them. [19] But everyone knows that you stand loyal and true. This makes me very happy. I want you always to remain very clear about what is right, and to stay innocent of any wrong. [20] The God of peace will soon crush Satan under your feet. The blessings from our Lord Jesus Christ be upon you.

[21] Timothy my fellow-worker, and Lucius and Jason and Sosipater, my relatives, send you their good wishes. [22] I, Tertius, the one who is writing this letter for Paul, send my greetings too, as a Christian brother. [23] Gaius says to say "hello" to you for him. I am his guest, and the church meets here in his home. Erastus, the city treasurer, sends you his greetings and so does Quartus, a Christian brother. [24] Goodbye. May the grace of our Lord Jesus Christ be with you all.

[25,26,27] I commit you to God, who is able to make you strong and steady in the Lord, just as the Gospel says, and just as I have told you. This is God's plan of salvation for you Gentiles, kept secret from the beginning of time. But now as the prophets foretold and as God commands, this message is being preached everywhere, so that people all around the world will have faith in

obedezcan. ²⁷A Dios, el único verdaderamente sabio, para siempre sea la gloria a través de Jesucristo nuestro Señor. Amén.

Los quiere,
Pablo

Christ and obey him. To God, who alone is wise, be the glory forever through Jesus Christ our Lord. Amen.

Sincerely,
Paul

1 CORINTIOS / 1 CORINTHIANS

1 REMITENTES: PABLO, A quien Dios llamó para ser misionero de Jesucristo, y el hermano Sóstenes.

²*Destinatarios:* Esta carta está dirigida a los cristianos de Corinto, a quienes Dios llamó a ser pueblo suyo y santificó por medio de Jesucristo; y a los que en cualquier lugar invocan el nombre de Jesucristo, Señor de ellos y nuestro.

³Que Dios nuestro Padre y el Señor Jesucristo derramen en ustedes bendiciones y paz.

⁴No ceso de dar gracias a Dios por las maravillosas dádivas que les concedió por medio de Cristo. ⁵El les ha dado una vida más rica, les ha ayudado a hablar en nombre de El y les ha dado entendimiento cabal de la verdad. ⁶Cuanto les dije de Cristo se ha plasmado en realidad en ustedes, ⁷porque no les falta ya ninguna gracia ni ninguna bendición; ya han recibido las dádivas espirituales y el poder que se necesita para cumplir la voluntad divina mientras esperan el regreso de nuestro Señor Jesucristo. ⁸El los mantendrá firmes hasta el fin, para que nadie los pueda culpar de nada cuando El retorne. ⁹Sí, porque Dios siempre cumple su palabra, y El los llamó a participar de la gloriosa amistad de su Hijo, Jesucristo nuestro Señor.

¹⁰Pero, amados hermanos, les suplico en el nombre de nuestro Señor Jesucristo que no discutan más, que reine entre ustedes la armonía y cesen las divisiones. Les ruego encarecidamente que mantengan unidad de pareceres, sentimientos y propósitos. ¹¹Porque, hermanos míos, los de la familia de Cloé me han hablado de las discusiones y las riñas que se traen entre ustedes. ¹²Me cuentan que algunos dicen: "Yo soy de Pablo"; y que otros responden que son de Apolos o que son de Pedro; y algunos hasta se creen que son los únicos cristianos verda-

1 FROM: PAUL, CHOSEN by God to be Jesus Christ's missionary, and from brother Sosthenes.

² *To:* The Christians in Corinth, invited by God to be his people and made acceptable to him by Christ Jesus. *And to:* All Christians everywhere—whoever calls upon the name of Jesus Christ, our Lord and theirs.

³ May God our Father and the Lord Jesus Christ give you all of his blessings, and great peace of heart and mind.

⁴ I can never stop thanking God for all the wonderful gifts he has given you, now that you are Christ's: ⁵ he has enriched your whole life. He has helped you speak out for him and has given you a full understanding of the truth; ⁶ what I told you Christ could do for you has happened! ⁷ Now you have every grace and blessing; every spiritual gift and power for doing his will are yours during this time of waiting for the return of our Lord Jesus Christ. ⁸ And he guarantees right up to the end that you will be counted free from all sin and guilt on that day when he returns. ⁹ God will surely do this for you, for he always does just what he says, and he is the one who invited you into this wonderful friendship with his Son, even Christ our Lord.

¹⁰ But, dear brothers, I beg you in the name of the Lord Jesus Christ to stop arguing among yourselves. Let there be real harmony so that there won't be splits in the church. I plead with you to be of one mind, united in thought and purpose. ¹¹ For some of those who live at Chloe's house have told me of your arguments and quarrels, dear brothers. ¹² Some of you are saying, "I am a follower of Paul"; and others say that they are for Apollos or for Peter; and some that they alone are the true followers of Christ.

deros. ¹³¿Resultado? ¡Que han despedazado a Cristo! A ver, díganme, ¿morí yo por los pecados de ustedes? ¿Fue alguno bautizado en mi nombre?

¹⁴¡Gracias a Dios que a nadie bauticé entre ustedes excepto a Crispo y a Gayo! ¹⁵Así a nadie podrá ocurrírsele que estaba promoviendo u organizando una "iglesia de Pablo". ¹⁶Ah, y también bauticé a la familia de Estéfanas. Creo que no bauticé a nadie más, ¹⁷porque Cristo no me envió a bautizar sino a predicar el evangelio. Es más, mi predicación debe haberles parecido pobre, porque no acostumbro a introducir en mis sermones palabras ni ideas rimbombantes por temor a debilitar el extraordinario poder del sencillo mensaje de la cruz de Cristo. ¹⁸Sé bien que para los perdidos es insensato que se les diga que Cristo murió para salvarlos. Pero para los salvos no es insensatez; es poder de Dios. ¹⁹Porque Dios dice: "Destruiré los planes humanos de salvación por sabios que parezcan, y haré caso omiso de las mejores ideas humanas por más brillantes que sean". ²⁰Y ¿qué de los sabios, de los eruditos, de los más destacados polemistas de este mundo? Dios los ha hecho lucir tontos al mostrar que la sabiduría de que hacían gala era insensatez. ²¹En su sabiduría, Dios comprendió que el mundo jamás lo encontraría por medio de la inteligencia humana, y determinó salvar precisamente a los que creen de corazón este mensaje que el mundo tilda de tonto e insensato.

²²Es insensato para los judíos porque piden señales en el cielo que confirmen la veracidad de lo que se les anuncia; y es insensato para los griegos porque sólo confían en lo que concuerda con sus filosofías y en lo que consideran sabio. ²³Por eso, cuando les predicamos que Cristo que murió puede salvarlos, los judíos se ofuscan y los griegos dicen que es tontería. ²⁴Mas para los llamados, ya sean judíos o griegos, Cristo es el gran poder de Dios que los salva, el centro mismo del sabio plan de salvación divina. ²⁵El supuestamente "insensato" plan de Dios es mucho más sabio que el más sabio plan humano, y el Dios "débil" que muere en la cruz es más fuerte que todos los hombres juntos.

²⁶Fíjense, hermanos: entre ustedes, pocos son los sabios, los poderosos, los céle-

¹³ And so, in effect, you have broken Christ into many pieces.

But did I, Paul, die for your sins? Were any of you baptized in my name? ¹⁴ I am so thankful now that I didn't baptize any of you except Crispus and Gaius. ¹⁵ For now no one can think that I have been trying to start something new, beginning a "Church of Paul." ¹⁶ Oh, yes, and I baptized the family of Stephanas. I don't remember ever baptizing anyone else. ¹⁷ For Christ didn't send me to baptize, but to preach the Gospel; and even my preaching sounds poor, for I do not fill my sermons with profound words and high sounding ideas, for fear of diluting the mighty power there is in the simple message of the cross of Christ.

¹⁸ I know very well how foolish it sounds to those who are lost, when they hear that Jesus died to save them. But we who are saved recognize this message as the very power of God. ¹⁹ For God says, "I will destroy all human plans of salvation no matter how wise they seem to be, and ignore the best ideas of men, even the most brilliant of them."

²⁰ So what about these wise men, these scholars, these brilliant debaters of this world's great affairs? God has made them all look foolish, and shown their wisdom to be useless nonsense. ²¹ For God in his wisdom saw to it that the world would never find God through human brilliance, and then he stepped in and saved all those who believed his message, which the world calls foolish and silly. ²² It seems foolish to the Jews because they want a sign from heaven as proof that what is preached is true; and it is foolish to the Gentiles because they believe only what agrees with their philosophy and seems wise to them. ²³ So when we preach about Christ dying to save them, the Jews are offended and the Gentiles say it's all nonsense. ²⁴ But God has opened the eyes of those called to salvation, both Jews and Gentiles, to see that Christ is the mighty power of God to save them; Christ himself is the center of God's wise plan for their salvation. ²⁵ This so-called "foolish" plan of God is far wiser than the wisest plan of the wisest man, and God in his weakness—Christ dying on the cross—is far stronger than any man.

²⁶ Notice among yourselves, dear brothers, that few of you who follow Christ have

bres. ²⁷Deliberadamente Dios ha escogido a los que el mundo considera tontos y débiles para avergonzar a los que el mundo considera sabios y fuertes. ²⁸Ha escogido a los que en el mundo no tienen importancia alguna, a los despreciados, a los que nada son, para destronar a los que el mundo considera grandes, ²⁹de modo que nadie pueda jactarse en la presencia del Señor. ³⁰Por Dios es que ustedes están en Jesucristo, quien ante Dios es nuestra sabiduría, nuestra justificación, nuestra santificación y nuestra redención. ³¹Al fin de cuentas, como dicen las Escrituras: "El que va a gloriarse, sólo puede gloriarse en lo que el Señor ha hecho".

2 HERMANOS, CUANDO ME presenté ante ustedes para comunicarles el mensaje de Dios no empleé palabras altisonantes ni conceptos profundos, ²porque me había propuesto hablar sólo de Jesucristo y de su muerte en la cruz. ³Me les acerqué en debilidad, con temor y temblor. ⁴Mi predicación fue sencilla, despojada por completo de oratoria y sabiduría humana; pero el Espíritu Santo la respaldaba con poder y demostraba a los oyentes que el mensaje que les comunicaba lo había enviado Dios. ⁵Prediqué así porque deseaba que la fe que naciera en ustedes se afirmara en Dios, no en los grandes conceptos humanos.

⁶Sin embargo, cuando estoy entre cristianos maduros imparto sabiduría, pero no sabiduría terrena, ni sabiduría como la que atrae a los grandes de este mundo que están destinados a desaparecer. ⁷Nuestras palabras son sabias porque provienen de Dios, porque revelan el sabio plan de Dios para llevarnos a la gloria del cielo, plan que estaba antes oculto, aunque fue ideado para beneficio nuestro desde antes de la creación del mundo. ⁸Los grandes del mundo no lo han comprendido. Si lo hubieran comprendido, no habrían crucificado al Señor de la gloria. ⁹Esto es lo que las Escrituras quieren decir cuando afirman que ningún simple mortal ha visto, oído ni imaginado las maravillas que Dios tiene preparadas para los que aman al Señor. ¹⁰Nosotros las conocemos porque Dios envió a su Espíritu a revelárnoslas, y su Espíritu escudriña y nos revela los secretos

big names or power or wealth. ²⁷ Instead, God has deliberately chosen to use ideas the world considers foolish and of little worth in order to shame those people considered by the world as wise and great. ²⁸ He has chosen a plan despised by the world, counted as nothing at all, and used it to bring down to nothing those the world considers great, ²⁹ so that no one anywhere can ever brag in the presence of God.

³⁰ For it is from God alone that you have your life through Christ Jesus. He showed us God's plan of salvation; he was the one who made us acceptable to God; he made us pure and holy and gave himself to purchase our salvation. ³¹ As it says in the Scriptures, "If anyone is going to boast, let him boast only of what the Lord has done."

2 DEAR BROTHERS, EVEN when I first came to you I didn't use lofty words and brilliant ideas to tell you God's message. ² For I decided that I would speak only of Jesus Christ and his death on the cross. ³ I came to you in weakness—timid and trembling. ⁴ And my preaching was very plain, not with a lot of oratory and human wisdom, but the Holy Spirit's power was in my words, proving to those who heard them that the message was from God. ⁵ I did this because I wanted your faith to stand firmly upon God, not on man's great ideas.

⁶ Yet when I am among mature Christians I do speak with words of great wisdom, but not the kind that comes from here on earth, and not the kind that appeals to the great men of this world, who are doomed to fall. ⁷ Our words are wise because they are from God, telling of God's wise plan to bring us into the glories of heaven. This plan was hidden in former times, though it was made for our benefit before the world began. ⁸ But the great men of the world have not understood it; if they had, they never would have crucified the Lord of Glory.

⁹ That is what is meant by the Scriptures which say that no mere man has ever seen, heard or even imagined what wonderful things God has ready for those who love the Lord. ¹⁰ But we know about these things because God has sent his Spirit to tell us, and his Spirit searches out and shows us all

más profundos de Dios.

¹¹Nadie sabe con exactitud lo que otro está pensando, ni nadie conoce con exactitud al otro, excepto el espíritu de aquella persona. Y nadie conoce lo que piensa Dios excepto el Espíritu de Dios. ¹²Y Dios nos ha dado su Espíritu (no el espíritu del mundo) para que nos cuente las gloriosas dádivas de gracia y bendición que Dios nos ha concedido. ¹³Y al hablarles de esas dádivas, hemos usado las palabras que puso en nosotros el Espíritu Santo, no las palabras que quizás como hombres habríamos escogido. En otras palabras, usamos las palabras del Espíritu Santo para explicar las verdades espirituales a los espirituales.

¹⁴El que no es cristiano, y por lo tanto está en su estado natural, no puede entender ni aceptar los conceptos de Dios que el Espíritu Santo nos enseña. Les parecen insensatos porque únicamente los espirituales, que tienen al Espíritu Santo dentro, pueden entender las cosas del Espíritu Santo. A los demás les es completamente imposible. ¹⁵El espiritual lo entiende todo, y esto molesta y desconcierta al hombre mundano, que nada entiende. ¹⁶Y ¿cómo podría entender? ¿Quién en su estado natural conoce el pensamiento de Cristo? ¿Qué podrían enseñarle a Cristo, que es el Maestro de los sabios? En cambio, aunque parezca extraño, en lo espiritual el pensamiento de los cristianos es el mismo de Cristo.

3 HERMANOS MÍOS, LES he estado hablando como si fueran niños en la vida cristiana, como si no estuvieran siguiendo al Señor sino a sus propios deseos; no he podido hablarles como a cristianos robustos y llenos del Espíritu. ²Siempre les he dado leche y no alimentos sólidos, porque no habrían podido digerirlos. Aun ahora es menester que los alimente con leche, ³porque son apenas niños en la fe, dominados por sus propios deseos, no por los de Dios. ¿Acaso no lo demuestra el hecho de que se dejan dominar por los celos y andan siempre en contiendas y disensiones? Están actuando como los que no pertenecen al Señor. ⁴¿Qué les parece? ¡Discutiendo si yo soy mayor que Apolos o no, y dividiendo a la iglesia! ¿No demuestra esto lo poco que han crecido en el Señor?

of God's deepest secrets. ¹¹No one can really know what anyone else is thinking, or what he is really like, except that person himself. And no one can know God's thoughts except God's own Spirit. ¹²And God has actually given us his Spirit (not the world's spirit) to tell us about the wonderful free gifts of grace and blessing that God has given us. ¹³In telling you about these gifts we have even used the very words given to us by the Holy Spirit, not words that we as men might choose. So we use the Holy Spirit's words to explain the Holy Spirit's facts. ¹⁴But the man who isn't a Christian can't understand and can't accept these thoughts from God, which the Holy Spirit teaches us. They sound foolish to him, because only those who have the Holy Spirit within them can understand what the Holy Spirit means. Others just can't take it in. ¹⁵But the spiritual man has insight into everything, and that bothers and baffles the man of the world, who can't understand him at all. ¹⁶How could he? For certainly he has never been one to know the Lord's thoughts, or to discuss them with him, or to move the hands of God by prayer. But, strange as it seems, we Christians actually do have within us a portion of the very thoughts and mind of Christ.

3 DEAR BROTHERS, I have been talking to you as though you were still just babies in the Christian life, who are not following the Lord, but your own desires; I cannot talk to you as I would to healthy Christians, who are filled with the Spirit. ²I have had to feed you with milk and not with solid food, because you couldn't digest anything stronger. And even now you still have to be fed on milk. ³For you are still only baby Christians, controlled by your own desires, not God's. When you are jealous of one another and divide up into quarreling groups, doesn't that prove you are still babies, wanting your own way? In fact, you are acting like people who don't belong to the Lord at all. ⁴There you are, quarreling about whether I am greater than Apollos, and dividing the church. Doesn't this show how little you have grown in the Lord?

⁵¿Quién soy yo y quién es Apolos para que se peleen por nosotros? No somos más que siervos de Dios por medio de los cuales ustedes creyeron. ⁶Mi tarea fue sembrarles la semilla en el corazón, y la de Apolos fue regarla; pero Dios, y no nosotros, fue el que permitió que germinara. ⁷Aquí el que vale no es el que plantó ni el que regó, sino Dios que hizo germinar la semilla. ⁸El que siembra y el que riega tienen la misma categoría, si bien es cierto que cada uno recibirá recompensa según la labor realizada. ⁹No somos más que colaboradores de Dios. Ustedes son huerto de Dios, no nuestro; son edificio de Dios, no nuestro.

¹⁰Dios, en su bondad, me enseñó cómo edificar con pericia. Yo puse los cimientos y otro edificó encima. El que edifica encima tiene que andar con cuidado, ¹¹porque nadie puede poner otro cimiento el que ya está puesto: Jesucristo.

¹²Hay varias clases de materiales que pueden emplearse al construir sobre cimiento. Algunos usan oro, plata o piedras preciosas; otros, madera, heno y hasta hojarasca. ¹³El día en que Cristo juzgue se sabrá qué material han empleado los constructores. Cada obra será pasada por fuego para que se sepa su verdadero valor perdurable. ¹⁴Entonces los constructores que hayan sobreedificado con material perdurable, cuya obra estará todavía en pie, recibirán su recompensa. ¹⁵Pero si el fuego consume el edificio, el constructor sufrirá una gran pérdida. Se salvará, sí, pero como el que escapa de un edificio en llamas.

¹⁶¿No se dan cuenta que son el templo de Dios, y que el Espíritu de Dios mora en su templo? ¹⁷El templo de Dios es santo y limpio, y Dios destruirá al que profane o corrompa su templo, y ustedes son templo de Dios. ¹⁸Basta ya de estarse engañando. Si alguno cree que tiene más inteligencia que cualquiera según las normas de este mundo, vuélvase ignorante según esas normas, no sea que esa "inteligencia" lo prive de alcanzar la verdadera sabiduría, que viene de lo alto. ¹⁹Porque la sabiduría de este mundo es insensatez para Dios. Como dice el libro de Job: "Dios enreda a los

⁵ Who am I, and who is Apollos, that we should be the cause of a quarrel? Why, we're just God's servants, each of us with certain special abilities, and with our help you believed. ⁶ My work was to plant the seed in your hearts, and Apollos' work was to water it, but it was God, not we, who made the garden grow in your hearts. ⁷ The person who does the planting or watering isn't very important, but God is important because he is the one who makes things grow. ⁸ Apollos and I are working as a team, with the same aim, though each of us will be rewarded for his own hard work. ⁹ We are only God's co-workers. You are *God's* garden, not ours; you are *God's* building, not ours.

¹⁰ God, in his kindness, has taught me how to be an expert builder. I have laid the foundation and Apollos has built on it. But he who builds on the foundation must be very careful. ¹¹ And no one can ever lay any other real foundation than that one we already have—Jesus Christ. ¹² But there are various kinds of materials that can be used to build on that foundation. Some use gold and silver and jewels; and some build with sticks, and hay, or even straw! ¹³ There is going to come a time of testing at Christ's Judgment Day to see what kind of material each builder has used. Everyone's work will be put through the fire so that all can see whether or not it keeps its value, and what was really accomplished. ¹⁴ Then every workman who has built on the foundation with the right materials, and whose work still stands, will get his pay. ¹⁵ But if the house he has built burns up, he will have a great loss. He himself will be saved, but like a man escaping through a wall of flames.

¹⁶ Don't you realize that all of you together are the house of God, and that the Spirit of God lives among you in his house? ¹⁷ If anyone defiles and spoils God's home, God will destroy him. For God's home is holy and clean, and you are that home.

¹⁸ Stop fooling yourselves. If you count yourself above average in intelligence, as judged by this world's standards, you had better put this all aside and be a fool rather than let it hold you back from the true wisdom from above. ¹⁹ For the wisdom of this world is foolishness to God. As it says in the book of Job, God uses man's own bril-

sabios en la sabiduría de que hacen gala, y tropiezan con esa "sabiduría" y caen. ²⁰Además, el libro de los Salmos nos dice que el Señor conoce plenamente los razonamientos humanos, y cuán insensatos e inútiles son. ²¹Por lo tanto, nadie debe sentirse orgulloso de seguir a ningún hombre, pues todo es de ustedes. ²²De ustedes son Pablo, Apolos, Pedro, el mundo, la vida, la muerte, lo presente, lo por venir. ²³Y ustedes son de Cristo y Cristo es de Dios.

4 ASÍ QUE DEBEN tenernos por siervos de Cristo encargados de impartir la bendición de conocer los secretos del Señor. ²Ahora bien, lo más importante en un siervo es que cumpla exactamente las órdenes del amo. ³¿Qué de mí? ¿He sido buen siervo? En realidad no me interesa lo que opinen ustedes de mí, ni lo que opine nadie. No confío ni siquiera en mi propia opinión al respecto. ⁴Tengo limpia la conciencia, pero eso no quiere decir que sea justo. El Señor es el que tiene que examinarme y juzgarme. ⁵En otras palabras, no se precipiten a sacar conclusiones sobre si alguien es buen siervo o no. Esperen a que venga el Señor. Cuando el Señor venga, prenderá la luz para que nos veamos exactamente como somos en lo más profundo del corazón. Cuando ese momento llegue, sabrán de veras qué nos impulsa a trabajar para el Señor, y cada uno recibirá de Dios la alabanza que merece.

⁶He estado poniendo a Apolos y a mí mismo como ejemplos para aclarar lo que he venido diciendo: que no debemos tener favoritos. No deben preferir un maestro de Dios a otro. ⁷¿A qué viene tanto ensoberbecimiento? ¿Qué tienes que Dios no te haya dado? Y si cuanto tienes te lo ha dado Dios, ¿por qué te las das de grande, como si hubieras logrado algo por esfuerzo propio? ⁸Al parecer ya tienen el alimento espiritual que necesitan. Se sienten llenos y satisfechos espiritualmente, se sienten reyes y nos echan a un lado. Ojalá reinaran ya, pues cuando eso suceda sepan que nosotros estaremos reinando también con ustedes. ⁹Me

liance to trap him; he stumbles over his own "wisdom" and falls. ²⁰ And again, in the book of Psalms, we are told that the Lord knows full well how the human mind reasons, and how foolish and futile it is.

²¹ So don't be proud of following the wise men of this world. For God has already given you everything you need. ²² He has given you Paul and Apollos and Peter as your helpers. He has given you the whole world to use, and life and even death are your servants. He has given you all of the present and all of the future. All are yours, ²³ and you belong to Christ, and Christ is God's.

4 SO APOLLOS AND I should be looked upon as Christ's servants who distribute God's blessings by explaining God's secrets. ² Now the most important thing about a servant is that he does just what his master tells him to. ³ What about me? Have I been a good servant? Well, I don't worry over what you think about this, or what anyone else thinks. I don't even trust my own judgment on this point. ⁴ My conscience is clear, but even that isn't final proof. It is the Lord himself who must examine me and decide.

⁵ So be careful not to jump to conclusions before the Lord returns as to whether someone is a good servant or not. When the Lord comes, he will turn on the light so that everyone can see exactly what each one of us is really like, deep down in our hearts. Then everyone will know why we have been doing the Lord's work. At that time God will give to each one whatever praise is coming to him.

⁶ I have used Apollos and myself as examples to illustrate what I have been saying: that you must not have favorites. You must not be proud of one of God's teachers more than another. ⁷ What are you so puffed up about? What do you have that God hasn't given you? And if all you have is from God, why act as though you are so great, and as though you have accomplished something on your own?

⁸ You seem to think you already have all the spiritual food you need. You are full and spiritually contented, rich kings on your thrones, leaving us far behind! I wish you really were already on your thrones, for when that time comes you can be sure that we will be there, too, reigning with you.

parece a veces que Dios nos ha colocado a nosotros los apóstoles al final de la cola, como reos que marchan al cadalso detrás de un desfile triunfal, para que el mundo, los ángeles y los hombres nos contemplen. [10]Al parecer somos un puñado de religiosos tontos, mientras que ustedes, claro, son sabios y prudentes. Nosotros somos débiles, ustedes fuertes. Ustedes honorables, nosotros despreciables. [11]Hasta el momento hemos pasado hambre y sed, y ni siquiera hemos tenido suficiente ropa para abrigarnos. Nos maltratan, no tenemos hogar [12]y hemos trabajado agotadoramente con nuestras manos para ganar el sustento. Nos maldicen y bendecimos, y hemos soportado con paciencia a los que nos injurian. [13]Hemos respondido con suavidad cuando han hablado mal de nosotros. Hasta el momento no hemos sido más que la escoria del mundo, el desecho de todos.

[14]No les escribo estas cosas para avergonzarlos, sino como advertencia y consejo a hijos amados. [15]Porque aunque haya diez mil personas más que les enseñen de Cristo, el padre espiritual de ustedes soy yo. Yo los engendré en Cristo por medio de la predicación del evangelio. [16]Por lo tanto, imítenme. [17]Para eso les envío a Timoteo. Lo envío porque es uno de los que he ganado para Cristo y porque es un hijo del Señor, amado y digno de confianza. El les recordará lo que enseño en las iglesias que visito.

[18]Sé que algunos de ustedes, envanecidos, piensan que temo enfrentármeles. [19]Pero he de ir y pronto, si el Señor me lo permite, y veremos si esos individuos tienen de veras el poder de Dios o si son simples habladores. [20]El reino de Dios no consiste en hablar por hablar sino en vivir por el poder de Dios. [21]¿Qué prefieren? ¿Que vaya a castigarlos y a regañarlos, o que vaya con ternura y mansedumbre?

5 POR AHÍ SE dice que entre ustedes se cometen pecados tan terribles que ni aun los inconversos los cometen. Se dice, por ejemplo, que un miembro de la iglesia vive en pecado con la esposa de su padre. [2]¡Y todavía se creen ser espirituales! ¡Deberían sentirse tristes y avergonzados, y

[9] Sometimes I think God has put us apostles at the very end of the line, like prisoners soon to be killed, put on display at the end of a victor's parade, to be stared at by men and angels alike.

[10] Religion has made us foolish, you say, but of course you are all such wise and sensible Christians! We are weak, but not you! You are well thought of, while we are laughed at. [11] To this very hour we have gone hungry and thirsty, without even enough clothes to keep us warm. We have been kicked around without homes of our own. [12] We have worked wearily with our hands to earn our living. We have blessed those who cursed us. We have been patient with those who injured us. [13] We have replied quietly when evil things have been said about us. Yet right up to the present moment we are like dirt under foot, like garbage.

[14] I am not writing about these things to make you ashamed, but to warn and counsel you as beloved children. [15] For although you may have ten thousand others to teach you about Christ, remember that you have only me as your father. For I was the one who brought you to Christ when I preached the Gospel to you. [16] So I beg you to follow my example, and do as I do.

[17] That is the very reason why I am sending Timothy—to help you do this. For he is one of those I won to Christ, a beloved and trustworthy child in the Lord. He will remind you of what I teach in all the churches wherever I go.

[18] I know that some of you will have become proud, thinking that I am afraid to come to deal with you. [19] But I will come, and soon, if the Lord will let me, and then I'll find out whether these proud men are just big talkers or whether they really have God's power. [20] The Kingdom of God is not just talking; it is living by God's power. [21] Which do you choose? Shall I come with punishment and scolding, or shall I come with quiet love and gentleness?

5 EVERYONE IS TALKING about the terrible thing that has happened there among you, something so evil that even the heathen don't do it: you have a man in your church who is living in sin with his father's wife. [2] And are you still so conceited, so "spiritual"? Why aren't you mourning in

echarlo de la congregación!

³Aunque no estoy allí en persona, he estado pensando mucho en este problema, y he llegado a una conclusión: ⁴En el nombre de Jesucristo nuestro Señor, convoquen a una reunión de la iglesia —en la que el poder de nuestro Señor Jesucristo ha de estar presente, y en la que estaré en espíritu— ⁵y, como castigo, expulsen a ese hombre de la iglesia y entréguenlo a Satanás, con la esperanza de que su alma se salve cuando nuestro Señor Jesucristo regrese.

⁶Es terrible que se jacten de ser puros y a la vez dejen que estas cosas ocurran. ¿No se dan cuenta de que si a una persona se le tolera el pecado contaminará a los demás? ⁷Extirpen ese cáncer de maldad que hay en la iglesia, para que todos se mantengan en pureza. Cristo, el Cordero de Dios, ya fue sacrificado por nosotros. ⁸Regocijémonos en El, crezcamos en la vida cristiana y dejemos atrás nuestra vieja y cancerosa vida con sus malicias y perversidades. Celebrémoslo con el purísimo pan del honor, la sinceridad y la verdad.

⁹En mi carta anterior les supliqué no se juntaran con los malvados. ¹⁰Pero no me refería a los incrédulos que viven en pecado sexual, en avaricias, en robos o en idolatrías. Para vivir en este mundo tenemos que estar entre gente así. ¹¹Lo que quise decir fue que no se codearan con los que llamándose cristianos andan en pecados sexuales, avaricias, idolatrías, borracheras y robos. Con ellos ni a comer se junten. ¹²Nuestra tarea no es juzgar a los de afuera. Pero ciertamente tenemos la responsabilidad de juzgar y actuar enérgicamente contra los miembros de la iglesia que se entregan a los pecados mencionados. ¹³Dios juzgará a los de afuera. Mas a ustedes corresponde enfrentarse a ese perverso y expulsarlo de la iglesia.

6 ¿CÓMO ES QUE ustedes cuando tienen algo contra algún cristiano acuden a las autoridades para que las cortes paganas juzguen el asunto, en vez de acudir a otros cristianos para que determinen quién tiene la razón? ²¿Ignoran acaso que un día los

sorrow and shame, and seeing to it that this man is removed from your membership?

³,⁴Although I am not there with you, I have been thinking a lot about this, and in the name of the Lord Jesus Christ I have already decided what to do, just as though I were there. You are to call a meeting of the church—and the power of the Lord Jesus will be with you as you meet, and I will be there in spirit— ⁵and cast out this man from the fellowship of the church and into Satan's hands, to punish him, in the hope that his soul will be saved when our Lord Jesus Christ returns.

⁶What a terrible thing it is that you are boasting about your purity, and yet you let this sort of thing go on. Don't you realize that if even one person is allowed to go on sinning, soon all will be affected? ⁷Remove this evil cancer—this wicked person—from among you, so that you can stay pure. Christ, God's Lamb, has been slain for us. ⁸So let us feast upon him and grow strong in the Christian life, leaving entirely behind us the cancerous old life with all its hatreds and wickedness. Let us feast instead upon the pure bread of honor and sincerity and truth.

⁹When I wrote to you before I said not to mix with evil people. ¹⁰But when I said that I wasn't talking about unbelievers who live in sexual sin, or are greedy cheats and thieves and idol worshipers. For you can't live in this world without being with people like that. ¹¹What I meant was that you are not to keep company with anyone who claims to be a brother Christian but indulges in sexual sins, or is greedy, or is a swindler, or worships idols, or is a drunkard, or abusive. Don't even eat lunch with such a person.

¹²It isn't our job to judge outsiders. But it certainly is our job to judge and deal strongly with those who are members of the church, and who are sinning in these ways. ¹³God alone is the Judge of those on the outside. But you yourselves must deal with this man and put him out of your church.

6 HOW IS IT that when you have something against another Christian, you "go to law" and ask a heathen court to decide the matter instead of taking it to other Christians to decide which of you is right? ²Don't you know that some day we

cristianos van a juzgar y gobernar el mundo? ¿Por qué entonces no resuelven entre ustedes los pequeños litigios? ³¿No ven que los cristianos van a juzgar a los mismos ángeles? Por lo tanto podrán muy bien resolver las pequeñas dificultades terrenales. ⁴¿Por qué acudir entonces a jueces que no son cristianos? ⁵Lo digo para que se avergüencen. ¿Es que no hay nadie en la iglesia que sea lo suficientemente sabio para resolver las disputas? ⁶¿Debe un cristiano demandar a un hermano en la fe delante de los incrédulos? ⁷De por sí el hecho de que haya litigios entre ustedes es una vergüenza. ¿Por qué no se quedan callados cuando los maltratan? Ciertamente honrarían más al Señor sufriendo en silencio los engaños.

⁸Más doloroso es aún que ustedes mismos cometan agravios y defrauden a otros hermanos. ⁹¿No saben que los que hacen eso no tendrán parte en el reino de Dios? Sépanlo bien. Los que llevan vidas inmorales —los fornicarios, los idólatras, los adúlteros, los homosexuales— no tendrán parte en el reino de Dios. ¹⁰Tampoco la tendrán los ladrones, los avaros, los borrachos, los calumniadores, los estafadores. ¹¹Varios de ustedes merecían antes algunos de estos calificativos, pero ya el Señor les lavó sus pecados, los santificó y los justificó en virtud de lo que el Señor Jesucristo y el Espíritu de nuestro Dios hicieron por ustedes.

¹²Hay ciertas cosas que en sí no son malas, que no están prohibidas, pero que no me convienen. Aunque me esté permitido hacerlo, no hago nada que luego pueda dominarme. ¹³Por ejemplo, Dios me ha dado apetito y estómago para digerir los alimentos. Pero esto no quiere decir que debo comer más de lo necesario. Comer no es demasiado importante, porque un día el Señor destruirá estómagos y alimentos. Ahora bien, nuestros pecados sexuales siempre son ilícitos; nuestros cuerpos no están hechos para eso, sino para el Señor, y el Señor desea que estén impregnados de El. ¹⁴Un día, con su poder, va a resucitar nuestro cuerpo al igual que resucitó al Señor Jesucristo.

¹⁵¿No comprenden que nuestros cuerpos son miembros de Cristo? ¿Tomaremos un miembro de Cristo y lo uniremos a una

Christians are going to judge and govern the world? So why can't you decide even these little things among yourselves? ³ Don't you realize that we Christians will judge and reward the very angels in heaven? So you should be able to decide your problems down here on earth easily enough. ⁴ Why then go to outside judges who are not even Christians? ⁵ I am trying to make you ashamed. Isn't there anyone in all the church who is wise enough to decide these arguments? ⁶ But, instead, one Christian sues another and accuses his Christian brother in front of unbelievers.

⁷ To have such lawsuits at all is a real defeat for you as Christians. Why not just accept mistreatment and leave it at that? It would be far more honoring to the Lord to let yourselves be cheated. ⁸ But, instead, you yourselves are the ones who do wrong, cheating others, even your own brothers.

⁹,¹⁰ Don't you know that those doing such things have no share in the Kingdom of God? Don't fool yourselves. Those who live immoral lives, who are idol worshipers, adulterers or homosexuals—will have no share in his kingdom. Neither will thieves or greedy people, drunkards, slanderers, or robbers. ¹¹ There was a time when some of you were just like that but now your sins are washed away, and you are set apart for God, and he has accepted you because of what the Lord Jesus Christ and the Spirit of our God have done for you. ¹² I can do anything I want to if Christ has not said no, but some of these things aren't good for me. Even if I am allowed to do them, I'll refuse to if I think they might get such a grip on me that I can't easily stop when I want to. ¹³ For instance, take the matter of eating. God has given us an appetite for food and stomachs to digest it. But that doesn't mean we should eat more than we need. Don't think of eating as important, because some day God will do away with both stomachs and food.

But sexual sin is never right: our bodies were not made for that, but for the Lord, and the Lord wants to fill our bodies with himself. ¹⁴ And God is going to raise our bodies from the dead by his power just as he raised up the Lord Jesus Christ. ¹⁵ Don't you realize that your bodies are actually parts and members of Christ? So should I take part of Christ and join him to a prosti-

prostituta? ¡Jamás! ¹⁶¿No saben que cuando un hombre se une a una prostituta se hace parte de ella y ella de él? Dios nos dice en las Escrituras que para El "los dos se vuelven una sola persona". ¹⁷Pero cuando alguien se une al Señor, el Señor y esa persona se vuelven uno.

¹⁸Por eso les digo que huyan de los pecados sexuales. Ningún otro tipo de pecado afecta al cuerpo como éste. Cuando uno comete este pecado, peca contra su propio cuerpo. ¹⁹¿No saben que el cuerpo del cristiano es templo del Espíritu Santo que Dios le dio, y que el Espíritu Santo lo habita? El cuerpo no es nuestro, ²⁰porque Dios nos compró a gran precio. Dediquemos integramente el cuerpo y el espíritu a glorificar a Dios, porque a El pertenecen.

7 EN CUANTO A lo que me preguntaron por carta: si no se casan, magnífico. ²Pero por lo general es mejor que se casen, que cada hombre tenga su propia mujer y que cada mujer tenga su propio marido, para evitar caer en pecado.

³El hombre debe satisfacer los derechos conyugales de su esposa, y lo mismo la esposa hacia su esposo. ⁴La mujer que se casa deja de reservarse por entero los derechos sobre su cuerpo, porque éste pertenece también a su esposo. Asimismo, el esposo deja de reservarse los derechos sobre su cuerpo, porque éste pertenece también a su esposa. ⁵Por lo tanto, no se nieguen los derechos conyugales, a menos que se pongan de acuerdo en no ejercerlos durante un período de tiempo definido para dedicarse por entero a la oración. Pero luego únanse de nuevo para evitar que no se puedan dominar y Satanás los tiente.

⁶No digo que tengan que casarse, pero bien pueden hacerlo si lo desean. ⁷Me gustaría que se quedaran solteros, como yo; pero no todos somos iguales. A unos Dios les ha concedido esposa o esposo, y a otros les ha dado el don de permanecer solteros y ser felices. ⁸En otras palabras, los solteros y las viudas deberían quedarse solteros como yo. ⁹Pero si no pueden dominarse, cásense. Mejor es casarse que quemarse de concupiscencia.

tute? Never! ¹⁶ And don't you know that if a man joins himself to a prostitute she becomes a part of him and he becomes a part of her? For God tells us in the Scripture that in his sight the two become one person. ¹⁷ But if you give yourself to the Lord, you and Christ are joined together as one person.

¹⁸ That is why I say to run from sex sin. No other sin affects the body as this one does. When you sin this sin it is against your own body. ¹⁹ Haven't you yet learned that your body is the home of the Holy Spirit God gave you, and that he lives within you? Your own body does not belong to you. ²⁰ For God has bought you with a great price. So use every part of your body to give glory back to God, because he owns it.

7 NOW ABOUT THOSE questions you asked in your last letter: my answer is that if you do not marry, it is good. ² But usually it is best to be married, each man having his own wife, and each woman having her own husband, because otherwise you might fall back into sin.

³ The man should give his wife all that is her right as a married woman, and the wife should do the same for her husband: ⁴ for a girl who marries no longer has full right to her own body, for her husband then has his rights to it, too; and in the same way the husband no longer has full right to his own body, for it belongs also to his wife. ⁵ So do not refuse these rights to each other. The only exception to this rule would be the agreement of both husband and wife to refrain from the rights of marriage for a limited time, so that they can give themselves more completely to prayer. Afterwards, they should come together again so that Satan won't be able to tempt them because of their lack of self-control.

⁶ I'm not saying you *must* marry; but you certainly *may* if you wish. ⁷ I wish everyone could get along without marrying, just as I do. But we are not all the same. God gives some the gift of a husband or wife, and others he gives the gift of being able to stay happily unmarried. ⁸ So I say to those who aren't married, and to widows—better to stay unmarried if you can, just as I am. ⁹ But if you can't control yourselves, go ahead and marry. It is better to marry than to burn with lust.

¹⁰Pero para los casados tengo una orden, no una sugerencia. Y la orden no es mía, sino del Señor: La esposa no debe separarse del esposo, ¹¹y si se separa, quédese sin casarse o reconcíliese con su esposo. El esposo, por su parte, no debe divorciarse de su esposa.

¹²Deseo añadir aquí algunas ideas propias. Esto no lo ha ordenado el Señor, pero lo creo correcto: Si un cristiano tiene una esposa que no es creyente, pero desea continuar con él de todas maneras, no debe dejarla ni divorciarse de ella. ¹³Y si una cristiana tiene un esposo que no lo es, pero desea que ella se quede con él, no lo deje. ¹⁴Quizá el esposo incrédulo se convierta con la ayuda de la esposa creyente. De otra manera, si la familia se separa, puede ser que los hijos jamás conozcan al Señor; mientras que si permanece unida, Dios mediante, puede resultar en la salvación de los hijos. ¹⁵Pero si el esposo incrédulo o la esposa incrédula desea irse, dejen que se vaya. El cónyuge cristiano no debe insistir en que el incrédulo se quede, porque Dios desea que en la familia reinen la paz y la armonía; ¹⁶después de todo no sabes, mujer, si tu esposo va a convertirse si se queda; y lo mismo digo al esposo en cuanto a la esposa.

¹⁷Pero al tomar cualquier decisión en cuanto a estos asuntos, traten de vivir de acuerdo a la voluntad de Dios, casándose o no casándose según Dios los guíe y ayude, y aceptando las circunstancias que el Señor les ponga delante. Esto ordeno en todas las iglesias. ¹⁸Por ejemplo, el que pasó por la ceremonia judía de la circuncisión antes de hacerse cristiano no debe hacer nada al respecto; y si no se circuncidó, no se circuncide. ¹⁹El que el cristiano se haya circuncidado o no, no tiene importancia. Lo que sí es importante de veras es agradar a Dios y guardar los mandamientos divinos.

²⁰En general, las personas deben continuar siendo lo que eran cuando Dios las

¹⁰ Now, for those who are married I have a command, not just a suggestion. And it is not a command from me, for this is what the Lord himself has said: A wife must not leave her husband. ¹¹ But if she is separated from him, let her remain single or else go back to him. And the husband must not divorce his wife.

¹² Here I want to add some suggestions of my own. These are not direct commands from the Lord, but they seem right to me: If a Christian has a wife who is not a Christian, but she wants to stay with him anyway, he must not leave her or divorce her. ¹³ And if a Christian woman has a husband who isn't a Christian, and he wants her to stay with him, she must not leave him. ¹⁴ For perhaps the husband who isn't a Christian may become a Christian with the help of his Christian wife. And the wife who isn't a Christian may become a Christian with the help of her Christian husband. Otherwise, if the family separates, the children might never come to know the Lord; whereas a united family may, in God's plan, result in the children's salvation.

¹⁵ But if the husband or wife who isn't a Christian is eager to leave, it is permitted. In such cases the Christian husband or wife should not insist that the other stay, for God wants his children to live in peace and harmony. ¹⁶ For, after all, there is no assurance to you wives that your husbands will be converted if they stay; and the same may be said to you husbands concerning your wives.

¹⁷ But be sure in deciding these matters that you are living as God intended, marrying or not marrying in accordance with God's direction and help, and accepting whatever situation God has put you into. This is my rule for all the churches.

¹⁸ For instance, a man who already has gone through the Jewish ceremony of circumcision before he became a Christian shouldn't worry about it; and if he hasn't been circumcised, he shouldn't do it now. ¹⁹ For it doesn't make any difference at all whether a Christian has gone through this ceremony or not. But it makes a lot of difference whether he is pleasing God and keeping God's commandments. That is the important thing.

²⁰ Usually a person should keep on with the work he was doing when God called

llamó. ²¹¿Que eres esclavo? No te preocupes; desde luego, si tienes la oportunidad de obtener la libertad, procúrala. ²²Si eras esclavo y el Señor te llamó, recuerda que Cristo te libertó de la horrible esclavitud del pecado. Si eras libre cuando te llamó, recuerda que eres ahora esclavo de Cristo. ²³Has sido comprado por Cristo y a Cristo perteneces; vive libre de los orgullos y las aprensiones terrenales. ²⁴Cada uno de ustedes, hermanos, permanezca en el estado en que se encontraba cuando se hizo cristiano, porque ahora tienen al Señor que les ayuda.

²⁵Y ahora voy a tratar de contestarles otra de las preguntas. ¿Qué de las solteras? ¿Debe permitírseles quedarse así? No tengo ningún mandamiento del Señor al contestarles esta pregunta, pero les daré mi opinión, que es la opinión de uno en quien por la misericordia de Dios pueden confiar. ²⁶Los cristianos estamos en el presente afrontando grandes peligros, y en tiempos como éstos creo que es siempre mejor que la gente se quede soltera. ²⁷Desde luego, al que esté casado no se le ocurra divorciarse. Pero si no lo está, mejor es que no se apure en casarse. ²⁸Pero si resuelven casarse de todas maneras, está bien; y si una muchacha decide casarse a pesar de las circunstancias, no es pecado. Sin embargo, el matrimonio les traerá problemas adicionales que estoy seguro no ansían.

²⁹Lo más importante de todo es que recuerden siempre que el tiempo que nos queda es corto, y que no quedan demasiadas oportunidades de servir al Señor. Por tal motivo, los que tengan esposa deben dedicar el mayor tiempo posible al Señor, como si no la tuvieran. ³⁰Ni la alegría ni la tristeza ni la prosperidad económica deben impedirnos realizar la obra de Dios. ³¹Los que suelen disfrutar las cosas buenas que este mundo ofrece, deben aprovechar bien las oportunidades de servir a Dios, sin dejar de disfrutar lo que tienen; porque el mundo, tal como lo conocemos, pronto pasará.

³²Sea lo que sea, deseo que estén libres de preocupaciones. El soltero está libre para trabajar para el Señor y meditar en cómo agradarle. ³³El casado, en cambio, no está tan libre, porque tiene que ocuparse de sus responsabilidades terrenas y de cómo agradar a su esposa. ³⁴Sus intereses están divididos. Y lo mismo le pasa a la que se

him. ²¹ Are you a slave? Don't let that worry you—but of course, if you get a chance to be free, take it. ²² If the Lord calls you, and you are a slave, remember that Christ has set you free from the awful power of sin; and if he has called you and you are free, remember that you are now a slave of Christ. ²³ You have been bought and paid for by Christ, so you belong to him—be free now from all these earthly prides and fears. ²⁴ So, dear brothers, whatever situation a person is in when he becomes a Christian, let him stay there, for now the Lord is there to help him.

²⁵ Now I will try to answer your other question. What about girls who are not yet married? Should they be permitted to do so? In answer to this question, I have no special command for them from the Lord. But the Lord in his kindness has given me wisdom that can be trusted, and I will be glad to tell you what I think.

²⁶ Here is the problem: We Christians are facing great dangers to our lives at present. In times like these I think it is best for a person to remain unmarried. ²⁷ Of course, if you already are married, don't separate because of this. But if you aren't, don't rush into it at this time. ²⁸ But if you men decide to go ahead anyway and get married now, it is all right; and if a girl gets married in times like these, it is no sin. However, marriage will bring extra problems that I wish you didn't have to face right now.

²⁹ The important thing to remember is that our remaining time is very short, [and so are our opportunities for doing the Lord's work]. For that reason those who have wives should stay as free as possible for the Lord; ³⁰ happiness or sadness or wealth should not keep anyone from doing God's work. ³¹ Those in frequent contact with the exciting things the world offers should make good use of their opportunities without stopping to enjoy them; for the world in its present form will soon be gone.

³² In all you do, I want you to be free from worry. An unmarried man can spend his time doing the Lord's work and thinking how to please him. ³³ But a married man can't do that so well; he has to think about his earthly responsibilities and how to please his wife. ³⁴ His interests are divided. It is the same with a girl who marries. She

casa. La soltera está siempre ansiosa de agradar al Señor en cuanto es y hace. Pero la casada tiene que tomar en cuenta los quehaceres de su casa y los gustos de su esposo.

³⁵Digo esto para ayudarles, no para que dejen de casarse. Deseo que hagan lo que más convenga al servicio del Señor, lo que menos les impida servirle con dedicación. ³⁶El que crea que su hija debe casarse porque los años le están cayendo encima, está bien, no peca, que se case. ³⁷Pero si alguno cree que su hija no debe casarse y puede inducirla a ello, hace bien. ³⁸Es decir, si quiere que se case, bien; y si no quiere que se case, mejor.

³⁹La esposa es parte del esposo mientras éste vive; si el esposo muere, puede volver a casarse, con tal que se case con un cristiano. ⁴⁰Pero en mi opinión será más feliz si no se vuelve a casar; y creo que cuando digo esto les estoy dando el consejo del Espíritu de Dios.

faces the same problem. A girl who is not married is anxious to please the Lord in all she is and does. But a married woman must consider other things such as housekeeping and the likes and dislikes of her husband.

³⁵ I am saying this to help you, not to try to keep you from marrying. I want you to do whatever will help you serve the Lord best, with as few other things as possible to distract your attention from him.

³⁶ But if anyone feels he ought to marry because he has trouble controlling his passions, it is all right, it is not a sin; let him marry. ³⁷ But if a man has the willpower not to marry and decides that he doesn't need to and won't, he has made a wise decision. ³⁸ So the person who marries does well, and the person who doesn't marry does even better.

³⁹ The wife is part of her husband as long as he lives; if her husband dies, then she may marry again, but only if she marries a Christian. ⁴⁰ But in my opinion she will be happier if she doesn't marry again; and I think I am giving you counsel from God's Spirit when I say this.

8 Y AHORA, PASEMOS a la pregunta que me formulan en cuanto a si se debe comer lo que ha sido sacrificado a los ídolos, o no comerlo. Es cierto que más o menos todos estamos bien instruidos en cuanto a esto. Sin embargo, aunque el ser "sabelotodo" nos hace sentirnos orgullosos, lo que de veras se necesita para edificar a la iglesia es amor. ²El que cree que lo sabe todo es un ignorante. ³Pues bien, Dios sabe quién lo ama de veras.

⁴Entonces, ¿qué? ¿Debemos comer carnes sacrificadas a los ídolos? Bueno, sabemos bien que el ídolo no es un dios, y que sólo hay un Dios. ⁵Según algunos, hay muchos dioses poderosos en el cielo y en la tierra, ⁶pero nosotros sabemos que sólo hay un Dios: el Padre, de quien vienen todas las cosas y quien nos hizo para El; y un Señor: Jesucristo, quien lo creó todo y nos da vida. ⁷Sin embargo, algunos cristianos no se dan cuenta de esto. Están acostumbrados a pensar que los ídolos tienen vida, y han creído que los alimentos ofrecidos a los ídolos han sido ofrecidos a dioses de verdad. Por eso cuando comen esos alimentos

8 NEXT IS YOUR question about eating food that has been sacrificed to idols. On this question everyone feels that only his answer is the right one! But although being a "know-it-all" makes us feel important, what is really needed to build the church is love. ² If anyone thinks he knows all the answers, he is just showing his ignorance. ³ But the person who truly loves God is the one who is open to God's knowledge.

⁴ So now, what about it? Should we eat meat that has been sacrificed to idols? Well, we all know that an idol is not really a god, and that there is only one God, and no other. ⁵ According to some people, there are a great many gods, both in heaven and on earth. ⁶ But we know that there is only one God, the Father, who created all things and made us to be his own; and one Lord Jesus Christ, who made everything and gives us life.

⁷ However, some Christians don't realize this. All their lives they have been used to thinking of idols as alive, and have believed that food offered to the idols is really being offered to actual gods. So when they eat such food it bothers them and hurts their

su conciencia los molesta. ⁸Recuerden que a Dios no le importa si los comemos o no. No somos peores si los comemos ni mejores si no lo hacemos.

⁹Ahora bien, cuidado; no vayan a lastimar al hermano de conciencia débil al hacer uso de la libertad que tienen de comer cualquier cosa. ¹⁰Porque puede suceder lo siguiente: Digamos que tú, porque crees que no hay nada malo en ello, vas a comer al restaurante del templo pagano donde sirven comidas procedentes de los sacrificios, y un hermano débil pasa por allí. Pudiera ser que aquel hermano se decida entonces a comer, aunque por dentro crea que está haciendo mal. ¹¹Si es así, tú, que sabes lo que estás haciendo, serás responsable del daño espiritual que tu "conocimiento" cause al hermano de conciencia débil. Porque por él murió Cristo, ¹²y pecar contra tu hermano alentándolo a hacer algo que cree que es incorrecto, es pecar contra Cristo. ¹³Así que, si el comer carne ofrecida a los ídolos va a hacer pecar a mi hermano, mejor no la como nunca, porque dañar a mi hermano es lo que menos quiero.

9 SOY APÓSTOL MENSAJERO de Dios, y no tengo que darle cuentas a ningún hombre. He visto al Señor con mis propios ojos. Y las vidas transformadas de ustedes atestiguan la dura labor que he realizado para El.

²Hay quienes dicen que no soy apóstol. Si para otros no lo soy, para ustedes sí, porque fueron ganados para Cristo por medio de mi persona. ³Para los que ponen en duda mis legítimos derechos diré lo siguiente: ⁴¿Tendré o no tendré derechos? ¿No podría yo, como los demás apóstoles, tener el privilegio de hospedarme en las casas de ustedes? ⁵¿No tengo derecho a tener una esposa y llevarla en mis viajes, como hacen los demás discípulos, los hermanos del Señor y Pedro? ⁶¿O es que los únicos que en la obra de Dios tienen que trabajar por su cuenta para ganarse el sustento somos Bernabé y yo? ⁷¿Qué soldado tiene que pagarse los gastos mientras sirve en el ejército? ¿A qué agricultor se priva del derecho de comer de lo que ha cosechado? ¿A qué pastor de ovejas no se le permite tomar de la leche del rebaño?

⁸Y no crean que sólo los hombres opinan

tender consciences. ⁸ Just remember that God doesn't care whether we eat it or not. We are no worse off if we don't eat it, and no better off if we do. ⁹ But be careful not to use your freedom to eat it, lest you cause some Christian brother to sin whose conscience is weaker than yours.

¹⁰ You see, this is what may happen: Someone who thinks it is wrong to eat this food will see you eating at a temple restaurant, for you know there is no harm in it. Then he will become bold enough to do it too, although all the time he still feels it is wrong. ¹¹ So because you "know it is all right to do it," you will be responsible for causing great spiritual damage to a brother with a tender conscience for whom Christ died. ¹² And it is a sin against Christ to sin against your brother by encouraging him to do something he thinks is wrong. ¹³ So if eating meat offered to idols is going to make my brother sin, I'll not eat any of it as long as I live, because I don't want to do this to him.

9 I AM AN apostle, God's messenger, responsible to no mere man. I am one who has actually seen Jesus our Lord with my own eyes. And your changed lives are the result of my hard work for him. ² If in the opinion of others, I am not an apostle, I certainly am to you, for you have been won to Christ through me. ³ This is my answer to those who question my rights.

⁴ Or don't I have any rights at all? Can't I claim the same privilege the other apostles have of being a guest in your homes? ⁵ If I had a wife, and if she were a believer, couldn't I bring her along on these trips just as the other disciples do, and as the Lord's brothers do, and as Peter does? ⁶ And must Barnabas and I alone keep working for our living, while you supply these others? ⁷ What soldier in the army has to pay his own expenses? And have you ever heard of a farmer who harvests his crop and doesn't have the right to eat some of it? What shepherd takes care of a flock of sheep and goats and isn't allowed to drink some of the milk? ⁸ And I'm not merely quoting the opinions

que es justo que se concedan esos privilegios. La ley de Dios lo dice también. ⁹La ley que Dios dio a Moisés dice que no se debe poner bozal al buey para evitar que coma del trigo que está trillando. ¿Creen que Dios tenía en mente sólo a los bueyes cuando dijo esto? ¹⁰¿No estaría pensando también en nosotros? ¡Claro que sí! Quiere decir que al obrero cristiano debe recibir salario de los individuos a quienes ayuda. A los que aran y trillan debe permitírseles alentar la esperanza de recibir parte de la cosecha. ¹¹Nosotros hemos plantado la buena semilla espiritual en ustedes. ¿Será demasiado pedir que, en cambio, recibamos de ustedes el sustento?

¹²Si otros disfrutan el bien merecido privilegio de recibir de ustedes el sustento, ¿cuánto más deberíamos disfrutarlo nosotros? Sin embargo, jamás hemos ejercido este derecho; al contrario, trabajamos en otras cosas para ganarnos el sustento y para que no vayan a perder interés en el mensaje de Cristo. ¹³Dios dijo a los que servían en el Templo que podían tomar de los alimentos que como dádivas al Altísimo llevaban al Templo, y los que trabajaran en el altar de Dios tomaran una porción de los alimentos que se presentaban como sacrificio. ¹⁴De igual manera, el Señor ha ordenado que los que predican el evangelio reciban el sostén de los que aceptan el mensaje. ¹⁵Sin embargo, jamás les he pedido ni un centavo.

No les estoy escribiendo para que de ahora en adelante me den dinero. En realidad prefiero morirme de hambre antes que perder la satisfacción de predicarles gratuitamente. ¹⁶No me enorgullezco de predicar el evangelio, porque tengo esa encomienda como una obligación y ¡ay de mí si no anuncio el evangelio! ¹⁷Si lo hago de buena gana, recompensa tendré del Señor; pero ese no es el caso, porque Dios me escogió y me dio esa sagrada encomienda, y no pude negármele. ¹⁸Entonces, bajo estas circunstancias, ¿cuál es mi recompensa? Mi recompensa es la satisfacción extraordinaria que siento por predicar el evangelio sin serle una carga a nadie, sin demandar jamás mis derechos.

¹⁹Esto tiene una gran ventaja: como nadie me paga, a nadie estoy amarrado; no obstante, voluntaria y alegremente me convierto en siervo de cualquiera para ganarlo

of men as to what is right. I'm telling you what God's law says. ⁹ For in the law God gave to Moses he said that you must not put a muzzle on an ox to keep it from eating when it is treading out the wheat. Do you suppose God was thinking only about oxen when he said this? ¹⁰ Wasn't he also thinking about us? Of course he was. He said this to show us that Christian workers should be paid by those they help. Those who do the plowing and threshing should expect some share of the harvest.

¹¹ We have planted good spiritual seed in your souls. Is it too much to ask, in return, for mere food and clothing? ¹² You give them to others who preach to you, and you should. But shouldn't we have an even greater right to them? Yet we have *never* used this right, but supply our own needs without your help. We have never demanded payment of any kind for fear that, if we did, you might be less interested in our message to you from Christ.

¹³ Don't you realize that God told those working in his temple to take for their own needs some of the food brought there as gifts to him? And those who work at the altar of God get a share of the food that is brought by those offering it to the Lord. ¹⁴ In the same way the Lord has given orders that those who preach the Gospel should be supported by those who accept it. ¹⁵ Yet I have never asked you for one penny. And I am not writing this to hint that I would like to start now. In fact, I would rather die of hunger than lose the satisfaction I get from preaching to you without charge. ¹⁶ For just preaching the Gospel isn't any special credit to me—I couldn't keep from preaching it if I wanted to. I would be utterly miserable. Woe unto me if I don't.

¹⁷ If I were volunteering my services of my own free will, then the Lord would give me a special reward; but that is not the situation, for God has picked me out and given me this sacred trust and I have no choice. ¹⁸ Under this circumstance, what is my pay? It is the special joy I get from preaching the Good News without expense to anyone, never demanding my rights.

¹⁹ And this has a real advantage: I am not bound to obey anyone just because he pays my salary; yet I have freely and happily become a servant of any and all so that

para Cristo. ²⁰Cuando ando con los judíos, soy como uno de ellos para que escuchen el evangelio y se entreguen a Cristo. Cuando ando con los gentiles que guardan las costumbres y ceremonias judías, no discuto (aunque no estoy de acuerdo con ello), porque deseo ayudarles. ²¹Cuando ando con los paganos, trato de llevarles la corriente; desde luego, siempre que no vaya en contra de las normas cristianas. Pero llevándoles la corriente les gano la confianza para poder conducirlos a Cristo. ²²Cuando estoy con gente de conciencia sensible, no me las doy de sabio ni los hago lucir insensatos, porque lo que me interesa es que estén dispuestos a dejarse conducir al Señor. En otras palabras, trato de acomodarme en lo posible a las personas para que me dejen hablarles de Cristo, para que Cristo pueda salvarlas. ²³Hago esto para darles el evangelio y también para alcanzar yo mismo la bendición que uno alcanza cuando guía un alma al Señor.

²⁴En una carrera varios son los que corren, pero sólo uno obtiene el premio. Corran para ganar. ²⁵Para ganar en una competencia uno tiene que abstenerse de cualquier cosa que le impida estar en las mejores condiciones físicas. Sin embargo, un atleta se esfuerza por ganar una simple cinta azul o una copa de plata, mientras que nosotros nos esforzamos por obtener un premio que jamás se desvanecerá. ²⁶Por lo tanto, corro hacia la meta con un propósito en cada paso. Peleo para ganar, no como los que en la contienda juguetean. ²⁷Como atleta, me golpeo el cuerpo, lo trato con rigor, para que aprenda a hacer lo que debe, no lo que quiere. De lo contrario, corro el riesgo de que, después de haber alistado a otros para la carrera, yo mismo no esté en buenas condiciones y me eliminen.

10 NO QUIERO, HERMANOS, que ignoren lo que le sucedió a nuestro pueblo siglos atrás, en el desierto. Dios, para guiarlos, envió una nube que avanzaba delante de ellos y los condujo sanos y salvos a través del Mar Rojo. ²A esto podríamos llamarle "bautismo" —bautismo en el mar y en la nube— como seguidores de Moisés, a quien aceptaban como jefe.

³Luego, milagrosamente Dios les dio ali-

I can win them to Christ. ²⁰ When I am with the Jews I seem as one of them so that they will listen to the Gospel and I can win them to Christ. When I am with Gentiles who follow Jewish customs and ceremonies I don't argue, even though I don't agree, because I want to help them. ²¹ When with the heathen I agree with them as much as I can, except of course that I must always do what is right as a Christian. And so, by agreeing, I can win their confidence and help them too.

²² When I am with those whose consciences bother them easily, I don't act as though I know it all and don't say they are foolish; the result is that they are willing to let me help them. Yes, whatever a person is like, I try to find common ground with him so that he will let me tell him about Christ and let Christ save him. ²³ I do this to get the Gospel to them and also for the blessing I myself receive when I see them come to Christ.

²⁴ In a race, everyone runs but only one person gets first prize. So run your race to win. ²⁵ To win the contest you must deny yourselves many things that would keep you from doing your best. An athlete goes to all this trouble just to win a blue ribbon or a silver cup, but we do it for a heavenly reward that never disappears. ²⁶ So I run straight to the goal with purpose in every step. I fight to win. I'm not just shadowboxing or playing around. ²⁷ Like an athlete I punish my body, treating it roughly, training it to do what it should, not what it wants to. Otherwise I fear that after enlisting others for the race, I myself might be declared unfit and ordered to stand aside.

10 FOR WE MUST never forget, dear brothers, what happened to our people in the wilderness long ago. God guided them by sending a cloud that moved along ahead of them; and he brought them all safely through the waters of the Red Sea. ² This might be called their "baptism" —baptized both in sea and cloud!—as followers of Moses—their commitment to him as their leader. ³,⁴ And by a miracle God sent them food to eat and water to drink

mentos ⁴y agua allí mismo en el desierto; y bebieron el agua que Cristo les daba. Cristo estaba allí con ellos como poderosa Roca de refrigerio espiritual. ⁵Mas a pesar de todo, la mayoría de los israelitas no obedecieron a Dios, y murieron allí mismo en el desierto. ⁶De aquí aprendemos una gran lección: que no debemos desear lo malo como ellos lo desearon. ⁷No debemos adorar ídolos, como ellos. (Las Escrituras nos dicen que "el pueblo se sentó a comer y a beber, y se levantó a danzar" en adoración al becerro de oro.)

⁸Aprendemos otra lección de la ocasión en que varios de ellos pecaron con mujeres extrañas, y veintitrés mil cayeron muertos en un día. ⁹No pongamos a prueba la paciencia del Señor, porque muchos de ellos lo hicieron y murieron mordidos por serpientes. ¹⁰Y no murmuremos contra Dios por la manera en que nos trata, como hicieron algunos israelitas y el Señor envió a su ángel a destruirlos. ¹¹Estos incidentes ocurrieron para enseñarnos objetivamente que no debemos cometer las mismas faltas; fueron escritos para que pudiéramos leerlos y extraer de ellos lecciones para estos días en que el mundo se aproxima a su fin.

¹²Mucho cuidado, pues. El que piense estar firme, tenga cuidado de no caer. ¹³Pero recuerden esto: Los malos deseos que les hayan sobrevenido no son ni nuevos ni diferentes. Muchísimos han pasado exactamente por los mismos problemas. Ninguna tentación es irresistible. Puedes estar confiado en la fidelidad de Dios, que no dejará que la tentación sea más fuerte de lo que puedes resistir; Dios lo prometió y jamás falta a su palabra. Ya verás que te muestra la manera de escapar de la tentación, para que puedas resistirla con paciencia.

¹⁴Por lo tanto, amados míos, eviten por todos los medios cualquier tipo de idolatría. ¹⁵Ustedes son inteligentes. Piénsenlo y díganme si no es verdad lo que les digo. ¹⁶Cuando pedimos la bendición del Señor al tomar de la copa de vino de la Santa Cena, ¿no quiere esto decir que el que bebe de ella comparte con los demás las bendiciones de la sangre de Cristo? Y cuando partimos el pan para comerlo juntos, estamos compartiendo los beneficios de su cuerpo. ¹⁷Por muchos que seamos, todos comemos del mismo pan, indicando que formamos parte

there in the desert; they drank the water that Christ gave them. He was there with them as a mighty Rock of spiritual refreshment. ⁵ Yet after all this most of them did not obey God, and he destroyed them in the wilderness.

⁶ From this lesson we are warned that we must not desire evil things as they did, ⁷ nor worship idols as they did. (The Scriptures tell us, "The people sat down to eat and drink and then got up to dance" in worship of the golden calf.)

⁸ Another lesson for us is what happened when some of them sinned with other men's wives, and 23,000 fell dead in one day. ⁹ And don't try the Lord's patience—they did, and died from snake bites. ¹⁰ And don't murmur against God and his dealings with you, as some of them did, for that is why God sent his Angel to destroy them.

¹¹ All these things happened to them as examples—as object lessons to us—to warn us against doing the same things; they were written down so that we could read about them and learn from them in these last days as the world nears its end.

¹² So be careful. If you are thinking, "Oh, I would never behave like that"—let this be a warning to you. For you too may fall into sin. ¹³ But remember this—the wrong desires that come into your life aren't anything new and different. Many others have faced exactly the same problems before you. And no temptation is irresistible. You can trust God to keep the temptation from becoming so strong that you can't stand up against it, for he has promised this and will do what he says. He will show you how to escape temptation's power so that you can bear up patiently against it. ¹⁴ So, dear friends, carefully avoid idol-worship of every kind.

¹⁵ You are intelligent people. Look now and see for yourselves whether what I am about to say is true. ¹⁶ When we ask the Lord's blessing upon our drinking from the cup of wine at the Lord's Table, this means, doesn't it, that all who drink it are sharing together the blessing of Christ's blood? And when we break off pieces of the bread from the loaf to eat there together, this shows that we are sharing together in the benefits of his body. ¹⁷ No matter how many of us there are, we all eat from the same loaf, showing that we are all parts of the one

de un solo cuerpo: el de Cristo. [18]Y el pueblo judío, que come de los sacrificios, se une en ese acto.

[19]¿Qué estoy tratando de decir? ¿Digo que los ídolos que reciben sacrificios de los paganos tienen vida y son dioses de verdad, y que tales sacrificios tienen valor? [20]No, de ninguna manera. Lo que digo es que los que ofrecen sacrificios a los ídolos participan unidos en adoración de demonios, y nunca en adoración a Dios. No quiero que ninguno de ustedes sea partícipe de esa comida con los demonios, juntamente con los paganos que la han ofrecido a los ídolos. [21]No se puede beber de la copa en la Cena del Señor y sentarse después en la mesa de Satanás. No se puede comer pan de la mesa del Señor y de la mesa de Satanás. [22]¿Qué, pues? ¿Nos arriesgaremos a poner celoso al Señor? ¿Somos más fuertes que El?

[23]Por supuesto, somos libres y podemos comer carnes sacrificadas a los ídolos si queremos; no está en contra de la ley de Dios. Sin embargo esto no quiere decir que tienes que comerla, pues no siempre es conveniente. [24]Uno no puede pensar sólo en uno mismo. Hay que pensar en los demás también, y en lo que conviene para el bien de ellos. [25]Les voy a decir lo que tienen que hacer. Coman de cualquier carne que se venda en la carnicería. No pregunten si fue ofrecida a los ídolos o no, a menos que los moleste su conciencia. [26]Porque la tierra y cuanto en ella hay pertenecen al Señor y uno puede disfrutarlo.

[27]Si alguien que no es cristiano los invita a comer, acepten la invitación si les place. Coman cuanto les pongan delante sin preguntar nada. Y como no saben si aquella carne fue antes sacrificada o no lo fue, su conciencia no los puede molestar. [28]Pero si alguien les advierte que aquella carne fue sacrificada a los ídolos, no la coman por el bien del que lo dijo, aunque del Señor es la tierra y todo lo que en ella hay. [29]En este caso no está en juego la conciencia de uno, sino la del otro. Es probable que se estén preguntando: "¿Por qué tiene uno que guiarse por lo que otro piense y limitarse a sus opiniones? [30]Si puedo dar gracias a Dios por lo que como y disfrutar la comida, ¿por qué no he de hacerlo nada más porque el otro piense que es malo?" [31]Les diré por qué: uno debe de glorificar a Dios en todo lo que hace, hasta en lo que come y bebe. [32]No

body of Christ. [18] And the Jewish people, all who eat the sacrifices, are united by that act.

[19] What am I trying to say? Am I saying that the idols to whom the heathen bring sacrifices are really alive and are real gods, and that these sacrifices are of some value? No, not at all. [20] What I am saying is that those who offer food to these idols are united together in sacrificing to demons, certainly not to God. And I don't want any of you to be partners with demons when you eat the same food, along with the heathen, that has been offered to these idols. [21] You cannot drink from the cup at the Lord's Table and at Satan's table, too. You cannot eat bread both at the Lord's Table and at Satan's table.

[22] What? Are you tempting the Lord to be angry with you? Are you stronger than he is? [23] You are certainly free to eat food offered to idols if you want to; it's not against God's laws to eat such meat, but that doesn't mean that you should go ahead and do it. It may be perfectly legal, but it may not be best and helpful. [24] Don't think only of yourself. Try to think of the other fellow, too, and what is best for him.

[25] Here's what you should do. Take any meat you want that is sold at the market. Don't ask whether or not it was offered to idols, lest the answer hurt your conscience. [26] For the earth and every good thing in it belongs to the Lord and is yours to enjoy.

[27] If someone who isn't a Christian asks you out to dinner, go ahead; accept the invitation if you want to. Eat whatever is on the table and don't ask any questions about it. Then you won't know whether or not it has been used as a sacrifice to idols, and you won't risk having a bad conscience over eating it. [28] But if someone warns you that this meat has been offered to idols, then don't eat it for the sake of the man who told you, and of his conscience. [29] In this case *his* feeling about it is the important thing, not yours.

But why, you may ask, must I be guided and limited by what someone else thinks? [30] If I can thank God for the food and enjoy it, why let someone spoil everything just because he thinks I am wrong? [31] Well, I'll tell you why. It is because you must do everything for the glory of God, even your eating and drinking. [32] So don't be a stum-

seamos piedra de tropiezo para nadie, ni para los judíos ni para los gentiles ni para los cristianos. ³³Eso trato de hacer yo. Procuro agradar a todo el mundo, y no hago sólo lo que me gusta o conviene, sino lo que es mejor para los demás, para que así puedan salvarse.

11 SIGAN MI EJEMPLO, así como yo sigo el de Cristo. ²Me alegra muchísimo, hermanos, que hayan recordado y puesto en práctica lo que les enseñé. ³Pero hay algo que deseo recordarles: La mujer está sujeta al esposo, el esposo a Cristo y Cristo a Dios. ⁴Por eso, si un hombre no se quita el sombrero mientras ora o predica, deshonra a Cristo. ⁵Y si una mujer ora o profetiza en público sin cubrirse la cabeza, deshonra al esposo, porque el estar cubierta es señal de sujeción a él. ⁶Por eso, si se niega a cubrirse la cabeza, debe cortarse el pelo. Y si no quiere cortárselo porque le es vergonzoso, cúbrase la cabeza.

⁷Pero el hombre no debe ponerse nada en la cabeza, porque esto es señal de sujeción a otros hombres. La gloria de Dios es el hombre que hizo a su imagen, y la gloria del hombre es la mujer; ⁸porque el primer hombre no salió de una mujer, sino que la primera mujer salió de un hombre. ⁹Y el primer hombre, Adán, no fue hecho para Eva, sino ella para beneficio de Adán. ¹⁰Por eso es que la mujer debe cubrirse la cabeza como señal de sometimiento a la autoridad del hombre, y para alegría y regocijo de los ángeles.

¹¹Pero recuerden que según el plan de Dios el hombre y la mujer se necesitan; ¹²porque aunque la primera mujer salió de un hombre, desde entonces a acá todos los hombres han nacido de mujer, y el hombre y la mujer proceden de Dios el Creador. ¹³¿Qué opinan realmente de esto? ¿Está bien que la mujer ore en público sin cubrirse la cabeza? ¹⁴¿No es cierto que los instintos mismos nos enseñan que la mujer debe cubrirse la cabeza? ¹⁵La mujer, por ejemplo, se siente orgullosa de los cabellos largos, pues le sirven de velo; mientras que en el hombre el pelo largo tiende a ser vergonzoso. ¹⁶El que quiera discutir, que discuta. Lo único que sé es que nosotros enseñamos siempre que la mujer debe cubrirse la cabeza cuando profetiza u ora en

bling block to anyone, whether they are Jews or Gentiles or Christians. ³³ That is the plan I follow, too. I try to please everyone in everything I do, not doing what I like or what is best for me, but what is best for them, so that they may be saved.

11 AND YOU SHOULD follow my example, just as I follow Christ's. ² I am so glad, dear brothers, that you have been remembering and doing everything I taught you. ³ But there is one matter I want to remind you about: that a wife is responsible to her husband, her husband is responsible to Christ, and Christ is responsible to God. ⁴ That is why, if a man refuses to remove his hat while praying or preaching, he dishonors Christ. ⁵ And that is why a woman who publicly prays or prophesies without a covering on her head dishonors her husband [for her covering is a sign of her subjection to him]. ⁶ Yes, if she refuses to wear a head covering, then she should cut off all her hair. And if it is shameful for a woman to have her head shaved, then she should wear a covering. ⁷ But a man should not wear anything on his head [when worshiping, for his hat is a sign of subjection to men].

God's glory is man made in his image, and man's glory is the woman. ⁸ The first man didn't come from woman, but the first woman came out of man. ⁹ And Adam, the first man, was not made for Eve's benefit, but Eve was made for Adam. ¹⁰ So a woman should wear a covering on her head as a sign that she is under man's authority, a fact for all the angels to notice and rejoice in.

¹¹ But remember that in God's plan men and women need each other. ¹² For although the first woman came out of man, all men have been born from women ever since, and both men and women come from God their Creator.

¹³ What do you yourselves really think about this? Is it right for a woman to pray in public without covering her head? ¹⁴,¹⁵ Doesn't even instinct itself teach us that women's heads should be covered? For women are proud of their long hair, while a man with long hair tends to be ashamed. ¹⁶ But if anyone wants to argue about this, all I can say is that we never teach anything else than this—that a woman should wear a covering when prophesying or praying

público en la iglesia; y sé también que las demás iglesias cristianas piensan lo mismo.

[17]Deseaba escribirles también acerca de algo con lo que no estoy de acuerdo. Me han dicho que cuando se congregan a tomar la Santa Cena, esto resulta más para mal que para bien. [18]Todo el mundo me cuenta que se levantan grandes discusiones en dichas reuniones, y que cada vez se pronuncian más las divisiones entre ustedes. En parte lo creo. [19]¡Supongo que creen necesarias las discusiones para que los que siempre tienen la razón resalten y la gente los admire!

[20]Cuando se juntan a comer, no comen la Cena del Señor [21]sino la de ustedes. Me dicen que al comer cada uno se sirve lo más que puede sin ver si los demás han llevado suficiente, y como resultado algunos casi no tienen comida y se quedan con hambre, mientras que otros se hartan y emborrachan. [22]¿Qué está pasando? ¿Es cierto esto? ¿Es que no pueden comer y beber en casa, para no dañar a la iglesia y avergonzar a los que por ser pobres no pueden llevar alimentos? ¿Qué debo decirles en cuanto a esto? ¿Debo alabarlos? ¡Pues no señor!

[23]Les voy a repetir las enseñanzas del Señor en cuanto a la Cena de Comunión: La noche en que Judas lo traicionó, el Señor Jesús tomó pan, [24]y después de dar gracias a Dios por él, lo partió y dijo: "Tomen y coman. Esto es mi cuerpo que por ustedes es entregado. Hagan esto en memoria mía".

[25]De la misma manera, tomó la copa después de haber cenado y dijo: "Esta copa es el nuevo pacto que entre Dios y ustedes ha sido establecido e iniciado por medio de mi sangre. Cada vez que la beban, háganlo en memoria mía".

[26]Cada vez que coman este pan y beban de esta copa, estarán anunciando de nuevo el gran mensaje de que Cristo murió por ustedes. Háganlo hasta que El venga.

[27]Así que si alguien come de este pan y bebe de esta copa del Señor indignamente, está pecando contra el cuerpo y la sangre del Señor. [28]Por eso cada uno debe examinarse cuidadosamente antes de comer de este pan y beber de esta copa; [29]porque si come de este pan y bebe de esta copa indignamente, sin pensar en el cuerpo de Cristo, juicio de Dios come y bebe por

publicly in the church, and all the churches feel the same way about it.

[17] Next on my list of items to write you about is something else I cannot agree with. For it sounds as if more harm than good is done when you meet together for your communion services. [18] Everyone keeps telling me about the arguing that goes on in these meetings, and the divisions developing among you, and I can just about believe it. [19] But I suppose you feel this is necessary so that you who are always right will become known and recognized!

[20] When you come together to eat, it isn't the Lord's Supper you are eating, [21] but your own. For I am told that everyone hastily gobbles all the food he can without waiting to share with the others, so that one doesn't get enough and goes hungry while another has too much to drink and gets drunk. [22] What? Is this really true? Can't you do your eating and drinking at home, to avoid disgracing the church and shaming those who are poor and can bring no food? What am I supposed to say about these things? Do you want me to praise you? Well, I certainly do not!

[23] For this is what the Lord himself has said about his Table, and I have passed it on to you before: That on the night when Judas betrayed him, the Lord Jesus took bread, [24] and when he had given thanks to God for it, he broke it and gave it to his disciples and said, "Take this and eat it. This is my body, which is given for you. Do this to remember me." [25] In the same way, he took the cup of wine after supper, saying, "This cup is the new agreement between God and you that has been established and set in motion by my blood. Do this in remembrance of me whenever you drink it." [26] For every time you eat this bread and drink this cup you are re-telling the message of the Lord's death, that he has died for you. Do this until he comes again.

[27] So if anyone eats this bread and drinks from this cup of the Lord in an unworthy manner, he is guilty of sin against the body and the blood of the Lord. [28] That is why a man should examine himself carefully before eating the bread and drinking from the cup. [29] For if he eats the bread and drinks from the cup unworthily, not thinking about the body of Christ and what it means, he is eating and drinking God's

tomar a la ligera la muerte de Cristo. ³⁰Por eso tantos de ustedes están débiles y enfermos, y varios han muerto. ³¹Pero si nos examinamos cuidadosamente antes de comer, no tenemos por qué ser juzgados y castigados. ³²Mas el Señor nos juzga y castiga para que no seamos condenados con el resto del mundo. ³³En fin, hermanos, cuando se reúnan para la Santa Cena, espérense unos a otros. ³⁴El que tenga hambre, coma en la casa, para que no se busque un castigo cuando coma con los demás.

Las demás cuestiones las hablaremos cuando vaya a verlos.

12 Y AHORA, HERMANOS, deseo hablarles de los dones individuales que el Espíritu Santo concede, porque quiero que los entiendan bien. ²Como recordarán, antes de convertirse solían andar de un ídolo a otro, ídolos que no podían pronunciar ni una sola palabra. ³Pero ahora de vez en cuando se encuentran con individuos que se proclaman mensajeros del Espíritu de Dios. ¿Cómo sabe uno que una persona tiene inspiración divina y no es un farsante? Hay una manera: Ningún mensajero del Espíritu de Dios maldice a Jesús, y nadie puede decir con toda sinceridad que "Jesucristo es el Señor" si el Espíritu Santo no lo está ayudando.

⁴Ahora bien, Dios nos da muchas clases de dones, pero el Espíritu Santo es la fuente de esos dones. ⁵Hay diferentes maneras de servir a Dios, pero siempre es a un mismo Señor al que estamos sirviendo. ⁶Hay muchas maneras en que Dios puede actuar en nuestras vidas, pero siempre es un mismo Dios el que realiza la obra en nosotros y a través de cada uno de los que somos suyos. ⁷El Espíritu Santo despliega el poder de Dios a través de cada uno de nosotros para ayudar a la iglesia entera. ⁸A unos el Espíritu capacita para impartir consejos sabios; otros tienen el don de estudiar y enseñar, y es el mismo Espíritu el que los ha dado. ⁹A unos les da El una fe extraordinaria; a otros, poder para sanar enfermos. ¹⁰A unos les concede el poder de realizar milagros, y a otros el don de profetizar y predicar. A unos les da el poder de discernir si algún espíritu malo habla a través de los

judgment upon himself; for he is trifling with the death of Christ. ³⁰That is why many of you are weak and sick, and some have even died.

³¹But if you carefully examine yourselves before eating you will not need to be judged and punished. ³²Yet, when we are judged and punished by the Lord, it is so that we will not be condemned with the rest of the world. ³³So, dear brothers, when you gather for the Lord's Supper—the communion service—wait for each other; ³⁴if anyone is really hungry he should eat at home so that he won't bring punishment upon himself when you meet together.

I'll talk to you about the other matters after I arrive.

12 AND NOW, BROTHERS, I want to write about the special abilities the Holy Spirit gives to each of you, for I don't want any misunderstanding about them. ²You will remember that before you became Christians you went around from one idol to another, not one of which could speak a single word. ³But now you are meeting people who claim to speak messages from the Spirit of God. How can you know whether they are really inspired by God or whether they are fakes? Here is the test: no one speaking by the power of the Spirit of God can curse Jesus, and no one can say, "Jesus is Lord," and really mean it, unless the Holy Spirit is helping him.

⁴Now God gives us many kinds of special abilities, but it is the same Holy Spirit who is the source of them all. ⁵There are different kinds of service to God, but it is the same Lord we are serving. ⁶There are many ways in which God works in our lives, but it is the same God who does the work in and through all of us who are his. ⁷The Holy Spirit displays God's power through each of us as a means of helping the entire church.

⁸To one person the Spirit gives the ability to give wise advice; someone else may be especially good at studying and teaching, and this is his gift from the same Spirit. ⁹He gives special faith to another, and to someone else the power to heal the sick. ¹⁰He gives power for doing miracles to some, and to others power to prophesy and preach. He gives someone else the power to know whether evil spirits are speaking through

que se dicen mensajeros de Dios, o si es de verdad el Espíritu de Dios el que está hablando. A otros les concede que puedan hablar en lenguas que desconocen; y a otros, que no conocen aquel lenguaje tampoco, les da el don de entender lo que la otra persona está diciendo.

¹¹Un mismo espíritu, el Espíritu Santo, da tales dones y poderes, y determina cuál ha de recibir cada uno. ¹²El cuerpo humano, aunque es uno, está compuesto de muchos miembros; y esos miembros, aunque son muchos, forman un solo cuerpo. Lo mismo sucede con el "cuerpo de Cristo". ¹³Cada uno de nosotros es un miembro del cuerpo de Cristo, que es uno solo. Algunos son judíos, otros son gentiles, algunos son esclavos y otros son libres. Pero el Espíritu Santo ha formado con nosotros un cuerpo. Hemos sido bautizados en el cuerpo de Cristo por un solo Espíritu, y todos hemos recibido el mismo Espíritu Santo.

¹⁴El cuerpo tiene muchos miembros, no uno solo. ¹⁵Si el pie dice: "No soy miembro del cuerpo porque no soy mano", ¿dejará por eso de ser miembro del cuerpo? ¹⁶Y si la oreja dice: "No soy miembro del cuerpo porque soy una simple oreja y no ojo", ¿dejará por eso de pertenecer al cuerpo? ¹⁷Supongamos que el cuerpo entero fuera ojo, ¿cómo oiría? Y si el cuerpo entero fuera una oreja enorme, ¿cómo olería? ¹⁸Afortunadamente Dios no nos hizo así, sino que dio al cuerpo miembros colocados como en su sabiduría quiso. ¹⁹¡Qué extraño sería el cuerpo si tuviera un solo miembro! ²⁰Pero Dios lo hizo con miembros diversos que en conjunto forman un cuerpo. ²¹El ojo jamás podrá decirle a la mano: "No te necesito". Ni la cabeza puede decirle al pie: "No te necesito". ²²Al contrario, los miembros del cuerpo que parecen más débiles e insignificantes son los más necesarios.

²³¡Sí señor! Agradecidos estamos de tener esos miembros. Y con esmero ocultamos los que no deben exhibirse, ²⁴mientras que no hacemos lo mismo con los miembros que son más decorosos. Así que Dios armó el cuerpo de tal manera que los miembros que pudieran lucir menos importantes recibieran el honor y el cuidado adicional que necesitaban. ²⁵Esto crea tan buenas relaciones entre los miembros que cada uno se ocupa de los demás con la misma solicitud

those who claim to be giving God's messages—or whether it is really the Spirit of God who is speaking. Still another person is able to speak in languages he never learned; and others, who do not know the language either, are given power to understand what he is saying. ¹¹ It is the same and only Holy Spirit who gives all these gifts and powers, deciding which each one of us should have.

¹² Our bodies have many parts, but the many parts make up only one body when they are all put together. So it is with the "body" of Christ. ¹³ Each of us is a part of the one body of Christ. Some of us are Jews, some are Gentiles, some are slaves and some are free. But the Holy Spirit has fitted us all together into one body. We have been baptized into Christ's body by the one Spirit, and have all been given that same Holy Spirit.

¹⁴ Yes, the body has many parts, not just one part. ¹⁵ If the foot says, "I am not a part of the body because I am not a hand," that does not make it any less a part of the body. ¹⁶ And what would you think if you heard an ear say, "I am not part of the body because I am only an ear, and not an eye"? Would that make it any less a part of the body? ¹⁷ Suppose the whole body were an eye—then how would you hear? Or if your whole body were just one big ear, how could you smell anything?

¹⁸ But that isn't the way God has made us. He has made many parts for our bodies and has put each part just where he wants it. ¹⁹ What a strange thing a body would be if it had only one part! ²⁰ So he has made many parts, but still there is only one body.

²¹ The eye can never say to the hand, "I don't need you." The head can't say to the feet, "I don't need you."

²² And some of the parts that seem weakest and least important are really the most necessary. ²³ Yes, we are especially glad to have some parts that seem rather odd! And we carefully protect from the eyes of others those parts that should not be seen, ²⁴ while of course the parts that may be seen do not require this special care. So God has put the body together in such a way that extra honor and care are given to those parts that might otherwise seem less important. ²⁵ This makes for happiness among the parts, so that the parts have the same care

con que se ocupan de ellos mismos. ²⁶Si un miembro sufre, los demás miembros sufren con él, y si un miembro recibe algún honor, los demás se regocijan con él.

²⁷Lo que estoy tratando de decir es lo siguiente: Todos ustedes, en conjunto, forman el cuerpo de Cristo, y cada uno es miembro individual y necesario del mismo. ²⁸He aquí una lista de algunos de los miembros que El ha puesto en su iglesia, que es su cuerpo:

apóstoles,
profetas (los que predican la Palabra de Dios),
maestros,
los que realizan milagros,
los que tienen el don de sanar,
los que pueden ayudar a los demás,
los que pueden lograr que los demás trabajen unidos,
los que hablan lenguas extrañas,

²⁹¿Son todos apóstoles? Claro que no. ¿Son todos predicadores? No. ¿Son todos maestros? Por supuesto que no. ³⁰¿Ha dado Dios a todo el mundo el don de sanar enfermos y de hablar en lenguas extrañas? ¿Puede cualquiera entender e interpretar lo que dicen las personas que tienen el don de hablar lenguas extrañas? ³¹No, pero traten por todos los medios de obtener los mejores dones.

Ahora bien, déjenme hablarles de algo que es mejor que el más excelente de los dones.

13 SI YO TUVIERA el don de hablar en lenguas extrañas, si pudiera hablar en cualquier idioma celestial o terrenal, y no sintiera amor hacia los demás, lo único que haría sería ruido.

²Si tuviera el don de profecía y supiera lo que va a suceder en el futuro, si supiera absolutamente de todo, y no sintiera amor hacia los demás, ¿de qué me serviría? Y si tuviera una fe tan grande que al pronunciar una palabra los montes cambiaran de lugar, de nada serviría sin amor.

³Si entregara a los pobres hasta el último bien terrenal que poseyera, si me quemaran vivo por predicar el evangelio y no tuviera amor, de nada me serviría.

⁴El amor es paciente, es benigno; el amor no es celoso ni envidioso; el amor no es presumido ni orgulloso; ⁵no es arrogante

for each other that they do for themselves. ²⁶ If one part suffers, all parts suffer with it, and if one part is honored, all the parts are glad.

²⁷ Now here is what I am trying to say: All of you together are the one body of Christ and each one of you is a separate and necessary part of it. ²⁸ Here is a list of some of the parts he has placed in his church, which is his body:

Apostles,
Prophets—those who preach God's Word,
Teachers,
Those who do miracles,
Those who have the gift of healing,
Those who can help others,
Those who can get others to work together,
Those who speak in languages they have never learned.

²⁹ Is everyone an apostle? Of course not. Is everyone a preacher? No. Are all teachers? Does everyone have the power to do miracles? ³⁰ Can everyone heal the sick? Of course not. Does God give all of us the ability to speak in languages we've never learned? Can just anyone understand and translate what those are saying who have that gift of foreign speech? ³¹ No, but try your best to have the more important of these gifts.

First, however, let me tell you about something else that is better than any of them!

13 IF I HAD the gift of being able to speak in other languages without learning them, and could speak in every language there is in all of heaven and earth, but didn't love others, I would only be making noise. ² If I had the gift of prophecy and knew all about what is going to happen in the future, knew everything about *everything,* but didn't love others, what good would it do? Even if I had the gift of faith so that I could speak to a mountain and make it move, I would still be worth nothing at all without love. ³ If I gave everything I have to poor people, and if I were burned alive for preaching the Gospel but didn't love others, it would be of no value whatever.

⁴ Love is very patient and kind, never jealous or envious, never boastful or proud, ⁵ never haughty or selfish or rude. Love does

ni egoísta ni grosero; no trata de salirse siempre con la suya; no es irritable ni quisquilloso; no guarda rencor; ⁶no le gustan las injusticias y se regocija cuando triunfa la verdad.

⁷El que ama es fiel a ese amor, cuéstele lo que le cueste; siempre confía en la persona amada, espera de ella lo mejor y la defiende con firmeza.

⁸Un día se dejará de profetizar, de hablar en lenguas, y el saber ya no será necesario. Pero siempre existirá el amor. ⁹A pesar de los dones recibidos, sabemos muy poco, y la predicación de los mejores predicadores es muy pobre. ¹⁰Pero cuando Dios nos haga perfectos y completos, no necesitaremos los limitados dones que ahora poseemos, y éstos cesarán. ¹¹Cuando yo era niño, hablaba, pensaba y razonaba como niño. Pero cuando alcancé madurez en la vida, mis pensamientos alcanzaron un nivel muy superior al de un niño, y dejé a un lado las cosas de niño. ¹²De la misma manera, nuestros conocimientos de Dios son ahora muy limitados, como si apenas alcanzáramos a ver su figura en un espejo defectuoso y de mala calidad; pero un día lo veremos tal como es, cara a cara. Mis conocimientos son ahora vagos, borrosos, pero en aquel día lo veré con la misma claridad con que El me ve el corazón.

¹³Tres cosas permanecerán: la fe, la esperanza y el amor. Pero lo más importante de estas tres cosas es el amor.

14 ¡QUE EL AMOR sea siempre para ustedes la más alta meta! Desde luego, pidan también los dones que da el Espíritu Santo, especialmente el don de profecía, que los capacitará para predicar el mensaje de Dios.

²Si tienes el don de "hablar en lenguas", en lenguas que desconoces, le estarás hablando a Dios y no a tus semejantes, y ellos no te entenderán. Estarás hablando mediante el poder del Espíritu, pero el mensaje quedará oculto. ³El que profetiza, en cambio, proclama mensajes de Dios que edifican, exhortan y consuelan a los oyentes.

⁴Por lo tanto, la persona que "habla en lenguas" se ayuda a sí misma a crecer espiritualmente, pero el que profetiza, el

not demand its own way. It is not irritable or touchy. It does not hold grudges and will hardly even notice when others do it wrong. ⁶ It is never glad about injustice, but rejoices whenever truth wins out. ⁷ If you love someone you will be loyal to him no matter what the cost. You will always believe in him, always expect the best of him, and always stand your ground in defending him.

⁸ All the special gifts and powers from God will someday come to an end, but love goes on forever. Someday prophecy, and speaking in unknown languages, and special knowledge—these gifts will disappear. ⁹ Now we know so little, even with our special gifts, and the preaching of those most gifted is still so poor. ¹⁰ But when we have been made perfect and complete, then the need for these inadequate special gifts will come to an end, and they will disappear.

¹¹ It's like this: when I was a child I spoke and thought and reasoned as a child does. But when I became a man my thoughts grew far beyond those of my childhood, and now I have put away the childish things. ¹² In the same way, we can see and understand only a little about God now, as if we were peering at his reflection in a poor mirror; but someday we are going to see him in his completeness, face to face. Now all that I know is hazy and blurred, but then I will see everything clearly, just as clearly as God sees into my heart right now.

¹³ There are three things that remain—faith, hope, and love—and the greatest of these is love.

14 LET LOVE BE your greatest aim; nevertheless, ask also for the special abilities the Holy Spirit gives, and especially the gift of prophecy, being able to preach the messages of God.

² But if your gift is that of being able to "speak in tongues," that is, to speak in languages you haven't learned, you will be talking to God but not to others, since they won't be able to understand you. You will be speaking by the power of the Spirit but it will all be a secret. ³ But one who prophesies, preaching the messages of God, is helping others grow in the Lord, encouraging and comforting them. ⁴ So a person "speaking in tongues" helps himself grow spiritually, but one who prophesies, preaching

que proclama mensajes de Dios, contribuye a que la iglesia crezca en santidad. ⁵Ojalá todos pudieran hablar en lenguas, pero preferiría que profetizaran, que predicaran, porque éste es un don muy superior y mucho más útil que hablar en lenguas extrañas, a menos que después de hablar interpreten lo que estaban diciendo para que la iglesia se beneficie en algo. ⁶Porque, díganme ustedes, hermanos, si voy y les hablo en lenguas que no entienden, ¿de qué les sirve? Pero si les digo con claridad lo que Dios me ha revelado, si les comunico lo que sé, lo que va a suceder y las grandes verdades de la Palabra de Dios, sí les estoy dando lo que les hace falta, lo que de veras les será útil.

⁷Aun los instrumentos musicales —la flauta o el arpa, digamos— ilustran con sus diferentes sonidos combinados la necesidad de hablar en un lenguaje claro, simple, familiar a los oyentes, en vez de hablar en lenguas extrañas. ¿Quién puede reconocer la melodía que la flauta está tocando si no se toca cada nota con claridad? ⁸Y si el trompetero del ejército no toca las notas que debe, ¿cómo sabrán los soldados que se les está ordenando marchar a la batalla? ⁹De la misma manera, si uno le habla a una persona en un idioma que no entiende, ¿cómo sabrá lo que se le está diciendo? Sería como hablarle al aire. ¹⁰En el mundo existen cientos de idiomas diferentes, y supongo que cada uno es excelente para el que lo entiende. ¹¹Sin embargo, si alguien me habla en uno de esos idiomas y no lo entiendo, yo seré extranjero para él y él lo será para mí.

¹²Si anhelan tanto tener alguno de los dones del Espíritu Santo, pídanle que les dé los mejores, los que de veras puedan ser útiles a la iglesia en general. ¹³Si alguien recibe el don de hablar en lenguas extrañas, ore para que el Señor le dé también el don de interpretar; ¹⁴porque si uno ora en un idioma que no entiende, el espíritu ora, pero uno no sabe lo que está diciendo. ¹⁵En un caso así, ¿qué debo hacer? Debo orar con el espíritu, pero también con el entendimiento. Debo cantar con el espíritu siempre que se entienda la alabanza que estoy elevando; ¹⁶porque si alabas y das gracias a Dios en otro idioma, ¿cómo podrán alabar

messages from God, helps the entire church grow in holiness and happiness.

⁵ I wish you all had the gift of "speaking in tongues" but, even more, I wish you were all able to prophesy, preaching God's messages, for that is a greater and more useful power than to speak in unknown languages —unless, of course, you can tell everyone afterwards what you were saying, so that they can get some good out of it too.

⁶ Dear friends, even if I myself should come to you talking in some language you don't understand, how would that help you? But if I speak plainly what God has revealed to me, and tell you the things I know, and what is going to happen, and the great truths of God's Word—that is what you need; that is what will help you. ⁷ Even musical instruments—the flute, for instance, or the harp—are examples of the need for speaking in plain, simple English rather than in unknown languages. For no one will recognize the tune the flute is playing unless each note is sounded clearly. ⁸ And if the army bugler doesn't play the right notes, how will the soldiers know that they are being called to battle? ⁹ In the same way, if you talk to a person in some language he doesn't understand, how will he know what you mean? You might as well be talking to an empty room.

¹⁰ I suppose that there are hundreds of different languages in the world, and all are excellent for those who understand them, ¹¹ but to me they mean nothing. A person talking to me in one of these languages will be a stranger to me and I will be a stranger to him. ¹² Since you are so anxious to have special gifts from the Holy Spirit, ask him for the very best, for those that will be of real help to the whole church.

¹³ If someone is given the gift of speaking in unknown tongues, he should pray also for the gift of knowing what he has said, so that he can tell people afterwards, plainly. ¹⁴ For if I pray in a language I don't understand, my spirit is praying but I don't know what I am saying. ¹⁵ Well, then, what shall I do? I will do both. I will pray in unknown tongues and also in ordinary language that everyone understands. I will sing in unknown tongues and also in ordinary language, so that I can understand the praise I am giving; ¹⁶ for if you praise and thank God with the spirit alone, speaking in an-

a Dios contigo los que no entienden tus palabras? ¿Cómo podrán dar gracias si no saben lo que estás diciendo? [17]Tu oración de acción de gracias podrá ser hermosa, pero no edificará a los presentes.

[18]Gracias a Dios, puedo hablar en lenguas más que cualquiera de ustedes. [19]Pero cuando adoro en público prefiero hablar cinco palabras que la gente pueda entender, y que puedan serles de ayuda, que diez mil palabras en lengua desconocida.

[20]Amados hermanos, no sean niños en cuanto a la comprensión de estas cosas. Sean niños en lo que a malicia se refiere, pero maduros e inteligentes en la comprensión de asuntos como éstos.

[21]Dicen las Escrituras que Dios enviaría hombres de otras tierras a hablar en idioma extraño a su pueblo, pero que ni aun así oirían. [22]Así que, como ven, "hablar en lenguas" no beneficia a los hijos de Dios, aunque sirve para captar el interés de los incrédulos. En cambio, los cristianos necesitan la profecía, la predicación de las verdades de Dios, aunque para los incrédulos no signifique mucho. [23]Aun así, si un incrédulo, o alguien que no conoce estos dones, llega a la iglesia y los oye hablar en lenguas extrañas, lo más probable es que piense que están locos. [24]Pero si todos profetizan (aunque tales predicaciones sean mayormente para creyentes) y un incrédulo o un cristiano nuevo que no entiende estas cosas entra, se convencerá de que es pecador, y sentirá remordimiento. [25]Mientras escucha, sus más íntimos pensamientos saldrán a la luz y se postrará de rodillas a adorar a Dios y sabrá que Dios de veras está entre ustedes.

[26]Bien, hermanos míos, resumamos lo que vengo diciendo. Cuando se reúnan, unos canten, otros enseñen o comuniquen lo que Dios les haya revelado o hablen en lenguas extrañas o interpreten lo que los otros dijeron en lenguas extrañas; pero que todo sirva para la edificación de la iglesia en el Señor. [27]No más de dos, o cuando más tres personas, deben hablar en lengua extraña. Deben hacerlo por turno, y alguien

other language, how can those who don't understand you be praising God along with you? How can they join you in giving thanks when they don't know what you are saying? [17] You will be giving thanks very nicely, no doubt, but the other people present won't be helped.

[18] I thank God that I "speak in tongues" privately more than any of the rest of you. [19] But in public worship I would much rather speak five words that people can understand and be helped by, than ten thousand words while "speaking in tongues" in an unknown language.

[20] Dear brothers, don't be childish in your understanding of these things. Be innocent babies when it comes to planning evil, but be men of intelligence in understanding matters of this kind. [21] We are told in the ancient Scriptures that God would send men from other lands to speak in foreign languages to his people, but even then they would not listen. [22] So you see that being able to "speak in tongues" is not a sign to God's children concerning his power, but is a sign to the unsaved. However, prophecy (preaching the deep truths of God) is what the Christians need, and unbelievers aren't yet ready for it. [23] Even so, if an unsaved person, or someone who doesn't have these gifts, comes to church and hears you all talking in other languages, he is likely to think you are crazy. [24] But if you prophesy, preaching God's Word, [even though such preaching is mostly for believers] and an unsaved person or a new Christian comes in who does not understand about these things, all these sermons will convince him of the fact that he is a sinner, and his conscience will be pricked by everything he hears. [25] As he listens, his secret thoughts will be laid bare and he will fall down on his knees and worship God, declaring that God is really there among you.

[26] Well, my brothers, let's add up what I am saying. When you meet together some will sing, another will teach, or tell some special information God has given him, or speak in an unknown language, or tell what someone else is saying who is speaking in the unknown language, but everything that is done must be useful to all, and build them up in the Lord. [27] No more than two or three should speak in an unknown language, and they must speak one at a time, and someone

debe estar listo para interpretar lo que se está diciendo. ²⁸Si no hay intérprete entre los presentes, no deben hablar en voz alta en el idioma desconocido; hablen para sí mismos y para Dios, pero no públicamente.

²⁹,³⁰Dos o tres pueden profetizar, si tienen el don, pero háganlo mientras los demás escuchan. Si mientras uno está profetizando otro recibe un mensaje del Señor, no debe interrumpir al que está hablando; debe dejar que termine. ³¹De esta manera los que tienen el don de profetizar podrán hablar uno tras otro, mientras los demás aprenden y se animan.

³²Recuerden que los mensajeros de Dios deben tener la fuerza de voluntad suficiente para dominarse y esperar su turno. ³³A Dios no le agradan los desórdenes ni las irregularidades. Le gusta la armonía, como la que reina en las demás iglesias.

³⁴Las mujeres deben guardar silencio en los servicios. No deben entrar en las deliberaciones, porque están subordinadas a los hombres, como lo declaran las Escrituras. ³⁵Si desean preguntar algo, pregúntenselo al esposo cuando lleguen a la casa, porque no es correcto que las mujeres expresen sus opiniones en los servicios religiosos. ³⁶¿De acuerdo? Recuerden que ustedes no fueron los primeros en saber de Dios ni son tampoco los únicos que saben de El. Si no saben esto, están mal.

³⁷Si alguno de ustedes tiene el don de profecía o cualquier otro don del Espíritu Santo, sabrá mejor que nadie que lo que estoy diciendo es mandamiento de Dios. ³⁸Si alguno no está de acuerdo, ¿qué le vamos a hacer? Lo dejaremos en su ignorancia.

³⁹Así que, hermano mío, procura ser profeta y expresar el mensaje de Dios con claridad meridiana; y nunca digas que no se debe hablar en lenguas. ⁴⁰Pero hágase todo decentemente y con orden.

15 PERMÍTANME RECORDARLES, HERMANOS, lo que en realidad es el evangelio. Por cierto, no ha cambiado; es el mismo evangelio que les prediqué antes. Ustedes lo aceptaron entonces, y perseveran en él, porque cimentaron su fe en este glorioso mensaje. ²Es por medio de este mensaje que ustedes alcanzan la salvación; es decir, si todavía lo creen firmemente y si la fe que mostraron al principio era sincera.

must be ready to interpret what they are saying. ²⁸ But if no one is present who can interpret, they must not speak out loud. They must talk silently to themselves and to God in the unknown language but not publicly.

²⁹,³⁰ Two or three may prophesy, one at a time, if they have the gift, while all the others listen. But if, while someone is prophesying, someone else receives a message or idea from the Lord, the one who is speaking should stop. ³¹ In this way all who have the gift of prophecy can speak, one after the other, and everyone will learn and be encouraged and helped. ³² Remember that a person who has a message from God has the power to stop himself or wait his turn. ³³ God is not one who likes things to be disorderly and upset. He likes harmony, and he finds it in all the other churches.

³⁴ Women should be silent during the church meetings. They are not to take part in the discussion, for they are subordinate to men as the Scriptures also declare. ³⁵ If they have any questions to ask, let them ask their husbands at home, for it is improper for women to express their opinions in church meetings.

³⁶ You disagree? And do you think that the knowledge of God's will begins and ends with you Corinthians? Well, you are mistaken! ³⁷ You who claim to have the gift of prophecy or any other special ability from the Holy Spirit should be the first to realize that what I am saying is a commandment from the Lord himself. ³⁸ But if anyone still disagrees—well, we will leave him in his ignorance.

³⁹ So, my fellow believers, long to be prophets so that you can preach God's message plainly; and never say it is wrong to "speak in tongues"; ⁴⁰ however, be sure that everything is done properly in a good and orderly way.

15 NOW LET ME remind you, brothers, of what the Gospel really is, for it has not changed—it is the same Good News I preached to you before. You welcomed it then and still do now, for your faith is squarely built upon this wonderful message; ² and it is this Good News that saves you if you still firmly believe it, unless of course you never really believed it in the first place.

³Lo primero que hice fue transmitirles lo que me enseñaron: que Cristo murió por nuestros pecados tal como las Escrituras lo habían predicho, ⁴y que fue sepultado y que al tercer día se levantó de la tumba como estaba profetizado. ⁵Pedro lo vio y más tarde se apareció a los doce. ⁶Después se apareció a más de quinientos cristianos a la vez, la mayoría de los cuales viven todavía, aunque algunos han muerto ya. ⁷Luego se apareció a Jacobo, y después a todos los apóstoles. ⁸Y por último, mucho después que a los demás, como a uno que había nacido casi demasiado tarde, se me apareció a mí. ⁹Soy el más insignificante de los apóstoles, título que ni siquiera debiera ostentar por lo mucho que perseguí a la iglesia de Dios. ¹⁰Mas lo que soy lo soy por la gracia de Dios. Y su gracia no ha sido en vano, porque he trabajado más que todos ellos, si bien es cierto que no he sido yo el que ha hecho la obra, sino Dios que ha obrado por medio de mí para bendecirme.

¹¹Pero no importa quién trabajó más; lo importante es que les predicamos el evangelio, y que lo creyeron.

¹²Ahora, díganme esto: Si creyeron lo que les predicamos, que Cristo resucitó, ¿por qué algunos andan diciendo que no existe la resurrección de los muertos? ¹³Si no hay resurrección, Cristo no resucitó tampoco; ¹⁴y si no resucitó, vana es nuestra predicación y vana es la fe que en Dios hemos depositado. ¹⁵Y los apóstoles seríamos unos mentirosos, porque afirmamos que Dios levantó a Cristo de la tumba, y esto es imposible si los muertos no resucitan. ¹⁶Si no resucitan, Cristo está muerto todavía, ¹⁷y tontos son ustedes al esperar que Dios los vaya a salvar; todavía están bajo la condenación del pecado. ¹⁸Además, los cristianos que ya han muerto están perdidos. ¹⁹Si el ser cristiano nos fuera de valor sólo en esta vida, somos los seres más desgraciados del mundo.

²⁰¡Pero Cristo sí resucitó! Y al resucitar se convirtió en el primero de los millones que resucitarán un día. ²¹La muerte entró en este mundo por lo que un hombre (Adán) hizo; pero gracias a lo que otro hombre (Cristo) hizo, habrá resurrección

³ I passed on to you right from the first what had been told to me, that Christ died for our sins just as the Scriptures said he would, ⁴ and that he was buried, and that three days afterwards he arose from the grave just as the prophets foretold. ⁵ He was seen by Peter and later by the rest of "the Twelve." ⁶ After that he was seen by more than five hundred Christian brothers at one time, most of whom are still alive, though some have died by now. ⁷ Then James saw him and later all the apostles. ⁸ Last of all I saw him too, long after the others, as though I had been born almost too late for this. ⁹ For I am the least worthy of all the apostles, and I shouldn't even be called an apostle at all after the way I treated the church of God.

¹⁰ But whatever I am now it is all because God poured out such kindness and grace upon me—and not without results: for I have worked harder than all the other apostles, yet actually I wasn't doing it, but God working in me, to bless me. ¹¹ It makes no difference who worked the hardest, I or they; the important thing is that we preached the Gospel to you, and you believed it.

¹² But tell me this! Since you believe what we preach, that *Christ* rose from the dead, why are some of you saying that dead people will never come back to life again? ¹³ For if there is no resurrection of the dead, then Christ must still be dead. ¹⁴ And if he is still dead, then all our preaching is useless and your trust in God is empty, worthless, hopeless; ¹⁵ and we apostles are all liars because we have said that God raised Christ from the grave, and of course that isn't true if the dead do not come back to life again. ¹⁶ If they don't, then Christ is still dead, ¹⁷ and you are very foolish to keep on trusting God to save you, and you are still under condemnation for your sins; ¹⁸ in that case all Christians who have died are lost! ¹⁹ And if being a Christian is of value to us only now in this life, we are the most miserable of creatures.

²⁰ But the fact is that Christ did actually rise from the dead, and has become the first of millions who will come back to life again some day.

²¹ Death came into the world because of what one man (Adam) did, and it is because of what this other man (Christ) has done that now there is the resurrection from the

de los muertos. ²²Morimos porque tenemos parentesco con Adán, porque somos miembros de su raza impía, y donde hay pecado hay muerte. Pero los que se unen a la familia de Cristo resucitarán. ²³Todo, sin embargo, en su debido orden: Cristo resucitó primero; luego, cuando venga Cristo, su pueblo en pleno despertará a la vida. ²⁴Después llegará el fin, en que Cristo entregará el reino a Dios el Padre, tras haber acabado por completo con sus enemigos. ²⁵Cristo tiene que reinar hasta derrotar a sus enemigos, ²⁶entre los que se encuentra el postrero de ellos: la muerte. Esta será también derrotada y destruida. ²⁷El Padre ha dado a Cristo imperio y autoridad sobre todas las cosas; por supuesto, Cristo no gobierna al Padre mismo, porque fue el Padre el que le dio autoridad para gobernar. ²⁸Cuando por fin Cristo haya ganado la batalla contra sus enemigos, El, el Hijo de Dios, se pondrá a las órdenes del Padre, para que éste, que le dio la victoria, tenga supremacía absoluta.

²⁹Si los muertos no fueran a resucitar, ¿para qué se bautizan algunos por los muertos? ¿Para qué lo hacen si no creen que los muertos resucitarán? ³⁰¿Y para qué vamos nosotros a estar constantemente jugándonos la vida? ³¹Porque les aseguro que a diario arriesgo la vida; tan cierto es esto como el gozo que siento por lo mucho que han crecido ustedes en el Señor. ³²Si lo único que uno recibe no recibe en esta vida, ¿qué gano yo enfrentándome a hombres que son fieras, como los de Efeso? Si no vamos a resucitar, lo mejor que podemos hacer es gozar la vida. ¡Comamos y bebamos que mañana moriremos!

³³No se dejen llevar por los que dicen tales cosas. Si les hacen caso pronto estarán llevando una vida como la de ellos. ³⁴Despierten y no pequen más; porque, para avergonzarlos lo digo, algunos de ustedes ni son cristianos ni saben nada de Dios.

³⁵Quizás algunos se pregunten: "¿Cómo resucitarán los muertos? ¿Qué clase de cuerpo tendrán?" ³⁶¡Necio! La respuesta la tienes en el jardín de tu casa. Cuando uno siembra una semilla, no germina ni se convierte en planta si no "muere" primero. ³⁷Y cuando el brote sale a flor de tierra es muy

dead. ²² Everyone dies because all of us are related to Adam, being members of his sinful race, and wherever there is sin, death results. But all who are related to Christ will rise again. ²³ Each, however, in his own turn: Christ rose first; then when Christ comes back, all his people will become alive again.

²⁴ After that the end will come when he will turn the kingdom over to God the Father, having put down all enemies of every kind. ²⁵ For Christ will be King until he has defeated all his enemies, ²⁶ including the last enemy—death. This too must be defeated and ended. ²⁷ For the rule and authority over all things has been given to Christ by his Father; except, of course, Christ does not rule over the Father himself, who gave him this power to rule. ²⁸ When Christ has finally won the battle against all his enemies, then he, the Son of God, will put himself also under his Father's orders, so that God who has given him the victory over everything else will be utterly supreme.

²⁹ If the dead will not come back to life again, then what point is there in people being baptized for those who are gone? Why do it unless you believe that the dead will some day rise again?

³⁰ And why should we ourselves be continually risking our lives, facing death hour by hour? ³¹ For it is a fact that I face death daily; that is as true as my pride in your growth in the Lord. ³² And what value was there in fighting wild beasts—those men of Ephesus—if it was only for what I gain in this life down here? If we will never live again after we die, then we might as well go and have ourselves a good time: let us eat, drink, and be merry. What's the difference? For tomorrow we die, and that ends everything!

³³ Don't be fooled by those who say such things. If you listen to them you will start acting like them. ³⁴ Get some sense and quit your sinning. For to your shame I say it, some of you are not even Christians at all and have never really known God.

³⁵ But someone may ask, "How will the dead be brought back to life again? What kind of bodies will they have?" ³⁶ What a foolish question! You will find the answer in your own garden! When you put a seed into the ground it doesn't grow into a plant unless it "dies" first. ³⁷ And when the green

distinto de la semilla que se plantó. Lo que uno siembra es un simple grano de trigo o de cualquier otra planta, ³⁸pero Dios le da un bello cuerpo nuevo, del tipo que quiso que tuviera. La planta será de acuerdo a la semilla. ³⁹Y de la misma manera que hay diferentes tipos de semillas y plantas, hay diferentes tipos de cuerpos.

Los hombres, las bestias, los peces y las aves son diferentes entre sí. ⁴⁰Los ángeles del cielo tienen cuerpo completamente diferente al nuestro, y la belleza y la gloria de ellos es diferente de la belleza y la gloria de los nuestros. ⁴¹Por ejemplo, el sol tiene un tipo de gloria, mientras que la luna y las estrellas tienen otro. Y las estrellas se diferencian entre sí en belleza y brillantez. ⁴²De igual manera, nuestros cuerpos terrenales, que morirán y se descompondrán, son diferentes de los cuerpos que tendremos cuando resucitemos, porque éstos no morirán jamás. ⁴³El cuerpo que ahora tenemos nos apena porque se enferma y muere; pero cuando resucite será glorioso. Ahora es débil, mortal, pero cuando resucite será completamente fuerte. ⁴⁴Al morir son simples cuerpos humanos, pero cuando resuciten serán superhumanos. Porque así como hay cuerpos naturales, humanos, los hay superhumanos, espirituales.

⁴⁵Dicen las Escrituras que al primer Adán le fue puesta un alma viviente en el cuerpo humano; pero el postrer Adán, Cristo, es superior porque tiene un espíritu vivificante. ⁴⁶Entonces, primero tenemos cuerpo humano y después Dios nos da cuerpo espiritual, celestial. ⁴⁷Adán fue hecho del polvo de la tierra, pero Cristo descendió del cielo. ⁴⁸Cada ser humano tiene un cuerpo como el de Adán, hecho de polvo; pero el que se entrega a Cristo tendrá un día un cuerpo como el de Cristo: celestial. ⁴⁹Al igual que ahora tenemos un cuerpo como el de Adán, un día lo tendremos como el de Cristo. ⁵⁰Les digo, hermanos míos, que ningún cuerpo de carne y hueso podrá entrar en el reino de Dios. Este cuerpo nuestro, corruptible, no es de los que pueden vivir eternamente.

⁵¹Les voy a revelar ahora un extraño y glorioso secreto: No todos moriremos, pero todos recibiremos nuevos cuerpos. ⁵²Ocurrirá en un abrir y cerrar de ojos, cuando

shoot comes up out of the seed, it is very different from the seed you first planted. For all you put into the ground is a dry little seed of wheat, or whatever it is you are planting, ³⁸ then God gives it a beautiful new body—just the kind he wants it to have; a different kind of plant grows from each kind of seed. ³⁹ And just as there are different kinds of seeds and plants, so also there are different kinds of flesh. Humans, animals, fish, and birds are all different.

⁴⁰ The angels in heaven have bodies far different from ours, and the beauty and the glory of their bodies is different from the beauty and the glory of ours. ⁴¹ The sun has one kind of glory while the moon and stars have another kind. And the stars differ from each other in their beauty and brightness.

⁴² In the same way, our earthly bodies which die and decay are different from the bodies we shall have when we come back to life again, for they will never die. ⁴³ The bodies we have now embarrass us for they become sick and die; but they will be full of glory when we come back to life again. Yes, they are weak, dying bodies now, but when we live again they will be full of strength. ⁴⁴ They are just human bodies at death, but when they come back to life they will be superhuman bodies. For just as there are natural, human bodies, there are also supernatural, spiritual bodies.

⁴⁵ The Scriptures tell us that the first man, Adam, was given a natural, human body but Christ is more than that, for he was life-giving Spirit.

⁴⁶ First, then, we have these human bodies and later on God gives us spiritual, heavenly bodies. ⁴⁷ Adam was made from the dust of the earth, but Christ came from heaven above. ⁴⁸ Every human being has a body just like Adam's, made of dust, but all who become Christ's will have the same kind of body as his—a body from heaven. ⁴⁹ Just as each of us now has a body like Adam's, so we shall some day have a body like Christ's.

⁵⁰ I tell you this, my brothers: an earthly body made of flesh and blood cannot get into God's kingdom. These perishable bodies of ours are not the right kind to live forever. ⁵¹ But I am telling you this strange and wonderful secret: we shall not all die, but we shall all be given new bodies! ⁵² It will all happen in a moment, in the twin-

suene la trompeta final. Cuando la trompeta suene, los cristianos que hayan muerto resucitarán con cuerpos nuevos que jamás morirán; y los que estemos vivos recibiremos de repente cuerpos nuevos también, [53]porque es imprescindible que este cuerpo corruptible nuestro se convierta en un cuerpo celestial, incorruptible e inmortal. [54]Cuando así suceda, se cumplirá la siguiente profecía: "Sorbida es la muerte con victoria". [55]¿Dónde está, oh muerte, tu aguijón? ¿Dónde está, oh sepulcro, tu victoria? [56]Porque el pecado, que es el aguijón de la muerte, ya no existirá; y la ley, que nos revela el pecado, dejará de juzgarnos. [57]¡Gracias a Dios que nos da la victoria por medio de Jesucristo nuestro Señor!

[58]Amados hermanos, como la victoria es segura, estén firmes y constantes; trabajen más para el Señor, porque nada de lo que hagamos para El será en vano.

kling of an eye, when the last trumpet is blown. For there will be a trumpet blast from the sky and all the Christians who have died will suddenly become alive, with new bodies that will never, never die; and then we who are still alive shall suddenly have new bodies too. [53] For our earthly bodies, the ones we have now that can die, must be transformed into heavenly bodies that cannot perish but will live forever.

[54] When this happens, then at last this Scripture will come true—"Death is swallowed up in victory." [55,56] O death, where then your victory? Where then your sting? For sin—the sting that causes death—will all be gone; and the law, which reveals our sins, will no longer be our judge. [57] How we thank God for all of this! It is he who makes us victorious through Jesus Christ our Lord!

[58] So, my dear brothers, since future victory is sure, be strong and steady, always abounding in the Lord's work, for you know that nothing you do for the Lord is ever wasted as it would be if there were no resurrection.

16 ESTAS SON LAS instrucciones en cuanto al dinero que están recogiendo para ayudar a los cristianos, instrucciones que di también a las iglesias de Galacia. [2]Los domingos cada uno de ustedes aparte algo de lo que ganó durante la semana, y dedíquelo a esta ofrenda. Aparten de acuerdo a lo que el Señor les haya ayudado a ganar. No esperen hasta que yo llegue; empiecen ya a recoger. [3]Cuando llegue enviaré a Jerusalén la ofrenda de amor recogida y una carta; ustedes nombrarán a varias personas de confianza para que sirvan de mensajeros. [4]Si es conveniente que yo los acompañe, iré con ellos.

[5]Llegaré a visitarlos después que vaya a Macedonia. [6]Puede ser que me quede con ustedes todo el verano; pero luego tendré que seguir a donde voy. [7]Esta vez no quiero verlos sólo de paso. Deseo quedarme con ustedes un tiempo, si el Señor me lo permite. [8]Permaneceré aquí en Efeso hasta el día de Pentecostés. [9]Aquí se me han abierto bastante las puertas para predicar y enseñar. Los resultados son muchos, a pesar de

16 NOW HERE ARE the directions about the money you are collecting to send to the Christians in Jerusalem; (and, by the way, these are the same directions I gave to the churches in Galatia). [2] On every Lord's Day each of you should put aside something from what you have earned during the week, and use it for this offering. The amount depends on how much the Lord has helped you earn. Don't wait until I get there and then try to collect it all at once. [3] When I come I will send your loving gift with a letter to Jerusalem, to be taken there by trustworthy messengers you yourselves will choose. [4] And if it seems wise for me to go along too, then we can travel together.

[5] I am coming to visit you after I have been to Macedonia first, but I will be staying there only for a little while. [6] It could be that I will stay longer with you, perhaps all winter, and then you can send me on to my next destination. [7] This time I don't want to make just a passing visit and then go right on; I want to come and stay awhile, if the Lord will let me. [8] I will be staying here at Ephesus until the holiday of Pentecost, [9] for there is a wide open door for me to preach and teach here. So much is happening, but

que muchos son también los adversarios.

¹⁰Si Timoteo llega por allá, procuren que se sienta contento, porque él trabaja para el Señor al igual que yo. ¹¹No permitan que nadie lo desprecie o subestime por el simple hecho de que sea joven. Me gustaría que al venir a mí se sintiera contento de haber pasado un tiempo con ustedes. Espero verlo pronto, así como a los que vengan con él.

¹²Supliqué a Apolos que fuera con los demás hermanos a visitarlos, pero pensó que no era prudente que fuera ahora. Mas irá tan pronto se le presente la oportunidad.

¹³Estén alertas siempre a los peligros espirituales; sean fieles al Señor. Pórtense varonilmente y sean fuertes. ¹⁴Cualquier cosa que hagan, háganla con bondad y amor.

¹⁵¿Se acuerdan de Estéfanas y familia? Fueron los primeros en convertirse al cristianismo en Grecia, y han dedicado sus vidas a ayudar y a servir a los cristianos. ¹⁶Obedezcan y ayuden lo más que puedan a Estéfanas y familia, así como a cualquiera que, como ellos, trabaje al lado de ustedes con gran devoción. ¹⁷Me dio mucha alegría ver llegar de visita a Estéfanas, Fortunato y Acaico. Ellos me han dado la ayuda que ustedes no me podían dar por no estar aquí. ¹⁸Me alegraron muchísimo y me animaron, como ustedes lo habrían hecho también. Espero que reconozcan la obra que estos hermanos realizan.

¹⁹Las iglesias de Asia les envían saludos fraternales. Aquila y Priscila les envían su afecto, y lo mismo hacen los que se reúnen en casa de ellos para celebrar los cultos. ²⁰Los hermanos de acá me han pedido que les envíe saludos. Cuando se reúnan, dense un fuerte abrazo en nombre nuestro.

²¹Las palabras finales de esta carta las escribiré con mi propia mano:

²²El que no ama al Señor está bajo maldición. ¡El Señor viene! ²³Que el amor y el favor de nuestro Señor Jesucristo estén con ustedes.

²⁴Los amo a todos, porque todos pertenecemos a Jesucristo. Amén.

Sinceramente,
Pablo

there are many enemies.

¹⁰ If Timothy comes make him feel at home, for he is doing the Lord's work just as I am. ¹¹ Don't let anyone despise or ignore him [because he is young], but send him back to me happy with his time among you; I am looking forward to seeing him soon, along with the others who are returning. ¹² I begged Apollos to visit you along with the others, but he thought that it was not at all God's will for him to go now; he will be seeing you later on when he has the opportunity.

¹³ Keep your eyes open for spiritual danger; stand true to the Lord; act like men; be strong; ¹⁴ and whatever you do, do it with kindness and love.

¹⁵ Do you remember Stephanas and his family? They were the first to become Christians in Greece and they are spending their lives helping and serving Christians everywhere. ¹⁶ Please follow their instructions and do everything you can to help them as well as all others like them who work hard at your side with such real devotion. ¹⁷ I am so glad that Stephanas, Fortunatus, and Achaicus have arrived here for a visit. They have been making up for the help you aren't here to give me. ¹⁸ They have cheered me greatly and have been a wonderful encouragement to me, as I am sure they were to you, too. I hope you properly appreciate the work of such men as these.

¹⁹ The churches here in Asia send you their loving greetings. Aquila and Priscilla send you their love and so do all the others who meet in their home for their church service. ²⁰ All the friends here have asked me to say "hello" to you for them. And give each other a loving handshake when you meet.

²¹ I will write these final words of this letter with my own hand: ²² if anyone does not love the Lord, that person is cursed. Lord Jesus, come! ²³ May the love and favor of the Lord Jesus Christ rest upon you. ²⁴ My love to all of you, for we all belong to Christ Jesus.

Sincerely,
Paul

2 CORINTIOS / 2 CORINTHIANS

1 QUERIDOS HERMANOS:

Les escriben Pablo, a quien Dios nombró mensajero de Jesucristo, y nuestro amado hermano Timoteo. Esta carta la dirigimos a los cristianos de Corinto y en general a todos los hermanos de Grecia.

²Que Dios nuestro Padre y el Señor Jesucristo los bendigan poderosamente y les den paz. ³¡Qué maravilloso es nuestro Dios! El es Padre de nuestro Señor Jesucristo, Padre de las misericordias y Dios de las consolaciones ⁴que tan maravillosamente se nos ofrecen en nuestras dificultades y pruebas. ¿Y por qué nos consuela? Para que cuando nos encontremos a alguien en problemas, falto de consuelo y aliento, podamos impartirle la misma ayuda y el mismo consuelo que Dios nos prodigó.

⁵Pueden estar seguros que mientras más sufrimos por Cristo, mayor es el consuelo y el aliento que El nos da. ⁶,⁷Estamos en grandes dificultades por tratar de llevarles el consuelo y la salvación de Dios. Pero en medio de nuestras tribulaciones Dios nos ha consolado para bien de ustedes; para que podamos, basados en la experiencia, enseñarles la ternura con que Dios puede consolarlos cuando tengan que pasar por los mismos sufrimientos. A su debido tiempo les dará fortaleza para resistir.

⁸Creo que deben conocer, amados hermanos, las tribulaciones que pasamos en Asia. Nos vimos tan aplastados, tan abrumados, que temimos no salir de allí con vida. ⁹Nos pareció que estábamos ya sentenciados a muerte y vimos lo inútiles que éramos para escapar; pero eso fue lo bueno, porque entonces lo dejamos todo en las manos del único que podía salvarnos: Dios, que puede hasta resucitar a los muertos.

¹⁰El nos ayudó y nos salvó de una muerte terrible, de la misma manera que nos volverá a librar cuando sea necesario. ¹¹Pero ustedes nos ayudaron también con sus oraciones, y juntos podremos elevar alabanzas a Dios al contestar El los ruegos por nuestra seguridad.

¹²Con gran satisfacción y sinceridad podemos afirmar que siempre hemos sido

1 DEAR FRIENDS,

This letter is from me, Paul, appointed by God to be Jesus Christ's messenger; and from our dear brother Timothy. We are writing to all of you Christians there in Corinth and throughout Greece. ²May God our Father and the Lord Jesus Christ mightily bless each one of you, and give you peace.

³,⁴What a wonderful God we have—he is the Father of our Lord Jesus Christ, the source of every mercy, and the one who so wonderfully comforts and strengthens us in our hardships and trials. And why does he do this? So that when others are troubled, needing our sympathy and encouragement, we can pass on to them this same help and comfort God has given us. ⁵You can be sure that the more we undergo sufferings for Christ, the more he will shower us with his comfort and encouragement. ⁶,⁷We are in deep trouble for bringing you God's comfort and salvation. But in our trouble God had comforted us—and this, too, to help you: to show you from our personal experience how God will tenderly comfort you when you undergo these same sufferings. He will give you the strength to endure.

⁸I think you ought to know, dear brothers, about the hard time we went through in Asia. We were really crushed and overwhelmed, and feared we would never live through it. ⁹We felt we were doomed to die and saw how powerless we were to help ourselves; but that was good, for then we put everything into the hands of God, who alone could save us, for he can even raise the dead. ¹⁰And he did help us, and saved us from a terrible death; yes, and we expect him to do it again and again. ¹¹But you must help us too, by praying for us. For much thanks and praise will go to God from you who see his wonderful answers to your prayers for our safety!

¹²We are so glad that we can say with utter honesty that in all our dealings we

puros y sinceros, que siempre hemos dependido de la ayuda del Señor y no de nuestras propias habilidades. Y esto es más cierto aún, si es que más cierto puede ser, en cuanto a la forma en que nos hemos comportado con ustedes. [13]Mis cartas han sido directas y sinceras, sin doble sentido. [14]Y aunque no me conocen bien (espero que algún día me conozcan), deseo que traten de aceptarme y de estar orgullosos de mí (aunque en cierto sentido ya lo están), de la misma manera en que yo estaré orgulloso de ustedes el día en que nuestro Señor Jesús regrese.

[15]Tan seguro estaba del entendimiento y la confianza de ustedes, que pensaba hacer un alto en mi viaje a Macedonia y visitarlos, [16]y hacer lo mismo en el viaje de regreso, para serles de doble bendición y para que me encaminaran luego a Judea. [17]¿Por qué cambié de planes? ¿Estaría de veras decidido? ¿O soy de los que dicen "sí" aunque por dentro están diciendo "no"? [18]Pues no. Dios sabe que no soy de esa clase de gente. Cuando digo "sí" es "sí". [19]Timoteo, Silvano y yo les hemos estado hablando de Jesucristo el Hijo de Dios. Jesucristo no es de los que dicen "sí" si cree que debe ser "no". El hace lo que dice, [20]y ejecuta y cumple las promesas de Dios por numerosas que éstas sean; y hemos publicado ya lo fiel que es El para gloria de su nombre. [21]Es precisamente ese Dios el que a ustedes y a mí nos convirtió en cristianos fieles y el que a nosotros los apóstoles nos comisionó la predicación de las Buenas Nuevas.

[22]El Señor ha puesto su marca en nosotros —que declara que le pertenecemos— y ha puesto su Santo Espíritu en nuestros corazones como garantía de que le pertenecemos y como un adelanto de lo que nos va a dar. [23]Invoco a ese Dios por testigo contra mí si no les estoy diciendo la más absoluta verdad. Todavía no he ido a visitarlos porque no quiero entristecerlos con un severo regaño. [24]Cuando vaya, aunque no puedo ayudarles mucho en la fe, porque en ésta están fuertes, deseo contribuir al gozo de ustedes. Deseo proporcionarles gozo, no tristeza.

2 "NO", ME HE dicho, "no los haré sufrir cuando los visite". [2]Porque si los entris-

have been pure and sincere, quietly depending upon the Lord for his help, and not on our own skills. And that is even more true, if possible, about the way we have acted toward you. [13,14]My letters have been straightforward and sincere; nothing is written between the lines! And even though you don't know me very well (I hope someday you will), I want you to try to accept me and be proud of me, as you already are to some extent; just as I shall be of you on that day when our Lord Jesus comes back again. [15,16]It was because I was so sure of your understanding and trust that I planned to stop and see you on my way to Macedonia, as well as afterwards when I returned, so that I could be a double blessing to you and so that you could send me on my way to Judea.

[17]Then why, you may be asking, did I change my plan? Hadn't I really made up my mind yet? Or am I like a man of the world who says "yes" when he really means "no"? [18]Never! As surely as God is true, I am not that sort of person. My "yes" means "yes."

[19]Timothy and Silvanus and I have been telling you about Jesus Christ the Son of God. He isn't one to say "yes" when he means "no." He always does exactly what he says. [20]He carries out and fulfills all of God's promises, no matter how many of them there are; and we have told everyone how faithful he is, giving glory to his name. [21]It is this God who has made you and me into faithful Christians and commissioned us apostles to preach the Good News. [22]He has put his brand upon us—his mark of ownership—and given us his Holy Spirit in our hearts as guarantee that we belong to him, and as the first installment of all that he is going to give us.

[23]I call upon this God to witness against me if I am not telling the absolute truth: the reason I haven't come to visit you yet is that I don't want to sadden you with a severe rebuke. [24]When I come, although I can't do much to help your faith, for it is strong already, I want to be able to do something about your joy: I want to make you happy, not sad.

2 "NO," I SAID to myself, "I won't do it. I'll not make them unhappy with another painful visit." [2]For if I make you sad,

tezco, ¿quién me alegrará después? Solamente ustedes, los que habré entristecido, pueden alegrarme. Precisamente por eso les escribí mi anterior carta, para que antes de mi llegada resolvieran los problemas que había entre ustedes. Así, al llegar, no me entristeceré con los que me debo gozar. Estoy seguro de que la felicidad de ustedes está tan íntimamente ligada con la mía, que no podrían sentirse gozosos si yo no lo estoy.

⁴Y ¡qué duro me fue escribir aquella carta! Se me partía el corazón al escribirla; sinceramente, lloré muchísimo. Mi intención no era hacerlos sufrir pero tenía que demostrarles el amor que les tengo y lo mucho que me preocupaba lo que estaba sucediendo entre ustedes. ⁵Pero aquel hombre, el causante del problema que traté en mi carta, no me causó tanta tristeza como la que les causó a ustedes, aunque no niego que me la causó. ⁶No quiero ser más duro con él de lo que ya he sido. Ya es bastante la desaprobación colectiva de ustedes. ⁷Ya es hora de perdonarlo y consolarlo, no vaya a ser que quede tan amargado y tan desalentado que le sea difícil recobrarse. ⁸Muéstrenle ahora que todavía lo aman. ⁹Les escribí de aquella manera precisamente para ver hasta dónde me obedecían. ¹⁰Yo perdonaré a cualquiera que perdonen. Y lo que yo haya perdonado, si algo tenía que perdonar, lo he hecho por ustedes delante de Cristo, ¹¹para que Satanás no se aproveche, como sabemos que trata siempre de aprovecharse.

¹²Bien, cuando llegué a la ciudad de Troas, el Señor me proporcionó formidables oportunidades de predicar el evangelio. ¹³Pero Tito, mi amado hermano, no estaba allí cuando llegué. Tan intranquilo me puso esto que me despedí y corrí a Macedonia en su busca.

¹⁴Pero, ¡gracias a Dios! Porque por medio de la obra que realizó, Cristo triunfó sobre nosotros y ahora dondequiera que vamos nos usa para hablar a otros del Señor y esparcir el evangelio como perfume fragante. ¹⁵Para Dios en nuestras vidas hay una suave fragancia. Es la fragancia de Cristo en nosotros, olor que llega a los salvados y a los que no lo son. ¹⁶Para los que

who is going to make me happy? You are the ones to do it, and how can you if I cause you pain? ³ That is why I wrote as I did in my last letter, so that you will get things straightened out before I come. Then, when I do come, I will not be made sad by the very ones who ought to give me greatest joy. I felt sure that your happiness was so bound up in mine that you would not be happy either, unless I came with joy.

⁴ Oh, how I hated to write that letter! It almost broke my heart and I tell you honestly that I cried over it. I didn't want to hurt you, but I had to show you how very much I loved you and cared about what was happening to you.

⁵,⁶ Remember that the man I wrote about, who caused all the trouble, has not caused sorrow to me as much as to all the rest of you—though I certainly have my share in it too. I don't want to be harder on him than I should. He has been punished enough by your united disapproval. ⁷ Now it is time to forgive him and comfort him. Otherwise he may become so bitter and discouraged that he won't be able to recover. ⁸ Please show him now that you still do love him very much.

⁹ I wrote to you as I did so that I could find out how far you would go in obeying me. ¹⁰ When you forgive anyone, I do too. And whatever I have forgiven (to the extent that this affected me too) has been by Christ's authority, and for your good. ¹¹ A further reason for forgiveness is to keep from being outsmarted by Satan; for we know what he is trying to do.

¹² Well, when I got as far as the city of Troas, the Lord gave me tremendous opportunities to preach the Gospel. ¹³ But Titus, my dear brother, wasn't there to meet me and I couldn't rest, wondering where he was and what had happened to him. So I said good-bye and went right on to Macedonia to try to find him.

¹⁴ But thanks be to God! For through what Christ has done, he has triumphed over us so that now wherever we go he uses us to tell others about the Lord and to spread the Gospel like a sweet perfume. ¹⁵ As far as God is concerned there is a sweet, wholesome fragrance in our lives. It is the fragrance of Christ within us, an aroma to both the saved and the unsaved all around us. ¹⁶ To those who are not being

no son salvos, tenemos un terrible olor de muerte y condenación, pero para los que conocen a Cristo olemos a vida que da vida. ¿Quién está perfectamente capacitado para una tarea como ésta? [17]Sólo los hombres íntegros y sinceros que Dios ha enviado y que hablan delante de El respaldados por Cristo. No somos como esos aprovechados —de los cuales hay muchos— que predican el evangelio por lucro.

3 ¿ESTAMOS YA COMO esos falsos maestros que siempre se andan ensalzando y procuran siempre llevar consigo cartas de recomendación? Me parece que nosotros no necesitamos carta de recomendación, ¿verdad? Ni necesitamos tampoco que nos recomienden. [2]Nuestra mejor carta son ustedes mismos. Cualquiera que vea los cambios que se han operado en el corazón de ustedes sabrá evaluar la buena obra que hemos realizado entre ustedes. [3]Ustedes son carta de Cristo escrita por nosotros, no con tinta sino con el Espíritu del Dios viviente; no fue labrada en piedra, sino en las tablas del corazón humano.

[4]Hablamos así de nosotros mismos porque confiamos que Dios, a través de Cristo, nos ayudará a validar lo que decimos, [5]y no porque creamos que por nosotros mismos podemos serles de algún valor. Dios es la fuente de nuestro poder y nuestro triunfo. [6]Si no fuera por El, no podríamos hablarle a nadie del nuevo pacto divino. A nadie decimos que tiene que obedecer todas las leyes de Dios o morir, sino que el Espíritu Santo tiene vida para ellos. La antigua práctica de tratar de salvarse mediante la estricta obediencia de los Diez Mandamientos conducía a los individuos a la muerte; pero ahora el Espíritu Santo da vida.

[7]Sin embargo, cuando aquel viejo sistema de leyes que conducía a la muerte fue instituido, el pueblo no pudo fijar la vista en el rostro de Moisés. Era que, al darles la ley de Dios que debían obedecer, el rostro le resplandecía con la gloria de Dios, si bien aquella brillantez ya se estaba desvaneciendo. [8]¿No debemos esperar una gloria mucho mayor en estos días en que el Espíritu Santo está dando vida? [9]Si el plan que conducía a condenación comenzó gloriosamente, mucho más glorioso es el plan que justifica al hombre ante Dios. [10]En realidad, la gloria que brilló en el rostro de

saved, we seem a fearful smell of death and doom, while to those who know Christ we are a life-giving perfume. But who is adequate for such a task as this? [17]Only those who, like ourselves, are men of integrity, sent by God, speaking with Christ's power, with God's eye upon us. We are not like those hucksters—and there are many of them—whose idea in getting out the Gospel is to make a good living out of it.

3 ARE WE BEGINNING to be like those false teachers of yours who must tell you all about themselves and bring long letters of recommendation with them? I think you hardly need someone's letter to tell you about us, do you? And we don't need a recommendation from you, either! [2]The only letter I need is you yourselves! By looking at the good change in your hearts, everyone can see that we have done a good work among you. [3]They can see that you are a letter from Christ, written by us. It is not a letter written with pen and ink, but by the Spirit of the living God; not one carved on stone, but in human hearts.

[4]We dare to say these good things about ourselves only because of our great trust in God through Christ, that he will help us to be true to what we say, [5]and not because we think we can do anything of lasting value by ourselves. Our only power and success comes from God. [6]He is the one who has helped us tell others about his new agreement to save them. We do not tell them that they must obey every law of God or die; but we tell them there is life for them from the Holy Spirit. The old way, trying to be saved by keeping the Ten Commandments, ends in death; in the new way, the Holy Spirit gives them life.

[7]Yet that old system of law that led to death began with such glory that people could not bear to look at Moses' face. For as he gave them God's law to obey, his face shone out with the very glory of God— though the brightness was already fading away. [8]Shall we not expect far greater glory in these days when the Holy Spirit is giving life? [9]If the plan that leads to doom was glorious, much more glorious is the plan that makes men right with God. [10]In fact, that first glory as it shone from Moses' face

Moisés es insignificante en comparación con la supereminente gloria del nuevo pacto. ¹¹Si el viejo y perecedero sistema tuvo gloria, mucho más lo tendrá el nuevo plan de salvación, porque es eterno. ¹²Y como sabemos que esta nueva gloria nunca se desvanecerá, podemos predicar con plena confianza, ¹³y no como Moisés, que se cubría el rostro para que los israelitas no vieran que la gloria se le desvanecía. ¹⁴Pero no sólo el rostro de Moisés estaba cubierto; cubierto también, ciego, estaba el entendimiento del pueblo. Aun hoy día, cuando leen las Escrituras, parecen tener el corazón y la mente cubiertos por un espeso velo, porque no pueden descubrir ni entender el verdadero significado de las Escrituras. La única manera de rasgar ese velo de incomprensión es creer en Cristo. ¹⁵Sí, todavía leen los escritos de Moisés con el corazón cubierto y creen que uno se salva obedeciendo los Diez Mandamientos.

¹⁶Pero cuando una persona se aparta del pecado y se vuelve al Señor, el velo se le quita; ¹⁷porque el Señor es el Espíritu, y donde está el Espíritu hay libertad. ¹⁸Por lo tanto, los cristianos no tenemos el rostro cubierto y reflejamos la gloria del Señor como espejos claros. Y el Espíritu del Señor nos va transformando y cada vez nos vamos pareciendo más a El.

4 EL MISMO DIOS, en su misericordia, es el que nos ha encomendado la maravillosa tarea de proclamar las Buenas Nuevas, y por eso no nos damos nunca por vencidos. ²No empleamos artimañas para que la gente crea; no nos interesa engañar a nadie. Jamás intentamos que la gente crea lo que la Biblia no enseña. Sería vergonzoso si lo hiciéramos. Delante de Dios hablamos y proclamamos la verdad, y esto lo saben bien los que nos conocen. ³Si algunos no entienden el evangelio que predicamos es porque marchan hacia la muerte eterna. ⁴Satanás, el dios de este perverso mundo, los ha cegado y no pueden contemplar la gloriosa luz del evangelio que brilla ante ellos, ni entender el mensaje de la gloria de Cristo, que es la imagen del Dios invisible.

⁵Cuando predicamos, no nos predicamos a nosotros mismos, sino a Jesucristo

is worth nothing at all in comparison with the overwhelming glory of the new agreement. ¹¹ So if the old system that faded into nothing was full of heavenly glory, the glory of God's new plan for our salvation is certainly far greater, for it is eternal.

¹² Since we know that this new glory will never go away, we can preach with great boldness, ¹³ and not as Moses did, who put a veil over his face so that the Israelis could not see the glory fade away.

¹⁴ Not only Moses' face was veiled, but his people's minds and understanding were veiled and blinded too. Even now when the Scripture is read it seems as though Jewish hearts and minds are covered by a thick veil, because they cannot see and understand the real meaning of the Scriptures. For this veil of misunderstanding can be removed only by believing in Christ. ¹⁵ Yes, even today when they read Moses' writings their hearts are blind and they think that obeying the Ten Commandments is the way to be saved.

¹⁶ But whenever anyone turns to the Lord from his sins, then the veil is taken away. ¹⁷ The Lord is the Spirit who gives them life, and where he is there is freedom [from trying to be saved by keeping the laws of God]. ¹⁸ But we Christians have no veil over our faces; we can be mirrors that brightly reflect the glory of the Lord. And as the Spirit of the Lord works within us, we become more and more like him.

4 IT IS GOD himself, in his mercy, who has given us this wonderful work [of telling his Good News to others], and so we never give up. ² We do not try to trick people into believing—we are not interested in fooling anyone. We never try to get anyone to believe that the Bible teaches what it doesn't. All such shameful methods we forego. We stand in the presence of God as we speak and so we tell the truth, as all who know us will agree.

³ If the Good News we preach is hidden to anyone, it is hidden from the one who is on the road to eternal death. ⁴ Satan, who is the god of this evil world, has made him blind, unable to see the glorious light of the Gospel that is shining upon him, or to understand the amazing message we preach about the glory of Christ, who is God. ⁵ We don't go around preaching about ourselves,

como Señor. Lo único que decimos de nosotros es que somos siervos de ustedes en gratitud por lo que Jesús hizo por nosotros. ⁶Porque Dios que dijo: "Resplandezca la luz en las tinieblas", nos ha hecho comprender que es el resplandor de la gloria de El lo que brilla en el rostro de Jesucristo.

⁷Pero este precioso tesoro, esta luz y este poder que ahora brillan en nosotros los guardamos en una vasija perecedera: nuestro débil cuerpo. Por eso es tan obvio que este glorioso poder que está en nosotros es de Dios y no nuestro.

⁸Estamos acosados por problemas, pero no estamos aplastados ni vencidos. Nos vemos en apuros, pero no nos desesperamos. ⁹Nos persiguen, pero Dios no nos abandona nunca. Nos derriban, pero no nos destruyen interiormente. ¹⁰A cada rato este cuerpo nuestro se enfrenta a la muerte al igual que Jesús para que quede de manifiesto que el Jesús viviente que está en nosotros nos guarda. ¹¹A diario corremos peligro de muerte por servir al Señor, pero esto nos ofrece la constante oportunidad de manifestar el poder de Jesucristo en nuestros cuerpos mortales. ¹²Por predicar nos enfrentamos a la muerte, pero como resultado ustedes han alcanzado la vida eterna. ¹³Confiados en que Dios nos guardará, declaramos sin temor lo que creemos; como dijo el Salmista: "Creí y por eso hablé". ¹⁴Sabemos que el mismo Dios que resucitó al Señor Jesús nos resucitará también a nosotros con Jesús, y junto con ustedes nos llevará a su presencia.

¹⁵Los dolores que padecemos los padecemos por el bien de ustedes. Y mientras más sean los que de ustedes acepten a Cristo, más gracias habrá que dar a Dios por su gran bondad, y mayor gloria recibirá el Señor. ¹⁶Por eso nunca nos damos por vencidos. Aunque este cuerpo nuestro se va desgastando, por dentro nos fortalecemos cada vez más en el Señor. ¹⁷De todas maneras, estos problemas y estos sufrimientos nuestros son pequeños y no se prolongarán demasiado. Y este breve y momentáneo período de tribulación redundará en abundantes y eternas bendiciones de Dios para nosotros. ¹⁸Por lo tanto, no nos importa lo que ahora se ve, ni las tribulaciones que nos rodean, sino que fijamos la mirada en los goces celestiales que todavía no vemos. Pronto cesarán los problemas presentes,

but about Christ Jesus as Lord. All we say of ourselves is that we are your slaves because of what Jesus has done for us. ⁶For God, who said, "Let there be light in the darkness," has made us understand that it is the brightness of his glory that is seen in the face of Jesus Christ.

⁷But this precious treasure—this light and power that now shine within us —is held in a perishable container, that is, in our weak bodies. Everyone can see that the glorious power within must be from God and is not our own.

⁸We are pressed on every side by troubles, but not crushed and broken. We are perplexed because we don't know why things happen as they do, but we don't give up and quit. ⁹We are hunted down, but God never abandons us. We get knocked down, but we get up again and keep going. ¹⁰These bodies of ours are constantly facing death just as Jesus did; so it is clear to all that it is only the living Christ within [who keeps us safe]. ¹¹Yes, we live under constant danger to our lives because we serve the Lord, but this gives us constant opportunities to show forth the power of Jesus Christ within our dying bodies. ¹²Because of our preaching we face death, but it has resulted in eternal life for you.

¹³We boldly say what we believe [trusting God to care for us], just as the Psalm writer did when he said, "I believe and therefore I speak." ¹⁴We know that the same God who brought the Lord Jesus back from death will also bring us back to life again with Jesus, and present us to him along with you. ¹⁵These sufferings of ours are for your benefit. And the more of you who are won to Christ, the more there are to thank him for his great kindness, and the more the Lord is glorified.

¹⁶That is why we never give up. Though our bodies are dying, our inner strength in the Lord is growing every day. ¹⁷These troubles and sufferings of ours are, after all, quite small and won't last very long. Yet this short time of distress will result in God's richest blessing upon us forever and ever! ¹⁸So we do not look at what we can see right now, the troubles all around us, but we look forward to the joys in heaven which we have not yet seen. The troubles

pero los goces que disfrutaremos no cesarán jamás.

5 SABEMOS QUE CUANDO esta tienda de campaña en que vive nuestro hombre interior se desmantele, cuando este cuerpo nuestro perezca, recibiremos en el cielo un edificio nuevo, un cuerpo nuevo, maravilloso, eterno, construido no por manos humanas sino por Dios mismo. ²¡Cuánto sufrimos con este cuerpo mortal! Por eso anhelamos el día de la transformación de los cuerpos en que nos hemos de revestir de aquel cuerpo celestial. ³Porque no vamos a ser simples espíritus sin cuerpos. ⁴El cuerpo terrenal que ahora tenemos nos hace gemir y suspirar, pero la idea de morir, de desvestirnos de este cuerpo, nos desagrada; preferiríamos revestirnos del nuevo cuerpo, de manera que nuestro cuerpo mortal sea absorbido por la vida eterna. ⁵Dios tiene esto preparado para nosotros y nos ha dado su Santo Espíritu como garantía.

⁶Por lo tanto, vivimos confiados, con la mirada fija en nuestros cuerpos celestiales. Sabemos que cada momento que pasamos en este cuerpo terrenal lo pasamos lejos del cielo, donde está Jesús. ⁷Esto lo sabemos por la fe, no por la vista. ⁸No tememos la muerte. ¡Estamos contentos de que un día moriremos e iremos a morar con el Señor en nuestro hogar celestial! ⁹Por lo tanto procuramos siempre agradarlo, ya sea que estemos en este cuerpo o fuera de este cuerpo con El en el cielo. ¹⁰Porque un día tendremos que comparecer ante el tribunal de Cristo, y seremos juzgados. Cada uno recibirá lo que merezca por las buenas o las malas cosas que haya hecho mientras estaba en el cuerpo terrenal.

¹¹Impulsados por este temor reverencial al Señor, que nos embarga siempre, trabajamos arduamente por ganar a otros. Dios sabe que nuestros corazones son sinceros en cuanto a esto, y espero que en el fondo ustedes lo sepan también.

¹²¿Estamos otra vez tratando de ensalzarnos? No; estamos tratando de ofrecerles algunos argumentos contra esos predicadores falsos que andan siempre jactándose de lo bien que predican. Por lo menos ustedes pueden jactarse de que somos sinceros y bien intencionados. ¹³Si estamos locos pasando tanto trabajo, para gloria de Dios será. Y si estamos cuerdos, lo estamos para

will soon be over, but the joys to come will last forever.

5 FOR WE KNOW that when this tent we live in now is taken down—when we die and leave these bodies—we will have wonderful new bodies in heaven, homes that will be ours forevermore, made for us by God himself, and not by human hands. ² How weary we grow of our present bodies. That is why we look forward eagerly to the day when we shall have heavenly bodies which we shall put on like new clothes. ³ For we shall not be merely spirits without bodies. ⁴ These earthly bodies make us groan and sigh, but we wouldn't like to think of dying and having no bodies at all. We want to slip into our new bodies so that these dying bodies will, as it were, be swallowed up by everlasting life. ⁵ This is what God has prepared for us and, as a guarantee, he has given us his Holy Spirit.

⁶ Now we look forward with confidence to our heavenly bodies, realizing that every moment we spend in these earthly bodies is time spent away from our eternal home in heaven with Jesus. ⁷ We know these things are true by believing, not by seeing. ⁸ And we are not afraid, but are quite content to die, for then we will be at home with the Lord. ⁹ So our aim is to please him always in everything we do, whether we are here in this body or away from this body and with him in heaven. ¹⁰ For we must all stand before Christ to be judged and have our lives laid bare—before him. Each of us will receive whatever he deserves for the good or bad things he has done in his earthly body.

¹¹ It is because of this solemn fear of the Lord, which is ever present in our minds, that we work so hard to win others. God knows our hearts, that they are pure in this matter, and I hope that, deep within, you really know it too.

¹² Are we trying to pat ourselves on the back again? No, I am giving you some good ammunition! You can use this on those preachers of yours who brag about how well they look and preach, but don't have true and honest hearts. You can boast about us that we, at least, are well intentioned and honest. ¹³,¹⁴ Are we insane [to say such things about ourselves]? If so, it is to bring glory to God. And if we are in our right

beneficio de ustedes. [14]Hagamos lo que hagamos, no lo hacemos porque queremos, sino porque el amor de Cristo nos domina. Como creemos que Cristo murió por nosotros, debemos creer también que en El hemos muerto a la vieja vida, al tipo de vida que solíamos llevar. [15]El murió precisamente para eso: para que los que reciban la vida eterna por medio de El no vivan más para sí mismos, sino para agradar al que murió y resucitó por ellos: Jesucristo.

[16]Así que dejémonos de medir a los cristianos por lo que el mundo piense de ellos y por las apariencias. Hubo un tiempo en que erróneamente yo juzgaba a Cristo de esa manera, pues lo consideraba un hombre como otro cualquiera. ¡Cuánto le cambiado de opinión! [17]Al volverse cristiano, uno se convierte en una persona totalmente diferente. Deja de ser el de antes. ¡Surge una nueva vida! [18]Cuanto hay de nuevo en nosotros proviene de Dios, quien nos reconcilió consigo por lo que Jesucristo hizo. Y Dios nos ha otorgado la privilegiada tarea de impulsar a la gente a reconciliarse con Dios. [19]En otras palabras, Dios ha dado al mundo la oportunidad de reconciliarse con El por medio de Cristo, no tomando en cuenta los pecados del hombre sino borrándolos. Este es el glorioso mensaje que nos ha enviado a predicar. [20]Somos embajadores de Cristo. Dios les habla por medio de nosotros; en el nombre de Cristo les rogamos que acepten el amor que El les ofrece; ¡reconcíliense con Dios! [21]Porque Dios tomó a Cristo, que no tenía pecado, y arrojó sbre El nuestros pecados. ¡Y luego, para colmo de maravilla, nos declaró justos; nos justificó!

6 COMO COLABORADORES DE Dios les suplicamos que no desechen el maravilloso mensaje de la gracia de Dios. [2]Porque Dios dice: "Escuché tu clamor en tiempo favorable, y en día en que se ofrecía salvación te socorrí". Ahora mismo Dios desea recibirlos. Hoy quiere darles la salvación.

[3]Tratamos de comportarnos siempre de tal manera que nadie se escandalice ni deje de conocer al Señor por causa de nuestro comportamiento. No queremos que nadie encuentre faltas en nosotros y se las achaque al Señor. [4]En cada uno de nuestros actos tratamos de portarnos como verdaderos ministros de Dios. Con paciencia soportamos

minds, it is for your benefit. Whatever we do, it is certainly not for our own profit, but because Christ's love controls us now. Since we believe that Christ died for all of us, we should also believe that we have died to the old life we used to live. [15] He died for all so that all who live—having received eternal life from him—might live no longer for themselves, to please themselves, but to spend their lives pleasing Christ who died and rose again for them. [16] So stop evaluating Christians by what the world thinks about them or by what they seem to be like on the outside. Once I mistakenly thought of Christ that way, merely as a human being like myself. How differently I feel now! [17] When someone becomes a Christian he becomes a brand new person inside. He is not the same any more. A new life has begun!

[18] All these new things are from God who brought us back to himself through what Christ Jesus did. And God has given us the privilege of urging everyone to come into his favor and be reconciled to him. [19] For God was in Christ, restoring the world to himself, no longer counting men's sins against them but blotting them out. This is the wonderful message he has given us to tell others. [20] We are Christ's ambassadors. God is using us to speak to you: we beg you, as though Christ himself were here pleading with you, receive the love he offers you—be reconciled to God. [21] For God took the sinless Christ and poured into him our sins. Then, in exchange, he poured God's goodness into us!

6 AS GOD'S PARTNERS we beg you not to toss aside this marvelous message of God's great kindness. [2] For God says, "Your cry came to me at a favorable time, when the doors of welcome were wide open. I helped you on a day when salvation was being offered." Right now God is ready to welcome you. Today he is ready to save you.

[3] We try to live in such a way that no one will ever be offended or kept back from finding the Lord by the way we act, so that no one can find fault with us and blame it on the Lord. [4] In fact, in everything we do we try to show that we are true ministers of God.

tamos los sufrimientos, las necesidades, las angustias. ⁵Nos han azotado y encarcelado, nos hemos enfrentado a airadas multitudes, hemos trabajado hasta el agotamiento, hemos pasado noches de expectantes desvelos y hemos ayunado. ⁶Con la integridad de nuestras vidas, con nuestro entendimiento del evangelio y con nuestra paciencia, hemos demostrado que somos lo que decimos ser. Hemos sido bondadosos, amorosos, y hemos mostrado plenitud del Espíritu Santo. ⁷Hemos sido veraces, y el poder de Dios nos ha respaldado siempre. Las armas del hombre piadoso han sido nuestras. ⁸Hemos sido fieles al Señor, aunque unas veces nos honran y otras nos desprecian; unas veces nos critican y otras veces nos ensalzan; unas veces nos tienen por mentirosos, siendo veraces. ⁹El mundo no nos conoce, pero Dios sí; arriesgamos la vida, pero vivimos aún; nos han golpeado, pero sobrevivimos. ¹⁰Tenemos el corazón adolorido, pero a la vez no nos falta el gozo del Señor. Somos pobres, pero impartimos ricos dones espirituales a los demás. No tenemos nada, y sin embargo tenemos lo que es de más valor.

¹¹Queridos hermanos corintios, les he hablado con entera franqueza; los amo de todo corazón. ¹²Cualquier frialdad que haya todavía en nosotros no será por falta de amor de mi parte, sino porque el amor que sienten hacia mí es tan débil que no lo siento. ¹³Les estoy hablando ahora como si fueran mis propios hijos. ¡Abrannos el corazón! ¡Correspondan al amor que les ofrecemos!

¹⁴No se unan en matrimonio con los que no aman al Señor, porque ¿qué puede un cristiano tener en común con los que viven entregados al pecado? ¿Cómo puede la luz llevarse bien con la oscuridad? ¹⁵Y ¿qué armonía puede haber entre Cristo y el diablo? ¿Cómo puede un cristiano estar de acuerdo con un incrédulo? ¹⁶Y ¿qué unión puede existir entre el Templo de Dios y los ídolos? Ustedes son el templo del Dios viviente, y el Señor dijo de ustedes: "Viviré en ellos y caminaré entre ellos, y seré su Dios, y ellos serán mi pueblo". ¹⁷Por eso el Señor dice: "Salgan de en medio de ellos, apártense; no toquen sus inmundicias, y yo los recibiré con los brazos abiertos, ¹⁸y seré Padre de ustedes, y ustedes serán hijos e hijas míos".

We patiently endure suffering and hardship and trouble of every kind. ⁵ We have been beaten, put in jail, faced angry mobs, worked to exhaustion, stayed awake through sleepless nights of watching, and gone without food. ⁶ We have proved ourselves to be what we claim by our wholesome lives and by our understanding of the Gospel and by our patience. We have been kind and truly loving and filled with the Holy Spirit. ⁷ We have been truthful, with God's power helping us in all we do. All of the godly man's arsenal—weapons of defense, and weapons of attack—have been ours.

⁸ We stand true to the Lord whether others honor us or despise us, whether they criticize us or commend us. We are honest, but they call us liars.

⁹ The world ignores us, but we are known to God; we live close to death, but here we are, still very much alive. We have been injured but kept from death. ¹⁰ Our hearts ache, but at the same time we have the joy of the Lord. We are poor, but we give rich spiritual gifts to others. We own nothing, and yet we enjoy everything.

¹¹ Oh, my dear Corinthian friends! I have told you all my feelings; I love you with all my heart. ¹² Any coldness still between us is not because of any lack of love on my part, but because your love is too small and does not reach out to me and draw me in. ¹³ I am talking to you now as if you truly were my very own children. Open your hearts to us! Return our love!

¹⁴ Don't be teamed with those who do not love the Lord, for what do the people of God have in common with the people of sin? How can light live with darkness? ¹⁵ And what harmony can there be between Christ and the devil? How can a Christian be a partner with one who doesn't believe? ¹⁶ And what union can there be between God's temple and idols? For you are God's temple, the home of the living God, and God has said of you, "I will live in them and walk among them, and I will be their God and they shall be my people." ¹⁷ That is why the Lord has said, "Leave them; separate yourselves from them; don't touch their filthy things, and I will welcome you, ¹⁸ and be a Father to you, and you will be my sons and daughters."

7 PUESTO QUE TENEMOS tan grandes promesas, amados, apartémonos del mal, ya sea éste corporal o espiritual. [2]Por favor, vuelvan a darnos cabida en su corazón, porque ninguno de ustedes ha sufrido ni se ha apartado por culpa nuestra. A nadie hemos engañado ni de nadie nos hemos aprovechado. [3]No digo esto para regañarlos ni para echarles en cara nada; como ya les dije, los llevo en el corazón y vivo y moriré con ustedes bien adentro. [4]Tengo en ustedes la más absoluta confianza, y el orgullo que me dan es inmenso. Al pensar en ustedes me consuelo en medio de mis sufrimientos.

[5]Desde que llegamos a Macedonia no habíamos tenido reposo; por fuera, las dificultades que se agolpaban a nuestro alrededor; por dentro, el temor que sentíamos. [6]Pero Dios, que alienta a los desalentados, nos alentó con la llegada de Tito [7]y con la noticia que él me trajo de que había pasado un tiempo maravilloso entre ustedes. Cuando me habló del ansia con que esperan mi llegada, de lo tristes que se pusieron por lo que había sucedido, de la lealtad y del cálido amor que sienten por mí, de veras, el corazón me saltó de gozo.

[8]Ya no me pesa haberles mandado aquella carta, aunque durante algún tiempo me dolió pensar lo doloroso que debió haber sido para ustedes. Pero aquel dolor no les duró mucho. [9]Ahora me alegro de haberla enviado, no porque les dolió sino porque aquel dolor los condujo al arrepentimiento. El dolor que sintieron es el que Dios desea que su pueblo sienta, y por lo tanto no les hice daño. [10]Dios a veces permite que nos vengan tristezas para impulsarnos a apartarnos del pecado y procurar la vida eterna. Jamás debemos quejarnos de estas tristezas, pues no son como las del que no es cristiano. Las tristezas del que no es cristiano no lo conducen al verdadero arrepentimiento y no lo libran de la muerte eterna. [11]¿Se dan cuenta de lo provechosa que fue para ustedes la tristeza que les envió el Señor? Ya no se encogen de hombros como hacían antes, sino que son ardientes y sinceros, y con diligencia erradicaron el pecado que mencioné en mi carta. Temerosos por lo que había sucedido, ansiaron que fuera a ayudarles. Pero, sin perder tiempo, afrontaron el problema y lo resolvieron

7 HAVING SUCH GREAT promises as these, dear friends, let us turn away from everything wrong, whether of body or spirit, and purify ourselves, living in the wholesome fear of God, giving ourselves to him alone. [2] Please open your hearts to us again, for not one of you has suffered any wrong from us. Not one of you was led astray. We have cheated no one nor taken advantage of anyone. [3] I'm not saying this to scold or blame you, for, as I have said before, you are in my heart forever and I live and die with you. [4] I have the highest confidence in you, and my pride in you is great. You have greatly encouraged me; you have made me so happy in spite of all my suffering.

[5] When we arrived in Macedonia there was no rest for us; outside, trouble was on every hand and all around us; within us, our hearts were full of dread and fear. [6] Then God who cheers those who are discouraged refreshed us by the arrival of Titus. [7] Not only was his presence a joy, but also the news that he brought of the wonderful time he had with you. When he told me how much you were looking forward to my visit, and how sorry you were about what had happened, and about your loyalty and warm love for me, well, I overflowed with joy!

[8] I am no longer sorry that I sent that letter to you, though I was very sorry for a time, realizing how painful it would be to you. But it hurt you only for a little while. [9] Now I am glad I sent it, not because it hurt you, but because the pain turned you to God. It was a good kind of sorrow you felt, the kind of sorrow God wants his people to have, so that I need not come to you with harshness. [10] For God sometimes uses sorrow in our lives to help us turn away from sin and seek eternal life. We should never regret his sending it. But the sorrow of the man who is not a Christian is not the sorrow of true repentance and does not prevent eternal death.

[11] Just see how much good this grief from the Lord did for you! You no longer shrugged your shoulders, but became earnest and sincere, and very anxious to get rid of the sin that I wrote you about. You became frightened about what had happened, and longed for me to come and help. You went right to work on the problem and cleared it up [punishing the man who

castigando al que pecó. Han hecho lo posible por dejar resuelto el asunto.

¹²Si les escribí como lo hice fue para mostrarles lo mucho que me intereso en ustedes, y no simplemente para ayudar al que cometió aquel pecado, ni al padre de éste, que fue el que sufrió el agravio.

¹³El saber que ustedes nos aman nos alentó mucho, pero mucho más nos alentó y alegró el gozo de Tito por el cálido recibimiento que le dieron y por la tranquilidad que recobró entre ustedes. ¹⁴Me alegró mucho que no me hicieran quedar mal, pues antes que Tito los visitara le hablé muy bien de ustedes. Siempre digo la verdad y lo que le dije a Tito de ustedes resultó verdad también. ¹⁵El los ama más que nunca, sobre todo cuando recuerda la obediencia que le prestaron y la humildad y la solicitud con que lo recibieron. ¹⁶¡Cuánto me alegra esto! ¡Ya sé que entre nosotros todo marcha bien! ¡Sé que puedo tener plena confianza en ustedes!

8 QUIERO HABLARLES AHORA sobre lo que Dios en su gracia está haciendo en las iglesias de Macedonia. ²Aunque los hermanos de esta región han estado pasando grandes tribulaciones, han mezclado la extrema pobreza que padecen con el gozo extraordinario que experimentan y como resultado han dado con generosidad, abundantemente. ³No han dado sólo lo que pueden dar, sino mucho más; y soy testigo de que lo han hecho voluntariamente. ⁴Nos suplicaron que tomáramos el dinero, pues deseaban compartir el gozo de ayudar a los cristianos de Jerusalén. ⁵Y, mejor todavía, sobrepasaron nuestras máximas esperanzas; lo primero que hicieron fue dedicarse por entero al Señor y luego se pusieron a nuestra disposición para obedecer cualquier orientación que, a través nuestro, Dios pudiera comunicarles.

⁶En vista del entusiasmo que este proyecto ha despertado en las iglesias de Macedonia, supliqué a Tito, quien ya una vez les habló de esto, que fuera a verlos y los instara a completar la colecta y a participar en este ministerio de dar. ⁷Ustedes son paladines en muchas cosas: en fe, en buena predicación, en inteligencia, en entusiasmo, en amor hacia nosotros. Pero ahora deseo que se pongan a la cabeza en la tarea de dar con gozo.

sinned]. You have done everything you could to make it right.

¹² I wrote as I did so the Lord could show how much you really do care for us. That was my purpose even more than to help the man who sinned, or his father to whom he did the wrong.

¹³ In addition to the encouragement you gave us by your love, we were made happier still by Titus' joy when you gave him such a fine welcome and set his mind at ease. ¹⁴ I told him how it would be—told him before he left me of my pride in you—and you didn't disappoint me. I have always told you the truth and now my boasting to Titus has also proved true! ¹⁵ He loves you more than ever when he remembers the way you listened to him so willingly and received him so anxiously and with such deep concern. ¹⁶ How happy this makes me, now that I am sure all is well between us again. Once again I can have perfect confidence in you.

8 NOW I WANT to tell you what God in his grace has done for the churches in Macedonia.

² Though they have been going through much trouble and hard times, they have mixed their wonderful joy with their deep poverty, and the result has been an overflow of giving to others. ³ They gave not only what they could afford, but far more; and I can testify that they did it because they wanted to, and not because of nagging on my part. ⁴ They begged us to take the money so they could share in the joy of helping the Christians in Jerusalem. ⁵ Best of all, they went beyond our highest hopes, for their first action was to dedicate themselves to the Lord and to us, for whatever directions God might give to them through us. ⁶ They were so enthusiastic about it that we have urged Titus, who encouraged your giving in the first place, to visit you and encourage you to complete your share in this ministry of giving. ⁷ You people there are leaders in so many ways—you have so much faith, so many good preachers, so much learning, so much enthusiasm, so much love for us. Now I want you to be leaders also in the spirit of cheerful giving. ⁸ I am not giving

⁸No les estoy dando una orden; no les estoy diciendo lo que tienen que hacer, sino que los demás anhelan verlos haciéndolo. Esta sería una manera de demostrar que el amor que sienten es verdadero y no simple palabrería. ⁹Ustedes saben lo bondadoso y amoroso que fue nuestro Señor Jesucristo; aunque era extremadamente rico, se hizo pobre por amor a ustedes, para que en su pobreza se enriquecieran ustedes. ¹⁰Deseo sugerirles que terminen lo que empezaron hace un año, porque fueron no tan sólo los primeros en lanzar la idea, sino los primeros en ponerla en práctica. ¹¹Ya que empezaron con tanto entusiasmo, llévenlo a feliz término con el mismo ánimo, dando lo que puedan de lo que tengan. ¡Que la feliz idea que pusieron en marcha culmine ahora en una acción práctica! ¹²Si están de veras ansiosos de dar, la cantidad que den no importa tanto. Dios quiere que den de lo que tienen, no de lo que no tienen.

¹³Por supuesto, mi intención no es que se sacrifiquen para que los demás vivan bien. ¹⁴Lo que sí quiero es que compartan con ellos. En esta ocasión tienen bastante y pueden ayudarles; quizás en otra ocasión ustedes sean los necesitados y ellos les ayudarán. De esta manera nadie pasará necesidades. ¹⁵¿Recuerdan lo que las Escrituras dicen de esto: "Al que recogió mucho no le quedó nada, y el que recogió poco no tuvo menos"? Así que debemos ayudar a los que están en necesidad.

¹⁶Doy gracias a Dios porque ha dado a Tito el mismo interés sincero en ustedes que tengo yo. ¹⁷Le agradó mucho mi recomendación de que los visitara de nuevo, pero creo que lo habría hecho de todos modos, porque tiene muchos deseos de verlos de nuevo. ¹⁸Con él les estoy enviando a un bien conocido hermano que se ha destacado enormemente como predicador del evangelio en todas las iglesias. ¹⁹Además, las iglesias lo eligieron para que me acompañara en el viaje en que he de llevar a Jerusalén este donativo con el que glorificaremos al Señor al distribuirlo nosotros mismos, mostrando nuestro ardiente deseo de ayudarnos mutuamente. ²⁰Viajando juntos evitaremos cualquier sospecha, porque quisiéramos que nadie halle falta en la manera en que manejamos este gran donativo. ²¹Dios sabe que somos honrados, pero deseo que todo el mundo lo compruebe. Por eso

you an order; I am not saying you must do it, but others are eager for it. This is one way to prove that your love is real, that it goes beyond mere words.

⁹ You know how full of love and kindness our Lord Jesus was: though he was so very rich, yet to help you he became so very poor, so that by being poor he could make you rich.

¹⁰ I want to suggest that you finish what you started to do a year ago, for you were not only the first to propose this idea, but the first to begin doing something about it. ¹¹ Having started the ball rolling so enthusiastically, you should carry this project through to completion just as gladly, giving whatever you can out of whatever you have. Let your enthusiastic idea at the start be equalled by your realistic action now. ¹² If you are really eager to give, then it isn't important how much you have to give. God wants you to give what you have, not what you haven't.

¹³ Of course, I don't mean that those who receive your gifts should have an easy time of it at your expense, ¹⁴ but you should divide with them. Right now you have plenty and can help them; then at some other time they can share with you when you need it. In this way each will have as much as he needs. ¹⁵ Do you remember what the Scriptures say about this? "He that gathered much had nothing left over, and he that gathered little had enough." So you also should share with those in need.

¹⁶ I am thankful to God that he has given Titus the same real concern for you that I have. ¹⁷ He is glad to follow my suggestion that he visit you again—but I think he would have come anyway, for he is very eager to see you! ¹⁸ I am sending another well-known brother with him, who is highly praised as a preacher of the Good News in all the churches. ¹⁹ In fact, this man was elected by the churches to travel with me to take the gift to Jerusalem. This will glorify the Lord and show our eagerness to help each other. ²⁰ By traveling together we will guard against any suspicion, for we are anxious that no one should find fault with the way we are handling this large gift. ²¹ God knows we are honest, but I want everyone else to know it too. That is why

hemos tomado esta precaución.

²²Y además, les estoy enviando a otro hermano, de quien sé por experiencia que es un cristiano ferviente. Lo que más le entusiasma del viaje que va a realizar es el anhelo que, según le he dicho, ustedes tienen de ayudar.

²³Si alguien les pregunta quién es Tito, díganle que es mi compañero y colaborador en la tarea de ayudarles. Pueden decir también que los otros dos hermanos representan a las iglesias de aquí y que llevan una vida cristiana ejemplar. ²⁴Muestren a estos hombres el amor que sienten por mí y por ellos, y demuéstrenles que cuanto con orgullo he dicho de ustedes es cierto.

9 SÉ QUE ESTÁ de más que les hable de ayudar a otros. ²Siempre están ansiosos de ayudar, y he tenido el orgullo de decir a los hermanos de Macedonia que hace un año ya estaban listos a enviar una ofrenda. Y es más: fue el entusiasmo de ustedes la chispa que prendió en los demás el deseo de ayudar. ³Si les envío a estos hombres es para asegurarme de que ya están listos para mandar el donativo, como he dicho que lo estarían. No quiero que a última hora me hagan quedar mal. ⁴Me daría pena —y a ustedes también— que algunos macedonios fueran conmigo y encontraran que todavía ni siquiera han recogido la ofrenda. ⁵Así que pedí a estos hermanos que fueran primero y se cercioraran de que el donativo prometido ya esté listo.

Deseo que éste sea de veras un donativo voluntario. ⁶Ahora bien, el que poco da poco recibe. El agricultor que siembra pocas semillas obtendrá poca cosecha, pero el que siembra mucho, mucho cosechará. ⁷Cada uno tiene que determinar cuánto va a dar. Pero que no lo haga con tristeza ni porque lo obliguen, porque Dios ama al dador alegre. ⁸Poderoso es Dios para compensarles con creces y de tal manera que no sólo tengan para satisfacer las necesidades propias sino también para dar con alegría a los demás. ⁹Como dicen las Escrituras: "El que es piadoso da generosamente a los pobres, y el fruto de sus buenas obras permanecerá para siempre". ¹⁰Porque Dios, quien da las semillas al agricultor y las

we have made this arrangement.

²² And I am sending you still another brother, whom we know from experience to be an earnest Christian. He is especially interested, as he looks forward to this trip, because I have told him all about your eagerness to help.

²³ If anyone asks who Titus is, say that he is my partner, my helper in helping you, and you can also say that the other two brothers represent the assemblies here and are splendid examples of those who belong to the Lord.

²⁴ Please show your love for me to these men and do for them all that I have publicly boasted you would.

9 I REALIZE THAT I really don't even need to mention this to you, about helping God's people. ² For I know how eager you are to do it, and I have boasted to the friends in Macedonia that you were ready to send an offering a year ago. In fact, it was this enthusiasm of yours that stirred up many of them to begin helping. ³ But I am sending these men just to be sure that you really are ready, as I told them you would be, with your money all collected; I don't want it to turn out that this time I was wrong in my boasting about you. ⁴ I would be very much ashamed—and so would you—if some of these Macedonian people come with me, only to find that you still aren't ready after all I have told them!

⁵ So I have asked these other brothers to arrive ahead of me to see that the gift you promised is on hand and waiting. I want it to be a real gift and not look as if it were being given under pressure. ⁶ But remember this—if you give little, you will get little. A farmer who plants just a few seeds will get only a small crop, but if he plants much, he will reap much. ⁷ Every one must make up his own mind as to how much he should give. Don't force anyone to give more than he really wants to, for cheerful givers are the ones God prizes. ⁸ God is able to make it up to you by giving you everything you need and more, so that there will not only be enough for your own needs, but plenty left over to give joyfully to others. ⁹ It is as the Scriptures say: "The godly man gives generously to the poor. His good deeds will be an honor to him forever."

¹⁰ For God, who gives seed to the farmer

hace crecer para que el agricultor coseche y coma, les proporcionará semillas en abundancia y buenas cosechas para que cada vez puedan dar mayores ofrendas.

¹¹Sí, Dios les dará en abundancia para que puedan dar en abundancia, y cuando entreguemos las dádivas de ustedes a los que las necesitan, prorrumpirán en acción de gracias y alabanzas a Dios. ¹²En otras palabras, el donativo que envíen surtirá dos efectos positivos: ayudará a los que están en necesidad, y los impulsará a éstos a dar gracias a Dios de todo corazón. ¹³Los que reciban la ayuda no sólo se alegrarán por la generosa dádiva, sino que alabarán a Dios por esta demostración de que obedecen el mensaje de Cristo. ¹⁴Y orarán por ustedes con gran fervor y sinceridad, gracias a la bondad de Dios que se manifestó a través de ustedes.

¹⁵Gracias a Dios por su Hijo, don maravilloso que no podemos describir con palabras.

10 ^{CUANDO YO, PABLO,} ruego algo, lo ruego con la misma ternura con que Cristo lo haría. Sin embargo, se ha dicho que cuando les escribo soy fuerte pero que cuando lo hago personalmente soy suave. ²¡Espero que nunca tenga que demostrarles lo osado y lo duro que soy cuando llega la ocasión! ¡Ojalá nunca tenga que actuar contra los que piensan que actúo como un hombre cualquiera!

³Sí, es cierto, soy un hombre ordinario con sus correspondientes debilidades, pero nunca me valgo de planes ni métodos humanos para ganar mis batallas. ⁴Para destruir las fortalezas del mal, no empleo armas humanas, sino las invencibles armas del todopoderoso Dios. ⁵Con armas tan poderosas puedo destruir la altivez de cualquier argumento y cualquier muralla que pretenda interponerse para que el hombre no encuentre a Dios. Con armas tan poderosas puedo apresar a los rebeldes, conducirlos de nuevo ante Dios y convertirlos en seres que deseen de corazón obedecer a Cristo. ⁶Usaré estas armas contra cualquiera que persista en su rebeldía después que las haya usado contra ustedes mismos y se hayan rendido a Cristo.

⁷Si me creen débil e impotente es porque miran las cosas según las apariencias. Si alguien puede afirmar que tiene el poder y

to plant, and later on, good crops to harvest and eat, will give you more and more seed to plant and will make it grow so that you can give away more and more fruit from your harvest.

¹¹ Yes, God will give you much so that you can give away much, and when we take your gifts to those who need them they will break out into thanksgiving and praise to God for your help. ¹² So, two good things happen as a result of your gifts—those in need are helped, and they overflow with thanks to God. ¹³ Those you help will be glad not only because of your generous gifts to themselves and to others, but they will praise God for this proof that your deeds are as good as your doctrine. ¹⁴ And they will pray for you with deep fervor and feeling because of the wonderful grace of God shown through you.

¹⁵ Thank God for his Son—his Gift too wonderful for words.

10 ^{I PLEAD WITH} you—yes, I, Paul—and I plead gently, as Christ himself would do. Yet some of you are saying, "Paul's letters are bold enough when he is far away, but when he gets here he will be afraid to raise his voice!"

² I hope I won't need to show you when I come how harsh and rough I can be. I don't want to carry out my present plans against some of you who seem to think my deeds and words are merely those of an ordinary man. ³ It is true that I am an ordinary, weak human being, but I don't use human plans and methods to win my battles. ⁴ I use God's mighty weapons, not those made by men, to knock down the devil's strongholds. ⁵ These weapons can break down every proud argument against God and every wall that can be built to keep men from finding him. With these weapons I can capture rebels and bring them back to God, and change them into men whose hearts' desire is obedience to Christ. ⁶ I will use these weapons against every rebel who remains after I have first used them on you yourselves, and you surrender to Christ.

⁷ The trouble with you is that you look at me and I seem weak and powerless, but you don't look beneath the surface. Yet if anyone can claim the power and authority

la autoridad de Cristo, soy yo. ⁸Quizás alguno crea que me estoy jactando de la autoridad que tengo sobre ustedes —autoridad que el Señor me dio para edificación, no para destrucción—, pero mis afirmaciones son ciertas. ⁹Les digo esto para que no crean que sólo trato de asustarlos un poco en mis cartas. ¹⁰"No hagan caso a sus cartas", dicen algunos. "En ellas aparenta ser fuerte, pero no es más que ruido. ¡Cuando llegue verán que de grande no tiene nada y que no existe peor predicador!"¹¹¡Esta vez voy a ser tan duro en persona como por carta!

¹²Pero no se preocupen, no me voy a igualar ni a comparar con los que por ahí andan hablando de lo excelentes que son. El problema de éstos es que se comparan entre sí y se miden de acuerdo con sus propios insignificantes conceptos. ¡Qué necedad! ¹³¡Jamás nos jactamos de una autoridad que no tenemos! Y cuando nos medimos, utilizamos como regla el plan que Dios tiene con nosotros, el cual incluye que trabajemos entre ustedes.

¹⁴Cuando afirmamos que tenemos autoridad sobre ustedes no nos estamos extralimitando, porque fuimos los primeros en proclamarles las Buenas Noticias de Cristo. ¹⁵No queremos que se nos atribuya el trabajo que otros han realizado entre ustedes, pero esperamos que se desarrollen en la fe y que, dentro de los límites que se nos han concedido, nuestra obra entre ustedes se amplíe bastante. ¹⁶Entonces podremos predicar el evangelio en ciudades más allá de Corinto; pero lo haremos sólo en lugares donde no haya trabajado nadie, para que nadie diga que nos aprovechamos de lo que ya otros han hecho.

¹⁷Como dicen las Escrituras: "El que se quiera gloriar, gloríese en lo que el Señor hace, no en sí mismo". ¹⁸Lo que vale de veras no es lo que uno crea de sí mismo sino lo que crea el Señor.

11 ESPERO QUE ME toleren si digo algo que no crean juicioso, y que me dejen expresar lo que tengo en el corazón. ²Siento celo por ustedes, celo que Dios ha puesto en mí; anhelo que amen sólo a Cristo, como doncella pura que reserva su cariño para el hombre que la tomará por esposa. ³Mas temo que de alguna manera, engañados, se

of Christ, I certainly can. ⁸ I may seem to be boasting more than I should about my authority over you—authority to help you, not to hurt you—but I shall make good every claim. ⁹ I say this so that you will not think I am just blustering when I scold you in my letters.

¹⁰ "Don't bother about his letters," some say. "He sounds big, but it's all noise. When he gets here you will see that there is nothing great about him, and you have never heard a worse preacher!" ¹¹ This time my personal presence is going to be just as rough on you as my letters are!

¹² Oh, don't worry, I wouldn't dare say that I am as wonderful as these other men who tell you how good they are! Their trouble is that they are only comparing themselves with each other, and measuring themselves against their own little ideas. What stupidity!

¹³ But we will not boast of authority we do not have. Our goal is to measure up to God's plan for us, and this plan includes our working there with you. ¹⁴ We are not going too far when we claim authority over you, for we were the first to come to you with the Good News concerning Christ. ¹⁵ It is not as though we were trying to claim credit for the work someone else has done among you. Instead, we hope that your faith will grow and that, still within the limits set for us, our work among you will be greatly enlarged.

¹⁶ After that, we will be able to preach the Good News to other cities that are far beyond you, where no one else is working; then there will be no question about being in someone else's field. ¹⁷ As the Scriptures say, "If anyone is going to boast, let him boast about what the Lord has done and not about himself." ¹⁸ When someone boasts about himself and how well he has done, it doesn't count for much. But when the Lord commends him, that's different!

11 I HOPE YOU will be patient with me as I keep on talking like a fool. Do bear with me and let me say what is on my heart. ² I am anxious for you with the deep concern of God himself—anxious that your love should be for Christ alone, just as a pure maiden saves her love for one man only, for the one who will be her husband. ³ But I am frightened, fearing that in some

aparten de la pura y simple devoción a Dios, como se apartó Eva cuando Satanás la engañó en el Edén.

⁴No sé; me parecen tan fáciles de engañar. Me parece que si cualquiera va y les predica un Cristo distinto del que les he enseñado, o un espíritu diferente del Espíritu Santo que recibieron, o les muestra una manera diferente de alcanzar la salvación, lo creerían. ⁵Sin embargo, no creo que esos maravillosos "mensajeros de Dios", como se autotitulan, sean mejores que yo. ⁶Quizás yo sea un mal orador, pero por lo menos sé lo que estoy diciendo, como ya lo he demostrado varias veces. ⁷¿Será que hice mal en predicarles gratuitamente, con lo cual creí humillarme para enaltecerlos a ustedes? ⁸Cuando estaba entre ustedes "robé" a otras iglesias al sufragar mis gastos de estadía con el dinero que esas iglesias me enviaban, y todo por predicarles gratuitamente. ⁹Y cuando aquel dinero se me acabó y tuve hambre, no pedí nada, porque los cristianos de Macedonia me mandaron otro regalo. No, jamás les he pedido nada, y jamás lo haré. ¹⁰Pueden estar tan seguros como de que conozco la verdad de Cristo, que nadie me va a impedir que me gloríe de esto en Acaya. ¹¹¿Por qué? ¿Será porque no los amo? Dios sabe que sí los amo. ¹²Lo hago para desmentir a los que se jactan de trabajar para Dios de la misma manera que nosotros. ¹³Dios nunca envió a esos hombres; no son más que farsantes que les han hecho creer que son apóstoles de Cristo.

¹⁴Esto no me sorprende. Satanás puede disfrazarse de ángel de luz. ¹⁵¡No es extraño que sus siervos se disfracen de pastores piadosos! ¡Un día recibirán el castigo que por sus perversas obras merecen!

¹⁶De nuevo les suplico que no crean que he perdido el juicio al hablar así; pero aun si lo creen, dejen que este loco, este tonto, se gloríe un poco como lo hacen ellos, y háganme caso. ¹⁷El Señor no me ha mandado a jactarme de nada; si lo hago es porque estoy portándome como un desquiciado. ¹⁸De todos modos, como esa gente anda siempre hablándoles de sus cualidades, déjenme decirles lo siguiente:

¹⁹Se creen inteligentes, y sin embargo se deleitan escuchando a esos tontos; ²⁰no les importa que los estén esclavizando, arreba-

way you will be led away from your pure and simple devotion to our Lord, just as Eve was deceived by Satan in the Garden of Eden. ⁴ You seem so gullible: you believe whatever anyone tells you even if he is preaching about another Jesus than the one we preach, or a different spirit than the Holy Spirit you received, or shows you a different way to be saved. You swallow it all.

⁵ Yet I don't feel that these marvelous "messengers from God," as they call themselves, are any better than I am. ⁶ If I am a poor speaker, at least I know what I am talking about, as I think you realize by now, for we have proved it again and again.

⁷ Did I do wrong and cheapen myself and make you look down on me because I preached God's Good News to you without charging you anything? ⁸,⁹ Instead I "robbed" other churches by taking what they sent me, and using it up while I was with you, so that I could serve you without cost. And when that was gone and I was getting hungry I still didn't ask you for anything, for the Christians from Macedonia brought me another gift. I have never yet asked you for one cent, and I never will. ¹⁰ I promise this with every ounce of truth I possess—that I will tell everyone in Greece about it! ¹¹ Why? Because I don't love you? God knows I do. ¹² But I will do it to cut out the ground from under the feet of those who boast that they are doing God's work in just the same way we are.

¹³ God never sent those men at all; they are "phonies" who have fooled you into thinking they are Christ's apostles. ¹⁴ Yet I am not surprised! Satan can change himself into an angel of light, ¹⁵ so it is no wonder his servants can do it too, and seem like godly ministers. In the end they will get every bit of punishment their wicked deeds deserve.

¹⁶ Again I plead, don't think that I have lost my wits to talk like this; but even if you do, listen to me anyway—a witless man, a fool—while I also boast a little as they do. ¹⁷ Such bragging isn't something the Lord commanded me to do, for I am acting like a brainless fool. ¹⁸ Yet those other men keep telling you how wonderful they are, so here I go: ¹⁹,²⁰ (You think you are so wise—yet you listen gladly to those fools; you don't mind at all when they make you their slaves

tándoles las cosas, aprovechándose de ustedes, que se enaltezcan y luego los abofeteen. ²¹¡Me da vergüenza confesar que no soy tan fuerte ni tan atrevido! Pero de cualquier cosa de la que ellos se puedan jactar —de nuevo me hago el loco— mucho más me puedo jactar yo.

²²Se jactan de ser hebreos, ¿no? Yo lo soy también. ¿Dicen que son israelitas, miembros del pueblo escogido de Dios? Yo también lo soy. ¿Que son descendientes de Abraham? Yo también. ²³¿Que sirven a Cristo? ¡Mucho más lo he servido yo! (Sigo con mi locura.) He trabajado más, me han encarcelado, me han azotado no sé ya cuántas veces, y a cada rato me he visto en peligro de muerte. ²⁴En cinco ocasiones los judíos me han proporcionado sus horribles treinta y nueve azotes. ²⁵Tres veces me han azotado con varas. Una vez me apedrearon. Tres veces he naufragado. Una vez me pasé una noche y un día en alta mar. ²⁶He recorrido agotadoras distancias. Muchas veces he estado en peligro de sucumbir en medio de ríos desbordados, o a mano de ladrones o de judíos iracundos (mi propio pueblo), o de gentiles. He tenido que enfrentarme a turbas enfurecidas, he corrido peligro de muerte en desiertos, en mares agitados, y entre falsos hermanos. ²⁷He sufrido fatigas, dolores, insomnios, hambre, sed, ayunos, frío. ²⁸Y a todo se ha sumado siempre mi preocupación por el estado de las iglesias; ²⁹si alguien sufre, sufro si no me he compadecido de él; si alguien falla, sufro si no puedo ayudarle; si alguien tropieza por culpa de otro, sufro si no me he indignado contra el que lo hizo tropezar.

³⁰Si tengo que jactarme, prefiero jactarme de mis debilidades. ³¹Dios, el Padre de nuestro Señor Jesucristo quien por siempre debe ser alabado, sabe que digo la verdad. ³²Por ejemplo, en Damasco, el gobernador (súbdito del rey Aretas) puso guardias a las puertas de la ciudad para prenderme; ³³pero me bajaron en una cesta por una abertura en la muralla de la ciudad, y así escapé.

12 YA SÉ QUE no gano nada con gloriarme, pero déjenme acabar. Ahora

and take everything you have, and take advantage of you, and put on airs, and slap you in the face. ²¹ I'm ashamed to say that I'm not strong and daring like that! But whatever they can boast about—I'm talking like a fool again—I can boast about it, too.)

²² They brag that they are Hebrews, do they? Well, so am I. And they say that they are Israelites, God's chosen people? So am I. And they are descendants of Abraham? Well, I am too.

²³ They say they serve Christ? But I have served him far more! (Have I gone mad to boast like this?) I have worked harder, been put in jail oftener, been whipped times without number, and faced death again and again and again. ²⁴ Five different times the Jews gave me their terrible thirty-nine lashes. ²⁵ Three times I was beaten with rods. Once I was stoned. Three times I was shipwrecked. Once I was in the open sea all night and the whole next day. ²⁶ I have traveled many weary miles and have been often in great danger from flooded rivers, and from robbers, and from my own people, the Jews, as well as from the hands of the Gentiles. I have faced grave dangers from mobs in the cities and from death in the deserts and in the stormy seas and from men who claim to be brothers in Christ but are not. ²⁷ I have lived with weariness and pain and sleepless nights. Often I have been hungry and thirsty and have gone without food; often I have shivered with cold, without enough clothing to keep me warm.

²⁸ Then, besides all this, I have the constant worry of how the churches are getting along: ²⁹ Who makes a mistake and I do not feel his sadness? Who falls without my longing to help him? Who is spiritually hurt without my fury rising against the one who hurt him?

³⁰ But if I must brag, I would rather brag about the things that show how weak I am. ³¹ God, the Father of our Lord Jesus Christ, who is to be praised forever and ever, knows I tell the truth. ³² For instance, in Damascus the governor under King Aretas kept guards at the city gates to catch me; ³³ but I was let down by rope and basket from a hole in the city wall, and so I got away! [What popularity!]

12 THIS BOASTING IS all so foolish, but let me go on. Let me tell about the

les voy a hablar de las visiones que he tenido, y de las revelaciones del Señor.

2,3Hace catorce años me llevaron de visita al tercer cielo. No me pregunten si fui corporalmente o en el espíritu, porque no lo sé; sólo Dios lo sabe. Lo cierto es que estuve en el paraíso 4y escuché cosas que ni puedo expresar con palabras ni me está permitido repetir. 5Podría muy bien gloriarme de esta experiencia, pero no lo haré. Prefiero gloriarme en lo débil que soy y en lo maravilloso que es que el Señor emplee mis debilidades para gloria suya. 6Si quisiera gloriarme, no sería insensato en hacerlo, porque bastantes privilegios he tenido; pero deseo que se me juzgue no por lo que yo cuente sino por la vida que me vean llevar y el mensaje que me escuchen proclamar.

7Les voy a decir lo siguiente: Es tal la grandeza de mis experiencias que el Señor, para que no me enorgullezca demasiado, puso en mí una dolencia que es en mí como un aguijón en la carne, como un mensajero de Satanás que me hiere y molesta para que no me infle demasiado. 8Tres veces he pedido a Dios que me devuelva la salud; 9y las tres veces me ha respondido: "No. Estoy contigo y esto debe bastarte. Mi poder se manifiesta más cuando la gente es débil". Por eso de muy buena gana me jacto de mis debilidades; gracias a ellas soy una demostración viviente del poder de Cristo. 10Desde que sé que lo que sufro lo sufro por Cristo, me siento feliz por "la espina", los insultos, las privaciones, las persecuciones y las dificultades; porque cuando soy débil, soy fuerte; y mientras menos tengo, más dependo de El.

11He sido necio al andar con jactancias como éstas; pero ustedes me han obligado, ya que debían haber hablado bien de mí para que yo no tuviera que hacerlo. No existe nada que esos maravillosos señores tengan que yo no tenga también, aunque al fin de cuentas nada valgo. 12Estando entre ustedes demostré ser apóstol de veras, enviado de Dios, porque con paciencia hice innumerables maravillas, señales y obras poderosas. 13Lo único que hice en las demás iglesias y no lo hice entre ustedes fue convertirme en una carga; jamás les pedí alimentos ni hospedaje. ¡Perdónenme esta falta!

visions I've had, and revelations from the Lord.

2,3 Fourteen years ago I was taken up to heaven for a visit. Don't ask me whether my body was there or just my spirit, for I don't know; only God can answer that. But anyway, there I was in paradise, 4 and heard things so astounding that they are beyond a man's power to describe or put in words (and anyway I am not allowed to tell them to others). 5 That experience is something worth bragging about, but I am not going to do it. I am going to boast only about how weak I am and how great God is to use such weakness for his glory. 6 I have plenty to boast about and would be no fool in doing it, but I don't want anyone to think more highly of me than he should from what he can actually see in my life and my message.

7 I will say this: because these experiences I had were so tremendous, God was afraid I might be puffed up by them; so I was given a physical condition which has been a thorn in my flesh, a messenger from Satan to hurt and bother me, and prick my pride. 8 Three different times I begged God to make me well again.

9 Each time he said, "No. But I am with you; that is all you need. My power shows up best in weak people." Now I am glad to boast about how weak I am; I am glad to be a living demonstration of Christ's power, instead of showing off my own power and abilities. 10 Since I know it is all for Christ's good, I am quite happy about "the thorn," and about insults and hardships, persecutions and difficulties; for when I am weak, then I am strong—the less I have, the more I depend on him.

11 You have made me act like a fool—boasting like this—for you people ought to be writing about me and not making me write about myself. There isn't a single thing these other marvelous fellows have that I don't have too, even though I am really worth nothing at all. 12When I was there I certainly gave you every proof that I was truly an apostle, sent to you by God himself: for I patiently did many wonders and signs and mighty works among you. 13 The only thing I didn't do for you, that I do everywhere else in all other churches, was to become a burden to you—I didn't ask you to give me food to eat and a place to stay. Please forgive me for this wrong!

¹⁴Voy a visitarlos por tercera vez, pero tampoco les costaré nada. No quiero su dinero; ¡los quiero a ustedes! De todos modos son mis hijos, y los hijos no son los que sustentan a los padres sino éstos a aquéllos. ¹⁵Para mí es un placer gastarme por entero y dar todo lo que tengo por el bien espiritual de ustedes; no importa que, a juzgar por las apariencias, mientras más los amo menos me aman.

¹⁶Sé que algunos andan diciendo: "Sí, es cierto que sus visitas nunca nos han costado nada, pero ese Pablo es tan astuto que de alguna manera tiene que habernos sacado dinero". ¹⁷Pero ¿qué? ¿Se ha aprovechado de ustedes alguno de los que les he enviado? ¹⁸Cuando le pedí a Tito que los visitara, y envié con él al otro hermano, ¿sacaron de ustedes alguna ganancia? No, claro que no; tenemos el mismo Espíritu Santo, andamos en los mismos pasos, actuamos de la misma manera.

¹⁹A lo mejor piensan que les digo esto para ganármelos de nuevo. Pues no señor. Dios es testigo de que lo que he dicho ha sido con la intención de ayudarles, amados míos; mi intención ha sido edificarlos espiritualmente y nada más. ²⁰Temo que cuando vaya no me guste lo que encuentre, y a ustedes no les guste la manera en que yo reaccione. Temo que haya entre ustedes pleitos, envidias, iras, divisiones, chismes, murmuraciones, soberbias, desunión. ²¹Sí, temo que cuando vaya, Dios me haga sentirme avergonzado de ustedes y tenga que sufrir y llorar porque muchos de los que pecaron estén convertidos en pecadores tan corrompidos que no les importen ya las perversidades cometidas, ni la impureza, ni la concupiscencia, ni la inmoralidad.

13 ESTA SERÁ LA tercera vez que los visito. Las Escrituras dicen que si dos o tres se presentan como testigos de la falta cometida, el ofensor debe ser castigado. Pues bien, ahora que voy a visitarlos les hago una tercera advertencia. ²La última vez que estuve allá les advertí a los que andaban en pecado, y ahora les advierto a ellos y a los demás, que en esta ocasión voy dispuesto a castigarlos severamente, sin in-

¹⁴ Now I am coming to you again, the third time; and it is still not going to cost you anything, for I don't want your money. I want *you!* And anyway, you are my children, and little children don't pay for their father's and mother's food—it's the other way around; parents supply food for their children. ¹⁵ I am glad to give you myself and all I have for your spiritual good, even though it seems that the more I love you, the less you love me.

¹⁶ Some of you are saying, "It's true that his visits didn't seem to cost us anything, but he is a sneaky fellow, that Paul, and he fooled us. As sure as anything he must have made money from us some way."

¹⁷ But how? Did any of the men I sent to you take advantage of you? ¹⁸ When I urged Titus to visit you, and sent our other brother with him, did they make any profit? No, of course not. For we have the same Holy Spirit, and walk in each other's steps, doing things the same way.

¹⁹ I suppose you think I am saying all this to get back into your good graces. That isn't it at all. I tell you, with God listening as I say it, that I have said this to help *you,* dear friends—to build you up spiritually and not to help myself. ²⁰ For I am afraid that when I come to visit you I won't like what I find, and then you won't like the way I will have to act. I am afraid that I will find you quarreling, and envying each other, and being angry with each other, and acting big, and saying wicked things about each other and whispering behind each other's backs, filled with conceit and disunity. ²¹ Yes, I am afraid that when I come God will humble me before you and I will be sad and mourn because many of you who have sinned became sinners and don't even care about the wicked, impure things you have done: your lust and immorality, and the taking of other men's wives.

13 THIS IS THE third time I am coming to visit you. The Scriptures tell us that if two or three have seen a wrong, it must be punished. [Well, this is my third warning, as I come now for this visit.] ² I have already warned those who had been sinning when I was there last; now I warn them again, and all others, just as I did then, that this time I come ready to punish severely and I will not spare them.

dulgencias. ³Les presentaré las pruebas que desean tener de que Cristo habla a través de mí. Cristo no anda con debilidades al tratarlos a ustedes; al contrario, los trata con vigor. ⁴Su cuerpo humano y débil murió en la cruz, pero ahora vive por el gran poder de Dios. Nosotros, al igual que El lo era, somos débiles; pero ahora, unidos a El, vivimos y tenemos a nuestra disposición poder de Dios para tratar con ustedes.

⁵Examínense bien. ¿Son cristianos de verdad? ¿Hay evidencias de que lo son? ¿Sienten cada vez más la presencia y el poder de Cristo? ¿O simplemente están pasando por cristianos, aunque en realidad no lo son? ⁶Espero que sepan que nosotros ya hemos pasado el examen y de veras pertenecemos al Señor.

⁷Oramos que lleven vidas buenas, no para que quede demostrado que tenemos la razón sino para que vivan como se debe vivir. De todas maneras procuramos hacer las cosas bien hechas aunque parezca que no tenemos la razón. ⁸Tenemos la responsabilidad de alentar siempre el bien, y no de esperar el mal. ⁹Felices estaríamos de ser débiles y vernos despreciados si de veras ustedes fueran fuertes. Nuestro mayor deseo y oración es que alcancen perfección como cristianos.

¹⁰Les he escrito esta carta con la esperanza de que todo lo arreglen y no tenga que regañarlos ni castigarlos cuando los visite. Quisiera emplear la autoridad que me confirió el Señor para fortalecerlos, no para castigarlos.

¹¹Concluyo con estas palabras: Estén contentos, busquen la perfección, consuélense, vivan en paz y armonía, y el Dios de amor y paz esté con ustedes.

¹²Dense un cálido abrazo en nombre del Señor. Los hermanos en la fe les mandan saludos.

¹³Que la gracia de nuestro Señor Jesucristo esté con ustedes, y que disfruten siempre el amor de Dios y la comunión del Espíritu Santo.

Con todo cariño,
Pablo

³ I will give you all the proof you want that Christ speaks through me. Christ is not weak in his dealings with you, but is a mighty power within you. ⁴ His weak, human body died on the cross, but now he lives by the mighty power of God. We, too, are weak in our bodies, as he was, but now we live and are strong, as he is, and have all of God's power to use in dealing with you.

⁵ Check up on yourselves. Are you really Christians? Do you pass the test? Do you feel Christ's presence and power more and more within you? Or are you just pretending to be Christians when actually you aren't at all? ⁶ I hope you can agree that I have stood that test and truly belong to the Lord.

⁷ I pray that you will live good lives, not because that will be a feather in our caps , proving that what we teach is right; no, for we want you to do right even if we ourselves are despised. ⁸ Our responsibility is to encourage the right at all times, not to hope for evil. ⁹ We are glad to be weak and despised if you are really strong. Our greatest wish and prayer is that you will become mature Christians.

¹⁰ I am writing this to you now in the hope that I won't need to scold and punish when I come; for I want to use the Lord's authority which he has given me, not to punish you but to make you strong.

¹¹ I close my letter with these last words:
Be happy.
Grow in Christ.
Pay attention to what I have said.
Live in harmony and peace.
And may the God of love and peace be with you.

¹² Greet each other warmly in the Lord. ¹³ All the Christians here send you their best regards. ¹⁴ May the grace of our Lord Jesus Christ be with you all. May God's love and the Holy Spirit's friendship be yours.

Paul

GALATAS / GALATIANS

1 REMITENTES: PABLO EL apóstol (no de los hombre ni por los hombres, pues quien me llamó al apostolado fue Jesucristo mismo y Dios el Padre que lo resucitó de los muertos) [2]y los demás cristianos que están conmigo.

Destinatarios: Las iglesias de Galacia.

[3]Que en ustedes reposen la paz y las bendiciones de Dios el Padre y del Señor Jesucristo, [4]quien murió por nuestros pecados conforme a los planes de nuestro Padre, y nos rescató de este mundo perverso en que vivimos. [5]A El sea la gloria por los siglos eternos. Amén.

[6]Me ha sorprendido que tan pronto se estén apartando ustedes de Dios, quien en su amor y misericordia los llamó a poseer la vida eterna que ofrece por la gracia de Cristo, y que al hacerlo hayan tomado un camino que piensen que los conduce al cielo. [7]Pues no, no hay otro camino que el que les mostré; y los que les han dicho otra cosa han estado tratando de perturbarlos y confundirlos en cuanto a Cristo. [8]Que la maldición de Dios caiga sobre cualquiera, sea uno de nosotros o un ángel del cielo, que les predique otro medio de salvación que el que les mostré. [9]Repito: Si alguien les predica un evangelio diferente del que un día recibieron, que la maldición de Dios caiga sobre esa persona.

[10]Como han visto, no estoy tratando de ganármelos con palabras dulces ni con lisonjas, porque al único que trato de agradar es a Dios. Si todavía buscara agradar a los hombres, no sería siervo de Cristo.

[11]Amados hermanos, solamente les aseguro que el mensaje de salvación que les he predicado no me lo transmitió ningún hombre, [12]sino que me lo reveló nada menos que Jesucristo mismo.

[13]Supongo que están enterados de cuál era mi conducta en la religión judía, de qué implacablemente perseguí y asolé a los cristianos, de cómo me esforcé por erradicarlos de la tierra. [14]Yo era el más ferviente de mis contemporáneos en mi país, y trataba por todos los medios de cumplir con las reglas tradicionales de mi religión.

[15]¡Pero sucedió algo! El Dios que desde

1 FROM: PAUL THE missionary and all the other Christians here.

To: The churches of Galatia.

I was not called to be a missionary by any group or agency. My call is from Jesus Christ himself, and from God the Father who raised him from the dead. [3] May peace and blessing be yours from God the Father and from the Lord Jesus Christ. [4] He died for our sins just as God our Father planned, and rescued us from this evil world in which we live. [5] All glory to God through all the ages of eternity. Amen.

[6] I am amazed that you are turning away so soon from God who, in his love and mercy, invited you to share the eternal life he gives through Christ; you are already following a different "way to heaven," which really doesn't go to heaven at all. [7] For there is no other way than the one we showed you; you are being fooled by those who twist and change the truth concerning Christ.

[8] Let God's curses fall on anyone, including myself, who preaches any other way to be saved than the one we told you about; yes, if an angel comes from heaven and preaches any other message, let him be forever cursed. [9] I will say it again: if anyone preaches any other Gospel than the one you welcomed, let God's curse fall upon him.

[10] You can see that I am not trying to please you by sweet talk and flattery; no, I am trying to please God. If I were still trying to please men I could not be Christ's servant.

[11] Dear friends, I solemnly swear that the way to heaven which I preach is not based on some mere human whim or dream. [12] For my message comes from no less a person than Jesus Christ himself, who told me what to say. No one else has taught me.

[13] You know what I was like when I followed the Jewish religion—how I went after the Christians mercilessly, hunting them down and doing my best to get rid of them all. [14] I was one of the most religious Jews of my own age in the whole country, and tried as hard as I possibly could to follow all the old, traditional rules of my religion. [15] But then something happened! For

antes de que yo naciera me había escogido, un día determinó —¡maravilla de gracia y bondad!— ¹⁶revelarme a su Hijo, para que fuera a los gentiles y les proclamara las Buenas Nuevas de Jesús. Cuando esto sucedió, no fui inmediatamente a consultar con nadie, ¹⁷ni corrí a Jerusalén a consultar a los que eran apóstoles antes que yo. Al contrario, anduve por los desiertos de Arabia y después regresé a la ciudad de Damasco. ¹⁸Por fin, tres años más tarde, fui a Jerusalén a hablar con Pedro y estuve con él quince días. ¹⁹Aparte de él, al único que vi fue a Jacobo, el hermano de nuestro Señor.

²⁰Delante de Dios les aseguro que esto fue lo que sucedió; no miento. ²¹Después de aquella visita fui a Siria y Cilicia. ²²Los cristianos de Judea todavía no me conocían de vista. ²³Sólo sabían lo que se andaba diciendo: que el antiguo enemigo de los cristianos estaba pregonando la fe que había tratado de destruir. ²⁴Y glorificaban a Dios por el cambio que se había operado en mí.

2 CATORCE AÑOS MÁS tarde fui de nuevo a Jerusalén, esta vez con Bernabé. Tito nos acompañaba. ²Dios me había revelado que debía conferenciar con los hermanos de Jerusalén acerca del evangelio que predicaba entre los gentiles. Conferencié en privado con los dirigentes de la iglesia, y les expuse lo que predicaba. Tenía la esperanza de que estuvieran de acuerdo. ³Y lo estuvieron. Ni siquiera exigieron que Tito, mi compañero, se circuncidara, a pesar de que era gentil. ⁴El tema no se habría tocado si no hubiera sido por algunos mal llamados cristianos, que fueron a observar disimuladamente el grado de libertad que teníamos en Cristo Jesús, y si obedecíamos o no las leyes judías. ¡Querían encadenarnos a sus leyes como esclavos! ⁵Pero no les hicimos caso ni un momento, para que ustedes no fueran a pensar que la salvación se gana circuncidándose u obedeciendo las leyes judaicas.

⁶Los grandes dirigentes de la iglesia no añadieron ni una tilde a mi mensaje.

even before I was born God had chosen me to be his, and called me—what kindness and grace— ¹⁶to reveal his Son within me so that I could go to the Gentiles and show them the Good News about Jesus.

When all this happened to me I didn't go at once and talk it over with anyone else; ¹⁷ I didn't go up to Jerusalem to consult with those who were apostles before I was. No, I went away into the deserts of Arabia, and then came back to the city of Damascus. ¹⁸ It was not until three years later that I finally went to Jerusalem for a visit with Peter, and stayed there with him for fifteen days. ¹⁹ And the only other apostle I met at that time was James, our Lord's brother. ²⁰ (Listen to what I am saying, for I am telling you this in the very presence of God. This is exactly what happened—I am not lying to you.) ²¹ Then after this visit I went to Syria and Cilicia. ²² And still the Christians in Judea didn't even know what I looked like. ²³ All they knew was what people were saying, that "our former enemy is now preaching the very faith he tried to wreck." ²⁴ And they gave glory to God because of me.

2 THEN FOURTEEN YEARS later I went back to Jerusalem again, this time with Barnabas; and Titus came along too. ² I went there with definite orders from God to confer with the brothers there about the message I was preaching to the Gentiles. I talked privately to the leaders of the church so that they would all understand just what I had been teaching and, I hoped, agree that it was right. ³ And they did agree; they did not even demand that Titus, my companion, should be circumcised, though he was a Gentile.

⁴ Even that question wouldn't have come up except for some so-called "Christians" there—false ones, really—who came to spy on us and see what freedom we enjoyed in Christ Jesus, as to whether we obeyed the Jewish laws or not. They tried to get us all tied up in their rules, like slaves in chains. ⁵ But we did not listen to them for a single moment, for we did not want to confuse you into thinking that salvation can be earned by being circumcised and by obeying Jewish laws.

⁶ And the great leaders of the church who were there had nothing to add to what

(Dicho sea de paso, lo que menos me importa es que sean grandes dirigentes, porque delante de Dios todos somos iguales.) [7-9]Y lo que es más; Pedro, Jacobo y Juan, indiscutibles columnas de la iglesia, aceptaron que Dios me había usado para ganar gentiles de la misma maravillosa manera en que había usado a Pedro al predicar a los judíos (después de todo, fue el mismo Dios el que nos dio dones especiales). Dándonos la mano, nos exhortaron a continuar nuestras labores entre los gentiles mientras ellos continuaban entre los judíos. [10]Eso sí, nos pidieron que recordáramos siempre a los pobres cosa que por mí parte siempre he procurado hacer.

[11]Pero cuando me encontré con Pedro en Antioquía, me opuse a él públicamente, y le critiqué fuertemente algo que estaba haciendo. [12]Cuando llegó, comió con los cristianos gentiles. Pero cuando ciertos judíos amigos de Jacobo llegaron, no quiso comer más con los gentiles por temor a lo que pudieran decir aquellos abogados de la doctrina que afirma que es necesario circuncidarse para ser salvo. [13]Y a la hipocresía de Pedro se unieron los demás cristianos judíos, incluso Bernabé. [14]Ante aquello, y comprendiendo que no estaban actuando conforme a sus verdaderas creencias ni a la verdad del evangelio, dije a Pedro delante de los demás: "Es cierto que eres judío de nacimiento, pero hace tiempo que habías dejado a un lado la obediencia estricta a la ley judía. ¿A qué viene el que de pronto, sin más ni más, te pongas a decirles a estos gentiles que deben obedecerla? [15]Tú y yo somos judíos de nacimiento, y no simples pecadores gentiles. [16]Sin embargo, como judíos cristianos, sabemos muy bien que nadie puede justificarse ante Dios obedeciendo nuestras leyes, pues eso sólo se logra por la fe en que Jesucristo nos libra del pecado. Nosotros también hemos confiado en Jesucristo, y somos salvos por esa fe y no porque hayamos observado la ley judía. Nadie se salva por tratar de cumplirla".

[17]Pero ¿qué si confiamos en Cristo para salvarnos y luego hallamos que estamos equivocados, y que no podemos salvarnos si no nos circuncidamos y obedecemos la ley judía? ¿Tendremos que decir que la fe en

I was preaching. (By the way, their being great leaders made no difference to me, for all are the same to God.) [7,8,9] In fact, when Peter, James, and John, who were known as the pillars of the church, saw how greatly God had used me in winning the Gentiles, just as Peter had been blessed so greatly in his preaching to the Jews—for the same God gave us each our special gifts—they shook hands with Barnabas and me and encouraged us to keep right on with our preaching to the Gentiles while they continued their work with the Jews. [10] The only thing they did suggest was that we must always remember to help the poor, and I, too, was eager for that.

[11] But when Peter came to Antioch I had to oppose him publicly, speaking strongly against what he was doing for it was very wrong. [12] For when he first arrived he ate with the Gentile Christians [who don't bother with circumcision and the many other Jewish laws]. But afterwards when some Jewish friends of James came, he wouldn't eat with the Gentiles anymore because he was afraid of what these Jewish legalists, who insisted that circumcision was necessary for salvation, would say; [13] and then all the other Jewish Christians and even Barnabas became hypocrites too, following Peter's example, though they certainly knew better. [14] When I saw what was happening and that they weren't being honest about what they really believed, and weren't following the truth of the Gospel, I said to Peter in front of all the others, "Though you are a Jew by birth, you have long since discarded the Jewish laws; so why, all of a sudden, are you trying to make these Gentiles obey them? [15] You and I are Jews by birth, not mere Gentile sinners, [16] and yet we Jewish Christians know very well that we cannot become right with God by obeying our Jewish laws, but only by faith in Jesus Christ to take away our sins. And so we, too, have trusted Jesus Christ, that we might be accepted by God because of faith—and not because we have obeyed the Jewish laws. For no one will ever be saved by obeying them."

[17] But what if we trust Christ to save us and then find that we are wrong, and that we cannot be saved without being circumcised and obeying all the other Jewish laws? Wouldn't we need to say that faith in Christ

Cristo fue nuestra perdición? Dios nos libre de atrevernos a pensar así de nuestro Señor. [18]Pero si me pongo a enseñar que uno se salva por guardar la ley judía, después de haber combatido tal doctrina. [19]Porque leyendo las Escrituras comprendí que jamás podría obtener el favor de Dios intentando inútilmente obedecer la ley. Comprendí que el favor de Dios se obtiene creyendo en Cristo. [20]Estoy crucificado con Cristo, y ya no vivo yo, mas Cristo vive en mí. Y esta vida verdadera que ahora tengo es el resultado de creer en el Hijo de Dios, quien me amó y se entregó por mí. [21]No soy de los que restan importancia a la muerte de Cristo. Porque si hubiéramos podido salvarnos guardando la ley judía, no habría sido necesario que Cristo muriera.

3 ¡OH GÁLATAS INSENSATOS! ¿Quién los hipnotizó? ¡Antes captaban vívidamente el significado de la muerte de Cristo! [2]Los invito a considerar lo siguiente: ¿Recibieron ustedes al Espíritu Santo por guardar la ley? Claro que no; el Espíritu Santo descendió sobre ustedes después que oyeron de Cristo y confiaron en El para obtener la salvación. [3]Entonces, ¿se han vuelto locos? Porque si el tratar primero de obedecer la ley jamás les proporcionó vida espiritual, ¿cómo se les ocurre ahora que obedecerla los hará mejores cristianos? [4]Después de haber sufrido tanto por el evangelio, ¿van a echarlo todo a perder? ¡Sería inconcebible!

[5]Díganme, ¿les otorga Dios el poder del Espíritu Santo y realiza maravillas entre ustedes porque tratan de obedecer la ley judía? ¿O lo hace porque creen en Cristo y de veras confían en El?

[6]Dios aceptó a Abraham porque creyó las promesas divinas. [7]Esto nos dice que los verdaderos hijos de Abraham son los que tienen plena fe en Dios. [8,9]Además, las Escrituras preveían el tiempo —que ahora vivimos— en que Dios salvaría también a los gentiles por la fe de éstos. Dios declaró

had ruined us? God forbid that anyone should dare to think such things about our Lord. [18] Rather, we are sinners if we start rebuilding the old systems I have been destroying, of trying to be saved by keeping Jewish laws, [19] for it was through reading the Scripture that I came to realize that I could never find God's favor by trying —and failing—to obey the laws. I came to realize that acceptance with God comes by believing in Christ.

[20] I have been crucified with Christ: and I myself no longer live, but Christ lives in me. And the real life I now have within this body is a result of my trusting in the Son of God, who loved me and gave himself for me. [21] I am not one of those who treats Christ's death as meaningless. For if we could be saved by keeping Jewish laws, then there was no need for Christ to die.

3 OH, FOOLISH GALATIANS! What magician has hypnotized you and cast an evil spell upon you? For you used to see the meaning of Jesus Christ's death as clearly as though I had waved a placard before you with a picture on it of Christ dying on the cross. [2] Let me ask you this one question: Did you receive the Holy Spirit by trying to keep the Jewish laws? Of course not, for the Holy Spirit came upon you only after you heard about Christ and trusted him to save you. [3] Then have you gone completely crazy? For if trying to obey the Jewish laws never gave you spiritual life in the first place, why do you think that trying to obey them now will make you stronger Christians? [4] You have suffered so much for the Gospel. Now are you going to just throw it all overboard? I can hardly believe it!

[5] I ask you again, does God give you the power of the Holy Spirit and work miracles among you as a result of your trying to obey the Jewish laws? No, of course not. It is when you believe in Christ and fully trust him.

[6] Abraham had the same experience— God declared him fit for heaven only because he believed God's promises. [7] You can see from this that the real children of Abraham are all the men of faith who truly trust in God.

[8,9] What's more, the Scriptures looked forward to this time when God would save the Gentiles also, through their faith. God

esto a Abraham cuando le dijo: "Bendeciré a los individuos, de cualquier nación, que confíen en mí como lo haces tú". Los que confían en Cristo, pues, reciben las mismas bendiciones que Abraham recibió.

¹⁰Los que se aferran a la ley judía para salvarse están bajo la maldición de Dios. Las Escrituras dicen claramente: "Malditos los que quebrantan cualesquiera de las leyes que están escritas en el Libro de la Ley de Dios".

¹¹Salta a la vista, pues, que nadie podrá jamás ganar el favor de Dios por obedecer la ley judía, porque Dios ha dicho que sólo por fe puede el hombre justificarse ante El. Como dijo el profeta Habacuc: "El que halla la vida la halla sólo porque confía en Dios".

¹²La ley, en cambio, nos dice que para salvarse, el hombre tiene que guardar una obediencia perfecta y absoluta a cada una de las leyes de Dios. ¹³Pero Cristo nos redimió de la maldición de tal sistema, tomando sobre sí mismo la maldición que nos acarrean nuestras malas acciones. Porque dicen las Escrituras que "maldito el que es colgado en un madero", y Jesús murió por nosotros colgado de un madero en forma de cruz.

¹⁴Ahora Dios puede dar también a los gentiles la misma bendición que prometió a Abraham; y cada uno de nosotros los cristianos podemos recibir la promesa del Espíritu Santo a través de esta fe. ¹⁵Amados hermanos, en la vida diaria cualquier promesa de un hombre a otro hombre, si es por escrito y está firmada, tiene que ser cumplida. Una vez que se firma, uno no se puede echar para atrás. ¹⁶Dios prometió algo a Abraham y a la descendencia de éste. Noten ustedes que no dice que las promesas eran para los descendientes de Abraham, sino para su descendencia; y esa descendencia, claro, es Cristo.

¹⁷Lo que quiero decir es lo siguiente: La promesa de Dios de salvar por la fe —y Dios escribió esta promesa y la firmó— no puede haber sido cancelada ni transformada cuatrocientos treinta años más tarde, cuando Dios dio los Diez Mandamientos. ¹⁸Si el obedecer esas leyes nos pudiera salvar, habría sido una manera de ganar el favor de Dios diferente de la de Abraham, porque Abraham simplemente confió en las promesas de Dios.

told Abraham about this long ago when he said, "I will bless those in every nation who trust in me as you do." And so it is: all who trust in Christ share the same blessing Abraham received.

¹⁰ Yes, and those who depend on the Jewish laws to save them are under God's curse, for the Scriptures point out very clearly, "Cursed is everyone who at any time breaks a single one of these laws that are written in God's Book of the Law." ¹¹ Consequently, it is clear that no one can ever win God's favor by trying to keep the Jewish laws, because God has said that the only way we can be right in his sight is by faith. As the prophet Habakkuk says it, "The man who finds life will find it through trusting God." ¹² How different from this way of faith is the way of law which says that a man is saved by obeying every law of God, without one slip. ¹³ But Christ has bought us out from under the doom of that impossible system by taking the curse for our wrongdoing upon himself. For it is written in the Scripture, "Anyone who is hanged on a tree is cursed" [as Jesus was hung upon a wooden cross].

¹⁴ Now God can bless the Gentiles, too, with this same blessing he promised to Abraham; and all of us as Christians can have the promised Holy Spirit through this faith. ¹⁵ Dear brothers, even in everyday life a promise made by one man to another, if it is written down and signed, cannot be changed. He cannot decide afterward to do something else instead.

¹⁶ Now, God gave some promises to Abraham and his Child. And notice that it doesn't say the promises were to his *children*, as it would if all his sons—all the Jews—were being spoken of, but to his *Child*—and that, of course, means Christ. ¹⁷ Here's what I am trying to say: God's promise to save through faith—and God wrote this promise down and signed it—could not be canceled or changed four hundred and thirty years later when God gave the Ten Commandments. ¹⁸ If *obeying those laws* could save us, then it is obvious that this would be a different way of gaining God's favor than Abraham's way, for he simply accepted God's promise.

[19]Pero entonces, ¿para qué se nos dio la ley? Fue algo que se añadió, después que la promesa había sido dada, para mostrar al hombre que delante de Dios es culpable del delito de quebrantar la ley de Dios. Pero este sistema de leyes habría de estar en vigor sólo hasta la venida de Cristo, la "descendencia" de Abraham a quien la promesa fue hecha. Además, Dios encomendó a los ángeles el entregar la ley a Moisés, quien luego se la dio al pueblo; [20]pero cuando Dios le dio la promesa a Abraham, lo hizo personalmente, sin que ni los ángeles ni Moisés sirvieran de intermediarios.

[21,22]Luego entonces, ¿es la ley de Dios contraria a las promesas de Dios? ¡Por supuesto que no! Si pudiéramos salvarnos por la ley, Dios no nos habría proporcionado otro medio de escapar de las garras del pecado, del cual las Escrituras nos declaran prisioneros. La única manera de librarnos es por fe en Jesucristo, y esta puerta de escape está abierta para los que creen en El.

[23]Antes de la venida de Cristo estábamos resguardados en la ley, mantenidos en custodia protectora, por así decirlo, hasta que pudiéramos creer en el Salvador que venía. [24]Digámoslo de otra manera: La ley judía fue nuestra maestra y guía hasta que Cristo vino a justificarnos ante Dios por medio de nuestra fe. [25]Pero ya que Cristo vino, no necesitamos que la ley nos guarde y guíe a El. [26]Ahora somos hijos de Dios por la fe en Jesucristo; [27]y los que hemos sido bautizados en Cristo, estamos revestidos de El. [28]Ya no somos judíos, ni griegos, ni esclavos, ni libres, ni hombres, ni mujeres. Somos cristianos; somos uno en Cristo Jesús. [29]Y ahora que somos de Cristo, somos de veras descendientes de Abraham y herederos de las promesas que Dios le hizo.

4 PERO RECUERDEN ESTO: Si un padre muere y deja una gran fortuna a su hijo pequeño, mientras éste no crezca, en la práctica es igual que el esclavo, aunque es propietario de las riquezas de su padre. [2]Tiene que obedecer a sus tutores y administradores hasta que llegue a la edad que el padre señaló.

[3]Así nos pasaba a nosotros antes de que

[19] Well then, why were the laws given? They were added after the promise was given, to show men how guilty they are of breaking God's laws. But this system of law was to last only until the coming of Christ, the Child to whom God's promise was made. (And there is this further difference. God gave his laws to angels to give to Moses, who then gave them to the people; [20] but when God gave his promise to Abraham, he did it by himself alone, without angels or Moses as go-betweens.)

[21,22] Well then, are God's laws and God's promises against each other? Of course not! If we could be saved by his laws, then God would not have had to give us a different way to get out of the grip of sin—for the Scriptures insist we are all its prisoners. The only way out is through faith in Jesus Christ; the way of escape is open to all who believe him.

[23] Until Christ came we were guarded by the law, kept in protective custody, so to speak, until we could believe in the coming Savior.

[24] Let me put it another way. The Jewish laws were our teacher and guide until Christ came to give us right standing with God through our faith. [25] But now that Christ has come, we don't need those laws any longer to guard us and lead us to him. [26] For now we are all children of God through faith in Jesus Christ, [27] and we who have been baptized into union with Christ are enveloped by him. [28] We are no longer Jews or Greeks or slaves or free men or even merely men or women, but we are all the same—we are Christians; we are one in Christ Jesus. [29] And now that we are Christ's we are the true descendants of Abraham, and all of God's promises to him belong to us.

4 BUT REMEMBER THIS, that if a father dies and leaves great wealth for his little son, that child is not much better off than a slave until he grows up, even though he actually owns everything his father had. [2] He has to do what his guardians and managers tell him to, until he reaches whatever age his father set.

[3] And that is the way it was with us

Cristo viniera. Eramos esclavos de las leyes y rituales judíos, porque creíamos que podrían salvarnos. ⁴Pero cuando llegó el momento que tenía determinado, Dios envió a su Hijo, nacido de mujer y nacido como judío, ⁵a comprar nuestra libertad, ya que éramos esclavos de la ley, a fin de adoptarnos como hijos suyos. ⁶Y como somos sus hijos envió al Espíritu de su Hijo a nuestros corazones, para que sin temor a equivocarnos pudiéramos llamarlo "Padre nuestro". ⁷Ya no somos esclavos, sino hijos de Dios. Y como somos sus hijos todo lo que tiene nos pertenece.

⁸Gentiles, antes de conocer a Dios ustedes eran esclavos de dioses tan falsos que ni siquiera existen. ⁹Pero si ya hallaron a Dios; o mejor dicho, si Dios ya los halló, ¿cómo se les ocurre retroceder y caer de nuevo en la esclavitud de otra pobre y débil religiosidad que inútilmente tratará de conducirlos al cielo por medio de la obediencia estricta a las leyes de Dios? ¹⁰¿Cómo se les ocurre tratar de ganar ahora el favor de Dios haciendo o no haciendo ciertas cosas en ciertos días, meses, estaciones o años?

¹¹Temo por ustedes. ¡Temo que mi trabajo entre ustedes haya sido en vano!

¹²Amados hermanos, les suplico que analicen bien mis razonamientos, pues estoy tan libre de amarras a la ley judía como antes lo estaban ustedes. ¹³Me acogieron bien la primera vez que les prediqué el evangelio, aun cuando entonces estaba enfermo. ¹⁴Aunque mi enfermedad quizá les era repugnante, no me rechazaron ni me echaron de entre ustedes. Al contrario, me tomaron y cuidaron como sí hubiera sido un ángel de Dios o Jesucristo mismo. ¹⁵¿Dónde está aquella alegría que experimentábamos? En aquellos días, me consta, con gusto se habrían ustedes sacado los ojos para dármelos, si esto hubiera significado alivio para mí. ¹⁶¿Me considerarán ahora un enemigo porque les digo la verdad?

¹⁷Esos falsos maestros que tan ansiosos están de ganar el favor de ustedes no tienen muy buenas intenciones. Lo que intentan es apartarlos de mí para que presten más atención a sus enseñanzas. ¹⁸No hay nada malo en que traten de ser buenos con ustedes, siempre que lo hagan con corazones sinceros y buenas intenciones, y siempre que no lo hagan sólo cuando estoy con

before Christ came. We were slaves to Jewish laws and rituals for we thought they could save us. ⁴But when the right time came, the time God decided on, he sent his Son, born of a woman, born as a Jew, ⁵to buy freedom for us who were slaves to the law so that he could adopt us as his very own sons. ⁶And because we are his sons God has sent the Spirit of his Son into our hearts, so now we can rightly speak of God as our dear Father. ⁷Now we are no longer slaves, but God's own sons. And since we are his sons, everything he has belongs to us, for that is the way God planned.

⁸Before you Gentiles knew God you were slaves to so-called gods that did not even exist. ⁹And now that you have found God (or I should say, now that God has found you) how can it be that you want to go back again and become slaves once more to another poor, weak, useless religion of trying to get to heaven by obeying God's laws? ¹⁰You are trying to find favor with God by what you do or don't do on certain days or months or seasons or years. ¹¹I fear for you. I am afraid that all my hard work for you was worth nothing.

¹²Dear brothers, please feel as I do about these things, for I am as free from these chains as you used to be. You did not despise me then when I first preached to you, ¹³even though I was sick when I first brought you the Good News of Christ. ¹⁴But even though my sickness was revolting to you, you didn't reject me and turn me away. No, you took me in and cared for me as though I were an angel from God, or even Jesus Christ himself.

¹⁵Where is that happy spirit that we felt together then? For in those days I know you would gladly have taken out your own eyes and given them to replace mine if that would have helped me.

¹⁶And now have I become your enemy because I tell you the truth?

¹⁷Those false teachers who are so anxious to win your favor are not doing it for your good. What they are trying to do is to shut you off from me so that you will pay more attention to them. ¹⁸It is a fine thing when people are nice to you with good motives and sincere hearts, especially if they aren't doing it just when I am with you!

ustedes.

¹⁹Hijitos míos, ¡cuánto me están haciendo padecer! ¡De nuevo sufro por ustedes dolores de parto, y suspiro por el día en que estén llenos de Cristo! ²⁰Daría cualquier cosa por estar allá y no tener que razonar con ustedes de esta manera, porque a esta distancia, francamente, no sé qué hacer.

²¹Ustedes que creen que para salvarse tienen que obedecer la ley judía, díganme: ¿Por qué no se fijan bien en lo que dice la ley? ²²Porque está escrito que Abraham tuvo dos hijos, uno con una esclava y otro con una mujer libre. ²³En el nacimiento del hijo de la esclava no hubo nada sobrenatural. Pero el hijo de la libre nació porque Dios prometió a Abraham que nacería. ²⁴,²⁵Esto ilustra las dos maneras en que Dios ayuda al hombre. En una le da leyes para que las obedezca. Así lo hizo en el monte Sinaí, cuando le entregó los Diez Mandamientos a Moisés. A propósito, los árabes llaman "monte Agar" al monte Sinaí. Agar, la esclava que fue mujer de Abraham, simboliza a Jerusalén, ciudad materna de los judíos y centro del sistema que afirma que se puede obtener la salvación tratando de guardar la ley; y los judíos, que tratan de seguir tal sistema, son hijos de la esclava. ²⁶Pero nuestra ciudad materna es la Jerusalén celestial, y ésta no es esclava de la ley judía. ²⁷A ello se refería Isaías cuando dijo: "Regocíjate, oh estéril, prorrumpe en gritos de júbilo aunque nunca has tenido hijos; porque voy a darte más hijos que a la mujer esclava".

²⁸Ustedes y yo, amados hermanos, al igual que Isaac, somos los hijos que Dios prometió. ²⁹Y al igual que Ismael, el hijo de la esclava, persiguió a Isaac, el hijo de la promesa, los que quieren que guardemos la ley judía nos persiguen a nosotros que somos nacidos del Espíritu Santo. ³⁰Pero ¿qué dicen las Escrituras? Dicen que Dios le dijo a Abraham que echara a la esclava y a su hijo, para que el hijo de la esclava no compartiera la herencia del hijo de la libre.

³¹Amados hermanos, ¡no somos hijos de la esclava, sino de la libre, y Dios nos acepta porque tenemos fe!

¹⁹ Oh, my children, how you are hurting me! I am once again suffering for you the pains of a mother waiting for her child to be born —longing for the time when you will finally be filled with Christ. ²⁰ How I wish I could be there with you right now and not have to reason with you like this, for at this distance I frankly don't know what to do.

²¹ Listen to me, you friends who think you have to obey the Jewish laws to be saved: Why don't you find out what those laws really mean? ²² For it is written that Abraham had two sons, one from his slave-wife and one from his freeborn wife. ²³ There was nothing unusual about the birth of the slave-wife's baby. But the baby of the freeborn wife was born only after God had especially promised he would come.

²⁴,²⁵ Now this true story is an illustration of God's two ways of helping people. One way was by giving them his laws to obey. He did this on Mount Sinai, when he gave the Ten Commandments to Moses. Mount Sinai, by the way, is called "Mount Hagar" by the Arabs—and in my illustration Abraham's slave-wife Hagar represents Jerusalem, the mother-city of the Jews, the center of that system of trying to please God by trying to obey the Commandments; and the Jews, who try to follow that system, are her slave children. ²⁶ But our mother-city is the heavenly Jerusalem, and she is not a slave to Jewish laws.

²⁷ That is what Isaiah meant when he prophesied, "Now you can rejoice, O childless woman; you can shout with joy though you never before had a child. For I am going to give you many children—more children than the slave-wife has."

²⁸ You and I, dear brothers, are the children that God promised, just as Isaac was. ²⁹ And so we who are born of the Holy Spirit are persecuted now by those who want us to keep the Jewish laws, just as Isaac the child of promise was persecuted by Ishmael the slave-wife's son.

³⁰ But the Scriptures say that God told Abraham to send away the slave-wife and her son, for the slave-wife's son could not inherit Abraham's home and lands along with the free woman's son. ³¹ Dear brothers, we are not slave children, obligated to the Jewish laws, but children of the free woman, acceptable to God because of our faith.

5 ¡CRISTO NOS LIBERTÓ! ¡Cuiden esa libertad y no se dejen someter de nuevo a la esclavitud de las leyes y ceremonias judaicas! ²Y óiganme bien, porque esto es serio: Si cuentan con la circuncisión y con la obediencia a la ley para justificarse ante Dios, Cristo no les sirve de nada. ³Repito: El que trate de ganar el favor de Dios circuncidándose, tendrá que obedecer absolutamente todas las demás leyes o perecerá. ⁴Cristo no les sirve de nada si esperan justificarse guardando esas leyes. ¡Habrán caído de la gracia de Dios!

⁵Pero nosotros, con la ayuda del Espíritu Santo, por la fe contamos con la muerte de Cristo para justificarnos ante Dios. ⁶Y los que hemos recibido de Cristo la vida eterna no tenemos que andar preocupándonos de si estamos circuncidados o no, ni de si estamos obedeciendo la ley o no; nos basta la fe que actúa a través del amor.

⁷Ustedes iban bien. ¿Quién les ha impedido seguir la verdad? ⁸Ciertamente, no ha sido Dios, porque El es el que los llamó a ser libres en Cristo. ⁹Pero a veces una sola persona echa a perder a las demás. ¹⁰Confío que el Señor les hará volver a creer en lo que creo. Dios se encargará de esa persona, quienquiera que sea, que los ha estado perturbando y confundiendo.

¹¹Algunos hasta se han atrevido a decir que yo predico que la circuncisión y la obediencia a la ley judía son partes imprescindibles del plan de salvación. ¡Si yo predicara eso dejarían de perseguirme, porque tal mensaje no los ofendería! Pero no, todavía me persiguen, y esto prueba que aún predico la salvación exclusivamente por la fe en Cristo.

¹²Ojalá que esos maestros que tratan de circuncidarlos a ustedes se mutilaran de una vez y los dejaran tranquilos. ¹³Porque, amados hermanos, ustedes fueron llamados a libertad; pero no a la libertad de hacer lo malo sino a la libertad de amar y servir a los demás. ¹⁴Porque la ley se resume en este mandamiento: "Amarás a tu prójimo como a ti mismo". ¹⁵Pero si en vez de amarse unos a otros se muerden y se comen, ¡cuidado no

5 SO CHRIST HAS made us free. Now make sure that you stay free and don't get all tied up again in the chains of slavery to Jewish laws and ceremonies. ² Listen to me, for this is serious: *if you are counting on circumcision and keeping the Jewish laws to make you right with God, then Christ cannot save you.* ³ I'll say it again. Anyone trying to find favor with God by being circumcised must always obey every other Jewish law or perish. ⁴ Christ is useless to you if you are counting on clearing your debt to God by keeping those laws; you are lost from God's grace.

⁵ But we by the help of the Holy Spirit are counting on Christ's death to clear away our sins and make us right with God. ⁶ And we to whom Christ has given eternal life don't need to worry about whether we have been circumcised or not, or whether we are obeying the Jewish ceremonies or not; for all we need is faith working through love.

⁷ You were getting along so well. Who has interfered with you to hold you back from following the truth? ⁸ It certainly isn't God who has done it, for he is the one who has called you to freedom in Christ. ⁹ But it takes only one wrong person among you to infect all the others.

¹⁰ I am trusting the Lord to bring you back to believing as I do about these things. God will deal with that person, whoever he is, who has been troubling and confusing you.

¹¹ Some people even say that I myself am preaching that circumcision and Jewish laws are necessary to the plan of salvation. Well, if I preached that, I would be persecuted no more—for that message doesn't offend anyone. The fact that I am still being persecuted proves that I am still preaching salvation through faith in the cross of Christ alone.

¹² I only wish these teachers who want you to cut yourselves by being circumcised would cut themselves off from you and leave you alone!

¹³ For, dear brothers, you have been given freedom: not freedom to do wrong, but freedom to love and serve each other. ¹⁴ For the whole Law can be summed up in this one command: "Love others as you love yourself." ¹⁵ But if instead of showing love among yourselves you are always critical and catty, watch out! Beware of ruining

se vayan a consumir! ¹⁶Les aconsejo que obedezcan sólo la voz del Espíritu Santo. El les dirá a dónde ir y qué hacer. Procuren no obedecer los impulsos de nuestra naturaleza pecadora; ¹⁷porque por naturaleza nos gusta hacer lo malo. Esto va en contra de lo que el Espíritu Santo nos ordena hacer; lo bueno que hacemos cuando la voluntad del Espíritu Santo se impone, es exactamente lo opuesto a nuestros deseos naturales. Estas dos fuerzas luchan entre sí dentro de nosotros y nuestros deseos están siempre sujetos a sus presiones. ¹⁸Pero si ustedes son guiados por el Espíritu Santo no tienen que obedecer la ley.

¹⁹Cuando seguimos nuestras malas tendencias, caemos en adulterio, fornicación, impurezas, vicios, ²⁰idolatría, espiritismo (con lo cual alentamos las actividades demoniacas), odios, pleitos, celos, iras, ambiciones, quejas, críticas y complejos de superioridad. E invariablemente caemos en doctrinas falsas, ²¹envidias, crímenes, borracheras, orgías y muchas otras cosas. Como ya les dije antes, el que lleve esa clase de vida no heredará el reino de Dios. ²²Pero cuando el Espíritu Santo rige nuestras vidas, produce en nosotros amor, gozo, paz, paciencia, benignidad, bondad, fidelidad, ²³mansedumbre, templanza. Y en nada de esto entramos en conflicto con la ley judía.

²⁴Los que pertenecen a Cristo han clavado en la cruz los impulsos de su naturaleza pecadora. ²⁵Si ahora vivimos por el poder del Espíritu Santo, sigamos la dirección del Espíritu Santo en cada aspecto de nuestra vida. ²⁶No tendremos entonces que procurar honores ni popularidad, lo cual lleva siempre a celos y enemistades.

6 AMADOS HERMANOS, SI algún cristiano cae en pecado, ustedes que son espirituales, tierna y humildemente deben ayudarle a volver al buen camino, recordando que quizá la próxima vez será uno de ustedes el que cometa alguna falta. ²Compartan las cargas y los problemas de los demás,

each other. ¹⁶ I advise you to obey only the Holy Spirit's instructions. He will tell you where to go and what to do, and then you won't always be doing the wrong things your evil nature wants you to. ¹⁷ For we naturally love to do evil things that are just the opposite from the things that the Holy Spirit tells us to do; and the good things we want to do when the Spirit has his way with us are just the opposite of our natural desires. These two forces within us are constantly fighting each other to win control over us, and our wishes are never free from their pressures. ¹⁸ When you are guided by the Holy Spirit you need no longer force yourself to obey Jewish laws.

¹⁹ But when you follow your own wrong inclinations your lives will produce these evil results: impure thoughts, eagerness for lustful pleasure, ²⁰ idolatry, spiritism (that is, encouraging the activity of demons), hatred and fighting, jealousy and anger, constant effort to get the best for yourself, complaints and criticisms, the feeling that everyone else is wrong except those in your own little group—and there will be wrong doctrine, ²¹ envy, murder, drunkenness, wild parties, and all that sort of thing. Let me tell you again as I have before, that anyone living that sort of life will not inherit the kingdom of God.

²² But when the Holy Spirit controls our lives he will produce this kind of fruit in us: love, joy, peace, patience, kindness, goodness, faithfulness, ²³ gentleness and self-control; and here there is no conflict with Jewish laws.

²⁴ Those who belong to Christ have nailed their natural evil desires to his cross and crucified them there.

²⁵ If we are living now by the Holy Spirit's power, let us follow the Holy Spirit's leading in every part of our lives. ²⁶ Then we won't need to look for honors and popularity, which lead to jealousy and hard feelings.

6 DEAR BROTHERS, IF a Christian is overcome by some sin, you who are godly should gently and humbly help him back onto the right path, remembering that next time it might be one of you who is in the wrong. ² Share each other's troubles and

porque así estarán obedeciendo el mandato de nuestro Señor.

³El que se crea demasiado grande para rebajarse a esto, está engañándose, porque su misma actitud demuestra su bajeza. ⁴Cada uno esté seguro de que actúa correctamente, porque sentirá la satisfacción del deber cumplido sin tener que andar comparándose con nadie. ⁵Todos tenemos que cargar con nuestras faltas y problemas, porque nadie es perfecto.

⁶Los que estudian la Palabra de Dios deben ayudar económicamente a sus maestros.

⁷No se engañen ustedes; nadie puede desobedecer a Dios y quedar impune. El hombre siempre recogerá lo que siembre. ⁸Si siembra para satisfacer los apetitos de su naturaleza humana, estará plantando la semilla del mal y sin duda recogerá como fruto corrupción y muerte. Pero si planta lo que agrada al Espíritu, cosechará la vida eterna que el Espíritu Santo le da.

⁹No nos cansemos, pues, de hacer el bien; porque si lo hacemos sin desmayar, cosecharemos ricas bendiciones. ¹⁰Hagamos el bien cada vez que podamos, especialmente a nuestros hermanos cristianos.

¹¹Las palabras finales las escribiré de mi puño y letra. ¡Miren qué grandes tengo que hacer las letras!

¹²Esos maestros que están tratando de que ustedes se circunciden lo hacen por un motivo: quieren ser populares y evitar la persecución que se les echaría encima si osaran decir que la cruz de Cristo por sí sola puede salvar. ¹³Lo curioso es que no guardan las demás leyes judías; pero quieren que ustedes se circunciden para jactarse de que son sus discípulos.

¹⁴En cuanto a mí, ¡Dios me libre de jactarme de otra cosa que no sea la cruz de nuestro Señor Jesucristo! En esa cruz mi interés por las cosas de este mundo murió hace ya tiempo, y en ella murió también el interés que el mundo pudiera tener en mí. ¹⁵No importa ya si estoy circuncidado o no; lo que importa es si soy de veras una nueva persona.

¹⁶Que la misericordia y la paz de Dios repose sobre los que de ustedes vivan conforme a este principio y sobre los que en cualquier lugar sean verdaderos hijos de Dios.

problems, and so obey our Lord's command. ³If anyone thinks he is too great to stoop to this, he is fooling himself. He is really a nobody.

⁴Let everyone be sure that he is doing his very best, for then he will have the personal satisfaction of work well done, and won't need to compare himself with someone else. ⁵Each of us must bear some faults and burdens of his own. For none of us is perfect!

⁶Those who are taught the Word of God should help their teachers by paying them.

⁷Don't be misled; remember that you can't ignore God and get away with it: a man will always reap just the kind of crop he sows! ⁸If he sows to please his own wrong desires, he will be planting seeds of evil and he will surely reap a harvest of spiritual decay and death; but if he plants the good things of the Spirit, he will reap the everlasting life which the Holy Spirit gives him. ⁹And let us not get tired of doing what is right, for after a while we will reap a harvest of blessing if we don't get discouraged and give up. ¹⁰That's why whenever we can we should always be kind to everyone, and especially to our Christian brothers.

¹¹I will write these closing words in my own handwriting. See how large I have to make the letters! ¹²Those teachers of yours who are trying to convince you to be circumcised are doing it for just one reason: so that they can be popular and avoid the persecution they would get if they admitted that the cross of Christ alone can save. ¹³And even those teachers who submit to circumcision don't try to keep the other Jewish laws; but they want you to be circumcised in order that they can boast that you are their disciples.

¹⁴As for me, God forbid that I should boast about anything except the cross of our Lord Jesus Christ. Because of that cross my interest in all the attractive things of the world was killed long ago, and the world's interest in me is also long dead. ¹⁵It doesn't make any difference now whether we have been circumcised or not; what counts is whether we really have been changed into new and different people.

¹⁶May God's mercy and peace be upon all of you who live by this principle and upon those everywhere who are really

¹⁷De ahora en adelante no quiero tener que hacer frente a más discusiones sobre los asuntos que les he expuesto, porque llevo en el cuerpo marcas de los latigazos y heridas causados por los enemigos de Cristo, y ellos demuestran que soy siervo del Señor.

¹⁸Amados hermanos, que la gracia de nuestro Señor Jesucristo esté con ustedes. Así sea.

Sinceramente,
Pablo

God's own. ¹⁷ From now on please don't argue with me about these things, for I carry on my body the scars of the whippings and wounds from Jesus' enemies that mark me as his slave.

¹⁸ Dear brothers, may the grace of our Lord Jesus Christ be with you all.

Sincerely,
Paul

EFESIOS / EPHESIANS

1 AMADOS CRISTIANOS DE Efeso, siempre fieles al Señor. Les escribe Pablo, a quien Dios escogió para ser mensajero de Jesucristo. ²Que la bendición y la paz de Dios nuestro Padre y de Jesucristo nuestro Señor reposen en ustedes.

³Alabado sea Dios, Padre de nuestro Señor Jesucristo, quien nos bendijo con toda clase de bendiciones espirituales en los cielos porque pertenecemos a Cristo.

⁴Hace mucho tiempo, antes de que formara el mundo, Dios nos escogió para que fuéramos suyos a través de lo que Cristo haría por nosotros; y resolvió hacernos santos, intachables, por lo que hoy nos encontramos revestidos de amor ante su presencia. ⁵Su inmutable plan fue siempre adoptarnos en su familia, enviando a Cristo para que muriera por nosotros, y esto lo hizo voluntariamente en todo sentido.

⁶Alabemos a Dios por la extraordinaria gracia que nos mostró y que derramó en nosotros al enviar a su amado Hijo. ⁷Tan sobreabundante es su amor que, con la sangre de su Hijo, borró nuestros pecados y nos salvó. ⁸Además, derramó en nosotros la inmensidad de su gracia al impartirnos sabiduría y entendimiento.

⁹Dios nos ha revelado el secreto motivo de la venida de Cristo, plan que en su gracia hace muchísimo tiempo se había trazado. ¹⁰Según este plan, en el momento oportuno nos recogerá dondequiera que estemos —en el cielo o en la tierra— para que estemos con El en Cristo para siempre.

1 DEAR CHRISTIAN FRIENDS at Ephesus, ever loyal to the Lord: This is Paul writing to you, chosen by God to be Jesus Christ's messenger. ² May his blessings and peace be yours, sent to you from God our Father and Jesus Christ our Lord. ³ How we praise God, the Father of our Lord Jesus Christ, who has blessed us with every blessing in heaven because we belong to Christ.

⁴ Long ago, even before he made the world, God chose us to be his very own, through what Christ would do for us; he decided then to make us holy in his eyes, without a single fault—we who stand before him covered with his love. ⁵ His unchanging plan has always been to adopt us into his own family by sending Jesus Christ to die for us. And he did this because he wanted to!

⁶ Now all praise to God for his wonderful kindness to us and his favor that he has poured out upon us, because we belong to his dearly loved Son. ⁷ So overflowing is his kindness towards us that he took away all our sins through the blood of his Son, by whom we are saved; ⁸ and he has showered down upon us the richness of his grace—for how well he understands us and knows what is best for us at all times.

⁹ God has told us his secret reason for sending Christ, a plan he decided on in mercy long ago; ¹⁰ and this was his purpose: that when the time is ripe he will gather us all together from wherever we are—in heaven or on earth—to be with him in Christ, forever. ¹¹ Moreover, because of

[11]Gracias a lo que Cristo hizo, somos regalos que Dios recibe con deleite, porque en su plan soberano nos escogió desde el principio para ser suyos, y esto es el cumplimiento de esa determinación. [12]¿Y por qué lo determinó así? Porque desea que nosotros, que fuimos los primeros en confiar en Cristo, alabemos y glorifiquemos a Dios por las grandes cosas que hizo por nosotros.

[13]Gracias también a lo que Cristo hizo, ustedes, los que escucharon la proclamación de las Buenas Noticias de salvación y confiaron en Cristo, fueron sellados por el Espíritu Santo que nos había sido prometido. [14]La presencia del Espíritu Santo en nosotros es la garantía divina de que nos dará lo prometido; y su sello en nosotros significa que Dios ya nos ha comprado y garantiza que nos llevará hasta El. Este es un motivo más para alabar a nuestro glorioso Dios.

[15]Por eso, desde que me enteré de la robusta fe que ustedes tienen en Jesucristo y del amor que sienten hacia todos los cristianos, [16,17]no he cesado de dar gracias a Dios por ustedes. Pido constantemente a Dios, el glorioso Padre de nuestro Señor Jesucristo, que les dé suficiente sabiduría para ver claramente y entender de veras quién es Cristo y las grandes cosas que ha hecho por ustedes. [18]Pido también que el corazón les rebose de luz para que puedan vislumbrar el futuro que El nos permitirá compartir. ¡Quiero que se den cuenta que si Dios nos ha enriquecido es porque somos de Cristo y hemos sido dados a El!

[19]Oro para que vayan comprendiendo lo increíblemente inmenso que es el poder con que Dios ayuda a los que creen en El, [20]poder que levantó a Cristo de entre los muertos y lo sentó a la derecha del Altísimo, en gloria, [21]muy por encima de cualquier rey, gobernante, dictador o caudillo. Sí, la gloria de Cristo es mucho mayor que la que cualquiera haya alcanzado en este mundo o alcanzará en el venidero. [22]Dios ha puesto todas las cosas a sus pies y lo hizo suprema cabeza de la iglesia. [23]Y la iglesia, que es su cuerpo, está llena de El, autor y dador de todo lo que existe.

what Christ has done we have become gifts to God that he delights in, for as part of God's sovereign plan we were chosen from the beginning to be his, and all things happen just as he decided long ago. [12] God's purpose in this was that we should praise God and give glory to him for doing these mighty things for us, who were the first to trust in Christ.

[13] And because of what Christ did, all you others too, who heard the Good News about how to be saved, and trusted Christ, were marked as belonging to Christ by the Holy Spirit, who long ago had been promised to all of us Christians. [14] His presence within us is God's guarantee that he really will give us all that he promised; and the Spirit's seal upon us means that God has already purchased us and that he guarantees to bring us to himself. This is just one more reason for us to praise our glorious God.

[15] That is why, ever since I heard of your strong faith in the Lord Jesus and of the love you have for Christians everywhere, [16,17] I have never stopped thanking God for you. I pray for you constantly, asking God, the glorious Father of our Lord Jesus Christ, to give you wisdom to see clearly and really understand who Christ is and all that he has done for you. [18] I pray that your hearts will be flooded with light so that you can see something of the future he has called you to share. I want you to realize that God has been made rich because we who are Christ's have been given to him! [19] I pray that you will begin to understand how incredibly great his power is to help those who believe him. It is that same mighty power [20] that raised Christ from the dead and seated him in the place of honor at God's right hand in heaven, [21] far, far above any other king or ruler or dictator or leader. Yes, his honor is far more glorious than that of anyone else either in this world or in the world to come. [22] And God has put all things under his feet and made him the supreme Head of the church— [23] which is his body, filled with himself, the Author and Giver of everything everywhere.

2 ANTES USTEDES ESTABAN bajo la maldición de Dios, condenados eternamente por sus delitos y pecados. ²Según la corriente de este mundo, eran pecadores empedernidos, y como tales, obedecían los dictados de Satanás, príncipe del imperio del aire, quien ahora mismo está operando en el corazón de los que se rebelan contra el Señor.

³Nosotros mismos éramos así; nuestras vidas expresaban la maldad que había en nosotros, y nos entregábamos a las perversidades a que nuestras pasiones y malos pensamientos nos empujaban. Era un mal de nacimiento, pues nacimos con una naturaleza perversa que nos mantenía bajo la ira de Dios como a los demás. ⁴Pero Dios es tan rico en misericordia y nos amó tanto ⁵que, aunque estábamos espiritualmente muertos a causa de nuestros pecados, nos vivificó con Cristo —sólo por su gracia infinita somos salvos—. ⁶Además, nos elevó con Cristo de la tumba a la gloria y nos hizo sentar con El en los cielos. ⁷Ahora Dios puede, en cualquier época, poner como ejemplo de su gracia infinita la obra que en su bondad realizó en nosotros a través de Jesucristo. ⁸Es por su gracia mediante la fe en Cristo que son ustedes salvos, y no por nada que hayan hecho. La salvación es un don de Dios ⁹y no se obtiene haciendo el bien, porque si así fuera tendríamos de qué gloriarnos. ¹⁰Somos hechura suya, creados en Cristo Jesús para realizar las buenas obras que de antemano dispuso que realizáramos.

¹¹Nunca olviden que antes eran paganos, y que los judíos los tenían por infieles e inmundos (aunque tienen el corazón tan inmundo como el de ustedes, pues el valor de los rituales y ceremonias que practican es externo). ¹²Recuerden que en aquellos días ustedes vivían alejadísimos de Cristo, excluidos de la ciudadanía del pueblo de Dios, y no habían recibido la promesa. Estaban perdidos, sin Dios y sin esperanza. ¹³Pero ahora pertenecen a Jesucristo; aunque antes andaban alejados de Dios, la sangre de Jesucristo los acercó a El.

¹⁴Cristo es nuestra paz, pues logró hacer de nosotros los judíos y de ustedes los

2 ONCE YOU WERE under God's curse, doomed forever for your sins. ² You went along with the crowd and were just like all the others, full of sin, obeying Satan, the mighty prince of the power of the air, who is at work right now in the hearts of those who are against the Lord. ³ All of us used to be just as they are, our lives expressing the evil within us, doing every wicked thing that our passions or our evil thoughts might lead us into. We started out bad, being born with evil natures, and were under God's anger just like everyone else.

⁴ But God is so rich in mercy; he loved us so much ⁵ that even though we were spiritually dead and doomed by our sins, he gave us back our lives again when he raised Christ from the dead—only by his undeserved favor have we ever been saved— ⁶ and lifted us up from the grave into glory along with Christ, where we sit with him in the heavenly realms—all because of what Christ Jesus did. ⁷ And now God can always point to us as examples of how very, very rich his kindness is, as shown in all he has done for us through Jesus Christ.

⁸ Because of his kindness you have been saved through trusting Christ. And even trusting is not of yourselves; it too is a gift from God. ⁹ Salvation is not a reward for the good we have done, so none of us can take any credit for it. ¹⁰ It is God himself who has made us what we are and given us new lives from Christ Jesus; and long ages ago he planned that we should spend these lives in helping others.

¹¹ Never forget that once you were heathen, and that you were called godless and "unclean" by the Jews. (But their hearts, too, were still unclean, even though they were going through the ceremonies and rituals of the godly, for they circumcised themselves as a sign of godliness.) ¹² Remember that in those days you were living utterly apart from Christ; you were enemies of God's children and he had promised you no help. You were lost, without God, without hope.

¹³ But now you belong to Christ Jesus, and though you once were far away from God, now you have been brought very near to him because of what Jesus Christ has done for you with his blood.

¹⁴ For Christ himself is our way of peace. He has made peace between us Jews and

gentiles un solo pueblo, derribando la pared de enemistad que nos separaba. ¹⁵Al morir, puso fin al gran resentimiento causado por la ley mosaica, que hacía de los judíos un pueblo privilegiado y los separaba de los gentiles. Y tras anular tal sistema de leyes, tomó los dos grupos antagónicos y los hizo parte de sí mismo, fusionándolos en un solo cuerpo, en un solo hombre nuevo; y se produjo la paz. ¹⁶Ya partes del mismo cuerpo, nos reconcilió con Dios mediante la cruz. ¡Allí en la cruz murió la enemistad!

¹⁷Cristo vino a proclamar las Buenas Nuevas de paz a ustedes que estaban lejos de El, y a nosotros que estábamos cerca. ¹⁸Gracias a El, cualquiera, ya sea judío o gentil, puede allegarse a Dios el Padre con la ayuda de un mismo Espíritu, el Espíritu Santo. ¹⁹Ya no son ustedes extraños ni extranjeros, sino miembros de la familia de Dios, ciudadanos del país de Dios y conciudadanos de los cristianos de todas partes. ²⁰¡Y sobre qué firme cimiento están edificados! ¡Nada menos que el de los apóstoles y profetas, y con Cristo mismo como piedra angular! ²¹Todos los creyentes estamos cuidadosamente unidos en Cristo y formamos parte del hermoso y siempre creciente Templo de Dios. ²²Ustedes, pues, unidos en El, forman también parte de ese lugar en que Dios mora por medio de su Espíritu.

3 YO, PABLO, SIERVO de Cristo, estoy en la cárcel precisamente por haberles anunciado que, aunque ustedes son gentiles, pueden pertenecer a la familia de Dios. ³Como brevemente les conté en una de mis cartas anteriores, Dios mismo me reveló el misterio de que los gentiles también pueden participar de su bondad. ⁴Si leen de nuevo esa carta comprenderán por qué conozco el misterio de Cristo, ⁵misterio que en la antigüedad Dios no había revelado como lo ha hecho ahora por medio del Espíritu a sus santos apóstoles y profetas. ⁶Y este era el misterio: que los gentiles compartirán plenamente con los judíos la herencia de los hijos de Dios. Ambos están invitados a pertenecer a su iglesia, y cada una de las

you Gentiles by making us all one family, breaking down the wall of contempt that used to separate us. ¹³ By his death he ended the angry resentment between us, caused by the Jewish laws which favored the Jews and excluded the Gentiles, for he died to annul that whole system of Jewish laws. Then he took the two groups that had been opposed to each other and made them parts of himself; thus he fused us together to become one new person, and at last there was peace. ¹⁶ As parts of the same body, our anger against each other has disappeared, for both of us have been reconciled to God. And so the feud ended at last at the cross. ¹⁷ And he has brought this Good News of peace to you Gentiles who were very far away from him, and to us Jews who were near. ¹⁸ Now all of us, whether Jews or Gentiles, may come to God the Father with the Holy Spirit's help because of what Christ has done for us.

¹⁹ Now you are no longer strangers to God and foreigners to heaven, but you are members of God's very own family, citizens of God's country, and you belong in God's household with every other Christian.

²⁰ What a foundation you stand on now: the apostles and the prophets; and the cornerstone of the building is Jesus Christ himself! ²¹ We who believe are carefully joined together with Christ as parts of a beautiful, constantly growing temple for God. ²² And you also are joined with him and with each other by the Spirit, and are part of this dwelling place of God.

3 I PAUL, THE servant of Christ, am here in jail because of you—for preaching that you Gentiles are a part of God's house. ²,³ No doubt you already know that God has given me this special work of showing God's favor to you Gentiles, as I briefly mentioned before in one of my letters. God himself showed me this secret plan of his, that the Gentiles, too, are included in his kindness. ⁴ I say this to explain to you how I know about these things. ⁵ In olden times God did not share this plan with his people, but now he has revealed it by the Holy Spirit to his apostles and prophets.

⁶ And this is the secret: that the Gentiles will have their full share with the Jews in all the riches inherited by God's sons; both are invited to belong to his church, and all

grandes promesas de Dios de bendecir abundantemente por medio de Cristo, se aplican a ambos cuando aceptan las Buenas Nuevas de Cristo.

⁷Sin merecerlo, Dios me dio el privilegio de anunciar a todo el mundo este plan divino, y me concedió poder y ciertas habilidades para anunciarlo con efectividad. ⁸¡Figúrense! Aunque no lo merecía, pues soy el más pequeño de todos los cristianos, me concedió el indecible gozo de anunciar a los gentiles las felices noticias del tesoro incalculable que se les ofrece en Cristo, ⁹y explicar a todos que Dios es también Salvador de los gentiles, tal como El, Creador de todo lo que existe, lo tenía planeado desde el mismo principio. ¹⁰¿Y para qué? Pues para que todos los poderes en los cielos comprendan la multiforme sabiduría de Dios al ver a judíos y gentiles unidos en la iglesia, ¹¹que era lo que siempre había planeado hacer por medio de Jesucristo nuestro Señor. ¹²Ahora podemos acercarnos sin temor a la presencia de Dios, seguros de que seremos bien recibidos cuando lo hagamos por medio de Cristo y confiando en El. ¹³Por eso les suplico a ustedes que no desmayen ante mis sufrimientos. Por ustedes sufro y deben sentirse honrados y alentados por ello.

¹⁴,¹⁵Cuando pienso en lo sabio y amplio de su plan, me arrodillo y oro al Padre de la gran familia —algunos miembros de esta gran familia están ya en el cielo y otros están todavía aquí en la tierra— ¹⁶que de sus gloriosos e ilimitados recursos les conceda la enorme fortaleza interna del Espíritu Santo. ¹⁷Oro que, por fe, Cristo habite de veras en sus corazones, para que arraigados en el maravilloso amor de Dios, ¹⁸,¹⁹puedan sentir y entender como hijos de Dios, lo ancho, largo, alto y profundo que es su amor; y oro que ustedes experimenten ese amor, aunque su grandeza está en que jamás verán su fin ni lo entenderán plenamente. Así estarán completamente llenos de Dios.

²⁰Y ahora, gloria sea a Dios, quien por el formidable poder que actúa en nosotros puede bendecirnos infinitamente más allá de nuestras más sentidas oraciones, deseos, pensamientos y esperanzas. ²¹A El sea la gloria para siempre por ese magistral plan

of God's promises of mighty blessings through Christ apply to them both when they accept the Good News about Christ and what he has done for them. ⁷God has given me the wonderful privilege of telling everyone about this plan of his; and he has given me his power and special ability to do it well.

⁸Just think! Though I did nothing to deserve it, and though I am the most useless Christian there is, yet I was the one chosen for this special joy of telling the Gentiles the Glad News of the endless treasures available to them in Christ; ⁹and to explain to everyone that God is the Savior of the Gentiles too, just as he who made all things had secretly planned from the very beginning.

¹⁰And his reason? To show to all the rulers in heaven how perfectly wise he is when all of his family—Jews and Gentiles alike—are seen to be joined together in his church, ¹¹in just the way he had always planned it through Jesus Christ our Lord.

¹²Now we can come fearlessly right into God's presence, assured of his glad welcome when we come with Christ and trust in him.

¹³So please don't lose heart at what they are doing to me here. It is for you I am suffering and you should feel honored and encouraged. ¹⁴,¹⁵When I think of the wisdom and scope of his plan I fall down on my knees and pray to the Father of all the great family of God—some of them already in heaven and some down here on earth— ¹⁶that out of his glorious, unlimited resources he will give you the mighty inner strengthening of his Holy Spirit. ¹⁷And I pray that Christ will be more and more at home in your hearts, living within you as you trust in him. May your roots go down deep into the soil of God's marvelous love; ¹⁸,¹⁹and may you be able to feel and understand, as all God's children should, how long, how wide, how deep, and how high his love really is; and to experience this love for yourselves, though it is so great that you will never see the end of it or fully know or understand it. And so at last you will be filled up with God himself.

²⁰Now glory be to God who by his mighty power at work within us is able to do far more than we would ever dare to ask or even dream of—infinitely beyond our highest prayers, desires, thoughts, or hopes. ²¹May he be given glory forever and ever

de salvación para la iglesia por medio de Jesucristo.

4 YO, PRISIONERO POR servir al Señor, les ruego encarecidamente que vivan y actúen como es digno de los que han sido escogidos como receptores de tan maravillosas bendiciones. ²Sean humildes y apacibles. Sean pacientes unos con otros, y por amor tolérense mutuamente las faltas que involuntariamente puedan cometer. ³Unidos, déjense guiar por el Espíritu Santo; y reine entre ustedes la paz. ⁴Somos partes de un mismo cuerpo, tenemos un mismo Espíritu, y hemos sido llamados a una misma gloriosa esperanza. ⁵Para nosotros sólo hay un Señor, una fe, un bautismo; ⁶y tenemos el mismo Dios y Padre, quien está sobre todos nosotros, actúa por medio de todos nosotros, y está en todos nosotros.

⁷Sin embargo, según le plugo, Cristo ha dado a cada uno dones diferentes. ⁸El salmista dijo que cuando el Señor regresara triunfante al cielo, después de resucitar y triunfar sobre Satanás, daría generosos dones a los hombres. ⁹Noten ustedes que habla de regresar a los cielos, lo cual implica que primero habría de descender desde lo más alto de los cielos hasta lo más bajo de la tierra. ¹⁰Pues bien, el que descendió, luego regresó a lo más alto de los cielos para poder llenarlo todo de sí mismo. ¹¹Y a algunos les dio el don de ser apóstoles; a otros el don de predicar bien; a otros, el de ganar personas para Cristo y guiarlas a confiar en El como Salvador; y a otros el don de velar por el pueblo de Dios como el pastor vela por su rebaño, y enseñar los caminos de Dios. ¹²¿Y por qué concede tales habilidades? Porque quiere que su pueblo esté perfectamente capacitado para realizar mejor la tarea de llevar a la iglesia, cuerpo de Cristo, a un estado de vigor y madurez ¹³en que nuestra creencia en la salvación y en el Salvador, el Hijo de Dios, sea la misma y hayamos crecido en el Señor hasta el punto de estar henchidos de Cristo.

¹⁴Cuando lleguemos a eso, dejaremos de ser niños fluctuantes que varían de creencia

through endless ages because of his master plan of salvation for the church through Jesus Christ.

4 I BEG YOU—I, a prisoner here in jail for serving the Lord—to live and act in a way worthy of those who have been chosen for such wonderful blessings as these. ² Be humble and gentle. Be patient with each other, making allowance for each other's faults because of your love. ³ Try always to be led along together by the Holy Spirit, and so be at peace with one another.

⁴ We are all parts of one body, we have the same Spirit, and we have all been called to the same glorious future. ⁵ For us there is only one Lord, one faith, one baptism, ⁶ and we all have the same God and Father who is over us all and in us all, and living through every part of us. ⁷ However, Christ has given each of us special abilities—whatever he wants us to have out of his rich storehouse of gifts.

⁸ The Psalmist tells about this, for he says that when Christ returned triumphantly to heaven after his resurrection and victory over Satan, he gave generous gifts to men. ⁹ Notice that it says he returned to heaven. This means that he had first come down from the heights of heaven, far down to the lowest parts of the earth. ¹⁰ The same one who came down is the one who went back up, that he might fill all things everywhere with himself, from the very lowest to the very highest.

¹¹ Some of us have been given special ability as apostles; to others he has given the gift of being able to preach well; some have special ability in winning people to Christ, helping them to trust him as their Savior; still others have a gift for caring for God's people as a shepherd does his sheep, leading and teaching them in the ways of God.

¹² Why is it that he gives us these special abilities to do certain things best? It is that God's people will be equipped to do better work for him, building up the church, the body of Christ, to a position of strength and maturity; ¹³ until finally we all believe alike about our salvation and about our Savior, God's Son, and all become full-grown in the Lord—yes, to the point of being filled full with Christ.

¹⁴ Then we will no longer be like children, forever changing our minds about

cada vez que alguien les dice algo diferente o logra que sus palabras mentirosas adquieran matices de veracidad. [15,16]Cuando lleguemos a eso, en todo momento seguiremos la verdad con amor —diremos la verdad, aplicaremos la verdad en nuestro trato con los demás y en nuestra vida diaria— y cada vez seremos más semejantes a Cristo, quien es la Cabeza de ese cuerpo suyo que es la iglesia. Bajo su dirección las partes del cuerpo armonizan perfectamente; y cada una, según el don recibido, ayuda a las demás para que el cuerpo entero esté saludable, crezca y se llene de amor.

[17,18]Les digo y conjuro en el Señor: No vivan ya como los perdidos: ciegos y confundidos. El perdido tiene el corazón endurecido y lleno de negrura; está lejos de la vida que Dios ofrece porque tiene el entendimiento entenebrecido. [19]El que sea algo bueno o malo lo tiene sin cuidado, y se entrega con desenfreno a toda clase de impurezas. No se detiene ante nada, pues está guiado por una mente perversa y plagada de lujuria. [20]¡Ese no es el Cristo que ustedes han aprendido!

[21]Si de veras han escuchado la voz del Señor y han aprendido de El las verdades sobre sí mismo, [22]arrojen de ustedes su vieja naturaleza tan corrompida y tan llena de malos deseos. [23]Renueven sus actitudes y pensamientos. [24]Sí, revístanse de la nueva naturaleza. Sean diferentes, santos y buenos. [25]Dejen la mentira; digan la verdad siempre, porque como somos miembros unos de otros, si nos mentimos nos estamos perjudicando a nosotros mismos.

[26]Si se enojan ustedes, no cometan el pecado de dar lugar al resentimiento. ¡Jamás se ponga el sol sobre su enojo! Dejen pronto el enojo, [27]porque cuando uno está enojado le da ocasión al diablo.

[28]Si alguno roba, no lo haga más; al contrario, trabaje honradamente para que tenga con qué ayudar a los que están en necesidad.

[29]Nunca empleen lenguaje sucio. Hablen sólo de lo que sea bueno, edificante y de bendición para sus oyentes. [30]No entristezcan al Espíritu Santo por la manera en que viven. Recuerden que es el Espíritu Santo el que estampó en ustedes el sello distintivo que les permitirá presenciar el día en que la salvación del pecado quedará completa. [31]Arrojen de ustedes las

what we believe because someone has told us something different, or has cleverly lied to us and made the lie sound like the truth. [15,16] Instead, we will lovingly follow the truth at all times—speaking truly, dealing truly, living truly —and so become more and more in every way like Christ who is the Head of his body, the church. Under his direction the whole body is fitted together perfectly, and each part in its own special way helps the other parts, so that the whole body is healthy and growing and full of love.

[17,18] Let me say this, then, speaking for the Lord: Live no longer as the unsaved do, for they are blinded and confused. Their closed hearts are full of darkness; they are far away from the life of God because they have shut their minds against him, and they cannot understand his ways. [19] They don't care anymore about right and wrong and have given themselves over to impure ways. They stop at nothing, being driven by their evil minds and reckless lusts.

[20] But that isn't the way Christ taught you! [21] If you have really heard his voice and learned from him the truths concerning himself, [22] then throw off your old evil nature—the old you that was a partner in your evil ways—rotten through and through, full of lust and sham.

[23] Now your attitudes and thoughts must all be constantly changing for the better. [24] Yes, you must be a new and different person, holy and good. Clothe yourself with this new nature.

[25] Stop lying to each other; tell the truth, for we are parts of each other and when we lie to each other we are hurting ourselves. [26] If you are angry, don't sin by nursing your grudge. Don't let the sun go down with you still angry—get over it quickly; [27] for when you are angry you give a mighty foothold to the devil.

[28] If anyone is stealing he must stop it and begin using those hands of his for honest work so he can give to others in need. [29] Don't use bad language. Say only what is good and helpful to those you are talking to, and what will give them a blessing.

[30] Don't cause the Holy Spirit sorrow by the way you live. Remember, he is the one who marks you to be present on that day when salvation from sin will be complete.

[31] Stop being mean, bad-tempered and

amarguras, los enojos y la ira. Las disputas, los insultos y el odio no han de hallar cabida en sus vidas. ¹²Sean bondadosos entre ustedes, compasivos, perdonándose las faltas que unos contra otros puedan cometer, de la misma manera que Dios nos perdonó en Cristo.

5 IMITEN USTEDES A Dios como hijos amados que imitan a su padre. ²Estén llenos de amor hacia los demás; sigan en esto el ejemplo de Cristo, quien nos amó y se entregó en sacrificio a Dios por nuestros pecados. Dios se agradó de aquel sacrificio, porque el amor de Cristo hacia ustedes es para El delicado perfume.

³Que no haya entre ustedes pecados sexuales, impurezas ni avaricia. Que nadie los acuse de semejantes pecados.

⁴Los cuentos sucios, las conversaciones livianas y los chistes de doble sentido no convienen. En vez de eso, hablen de las bondades de Dios, que mucho tienen de qué estar agradecidos.

⁵Sepan esto: Jamás tendrá parte en el reino de Cristo y de Dios el que ande con inmoralidades, impurezas o avaricias (ser avaro es lo mismo que ser idólatra, pues el avaro ama los bienes terrenales más que a Dios). ⁶No se dejen engañar por los que tratan de excusar estos pecados, porque terrible es el castigo que les espera. Eviten aun las relaciones con semejantes personas, ⁸porque aunque antes vivían ustedes en tinieblas, ahora la luz del Señor brilla en sus vidas y debe notarse en su conducta. ⁹Cuando esa luz brilla en uno, produce bondad, justicia y verdad. ¹⁰Por lo tanto, lo adecuado es que traten siempre de saber qué es lo que agrada al Señor.

¹¹No participen de los infructuosos placeres de las tinieblas y el mal, sino repréndanlos y denúncienlos. ¹²Es vergonzoso aun hablar de muchas de las cosas que los impíos hacen; ¹³pero cuando uno pone esas cosas al descubierto, la luz brilla y el pecado resalta; ¡y a veces muchos, al comprender su iniquidad, se vuelven hijos de la luz! ¹⁴Por eso Dios dice en las Escrituras: "Despiértate, tú que duermes, y levántate de entre los muertos, y Cristo te alumbrará".

¹⁵,¹⁶Así que cuidado cómo viven ustedes. Sean sabios, no ignorantes; aprovechen bien el tiempo, porque los días son malos.

angry. Quarreling, harsh words, and dislike of others should have no place in your lives. ¹² Instead, be kind to each other, tenderhearted, forgiving one another, just as God has forgiven you because you belong to Christ.

5 FOLLOW GOD'S EXAMPLE in everything you do just as a much loved child imitates his father. ² Be full of love for others, following the example of Christ who loved you and gave himself to God as a sacrifice to take away your sins. And God was pleased, for Christ's love for you was like sweet perfume to him.

³ Let there be no sex sin, impurity or greed among you. Let no one be able to accuse you of any such things. ⁴ Dirty stories, foul talk and coarse jokes—these are not for you. Instead, remind each other of God's goodness and be thankful.

⁵ You can be sure of this: The kingdom of Christ and of God will never belong to anyone who is impure or greedy, for a greedy person is really an idol worshiper—he loves and worships the good things of this life more than God. ⁶ Don't be fooled by those who try to excuse these sins, for the terrible wrath of God is upon all those who do them. ⁷ Don't even associate with such people. ⁸ For though once your heart was full of darkness, now it is full of light from the Lord, and your behavior should show it! ⁹ Because of this light within you, you should do only what is good and right and true.

¹⁰ Learn as you go along what pleases the Lord. ¹¹ Take no part in the worthless pleasures of evil and darkness, but instead, rebuke and expose them. ¹² It would be shameful even to mention here those pleasures of darkness which the ungodly do. ¹³ But when you expose them, the light shines in upon their sin and shows it up, and when they see how wrong they really are, some of them may even become children of light! ¹⁴ That is why God says in the Scriptures, "Awake, O sleeper, and rise up from the dead; and Christ shall give you light."

¹⁵,¹⁶ So be careful how you act; these are difficult days. Don't be fools; be wise: make the most of every opportunity you have for

¹⁷No hagan nada a la ligera, sino traten de entender y poner en práctica la voluntad de Dios.

¹⁸No se embriaguen ustedes con vino, porque es peligroso para el alma; más bien estén llenos del Espíritu Santo y dejen que El los guíe.

¹⁹Hablen del Señor entre ustedes, reciten salmos e himnos y entonen cantos espirituales. Eleven al Señor la alabanza de sus corazones, ²⁰siempre dando gracias por todo al que es Dios y Padre, en el nombre de nuestro Señor Jesucristo.

²¹Honren a Cristo sometiéndose unos a otros. ²²Las mujeres sométanse a sus esposos al igual que se someten al Señor, ²³porque el esposo es cabeza de la esposa, de la misma manera que Cristo es cabeza de ese cuerpo suyo que es la iglesia (¡para salvarla y cuidarla dio la vida!). ²⁴Así que las esposas deben obedecer en todo a sus esposos, así como la iglesia obedece a Cristo.

²⁵Los esposos, por su parte, deben mostrar a sus esposas el mismo amor que Cristo mostró a su iglesia. Cristo murió ²⁶para hacer de ella una iglesia santa y limpia (lavada en el bautismo y en la Palabra de Dios), ²⁷y presentársela a sí mismo gloriosa, sin manchas, ni arrugas ni nada semejante, sino santa e inmaculada. ²⁸Así deben amar los esposos a sus esposas, como partes de su cuerpo. Porque si la esposa y el esposo son uno, ¡el hombre que ama a su esposa se ama a sí mismo! ²⁹,³⁰Nadie aborrece su propio cuerpo; antes bien, lo sustenta y lo cuida con esmero. Cristo hace lo mismo con ese cuerpo suyo del que formamos parte, la iglesia. ³¹(El que el esposo y la esposa son un cuerpo lo afirman las Escrituras: "El hombre dejará a su padre y a su madre y se unirá a la mujer con quien se casa, para poder ser una sola carne".) ³²Sé que esto es difícil de entender; pero ilustra la manera en que somos partes del cuerpo de Cristo. ³³Así que, repito, el esposo debe amar a su esposa como parte de sí mismo; y la esposa debe tratar de respetar a su esposo, obedeciéndolo, alabándolo y honrándolo.

6 HIJOS, OBEDEZCAN USTEDES a sus padres; esto es lo correcto porque Dios los ha puesto por encima de ustedes. ²"Honra a tu padre y a tu madre". De los Diez Man-

doing good. ¹⁷ Don't act thoughtlessly, but try to find out and do whatever the Lord wants you to. ¹⁸ Don't drink too much wine, for many evils lie along that path; be filled instead with the Holy Spirit, and controlled by him.

¹⁹ Talk with each other much about the Lord, quoting psalms and hymns and singing sacred songs, making music in your hearts to the Lord. ²⁰ Always give thanks for everything to our God and Father in the name of our Lord Jesus Christ.

²¹ Honor Christ by submitting to each other. ²² You wives must submit to your husbands' leadership in the same way you submit to the Lord. ²³ For a husband is in charge of his wife in the same way Christ is in charge of his body the church. (He gave his very life to take care of it and be its Savior!) ²⁴ So you wives must willingly obey your husbands in everything, just as the church obeys Christ.

²⁵ And you husbands, show the same kind of love to your wives as Christ showed to the church when he died for her, ²⁶ to make her holy and clean, washed by baptism and God's Word; ²⁷ so that he could give her to himself as a glorious church without a single spot or wrinkle or any other blemish, being holy and without a single fault. ²⁸ That is how husbands should treat their wives, loving them as parts of themselves. For since a man and his wife are now one, a man is really doing himself a favor and loving himself when he loves his wife! ²⁹,³⁰ No one hates his own body but lovingly cares for it, just as Christ cares for his body the church, of which we are parts.

³¹ (That the husband and wife are one body is proved by the Scripture which says, "A man must leave his father and mother when he marries, so that he can be perfectly joined to his wife, and the two shall be one.") ³² I know this is hard to understand, but it is an illustration of the way we are parts of the body of Christ.

³³ So again I say, a man must love his wife as a part of himself; and the wife must see to it that she deeply respects her husband—obeying, praising and honoring him.

6 CHILDREN, OBEY YOUR parents; this is the right thing to do because God has placed them in authority over you. ² Honor your father and mother. This is the first of

damientos éste es el primero que termina con una promesa: ³"para que disfrutes una vida larga y llena de bendiciones".

⁴Y en cuanto a ustedes, padres, no estén siempre regañando y castigando a sus hijos, con lo cual pueden provocar en ellos ira y resentimiento. Más bien críenlos en amorosa disciplina cristiana, mediante sugerencias y consejos piadosos.

⁵Esclavo, obedece a tu amo; procura servirle lo mejor posible, como si estuvieras sirviendo a Cristo. ⁶·⁷No seas de los que trabajan bien sólo cuando el amo los está observando, para quedar bien con él. Trabaja bien siempre y de buena gana, como si lo hicieras para Cristo, cumpliendo de todo corazón la voluntad de Dios. ⁸Recuerda que el Señor nos pagará el bien que hagamos, ya seamos esclavos o libres.

⁹Y tú, dueño de esclavos, trátalos bien. Deja a un lado las amenazas. Recuerda que tú, al igual que ellos, eres esclavo de Cristo, y que Cristo no hace distinciones.

¹⁰Por último, recuerden que su fortaleza ha de emanar del gran poder del Señor que hay en ustedes. ¹¹Vístanse de toda la armadura de Dios, para que puedan resistir las asechanzas del diablo. ¹²Nuestra lucha no es contra seres de carne y hueso, sino contra seres incorpóreos —malignos soberanos del mundo invisible, poderosos seres satánicos y príncipes de las tinieblas que gobiernan este mundo— y contra perversas huestes espirituales en el mundo espiritual. ¹³Vístanse la armadura completa para poder resistir al enemigo cuando ataque; así, al terminar la batalla estarán ustedes todavía en pie. ¹⁴¡Cíñanse, pues, el firme cinturón de la verdad y la coraza de la aprobación divina! ¹⁵Su calzado ha de permitir que se apresuren a predicar las Buenas Nuevas de la paz con Dios. ¹⁶En la batalla precisarán ustedes el escudo de la fe —para detener los dardos de fuego que arroja Satanás—, ¹⁷el casco de la salvación y la espada del Espíritu, que es la Palabra de Dios.

¹⁸Oren en todo tiempo. Pidan a Dios cualquier cosa que esté de acuerdo con los deseos del Espíritu. Presenten sus súplicas,

God's Ten Commandments that ends with a promise. ³ And this is the promise: that if you honor your father and mother, yours will be a long life, full of blessing.

⁴ And now a word to you parents. Don't keep on scolding and nagging your children, making them angry and resentful. Rather, bring them up with the loving discipline the Lord himself approves, with suggestions and godly advice.

⁵ Slaves, obey your masters; be eager to give them your very best. Serve them as you would Christ. ⁶·⁷ Don't work hard only when your master is watching and then shirk when he isn't looking; work hard and with gladness all the time, as though working for Christ, doing the will of God with all your hearts. ⁸ Remember, the Lord will pay you for each good thing you do, whether you are slave or free.

⁹ And you slave owners must treat your slaves right, just as I have told them to treat you. Don't keep threatening them; remember, you yourselves are slaves to Christ; you have the same Master they do, and he has no favorites.

¹⁰ Last of all I want to remind you that your strength must come from the Lord's mighty power within you. ¹¹ Put on all of God's armor so that you will be able to stand safe against all strategies and tricks of Satan. ¹² For we are not fighting against people made of flesh and blood, but against persons without bodies—the evil rulers of the unseen world, those mighty satanic beings and great evil princes of darkness who rule this world; and against huge numbers of wicked spirits in the spirit world.

¹³ So use every piece of God's armor to resist the enemy whenever he attacks, and when it is all over, you will still be standing up.

¹⁴ But to do this, you will need the strong belt of truth and the breastplate of God's approval. ¹⁵ Wear shoes that are able to speed you on as you preach the Good News of peace with God. ¹⁶ In every battle you will need faith as your shield to stop the fiery arrows aimed at you by Satan. ¹⁷ And you will need the helmet of salvation and the sword of the Spirit—which is the Word of God.

¹⁸ Pray all the time. Ask God for anything in line with the Holy Spirit's wishes. Plead with him, reminding him of your

recordándole sus necesidades y las de los cristianos de todas partes.

¹⁹Oren también por mí. Pidan a Dios que ponga en mi boca las palabras adecuadas cuando hable con denuedo a los demás acerca del Señor y les explique que la salvación es para los gentiles también.

²⁰Me tienen encadenado por predicar este mensaje de Dios. Oren que el Señor me dé valor al cumplir el deber de hablar de El aquí en la prisión.

²¹Tíquico, mi queridísimo hermano y fiel colaborador en la obra del Señor, les contará cómo me va y qué hago. ²²Para eso precisamente lo envío. Quiero que ustedes sepan de nosotros y se sientan animados con lo que les cuente.

²³Que Dios les dé paz, amados hermanos en Cristo, y les dé amor, con fe de Dios el Padre y del Señor Jesucristo.

²⁴Que la gracia y la bendición de Dios estén sobre los que sinceramente aman a nuestro Señor Jesucristo.

Sinceramente,

Pablo

needs, and keep praying earnestly for all Christians everywhere. ¹⁹ Pray for me, too, and ask God to give me the right words as I boldly tell others about the Lord, and as I explain to them that his salvation is for the Gentiles too. ²⁰ I am in chains now for preaching this message from God. But pray that I will keep on speaking out boldly for him even here in prison, as I should.

²¹ Tychicus, who is a much loved brother and faithful helper in the Lord's work, will tell you all about how I am getting along. ²² I am sending him to you for just this purpose, to let you know how we are and be encouraged by his report.

²³ May God give peace to you, my Christian brothers, and love, with faith from God the Father and the Lord Jesus Christ. ²⁴ May God's grace and blessing be upon all who sincerely love our Lord Jesus Christ.

Sincerely,
Paul

FILIPENSES / PHILIPPIANS

1 REMITENTES: PABLO Y Timoteo, esclavos de Jesucristo.

Destinatarios: Los pastores, diáconos y cristianos en general de la ciudad de Filipos.

²Que el Señor los bendiga. Oro que Dios nuestro Padre y el Señor Jesucristo les den a ustedes sus más ricas bendiciones y plena paz.

³Las oraciones que por ustedes elevo cada vez que los recuerdo están llenas de alabanzas a Dios. ⁴Cuando oro por ustedes el corazón se me llena de gozo, ⁵recordando cómo desde el primer día en que escucharon el evangelio hasta ahora, no han cesado de cooperar maravillosamente en la tarea de dar a conocer las Buenas Nuevas de Jesucristo. ⁶Y estoy seguro que Dios, que comenzó en ustedes la buena obra, les seguirá ayudando a crecer en su gracia hasta que la obra que realiza en ustedes quede completa en el día en que Jesucristo regrese.

1 FROM: PAUL AND Timothy, slaves of Jesus Christ.

To: The pastors and deacons and all the Christians in the city of Philippi.

² May God bless you all. Yes, I pray that God our Father and the Lord Jesus Christ will give each of you his fullest blessings, and his peace in your hearts and your lives. ³ All my prayers for you are full of praise to God! ⁴ When I pray for you, my heart is full of joy, ⁵ because of all your wonderful help in making known the Good News about Christ from the time you first heard it until now. ⁶ And I am sure that God who began the good work within you will keep right on helping you grow in his grace until his task within you is finally finished on that day when Jesus Christ returns.

⁷Es natural que me sienta así respecto a ustedes, pues los llevo en el alma. Juntos hemos disfrutado las bendiciones de Dios, tanto en mis prisiones como cuando he disfrutado de libertad para defender la verdad y hablar a otros de Cristo. ⁸Sólo Dios sabe lo profundo que es el amor que siento por ustedes; los amo con el entrañable amor de Jesucristo. ⁹Mi oración es que cada vez más rebosen de amor hacia los demás, y que al mismo tiempo sigan creciendo en perfecto conocimiento y discernimiento espiritual. ¹⁰Quiero que siempre perciban claramente la diferencia entre lo malo y lo bueno; que estén limpios por dentro, para que nadie les pueda reprochar nada cuando el Señor regrese, ¹¹y que siempre estén haciendo lo que es bueno y noble, con lo cual demostrarán que son hijos de Dios y traerán gloria al Señor. ¹²Y quiero que sepan, amados hermanos, que cuanto me ha sucedido ha contribuido a la propagación de las Buenas Nuevas de Cristo. ¹³Todos, hasta los soldados del cuartel, saben que estoy encadenado por el sencillo hecho de ser cristiano. ¹⁴Además, gracias a mis prisiones, muchos de los cristianos de estos alrededores han perdido el miedo. De cierta forma mi paciencia los ha alentado y ahora hablan de Cristo con más valor.

¹⁵Algunos, es cierto, predican a Cristo porque tienen envidia de la forma en que Dios me usa. ¡Quieren adquirir fama de predicadores valientes! Pero otros tienen motivos más puros. ¹⁶Unos anuncian a Cristo por darme celos, pensando que el triunfo que puedan tener aumentará mis aflicciones en la cárcel; ¹⁷pero otros lo hacen porque me aman, pues saben que el Señor me trajo aquí para usarme en la defensa del evangelio.

¹⁸Pero ¿y qué? Lo cierto es que, hipócrita o sinceramente, las Buenas Nuevas de Cristo están siendo predicadas, y esto me hace feliz. Nada podrá quitarme este gozo. ¹⁹Sé que, gracias a las oraciones de ustedes y a la ayuda del Espíritu Santo, todo va a redundar en mi provecho. ²⁰Anhelo y espero jamás hacer nada por lo cual puedan avergonzarse de mí; anhelo y espero estar dispuesto a predicar a Cristo con valor mientras paso por estas tribulaciones. No me

⁷ How natural it is that I should feel as I do about you, for you have a very special place in my heart. We have shared together the blessings of God, both when I was in prison and when I was out, defending the truth and telling others about Christ. ⁸ Only God knows how deep is my love and longing for you—with the tenderness of Jesus Christ. ⁹ My prayer for you is that you will overflow more and more with love for others, and at the same time keep on growing in spiritual knowledge and insight, ¹⁰ for I want you always to see clearly the difference between right and wrong, and to be inwardly clean, no one being able to criticize you from now until our Lord returns. ¹¹ May you always be doing those good, kind things which show that you are a child of God, for this will bring much praise and glory to the Lord.

¹² And I want you to know this, dear brothers: Everything that has happened to me here has been a great boost in getting out the Good News concerning Christ. ¹³ For everyone around here, including all the soldiers over at the barracks, knows that I am in chains simply because I am a Christian. ¹⁴ And because of my imprisonment many of the Christians here seem to have lost their fear of chains! Somehow my patience has encouraged them and they have become more and more bold in telling others about Christ.

¹⁵ Some, of course, are preaching the Good News because they are jealous of the way God has used me. They want reputations as fearless preachers! But others have purer motives, ¹⁶,¹⁷ preaching because they love me, for they know that the Lord has brought me here to use me to defend the Truth. And some preach to make me jealous, thinking that their success will add to my sorrows here in jail! ¹⁸ But whatever their motive for doing it, the fact remains that the Good News about Christ is being preached and I am glad.

¹⁹ I am going to keep on being glad, for I know that as you pray for me, and as the Holy Spirit helps me, this is all going to turn out for my good. ²⁰ For I live in eager expectation and hope that I will never do anything that will cause me to be ashamed of myself but that I will always be ready to speak out boldly for Christ while I am going through all these trials here, just as I have

importa vivir o morir; lo que deseo es honrar a Cristo. ²¹Para mí el vivir es servir a Cristo y el morir es ganancia. ²²Pero si vivo, tendré más oportunidades de ganar almas para Cristo. De veras, ¡no sé qué es mejor, si vivir o morir! ²³A veces quisiera vivir y a veces no, porque tengo ganas de irme a estar con Cristo. ¡Sería mucho mejor que quedarme aquí! ²⁴Pero lo cierto es que es más necesario para ustedes que me quede. ²⁵Por eso, tengo la certeza de que permaneceré un rato más en este mundo, ayudándoles a crecer y a regocijarlos en la fe, ²⁶y que un día de éstos volveré a visitarlos y tendrán ocasión de regocijarse y dar gloria a Jesucristo por haberme protegido.

²⁷De todos modos, lo importante es que ustedes vivan como es digno de cristianos, para que, ya sea que los vuelva a ver o no, siempre oiga decir que ustedes se mantienen firmemente unidos en la sublime tarea de proclamar las Buenas Nuevas, ²⁸sin temor a lo que el enemigo pueda hacerles. Esto será para ellos señal de que llevan las de perder, pero para ustedes será incontrovertible prueba de que Dios está a su lado y les ha dado la vida eterna con El. ²⁹Porque por Cristo les ha sido concedido a ustedes no sólo el privilegio de confiar en El, sino de sufrir por El. ³⁰En esta lucha estamos juntos. Y ya saben cuánto he sufrido y en qué terrible lucha estoy ahora.

2 ¿PUEDEN LOS CRISTIANOS consolarse unos a otros? ¿Me aman ustedes lo suficiente como para desear consolarme? ¿Tiene algún significado para ustedes el que seamos hermanos en el Señor y participemos del mismo Espíritu? Si alguna vez han sabido lo que es el cariño y la compasión, ²colmen mi alegría amándose unos a otros, viviendo en armonía y luchando unidos por un mismo ideal y un mismo propósito. ³No hagan nada por rivalidad ni por vanagloria. Sean humildes; tengan siempre a los demás por mejores que ustedes. ⁴Cada uno interésese no sólo en lo suyo sino también en lo de los demás.

⁵Jesucristo nos dio en cuanto a esto un gran ejemplo, ⁶porque, aunque era Dios, no

in the past; and that I will always be an honor to Christ, whether I live or whether I must die. ²¹ For to me, living means opportunities for Christ, and dying—well, that's better yet! ²² But if living will give me more opportunities to win people to Christ, then I really don't know which is better, to live or die! ²³ Sometimes I want to live and at other times I don't, for I long to go and be with Christ. How much happier for *me* than being here! ²⁴ But the fact is that I can be of more help to *you* by staying!

²⁵ Yes, I am still needed down here and so I feel certain I will be staying on earth a little longer, to help you grow and become happy in your faith; ²⁶ my staying will make you glad and give you reason to glorify Christ Jesus for keeping me safe, when I return to visit you again.

²⁷ But whatever happens to me, remember always to live as Christians should, so that, whether I ever see you again or not, I will keep on hearing good reports that you are standing side by side with one strong purpose—to tell the Good News ²⁸ fearlessly, no matter what your enemies may do. They will see this as a sign of their downfall, but for you it will be a clear sign from God that he is with you, and that he has given you eternal life with him. ²⁹ For to you has been given the privilege not only of trusting him but also of suffering for him. ³⁰ We are in this fight together. You have seen me suffer for him in the past; and I am still in the midst of a great and terrible struggle now, as you know so well.

2 IS THERE ANY such thing as Christians cheering each other up? Do you love me enough to want to help me? Does it mean anything to you that we are brothers in the Lord, sharing the same Spirit? Are your hearts tender and sympathetic at all? ² Then make me truly happy by loving each other and agreeing wholeheartedly with each other, working together with one heart and mind and purpose.

³ Don't be selfish; don't live to make a good impression on others. Be humble, thinking of others as better than yourself. ⁴ Don't just think about your own affairs, but be interested in others, too, and in what they are doing.

⁵ Your attitude should be the kind that was shown us by Jesus Christ, ⁶ who,

demandó ni se aferró a los derechos que como Dios tenía, [7]sino que, despojándose de su gran poder y gloria, tomó forma de esclavo al nacer como hombre. [8]Y en su humillación llegó al extremo de morir como mueren los criminales: en la cruz. [9]Por eso Dios lo exaltó hasta lo sumo y le dio el nombre que está por encima de cualquier nombre, [10]para que al escuchar el nombre de Jesús no haya rodilla en el cielo, en la tierra ni en los abismos que no se doble, [11]y para que toda lengua confiese que Jesucristo es Señor, para la gloria de Dios Padre.

[12]Amados míos, así como mientras estuve con ustedes, solían obedecer fielmente mis instrucciones, ahora que estoy lejos deben procurar mucho más hacer las cosas como corresponde a los salvos, obedeciendo a Dios con gran reverencia, apartándose de cuanto pueda desagradarle. [13]Porque Dios está en ustedes ayudándoles a desear obedecerlo y a poner en práctica esos deseos de hacer su voluntad.

[14]Cuando hagan algo, eviten las quejas y las discusiones, [15]para que nadie les pueda reprochar nada. Lleven una vida pura, inocente, como corresponde a los hijos de Dios en este mundo sombrío plagado de individuos tortuosos y perversos. ¡Brillen como antorchas en el mundo! [16]¡Mantengan al alcance de su vida la Palabra de Vida! Así, cuando Cristo venga, experimentaré la indecible alegría de saber que mi trabajo entre ustedes no fue en vano. [17]Y si mi sangre tuviera que ser derramada como libación sobre esa fe de ustedes que he de ofrecer a Dios en sacrificio, con regocijo ofrendaría mi vida y compartiría mi gozo con ustedes. [18]Deben alegrarse y regocijarse conmigo si se me concede el privilegio de morir por nuestra fe.

[19]Si el Señor lo permite, dentro de poco les enviaré a Timoteo. Sé que cuando regrese me alegrará con noticias de ustedes. [20]Nadie tiene tanto interés en ustedes como Timoteo; [21]los demás parecen estar siempre embebidos en sus propios planes y no en los de Jesucristo. [22]Pero ustedes conocen bien las virtudes de Timoteo. Para mí él ha sido como un hijo, y me ha ayudado mucho en la predicación de las Buenas Nuevas. [23]Espero poder enviarlo tan pronto sepa qué van a

though he was God, did not demand and cling to his rights as God, [7]but laid aside his mighty power and glory, taking the disguise of a slave and becoming like men. [8]And he humbled himself even further, going so far as actually to die a criminal's death on a cross.

[9]Yet it was because of this that God raised him up to the heights of heaven and gave him a name which is above every other name, [10]that at the name of Jesus every knee shall bow in heaven and on earth and under the earth, [11]and every tongue shall confess that Jesus Christ is Lord, to the glory of God the Father.

[12]Dearest friends, when I was there with you, you were always so careful to follow my instructions. And now that I am away you must be even more careful to do the good things that result from being saved, obeying God with deep reverence, shrinking back from all that might displease him. [13]For God is at work within you, helping you want to obey him, and then helping you do what he wants.

[14]In everything you do, stay away from complaining and arguing, [15]so that no one can speak a word of blame against you. You are to live clean, innocent lives as children of God in a dark world full of people who are crooked and stubborn. Shine out among them like beacon lights, [16]holding out to them the Word of Life.

Then when Christ returns how glad I will be that my work among you was so worthwhile. [17]And if my lifeblood is, so to speak, to be poured out over your faith which I am offering up to God as a sacrifice—that is, if I am to die for you—even then I will be glad, and will share my joy with each of you. [18]For you should be happy about this, too, and rejoice with me for having this privilege of dying for you.

[19]If the Lord is willing, I will send Timothy to see you soon. Then when he comes back he can cheer me up by telling me all about you and how you are getting along. [20]There is no one like Timothy for having a real interest in you; [21]everyone else seems to be worrying about his own plans and not those of Jesus Christ. [22]But you know Timothy. He has been just like a son to me in helping me preach the Good News. [23]I hope to send him to you just as soon as I find out what is going to happen to me

hacer conmigo aquí. ²⁴Confío que el Señor pronto permitirá que yo mismo los visite.

²⁵Mientras tanto, creo que debo pedirle a Epafrodito que regrese. Ustedes lo enviaron para que me ayudara en mis necesidades. De veras, él y yo hemos sido verdaderos hermanos, y hemos trabajado y batallado hombro con hombro. ²⁶Le estoy pidiendo que regrese, porque los ha estado añorando en los últimos tiempos y está preocupado porque sabe que ustedes se enteraron de su enfermedad. ²⁷De veras, estuvo enfermo y casi se nos muere; pero Dios tuvo misericordia de él y de mí, y no permitió que se añadiera esta tristeza a las muchas que ya tengo. ²⁸Así que yo soy el que más ansioso está de que regrese, porque sé que ustedes se alegrarán mucho de verlo, y su alegría mitigará mis sufrimientos.

²⁹Recíbanlo en el Señor con alegría, con demostraciones de aprecio, ³⁰porque arriesgó la vida por la obra de Cristo y estuvo a punto de morir por hacer a mi favor lo que ustedes no podían hacer a causa de la distancia.

3 PASE LO QUE pase, amados hermanos, regocíjense en el Señor. Nunca me canso de repetirles esto y es bueno que se lo siga repitiendo.

²¡Cuidado con esos perversos hombres —perros rabiosos, los llamo yo— que dicen que hay que circuncidarse para obtener la salvación! ³Uno no se vuelve hijo de Dios *cortándose el cuerpo* sino *adorando al Señor en espíritu,* que es la única "circuncisión" verdadera. Los cristianos nos gloriamos en lo que Jesucristo hizo por nosotros y comprendemos que nos es imposible salvarnos por esfuerzo propio.

⁴Nadie podría tener más esperanza de salvarse por esfuerzo propio que yo. Si alguien se hubiera podido salvar por lo que es, ¡yo habría sido el primero! ⁵Porque me circuncidaron a los ocho días de nacido; nací en un hogar de pura sangre judía, y mi familia pertenece a la tribu de Benjamín. ¡Judío más puro que yo no existe! Además, soy fariseo, lo que quiere decir que pertenezco a la secta que exige la más estricta obediencia a cada una de las leyes y tradiciones judaicas. ⁶¿Que si era sincero? Tanto que perseguía encarnizadamente a la iglesia, y trataba de obedecer al dedillo

here. ²⁴And I am trusting the Lord that soon I myself may come to see you.

²⁵Meanwhile, I thought I ought to send Epaphroditus back to you. You sent him to help me in my need; well, he and I have been real brothers, working and battling side by side. ²⁶Now I am sending him home again, for he has been homesick for all of you and upset because you heard that he was ill. ²⁷And he surely was; in fact, he almost died. But God had mercy on him, and on me too, not allowing me to have this sorrow on top of everything else.

²⁸So I am all the more anxious to get him back to you again, for I know how thankful you will be to see him, and that will make me happy and lighten all my cares. ²⁹Welcome him in the Lord with great joy, and show your appreciation, ³⁰for he risked his life for the work of Christ and was at the point of death while trying to do for me the things you couldn't do because you were far away.

3 WHATEVER HAPPENS, DEAR friends, be glad in the Lord. I never get tired of telling you this and it is good for you to hear it again and again.

²Watch out for those wicked men—dangerous dogs, I call them—who say you must be circumcised to be saved. ³For it isn't the *cutting of our bodies* that makes us children of God; it is *worshiping him with our spirits.* That is the only true "circumcision." We Christians glory in what Christ Jesus has done for us and realize that we are helpless to save ourselves.

⁴Yet if anyone ever had reason to hope that he could save himself, it would be I. If others could be saved by what they are, certainly I could! ⁵For I went through the Jewish initiation ceremony when I was eight days old, having been born into a pureblooded Jewish home that was a branch of the old original Benjamin family. So I was a real Jew if there ever was one! What's more, I was a member of the Pharisees who demand the strictest obedience to every Jewish law and custom. ⁶And sincere? Yes, so much so that I greatly persecuted the church; and I tried to obey every Jewish

las leyes judías.

⁷Pero esas cosas que antes creía de tanto valor las considero ahora sin valor, pues Cristo es ahora mi única confianza y esperanza. ⁸Es más; opino que nada tiene valor comparado con la inapreciable ganancia de conocer a Jesucristo como Señor. Por ganar a Cristo todo lo he dejado a un lado y lo considero basura. ⁹Mi anhelo es sentirme unido a El, no ya por ser bueno ni por obedecer las leyes de Dios, sino por confiar en la salvación que El ofrece; únicamente así, por fe, Dios nos acepta. ¹⁰He renunciado a todo lo demás porque estoy convencido de que es la única manera de conocer de veras a Cristo, de sentir el gran poder que lo resucitó y de palpar el significado de sufrir y morir con El. ¹¹Así, cueste lo que cueste, seré uno de los que alcancen la radiante novedad de vida de la resurrección.

¹²Con esto no quiero decir que sea perfecto. Todavía no lo he aprendido todo, pero continúo esforzándome para ver si llego a ser un día lo que Cristo, al salvarme, quiso que fuera. ¹³No, hermanos, todavía no soy el que debo ser, pero eso sí, olvidando el pasado y con la mirada fija en lo que está por delante, ¹⁴me esfuerzo hasta lo último por llegar a la meta y recibir el premio que Dios nos llama a recibir en el cielo en virtud de lo que Jesucristo hizo por nosotros. ¹⁵Espero que todos los cristianos maduros estén totalmente de acuerdo conmigo en estas cosas, y que si no están de acuerdo en algo, Dios ha de hacerles entender, ¹⁶si obedecen plenamente la verdad que conocen.

¹⁷Amados hermanos, imítenme e imiten a los que siguen el ejemplo que dimos. ¹⁸Porque ya varias veces se lo he dicho, y se lo digo de nuevo con lágrimas en los ojos, que muchos de los que dicen andar en el camino de Cristo, en la práctica son enemigos de la cruz de Cristo. ¹⁹El futuro de ellos es la perdición eterna, porque su dios es el estómago y se enorgullecen de lo que debía darles vergüenza; lo único que les importa es esta vida. ²⁰Sin embargo nuestra patria está en el cielo, de donde con ansias espera-

rule and regulation right down to the very last point.

⁷ But all these things that I once thought very worthwhile—now I've thrown them all away so that I can put my trust and hope in Christ alone. ⁸ Yes, everything else is worthless when compared with the priceless gain of knowing Christ Jesus my Lord. I have put aside all else, counting it worth less than nothing, in order that I can have Christ, ⁹ and become one with him, no longer counting on being saved by being good enough or by obeying God's laws, but by trusting Christ to save me; for God's way of making us right with himself depends on faith—counting on Christ alone. ¹⁰ Now I have given up everything else—I have found it to be the only way to really know Christ and to experience the mighty power that brought him back to life again, and to find out what it means to suffer and to die with him. ¹¹ So, whatever it takes, I will be one who lives in the fresh newness of life of those who are alive from the dead.

¹² I don't mean to say I am perfect. I haven't learned all I should even yet, but I keep working toward that day when I will finally be all that Christ saved me for and wants me to be.

¹³ No, dear brothers, I am still not all I should be but I am bringing all my energies to bear on this one thing: Forgetting the past and looking forward to what lies ahead, ¹⁴ I strain to reach the end of the race and receive the prize for which God is calling us up to heaven because of what Christ Jesus did for us.

¹⁵ I hope all of you who are mature Christians will see eye-to-eye with me on these things, and if you disagree on some point, I believe that God will make it plain to you— ¹⁶ if you fully obey the truth you have.

¹⁷ Dear brothers, pattern your lives after mine and notice who else lives up to my example. ¹⁸ For I have told you often before, and I say it again now with tears in my eyes, there are many who walk along the Christian road who are really enemies of the cross of Christ. ¹⁹ Their future is eternal loss, for their god is their appetite: they are proud of what they should be ashamed of; and all they think about is this life here on earth. ²⁰ But our homeland is in heaven, where our Savior the Lord Jesus Christ is; and we are

mos el regreso de Jesucristo nuestro Salvador, [21]el que tomará este miserable cuerpo nuestro y, con el mismo grandioso poder con que puede dominarlo todo, lo transformará en un cuerpo glorioso como el suyo propio.

4 HERMANOS MÍOS QUERIDOS, mucho los amo y mucho deseo verlos, porque ustedes son mi gozo y la recompensa de mi trabajo. Sigan fieles al Señor.
[2]Y ahora deseo suplicar algo a mis amadas Evodia y Síntique. Por amor a Dios, no discutan más; pónganse ya de acuerdo. [3]Y tú, compañero fiel, ayuda a estas mujeres, porque fueron fieles batalladoras en nuestra lucha por proclamar el evangelio. No sólo lucharon a mi lado sino también al lado de Clemente y demás colaboradores míos, cuyos nombres están escritos en el Libro de la Vida.
[4]Gócense en el Señor siempre; se lo repito, gócense. [5]Que todo el mundo vea siempre en ustedes a individuos desinteresados y considerados. Recuerden que el Señor viene pronto. [6]No se afanen por nada; más bien oren por todo. Presenten ante Dios sus necesidades y después no dejen de darle gracias por sus respuestas. [7]Haciendo esto sabrán ustedes lo que es la paz de Dios, la cual es tan extraordinariamente maravillosa que la mente humana no podrá jamás entenderla. Su paz mantendrá sus pensamientos y su corazón en la quietud y el reposo de la fe en Jesucristo.
[8]Y ahora, hermanos, antes de terminar esta carta, deseo decirles algo más: centren ustedes el pensamiento en lo que es verdadero, noble y justo. Piensen en lo que es puro, amable y honorable, y en las virtudes de los demás. Piensen en todo aquello por lo cual pueden alabar a Dios y estar contentos. [9]Sigan poniendo en práctica lo que aprendieron, recibieron, oyeron y vieron en mí, y el Dios de paz estará con ustedes.
[10]Qué agradecido estoy y cuánto alabo al Señor por la ayuda que de nuevo me están brindando. Sé que siempre han estado ansiosos de ayudarme, pero que durante algún tiempo no tuvieron oportunidad de manifestarlo. [11]No que haya estado en necesidad, porque he aprendido a contentarme con lo mucho y con lo poco. [12]Sé cómo vivir en escasez y en abundancia. He aprendido a estar satisfecho en cualquier

looking forward to his return from there. [21] When he comes back he will take these dying bodies of ours and change them into glorious bodies like his own, using the same mighty power that he will use to conquer all else everywhere.

4 DEAR BROTHER CHRISTIANS, I love you and long to see you, for you are my joy and my reward for my work. My beloved friends, stay true to the Lord.
[2] And now I want to plead with those two dear women, Euodias and Syntyche. Please, please, with the Lord's help, quarrel no more—be friends again. [3] And I ask you, my true teammate, to help these women, for they worked side by side with me in telling the Good News to others; and they worked with Clement, too, and the rest of my fellow workers whose names are written in the Book of Life.
[4] Always be full of joy in the Lord; I say it again, rejoice! [5] Let everyone see that you are unselfish and considerate in all you do. Remember that the Lord is coming soon. [6] Don't worry about anything; instead, pray about everything; tell God your needs and don't forget to thank him for his answers. [7] If you do this you will experience God's peace, which is far more wonderful than the human mind can understand. His peace will keep your thoughts and your hearts quiet and at rest as you trust in Christ Jesus.
[8] And now, brothers, as I close this letter let me say this one more thing: Fix your thoughts on what is true and good and right. Think about things that are pure and lovely, and dwell on the fine, good things in others. Think about all you can praise God for and be glad about. [9] Keep putting into practice all you learned from me and saw me doing, and the God of peace will be with you.
[10] How grateful I am and how I praise the Lord that you are helping me again. I know you have always been anxious to send what you could, but for a while you didn't have the chance. [11] Not that I was ever in need, for I have learned how to get along happily whether I have much or little. [12] I know how to live on almost nothing or with everything. I have learned the secret of con-

circunstancia, con el estómago lleno o vacío, en abundancia o en necesidad. ¹³Con la ayuda de Cristo, que me da fortaleza y poder, puedo realizar cualquier cosa que Dios me pida realizar.

¹⁴No obstante, ustedes han hecho bien en ayudarme en las circunstancias difíciles que atravieso. ¹⁵Como saben, después de predicarles el evangelio y partir de Macedonia, sólo ustedes los filipenses participaron conmigo en dar y recibir. Ninguna otra iglesia lo hizo. ¹⁶Aun estando en Tesalónica me enviaron ayuda dos veces. ¹⁷Aunque esto en sí es digno de aprecio, lo que más feliz me hace es el bien merecido premio que habrán de recibir ustedes por su generosidad.

¹⁸En este momento tengo de todo ¡y hasta me sobra! El regalo que me enviaron con Epafrodito me ha hecho nadar en la abundancia. Su dádiva es en sí olor fragante, agradable a Dios. ¹⁹Y Dios, de sus riquezas en gloria, les suplirá cualquier cosa que les falte en virtud de lo que Jesucristo hizo por nosotros. ²⁰A Dios nuestro Padre sea la gloria para siempre. Amén.

Sinceramente,
Pablo

NOTA:
²¹Saluden a todos los cristianos. Los hermanos que están conmigo les envían saludos también. ²²Los demás cristianos de aquí les mandan recuerdos, especialmente los que trabajan en el palacio del César. ²³Que la gracia de nuestro Señor Jesucristo esté con ustedes. Amén.

tentment in every situation, whether it be a full stomach or hunger, plenty or want; ¹³ for I can do everything God asks me to with the help of Christ who gives me the strength and power. ¹⁴ But even so, you have done right in helping me in my present difficulty.

¹⁵ As you well know, when I first brought the Gospel to you and then went on my way, leaving Macedonia, only you Philippians became my partners in giving and receiving. No other church did this. ¹⁶ Even when I was over in Thessalonica you sent help twice. ¹⁷ But though I appreciate your gifts, what makes me happiest is the well-earned reward you will have because of your kindness.

¹⁸ At the moment I have all I need—more than I need! I am generously supplied with the gifts you sent me when Epaphroditus came. They are a sweet-smelling sacrifice that pleases God well. ¹⁹ And it is he who will supply all your needs from his riches in glory, because of what Christ Jesus has done for us. ²⁰ Now unto God our Father be glory forever and ever. Amen.

Sincerely,
Paul

P.S.
²¹ Say "hello" for me to all the Christians there; the brothers with me send their greetings too. ²² And all the other Christians here want to be remembered to you, especially those who work in Caesar's palace. ²³ The blessings of our Lord Jesus Christ be upon your spirits.

COLOSENSES / COLOSSIANS

1 REMITENTES: PABLO, MENSAJERO de Jesucristo porque Dios así lo quiso, y el hermano Timoteo.

²*Destinatarios:* Los santos y fieles hermanos en Cristo de la ciudad de Colosas.

Que Dios nuestro Padre derrame en ustedes sus bendiciones y les dé plena paz.

³Cada vez que oramos por ustedes damos gracias a Dios, el Padre de nuestro Señor Jesucristo, ⁴porque nos han hablado de lo mucho que confían en el Señor y de cuánto amor profesan al pueblo de Dios.

1 FROM: PAUL, CHOSEN by God to be Jesus Christ's messenger, and from Brother Timothy.

² *To:* The faithful Christian brothers—God's people—in the city of Colosse.

May God our Father shower you with blessings and fill you with his great peace. ³ Whenever we pray for you we always begin by giving thanks to God the Father of our Lord Jesus Christ, ⁴ for we have heard how much you trust the Lord, and how much you love his people. ⁵ And you are

⁵Nos dicen que ustedes tienen la mira puesta en los goces celestiales desde la primera vez que se les predicó el evangelio. ⁶Las mismas Buenas Nuevas que escucharon ustedes se proclaman en todo el mundo, y miles de vidas están siendo transformadas de la misma manera que las de ustedes se han transformado desde el día en que escucharon y entendieron la gracia de Dios que se extiende a los pecadores.

⁷Epafras, nuestro muy amado consiervo, el que les llevó el evangelio y en quien tienen ustedes a un fiel servidor de Cristo, ⁸fue el que nos contó del gran amor hacia los demás que el Espíritu Santo ha puesto en ustedes.

⁹Desde el primer momento que nos hablaron de ustedes, hemos estado orando y pidiendo a Dios que les ayude a entender la voluntad divina, y que les dé sabiduría e inteligencia para las cosas espirituales. ¹⁰Oramos asimismo que sus vidas agraden y honren al Señor, que siempre hagan el bien a los demás, que cada día conozcan mejor a Dios, ¹¹y que estén llenos del grande y glorioso poder divino para que puedan perseverar a pesar de las circunstancias adversas, y para que, pase lo que pase, ¹²con gozo den gracias al Padre, quien nos ha capacitado para participar de las maravillas que pertenecen a los que viven en el reino de la luz. ¹³Porque El nos rescató de las tinieblas satánicas y nos trasladó al reino de su Hijo amado, ¹⁴quien compró nuestra libertad con su sangre preciosa y perdonó nuestros pecados.

¹⁵Cristo es la imagen misma del Dios invisible, y existe desde antes que Dios comenzara la creación. ¹⁶Es más, Cristo mismo es el Creador de cuanto existe en los cielos y en la tierra, de lo visible y lo invisible. El mundo espiritual, con sus correspondientes reyes y reinos, gobernantes y autoridades, fue creado por El y para El. ¹⁷Cristo existió antes que las cosas que existen cobraran existencia, y es por su poder que subsisten. ¹⁸El es la cabeza de ese cuerpo suyo que es la iglesia. El, que es el principio, fue el primero en resucitar, para ser en todo siempre el primero; ¹⁹porque Dios quiso que en el Hijo habitara la plenitud divina.

²⁰A través del Hijo, Dios abrió el camino por el que todas las cosas, ya estén en los cielos o en la tierra, pueden allegarse a El.

looking forward to the joys of heaven, and have been ever since the Gospel first was preached to you. ⁶ The same Good News that came to you is going out all over the world and changing lives everywhere, just as it changed yours that very first day you heard it and understood about God's great kindness to sinners.

⁷ Epaphras, our much-loved fellow worker, was the one who brought you this Good News. He is Jesus Christ's faithful slave, here to help us in your place. ⁸ And he is the one who has told us about the great love for others which the Holy Spirit has given you. ⁹ So ever since we first heard about you we have kept on praying and asking God to help you understand what he wants you to do; asking him to make you wise about spiritual things; ¹⁰ and asking that the way you live will always please the Lord and honor him, so that you will always be doing good, kind things for others, while all the time you are learning to know God better and better.

¹¹ We are praying, too, that you will be filled with his mighty, glorious strength so that you can keep going no matter what happens—always full of the joy of the Lord, ¹² and always thankful to the Father who has made us fit to share all the wonderful things that belong to those who live in the kingdom of light. ¹³ For he has rescued us out of the darkness and gloom of Satan's kingdom and brought us into the kingdom of his dear Son, ¹⁴ who bought our freedom with his blood and forgave us all our sins.

¹⁵ Christ is the exact likeness of the unseen God. He existed before God made anything at all, and, in fact, ¹⁶ Christ himself is the Creator who made everything in heaven and earth, the things we can see and the things we can't; the spirit world with its kings and kingdoms, its rulers and authorities; all were made by Christ for his own use and glory. ¹⁷ He was before all else began and it is his power that holds everything together. ¹⁸ He is the Head of the body made up of his people—that is, his church—which he began; and he is the Leader of all those who arise from the dead, so that he is first in everything; ¹⁹ for God wanted all of himself to be in his Son.

²⁰ It was through what his Son did that God cleared a path for everything to come to him—all things in heaven and on earth—

La sangre de Cristo derramada en la cruz puso la paz de Dios al alcance de todos. ²¹Está al alcance de ustedes, que en otro tiempo estaban alejados de Dios. Aunque eran sus enemigos, y aunque entre ustedes y El se interponía la barrera de sus malos pensamientos y acciones, El los ha reconciliado ²²por medio de la muerte que sufrió en su cuerpo humano. Ahora puede presentarlos santos, inmaculados y absolutamente irreprensibles ante la misma presencia de Dios. ²³Pero para esto tienen que creer plena y firmemente la verdad y permanecer inconmovibles en la esperanza que les ofrecen las Buenas Noticias de que Jesús murió para salvarlos. Estas son las maravillosas noticias que un día escucharon y que ahora mismo están siendo proclamadas en el mundo entero. Y yo, Pablo, tengo el gozo de ser uno de los proclamadores.

²⁴Es cierto que estoy sufriendo por ustedes, pero me alegro. Así ayudo a completar lo que falta de los sufrimientos de Cristo por ese cuerpo suyo que es la iglesia. ²⁵Después de todo, sirvo a la iglesia por comisión divina, comisión que me fue dada para bien de ustedes y con el propósito de revelar el plan divino a ustedes los gentiles. ²⁶,²⁷A través de los siglos y a lo largo de muchas generaciones había sido mantenido en secreto, pero por fin el Señor ha querido revelar a los suyos la riqueza y la gloria de ese plan que, por cierto, beneficia a los gentiles. Y éste es el plan que ha sido revelado: que el tener a Cristo en sus corazones es su esperanza de gloria.

²⁸Por eso, dondequiera que vamos, hablamos de Cristo y amonestamos y enseñamos lo mejor que podemos. Nuestro mayor anhelo es presentar a cada ser humano ante Dios, perfeccionado en virtud de la obra de Cristo. ²⁹Esa es mi tarea, y puedo realizarla porque la potente energía de Cristo actúa con poder en mí.

2 OJALÁ SUPIERAN CUÁNTO he batallado en oración por ustedes, por la iglesia de Laodicea y por los muchos amigos que nunca he tenido el gusto de conocer personalmente.

²He pedido a Dios lo siguiente: que se animen ustedes y que, unidos estrechamente por las fuertes ataduras del amor, alcancen la rica experiencia de conocer a Cristo con genuina certidumbre y clara

for Christ's death on the cross has made peace with God for all by his blood. ²¹ This includes you who were once so far away from God. You were his enemies and hated him and were separated from him by your evil thoughts and actions, yet now he has brought you back as his friends. ²² He has done this through the death on the cross of his own human body, and now as a result Christ has brought you into the very presence of God, and you are standing before him with nothing left against you— nothing left that he could even chide you for; ²³ the only condition is that you fully believe the Truth, standing in it steadfast and firm, strong in the Lord, convinced of the Good News that Jesus died for you, and never shifting from trusting him to save you. This is the wonderful news that came to each of you and is now spreading all over the world. And I, Paul, have the joy of telling it to others.

²⁴ But part of my work is to suffer for you; and I am glad, for I am helping to finish up the remainder of Christ's sufferings for his body, the church.

²⁵ God has sent me to help his church and to tell his secret plan to you Gentiles. ²⁶,²⁷ He has kept this secret for centuries and generations past, but now at last it has pleased him to tell it to those who love him and live for him, and the riches and glory of his plan are for you Gentiles too. And this is the secret: *that Christ in your hearts is your only hope of glory.*

²⁸ So everywhere we go we talk about Christ to all who will listen, warning them and teaching them as well as we know how. We want to be able to present each one to God, perfect because of what Christ has done for each of them. ²⁹ This is my work, and I can do it only because Christ's mighty energy is at work within me.

2 I WISH YOU could know how much I have struggled in prayer for you and for the church at Laodicea, and for my many other friends who have never known me personally. ² This is what I have asked of God for you: that you will be encouraged and knit together by strong ties of love, and that you will have the rich experience of knowing Christ with real certainty and

comprensión. Porque el plan secreto de Dios, que ya por fin ha sido revelado es Cristo mismo. ³En El yacen escondidos los inmensos e inexplotados tesoros de la sabiduría y el conocimiento. ⁴Digo esto porque temo que alguien pueda engañarlos con palabras bonitas, ⁵y porque, a pesar de que me encuentro lejos de ustedes, mi corazón está a su lado, feliz de ver que todo marcha bien entre ustedes, y que poseen una fe robusta en Cristo.

⁶Ahora bien, de la misma manera que confiaron en Cristo para que los salvara, confíen en El también al afrontar los problemas cotidianos. Vivan en unión vital con El, ⁷enraizados en El, y nútranse de El. Mantengan un ritmo de crecimiento en el Señor, y fortalézcanse y vigorícense en la verdad. ¡Rebosen ustedes de gozo y de acción de gracias al Señor! ⁸No dejen que nadie les dañe esa fe y ese gozo con filosofías erradas y huecas, basadas en tradiciones humanas y no en las palabras de Cristo. ⁹Porque en Cristo hallamos la plenitud de Dios encarnada en un cuerpo humano. ¹⁰Teniendo a Cristo lo tienen todo, y al estar unidos con El, están llenos de Dios. Además, El es la potestad suprema, y tiene autoridad sobre cualquier principado o potestad.

¹¹Cuando aceptaron a Cristo, El los libertó de los malos deseos, no por medio de esa operación quirúrgica llamada circuncisión, sino por medio de una operación espiritual: el bautismo del alma. ¹²En el bautismo, su vieja y perversa naturaleza murió con Cristo y fue sepultado con El; pero en su resurrección resucitaron ustedes con El a una nueva vida, mediante la fe en la Palabra del poderoso Dios que lo resucitó. ¹³Ustedes estaban muertos en pecados y en incircuncisión, pero El los vivificó con Cristo y les perdonó sus pecados; ¹⁴la prueba acusatoria que había contra ustedes, es decir, la lista de mandamientos que no habían obedecido, quedó anulada, clavada en la cruz de Cristo. ¹⁵De esta manera despojaba a Satanás del poder de acusarlos de pecado, y proclamaba al mundo el triunfo de Cristo en la cruz.

¹⁶Así que nadie los critique a ustedes por cuestiones de comidas o bebidas, ni porque no celebran las festividades judías ni sus ceremonias de luna nueva ni sus sábados. ¹⁷Estas eran sólo reglas temporales que ca-

clear understanding. *For God's secret plan, now at last made known, is Christ himself.* ³ In him lie hidden all the mighty, untapped treasures of wisdom and knowledge.

⁴ I am saying this because I am afraid that someone may fool you with smooth talk. ⁵ For though I am far away from you my heart is with you, happy because you are getting along so well, happy because of your strong faith in Christ. ⁶ And now just as you trusted Christ to save you, trust him, too, for each day's problems; live in vital union with him. ⁷ Let your roots grow down into him and draw up nourishment from him. See that you go on growing in the Lord, and become strong and vigorous in the truth you were taught. Let your lives overflow with joy and thanksgiving for all he has done.

⁸ Don't let others spoil your faith and joy with their philosophies, their wrong and shallow answers built on men's thoughts and ideas, instead of on what Christ has said. ⁹ For in Christ there is all of God in a human body; ¹⁰ *so you have everything when you have Christ,* and you are filled with God through your union with Christ. He is the highest Ruler, with authority over every other power.

¹¹ When you came to Christ he set you free from your evil desires, not by a bodily operation of circumcision but by a spiritual operation, the baptism of your souls. ¹² For in baptism you see how your old, evil nature died with him and was buried with him; and then you came up out of death with him into a new life because you trusted the Word of the mighty God who raised Christ from the dead.

¹³ You were dead in sins, and your sinful desires were not yet cut away. Then he gave you a share in the very life of Christ, for he forgave all your sins, ¹⁴ and blotted out the charges proved against you, the list of his commandments which you had not obeyed. He took this list of sins and destroyed it by nailing it to Christ's cross. ¹⁵ In this way God took away Satan's power to accuse you of sin, and God openly displayed to the whole world Christ's triumph at the cross where your sins were all taken away.

¹⁶ So don't let anyone criticize you for what you eat or drink, or for not celebrating Jewish holidays and feasts or new moon ceremonies or Sabbaths. ¹⁷ For these were

ducaron al venir Cristo, sombras de lo verdadero que es Cristo mismo. ¹⁸No dejen ustedes que nadie les diga que están perdidos porque no adoran ángeles. Estos vanos individuos que dicen haber visto visiones y que ustedes deben verlas, tienen una imaginación extraordinaria, ¹⁹pero no están conectados a Cristo, la cabeza a la cual nosotros, que formamos su cuerpo, estamos unidos. Estamos unidos por medio de fuertes junturas y ligamentos, y crecemos a medida que recibimos de El nutrición y fortaleza.

²⁰Si ustedes murieron con Cristo y ya saben que uno no alcanza la salvación haciendo buenas obras y obedeciendo ciertas reglas, como lo cree el mundo, ¿por qué se someten, como si fueran todavía del mundo, a reglas ²¹tales como no comer, no probar y ni siquiera tocar tales o cuales alimentos? ²²Esas reglas son puramente humanas, porque la comida se hizo para comerse y gastarse. ²³Podrán parecer buenas tales reglas, ya que para obedecerlas hay que ser devotos de veras y porque son humillantes y duras para el cuerpo, pero de nada sirven en lo que a dominar los malos pensamientos y deseos se refiere.

3 SI USTEDES "RESUCITARON" cuando Cristo resucitó, fijen la mirada en las grandes riquezas y el indescriptible gozo que tendrán en el cielo, donde El ocupa junto a Dios el sitio más excelso de honor y poder. ²Dejen que el cielo sature sus pensamientos, y no pierdan el tiempo en las cosas de este mundo. ³Después de todo, ustedes están muertos, y a los muertos no les importa este mundo. Su verdadera vida está en el cielo con Cristo y Dios. ⁴Y cuando Cristo, que es la vida de ustedes, regrese, resplandecerán con El y participarán de su gloria.

⁵¡Fuera, pues, con el pecado y las cosas terrenales! ¡Mueran los deseos malos que se anidan en sus vidas! Apártense de los pecados sexuales, las impurezas, las pasiones desordenadas y los deseos vergonzosos, y no vivan para las riquezas, pues eso es idolatría. ⁶La terrible ira de Dios caerá sobre los que hacen tales cosas. ⁷Antes, cuando todavía su vida formaba parte de este mundo, las hacían ustedes. ⁸Pero ha llegado el momento de arrojar de ustedes la ira, el

only temporary rules that ended when Christ came. They were only shadows of the real thing—of Christ himself. ¹⁸ Don't let anyone declare you lost when you refuse to worship angels, as they say you must. They have seen a vision, they say, and know you should. These proud men (though they claim to be so humble) have a very clever imagination. ¹⁹ But they are not connected to Christ, the Head to which all of us who are his body are joined; for we are joined together by his strong sinews and we grow only as we get our nourishment and strength from God.

²⁰ Since you died, as it were, with Christ and this has set you free from following the world's ideas of how to be saved—by doing good and obeying various rules —why do you keep right on following them anyway, still bound by such rules as ²¹ not eating, tasting, or even touching certain foods? ²² Such rules are mere human teachings, for food was made to be eaten and used up. ²³ These rules may seem good, for rules of this kind require strong devotion and are humiliating and hard on the body, but they have no effect when it comes to conquering a person's evil thoughts and desires. They only make him proud.

3 SINCE YOU BECAME alive again, so to speak, when Christ arose from the dead, now set your sights on the rich treasures and joys of heaven where he sits beside God in the place of honor and power. ² Let heaven fill your thoughts; don't spend your time worrying about things down here. ³ You should have as little desire for this world as a dead person does. Your real life is in heaven with Christ and God. ⁴ And when Christ who is our real life comes back again, you will shine with him and share in all his glories.

⁵ Away then with sinful, earthly things; deaden the evil desires lurking within you; have nothing to do with sexual sin, impurity, lust and shameful desires; don't worship the good things of life, for that is idolatry. ⁶ God's terrible anger is upon those who do such things. ⁷ You used to do them when your life was still part of this world; ⁸ but now is the time to cast off and throw

enojo, la malicia, los insultos y las malas palabras que antes solían brotar a raudales de sus labios. ⁹No se mientan unos a otros, porque en su antigua y perversa vida lo hacían, pero ya murieron a aquella vida. ¹⁰La vida que ahora viven es completamente nueva; cada día, pues, aprenden ustedes más de lo que es justo; traten constantemente de asemejarse más a Cristo, creador de esta nueva vida. ¹¹La nacionalidad, la raza, la educación y la posición social carecen de importancia en esta vida. Lo que importa es si la persona tiene o no tiene a Cristo, pues Cristo está al alcance de todos.

¹²Por cuanto Dios los escogió para que alcancen esta nueva vida, y al ver su inmenso amor e interés hacia nosotros, practiquen con sinceridad la compasión y la bondad. Sin que el causar buena impresión en los demás sea su objetivo, estén dispuestos a sufrir silenciosa y pacientemente. ¹³Sean benignos y perdonen; no guarden rencor. Si el Señor los perdonó, están ustedes en el deber de perdonar. ¹⁴Y sobre todo, que el amor sea el árbitro de sus vidas, porque entonces la iglesia permanecerá unida en perfecta armonía. ¹⁵Que la paz de Dios reine en sus corazones, porque ese es su deber y privilegio como miembros del cuerpo de Cristo. Y sean agradecidos.

¹⁶Mantengan vívidas en su memoria las enseñanzas de Cristo y permitan que sus palabras enriquezcan sus vidas y los hagan sabios. Transmítanlas a otros con salmos, himnos y cánticos espirituales elevados al Señor con corazones agradecidos. ¹⁷Y todo lo que hagan o digan, háganlo como representantes de Cristo, y por medio de El acérquense a la presencia de Dios con acción de gracias.

¹⁸Esposas, sométanse a sus esposos, porque así lo ha dispuesto el Señor. ¹⁹Y, esposos, amen a sus esposas; nunca las traten mal y mucho menos con rencor.

²⁰Hijos, obedezcan siempre a sus padres, porque esto agrada al Señor. ²¹Padres, no regañen con exceso a sus hijos, porque no es bueno que se exasperen y desanimen.

²²Esclavos, obedezcan en todo a sus amos terrenales; no traten de agradarlos sólo cuando los estén vigilando, sino siempre; obedézcanlos de buena gana, porque

away all these rotten garments of anger, hatred, cursing, and dirty language.

⁹ Don't tell lies to each other; it was your old life with all its wickedness that did that sort of thing; now it is dead and gone. ¹⁰ You are living a brand new kind of life that is continually learning more and more of what is right, and trying constantly to be more and more like Christ who created this new life within you. ¹¹ In this new life one's nationality or race or education or social position is unimportant; such things mean nothing. Whether a person has Christ is what matters, and he is equally available to all.

¹² Since you have been chosen by God who has given you this new kind of life, and because of his deep love and concern for you, you should practice tenderhearted mercy and kindness to others. Don't worry about making a good impression on them but be ready to suffer quietly and patiently. ¹³ Be gentle and ready to forgive; never hold grudges. Remember, the Lord forgave you, so you must forgive others.

¹⁴ Most of all, let love guide your life, for then the whole church will stay together in perfect harmony. ¹⁵ Let the peace of heart which comes from Christ be always present in your hearts and lives, for this is your responsibility and privilege as members of his body. And always be thankful.

¹⁶ Remember what Christ taught and let his words enrich your lives and make you wise; teach them to each other and sing them out in psalms and hymns and spiritual songs, singing to the Lord with thankful hearts. ¹⁷ And whatever you do or say, let it be as a representative of the Lord Jesus, and come with him into the presence of God the Father to give him your thanks.

¹⁸ You wives, submit yourselves to your husbands, for that is what the Lord has planned for you. ¹⁹ And you husbands must be loving and kind to your wives and not bitter against them, nor harsh.

²⁰ You children must always obey your fathers and mothers, for that pleases the Lord. ²¹ Fathers, don't scold your children so much that they become discouraged and quit trying.

²² You slaves must always obey your earthly masters, not only trying to please them when they are watching you but all the time; obey them willingly because of

ustedes aman al Señor y desean agradarlo. ²³Lo que hagan, háganlo bien, con alegría, como si en vez de estar trabajando para amos terrenales estuvieran trabajando para el Señor. ²⁴Recuerden que el Señor Jesucristo les dará la parte que les corresponde, pues El es el Amo a quien en realidad sirven ustedes. ²⁵Mas si no cumplen con sus obligaciones, les pagará de una manera que no les agradará, porque Jesucristo no tiene preferidos ni consentidos.

4 POR OTRO LADO, ustedes, amos de esclavos, sean justos y equitativos, recordando que también tienen un Amo en el cielo que los vigila estrechamente. ²Nunca se cansen de orar. Oren siempre. Aguarden las respuestas de Dios y no se olviden de dar gracias cuando lleguen. ³Oren al mismo tiempo que Dios nos conceda muchas oportunidades de proclamar las Buenas Nuevas, pues por ello estoy preso. ⁴Oren que tenga el valor necesario para expresarme libre, plena y claramente, que es como debo hacerlo siempre.

⁵Aprovechen ustedes bien las oportunidades de hablar del evangelio, pero sean sabios al hacerlo. ⁶Hablen con gracia y sensatez, porque así podrán contestar siempre las preguntas del mundo.

⁷Tíquico, nuestro muy amado hermano, les contará cómo me va. Tíquico es muy trabajador y sirve al Señor conmigo. ⁸Lo estoy enviando a este viaje para que me informe cómo están ustedes, y para que los consuele y anime. ⁹También les estoy enviando a Onésimo, fiel y muy amado hermano que a la vez es uno de ustedes. El y Tíquico les darán las últimas noticias.

¹⁰Aristarco, mi compañero de cautiverio, les envía saludos, y lo mismo hace Marcos, el sobrino de Bernabé. Como ya les dije, acojan con cariño a Bernabé cuando pase por allá. ¹¹Jesús Justo también los saluda. Estos son los únicos judíos cristianos que trabajan conmigo, y ¡de cuánto consuelo me han sido!

¹²Epafras, que es coterráneo de ustedes y siervo de Jesucristo, los saluda. Siempre ora fervientemente que Dios los haga fuertes y perfectos y les haga entender su voluntad. ¹³Les aseguro que de veras ha orado intensamente por ustedes, así como por los

your love for the Lord and because you want to please him. ²³ Work hard and cheerfully at all you do, just as though you were working for the Lord and not merely for your masters, ²⁴ remembering that it is the Lord Christ who is going to pay you, giving you your full portion of all he owns. He is the one you are really working for. ²⁵ And if you don't do your best for him, he will pay you in a way that you won't like—for he has no special favorites who can get away with shirking.

4 YOU SLAVE OWNERS must be just and fair to all your slaves. Always remember that you, too, have a Master in heaven who is closely watching you.

² Don't be weary in prayer; keep at it; watch for God's answers and remember to be thankful when they come. ³ Don't forget to pray for us too, that God will give us many chances to preach the Good News of Christ for which I am here in jail. ⁴ Pray that I will be bold enough to tell it freely and fully, and make it plain, as, of course, I should.

⁵ Make the most of your chances to tell others the Good News. Be wise in all your contacts with them. ⁶ Let your conversation be gracious as well as sensible, for then you will have the right answer for everyone.

⁷ Tychicus, our much loved brother, will tell you how I am getting along. He is a hard worker and serves the Lord with me. ⁸ I have sent him on this special trip just to see how you are, and to comfort and encourage you. ⁹ I am also sending Onesimus, a faithful and much loved brother, one of your own people. He and Tychicus will give you all the latest news.

¹⁰ Aristarchus, who is with me here as a prisoner, sends you his love, and so does Mark, a relative of Barnabas. And as I said before, give Mark a hearty welcome if he comes your way. ¹¹ Jesus Justus also sends his love. These are the only Jewish Christians working with me here, and what a comfort they have been!

¹² Epaphras, from your city, a servant of Christ Jesus, sends you his love. He is always earnestly praying for you, asking God to make you strong and perfect and to help you know his will in everything you do. ¹³ I can assure you that he has worked hard for you with his prayers, and also for the Chris-

cristianos de Hierápolis y Laodicea.

¹⁴Lucas, el médico amado, los saluda también, y lo mismo hace Demas.

¹⁵Saluden en mi nombre a los hermanos de Laodicea, a Ninfas y a los que se reúnen en su casa.

¹⁶Después que lean esta carta, tengan la bondad de hacerla llegar a la iglesia de Laodicea. Ah, y lean la carta que les estoy mandando a ellos.

¹⁷Digan a Arquipo de parte mía que no deje de hacer lo que el Señor le encargó.

¹⁸Y aquí va un saludo de mi puño y letra: Recuerden que estoy preso. Que Dios los bendiga abundantemente.

Sinceramente,
Pablo

¹⁴ Dear doctor Luke sends his love, and so does Demas.

¹⁵ Please give my greeting to the Christian friends at Laodicea, and to Nymphas, and to those who meet in his home. ¹⁶ By the way, after you have read this letter will you pass it on to the church at Laodicea? And read the letter I wrote to them. ¹⁷ And say to Archippus, "Be sure that you do all the Lord has told you to."

¹⁸ Here is my own greeting in my own handwriting: Remember me here in jail. May God's blessings surround you.

Sincerely,
Paul

1 TESALONICENSES / 1 THESSALONIANS

1 REMITENTES: PABLO, SILAS y Timoteo.
Destinatario: La iglesia de Tesalónica, iglesia que se mantiene firme en Dios el Padre y en el Señor Jesucristo.

Que las bendiciones y la paz de Dios nuestro Padre y de Jesucristo nuestro Señor reposen en ustedes.

²Siempre damos gracias a Dios por ustedes en nuestras constantes oraciones. ³Al mencionarlos ante nuestro Dios y Padre, nunca olvidamos sus obras de amor ni la firme y perseverante fe con que aguardan el regreso de nuestro Señor Jesucristo.

⁴Sabemos, hermanos amados de Dios, que El los escogió. ⁵Cuando les anunciamos las Buenas Nuevas (y en vez de tomarnos por charlatanes, nos escucharon ustedes con gran interés), nuestras palabras hicieron gran efecto en ustedes porque el Espíritu Santo les dio la grande y plena seguridad de que lo que decíamos era cierto, aparte de que con nuestra manera de vivir les demostramos la veracidad de nuestro mensaje.

⁶Por su parte, ustedes se convirtieron en imitadores nuestros y del Señor, y recibieron nuestros mensajes con la alegría que el Espíritu Santo les hizo sentir, a pesar de las pruebas y las amarguras que esto les ocasionó. ⁷Luego se convirtieron en ejemplo para los demás cristianos de Macedonia y Acaya. ⁸Por cierto, partiendo de ustedes, la

1 FROM: PAUL, SILAS and Timothy.
To: The Church at Thessalonica—to you who belong to God the Father and the Lord Jesus Christ: May blessing and peace of heart be your rich gifts from God our Father, and from Jesus Christ our Lord.

² We always thank God for you and pray for you constantly. ³ We never forget your loving deeds as we talk to our God and Father about you, and your strong faith and steady looking forward to the return of our Lord Jesus Christ.

⁴ We know that God has chosen you, dear brothers, much beloved of God. ⁵ For when we brought you the Good News, it was not just meaningless chatter to you; no, you listened with great interest. What we told you produced a powerful effect upon you, for the Holy Spirit gave you great and full assurance that what we said was true. And you know how our very lives were further proof to you of the truth of our message. ⁶ So you became our followers and the Lord's; for you received our message with joy from the Holy Spirit in spite of the trials and sorrows it brought you.

⁷ Then you yourselves became an example to all the other Christians in Greece. ⁸ And now the Word of the Lord has spread

Palabra del Señor ha resonado por todas partes y ha traspasado los límites de Macedonia y Acaya. Dondequiera que vamos la gente nos habla de la admirable fe en Dios que ustedes poseen, y no nos queda nada por decir. ⁹Al contrario, nos hablan de la maravillosa acogida que nos dieron ustedes y de cómo dejaron los ídolos para seguir a Dios, de tal manera que ahora pertenecen y sirven al Dios vivo y verdadero. ¹⁰Nos dicen también que esperan con ansias que Jesús, el Hijo de Dios, resucitado, regrese del cielo. El es el que nos salva de la terrible ira de Dios contra el pecado.

2 BIEN SABEN USTEDES, amados hermanos, lo valiosa que fue la visita que les hicimos. ²A pesar de que poco antes habíamos padecido en Filipos, y aunque estábamos rodeados de enemigos, Dios nos dio valor para predicarles el evangelio. ³Nuestra predicación que, claro está, no obedecía a ningún motivo falso ni a ninguna mala intención, fue completamente franca y sincera. ⁴Hablamos como mensajeros de Dios, como portavoces de la verdad divina, sin alterar para nada el mensaje, porque nuestra intención nunca ha sido agradar a la gente sino a Dios, quien conoce nuestros pensamientos más íntimos. ⁵Ni una sola vez intentamos ganarlos con adulación, y Dios sabe que no les fingimos amistad por dinero. ⁶Y en cuanto a alabanzas, jamás las pedimos de ustedes ni de nadie, a pesar de que como apóstoles de Cristo tenemos derecho a recibir ciertos honores. ⁷En cambio los tratamos con ternura, como madre que alimenta y cuida a sus hijos. ⁸Tan grande fue nuestro amor, tanto los queríamos a ustedes, que con gusto les habríamos dado no sólo el evangelio sino nuestras propias vidas.

⁹¿Recuerdan, hermanos, con qué ardor luchamos junto a ustedes? Día y noche trabajábamos y nos fatigábamos para ganar el sustento y no serle carga a nadie mientras predicábamos las Buenas Noticias de Dios. ¹⁰Ustedes son testigos, y Dios también, de que siempre fuimos puros, justos e irreprensibles con ustedes. ¹¹Como un padre a sus hijos, les rogábamos, los animá-

out from you to others everywhere, far beyond your boundaries, for wherever we go we find people telling us about your remarkable faith in God. We don't need to tell *them* about it, ⁹for *they* keep telling *us* about the wonderful welcome you gave us, and how you turned away from your idols to God so that now the living and true God only is your Master. ¹⁰And they speak of how you are looking forward to the return of God's Son from heaven—Jesus, whom God brought back to life—and he is our only Savior from God's terrible anger against sin.

2 YOU YOURSELVES KNOW, dear brothers, how worthwhile that visit was. ²You know how badly we had been treated at Philippi just before we came to you, and how much we suffered there. Yet God gave us the courage to boldly repeat the same message to you, even though we were surrounded by enemies. ³So you can see that we were not preaching with any false motives or evil purposes in mind; we were perfectly straightforward and sincere.

⁴For we speak as messengers from God, trusted by him to tell the truth; we change his message not one bit to suit the taste of those who hear it; for we serve God alone, who examines our hearts' deepest thoughts. ⁵Never once did we try to win you with flattery, as you very well know, and God knows we were not just pretending to be your friends so that you would give us money! ⁶As for praise, we have never asked for it from you or anyone else, although as apostles of Christ we certainly had a right to some honor from you. ⁷But we were as gentle among you as a mother feeding and caring for her own children. ⁸We loved you dearly—so dearly that we gave you not only God's message, but our own lives too.

⁹Don't you remember, dear brothers, how hard we worked among you? Night and day we toiled and sweated to earn enough to live on so that our expenses would not be a burden to anyone there, as we preached God's Good News among you. ¹⁰You yourselves are our witnesses—as is God—that we have been pure and honest and faultless toward every one of you. ¹¹We talked to you as a father to his own children—don't you remember?—pleading with you, encouraging you and even de-

bamos y hasta les exigíamos ¹²que no deshonraran a Dios en la vida diaria, sino que le proporcionaran alegría, pues con tanto amor los invitó a compartir la gloria de su reino.

¹³Jamás cesaremos de dar gracias a Dios porque cuando les predicamos, ustedes no pensaron que el mensaje era nuestro, sino que lo aceptaron como lo que era: Palabra de Dios. Y al aceptar el mensaje, éste transformó sus vidas. ¹⁴Luego, amados hermanos, sufrieron la persecución de que los hicieron víctimas sus compatriotas, al igual que las iglesias de Judea sufrieron la persecución que desataron contra ellos los judíos. ¹⁵Estos, después de matar a sus propios profetas, y de atreverse a ejecutar a Jesucristo, brutalmente nos persiguieron. Los judíos se oponen a Dios y a los hombres, ¹⁶pues por temor a que algunos pudieran salvarse, trataron de impedir que predicáramos a los gentiles. Así han aumentado el cúmulo de sus pecados. Pero la ira de Dios por fin los ha alcanzado.

¹⁷Amados hermanos, poco tiempo después de habernos ido de entre ustedes (aunque el corazón lo dejamos allí), hicimos todo lo posible por regresar y verlos de nuevo. ¹⁸Lo deseábamos con toda el alma (yo mismo, Pablo, lo intenté repetidas veces), pero Satanás nos lo impidió. ¹⁹Después de todo, ¿quiénes son nuestra esperanza, nuestro gozo y el galardón que más nos enorgullece sino ustedes mismos? Sí, serán nuestro gozo cuando el Señor regrese y comparezcamos ante su presencia. ²⁰¡Ustedes son nuestro trofeo y nuestra alegría!

3 POR FIN, CUANDO ya la ansiedad nos mataba, decidimos quedarnos solos en Atenas ²,³y pedimos a Timoteo —nuestro hermano, colaborador y ministro de Dios— que los visitara para afianzarlos a ustedes y darles ánimo en su fe, para que no vacilen en sus tribulaciones. Bien saben que tales tribulaciones son parte del plan de Dios para los cristianos. ⁴Estando con ustedes les advertí que se aproximaban tiempos de sufrimientos, y así sucedió. ⁵Por eso yo, no pudiendo soportar más la incertidumbre, envié a Timoteo a ver si permanecían firmes en la fe. Temía que Satanás se hubiera aprovechado de las circunstancias y que nuestro trabajo hubiera sido en vano.

manding ¹² that your daily lives should not embarrass God, but bring joy to him who invited you into his kingdom to share his glory.

¹³ And we will never stop thanking God for this: that when we preached to you, you didn't think of the words we spoke as being just our own, but you accepted what we said as the very Word of God—which, of course, it was—and it changed your lives when you believed it.

¹⁴ And then, dear brothers, you suffered what the churches in Judea did, persecution from your own countrymen, just as they suffered from their own people the Jews. ¹⁵ After they had killed their own prophets, they even executed the Lord Jesus; and now they have brutally persecuted us and driven us out. They are against both God and man, ¹⁶ trying to keep us from preaching to the Gentiles for fear some might be saved; and so their sins continue to grow. But the anger of God has caught up with them at last.

¹⁷ Dear brothers, after we left you and had been away from you but a very little while (though our hearts never left you), we tried hard to come back to see you once more. ¹⁸ We wanted very much to come and I, Paul, tried again and again, but Satan stopped us. ¹⁹ For what is it we live for, that gives us hope and joy and is our proud reward and crown? It is you! Yes, you will bring us much joy as we stand together before our Lord Jesus Christ when he comes back again. ²⁰ For you are our trophy and joy.

3 FINALLY, WHEN I could stand it no longer, I decided to stay alone in Athens ²,³ and send Timothy, our brother and fellow worker, God's minister, to visit you to strengthen your faith and encourage you, and to keep you from becoming fainthearted in all the troubles you were going through. (But of course you know that such troubles are a part of God's plan for us Christians. ⁴ Even while we were still with you we warned you ahead of time that suffering would soon come—and it did.)

⁵ As I was saying, when I could bear the suspense no longer I sent Timothy to find out whether your faith was still strong. I was afraid that perhaps Satan had gotten the best of you and that all our work had

⁶Timoteo acaba de regresar con la alentadora noticia de que en la fe y en el amor se conservan ustedes tan firmes como siempre, que recuerdan con cariño nuestra visita y que desean vernos tanto como nosotros a ustedes.

⁷Esto nos conforta mucho, amados hermanos, en medio de las aplastantes pruebas por las que estamos pasando. Nos consuela inmensamente que permanezcan ustedes fieles al Señor. ⁸Sabiendo que permanecen firmes en El, podemos soportar cualquier aflicción. ⁹Díganos, ¿cómo podríamos dar suficientes gracias a Dios por ustedes y por el gozo que ahora sentimos ante El? ¹⁰Día y noche oramos por ustedes y pedimos a Dios que nos permita volver a verlos y que repare cualquier resquebrajamiento que puedan tener en la fe. ¹¹Quiera el mismísimo Dios y Padre de nuestro Señor Jesucristo enviarnos de nuevo a ustedes. ¹²Quiera Dios que su amor crezca y sobreabunde entre ustedes y hacia los demás, que es exactamente lo que le sucede al amor que les profesamos. ¹³Y quiera Dios nuestro Padre darles corazones firmes, puros y santos, para que puedan presentarse irreprensibles ante El el día que nuestro Señor Jesucristo regrese con todos los suyos.

4 POR ÚLTIMO, AMADOS hermanos, ya saben cómo se agrada a Dios en el diario vivir, ²según los mandamientos que les dejamos en nombre del Señor. Les rogamos y les exigimos en nombre del Señor Jesús, que vivan cada día más cerca de ese ideal. ³,⁴Esta es la voluntad de Dios: que sean santos y puros. Eviten por todos los medios los pecados sexuales; los cristianos deben casarse en santidad y honor, ⁵y no en pasión sensual como lo hacen los paganos en su ignorancia de las cosas de Dios. ⁶Y ésta es también la voluntad de Dios: que nadie cometa la desvergüenza de tomar la esposa de otro hombre, porque, como ya solemnemente se lo había dicho, el Señor castiga con rigor este pecado. ⁷Dios no nos ha llamado a vivir en impureza sino en santidad. ⁸El que se niegue a observar estas reglas no desobedece las leyes humanas, sino las leyes de Dios, quien es el que da al Espíritu Santo.

⁹En cuanto al tema del amor fraternal puro que debe reinar entre ustedes, no es

been useless. ⁶ And now Timothy has just returned and brings the welcome news that your faith and love are as strong as ever, and that you remember our visit with joy and want to see us just as much as we want to see you. ⁷ So we are greatly comforted, dear brothers, in all of our own crushing troubles and suffering here, now that we know you are standing true to the Lord. ⁸ We can bear anything as long as we know that you remain strong in him.

⁹ How can we thank God enough for you and for the joy and delight you have given us in our praying for you? ¹⁰ For night and day we pray on and on for you, asking God to let us see you again, to fill up any little cracks there may yet be in your faith. ¹¹ May God our Father himself and our Lord Jesus send us back to you again. ¹² And may the Lord make your love to grow and overflow to each other and to everyone else, just as our love does toward you. ¹³ This will result in your hearts being made strong, sinless and holy by God our Father, so that you may stand before him guiltless on that day when our Lord Jesus Christ returns with all those who belong to him.

4 LET ME ADD this, dear brothers: You already know how to please God in your daily living, for you know the commands we gave you from the Lord Jesus himself. Now we beg you—yes, we demand of you in the name of the Lord Jesus—that you live more and more closely to that ideal. ³,⁴ For God wants you to be holy and pure, and to keep clear of all sexual sin so that each of you will marry in holiness and honor— ⁵ not in lustful passion as the heathen do, in their ignorance of God and his ways.

⁶ And this also is God's will: that you never cheat in this matter by taking another man's wife, because the Lord will punish you terribly for this, as we have solemnly told you before. ⁷ For God has not called us to be dirty-minded and full of lust, but to be holy and clean. ⁸ If anyone refuses to live by these rules he is not disobeying the rules of men but of God who gives his *Holy* Spirit to you.

⁹ But concerning the pure brotherly love that there should be among God's people,

necesario que lo aborde con detalles, pues Dios mismo les ha enseñado a amarse mutuamente. ¹⁰El amor que demuestran ustedes hacia los demás hermanos de Macedonia es admirable. No obstante, amados hermanos, les suplicamos que procuren que ese amor crezca cada día más.

¹¹Su ambición ha de ser llevar una vida tranquila dedicada a los asuntos personales y al trabajo, tal como lo tenemos ordenado. ¹²Así que no son cristianos les tendrán confianza y respeto, y no tendrán ustedes que depender de los demás para la subsistencia.

¹³Y ahora, amados hermanos, quiero hablar de lo que le sucede al cristiano cuando muere, para que no se entristezcan como los que no tienen esperanza.

¹⁴Si creemos que Jesús murió y después resucitó, podemos creer también que, cuando Jesús regrese, Dios traerá con El a los cristianos que han muerto. ¹⁵Podemos decirles lo siguiente como enseñanza del Señor: Nosotros, los cristianos que estemos vivos cuando el Señor regrese, no seremos llevados a la presencia del Señor antes que los que estén muertos. ¹⁶El Señor mismo descenderá del cielo con voz de mando, con voz de arcángel, y con trompeta de Dios; y los cristianos que estén muertos serán los primeros en levantarse e ir al encuentro del Señor. ¹⁷Luego los que de nosotros vivamos, los que quedemos, seremos arrebatados y llevados con ellos al encuentro del Señor en el aire, y permaneceremos con El para siempre. ¹⁸Consuélense, pues, unos a otros con estas palabras.

5 ¿QUE CUÁNDO SUCEDERÁ? No es necesario que les hable de esto, amados hermanos. ²Ustedes saben perfectamente que nadie lo sabe, que el día del Señor llegará inesperadamente, como ladrón en la noche. ³Cuando la gente ande diciendo que "todo marcha perfectamente bien", que "tenemos paz y seguridad", entonces, de repente, les sobrevendrá la destrucción. Será tan repentino como los dolores de la que va a tener un hijo; y nadie podrá escapar, porque no habrá dónde esconderse.

⁴Pero, amados hermanos, ustedes no viven a oscuras en cuanto a estas cosas. La venida del Señor no los sorprenderá como un ladrón, ⁵pues son hijos de la luz e hijos

I don't need to say very much, I'm sure! For God himself is teaching you to love one another. ¹⁰ Indeed, your love is already strong toward all the Christian brothers throughout your whole nation. Even so, dear friends, we beg you to love them more and more. ¹¹ This should be your ambition: to live a quiet life, minding your own business and doing your own work, just as we told you before. ¹² As a result, people who are not Christians will trust and respect you, and you will not need to depend on others for enough money to pay your bills.

¹³ And now, dear brothers, I want you to know what happens to a Christian when he dies so that when it happens, you will not be full of sorrow, as those are who have no hope. ¹⁴ For since we believe that Jesus died and then came back to life again, we can also believe that when Jesus returns, God will bring back with him all the Christians who have died.

¹⁵ I can tell you this directly from the Lord: that we who are still living when the Lord returns will not rise to meet him ahead of those who are in their graves. ¹⁶ For the Lord himself will come down from heaven with a mighty shout and with the soul-stirring cry of the archangel and the great trumpet-call of God. And the believers who are dead will be the first to rise to meet the Lord. ¹⁷ Then we who are still alive and remain on the earth will be caught up with them in the clouds to meet the Lord in the air and remain with him forever. ¹⁸ So comfort and encourage each other with this news.

5 WHEN IS ALL this going to happen? I really don't need to say anything about that, dear brothers, ² for you know perfectly well that no one knows. That day of the Lord will come unexpectedly like a thief in the night. ³ When people are saying, "All is well, everything is quiet and peaceful"— then, all of a sudden, disaster will fall upon them as suddenly as a woman's birth pains begin when her child is born. And these people will not be able to get away anywhere—there will be no place to hide.

⁴ But, dear brothers, you are not in the dark about these things, and you won't be surprised as by a thief when that day of the Lord comes. ⁵ For you are all children of the

del día; no somos de la noche ni de las tinieblas. ⁶Así que estemos en guardia y no durmamos como los demás. Mantengámonos despiertos y sobrios en espera de su venida. ⁷La gente duerme y se emborracha por la noche. ⁸Pero nosotros, que somos del día, debemos mantenernos sobrios, protegidos por la coraza de la fe y el amor, y llevando, como casco de soldado, la hermosa esperanza de salvación. ⁹Dios no nos escogió para derramar su ira sobre nosotros, sino para salvarnos a través de nuestro Señor Jesucristo, ¹⁰quien murió por nosotros para que pudiéramos vivir con El para siempre, ya sea que estemos vivos o muertos en el momento de su regreso. ¹¹Así que sigan alentándose y edificándose mutuamente, como ya lo hacen.

¹²Amados hermanos, honren a los siervos de Dios que con tanto empeño trabajan entre ustedes y los previenen contra el mal. ¹³Ténganlos en alta estima y ámenlos de corazón, porque de veras se esfuerzan por ayudarles. Y recuerden: ¡nada de riñas entre ustedes!

¹⁴Además, amados hermanos, reprendan a los perezosos y a los desenfrenados; conforten a los que tienen miedo; cuiden de los débiles y tengan paciencia con todos. ¹⁵Cuiden que nadie pague mal por mal; al contrario, procuren siempre el bien mutuo y el de todos. ¹⁶Estén siempre gozosos. ¹⁷Oren sin cesar. ¹⁸Den gracias en cualquier circunstancia, porque esto es lo que Dios espera de los que pertenecen a Jesucristo.

¹⁹No apaguen el fuego del Espíritu Santo. ²⁰No desprecien las profecías; ²¹examínenlo todo, pero retengan sólo lo bueno. ²²Apártense de toda clase de mal.

²³Que el Dios de paz los mantenga perfectamente limpios, para que en espíritu, alma y cuerpo sean ustedes fuertes e irreprensibles hasta el día en que el Señor vuelva. ²⁴Dios, que los llamó a ser hijos suyos, lo hará conforme a su promesa.

²⁵Amados hermanos, oren por nosotros. ²⁶Abrazos para todos. ²⁷Les ordeno en nombre del Señor que lean esta carta a todos los cristianos. ²⁸Que nuestro Señor Jesucristo les otorgue sus más ricas bendiciones. Así sea.

Sinceramente,
Pablo

light and of the day, and do not belong to darkness and night. ⁶ So be on your guard, not asleep like the others. Watch for his return and stay sober. ⁷ Night is the time for sleep and the time when people get drunk. ⁸ But let us who live in the light keep sober, protected by the armor of faith and love, and wearing as our helmet the happy hope of salvation.

⁹ For God has not chosen to pour out his anger upon us, but to save us through our Lord Jesus Christ; ¹⁰ he died for us so that we can live with him forever, whether we are dead or alive at the time of his return. ¹¹ So encourage each other to build each other up, just as you are already doing.

¹² Dear brothers, honor the officers of your church who work hard among you and warn you against all that is wrong. ¹³ Think highly of them and give them your wholehearted love because they are straining to help you. And remember, no quarreling among yourselves.

¹⁴ Dear brothers, warn those who are lazy; comfort those who are frightened; take tender care of those who are weak; and be patient with everyone. ¹⁵ See that no one pays back evil for evil, but always try to do good to each other and to everyone else. ¹⁶ Always be joyful. ¹⁷ Always keep on praying. ¹⁸ No matter what happens, always be thankful, for this is God's will for you who belong to Christ Jesus.

¹⁹ Do not smother the Holy Spirit. ²⁰ Do not scoff at those who prophesy, ²¹ but test everything that is said to be sure it is true, and if it is, then accept it. ²² Keep away from every kind of evil. ²³ May the God of peace himself make you entirely pure and devoted to God; and may your spirit and soul and body be kept strong and blameless until that day when our Lord Jesus Christ comes back again. ²⁴ God, who called you to become his child, will do all this for you, just as he promised. ²⁵ Dear brothers, pray for us. ²⁶ Shake hands for me with all the brothers there. ²⁷ I command you in the name of the Lord to read this letter to all the Christians. ²⁸ And may rich blessings from our Lord Jesus Christ be with you, every one.

Sincerely,
Paul

2 TESALONICENSES / 2 THESSALONIANS

1 REMITENTES: PABLO, SILAS y Timoteo.
Destinatario: La iglesia de Tesalónica, iglesia que se mantiene firme en Dios nuestro Padre y en el Señor Jesucristo.

² Que Dios el Padre y el Señor Jesucristo les den a ustedes sus más ricas bendiciones y su más perfecta paz.

³ Amados hermanos, dar gracias a Dios por ustedes no sólo es justo sino que es nuestro deber ante Dios; porque ha sido en verdad maravillosa la manera en que han crecido en la fe y en el amor mutuo. ⁴ Nos da alegría hablar a las demás iglesias de la paciencia y de la fe absoluta en Dios que ustedes manifiestan, a pesar de los aplastantes problemas y dificultades por los que han estado atravesando. ⁵ Este es sólo un ejemplo de la recta y justa manera en que Dios hace las cosas, porque por medio de esos sufrimientos los está haciendo aptos para su reino, ⁶ a la vez que prepara juicio y castigo para los que los estén afligiendo.

⁷ Permítannos decir lo siguiente a los que ahora sufren: Dios nos dará descanso cuando el Señor Jesús venga del cielo entre llamas de fuego con sus poderosos ángeles ⁸ y castigue a los que no conocen a Dios y a los que se niegan a aceptar el plan que se les ofrece a través de nuestro Señor Jesucristo. ⁹ Estos sufrirán la pena del infierno eterno, alejados para siempre de la presencia del Señor y condenados a no ver la gloria de su poder, ¹⁰ cuando venga en aquel día a recibir honra y admiración por lo que ha hecho por su pueblo, por sus santos. Ustedes estarán entonces con El, porque creyeron el mensaje de Dios que les llevamos.

¹¹ Por eso oramos en todo tiempo que nuestro Dios los tenga por dignos de su llamamiento y premie su fe, ayudándoles con su poder a cumplir su ardiente deseo de hacer el bien, ¹² para que, al ver en ustedes tales resultados, el nombre de nuestro Señor Jesucristo sea glorificado, y ustedes sean glorificados también por pertenecerle. La tierna misericordia de nuestro Dios y del Señor Jesucristo ha hecho posible que esto se logre en ustedes.

2 Y AHORA, ¿QUÉ del retorno de nuestro Señor Jesucristo y de nuestro encuen-

1 FROM: PAUL, SILAS and Timothy.
To: The church of Thessalonica—kept safe in God our Father and in the Lord Jesus Christ.

² May God the Father and the Lord Jesus Christ give you rich blessings and peace-filled hearts and minds.

³ Dear brothers, giving thanks to God for you is not only the right thing to do, but it is our duty to God, because of the really wonderful way your faith has grown, and because of your growing love for each other. ⁴ We are happy to tell other churches about your patience and complete faith in God, in spite of all the crushing troubles and hardships you are going through. ⁵ This is only one example of the fair, just way God does things, for he is using your sufferings to make you ready for his kingdom, ⁶ while at the same time he is preparing judgment and punishment for those who are hurting you.

⁷ And so I would say to you who are suffering, God will give you rest along with us when the Lord Jesus appears suddenly from heaven in flaming fire with his mighty angels, ⁸ bringing judgment on those who do not wish to know God, and who refuse to accept his plan to save them through our Lord Jesus Christ. ⁹ They will be punished in everlasting hell, forever separated from the Lord, never to see the glory of his power, ¹⁰ when he comes to receive praise and admiration because of all he has done for his people, his saints. And you will be among those praising him, because you have believed what we told you about him.

¹¹ And so we keep on praying for you that our God will make you the kind of children he wants to have—will make you as good as you wish you could be!—rewarding your faith with his power. ¹² Then everyone will be praising the name of the Lord Jesus Christ because of the results they see in you; and your greatest glory will be that you belong to him. The tender mercy of our God and of the Lord Jesus Christ has made all this possible for you.

2 AND NOW, WHAT about the coming again of our Lord Jesus Christ, and our

tro con El? ²No se alteren ni se turben, hermanos, si llega a sus oídos el rumor de que el día del Señor ya llegó. Si oyen hablar de individuos que han tenido visiones o que han recibido mensajes de Dios acerca de esto, o si les hablan de alguna que otra carta que podamos haber enviado al respecto, no lo crean. ³No se dejen engañar, porque ese día no llegará hasta que dos cosas sucedan: primero, habrá un período de rebelión extrema contra Dios, y entonces se manifestará el hombre de pecado, el hijo del infierno, ⁴el adversario de todo lo que se llama Dios o es objeto de culto. Este personaje hasta se atreverá a ir y sentarse en el Templo de Dios y hacerse pasar por Dios. ⁵¿No se acuerdan ustedes que les hablé de esto cuando estuve allá? ⁶Como recordarán, también les dije que hay un poder que impide que ya esté aquí, y que no le permitirá venir hasta su debido tiempo. ⁷La obra que va a llevar a cabo ya se está desarrollando, pero el hombre de pecado mismo no podrá venir hasta que lo que le detiene sea quitado de en medio. ⁸Entonces aparecerá aquel inicuo, pero el Señor lo consumirá con el soplo de su boca y lo destruirá con el resplandor de su venida.

⁹Este hombre de pecado será instrumento de Satanás, y vendrá tan lleno de poder satánico que podrá engañar con extrañas demostraciones y falsos milagros. ¹⁰Engañará por completo a los que marchan camino del infierno por haber dicho "no" a la Verdad, por haberse negado a creerla y amarla, lo cual los habría salvado. ¹¹Dios les dejará creer de corazón aquellas mentiras, ¹²y luego los condenará por no haber creído la Verdad y por haberse deleitado en el pecado.

¹³Pero tenemos que dar siempre gracias a Dios por ustedes, hermanos amados del Señor, porque Dios determinó desde el principio darles salvación mediante la acción limpiadora del Espíritu Santo y la fe que han depositado en la Verdad. ¹⁴Con tal objetivo, por nuestro medio les comunicó las Buenas Nuevas, y por nuestro medio también los llamó a participar en la gloria de nuestro Señor Jesucristo.

¹⁵Con esto en mente, hermanos, permanezcan aferrados firmemente a la verdad que les hemos enseñado en nuestras cartas y durante el tiempo que pasamos con ustedes. ¹⁶Que el Señor Jesucristo mismo y Dios

being gathered together to meet him? Please don't be upset and excited, dear brothers, by the rumor that this day of the Lord has already begun. If you hear of people having visions and special messages from God about this, or letters that are supposed to have come from me, don't believe them. ³ Don't be carried away and deceived regardless of what they say.

For that day will not come until two things happen: first, there will be a time of great rebellion against God, and then the man of rebellion will come—the son of hell. ⁴ He will defy every god there is, and tear down every other object of adoration and worship. He will go in and sit as God in the temple of God, claiming that he himself is God. ⁵ Don't you remember that I told you this when I was with you? ⁶ And you know what is keeping him from being here already; for he can come only when his time is ready.

⁷ As for the work this man of rebellion and hell will do when he comes, it is already going on, but he himself will not come until the one who is holding him back steps out of the way. ⁸ Then this wicked one will appear, whom the Lord Jesus will burn up with the breath of his mouth and destroy by his presence when he returns. ⁹ This man of sin will come as Satan's tool, full of satanic power, and will trick everyone with strange demonstrations, and will do great miracles. ¹⁰ He will completely fool those who are on their way to hell because they have said "no" to the Truth; they have refused to believe it and love it, and let it save them, ¹¹ so God will allow them to believe lies with all their hearts, ¹² and all of them will be justly judged for believing falsehood, refusing the Truth, and enjoying their sins. ¹³ But we must forever give thanks to God for you, our brothers loved by the Lord, because God chose from the very first to give you salvation, cleansing you by the work of the Holy Spirit and by your trusting in the Truth. ¹⁴ Through us he told you the Good News. Through us he called you to share in the glory of our Lord Jesus Christ.

¹⁵ With all these things in mind, dear brothers, stand firm and keep a strong grip on the truth that we taught you in our letters and during the time we were with you. ¹⁶ May our Lord Jesus Christ himself

nuestro Padre, quien nos amó y nos dio un consuelo eterno y una esperanza que no merecemos, [17]los consuele y ayude en cuanto de bueno digan y hagan ustedes.

3 FINALMENTE, HERMANOS, LES suplico que oren por nosotros. Pidan que el mensaje del Señor se propague rápidamente y que dondequiera que llegue conquiste, como entre ustedes, almas para Cristo. [2]Y oren que seamos librados de las garras de hombres perversos, pues, tristemente, no todos aman al Señor.

[3]El Señor, que es fiel, les dará fortaleza y los guardará de cualquier ataque de Satanás. [4]Confiamos en el Señor que ustedes estén poniendo en práctica nuestras enseñanzas, y que siempre lo harán. [5]Que el Señor los lleve a un entendimiento cada vez más profundo del amor de Dios y de la paciencia de Cristo.

[6]Queridos hermanos, un mandamiento les doy en nombre del Señor Jesucristo: Apártense de los cristianos que anden con holgazanerías y que no sigan las normas de trabajo que establecimos. [7]Ustedes saben bien que deben seguir nuestro ejemplo, y a nosotros jamás nos vieron haraganeando. [8]Cuando queríamos comida la comprábamos; con fatiga y cansancio trabajábamos día y noche para ganar el sustento y no ser una carga a ninguno de ustedes. [9]Y no era que no tuviéramos el derecho de solicitar el sustento, sino que queríamos enseñarles con el ejemplo que uno debe trabajar para comer. [10]Aun estando entre ustedes pusimos una regla: "El que no trabaja, que no coma". [11]Sin embargo, nos hemos enterado que algunos de ustedes viven sin trabajar y se pasan la vida chismeando. [12]En el nombre del Señor, suplicamos a dichas personas (¡y más que una súplica, es una orden!), que se tranquilicen y se pongan a trabajar para ganar el sustento.

[13]Hermanos, nunca se cansen de hacer el bien.

[14]Si alguien se niega a obedecer lo que decimos en esta carta, señálenlo y no se junten con él, para que se avergüence. [15]Pero no lo miren como a enemigo; háblenle como se le habla a cualquier hermano que necesita consejo.

[16]Que el Señor de paz les dé paz en todo tiempo y en cualquier circunstancia. El

and God our Father, who has loved us and given us everlasting comfort and hope which we don't deserve, [17]comfort your hearts with all comfort, and help you in every good thing you say and do.

3 FINALLY, DEAR BROTHERS, as I come to the end of this letter I ask you to pray for us. Pray first that the Lord's message will spread rapidly and triumph wherever it goes, winning converts everywhere as it did when it came to you. [2] Pray too that we will be saved out of the clutches of evil men, for not everyone loves the Lord. [3] But the Lord is faithful; he will make you strong and guard you from satanic attacks of every kind. [4] And we trust the Lord that you are putting into practice the things we taught you, and that you always will. [5] May the Lord bring you into an ever deeper understanding of the love of God and of the patience that comes from Christ.

[6] Now here is a command, dear brothers, given in the name of our Lord Jesus Christ by his authority: Stay away from any Christian who spends his days in laziness and does not follow the ideal of hard work we set up for you. [7] For you well know that you ought to follow our example: you never saw us loafing; [8] we never accepted food from anyone without buying it; we worked hard day and night for the money we needed to live on, in order that we would not be a burden to any of you. [9] It wasn't that we didn't have the right to ask you to feed us, but we wanted to show you, firsthand, how you should work for your living. [10] Even while we were still there with you we gave you this rule: "He who does not work shall not eat."

[11] Yet we hear that some of you are living in laziness, refusing to work, and wasting your time in gossiping. [12] In the name of the Lord Jesus Christ we appeal to such people—we command them—to quiet down, get to work, and earn their own living. [13] And to the rest of you I say, dear brothers, never be tired of doing right.

[14] If anyone refuses to obey what we say in this letter, notice who he is and stay away from him, that he may be ashamed of himself. [15] Don't think of him as an enemy, but speak to him as you would to a brother who needs to be warned. [16] May the Lord of peace himself give you his peace no matter

Señor esté con ustedes.

¹⁷Y aquí va el saludo que en todas mis cartas acostumbro escribir yo mismo para que se sepa que es una carta mía. Esto es de mi puño y letra: ¹⁸Que nuestro Señor Jesucristo les dé sus más ricas bendiciones.

Sinceramente,
Pablo

what happens. The Lord be with you all.

¹⁷ Now here is my greeting which I am writing with my own hand, as I do at the end of all my letters, for proof that it really is from me. This is in my own handwriting. ¹⁸ May the blessing of our Lord Jesus Christ be upon you all.

Sincerely,
Paul

1 TIMOTEO / 1 TIMOTHY

1 REMITENTE: PABLO, APÓSTOL de Jesucristo por mandato de Dios nuestro Salvador y de Cristo Jesús Señor y única esperanza.

²*Destinatario:* Timoteo.

Timoteo, hijo mío en las cosas del Señor, que Dios nuestro Padre y Jesucristo nuestro Señor te muestren su bondad y misericordia y te llenen de paz.

³Tal como te rogué cuando salí para Macedonia, quédate en Efeso y trata de impedir que esos individuos sigan enseñando sus falsas doctrinas. ⁴Acaba con esos mitos y fábulas, y combate el concepto de que uno se puede salvar ganándose el favor de una interminable cadena de ángeles que concluye en Dios. Tales ideas provocan discusiones que no conducen a nada y consumen tiempo que debería emplearse en ayudar a los demás a aceptar el plan de Dios, que está fundado en la fe.

⁵Lo que deseo es que los cristianos de esa ciudad estén llenos del amor que procede de un corazón limpio, una conciencia recta y una fe sincera. ⁶Algunos, tristemente, olvidando por completo esto, pasan el tiempo discutiendo y diciendo tonterías. ⁷Pretenden ser maestros de la ley de Moisés, pero no tienen ni la más ligera idea de lo que en escencia dichas leyes nos indican. ⁸Sí, la ley es buena, pero si se toma conforme al propósito con que Dios la hizo. ⁹La ley no fue instituida para nosotros los salvos, sino para los rebeldes y desobedientes, para los malvados y pecadores, para los irreverentes y profanos, para los que atacan a sus padres, para los asesinos, ¹⁰,¹¹para los homosexuales, para los que trafican con

1 FROM: PAUL, A missionary of Jesus Christ, sent out by the direct command of God our Savior and by Jesus Christ our Lord—our only hope.

² *To:* Timothy.

Timothy, you are like a son to me in the things of the Lord. May God our Father and Jesus Christ our Lord show you his kindness and mercy and give you great peace of heart and mind.

³,⁴ As I said when I left for Macedonia, please stay there in Ephesus and try to stop the men who are teaching such wrong doctrine. Put an end to their myths and fables, and their idea of being saved by finding favor with an endless chain of angels leading up to God—wild ideas that stir up questions and arguments instead of helping people accept God's plan of faith. ⁵ What I am eager for is that all the Christians there will be filled with love that comes from pure hearts, and that their minds will be clean and their faith strong.

⁶ But these teachers have missed this whole idea and spend their time arguing and talking foolishness. ⁷ They want to become famous as teachers of the laws of Moses when they haven't the slightest idea what those laws really show us. ⁸ Those laws are good when used as God intended. ⁹ But they were not made for us, whom God has saved; they are for sinners who hate God, have rebellious hearts, curse and swear, attack their fathers and mothers, and murder. ¹⁰,¹¹ Yes, these laws are made to identify as sinners all who are immoral and

vidas humanas, para los mentirosos y, en fin, para los que de hecho se oponen al evangelio de nuestro bendito Dios que se me ha ordenado proclamar.

[12] Mil gracias doy a Cristo Jesús nuestro Señor por escogerme como uno de sus mensajeros y darme la fortaleza necesaria para serle fiel. [13] ¡Figúrate! Antes me burlaba de su nombre y no sólo me burlaba sino que perseguía encarnizadamente a sus seguidores y procuraba causarles el mayor daño posible. Pero Dios tuvo misericordia de mí porque, como entonces no conocía a Cristo, no sabía lo que hacía.

[14] ¡Qué bondadoso fue conmigo el Señor al enseñarme a confiar en El y a estar lleno del amor de Cristo Jesús! [15] ¡Qué cierto es, y cuánto anhelo que el mundo lo sepa, que Cristo Jesús vino al mundo a salvar a los pecadores, de los cuales yo era el primero! [16] Pero Dios tuvo misericordia de mí para que Cristo pudiera usarme como ejemplo de lo paciente que es aun con los más viles pecadores, y para que los demás se den cuenta de que también pueden alcanzar la vida eterna. [17] Por eso, al Rey de las edades, inmortal, invisible, al único y sabio Dios, sea la gloria y el honor por los siglos de los siglos. Amén.

[18] Ahora, Timoteo, hijo mío, fíjate en este mandamiento que te doy: Pelea bien las batallas del Señor, tal como El nos reveló por sus profetas que lo harías. [19] Aférrate a la fe en Cristo y conserva limpia tu conciencia, haciendo siempre lo que es justo. Hay quienes desobedecen la voz de la conciencia y deliberadamente hacen lo incorrecto. ¡Por algo la fe de muchos naufraga! [20] ¡Sírvannos de ejemplo Himeneo y Alejandro, a quienes entregué a Satanás para que aprendan a no deshonrar el nombre de Cristo!

2 HE AQUÍ MIS instrucciones: Oren mucho por la humanidad; rueguen que Dios tenga misericordia de ella, y denle gracias por la contestación que de seguro habrán de recibir a su ruego. [2] Oren por los reyes y por los demás que tienen autoridad sobre nosotros y que están en puestos de gran responsabilidad, para que, en paz y tranquilidad, podamos llevar una vida de piedad y decoro. [3] Esto es bueno y agradable a Dios nuestro Salvador, [4] porque El anhela

impure: homosexuals, kidnappers, liars, and all others who do things that contradict the glorious Good News of our blessed God, whose messenger I am.

[12] How thankful I am to Christ Jesus our Lord for choosing me as one of his messengers, and giving me the strength to be faithful to him, [13] even though I used to scoff at the name of Christ. I hunted down his people, harming them in every way I could. But God had mercy on me because I didn't know what I was doing, for I didn't know Christ at that time. [14] Oh, how kind our Lord was, for he showed me how to trust him and become full of the love of Christ Jesus.

[15] How true it is, and how I long that everyone should know it, that Christ Jesus came into the world to save sinners—and I was the greatest of them all. [16] But God had mercy on me so that Christ Jesus could use me as an example to show everyone how patient he is with even the worst sinners, so that others will realize that they, too, can have everlasting life. [17] Glory and honor to God forever and ever. He is the King of the ages, the unseen one who never dies; he alone is God, and full of wisdom. Amen.

[18] Now, Timothy, my son, here is my command to you: Fight well in the Lord's battles, just as the Lord told us through his prophets that you would. [19] Cling tightly to your faith in Christ and always keep your conscience clear, doing what you know is right. For some people have disobeyed their consciences and have deliberately done what they knew was wrong. It isn't surprising that soon they lost their faith in Christ after defying God like that. [20] Hymenaeus and Alexander are two examples of this. I had to give them over to Satan to punish them until they could learn not to bring shame to the name of Christ.

2 HERE ARE MY directions: Pray much for others; plead for God's mercy upon them; give thanks for all he is going to do for them.

[2] Pray in this way for kings and all others who are in authority over us, or are in places of high responsibility, so that we can live in peace and quietness, spending our time in godly living and thinking much about the Lord. [3] This is good and pleases God our Savior, [4] for he longs for all to be saved and

que todos se salven y entiendan ⁵*que Dios está en un lado y la gente en el otro, y que Jesucristo, hombre también, está entre los dos para unirlos* ⁶*en virtud de haberse dado a sí mismo en rescate por todos.* Este es el mensaje que a su debido tiempo dio a conocer al mundo. ⁷Y —digo la verdad, no miento— he sido puesto como predicador y apóstol para enseñar esta verdad a los gentiles, y para mostrarles el plan divino de salvación por medio de la fe.

⁸Por lo tanto, quiero que en todas partes los hombres oren, alzando ante Dios manos santas, libres de ira y resentimiento; ⁹,¹⁰y que las mujeres, igualmente, se vistan y comporten decente, modesta y sencillamente. La mujer cristiana ha de resaltar no por la manera en que se arregle el cabello ni por el lujo de sus joyas o vestidos, sino por su amabilidad y bondad.¹¹La mujer debe escuchar y aprender en silencio y humildad. ¹²No permito que las mujeres enseñen a los hombres ni que ejerzan sobre ellos dominio. Deben guardar silencio en las reuniones de la iglesia, ¹³porque Dios hizo primero a Adán y luego a Eva. ¹⁴Y no fue Adán el que se dejó engañar por Satanás, sino Eva, y de aquel engaño surgió el pecado. ¹⁵Dios condenó a la mujer a tener dolores de parto, pero se salvará si confía en El y vive en amor, santidad y modestia.

3 SE HA DICHO que el hombre que aspira a dirigir una iglesia, tiene aspiración noble. Es cierto. ²Sin embargo, es necesario que tal persona viva irreprochablemente. Ha de tener una sola esposa, y debe ser trabajador, serio, juicioso y respetable. Ha de estar siempre dispuesto a hospedar gente en su casa, y debe saber enseñar. ³No ha de ser bebedor ni pendenciero, sino amable, bondadoso y sin inclinación al dinero. ⁴Ha de tener una familia modelo cuyos hijos obedezcan presta y silenciosamente; ⁵porque mal puede gobernar la iglesia quien no puede guiar a su propia familia.

⁶El que dirige una iglesia no puede ser muy nuevo en el cristianismo, porque corre el riesgo de enorgullecerse, y el orgullo es siempre presagio de caída. (Recuerden lo que le sucedió a Satanás.) ⁷Debe tener buena reputación entre los que no son cristianos, para que Satanás no le tienda una red de acusaciones que le impida conducir

to understand this truth: ⁵ *That God is on one side and all the people on the other side, and Christ Jesus, himself man, is between them to bring them together,* ⁶ *by giving his life for all mankind.*

This is the message which at the proper time God gave to the world. ⁷ And I have been chosen—this is the absolute truth—as God's minister and missionary to teach this truth to the Gentiles, and to show them God's plan of salvation through faith. ⁸ So I want men everywhere to pray with holy hands lifted up to God, free from sin and anger and resentment. ⁹,¹⁰ And the women should be the same way, quiet and sensible in manner and clothing. Christian women should be noticed for being kind and good, not for the way they fix their hair or because of their jewels or fancy clothes. ¹¹ Women should listen and learn quietly and humbly.

¹² I never let women teach men or lord it over them. Let them be silent in your church meetings. ¹³ Why? Because God made Adam first, and afterwards he made Eve. ¹⁴ And it was not Adam who was fooled by Satan, but Eve, and sin was the result. ¹⁵ So God sent pain and suffering to women when their children are born, but he will save their souls if they trust in him, living quiet, good, and loving lives.

3 IT IS A true saying that if a man wants to be a pastor he has a good ambition. ² For a pastor must be a good man whose life cannot be spoken against. He must have only one wife, and he must be hard working and thoughtful, orderly, and full of good deeds. He must enjoy having guests in his home, and must be a good Bible teacher. ³ He must not be a drinker or quarrelsome, but he must be gentle and kind, and not be one who loves money. ⁴ He must have a well-behaved family, with children who obey quickly and quietly. ⁵ For if a man can't make his own little family behave, how can he help the whole church?

⁶ The pastor must not be a new Christian, because he might be proud of being chosen so soon, and pride comes before a fall. (Satan's downfall is an example.) ⁷ Also, he must be well spoken of by people outside the church—those who aren't Christians—so that Satan can't trap him with many accusations, and leave him with-

con libertad el rebaño.

⁸Los diáconos, de igual manera, deben ser individuos respetables y veraces; no han de ser dados a la bebida ni a los negocios sucios. ⁹Han de ser fervientes seguidores de Cristo, la fuente misteriosa de su fe.

¹⁰Antes de que se les nombre diáconos, deben encargarles ciertos trabajos en la iglesia para ver si en verdad tienen aptitudes para el diaconado. ¹¹Sus esposas han de ser dignas, no dadas a la bebida ni al chisme, y sí sobrias y fieles en todo lo que hacen. ¹²Cada diácono ha de tener una sola esposa, y ha de saber gobernar a su familia. ¹³Porque los que ejercen bien el diaconado no sólo se ganan el respeto de los demás sino que desarrollan un alto grado de confianza y valor en la proclamación de su fe en el Señor.

¹⁴Espero ir pronto a verte, pero te escribo estas cosas ¹⁵para que, si me tardo, sepas el tipo de individuos que debes escoger como dirigentes de la iglesia del Dios vivo, la cual tiene y mantiene en alto la verdad de Dios. ¹⁶Indiscutiblemente, no es fácil saber cómo llevar una vida piadosa. Pero la respuesta la encontramos en esto:

Cristo, quien vino a la tierra como hombre,
se mantuvo inmaculado y puro en su Espíritu,
y fue servido por ángeles,
predicado entre las naciones,
aceptado por individuos de todas partes,
y recibido de nuevo en gloria.

4 PERO EL ESPÍRITU Santo nos dice claramente que en los últimos tiempos algunos se apartarán de Cristo y se convertirán en entusiastas seguidores de ideas falsas y doctrinas diabólicas. ²Los propagadores de tales ideas y doctrinas mentirán tan descarada y frecuentemente que la conciencia ni siquiera los molestará. ³⁴Afirmarán que es malo casarse y comer carne, como si Dios no hubiera creado estas cosas para que los creyentes, los que han conocido la verdad, las usaran con acción de gracias. Todo lo que Dios hizo es bueno, y podemos disfrutarlo con gozo si lo tomamos con agradecimiento, ⁵y si pedimos que Dios lo bendiga, porque la palabra de Dios y la oración lo santifican.

⁶Explica esto a los demás y estarás cum-

out freedom to lead his flock.

⁸ The deacons must be the same sort of good, steady men as the pastors. They must not be heavy drinkers and must not be greedy for money. ⁹ They must be earnest, wholehearted followers of Christ who is the hidden Source of their faith. ¹⁰ Before they are asked to be deacons they should be given other jobs in the church as a test of their character and ability, and if they do well, then they may be chosen as deacons.

¹¹ Their wives must be thoughtful, not heavy drinkers, not gossipers, but faithful in everything they do. ¹² Deacons should have only one wife and they should have happy, obedient families. ¹³ Those who do well as deacons will be well rewarded both by respect from others and also by developing their own confidence and bold trust in the Lord.

¹⁴ I am writing these things to you now, even though I hope to be with you soon, ¹⁵ so that if I don't come for awhile you will know what kind of men you should choose as officers for the church of the living God, which contains and holds high the truth of God.

¹⁶ It is quite true that the way to live a godly life is not an easy matter. But the answer lies in Christ, who came to earth as a man, was proved spotless and pure in his Spirit, was served by angels, was preached among the nations, was accepted by men everywhere and was received up again to his glory in heaven.

4 BUT THE HOLY Spirit tells us clearly that in the last times some in the church will turn away from Christ and become eager followers of teachers with devil-inspired ideas. ² These teachers will tell lies with straight faces and do it so often that their consciences won't even bother them. ³ They will say it is wrong to be married and wrong to eat meat, even though God gave these things to well-taught Christians to enjoy and be thankful for. ⁴ For everything God made is good, and we may eat it gladly if we are thankful for it, ⁵ and if we ask God to bless it, for it is made good by the Word of God and prayer.

⁶ If you explain this to the others you

pliendo cabalmente con tu deber de pastor y estarás demostrando que te nutres de la fe y de las buenas enseñanzas que fielmente has seguido. [7]No pierdas el tiempo discutiendo ideas tontas y mitos y leyendas sin sentido. Emplea el tiempo y las energías en la tarea de ejercitarte espiritualmente. [8]Está bien que te ejercites físicamente, pero el ejercicio espiritual es de vital importancia y sirve de tonificante. Ejercítate en lo espiritual y trata de ser mejor cristiano, porque eso no sólo te ayudará en esta vida, sino también en la venidera. [9,10]¡Qué cierto es esto y cuánto anhelamos que todos lo crean! Si trabajamos arduamente y sufrimos mucho es precisamente para que la gente crea en la importancia de lo espiritual, pues nuestra única esperanza la tenemos depositada en el Dios viviente que murió por todos, particularmente por los que han aceptado la salvación. [11]Enséñalo tú y procura que lo aprendan bien.

[12]Que nadie tenga en poco tu juventud. Sé ejemplo de los fieles en la forma en que enseñas y vives, en el amor y en la pureza de tus pensamientos.

[13]Mientras llego, ocúpate en leer, predicar y enseñar las Escrituras a la iglesia. [14]No dejes de ejercitar los dones que Dios te dio cuando, por inspiración de tipo profético, los ancianos de la iglesia impusieron las manos sobre ti. [15]Usa esos dones; entrégate de lleno al cumplimiento de tu deber para que todos vean tus progresos. [16]Vigila estrechamente tus acciones y pensamientos. Mantente fiel a lo que es justo y Dios te bendecirá y usará en la sublime tarea de ayudar a tus oyentes a alcanzar la salvación.

5 NUNCA REPRENDAS AL anciano, sino exhórtalo con respeto, como a un padre; a los más jóvenes trátalos como a hermanos; [2]a las ancianas, como a madres; y a las jóvenes, como a hermanas con absoluta pureza.

[3]La iglesia debe cuidar con esmero a las viudas, si éstas no tienen quien las ayude. [4]Pero si tienen hijos o nietos, éstos deben hacerse cargo de ellas, porque la piedad ha de comenzar en casa. Ayudar a los familiares que están en necesidad es una de las

will be doing your duty as a worthy pastor who is fed by faith and by the true teaching you have followed.

[7] Don't waste time arguing over foolish ideas and silly myths and legends. Spend your time and energy in the exercise of keeping spiritually fit. [8] Bodily exercise is all right, but spiritual exercise is much more important and is a tonic for all you do. So exercise yourself spiritually and practice being a better Christian, because that will help you not only now in this life, but in the next life too. [9,10] This is the truth and everyone should accept it. We work hard and suffer much in order that people will believe it, for our hope is in the living God who died for all, and particularly for those who have accepted his salvation.

[11] Teach these things and make sure everyone learns them well. [12] Don't let anyone think little of you because you are young. Be their ideal; let them follow the way you teach and live; be a pattern for them in your love, your faith, and your clean thoughts. [13] Until I get there, read and explain the Scriptures to the church; preach God's Word.

[14] Be sure to use the abilities God has given you through his prophets when the elders of the church laid their hands upon your head. [15] Put these abilities to work; throw yourself into your tasks so that everyone may notice your improvement and progress. [16] Keep a close watch on all you do and think. Stay true to what is right and God will bless you and use you to help others.

5 NEVER SPEAK SHARPLY to an older man, but plead with him respectfully just as though he were your own father. Talk to the younger men as you would to much loved brothers. [2] Treat the older women as mothers, and the girls as your sisters, thinking only pure thoughts about them.

[3] The church should take loving care of women whose husbands have died, if they don't have anyone else to help them. [4] But if they have children or grandchildren, these are the ones who should take the responsibility, for kindness should begin at home, supporting needy parents. This is

cosas que agradan a Dios.

⁵La iglesia debe cuidar a las viudas que han quedado enteramente solas y en la pobreza, si acuden a Dios en busca de ayuda y pasan mucho tiempo en oración. ⁶Pero si se pasan la vida chismeando o si andan corriendo tras los placeres de esta vida y destrozándose el alma, no tienen por qué ayudarlas. ⁷Debes poner en vigor esta regla en tu iglesia, para que los cristianos sepan lo que tienen que hacer. ⁸El que no se ocupa de los suyos, especialmente de los de su propia familia, no tiene derecho a llamarse cristiano, y es peor que un infiel.

⁹Para que una viuda pueda formar parte del cuerpo especial de obreros de la iglesia, debe tener por lo menos sesenta años de edad y no haber tenido más de un esposo. ¹⁰Tiene que haberse labrado una sana reputación por sus buenas obras. Por ejemplo, ¿ha educado bien a sus hijos? ¿Ha sido hospitalaria con los extranjeros y con los cristianos en general? ¿Ha brindado ayuda a los enfermos o afligidos? ¿Ha sido bondadosa en todo?

¹¹Las viudas más jóvenes no deben formar parte de este cuerpo especial, porque lo más probable es que más adelante olviden los votos que han hecho a Cristo y se quieran casar, ¹²incurriendo así en condenación por haber faltado al compromiso anterior. ¹³Además, muchas veces las viudas jóvenes, estando ociosas, se vuelven chismosas y entrometidas. ¹⁴Me parece que es mejor que se casen de nuevo, que tengan hijos y que se consagren a las labores hogareñas; así nadie podrá hablar mal de ellas. ¹⁵Temo que muchas se hayan apartado ya de la iglesia, y Satanás las haya desviado.

¹⁶Recuerda bien: Si algún creyente tiene una viuda en la familia, está obligado a mantenerla, y no debe dejarle esta tarea a la iglesia. Así la iglesia puede dedicar sus recursos al cuidado de las viudas que no tienen a nadie en este mundo.

¹⁷Los pastores de las iglesias que cumplan bien con su deber, especialmente los que cumplan con rigor sus tareas de predicar y enseñar, deben recibir un salario adecuado y se les debe tener en gran estima. ¹⁸Recordemos que las Escrituras dicen: "No pondrás bozal al buey que trilla el grano; ¡déjale comer mientras trabaja!" Y en otro lugar dicen: "El obrero es digno

something that pleases God very much.

⁵ The church should care for widows who are poor and alone in the world, if they are looking to God for his help and spending much time in prayer; ⁶ but not if they are spending their time running around gossiping, seeking only pleasure and thus ruining their souls. ⁷ This should be your church rule so that the Christians will know and do what is right.

⁸ But anyone who won't care for his own relatives when they need help, especially those living in his own family, has no right to say he is a Christian. Such a person is worse than the heathen.

⁹ A widow who wants to become one of the special church workers should be at least sixty years old and have been married only once. ¹⁰ She must be well thought of by everyone because of the good she has done. Has she brought up her children well? Has she been kind to strangers as well as to other Christians? Has she helped those who are sick and hurt? Is she always ready to show kindness?

¹¹ The younger widows should not become members of this special group because after awhile they are likely to disregard their vow to Christ and marry again. ¹² And so they will stand condemned because they broke their first promise. ¹³ Besides, they are likely to be lazy and spend their time gossiping around from house to house, getting into other people's business. ¹⁴ So I think it is better for these younger widows to marry again and have children, and take care of their own homes; then no one will be able to say anything against them. ¹⁵ For I am afraid that some of them have already turned away from the church and been led astray by Satan.

¹⁶ Let me remind you again that a widow's relatives must take care of her, and not leave this to the church to do. Then the church can spend its money for the care of widows who are all alone and have nowhere else to turn.

¹⁷ Pastors who do their work well should be paid well and should be highly appreciated, especially those who work hard at both preaching and teaching. ¹⁸ For the Scriptures say, "Never tie up the mouth of an ox when it is treading out the grain—let him eat as he goes along!" And in another place, "Those who work deserve their

de su salario".

¹⁹No hagas caso a ninguna acusación contra un pastor si no está respaldada por dos o tres testigos. ²⁰Si de veras ha pecado, repréndelo ante la iglesia en pleno, para que nadie siga su ejemplo. ²¹Delante de Dios, del Señor Jesucristo, y de los santos ángeles te encarezco que hagas esto aunque se trate del mejor amigo tuyo. Sé imparcial. ²²No impongas con ligereza las manos; porque corres el peligro de que alguno tenga un pecado que desconoces y la gente piense que lo apruebas. Consérvate limpio de pecado. ²³(Eso no quiere decir que tienes que renunciar completamente al vino. De vez en cuando debes tomar un poco por el bien de tu estómago, del que a cada rato estás enfermo.) ²⁴Hay individuos, aun pastores, que viven en pecado y todo el mundo lo sabe. En un caso así uno puede intervenir. Pero hay pecados ocultos que sólo en el día del juicio saldrán a la luz. ²⁵Por otro lado muchos conocen las buenas obras de algunos pastores, pero hay cosas bien hechas que no se sabrán sino hasta mucho después.

6 LOS ESCLAVOS CRISTIANOS deben respetar a sus amos y ser trabajadores. ¡Que nunca se diga que un cristiano es haragán! ¡Que el nombre de Dios y su doctrina nunca queden en ridículo por esto!

²Si un esclavo cristiano tiene un amo que es cristiano también, no por eso debe trabajar menos. Al contrario, debe pensar que con su trabajo está ayudando a un hermano en la fe.

Enseña estas verdades, Timoteo, y exhorta a ponerlas en práctica. ³Algunos lo negarán, pero éstas son las puras y saludables enseñanzas del Señor Jesucristo, y el fundamento de la vida cristiana. ⁴,⁵El que enseñe otra cosa es un orgulloso y un ignorante, porque está interpretando a su manera el significado de las palabras de Cristo y suscitando argumentos que dan lugar a envidias, pleitos, ofensas y desconfianzas. Tales porfiados tienen la mente tan torcida por el pecado que no saben cómo decir la verdad; para ellos el evangelio es simplemente un gran negocio, una fuente de ganancia.

pay!"

¹⁹ Don't listen to complaints against the pastor unless there are two or three witnesses to accuse him. ²⁰ If he has really sinned, then he should be rebuked in front of the whole church so that no one else will follow his example.

²¹ I solemnly command you in the presence of God and the Lord Jesus Christ and of the holy angels to do this whether the pastor is a special friend of yours or not. All must be treated exactly the same. ²² Never be in a hurry about choosing a pastor; you may overlook his sins and it will look as if you approve of them. Be sure that you yourself stay away from all sin. ²³ (By the way, this doesn't mean you should completely give up drinking wine. You ought to take a little sometimes as medicine for your stomach because you are sick so often.)

²⁴ Remember that some men, even pastors, lead sinful lives and everyone knows it. In such situations you can do something about it. But in other cases only the judgment day will reveal the terrible truth. ²⁵ In the same way, everyone knows how much good some pastors do, but sometimes their good deeds aren't known until long afterward.

6 CHRISTIAN SLAVES SHOULD work hard for their owners and respect them; never let it be said that Christ's people are poor workers. Don't let the name of God or his teaching be laughed at because of this. ² If their owner is a Christian, that is no excuse for slowing down; rather they should work all the harder because a brother in the faith is being helped by their efforts.

Teach these truths, Timothy, and encourage all to obey them. ³ Some may deny these things, but they are the sound, wholesome teachings of the Lord Jesus Christ and are the foundation for a godly life. ⁴ Anyone who says anything different is both proud and stupid. He is quibbling over the meaning of Christ's words and stirring up arguments ending in jealousy and anger, which only lead to name-calling, accusations, and evil suspicions. ⁵ These arguers—their minds warped by sin—don't know how to tell the truth; to them the Good News is just a means of making money. Keep away from

¡Apártate de ese tipo de gente! ⁶Sí, en la religión uno puede hallar la mayor de las riquezas: la de ser feliz con lo que tiene. ⁷Después de todo, nada trajimos a este mundo y nada podremos llevarnos al morir. ⁸Mientras tengamos ropa y comida, debemos estar contentos. ⁹Los que anhelan volverse ricos a veces hacen cualquier cosa por lograrlo, sin darse cuenta que ello puede dañarlos, corromperles la mente y por fin enviarlos al mismo infierno. ¹⁰¡El amor al dinero es la raíz de todos los males! Hay quienes han dejado a Dios por correr tras las riquezas y al fin se han visto traspasados de infinitos dolores.

¹¹Tú, Timoteo, eres un hombre de Dios. Huye de estas cosas y dedícate de lleno a lo que es justo y bueno, aprendiendo a confiar en El, a amar a los demás y a ser paciente y manso. ¹²Lucha por Dios. Echa mano de la vida eterna que Dios te ha dado y que has confesado con tanto ardor ante tantos testigos. ¹³Te ordeno en el nombre de Dios, que da vida a todas las cosas, y en el nombre de Jesucristo, quien tan valerosamente dio testimonio delante de Poncio Pilato, ¹⁴que hagas lo que El te ha mandado hacer, para que vivas irreprochablemente hasta el día en que nuestro Señor Jesucristo regrese. ¹⁵Porque a su debido tiempo Cristo vendrá; así lo permitirá el bienaventurado único Dios todopoderoso, Rey de reyes y Señor de señores, ¹⁶el único inmortal, el que habita en luz tan deslumbrante que ningún humano puede acercársele y a quien ningún hombre ha visto ni verá jamás. A El sea la honra y el poder sempiterno. Amén.

¹⁷Di a los ricos que no sean orgullosos y que no depositen sus esperanzas en las efímeras riquezas de este mundo sino en el Dios vivo, quien siempre nos proporciona todas las cosas en abundancia para que las disfrutemos. ¹⁸Que empleen el dinero en hacer el bien, que se enriquezcan en buenas obras y que compartan lo que Dios les ha dado con los que están en necesidad. ¹⁹De esta forma estarán acumulando en el cielo un verdadero tesoro para sí mismos. ¡Es la única inversión eternamente segura! A la vez, estarán llevando en este mundo una vida cristiana fructífera.

them.

⁶ Do you want to be truly rich? You already are if you are happy and good. ⁷ After all, we didn't bring any money with us when we came into the world, and we can't carry away a single penny when we die. ⁸ So we should be well satisfied without money if we have enough food and clothing. ⁹ But people who long to be rich soon begin to do all kinds of wrong things to get money, things that hurt them and make them evil-minded and finally send them to hell itself. ¹⁰ For the love of money is the first step toward all kinds of sin. Some people have even turned away from God because of their love for it, and as a result have pierced themselves with many sorrows.

¹¹ Oh, Timothy, you are God's man. Run from all these evil things and work instead at what is right and good, learning to trust him and love others, and to be patient and gentle. ¹² Fight on for God. Hold tightly to the eternal life which God has given you, and which you have confessed with such a ringing confession before many witnesses. ¹³ I command you before God who gives life to all, and before Christ Jesus who gave a fearless testimony before Pontius Pilate, ¹⁴ that you fulfill all he has told you to do, so that no one can find fault with you from now until our Lord Jesus Christ returns. ¹⁵ For in due season Christ will be revealed from heaven by the blessed and only Almighty God, the King of kings and Lord of lords, ¹⁶ who alone can never die, who lives in light so terrible that no human being can approach him. No mere man has ever seen him, nor ever will. Unto him be honor and everlasting power and dominion forever and ever. Amen.

¹⁷ Tell those who are rich not to be proud and not to trust in their money, which will soon be gone, but their pride and trust should be in the living God who always richly gives us all we need for our enjoyment. ¹⁸ Tell them to use their money to do good. They should be rich in good works and should give happily to those in need, always being ready to share with others whatever God has given them. ¹⁹ By doing this they will be storing up real treasure for themselves in heaven—it is the only safe investment for eternity! And they will be living a fruitful Christian life down here as well.

²⁰Oh Timoteo, no dejes de cumplir con lo que Dios te ha encomendado. Evita las necias discusiones con los que se jactan de "conocimientos" que a todas luces no tienen. ²¹Algunos de estos individuos se han apartado de lo que es más importante en la vida: conocer a Dios. Que Dios te bendiga.

Sinceramente,
Pablo

²⁰ Oh, Timothy, don't fail to do these things that God entrusted to you. Keep out of foolish arguments with those who boast of their "knowledge" and thus prove their lack of it. ²¹ Some of these people have missed the most important thing in life—they don't know God. May God's mercy be upon you.

Sincerely,
Paul

2 TIMOTEO / 2 TIMOTHY

1 REMITENTE: PABLO, APÓSTOL de Jesucristo que Dios envió a anunciar a la humanidad la promesa divina de otorgar la vida eterna a los que depositen su fe en Jesucristo.

²*Destinatario:* Timoteo, mi amado hijo.

Que Dios el Padre y Jesucristo nuestro Señor derramen en ti su gracia, su misericordia y su paz.

³¡Doy gracias a Dios por ti, Timoteo! No hay día que no eleve oraciones a tu favor, y en mis largas noches de desvelo pido al Dios de mis padres y mío, al Dios que deseo agradar con toda el alma, que te bendiga ricamente.

⁴Cuando recuerdo las lágrimas que derramaste en nuestra despedida, anhelo experimentar la indecible alegría de volver a verte. ⁵¿Cómo he de olvidar la sinceridad de tu fe, que es comparable a la de tu madre Eunice y a la de tu abuela Loida? Estoy seguro de que en nada has cambiado.

⁶Si es así, te aconsejo que avives el vigor y la osadía que Dios te dio cuando te puse las manos encima y te bendije. ⁷El Espíritu Santo, don de Dios, no quiere que temamos a la gente, sino que tengamos fortaleza, amor y templanza en nuestro trato con la humanidad. ⁸Si avivas ese poder que hay en ti, no temerás hablar del Señor ni proclamar el amor que te une a este amigo tuyo que está preso por la causa de Cristo. Al contrario, te sentirás capaz de sufrir conmigo por el Señor, sabiendo que El te dará fuerzas en medio de los sufrimientos. ⁹Recuerda que Dios nos salvó y escogió para su santa obra, no porque lo mereciéramos sino

1 FROM: PAUL, JESUS Christ's missionary, sent out by God to tell men and women everywhere about the eternal life he has promised them through faith in Jesus Christ.

² *To:* Timothy, my dear son. May God the Father and Christ Jesus our Lord shower you with his kindness, mercy and peace.

³ How I thank God for you, Timothy. I pray for you every day, and many times during the long nights I beg my God to bless you richly. He is my fathers' God, and mine, and my only purpose in life is to please him.

⁴ How I long to see you again. How happy I would be, for I remember your tears as we left each other.

⁵ I know how much you trust the Lord, just as your mother Eunice and your grandmother Lois do; and I feel sure you are still trusting him as much as ever.

⁶ This being so, I want to remind you to stir into flame the strength and boldness that is in you, that entered into you when I laid my hands upon your head and blessed you. ⁷ For the Holy Spirit, God's gift, does not want you to be afraid of people, but to be wise and strong, and to love them and enjoy being with them. ⁸ If you will stir up this inner power, you will never be afraid to tell others about our Lord, or to let them know that I am your friend even though I am here in jail for Christ's sake. You will be ready to suffer with me for the Lord, for he will give you strength in suffering.

⁹ It is he who saved us and chose us for his holy work, not because we deserved it

porque desde antes que el mundo comenzara, su plan era mostrarnos su amor y bondad a través de Cristo.

¹⁰Esto se hizo patente con la venida de nuestro Salvador Jesucristo, quien quebrantó el poder de la muerte y nos mostró que la vida perdurable se alcanza confiando en El. ¹¹Precisamente, Dios me nombró apóstol suyo, con la tarea de predicar y enseñar ese mensaje a los gentiles. ¹²Por eso padezco en prisión. Mas no me avergüenzo, porque sé en quién he creído, y estoy seguro que puede guardar lo que le he encomendado hasta el día de su retorno.

¹³Ten por norma las sanas verdades que te enseñé, especialmente las concernientes a la fe y al amor que Cristo ofrece. ¹⁴Guarda bien las espléndidas habilidades que Dios te dio mediante el Espíritu Santo que mora en nosotros.

¹⁵Como sabrás, los cristianos de la provincia de Asia que vinieron conmigo me han abandonado, aun Figelo y Hermógenes. ¹⁶Que el Señor bendiga a Onesíforo y a toda su familia, porque muchas veces me confortó. Sus visitas me revivificaban como brisa fresca. Nunca se avergonzó de que yo estuviera preso; ¹⁷al contrario, cuando estuvo en Roma me buscó por todas partes y por fin me halló. ¹⁸Que el Señor le conceda bendiciones extraordinarias el día en que Cristo retorne. Tú sabes mejor que yo lo mucho que me ayudó en Efeso.

2 TIMOTEO, HIJO MIO, aprópiate de la fuerza que Jesucristo da. ²Lo que me has oído decir en presencia de muchos, enséñalo a hombres de confianza que, a su vez, puedan enseñar a otros. ³Soporta los sufrimientos como buen soldado de Jesucristo. ⁴No te enredes en los asuntos de esta vida, porque ello no agradaría al que te tomó por soldado. ⁵Obedece las reglas que el Señor tiene establecidas en su obra, de la misma manera que el atleta obedece las reglas del deporte si no quiere ser descalificado y perder el premio. ⁶Trabaja con la misma dedicación con que trabaja el agricultor que recibe mejor beneficio si obtiene una mejor cosecha. ⁷Medita en estos tres ejemplos que te he puesto, y que el Señor te

but because that was his plan long before the world began—to show his love and kindness to us through Christ. ¹⁰And now he has made all of this plain to us by the coming of our Savior Jesus Christ, who broke the power of death and showed us the way of everlasting life through trusting him. ¹¹And God has chosen me to be his missionary, to preach to the Gentiles and teach them.

¹²That is why I am suffering here in jail and I am certainly not ashamed of it, for I know the one in whom I trust, and I am sure that he is able to safely guard all that I have given him until the day of his return.

¹³Hold tightly to the pattern of truth I taught you, especially concerning the faith and love Christ Jesus offers you. ¹⁴Guard well the splendid, God-given ability you received as a gift from the Holy Spirit who lives within you.

¹⁵As you know, all the Christians who came here from Asia have deserted me; even Phygellus and Hermogenes are gone. ¹⁶May the Lord bless Onesiphorus and all his family, because he visited me and encouraged me often. His visits revived me like a breath of fresh air, and he was never ashamed of my being in jail. ¹⁷In fact, when he came to Rome he searched everywhere trying to find me, and finally did. ¹⁸May the Lord give him a special blessing at the day of Christ's return. And you know better than I can tell you how much he helped me at Ephesus.

2 OH, TIMOTHY, MY son, be strong with the strength Christ Jesus gives you. ²For you must teach others those things you and many others have heard me speak about. Teach these great truths to trustworthy men who will, in turn, pass them on to others.

³Take your share of suffering as a good soldier of Jesus Christ, just as I do, ⁴and as Christ's soldier do not let yourself become tied up in worldly affairs, for then you cannot satisfy the one who has enlisted you in his army. ⁵Follow the Lord's rules for doing his work, just as an athlete either follows the rules or is disqualified and wins no prize. ⁶Work hard, like a farmer who gets paid well if he raises a large crop. ⁷Think over these three illustrations, and may the Lord help you to understand how

ayude a comprenderlos.

⁸Nunca te olvides de la maravillosa realidad de que Jesucristo, descendiente de David, fue hombre; pero a la vez fue Dios, como lo demuestra el hecho de que resucitó. ⁹Por predicar estas grandes verdades sufro penalidades y me tienen en la cárcel como a un malhechor. Por dicha, aunque estoy encadenado, la Palabra de Dios no lo está. ¹⁰Por eso estoy dispuesto a sufrir si con ello alcanzan la salvación y la gloria eterna los que Dios ha escogido. ¹¹Me alienta una gran verdad: Si sufrimos y morimos con Cristo, viviremos con El en el cielo. ¹²Nuestros sufrimientos podrán ser grandes, pero si nos mantenemos firmes reinaremos con El. Si nos damos por vencidos frente al sufrimiento y nos ponemos en contra de Cristo, El se pondrá también en contra nuestra. ¹³Si en nuestra debilidad faltamos a la fe, El se mantiene fiel a nosotros y nos ayuda; no puede abandonarnos porque somos partes de El mismo.

¹⁴Enseña esto y encarga en el nombre del Señor que no discutan las cosas que no tienen importancia. Tales discusiones lo único que hacen es dañar y confundir a los oyentes.

¹⁵Procura diligentemente presentarte ante Dios, aprobado como obrero que no tiene de qué avergonzarse porque sabe analizar y exponer correctamente la Palabra de Dios. ¹⁶Apártate de las discusiones necias, pues suelen hacer caer a la gente en el pecado del enojo. ¹⁷En las discusiones a veces se dicen cosas que durante largo tiempo carcomen como gangrena. Por meterse en tales discusiones, Himeneo y Fileto ¹⁸se desviaron de la verdad; ahora dicen que la resurrección de los muertos ya se efectuó, y con ello han debilitado la fe de algunos crédulos. ¹⁹Pero la verdad de Dios es un cimiento que se mantiene firme con esta doble inscripción: *"El Señor conoce a los que de veras son suyos, y el que se llame cristiano debe apartarse del mal".*

²⁰En una casa rica no sólo hay utensilios de oro y plata sino también de madera y barro. Los más caros se dedican a las visitas.

they apply to you.

⁸ Don't ever forget the wonderful fact that Jesus Christ was a Man, born into King David's family; and that he was God, as shown by the fact that he rose again from the dead. ⁹ It is because I have preached these great truths that I am in trouble here and have been put in jail like a criminal. But the Word of God is not chained, even though I am. ¹⁰ I am more than willing to suffer if that will bring salvation and eternal glory in Christ Jesus to those God has chosen.

¹¹ I am comforted by this truth, that when we suffer and die for Christ it only means that we will begin living with him in heaven. ¹² And if we think that our present service for him is hard, just remember that some day we are going to sit with him and rule with him. But if we give up when we suffer, and turn against Christ, then he must turn against us. ¹³ Even when we are too weak to have any faith left, he remains faithful to us and will help us, for he cannot disown us who are part of himself, and he will always carry out his promises to us.

¹⁴ Remind your people of these great facts, and command them in the name of the Lord not to argue over unimportant things. Such arguments are confusing and useless, and even harmful. ¹⁵ Work hard so God can say to you, "Well done." Be a good workman, one who does not need to be ashamed when God examines your work. Know what his Word says and means. ¹⁶ Steer clear of foolish discussions which lead people into the sin of anger with each other. ¹⁷ Things will be said that will burn and hurt for a long time to come. Hymenaeus and Philetus, in their love of argument, are men like that. ¹⁸ They have left the path of truth, preaching the lie that the resurrection of the dead has already occurred; and they have weakened the faith of some who believe them.

¹⁹ But God's truth stands firm like a great rock, and nothing can shake it. It is a foundation stone with these words written on it: "The Lord knows those who are really his," and "A person who calls himself a Christian should not be doing things that are wrong."

²⁰ In a wealthy home there are dishes made of gold and silver as well as some made from wood and clay. The expensive

tas, y los más baratos se usan en la cocina como depósitos de basura. ²¹Si te mantienes alejado del pecado, serás como vasija de oro purísimo —lo mejor de la casa— que Cristo podrá usar para sus más elevados propósitos.

²²Huye de las cosas que suelen provocar malos pensamientos en las mentes juveniles, y apégate a lo que provoque en ti el deseo de hacer el bien. Ten fe y amor, y disfruta el compañerismo de los que aman al Señor y tienen corazones puros. ²³Repito: No te metas en discusiones tontas, pues sabes bien que engendran riñas. ²⁴Al siervo del Señor no le conviene reñir, sino ser amable y paciente maestro de los que andan en error. ²⁵,²⁶Con mansedumbre, trata de corregir a los que están confundidos, porque si les hablas con dulzura y cortesía, es posible que con la ayuda de Dios abandonen las ideas erradas y crean la verdad. De esta manera, volviendo en sí, escaparán de los lazos satánicos que los mantienen esclavizados al pecado.

3 TAMBIÉN DEBES SABER, Timoteo, que en los últimos tiempos va a ser muy difícil ser cristiano. ²La gente amará sólo el dinero y a sí misma; serán orgullosos, jactanciosos, blasfemos, desobedientes a sus padres, e impíos. ³Tan duros de corazón serán que jamás cederán ante los demás; serán mentirosos, chismosos, inmorales, duros, crueles, y se burlarán de los que intenten hacer el bien. ⁴Traicionarán a sus amigos; serán iracundos, orgullosos y preferirán divertirse antes que adorar a Dios. ⁵Irán a la iglesia, sí, pero en el fondo no creerán lo que oyen.

No se dejen engañar por este tipo de individuos, ⁶porque son de los que se introducen en casas ajenas y se ganan la amistad de mujeres tontas y cargadas de pecado ⁷que gustan de correr en pos de lo que es novedoso en materia doctrinal, pero nunca llegan a captar la verdad. ⁸Así como Janes y Jambres combatieron a Moisés, estos individuos combaten la verdad; son perso-

dishes are used for guests, and the cheap ones are used in the kitchen or to put garbage in. ²¹ If you stay away from sin you will be like one of these dishes made of purest gold—the very best in the house—so that Christ himself can use you for his highest purposes.

²² Run from anything that gives you the evil thoughts that young men often have, but stay close to anything that makes you want to do right. Have faith and love, and enjoy the companionship of those who love the Lord and have pure hearts. ²³ Again I say, don't get involved in foolish arguments which only upset people and make them angry. ²⁴ God's people must not be quarrelsome; they must be gentle, patient teachers of those who are wrong. ²⁵ Be humble when you are trying to teach those who are mixed up concerning the truth. For if you talk meekly and courteously to them they are more likely, with God's help, to turn away from their wrong ideas and believe what is true. ²⁶ Then they will come to their senses and escape from Satan's trap of slavery to sin which he uses to catch them whenever he likes, and then they can begin doing the will of God.

3 YOU MAY AS well know this too, Timothy, that in the last days it is going to be very difficult to be a Christian. ² For people will love only themselves and their money; they will be proud and boastful, sneering at God, disobedient to their parents, ungrateful to them, and thoroughly bad. ³ They will be hardheaded and never give in to others; they will be constant liars and troublemakers and will think nothing of immorality. They will be rough and cruel, and sneer at those who try to be good. ⁴ They will betray their friends; they will be hotheaded, puffed up with pride, and prefer good times to worshiping God. ⁵ They will go to church, yes, but they won't really believe anything they hear. Don't be taken in by people like that.

⁶ They are the kind who craftily sneak into other people's homes and make friendships with silly, sin-burdened women and teach them their new doctrines. ⁷ Women of that kind are forever following new teachers, but they never understand the truth. ⁸ And these teachers fight truth just as Jannes and Jambres fought against Moses.

nas de mentes sucias, depravadas y torcidas, que se han puesto en contra de la fe cristiana. ⁹Ah, pero no siempre se saldrán con la suya. Un día el engaño quedará al descubierto, de la misma manera que quedó al descubierto el pecado de Janes y Jambres.

¹⁰Tú, que me has observado bien, sabes que no soy de ese tipo de personas. Sabes cuáles han sido siempre mi conducta, mis creencias y mis propósitos. Conoces mi fe en Cristo y cuánto he sufrido por El. Sabes el amor que te profeso y mi paciencia. ¹¹Sabes cuántas dificultades he tenido que afrontar por predicar el evangelio, especialmente en Antioquía, Iconio y Listra; pero el Señor siempre me ha librado. ¹²¡Quienquiera que desee vivir piadosamente para Cristo Jesús, sufrirá a manos de los enemigos del Señor! ¹³Es más, los hombres perversos y los maestros falsos serán más perversos y falsos cada día, y seguirán engañando a muchos, pues ellos mismos han sido engañados por Satanás.

¹⁴Pero tú sigue firme en lo que has aprendido. Ya sabes que lo que se te ha enseñado es la verdad, pues has podido comprobar la integridad de tus maestros. ¹⁵Además, desde la niñez conoces las Sagradas Escrituras, y éstas te dieron la sabiduría que se necesita para alcanzar la salvación mediante la fe en Cristo Jesús. ¹⁶La Biblia entera nos fue dada por inspiración de Dios y es útil para enseñarnos la verdad, hacernos comprender las faltas cometidas en la vida y ayudarnos a llevar una vida recta. ¹⁷Ella es el medio que Dios utiliza para capacitarnos plenamente para hacer el bien.

4 POR LO TANTO, te encarezco ante Dios y ante Jesucristo —quien juzgará a los vivos y a los muertos cuando venga a establecer su reino— ²que con urgencia prediques la Palabra de Dios; que lo hagas a tiempo y fuera de tiempo, cuando convenga y cuando no convenga. Convence, aconseja, reprende si es necesario, insta a hacer el bien; y en todo tiempo, con paciencia, proporciona a tu pueblo el alimento espiritual de la Palabra de Dios. ³Porque llegará el momento en que la gente no querrá escuchar la verdad, sino que correrán en pos de maestros que les digan lo que desean oír.

They have dirty minds, warped and twisted, and have turned against the Christian faith.

⁹ But they won't get away with all this forever. Some day their deceit will be well known to everyone, as was the sin of Jannes and Jambres.

¹⁰ But you know from watching me that I am not that kind of person. You know what I believe and the way I live and what I want. You know my faith in Christ and how I have suffered. You know my love for you, and my patience. ¹¹ You know how many troubles I have had as a result of my preaching the Good News. You know about all that was done to me while I was visiting in Antioch, Iconium and Lystra, but the Lord delivered me. ¹² Yes, and those who decide to please Christ Jesus by living godly lives will suffer at the hands of those who hate him. ¹³ In fact, evil men and false teachers will become worse and worse, deceiving many, they themselves having been deceived by Satan.

¹⁴ But you must keep on believing the things you have been taught. You know they are true for you know that you can trust those of us who have taught you. ¹⁵ You know how, when you were a small child, you were taught the holy Scriptures; and it is these that make you wise to accept God's salvation by trusting in Christ Jesus. ¹⁶ The whole Bible was given to us by inspiration from God and is useful to teach us what is true and to make us realize what is wrong in our lives; it straightens us out and helps us do what is right. ¹⁷ It is God's way of making us well prepared at every point, fully equipped to do good to everyone.

4 AND SO I solemnly urge you before God and before Christ Jesus—who will some day judge the living and the dead when he appears to set up his kingdom— ² to preach the Word of God urgently at all times, whenever you get the chance, in season and out, when it is convenient and when it is not. Correct and rebuke your people when they need it, encourage them to do right, and all the time be feeding them patiently with God's Word.

³ For there is going to come a time when people won't listen to the truth, but will go around looking for teachers who will tell them just what they want to hear. ⁴ They

⁴En vez de escuchar lo que la Biblia dice, correrán ciegamente tras sus errados conceptos. ⁵Por eso, mantente despierto, vigilante. No temas sufrir por el Señor. Gana almas para Cristo. Cumple con tus deberes.

⁶Ya pronto no podré ayudarte. No me queda mucho tiempo. Dentro de poco seré ofrecido en sacrificio y partiré a estar con el Señor. ⁷He batallado larga y arduamente por El, y me he mantenido fiel; ya he llegado al final de la carrera y pronto descansaré. ⁸En el cielo me espera una corona, y el Señor, juez justo, me la dará en aquel gran día de su retorno. Y no sólo a mí, sino a todos los que esperan ansiosos su venida.

⁹Por favor, ven pronto a verme, ¹⁰porque Demas me abandonó por amor a las cosas de este mundo y se fue a Tesalónica. Crescente se fue a Galacia, y Tito a Dalmacia. ¹¹Sólo Lucas está conmigo. Trae a Marcos cuando vengas, porque lo necesito. ¹²Tíquico tampoco está aquí, porque lo mandé a Efeso. ¹³Acuérdate de traerme la capa que dejé en Troas en casa de Carpo, y también los libros, especialmente los pergaminos.

¹⁴Alejandro el herrero me ha hecho mucho daño. Que el Señor lo castigue. ¹⁵Cuídate de él, pues se ha opuesto tenazmente a nuestra predicación.

¹⁶La primera vez que comparecí ante el juez nadie me defendió. Me desampararon por completo. Espero que esto no se les tome en cuenta. ¹⁷Pero el Señor estuvo a mi lado y aproveché la oportunidad que se me concedía para predicar un sermón que todos oyeron. Dios me libró de la boca de los leones, ¹⁸así como me librará de todo mal y me llevará a su reino celestial. A El sea la gloria por los siglos de los siglos. Amén.

¹⁹Saluda en nombre mío a Priscila y a Aquila, y a los de la casa de Onesíforo. ²⁰Erasto se quedó en Corinto, y a Trófimo lo dejé enfermo en Mileto. ²¹Trata de venir antes del invierno. Eubulo te manda saludos, así como Pudente, Lino, Claudia y los demás hermanos.

²²Que el Señor Jesucristo esté con tu espíritu, y que Dios los bendiga.

Sinceramente,
Pablo

won't listen to what the Bible says but will blithely follow their own misguided ideas.

⁵ Stand steady, and don't be afraid of suffering for the Lord. Bring others to Christ. Leave nothing undone that you ought to do.

⁶ I say this because I won't be around to help you very much longer. My time has almost run out. Very soon now I will be on my way to heaven. ⁷ I have fought long and hard for my Lord, and through it all I have kept true to him. And now the time has come for me to stop fighting and rest. ⁸ In heaven a crown is waiting for me which the Lord, the righteous Judge, will give me on that great day of his return. And not just to me, but to all those whose lives show that they are eagerly looking forward to his coming back again.

⁹ Please come as soon as you can, ¹⁰ for Demas has left me. He loved the good things of this life and went to Thessalonica. Crescens has gone to Galatia, Titus to Dalmatia. ¹¹ Only Luke is with me. Bring Mark with you when you come, for I need him. ¹² (Tychicus is gone too, as I sent him to Ephesus.) ¹³ When you come, be sure to bring the coat I left at Troas with Brother Carpus, and also the books, but especially the parchments.

¹⁴ Alexander the coppersmith has done me much harm. The Lord will punish him, ¹⁵ but be careful of him, for he fought against everything we said.

¹⁶ The first time I was brought before the judge no one was here to help me. Everyone had run away. I hope that they will not be blamed for it. ¹⁷ But the Lord stood with me and gave me the opportunity to boldly preach a whole sermon for all the world to hear. And he saved me from being thrown to the lions. ¹⁸ Yes, and the Lord will always deliver me from all evil and will bring me into his heavenly kingdom. To God be the glory forever and ever. Amen.

¹⁹ Please say "hello" for me to Priscilla and Aquila and those living at the home of Onesiphorus. ²⁰ Erastus stayed at Corinth, and I left Trophimus sick at Miletus.

²¹ Do try to be here before winter. Eubulus sends you greetings, and so do Pudens, Linus, Claudia, and all the others. ²² May the Lord Jesus Christ be with your spirit.

Farewell,
Paul

TITO / TITUS

1 REMITENTE: PABLO, ESCLAVO y mensajero que Jesucristo envió a llevar la fe a los escogidos de Dios y a enseñarles las verdades divinas —verdades que transforman vidas—, para que obtengan la vida eterna que Dios, que no puede mentir, prometió desde antes de la creación del mundo. ³Ahora, a su debido tiempo, ha revelado estas Buenas Noticias que, por mandato de Dios nuestro Salvador, me ha sido encomendado proclamar.

⁴*Destinatario:* Tito, verdadero hijo mío en la fe del Señor.

Que Dios el Padre y Cristo Jesús nuestro Salvador te den bendiciones y paz.

⁵Como recordarás, te dejé en la isla de Creta para que buscaras la manera de fortalecer a las iglesias, y te pedí que nombraras pastores en cada lugar, que siguieran las instrucciones que te di. ⁶Pues bien, los hombres que escojas deben ser irreprochables y deben tener sólo una esposa; sus hijos han de amar al Señor y no han de tener fama de disolutos y desobedientes.

⁷Es necesario que el pastor, como ministro de Dios, sea irreprensible. No debe ser arrogante ni colérico, no debe ser dado a la bebida, ni a las riñas, ni codicioso. ⁸Debe ser hospitalario, amigo del bien, sensato, justo y poseedor de mente limpia y de dominio propio. ⁹Su fe en las verdades que hemos enseñado debe ser fuerte y firme, para que pueda enseñarlas y convencer a los que contradicen. ¹⁰Porque hay muchos que le negarán obediencia, especialmente entre los que dicen que los cristianos deben guardar las leyes judaicas. Como esto es insensatez y engaño, ¹¹es preciso taparles la boca, pues en su afán por ganar dinero enseñando lo que no deben, ya han apartado de la verdad a varias familias.

¹²Un profeta de la isla de Creta dijo lo siguiente de sus propios compatriotas: "los cretenses son siempre mentirosos, malas

1 FROM: PAUL, THE slave of God and the messenger of Jesus Christ.

I have been sent to bring faith to those God has chosen and to teach them to know God's truth—the kind of truth that changes lives—so that they can have eternal life, which God promised them before the world began—and he cannot lie. ³ And now in his own good time he has revealed this Good News and permits me to tell it to everyone. By command of God our Savior I have been trusted to do this work for him.

⁴ *To:* Titus, who is truly my son in the affairs of the Lord.

May God the Father and Christ Jesus our Savior give you his blessings and his peace.

⁵ I left you there on the island of Crete so that you could do whatever was needed to help strengthen each of its churches, and I asked you to appoint pastors in every city who would follow the instructions I gave you. ⁶ The men you choose must be well thought of for their good lives; they must have only one wife and their children must love the Lord and not have a reputation for being wild or disobedient to their parents.

⁷ These pastors must be men of blameless lives because they are God's ministers. They must not be proud or impatient; they must not be drunkards or fighters or greedy for money. ⁸ They must enjoy having guests in their homes and must love all that is good. They must be sensible men, and fair. They must be clean minded and level headed. ⁹ Their belief in the truth which they have been taught must be strong and steadfast, so that they will be able to teach it to others and show those who disagree with them where they are wrong.

¹⁰ For there are many who refuse to obey; this is especially true among those who say that all Christians must obey the Jewish laws. But this is foolish talk; it blinds people to the truth, ¹¹ and it must be stopped. Already whole families have been turned away from the grace of God. Such teachers are only after your money. ¹² One of their own men, a prophet from Crete, has said about them, "These men of Crete are all liars; they are like lazy animals, living

bestias, glotones y perezosos". ¹³Y dijo la verdad. Por eso, reprende con severidad a los cristianos, para que se robustezcan en la fe, ¹⁴y no den oído a las fábulas judaicas ni a mandamientos de individuos que se han alejado de la verdad. ¹⁵El que es puro de verdad todo lo ve bueno y puro; pero los que tienen el corazón podrido y lleno de incredulidad lo ven todo malo, porque su mente y su conciencia corrompidas desfiguran lo que ven. ¹⁶Dicen que conocen a Dios, pero en la práctica demuestran no conocerlo. Son corruptos, desobedientes e incapaces de hacer lo bueno.

2 PERO TÚ CONVIÉRTETE en paladín de la pureza de vida que concuerda con el verdadero cristianismo. ²Enseña a los ancianos a ser sobrios, serios y prudentes; a conocer la verdad y a hacerlo todo con amor y paciencia. ³Las ancianas deben ser calladas y respetables, no dadas a las habladurías ni a la bebida. Al contrario, deben vivir como cristianas ejemplares y ser maestras del bien. ⁴Han de enseñar a las jóvenes a amar a sus esposos e hijos, ⁵a ser prudentes y puras, a cuidar del hogar y a ser dulces y obedientes con sus esposos, para que nadie hable mal del cristianismo por culpa de ellas.

⁶De igual manera, exhorta a los jóvenes a ser prudentes y a tomar la vida en serio. ⁷En esto tienes que darles el ejemplo. Procuren que sus actos demuestren que aman la verdad y que se han entregado por completo a ella. ⁸Su conversación ha de ser tan sensata y lógica que el que discuta con ustedes se avergüence al no encontrar en sus palabras nada que criticar.

⁹Insta a los esclavos a obedecer a sus amos y a tratar de complacerlos; aconséjales que no sean respondones, ¹⁰que no roben, demostrando así que son dignos de toda confianza. De esta manera serán ejemplo vivo y hermoso del fruto de las enseñanzas de nuestro Salvador y Dios.

¹¹Sí, enseña esto, porque al aceptar la salvación eterna, que es un don de Dios que está siendo ofrecido a todo el mundo, ¹²hemos de darnos cuenta que Dios quiere

only to satisfy their stomachs." ¹³ And this is true. So speak to the Christians there as sternly as necessary to make them strong in the faith, ¹⁴ and to stop them from listening to Jewish folk tales and the demands of men who have turned their backs on the truth.

¹⁵ A person who is pure of heart sees goodness and purity in everything; but a person whose own heart is evil and untrusting finds evil in everything, for his dirty mind and rebellious heart color all he sees and hears. ¹⁶ Such persons claim they know God, but from seeing the way they act, one knows they don't. They are rotten and disobedient, worthless so far as doing anything good is concerned.

2 BUT AS FOR you, speak up for the right living that goes along with true Christianity. ² Teach the older men to be serious and unruffled; they must be sensible, knowing and believing the truth and doing everything with love and patience.

³ Teach the older women to be quiet and respectful in everything they do. They must not go around speaking evil of others and must not be heavy drinkers, but they should be teachers of goodness. ⁴ These older women must train the younger women to live quietly, to love their husbands and their children, ⁵ and to be sensible and clean minded, spending their time in their own homes, being kind and obedient to their husbands, so that the Christian faith can't be spoken against by those who know them.

⁶ In the same way, urge the young men to behave carefully, taking life seriously. ⁷ And here you yourself must be an example to them of good deeds of every kind. Let everything you do reflect your love of the truth and the fact that you are in dead earnest about it. ⁸ Your conversation should be so sensible and logical that anyone who wants to argue will be ashamed of himself because there won't be anything to criticize in anything you say!

⁹ Urge slaves to obey their masters and to try their best to satisfy them. They must not talk back, ¹⁰ nor steal, but must show themselves to be entirely trustworthy. In this way they will make people want to believe in our Savior and God.

¹¹ For the free gift of eternal salvation is now being offered to everyone; ¹² and along with this gift comes the realization that God

que nos apartemos de la impiedad y de los placeres pecaminosos y que vivamos en este mundo una vida sobria, justa y piadosa, [13]con la mirada puesta en el día en que se cumpla la bendita promesa y se manifieste la gloria de nuestro gran Dios y Salvador Jesucristo. [14]El se entregó a la muerte (castigo que por nuestros pecados merecíamos) para poder rescatarnos de nuestras iniquidades y convertirnos en un pueblo que fuera suyo, en un pueblo de corazón limpio que ansía sobre todas las cosas hacer el bien.

[15]Tienes que enseñar esto y exhortar a tu pueblo a ponerlo en práctica. Si es necesario, repréndelos, pues tienes autoridad para hacerlo. ¡No permitas que nadie reste importancia a tus palabras!

3 RECUÉRDALES QUE HAN de someterse al gobierno y a las autoridades, que han de ser obedientes y que deben estar siempre dispuestos a realizar cualquier trabajo honrado. [2]Diles que nunca hablen mal de nadie; que no peleen, sino que sean amables y atentos con todo el mundo.

[3]También nosotros éramos antes insensatos y desobedientes; con facilidad nos descarriábamos y vivíamos esclavos de los placeres y de los deseos pecaminosos. Estábamos llenos de rencor y envidia. Odiábamos a los demás y ellos nos odiaban a nosotros. [4]Pero cuando la bondad y el amor de Dios nuestro Salvador se manifestó, [5]obtuvimos la salvación; pero no porque fuéramos tan buenos que la mereciéramos, sino porque en su bondad y en su misericordia Dios nos lavó los pecados y nos dio una nueva vida por medio del Espíritu Santo [6]que vertió abundantemente en nosotros, gracias a la obra de Jesucristo nuestro Salvador, [7]a fin de poder declararnos justos ante Dios. En virtud de esto que en su gracia nos concedió, somos herederos de las riquezas de la vida eterna, riquezas que con ansias esperamos alcanzar.

[8]Cuanto te he dicho es cierto. Insiste en estas cosas, para que los cristianos se ocupen de hacer siempre el bien. Esto no sólo es correcto sino provechoso.

[9]Nunca discutas cuestiones necias ni conceptos teológicos raros. Evita las polémicas sobre si se debe obedecer o no las leyes judaicas, porque no vale la pena y es

wants us to turn from godless living and sinful pleasures and to live good, God-fearing lives day after day, [13] looking forward to that wonderful time we've been expecting, when his glory shall be seen—the glory of our great God and Savior Jesus Christ. [14] He died under God's judgment against our sins, so that he could rescue us from constant falling into sin and make us his very own people, with cleansed hearts and real enthusiasm for doing kind things for others. [15] You must teach these things and encourage your people to do them, correcting them when necessary as one who has every right to do so. Don't let anyone think that what you say is not important.

3 REMIND YOUR PEOPLE to obey the government and its officers, and always to be obedient and ready for any honest work. [2] They must not speak evil of anyone, nor quarrel, but be gentle and truly courteous to all.

[3] Once we, too, were foolish and disobedient; we were misled by others and became slaves to many evil pleasures and wicked desires. Our lives were full of resentment and envy. We hated others and they hated us.

[4] But when the time came for the kindness and love of God our Savior to appear, [5] then he saved us—not because we were good enough to be saved, but because of his kindness and pity—by washing away our sins and giving us the new joy of the indwelling Holy Spirit [6] whom he poured out upon us with wonderful fullness—and all because of what Jesus Christ our Savior did [7] so that he could declare us good in God's eyes—all because of his great kindness; and now we can share in the wealth of the eternal life he gives us, and we are eagerly looking forward to receiving it. [8] These things I have told you are all true. Insist on them so that Christians will be careful to do good deeds all the time, for this is not only right, but it brings results.

[9] Don't get involved in arguing over unanswerable questions and controversial theological ideas; keep out of arguments and quarrels about obedience to Jewish laws, for this kind of thing isn't worthwhile;

más bien perjudicial.

¹⁰Al que cause divisiones en la iglesia se le debe amonestar una o dos veces. Después, déjalo a un lado, ¹¹porque la gente así tiene conceptos variables y peca a sabiendas.

¹²Estoy pensando enviarte a Artemas o a Tíquico. Tan pronto como uno de ellos llegue, procura encontrarte conmigo en Nicópolis, donde he decidido pasar el invierno. ¹³Trata de ayudar a Zenas el abogado y a Apolos en el viaje que tienen que realizar. Ocúpate de que nada les falte, ¹⁴porque los nuestros deben aprender a ayudar a los que están en necesidad, pues así tendrán fruto en la vida.

¹⁵Todos los que están conmigo te mandan saludos. Salúdame a nuestros amados hermanos de allí. Que Dios los bendiga.

Sinceramente,
Pablo

it only does harm. ¹⁰ If anyone is causing divisions among you, he should be given a first and second warning. After that have nothing more to do with him, ¹¹ for such a person has a wrong sense of values. He is sinning, and he knows it.

¹² I am planning to send either Artemas or Tychicus to you. As soon as one of them arrives, please try to meet me at Nicopolis as quickly as you can, for I have decided to stay there for the winter. ¹³ Do everything you can to help Zenas the lawyer and Apollos with their trip; see that they are given everything they need. ¹⁴ For our people must learn to help all who need their assistance, that their lives will be fruitful.

¹⁵ Everybody here sends greetings. Please say "hello" to all of the Christian friends there. May God's blessings be with you all.

Sincerely,
Paul

FILEMON / PHILEMON

1 REMITENTES: PABLO, PRISIONERO por predicar las Buenas Nuevas de Jesucristo; y el hermano Timoteo.

Destinatarios: Filemón, nuestro muy amado colaborador, ²y la iglesia que se reúne en su casa, además de nuestra querida hermana Apia y de Arquipo, quien como nosotros es soldado de la cruz.

³Que Dios nuestro Padre y el Señor Jesucristo derramen en ustedes bendiciones y paz.

⁴Siempre doy gracias a Dios al orar por ti, Filemón, ⁵porque a menudo me hablan del amor y de la fidelidad que profesas al Señor y a los cristianos en general. ⁶Ruego a Dios que al impartir tu fe a otros, ésta se apodere de sus vidas al comprender plenamente que las abundantes cualidades que hay en ti provienen de Jesucristo. ⁷Yo mismo he hallado gran gozo y consuelo en tu amor, hermano mío; y muchas veces los corazones de los cristianos han hallado refrigerio en tu bondad.

⁸,⁹Hoy, aunque bien podría ordenártelo en el nombre del Señor, ya que se trata de algo que conviene, yo Pablo, anciano ya y

1 FROM: PAUL, IN jail for preaching the Good News about Jesus Christ, and from Brother Timothy.

To: Philemon, our much loved fellow worker, and to the church that meets in your home, and to Apphia our sister, and to Archippus who like myself is a soldier of the cross.

³ May God our Father and the Lord Jesus Christ give you his blessings and his peace.

⁴ I always thank God when I am praying for you, dear Philemon, ⁵ because I keep hearing of your love and trust in the Lord Jesus and in his people. ⁶ And I pray that as you share your faith with others it will grip their lives too, as they see the wealth of good things in you that come from Christ Jesus. ⁷ I myself have gained much joy and comfort from your love, my brother, because your kindness has so often refreshed the hearts of God's people.

⁸,⁹ Now I want to ask a favor of you. I could demand it of you in the name of Christ because it is the right thing for you to do, but I love you and prefer just to ask you—I, Paul, an old man now, here in jail

preso por la causa de Cristo, ¹⁰deseo por amor, suplicarte que te apiades de mi hijo Onésimo, a quien gané para el Señor en mis prisiones.

¹¹Onésimo (Util) no te ha sido demasiado útil en el pasado, pero ahora nos va a ser útil a ti y a mí. ¹²Te lo estoy mandando de regreso, y con él te envío mi propio corazón. ¹³Hubiera querido retenerlo conmigo en este lugar en que guardo prisión por predicar el evangelio, pues así me habría ayudado en lugar tuyo, ¹⁴pero preferí no hacerlo sin tu consentimiento, pues no me gustan los favores forzados.

¹⁵El problema de Onésimo quizás podría enfocarlo de la siguiente manera: huyó de ti precisamente para que lo recuperaras para siempre, ¹⁶y ya no como esclavo sino como algo mucho mejor: como hermano amado. Para mí, eso es él: un hermano querido. Ahora tienes por qué apreciarlo mucho más, porque no sólo es tu siervo sino también tu hermano en Cristo.

¹⁷Si de veras eres amigo mío, recíbelo con el mismo afecto con que me recibirías si fuera yo el que llegara. ¹⁸Si te hizo algún mal o si te robó algo, cárgalo a mi cuenta. ¹⁹(Yo, Pablo, lo pagaré; y para constancia lo escribo con mi puño y letra.) ¡No creo que sea necesario recordarte que tú a mí me debes hasta el alma!

²⁰Sí, querido hermano, alégrame con este gesto de amor que te pido, y mi cansado corazón alabará al Señor.

²¹Te he escrito esta carta porque estoy seguro que harás lo que te pido y mucho más. ²²Ten una habitación lista para mí, pues espero que Dios contestará tus oraciones y permitirá que pronto vaya a verte.

²³Epafras, mi compañero de prisión (pues también él está preso por predicar a Jesucristo), te saluda. ²⁴Marcos, Aristarco, Demas y Lucas, mis colaboradores, te envían saludos también.

²⁵Que las bendiciones de nuestro Señor Jesucristo inunden tu espíritu.

Sinceramente,
Pablo

for the sake of Jesus Christ. ¹⁰My plea is that you show kindness to my child Onesimus, whom I won to the Lord while here in my chains. ¹¹Onesimus (whose name means "Useful") hasn't been of much use to you in the past, but now he is going to be of real use to both of us. ¹²I am sending him back to you, and with him comes my own heart.

¹³I really wanted to keep him here with me while I am in these chains for preaching the Good News, and you would have been helping me through him, ¹⁴but I didn't want to do it without your consent. I didn't want you to be kind because you had to but because you wanted to. ¹⁵Perhaps you could think of it this way: that he ran away from you for a little while so that now he can be yours forever, ¹⁶no longer only a slave, but something much better—a beloved brother, especially to me. Now he will mean much more to you too, because he is not only a servant but also your brother in Christ.

¹⁷If I am really your friend, give him the same welcome you would give to me if I were the one who was coming. ¹⁸If he has harmed you in any way or stolen anything from you, charge me for it. ¹⁹I will pay it back (I, Paul, personally guarantee this by writing it here with my own hand) but I won't mention how much you owe me! The fact is, you even owe me your very soul! ²⁰Yes, dear brother, give me joy with this loving act and my weary heart will praise the Lord.

²¹I've written you this letter because I am positive that you will do what I ask and even more!

²²Please keep a guest room ready for me, for I am hoping that God will answer your prayers and let me come to you soon.

²³Epaphras my fellow prisoner, who is also here for preaching Christ Jesus, sends you his greetings. ²⁴So dq Mark, Aristarchus, Demas and Luke, my fellow workers.

²⁵The blessings of our Lord Jesus Christ be upon your spirit.

Paul

HEBREOS / HEBREWS

1 EN EL PASADO Dios habló a nuestros padres muchas veces y de muchas maneras a través de los profetas (en visiones, sueños, y aun cara a cara), y les fue revelando poco a poco sus planes. ²Pero en estos últimos tiempos nos ha hablado a través de su Hijo, a quien instituyó heredero de todas las cosas y por quien creó el universo entero, ³y el Hijo, que es el resplandor de la gloria de Dios y la imagen misma del Altísimo, y quien regula el universo con su poderosa palabra, después de morir para purificarnos y borrar nuestros pecados se sentó en el sitio del más alto honor junto al gran Dios del cielo.

⁴Con esto demostraba ser superior a los ángeles y ser digno de ostentar el título de "Hijo de Dios" que el Padre mismo le había dado, título superior a cualquier título o nombre angelical. ⁵,⁶Porque Dios jamás dijo a ningún ángel: "Tú eres mi Hijo, y hoy te he dado el honor que corresponde a tal título". Sin embargo, se lo dijo a Jesús. Y en otra ocasión dijo de El: "Yo soy su Padre y El es mi Hijo". Y cuando su único Hijo bajó a este mundo, dijo: "Adórenlo todos los ángeles de Dios".

⁷Dios llama a los ángeles "mensajeros veloces como el viento" y "llamas de fuego". ⁸Pero de su Hijo dice: "Tu reino, oh Dios, es eterno; tu gobierno es siempre justo y recto. ⁹Amas lo recto y odias lo malo; y por eso Dios, el Dios tuyo, te ha dado más alegría que a los demás". ¹⁰Y lo llamó "Señor" cuando dijo: "Tú, oh Señor, en el principio hiciste la tierra, y los cielos son obra de tus manos. ¹¹Estos un día desaparecerán, pero tú permanecerás para siempre. Un día ya habrán envejecido como ropa, ¹²y los doblarás como se dobla un vestido y los cambiarás por otros. Pero tú no cambiarás nunca y tus años jamás terminarán". ¹³Y ¿dijo alguna vez Dios a un ángel, como dice a su Hijo: "Siéntate en el sitio de honor junto a mí hasta que ponga a tus enemigos bajo tus pies"? ¹⁴No; porque los ángeles son tan sólo espíritus mensaje-

1 LONG AGO GOD spoke in many different ways to our fathers through the prophets [in visions, dreams, and even face to face], telling them little by little about his plans.

² But now in these days he has spoken to us through his Son to whom he has given everything, and through whom he made the world and everything there is.

³ God's Son shines out with God's glory, and all that God's Son is and does marks him as God. He regulates the universe by the mighty power of his command. He is the one who died to cleanse us and clear our record of all sin, and then sat down in highest honor beside the great God of heaven.

⁴ Thus he became far greater than the angels, as proved by the fact that his name "Son of God," which was passed on to him from his Father, is far greater than the names and titles of the angels. ⁵,⁶ For God never said to any angel, "You are my Son, and today I have given you the honor that goes with that name." But God said it about Jesus. Another time he said, "I am his Father and he is my Son." And still another time—when his firstborn Son came to earth—God said, "Let all the angels of God worship him."

⁷ God speaks of his angels as messengers swift as the wind and as servants made of flaming fire; ⁸ but of his Son he says, "Your kingdom, O God, will last forever and ever; its commands are always just and right. ⁹ You love right and hate wrong; so God, even your God, has poured out more gladness upon you than on anyone else."

¹⁰ God also called him "Lord" when he said, "Lord, in the beginning you made the earth, and the heavens are the work of your hands. ¹¹ They will disappear into nothingness, but you will remain forever. They will become worn out like old clothes, ¹² and some day you will fold them up and replace them. But you yourself will never change, and your years will never end."

¹³ And did God ever say to an angel, as he does to his Son, "Sit here beside me in honor until I crush all your enemies beneath your feet"?

¹⁴ No, for the angels are only spirit-

ros que Dios envía a ayudar y a cuidar a los
que han de recibir la salvación.

2 POR LO TANTO, es necesario que preste-
mos esmerada atención a las verdades
que hemos oído, no vaya a ser que nos
extraviemos. ²Porque si el mensaje de los
ángeles fue tan firme que cualquier desobediencia fue castigada, ³¿cómo se nos ocurre
que podremos escapar si somos indiferentes
a la gran salvación que el Señor Jesucristo
mismo anunció y que llegó a nosotros a
través de los que en persona lo oyeron?
⁴Además, Dios ha confirmado la veracidad
de dicho mensaje por medio de señales,
prodigios y diversos milagros, y por medio
de los dones extraordinarios del Espíritu
Santo concedidos, según su voluntad, a los
que creen.

⁵El mundo del futuro a que nos estamos
refiriendo no estará regido por ángeles.
⁶Porque en el libro de los Salmos David dijo
a Dios:

"¿Qué es el hombre para que de él te
ocupes? Y ¿quién es ese Hijo del Hombre a
quien tanto honor concedes? ⁷Porque aunque durante un breve tiempo lo hiciste un
poco inferior a los ángeles, luego lo coro-
naste de gloria ⁸y le diste autoridad sobre
cuanto existe, sin excepción alguna".

Todavía no vemos que esto último se
haya cumplido, ⁹pero vemos a Jesús quien
por breve tiempo fue menor que los ángeles, ostentando la corona de gloria y honor
que Dios le dio por haber padecido la
muerte por nosotros. Sí, en su gran amor
hacia la humanidad, Dios quiso que Jesús
gustara la muerte para bien de todos.

¹⁰Convenía en verdad que Dios, quien lo
creó todo para gloria suya, permitiera los
padecimientos de Jesús, porque por aquellos padecimientos Jesús se convertía en un
guía perfecto, capaz de llevar a la salvación
a una vasta multitud de hijos de Dios.

¹¹Nosotros, los que hemos sido santifica-
dos por Jesús, ahora tenemos como Padre
al Padre de Jesús. Por eso El no se avergüenza de llamarnos hermanos ¹²cuando en
el libro de los Salmos dice:

Hablaré de ti a mis hermanos y juntos te cantaremos alabanza.

¹³Y en otra ocasión dice:

Confiaré en Dios junto con mis hermanos.

Y en otra dice:

messengers sent out to help and care for
those who are to receive his salvation.

2 SO WE MUST listen very carefully to the
truths we have heard, or we may drift
away from them. ²For since the messages
from angels have always proved true and
people have always been punished for
disobeying them, ³what makes us think that
we can escape if we are indifferent to this
great salvation announced by the Lord
Jesus himself, and passed on to us by those
who heard him speak?

⁴God always has shown us that these
messages are true by signs and wonders and
various miracles and by giving certain special abilities from the Holy Spirit to those
who believe; yes, God has assigned such
gifts to each of us.

⁵And the future world we are talking
about will not be controlled by angels. ⁶No,
for in the book of Psalms David says to
God, "What is mere man that you are so
concerned about him? And who is this Son
of Man you honor so highly? ⁷For though
you made him lower than the angels for a
little while, now you have crowned him
with glory and honor. ⁸And you have put
him in complete charge of everything there
is. Nothing is left out."

We have not yet seen all of this take
place, ⁹but we do see Jesus—who for awhile
was a little lower than the angels—crowned
now by God with glory and honor because
he suffered death for us. Yes, because of
God's great kindness, Jesus tasted death for
everyone in all the world. ¹⁰And it was right
and proper that God, who made everything
for his own glory, should allow Jesus to
suffer, for in doing this he was bringing vast
multitudes of God's people to heaven; for
his suffering made Jesus a perfect Leader,
one fit to bring them into their salvation.

¹¹We who have been made holy by
Jesus, now have the same Father he has.
That is why Jesus is not ashamed to call us
his brothers. ¹²For he says in the book of
Psalms, "I will talk to my brothers about
God my Father, and together we will sing
his praises." ¹³At another time he said, "I
will put my trust in God along with my
brothers." And at still another time, "See,

Heme aquí con los hijos que Dios me dio.

¹⁴Como nosotros, los hijos de Dios, somos seres de carne y hueso, Cristo nació como ser humano de carne y hueso también; porque sólo siendo un ser humano podía morir y destruir al que tenía el imperio de la muerte: el diablo.¹⁵Sólo así podía librar a los que vivían siempre en esclavitud por temor a la muerte.

¹⁶Sabemos que El no vino como ángel, sino como ser humano, como judío. ¹⁷Era necesario que fuera en todo como nosotros sus hermanos, pues sólo así podía ser misericordioso y fiel sumo sacerdote nuestro ante Dios (misericordioso para con nosotros y fiel para con Dios) al expiar los pecados del pueblo. ¹⁸Y puesto que El mismo experimentó lo que es sufrimiento y tentación, sabe lo que esto significa y puede socorrernos maravillosamente en nuestros sufrimientos y en nuestras tentaciones.

3 POR LO TANTO, hermanos míos que Dios ha apartado para sí, nosotros los que hemos sido escogidos para ir al cielo debemos pensar ahora en Jesús, apóstol y sumo sacerdote de nuestra fe. ²Porque Jesús fue fiel a Dios quien lo nombró sumo sacerdote, de la misma manera que Moisés fue fiel en su servicio en la casa de Dios.

³Pero Jesús tiene mucho mayor gloria que Moisés, porque siempre el que construye una casa tiene más gloria que la casa misma. ⁴Y muchos podrán construir casas, pero Dios es el arquitecto de todo cuanto existe.

⁵Pues bien, Moisés fue fiel en su trabajo en la casa de Dios, pero no era más que un siervo; además, su obra tenía como único objetivo ilustrar e insinuar los acontecimientos que habrían de producirse en el futuro. ⁶En cambio, Cristo es el Hijo de Dios y, como tal, tiene plena autoridad sobre la casa de Dios. Y nosotros los cristianos somos la casa de Dios —¡y El vive en nosotros!— si hasta el fin mantenemos nuestra entereza y la jubilosa satisfacción de la esperanza que tenemos.

⁷,⁸Como Cristo es tan superior, el Espíritu Santo nos dice que si hoy escuchamos su voz no debemos endurecer el corazón como lo hicieron los israelitas cuando se quejaron contra El mientras en el desierto los probaba. ⁹Pero a pesar de las

here am I and the children God gave me."

¹⁴ Since we, God's children, are human beings—made of flesh and blood—he became flesh and blood too by being born in human form; for only as a human being could he die and in dying break the power of the devil who had the power of death. ¹⁵ Only in that way could he deliver those who through fear of death have been living all their lives as slaves to constant dread.

¹⁶ We all know he did not come as an angel but as a human being—yes, a Jew. ¹⁷ And it was necessary for Jesus to be like us, his brothers, so that he could be our merciful and faithful High Priest before God, a Priest who would be both merciful to us and faithful to God in dealing with the sins of the people. ¹⁸ For since he himself has now been through suffering and temptation, he knows what it is like when we suffer and are tempted, and he is wonderfully able to help us.

3 THEREFORE, DEAR BROTHERS whom God has set apart for himself—you who are chosen for heaven—I want you to think now about this Jesus who is God's Messenger and the High Priest of our faith.

² For Jesus was faithful to God who appointed him High Priest, just as Moses also faithfully served in God's house. ³ But Jesus has far more glory than Moses, just as a man who builds a fine house gets more praise than his house does. ⁴ And many people can build houses, but only God made everything.

⁵ Well, Moses did a fine job working in God's house, but he was only a servant; and his work was mostly to illustrate and suggest those things that would happen later on. ⁶ But Christ, God's faithful Son, is in complete charge of God's house. And we Christians are God's house—he lives in us! —if we keep up our courage firm to the end, and our joy and our trust in the Lord.

⁷,⁸ And since Christ is so much superior, the Holy Spirit warns us to listen to him, to be careful to hear his voice today and not let our hearts become set against him, as the people of Israel did. They steeled themselves against his love and complained against him in the desert while he was testing them. ⁹ But God was patient with them

tantas veces que los israelitas pusieron a prueba su paciencia, el Señor nunca la perdió y estuvo cuarenta años realizando milagros entre ellos. ¹⁰"Sin embargo —dijo el Señor—, me enojé con ellos porque miraban a todas partes menos a mí, y en consecuencia jamás encontraron el camino que yo quería que siguieran". ¹¹Entonces, airado contra ellos, Dios juró que no entrarían al reposo que les tenía preparado.

¹²Por lo tanto, miren, hermanos, y no tengan un corazón incrédulo y perverso que los esté apartando del Dios vivo. ¹³Exhórtense todos los días mientras les quede tiempo, para que ninguno se endurezca contra Dios, cegado por el esplendor del pecado. ¹⁴Porque si somos fieles hasta el fin, si confiamos en Dios como al principio de nuestra conversión al cristianismo, participaremos de las riquezas de Cristo. ¹⁵Pero ahora es el momento. Recuerden aquello que dice: "Si hoy oyen la voz de Dios, no endurezcan su corazón como lo endurecieron los israelitas en el desierto cuando se rebelaron contra El". ¹⁶Y ¿quiénes fueron los que a pesar de haber escuchado la voz de Dios se rebelaron contra El? Los que escaparon de Egipto comandados por Moisés. ¹⁷Y ¿contra quiénes estuvo enojado Dios durante aquellos cuarenta años? Contra los que, por haber pecado, murieron en el desierto. ¹⁸Y ¿a quiénes se refería Dios cuando juró que no entrarían a la tierra que había prometido a su pueblo? Se refería a los que lo habían desobedecido. ¹⁹Y ¿por qué no pudieron entrar? Porque no confiaban en El.

4 AUNQUE TODAVÍA LA promesa de Dios permanece en pie y podemos entrar a descansar con El, debe sobrecogernos de espanto la posibilidad de que algunos no puedan entrar a su reposo. ²Porque el mensaje glorioso de que Dios desea salvarnos ha sido anunciado a nosotros de la misma manera que fue anunciado a los contemporáneos de Moisés. A ellos el mensaje no les fue de ningún provecho porque no lo creyeron. Les faltaba fe, ³y sólo los que tienen fe pueden entrar en el reposo de Dios. Dios ha dicho: "Juré en mi ira que los que no

forty years, though they tried his patience sorely; he kept right on doing his mighty miracles for them to see. ¹⁰ "But," God says, "I was very angry with them, for their hearts were always looking somewhere else instead of up to me, and they never found the paths I wanted them to follow."

¹¹ Then God, full of this anger against them, bound himself with an oath that he would never let them come to his place of rest.

¹² Beware then of your own hearts, dear brothers, lest you find that they, too, are evil and unbelieving and are leading you away from the living God. ¹³ Speak to each other about these things every day while there is still time, so that none of you will become hardened against God, being blinded by the glamor of sin. ¹⁴ For if we are faithful to the end, trusting God just as we did when we first became Christians, we will share in all that belongs to Christ.

¹⁵ But *now* is the time. Never forget the warning, *"Today* if you hear God's voice speaking to you, do not harden your hearts against him, as the people of Israel did when they rebelled against him in the desert."

¹⁶ And who were those people I speak of, who heard God's voice speaking to them but then rebelled against him? They were the ones who came out of Egypt with Moses their leader. ¹⁷ And who was it who made God angry for all those forty years? These same people who sinned and as a result died in the wilderness. ¹⁸ And to whom was God speaking when he swore with an oath that they could never go into the land he had promised his people? He was speaking to all those who disobeyed him. ¹⁹ And why couldn't they go in? Because they didn't trust him.

4 ALTHOUGH GOD'S PROMISE still stands—his promise that all may enter his place of rest—we ought to tremble with fear because some of you may be on the verge of failing to get there after all. ² For this wonderful news—the message that God wants to save us—has been given to us just as it was to those who lived in the time of Moses. But it didn't do them any good because they didn't believe it. They didn't mix it with faith. ³ For only we who believe God can enter into his place of rest. He has said, "I have sworn in my anger that those who

creyeron en mí jamás entrarán", aunque desde antes de la creación del mundo ya lo tenía todo listo y los estaba aguardando. ⁴Sabemos que ya lo tenía todo listo y les aguardaba porque dicen las Escrituras que Dios descansó el séptimo día de la creación, tras haber terminado lo que se había propuesto. ⁵Sin embargo, aquellos israelitas no entraron porque Dios dijo definitivamente: "No entrarán en mi reposo".

⁶Ahora bien, puesto que la promesa está en pie y algunos faltan por entrar al reposo de Dios —aunque no los que ya tuvieron la oportunidad de entrar y no la aprovecharon por incrédulos—, ⁷el Señor volvió a señalar un día de entrada, y lo anunció por medio del rey David siglos después de aquellos incidentes en el desierto. Dicho anuncio consiste en las palabras que ya citamos: "Si hoy oyen la voz de Dios, no endurezcan su corazón". ⁸El nuevo lugar de reposo ya no es el territorio que los israelitas conquistaron dirigidos por Josué. Si así fuera, Dios no habría dicho mucho después: "Hoy es el momento de entrar". ⁹Por lo tanto, todavía queda un reposo para el pueblo de Dios. ¹⁰Cristo ya entró en él, y allí reposa de la misma manera que Dios reposó después de la creación.

¹¹Pongamos, pues, empeño en entrar también en aquel reposo; cuidémonos de no desobedecer a Dios como lo desobedecieron los israelitas. ¹²Porque la palabra de Dios es viva y poderosa, es más cortante que una espada de dos filos y penetra hasta nuestros más íntimos pensamientos poniendo de manifiesto lo que en verdad somos. ¹³No existe en ningún lugar alguien que Él no conozca. Todo lo que somos está desnudo y abierto a los ojos del Dios vivo; nada puede esconderse de Aquél a quien tendremos que dar cuentas de nuestros hechos.

¹⁴Pero en Jesús, el Hijo de Dios, tenemos un gran sumo sacerdote que subió al mismo cielo a ayudarnos. Nunca dejemos de confiar en Él. ¹⁵Nuestro sumo sacerdote entiende nuestras debilidades, porque un día pasó por las tentaciones que a diario pasamos, si bien es cierto que nunca cedió a las mismas y por lo tanto nunca cometió pecado. ¹⁶Acerquémonos, pues, confiadamente al trono de Dios y hallemos allí misericordia y gracia para el momento en que lo necesitemos.

don't believe me will never get in," even though he has been ready and waiting for them since the world began.

⁴ We know he is ready and waiting because it is written that God rested on the seventh day of creation, having finished all that he had planned to make.

⁵ Even so they didn't get in, for God finally said, "They shall never enter my rest." ⁶ Yet the promise remains and some get in—but not those who had the first chance, for they disobeyed God and failed to enter.

⁷ But he has set another time for coming in, and that time is now. He announced this through King David long years after man's first failure to enter, saying in the words already quoted, "Today when you hear him calling, do not harden your hearts against him."

⁸ This new place of rest he is talking about does not mean the land of Israel that Joshua led them into. If that were what God meant, he would not have spoken long afterwards about "today" being the time to get in. ⁹ So there is a full complete rest *still waiting* for the people of God. ¹⁰ Christ has already entered there. He is resting from his work, just as God did after the creation. ¹¹ Let us do our best to go into that place of rest, too, being careful not to disobey God as the children of Israel did, thus failing to get in.

¹² For whatever God says to us is full of living power: it is sharper than the sharpest dagger, cutting swift and deep into our innermost thoughts and desires with all their parts, exposing us for what we really are. ¹³ He knows about everyone, everywhere. Everything about us is bare and wide open to the all-seeing eyes of our living God; nothing can be hidden from him to whom we must explain all that we have done.

¹⁴ But Jesus the Son of God is our great High Priest who has gone to heaven itself to help us; therefore let us never stop trusting him. ¹⁵ This High Priest of ours understands our weaknesses, since he had the same temptations we do, though he never once gave way to them and sinned. ¹⁶ So let us come boldly to the very throne of God and stay there to receive his mercy and to find grace to help us in our times of need.

5 EL SUMO SACERDOTE judío es un hombre como otro cualquiera, a quien le ha sido encomendada la tarea de representar a los demás ante el trono de Dios. ²'³Es él el que presenta a Dios las ofrendas y la sangre de animales ofrecidos en expiación por el pecado del pueblo y el suyo propio. Puesto que es hombre y como tal tiene que hacer frente al pecado que lo rodea, puede ser comprensivo aun con los hombres más insensatos e ignorantes.

⁴Nadie puede hacerse sumo sacerdote por su propia cuenta. Al sumo sacerdote lo escoge Dios, como en el caso de Aarón. ⁵Ni siquiera Cristo eligió por sí mismo ser sumo sacerdote. Dicen las Escrituras que en cierta ocasión Dios, refiriéndose a su elección como sumo sacerdote, le dijo: "Hijo mío, yo te he engendrado hoy". ⁶Y en otra ocasión le dijo: "Tú has sido elegido sacerdote eterno con el mismo rango de Melquisedec".

⁷Sin embargo, estando todavía en la tierra, con lágrimas y agonía de espíritu, Cristo ofreció ruegos y súplicas al único que podía librarlo de una muerte "prematura". Y Dios escuchó sus oraciones en virtud de su ferviente deseo de obedecer a Dios en todo tiempo. ⁸¡Aun Jesús, el Hijo de Dios, tuvo que aprender por experiencia lo que es obedecer cuando la obediencia implica sufrimiento! ⁹Fue después de haber demostrado su perfección a través de esta experiencia que Jesús llegó a ser el que da la salvación eterna a los que lo obedecen. ¹⁰Porque Dios lo había nombrado sumo sacerdote del mismo rango de Melquisedec.

¹¹Quisiera decirles mucho más sobre este asunto; pero sé que, como no quieren entender, me va a ser un poco difícil explicar. ¹²,¹³Con el tiempo que ya llevan de cristianos debían poder enseñar a otros; sin embargo han retrocedido tanto que hay que enseñarles de nuevo hasta los más sencillos principios de la Palabra de Dios. Se han debilitado tanto que, como niños, tienen que tomar leche sola en vez de alimentos sólidos. Esto demuestra que no han progresado mucho en la vida cristiana y que todavía no saben diferenciar entre el bien y el mal. ¡Todavía son ustedes cristianos recién nacidos! ¹⁴No podrán ingerir alimentos espirituales sólidos ni entender

5 THE JEWISH HIGH priest is merely a man like anyone else, but he is chosen to speak for all other men in their dealings with God. He presents their gifts to God and offers to him the blood of animals that are sacrificed to cover the sins of the people and his own sins too. And because he is a man he can deal gently with other men, though they are foolish and ignorant, for he, too, is surrounded with the same temptations and understands their problems very well.

⁴ Another thing to remember is that no one can be a high priest just because he wants to be. He has to be called by God for this work in the same way God chose Aaron.

⁵ That is why Christ did not elect himself to the honor of being High Priest; no, he was chosen by God. God said to him, "My Son, today I have honored you." ⁶ And another time God said to him, "You have been chosen to be a priest forever, with the same rank as Melchizedek."

⁷ Yet while Christ was here on earth he pleaded with God, praying with tears and agony of soul to the only one who would save him from [premature] death. And God heard his prayers because of his strong desire to obey God at all times.

⁸ And even though Jesus was God's Son, he had to learn from experience what it was like to obey, when obeying meant suffering. ⁹ It was after he had proved himself perfect in this experience that Jesus became the Giver of eternal salvation to all those who obey him. ¹⁰ For remember that God has chosen him to be a High Priest with the same rank as Melchizedek.

¹¹ There is much more I would like to say along these lines, but you don't seem to listen, so it's hard to make you understand.

¹²,¹³ You have been Christians a long time now, and you ought to be teaching others, but instead you have dropped back to the place where you need someone to teach you all over again the very first principles in God's Word. You are like babies who can drink only milk, not old enough for solid food. And when a person is still living on milk it shows he isn't very far along in the Christian life, and doesn't know much about the difference between right and wrong. He is still a baby-Christian! ¹⁴ You will never be able to eat solid

las más profundas verdades de la Palabra de Dios mientras no sean mejores cristianos y aprendan a distinguir entre lo que es bueno y lo que es malo por medio de la práctica del bien.

6 BASTA YA DE repetir siempre lo mismo, de enseñar apenas lo más elemental del cristianismo. Sigamos adelante a otras cosas y, como cristianos sólidos, maduremos en nuestro entendimiento de las cosas de Dios. Ya hemos hablado bastante de lo inútil que es tratar de alcanzar la salvación por medio de las buenas obras, y de la necesidad de tener fe en Dios; ²ya sabemos todo lo que teníamos que saber sobre el bautismo, los dones espirituales, la resurrección de los muertos, y el juicio eterno. ³Si Dios lo permite, enfocaremos otros asuntos. ⁴Es inútil tratar de hacer volver al Señor a los que en alguna ocasión han entendido el evangelio, han gustado las cosas del cielo, han participado del Espíritu Santo, ⁵han saboreado la Palabra de Dios y los grandes poderes del mundo venidero, ⁶y luego se han vuelto contra Dios. Uno no puede llevar de nuevo a arrepentimiento a los que han crucificado de nuevo al Hijo de Dios, rechazándolo y exponiéndolo a burla y afrenta pública. ⁷Si sobre un terreno llueve mucho y éste proporciona una buena cosecha a sus propietarios, aquel terreno recibe bendición de Dios. ⁸Pero si lo único que produce es espinos y abrojos, se le considera un mal terreno y se le condena al fuego.

⁹Pero, amados míos, aunque les he hablado en estos términos, no creo que lo que he dicho se aplica a ustedes. Estoy seguro de que están produciendo los frutos propios de la salvación. ¹⁰Dios no es injusto; ¿cómo podría El olvidar el ardor con que ustedes han trabajado, o el amor que le han demostrado y le siguen demostrando al ayudar a los demás hermanos en la fe? ¹¹Pero anhelamos que lo sigan amando hasta la muerte, para que puedan obtener plena recompensa. ¹²Así, conscientes del porvenir, no se aburrirán de ser cristianos ni se volverán perezosos, sino que seguirán con diligencia el ejemplo de los que por fe y

spiritual food and understand the deeper things of God's Word until you become better Christians and learn right from wrong by practicing doing right.

6 LET US STOP going over the same old ground again and again, always teaching those first lessons about Christ. Let us go on instead to other things and become mature in our understanding, as strong Christians ought to be. Surely we don't need to speak further about the foolishness of trying to be saved by being good, or about the necessity of faith in God; ² you don't need further instruction about baptism and spiritual gifts and the resurrection of the dead and eternal judgment.

³ The Lord willing, we will go on now to other things.

⁴ There is no use trying to bring you back to the Lord again if you have once understood the Good News and tasted for yourself the good things of heaven and shared in the Holy Spirit, ⁵ and know how good the Word of God is, and felt the mighty powers of the world to come, ⁶ and then have turned against God. You cannot bring yourself to repent again if you have nailed the Son of God to the cross again by rejecting him, holding him up to mocking and to public shame.

⁷ When a farmer's land has had many showers upon it and good crops come up, that land has experienced God's blessing upon it. ⁸ But if it keeps on having crops of thistles and thorns, the land is considered no good and is ready for condemnation and burning off.

⁹ Dear friends, even though I am talking like this I really don't believe that what I am saying applies to you. I am confident you are producing the good fruit that comes along with your salvation. ¹⁰ For God is not unfair. How can he forget your hard work for him, or forget the way you used to show your love for him—and still do—by helping his children? ¹¹ And we are anxious that you keep right on loving others as long as life lasts, so that you will get your full reward.

¹² Then, knowing what lies ahead for you, you won't become bored with being a Christian, nor become spiritually dull and indifferent, but you will be anxious to follow the example of those who receive all that

paciencia heredan las promesas de Dios.

¹³Fijémonos, por ejemplo, en la promesa de Dios a Abraham. Ya que no había nombre mayor por el cual jurar, Dios juró por sí mismo, ¹⁴que bendeciría a Abraham abundante y repetidamente, que le concedería un hijo y que lo convertiría en padre de una gran nación. ¹⁵Abraham esperó con paciencia hasta que un día Dios cumplió la promesa y le dio a Isaac. ¹⁶Cuando un hombre jura, está apelando a alguien superior a sí mismo para que éste lo obligue a cumplir la promesa y lo castigue si se niega a cumplir. El juramento pone fin a cualquier controversia. ¹⁷Dios se ató a un juramento para que los herederos de la promesa estuvieran absolutamente seguros del cumplimiento de la misma, y nunca se les ocurriera pensar en la posibilidad de que Dios hubiera cambiado de planes.

¹⁸Dos cosas hemos recibido de El: una promesa y un juramento. Con ambas podemos contar, porque es imposible que Dios mienta. Los que ahora acuden a El en busca de salvación sienten un verdadero alivio al escuchar las garantías que da Dios. ¹⁹Esta esperanza cierta de salvación es un ancla firme y segura para el alma nuestra, y nos conecta con Dios mismo al otro lado de las sagradas cortinas del cielo, ²⁰donde Cristo entró como precursor, convertido ya en intercesor y sumo sacerdote nuestro con el mismo honor y rango de Melquisedec.

7 MELQUISEDEC ERA REY de la ciudad de Salem y sacerdote del Dios Altísimo. Cuando Abraham regresaba de derrotar a varios reyes, Melquisedec le salió al encuentro y lo bendijo. ²Entonces Abraham tomó una décima parte del botín de guerra y se lo entregó.

El nombre Melquisedec quiere decir "justicia"; por lo tanto él es "rey de justicia". Además de esto es "rey de paz" porque era rey de Salem y Salem quiere decir "paz". ³Melquisedec aparece sin padre ni madre y sin el más elemental registro de antepasados. No nació ni murió. Su vida es semejante a la del Hijo de Dios; es sacerdote para siempre.

⁴Vean ustedes lo grande que era Melquisedec:

(a) Aun Abraham, nuestro muy venera-

God has promised them because of their strong faith and patience.

¹³ For instance, there was God's promise to Abraham: God took an oath in his own name, since there was no one greater to swear by, ¹⁴ that he would bless Abraham again and again, and give him a son and make him the father of a great nation of people. ¹⁵ Then Abraham waited patiently until finally God gave him a son, Isaac, just as he had promised.

¹⁶ When a man takes an oath, he is calling upon someone greater than himself to force him to do what he has promised, or to punish him if he later refuses to do it; the oath ends all argument about it. ¹⁷ God also bound himself with an oath, so that those he promised to help would be perfectly sure and never need to wonder whether he might change his plans.

¹⁸ He has given us both his promise and his oath, two things we can completely count on, for it is impossible for God to tell a lie. Now all those who flee to him to save them can take new courage when they hear such assurances from God; now they can know without doubt that he will give them the salvation he has promised them.

¹⁹ This certain hope of being saved is a strong and trustworthy anchor for our souls, connecting us with God himself behind the sacred curtains of heaven, ²⁰ where Christ has gone ahead to plead for us from his position as our High Priest, with the honor and rank of Melchizedek.

7 THIS MELCHIZEDEK WAS king of the city of Salem, and also a priest of the Most High God. When Abraham was returning home after winning a great battle against many kings, Melchizedek met him and blessed him; ² then Abraham took a tenth of all he had won in the battle and gave it to Melchizedek.

Melchizedek's name means "Justice," so he is the King of Justice; and he is also the King of Peace because of the name of his city, Salem, which means "Peace." ³ Melchizedek had no father or mother and there is no record of any of his ancestors. He was never born and he never died but his life is like that of the Son of God—a priest forever.

⁴ See then how great this Melchizedek is: (a) Even Abraham, the first and most

ble patriarca, entregó a Melquisedec una décima parte del botín tomado a los reyes vencidos. ⁵Esto nada habría tenido de particular si Melquisedec hubiera sido un sacerdote judío, pues más tarde la ley exigió que el pueblo de Dios ofrendara para ayudar a los sacerdotes. ⁶Pero Melquisedec no lo era y sin embargo Abraham le entregó su ofrenda.

(b) Melquisedec bendijo al poderoso Abraham. ⁷Como es sabido, el que bendice es siempre mayor que la persona que recibe la bendición.

⁸*(c)* Los sacerdotes, aunque reciben diezmos, son mortales; sin embargo se nos dice que Melquisedec aún vive.

⁹*(d)* Podría decirse que Leví mismo (ascendiente de todos los que, por ser sacerdotes, reciben diezmos) dio diezmos a Melquisedec a través de Abraham. ¹⁰Porque aunque Leví no había nacido todavía, la simiente de la que iba a nacer estaba en Abraham cuando éste le dio el diezmo a Melquisedec.

¹¹*(e)* Si los sacerdotes y las leyes judaicas pueden salvarnos, ¿por qué envió Dios a Cristo como sacerdote del rango de Melquisedec, en vez de enviar a otro del rango de Aarón, que es el rango de todos los sacerdotes?

¹²Para poder enviar a un nuevo tipo de sacerdote, Dios tenía que transformar la ley. ¹³,¹⁴Como sabemos, Cristo no pertenecía a la tribu sacerdotal de Leví, sino a la de Judá, tribu que no había sido escogida para el sacerdocio; Moisés nunca les asignó tal responsabilidad. ¹⁵Está claro, pues, que el método de Dios cambió, porque Cristo, el sumo sacerdote del rango de Melquisedec que nos fue enviado, ¹⁶no llegó al sacerdocio porque llenara el antiguo requisito de pertenecer a la tribu de Leví, sino porque en El había el poder que brota de una vida indestructible. ¹⁷El Salmista señala esto cuando dice de Cristo: "Tú eres para siempre un sacerdote del rango de Melquisedec".

¹⁸Sí, el sistema de sucesión sacerdotal antiguo basado en el abolengo de los individuos quedó abolido porque no dio buen resultado. Era débil e ineficaz para la salvación de la gente; ¹⁹jamás hizo a nadie acepto ante Dios. En cambio, ahora tenemos una esperanza extraordinariamente superior, porque Cristo nos hace aceptos

honored of all God's chosen people, gave Melchizedek a tenth of the spoils he took from the kings he had been fighting. ⁵ One could understand why Abraham would do this if Melchizedek had been a Jewish priest, for later on God's people were required by law to give gifts to help their priests because the priests were their relatives. ⁶ But Melchizedek was not a relative, and yet Abraham paid him.

(*b*) Melchizedek placed a blessing upon mighty Abraham, ⁷ and as everyone knows, a person who has the power to bless is always greater than the person he blesses.

⁸ (*c*) The Jewish priests, though mortal, received tithes; but we are told that Melchizedek lives on.

⁹ (*d*) One might even say that Levi himself (the ancestor of all Jewish priests, of all who receive tithes), paid tithes to Melchizedek through Abraham. ¹⁰ For although Levi wasn't born yet, the seed from which he came was in Abraham when Abraham paid the tithes to Melchizedek.

¹¹ (*e*) If the Jewish priests and their laws had been able to save us, why then did God need to send Christ as a priest with the rank of Melchizedek, instead of sending someone with the rank of Aaron—the same rank all other priests had?

¹²,¹³,¹⁴ And when God sends a new kind of priest, his law must be changed to permit it. As we all know, Christ did not belong to the priest-tribe of Levi, but came from the tribe of Judah, which had not been chosen for priesthood; Moses had never given them that work. ¹⁵ So we can plainly see that God's method changed, for Christ, the new High Priest who came with the rank of Melchizedek, ¹⁶ did not become a priest by meeting the old requirement of belonging to the tribe of Levi, but on the basis of power flowing from a life that cannot end. ¹⁷ And the Psalmist points this out when he says of Christ, "You are a priest forever with the rank of Melchizedek."

¹⁸ Yes, the old system of priesthood based on family lines was canceled because it didn't work. It was weak and useless for saving people. ¹⁹ It never made anyone really right with God. But now we have a far better hope, for Christ makes us

ante Dios y esto nos permite acercarnos al Altísimo.

²⁰Dios juró que Cristo sería siempre sacerdote, ²¹cosa que nunca hizo respecto a los demás sacerdotes. Sólo de Cristo se dice: "El Señor juró, y jamás se arrepentirá, que Tú eternamente serás un sacerdote del rango de Melquisedec". ²²Gracias a este juramento de Dios, Cristo puede garantizar eternamente el feliz cumplimiento de este nuevo y mejor pacto. ²³Bajo el viejo pacto se necesitaban muchos sacerdotes, para que cuando el más viejo muriera, alguien lo sucediera en el cumplimiento de sus deberes. ²⁴Pero como Jesús es eterno, no necesitamos otro sacerdote. ²⁵El puede perfectamente salvar a los que se acercan a Dios por medio de El. Como es eterno, eternamente recordará a Dios que un día pagó con sangre nuestros pecados. ²⁶El es, por lo tanto, exactamente el tipo de sumo sacerdote que necesitábamos: santo, inocente, sin mancha de pecado, no contaminado por la cercanía de pecadores. Además ocupa el más excelso lugar junto a Dios en el cielo. ²⁷Los demás sacerdotes tenían que ofrecer todos los días primero sacrificios por sus propios pecados y luego por los del pueblo; pero Cristo lo hizo una vez y para siempre cuando se ofreció a sí mismo en la cruz. ²⁸Bajo el viejo sistema, aun los sumos sacerdotes eran débiles y pecadores por naturaleza; pero en el nuevo sistema Dios nombró bajo juramento a su propio Hijo, quien es y será siempre perfecto.

8 LO QUE VENGO diciendo es lo siguiente: Cristo, cuyo sacerdocio acabo de describir, es nuestro sumo sacerdote y ocupa el lugar de más alto honor junto a Dios. ²Es ministro del santuario del cielo, verdadero lugar de adoración construido no por manos humanas sino por el Señor. ³Y como la tarea del sumo sacerdote es presentar ofrendas y sacrificios, Cristo tiene también que presentar algo. ⁴El sacrificio que ofrece es muy superior al que ofrecen los sacerdotes terrenales (aunque si estuviera en la tierra no le permitirían ser sacerdote porque aquí todavía se observa el viejo sistema judaico de sacrificios). ⁵El ministerio de los

acceptable to God, and now we may draw near to him.

²⁰ God took an oath that Christ would always be a Priest, ²¹ although he never said that of other priests. Only to Christ he said, "The Lord has sworn and will never change his mind: You are a Priest forever, with the rank of Melchizedek." ²² Because of God's oath, Christ can guarantee forever the success of this new and better arrangement.

²³ Under the old arrangement there had to be many priests, so that when the older ones died off, the system could still be carried on by others who took their places.

²⁴ But Jesus lives forever and continues to be a Priest so that no one else is needed. ²⁵ He is able to save completely all who come to God through him. Since he will live forever, he will always be there to remind God that he has paid for their sins with his blood.

²⁶ He is, therefore, exactly the kind of High Priest we need; for he is holy and blameless, unstained by sin, undefiled by sinners, and to him has been given the place of honor in heaven. ²⁷ He never needs the daily blood of animal sacrifices, as other priests did, to cover over first their own sins and then the sins of the people; for he finished all sacrifices, once and for all, when he sacrificed himself on the cross. ²⁸ Under the old system, even the high priests were weak and sinful men who could not keep from doing wrong, but later God appointed by his oath his Son who is perfect forever.

8 WHAT WE ARE saying is this: Christ, whose priesthood we have just described, is our High Priest, and is in heaven at the place of greatest honor next to God himself. ² He ministers in the temple in heaven, the true place of worship built by the Lord and not by human hands.

³ And since every high priest is appointed to offer gifts and sacrifices, Christ must make an offering too. ⁴ The sacrifice he offers is far better than those offered by the earthly priests. (But even so, if he were here on earth he wouldn't even be permitted to be a priest, because down here the priests still follow the old Jewish system of sacrifices.) ⁵ Their work is connected with a mere

sacerdotes terrenales gira en torno a símbolos terrenales del verdadero Tabernáculo que está en el cielo; porque cuando Moisés se alistaba a construir el Tabernáculo, Dios le exigió que siguiera exactamente el modelo del Tabernáculo celestial que le había mostrado en el monte Sinaí. ⁶Pero Cristo, ministro del cielo, ha sido premiado con una tarea mucho más importante que la de los que sirven bajo las antiguas leyes, porque el nuevo pacto de Dios que El pone a nuestro alcance contiene promesas más maravillosas.

⁷El primer pacto no produjo resultado satisfactorio. Si lo hubiera producido, el segundo no habría sido necesario. ⁸Pero Dios mismo halló defectos al antiguo, pues dijo: "Llegará el día en que entraré en un nuevo pacto con el pueblo de Israel y con el pueblo de Judá. ⁹No será como el que hice con sus padres el día en que de la mano los saqué de la tierra de Egipto; como ellos no cumplieron lo pactado, tuve que cancelarlo. ¹⁰El nuevo pacto con el pueblo de Israel será así, dice el Señor: Escribiré mis leyes en la mente del pueblo para que sepan lo que quiero sin siquiera decirlo; y la escribiré en sus corazones para que deseen obedecerla. Entonces yo seré su Dios y ellos serán mi pueblo. ¹¹Nadie tendrá que decir a su prójimo ni a su hermano: "También debes conocer al Señor", porque no habrá pequeño ni grande que no me conozca ya. ¹²Y tendré misericordia de ellos cuando cometan faltas, y no volveré a acordarme de sus pecados". ¹³Cuando Dios habla de promesas nuevas, de pacto nuevo, es porque el nuevo sustituye al viejo que ya está anticuado y que ha sido desechado para siempre.

9 AHORA BIEN, EN aquel primer pacto entre Dios y su pueblo había reglas para la adoración y un santuario terrenal. ²El Tabernáculo tenía dos salones. El primero, que contenía el candelabro de oro y la mesa de los panes sagrados, era llamado el Lugar Santo. ³Luego había una cortina y, detrás de la cortina, el salón llamado Lugar Santísimo. ⁴En aquel salón estaba el altar de oro del incienso y un cofre (conocido como el Arca del pacto) completamente recubierto de oro puro. Dentro del

earthly model of the real tabernacle in heaven; for when Moses was getting ready to build the tabernacle, God warned him to follow exactly the pattern of the heavenly tabernacle as shown to him on Mount Sinai. ⁶ But Christ, as a Minister in heaven, has been rewarded with a far more important work than those who serve under the old laws, because the new agreement which he passes on to us from God contains far more wonderful promises.

⁷ The old agreement didn't even work. If it had, there would have been no need for another to replace it. ⁸ But God himself found fault with the old one, for he said, "The day will come when I will make a new agreement with the people of Israel and the people of Judah. ⁹ This new agreement will not be like the old one I gave to their fathers on the day when I took them by the hand to lead them out of the land of Egypt; they did not keep their part in that agreement, so I had to cancel it. ¹⁰ But this is the new agreement I will make with the people of Israel, says the Lord: I will write my laws in their minds so that they will know what I want them to do without my even telling them, and these laws will be in their hearts so that they will want to obey them, and I will be their God and they shall be my people. ¹¹ And no one then will need to speak to his friend or neighbor or brother, saying, 'You, too, should know the Lord,' because everyone, great and small, will know me already. ¹² And I will be merciful to them in their wrongdoings, and I will remember their sins no more."

¹³ God speaks of these new promises, of this new agreement, as taking the place of the old one; for the old one is out of date now and has been put aside forever.

9 NOW IN THAT first agreement between God and his people there were rules for worship and there was a sacred tent down here on earth. Inside this place of worship there were two rooms. The first one contained the golden candlestick and a table with special loaves of holy bread upon it; this part was called the Holy Place. ³ Then there was a curtain and behind the curtain was a room called the Holy of Holies. ⁴ In that room there were a golden incense-altar and the golden chest, called the ark of the covenant, completely covered on all sides

Arca se hallaban las tablas de piedra en que estaban escritos los Diez Mandamientos, una urna de oro con maná y la vara de Aarón que reverdeció. [5]Encima del Arca había unas estatuas de ángeles (llamados querubines, guardianes de la gloria de Dios) con las alas extendidas sobre el propiciatorio, nombre que se daba a la tapa de oro del Arca. Basten estos detalles.

[6]Con todo así dispuesto, los sacerdotes entraban al primer salón cada vez que lo creían necesario para el cumplimiento de sus deberes. [7]Pero sólo el sumo sacerdote entraba en el salón de adentro, y lo hacía sólo una vez al año. Al entrar llevaba sangre y la rociaba sobre el propiciatorio como ofrenda a Dios por sus propios pecados y errores y por los de todo el pueblo. [8]Con esto el Espíritu Santo nos indica que la gente común no podía entrar en el Lugar Santísimo mientras existiera el salón de afuera y mientras estuviera vigente el antiguo sistema que éste representaba.

[9]Esto encierra una gran lección para nosotros hoy día. Bajo el sistema antiguo se hacían ofrendas y sacrificios, pero éstos no lograban limpiar el corazón de los que los ofrecían, [10]ya que el viejo sistema consistía sólo en ciertos formalismos rituales (qué comer o beber, cómo hacer las abluciones, y cómo hacer esto y aquello) que había que observar hasta que Cristo llegara con nuevos y mejores medios. [11]Pero Cristo ya vino, y vino como sumo sacerdote de este mejor sistema que ahora tenemos. Un día entró al Tabernáculo celestial (que es mejor y más perfecto, pues no fue hecho por hombres ni pertenece a este mundo) [12]y una vez por todas llevó sangre al Lugar Santísimo y la roció sobre el propiciatorio; pero no sangre de chivos ni de becerros, sino su propia sangre, con la que aseguró nuestra eterna redención. [13]Y si bajo el antiguo sistema la sangre de toros y chivos, y las cenizas de becerra podían limpiar de pecado el cuerpo humano, [14]con cuánta más eficacia la sangre de Cristo transformará nuestras vidas y corazones. Su sacrificio nos libra de la preocupación de tener que obedecer las viejas leyes y nos impulsa a desear servir al Dios vivo. Porque, con la ayuda del Espíritu Santo eterno, se ofreció a Dios por

with pure gold. Inside the ark were the tablets of stone with the Ten Commandments written on them, and a golden jar with some manna in it, and Aaron's wooden cane that budded. [5] Above the golden chest were statues of angels called the cherubim—the guardians of God's glory—with their wings stretched out over the ark's golden cover, called the mercy seat. But enough of such details.

[6] Well, when all was ready the priests went in and out of the first room whenever they wanted to, doing their work. [7] But only the high priest went into the inner room, and then only once a year, all alone, and always with blood which he sprinkled on the mercy seat as an offering to God to cover his own mistakes and sins, and the mistakes and sins of all the people.

[8] And the Holy Spirit uses all this to point out to us that under the old system the common people could not go into the Holy of Holies as long as the outer room and the entire system it represents were still in use.

[9] This has an important lesson for us today. For under the old system, gifts and sacrifices were offered, but these failed to cleanse the hearts of the people who brought them. [10] For the old system dealt only with certain rituals—what foods to eat and drink, rules for washing themselves, and rules about this and that. The people had to keep these rules to tide them over until Christ came with God's new and better way.

[11] He came as High Priest of this better system which we now have. He went into that greater, perfect tabernacle in heaven, not made by men nor part of this world, [12] and once for all took blood into that inner room, the Holy of Holies, and sprinkled it on the mercy seat; but it was not the blood of goats and calves. No, he took his own blood, and with it he, by himself, made sure of our eternal salvation.

[13] And if under the old system the blood of bulls and goats and the ashes of young cows could cleanse men's bodies from sin, [14] just think how much more surely the blood of Christ will transform our lives and hearts. His sacrifice frees us from the worry of having to obey the old rules, and makes us want to serve the living God. For by the help of the eternal Holy Spirit, Christ will-

nuestros pecados como sacrificio sin manchas, ya que no había en El pecado ni falta. ¹⁵Cristo, pues, es el mediador del nuevo pacto. Su muerte obtuvo el perdón de los pecados que los llamados cometieron cuando aún estaban bajo el sistema antiguo, y les permite recibir la promesa de la herencia eterna.

¹⁶Ahora bien, si alguien muere y deja un testamento (lista de bienes que deben ser entregados a ciertas personas cuando el testador muere) nadie recibe nada hasta que se comprueba la muerte del que hizo el testamento. ¹⁷El testamento sólo entra en vigor después de la muerte del testador. Mientras éste viva, nadie puede disponer de los bienes prometidos en el testamento. ¹⁸Por esto se roció sangre (como evidencia de la muerte de Cristo) aun antes de que el primer pacto entrara en vigor. ¹⁹Moisés, tras entregar al pueblo las leyes de Dios, tomó sangre de becerros y chivos y un poco de agua, y valiéndose de ramas de hisopo y lana escarlata, roció sangre sobre el libro de la ley de Dios y sobre todo el pueblo. ²⁰Y al hacerlo decía: "Esta sangre anuncia que ha entrado en vigor el pacto entre ustedes y Dios, pacto que me ordenó establecer con ustedes". ²¹De igual manera, roció con sangre el Tabernáculo y cada uno de los utensilios del culto.

²²Se puede decir que bajo el antiguo pacto casi todo se purificaba con sangre, y sin derramiento de sangre no había perdón de los pecados. ²³Por eso Moisés purificó el Tabernáculo terrenal y los utensilios que en él había, rociándolos con sangre de animales. Pero las cosas celestiales mismas, de las cuales las terrenales son copias, fueron purificadas con ofrendas mucho más preciosas. ²⁴Cristo entró al cielo a presentarse a sí mismo ante Dios a favor nuestro. No lo hizo en el Tabernáculo terrenal, porque éste era una simple copia del verdadero Tabernáculo, el celestial. ²⁵Y a diferencia de los sumos sacerdotes terrenales, que todos los años ofrecen sangre animal en el Lugar Santísimo, Cristo se ofreció sólo una vez. ²⁶Si hubiera sido necesario ofrecerse repetidas veces, varias veces habría muerto

ingly gave himself to God to die for our sins—he being perfect, without a single sin or fault. ¹⁵ Christ came with this new agreement so that all who are invited may come and have forever all the wonders God has promised them. For Christ died to rescue them from the penalty of the sins they had committed while still under that old system.

¹⁶ Now, if someone dies and leaves a will—a list of things to be given away to certain people when he dies—no one gets anything until it is proved that the person who wrote the will is dead. ¹⁷ The will goes into effect only after the death of the person who wrote it. While he is still alive no one can use it to get any of those things he has promised them.

¹⁸ That is why blood was sprinkled [as proof of Christ's death] before even the first agreement could go into effect. ¹⁹ For after Moses had given the people all of God's laws, he took the blood of calves and goats, along with water, and sprinkled the blood over the book of God's laws and over all the people, using branches of hyssop bushes and scarlet wool to sprinkle with. ²⁰ Then he said, "This is the blood that marks the beginning of the agreement between you and God, the agreement God commanded me to make with you." ²¹ And in the same way he sprinkled blood on the sacred tent and on whatever instruments were used for worship. ²² In fact we can say that under the old agreement almost everything was cleansed by sprinkling it with blood, and without the shedding of blood there is no forgiveness of sins.

²³ That is why the sacred tent down here on earth, and everything in it—all copied from things in heaven—all had to be made pure by Moses in this way, by being sprinkled with the blood of animals. But the real things in heaven, of which these down here are copies, were made pure with far more precious offerings.

²⁴ For Christ has entered into heaven itself, to appear now before God as our Friend. It was not in the earthly place of worship that he did this, for that was merely a copy of the real temple in heaven. ²⁵ Nor has he offered himself again and again, as the high priest down here on earth offers animal blood in the Holy of Holies each year. ²⁶ If that had been necessary, then he would have had to die again and again, ever

desde el principio del mundo. ¡Pero no! Ahora, en la consumación de los siglos, una vez y por todas en la cruz se ofreció en sacrificio para quitar de en medio el pecado. ²⁷Y así como está establecido que los hombres mueran una sola vez y después tengan el juicio, ²⁸Cristo fue ofrecido una sola vez en sacrificio por los pecados de muchos. Y regresará, pero no para quitar el pecado, sino para traer consigo la salvación a los que ansiosa y pacientemente lo esperan.

10 EL ANTIGUO SISTEMA de leyes judaicas fue apenas un vislumbre de las grandes cosas que Cristo haría por nosotros. Bajo el mismo, los sacrificios se repetían año tras año, pero ni aun así se podía obtener con ellos la salvación. ²Si se hubiera podido, un solo sacrificio habría bastado; los fieles habrían quedado purificados de una vez y por todas, y habrían dejado de sentirse culpables de pecado. ³Pero, al contrario, el sacrificio anual les recordaba que eran pecadores, ⁴pues la sangre de toros y chivos no puede de veras quitar los pecados.

⁵Por eso Cristo, al entrar en el mundo, dijo a Dios: "Como la sangre de toros y chivos no te puede satisfacer, me permitiste nacer en un cuerpo humano para que luego te lo ofreciera en sacrificio sobre el altar. ⁶Como no te satisfacían los animales inmolados y quemados ante tu altar en expiación del pecado, ⁷dije: 'Aquí vengo a hacer tu voluntad, oh Dios, a entregar mi vida como dicen las Escrituras que yo haría' ".

⁸Después de señalar que los distintos sacrificios y ofrendas que se ofrecían bajo el antiguo sistema no satisfacían a Dios, ⁹añadió: "Aquí estoy. He venido a hacer tu voluntad". Es decir, cancelaba el antiguo sistema e implantaba uno mucho mejor. ¹⁰Hemos sido perdonados y purificados precisamente porque Cristo hizo la voluntad de Dios muriendo en la cruz, sacrificio que ofreció a nuestro favor una vez y para siempre.

¹¹Bajo el pacto antiguo los sacerdotes iban día tras día a ofrecer sacrificios que no podían quitar los pecados. ¹²Pero Cristo se entregó a Dios en sacrificio único y permanente, y luego se sentó en el más alto sitio

since the world began. But no! He came once for all, at the end of the age, to put away the power of sin forever by dying for us. ²⁷ And just as it is destined that men die only once, and after that comes judgment, ²⁸ so also Christ died only once as an offering for the sins of many people; and he will come again, but not to deal again with our sins.

This time he will come bringing salvation to all those who are eagerly and patiently waiting for him.

10 THE OLD SYSTEM of Jewish laws gave only a dim foretaste of the good things Christ would do for us. The sacrifices under the old system were repeated again and again, year after year, but even so they could never save those who lived under their rules. ² If they could have, one offering would have been enough; the worshipers would have been cleansed once for all, and their feeling of guilt would be gone.

³ But just the opposite happened: those yearly sacrifices reminded them of their disobedience and guilt instead of relieving their minds. ⁴ For it is not possible for the blood of bulls and goats really to take away sins.

⁵ That is why Christ said, as he came into the world, "O God, the blood of bulls and goats cannot satisfy you, so you have made ready this body of mine for me to lay as a sacrifice upon your altar. ⁶ You were not satisfied with the animal sacrifices, slain and burnt before you as offerings for sin. ⁷ Then I said, 'See, I have come to do your will, to lay down my life, just as the Scriptures said that I would.' "

⁸ After Christ said this, about not being satisfied with the various sacrifices and offerings required under the old system, ⁹ he then added, "Here I am. I have come to give my life."

He cancels the first system in favor of a far better one. ¹⁰ Under this new plan we have been forgiven and made clean by Christ's dying for us once and for all. ¹¹ Under the old agreement the priests stood before the altar day after day offering sacrifices that could never take away our sins. ¹² But Christ gave himself to God for our sins as one sacrifice for all time, and then sat down in the place of highest honor at

de honor a la derecha de Dios, [13]en espera de que sus enemigos sean puestos bajo sus pies. [14]Por medio de aquella ofrenda única, hizo perfectos ante Dios a los que está santificando. [15]Y el Espíritu Santo lo confirma al decir: [16]"Este es el nuevo pacto que haré con el pueblo de Israel, a pesar de que quebrantaron el primero: Escribiré mis leyes en sus mentes para que siempre sepan lo que quiero, y en sus corazones pondré mis leyes para que quieran obedecerlas".

[17]Y añade: "Jamás volveré a acordarme de sus pecados y transgresiones".

[18]Entonces, ya que los pecados han sido perdonados y olvidados para siempre, no es necesario ofrecer más sacrificios expiatorios. [19]Por eso amados hermanos, gracias a la sangre de Jesucristo, podemos entrar en el Lugar Santísimo en que Dios está, [20]por el fresco, nuevo y vivo camino que Cristo nos abrió a través del velo (o sea, a través de su cuerpo), [21]y ya que tenemos un gran sumo sacerdote en la casa de Dios, [22]lleguémonos hasta la misma presencia de Dios con corazones sinceros, confiando plenamente que ha de recibirnos, porque hemos sido purificados con la sangre de Cristo y lavados con agua pura. [23]Ahora podemos contar con la salvación que Dios nos ha prometido; ahora podemos decir sin temor a equivocarnos que la salvación es nuestra, porque El siempre cumple su palabra.

[24]En agradecimiento por lo que Dios ha hecho por nosotros, procuremos estimular entre nosotros el amor y las buenas obras. [25]No descuidemos, como algunos, el deber que tenemos de asistir a la iglesia y cooperar con ella. Animémonos y exhortémonos unos a otros, especialmente ahora que vemos que el día del regreso del Señor se acerca.

[26]Si alguien deliberadamente comete el pecado de rechazar al Salvador después de haber conocido la verdad del perdón, la muerte de Cristo no cubre tal pecado, y no hay manera de deshacerse de él. [27]Lo único que le queda es esperar el terrible juicio y el fuego ardiente con que en su ira Dios ha de consumir a sus enemigos. [28]Porque si en la antigüedad cuando alguien rehusaba obedecer la ley de Moisés y dos o más testigos lo acusaban, el rebelde moría irremisiblemente, [29]¡cuánto más terrible no será el

God's right hand, [13] waiting for his enemies to be laid under his feet. [14] For by that one offering he made forever perfect in the sight of God all those whom he is making holy.

[15] And the Holy Spirit testifies that this is so, for he has said, [16] "This is the agreement I will make with the people of Israel, though they broke their first agreement: I will write my laws into their minds so that they will always know my will, and I will put my laws in their hearts so that they will want to obey them." [17] And then he adds, "I will never again remember their sins and lawless deeds."

[18] Now, when sins have once been forever forgiven and forgotten, there is no need to offer more sacrifices to get rid of them. [19] And so, dear brothers, now we may walk right into the very Holy of Holies where God is, because of the blood of Jesus. [20] This is the fresh, new, life-giving way which Christ has opened up for us by tearing the curtain—his human body—to let us into the holy presence of God.

[21] And since this great High Priest of ours rules over God's household, [22] let us go right in, to God himself, with true hearts fully trusting him to receive us, because we have been sprinkled with Christ's blood to make us clean, and because our bodies have been washed with pure water.

[23] Now we can look forward to the salvation God has promised us. There is no longer any room for doubt, and we can tell others that salvation is ours, for there is no question that he will do what he says.

[24] In response to all he has done for us, let us outdo each other in being helpful and kind to each other and in doing good.

[25] Let us not neglect our church meetings, as some people do, but encourage and warn each other, especially now that the day of his coming back again is drawing near.

[26] If anyone sins deliberately by rejecting the Savior after knowing the truth of forgiveness, this sin is not covered by Christ's death; there is no way to get rid of it. [27] There will be nothing to look forward to but the terrible punishment of God's awful anger which will consume all his enemies. [28] A man who refused to obey the laws given by Moses was killed without mercy if there were two or three witnesses to his sin. [29] Think how much more terrible the pun-

castigo de los que pisotean al Hijo de Dios y tienen por inmunda su sangre limpiadora, e insultan y provocan al Espíritu Santo, que es el que imparte la gracia de Dios! ³⁰Sabemos que el Señor dijo: "Yo soy el que castiga, y les daré su merecido". Y otra vez: "El Señor juzgará a su pueblo". ³¹¡Horrenda cosa es caer en manos del Dios viviente! ³²No olviden ustedes jamás los maravillosos días en que aceptaron las verdades de Cristo, y en que, a pesar de los terribles sufrimientos que les sobrevinieron, se mantuvieron fieles al Señor. ³³Hubo ocasiones en que tuvieron que soportar la burla de la gente que contemplaba el cruel castigo a que eran sometidos; y en más de una ocasión pasaron por la pena de contemplar el tormento de un hermano en la fe. ³⁴Se compadecían de los cristianos que eran arrojados a las mazmorras, y sufrían con gozo al verse despojados de sus pertenencias, sabiendo que en el cielo les esperan mejores y perdurables riquezas. ³⁵Pase lo que pase, no pierdan nunca esa feliz confianza en el Señor, porque les espera gran galardón. ³⁶Es necesario que con paciencia cumplan la voluntad de Dios, si es que desean que El les dé lo que les tiene prometido. ³⁷Recuerden lo que dicen las Escrituras: "Su venida no tardará demasiado. ³⁸Los que por fe han sido hechos aceptos ante Dios, por fe han de vivir. Si no confían en El en todas las circunstancias de la vida, si se vuelven atrás, Dios no estará contento con ellos".

³⁹Nosotros jamás nos hemos vuelto atrás, lo cual sería fatal. Por el contrario, nuestra fe en El garantiza la salvación de nuestras almas.

11 ¿QUÉ ES FE? Fe es la plena certeza de que lo que esperamos ha de llegar. Es el convencimiento absoluto de que hemos de alcanzar lo que ni siquiera vislumbramos.

²Los hombres de Dios de antaño se destacaban por la fe que tenían. ³Por fe en la Palabra de Dios sabemos que la tierra, los planetas, las estrellas, y el universo entero surgieron por mandato de Dios, ¡y que surgieron de la nada!

⁴Por fe Abel obedeció a Dios, y su ofrenda agradó más al Señor que la de Caín. Dios aceptó a Abel y lo manifestó

ishment will be for those who have trampled underfoot the Son of God and treated his cleansing blood as though it were common and unhallowed, and insulted and outraged the Holy Spirit who brings God's mercy to his people.

³⁰ For we know him who said, "Justice belongs to me; I will repay them"; who also said, "The Lord himself will handle these cases." ³¹ It is a fearful thing to fall into the hands of the living God.

³² Don't ever forget those wonderful days when you first learned about Christ. Remember how you kept right on with the Lord even though it meant terrible suffering. ³³ Sometimes you were laughed at and beaten, and sometimes you watched and sympathized with others suffering the same things. ³⁴ You suffered with those thrown into jail, and you were actually joyful when all you owned was taken from you, knowing that better things were awaiting you in heaven, things that would be yours forever.

³⁵ Do not let this happy trust in the Lord die away, no matter what happens. Remember your reward! ³⁶ You need to keep on patiently doing God's will if you want him to do for you all that he has promised. ³⁷ His coming will not be delayed much longer. ³⁸ And those whose faith has made them good in God's sight must live by faith, trusting him in everything. Otherwise, if they shrink back, God will have no pleasure in them.

³⁹ But we have never turned our backs on God and sealed our fate. No, our faith in him assures our souls' salvation.

11 WHAT IS FAITH? It is the confident assurance that something we want is going to happen. It is the certainty that what we hope for is waiting for us, even though we cannot see it up ahead. ² Men of God in days of old were famous for their faith.

³ By faith—by believing God—we know that the world and the stars—in fact, all things—were made at God's command; and that they were all made from things that can't be seen.

⁴ It was by faith that Abel obeyed God and brought an offering that pleased God more than Cain's offering did. God ac-

aceptando su ofrenda; y aunque Abel murió hace siglos, todavía nos habla por medio del formidable ejemplo que dejó a la posteridad.

⁵Enoc confió en Dios, y por eso, aunque no había muerto, un día Dios se lo llevó repentinamente al cielo y nadie lo volvió a ver. Antes de esto, Dios ya había manifestado que Enoc le agradaba. ⁶Sin fe uno no puede agradar a Dios. El que quiera acercarse a Dios debe creer que existe y que premia a los que sinceramente lo buscan.

⁷Por fe Noé, cuando Dios le advirtió lo que iba a ocurrir, a pesar de que no había ni el más leve indicio de que iba a haber un diluvio, sin pérdida de tiempo se puso a construir el arca en que él y su familia habrían de salvarse. Con aquella fe hizo resaltar el pecado y la incredulidad del resto del mundo y obtuvo la aprobación de Dios.

⁸Por fe Abraham, cuando Dios le pidió que abandonara su ciudad natal, partió hacia el remoto país que el Señor había prometido darle como herencia. Lo más asombroso es que ni siquiera sabía dónde estaba aquel país. ⁹Y cuando llegó a la tierra prometida, como simple visitante, vivió en tiendas de campaña. Y lo mismo hicieron Isaac y Jacob, quienes habían recibido la misma promesa. ¹⁰¿Por qué lo hicieron? Porque esperaban confiadamente que Dios los llevaría a la ciudad celestial, cuyo arquitecto y constructor es Dios.

¹¹Por fe Sara tuvo un hijo a pesar de ser estéril y de edad avanzada; y lo tuvo porque creyó que Dios, que se lo había prometido, cumpliría su promesa. ¹²En fin, de aquel Abraham que era demasiado viejo para tener hijos, salió una nación entera y son tantos los que pueden llamarse descendientes suyos que es imposible contarlos, como imposible es contar las estrellas del cielo y la arena del mar.

¹³Estos hombres de fe que hemos mencionado murieron sin haber recibido todo lo prometido; pero con los ojos de la fe, veían que allá, a lo lejos, los esperaba el pleno cumplimiento de las promesas de Dios. Esto los hacía felices, pues reconocían que este mundo no era el de ellos, y que en él no eran más que simples extranjeros y peregrinos.

¹⁴Es obvio que si hablaban así era porque tenían los ojos fijos en su verdadera

cepted Abel and proved it by accepting his gift; and though Abel is long dead, we can still learn lessons from him about trusting God.

⁵ Enoch trusted God too, and that is why God took him away to heaven without dying; suddenly he was gone because God took him. Before this happened God had said how pleased he was with Enoch. ⁶ You can never please God without faith, without depending on him. Anyone who wants to come to God must believe that there is a God and that he rewards those who sincerely look for him.

⁷ Noah was another who trusted God. When he heard God's warning about the future, Noah believed him even though there was then no sign of a flood, and wasting no time, he built the ark and saved his family. Noah's belief in God was in direct contrast to the sin and disbelief of the rest of the world—which refused to obey—and because of his faith he became one of those whom God has accepted.

⁸ Abraham trusted God, and when God told him to leave home and go far away to another land which he promised to give him, Abraham obeyed. Away he went, not even knowing where he was going. ⁹ And even when he reached God's promised land, he lived in tents like a mere visitor, as did Isaac and Jacob, to whom God gave the same promise. ¹⁰ Abraham did this because he was confidently waiting for God to bring him to that strong heavenly city whose designer and builder is God.

¹¹ Sarah, too, had faith, and because of this she was able to become a mother in spite of her old age, for she realized that God, who gave her his promise, would certainly do what he said. ¹² And so a whole nation came from Abraham, who was too old to have even one child—a nation with so many millions of people that, like the stars of the sky and the sand on the ocean shores, there is no way to count them.

¹³ These men of faith I have mentioned died without ever receiving all that God had promised them; but they saw it all awaiting them on ahead and were glad, for they agreed that this earth was not their real home but that they were just strangers visiting down here. ¹⁴ And quite obviously when they talked like that, they were looking for-

patria, el cielo. ¹⁵Si no, fácil les habría sido entregarse de nuevo al disfrute de los deleites de este mundo. ¹⁶Pero no lo deseaban. Para ellos el anhelo mayor era llegar a la patria celestial. Por eso Dios no se avergüenza de llamarse Dios de ellos, y les tiene preparada una ciudad celestial.

¹⁷Mientras Dios probaba a Abraham, éste confiaba en Dios y en su promesa; por esto estuvo dispuesto a tomar a Isaac, su hijo, e inmolarlo en el altar del sacrificio. ¹⁸¡E Isaac era precisamente el hijo a través del cual, según la promesa de Dios, iba a surgir toda una nación de descendientes suyos! ¹⁹Pero Abraham creía que, si Isaac moría, Dios lo resucitaría. En la práctica así sucedió; para Abraham, Isaac murió, pero siguió viviendo.

²⁰Por fe Isaac supo que en el futuro Dios bendeciría a sus dos hijos, Jacob y Esaú.

²¹Por fe Jacob, viejo ya y moribundo, bendijo a cada uno de los hijos de José, mientras adoraba apoyado sobre el extremo de su bordón.

²²Por fe José, al final de su vida, habló con confianza del día en que Dios sacaría de Egipto al pueblo de Israel. Tan seguro estaba de ello que les hizo prometer que llevarían consigo sus restos.

²³Por fe, los padres de Moisés, al ver el extraordinario hijo que Dios les había dado, confiaron en que Dios lo libraría de la muerte que el rey había decretado para todos los niños hebreos, y no temieron esconderlo tres meses.

²⁴,²⁵Por fe Moisés, ya grande, rehusó que lo trataran como nieto del rey; y en vez de gozar los efímeros placeres del pecado, prefirió sufrir junto al pueblo de Dios. ²⁶Pensó que sufrir por el Cristo prometido era de más valor que todos los tesoros de Egipto, porque tenía la mirada puesta en la gran recompensa que Dios le daría. ²⁷Y así, confiando en Dios, salió de Egipto. La ira del rey no lo atemorizaba, porque tenía la seguridad de que Dios estaba a su lado. ²⁸Y porque creía que El habría de salvar a su pueblo, ordenó que sacrificaran un cordero y rociaran sangre en el dintel de las puer-

ward to their real home in heaven.

¹⁵ If they had wanted to, they could have gone back to the good things of this world. ¹⁶ But they didn't want to. They were living for heaven. And now God is not ashamed to be called their God, for he has made a heavenly city for them.

¹⁷ While God was testing him, Abraham still trusted in God and his promises, and so he offered up his son Isaac, and was ready to slay him on the altar of sacrifice; ¹⁸ yes, to slay even Isaac, through whom God had promised to give Abraham a whole nation of descendants! ¹⁹ He believed that if Isaac died God would bring him back to life again; and that is just about what happened, for as far as Abraham was concerned, Isaac was doomed to death, but he came back again alive! ²⁰ It was by faith that Isaac knew God would give future blessings to his two sons, Jacob and Esau.

²¹ By faith Jacob, when he was old and dying, blessed each of Joseph's two sons as he stood and prayed, leaning on the top of his cane.

²² And it was by faith that Joseph, as he neared the end of his life, confidently spoke of God bringing the people of Israel out of Egypt; and he was so sure of it that he made them promise to carry his bones with them when they left!

²³ Moses' parents had faith too. When they saw that God had given them an unusual child, they trusted that God would save him from the death the king commanded, and they hid him for three months, and were not afraid.

²⁴,²⁵ It was by faith that Moses, when he grew up, refused to be treated as the grandson of the king, but chose to share ill-treatment with God's people instead of enjoying the fleeting pleasures of sin. ²⁶ He thought that it was better to suffer for the promised Christ than to own all the treasures of Egypt, for he was looking forward to the great reward that God would give him. ²⁷ And it was because he trusted God that he left the land of Egypt and wasn't afraid of the king's anger. Moses kept right on going; it seemed as though he could see God right there with him. ²⁸ And it was because he believed God would save his people that he commanded them to kill a lamb as God had told them to and sprinkle the blood on the doorposts of their homes, so that God's

tas, para que el ángel de la muerte que Dios iba a enviar a matar a los primogénitos de los egipcios, no tocara a ningún hebreo.

²⁹Por fe el pueblo de Israel cruzó el Mar Rojo como por tierra seca. Pero cuando los egipcios que los perseguían trataron de hacer lo mismo, perecieron ahogados.

³⁰Por fe cayeron las murallas de Jericó después que el pueblo de Israel, por mandato de Dios, pasó siete días marchando alrededor de las mismas.

³¹Por fe —porque creía en Dios todopoderoso— Rahab la ramera, que había recibido amistosamente a los espías israelitas, no murió con los demás de su ciudad que rehusaron obedecer a Dios.

³²¿Y qué más tengo que decir? Tiempo me faltaría para hablar de la fe de Gedeón, Barac, Sansón, Jefté, David, Samuel, y de todos los profetas, ³³individuos que por fe ganaron batallas, conquistaron reinos, gobernaron bien, alcanzaron lo que Dios les había prometido, salieron ilesos de cuevas de leones ³⁴y de hornos encendidos, escaparon de morir a espada, recibieron fortaleza cuando estaban débiles, enfermos o en el fragor de la batalla, y pusieron en fuga ejércitos extranjeros. ³⁵Y hubo mujeres que, por fe, vieron resucitar a sus seres amados.

Otros murieron en medio de espantoso tormento. Sin embargo, prefirieron morir antes que negar a Dios, porque tenían fe en que resucitarían a una vida mejor. ³⁶Algunos sufrieron vituperios, azotes, cadenas y mazmorras, ³⁷,³⁸o murieron apedreados o aserrados. A otros se les prometió la libertad si renunciaban a su fe, y luego los mataron a espada. Algunos anduvieron vestidos de piel de oveja o cabra, pobres, angustiados, maltratados. El mundo no merecía que vivieran en él. Anduvieron errantes por los desiertos, los montes, las cuevas y las cavernas. ³⁹Mas aunque confiaban en Dios y Dios los había aprobado, no alcanzaron a ver cumplidas en este mundo todas sus promesas, ⁴⁰porque el Señor quería que esperaran y participaran de la muy superior recompensa que había preparado para nosotros.

terrible Angel of Death could not touch the oldest child in those homes, as he did among the Egyptians.

²⁹ The people of Israel trusted God and went right through the Red Sea as though they were on dry ground. But when the Egyptians chasing them tried it, they all were drowned.

³⁰ It was faith that brought the walls of Jericho tumbling down after the people of Israel had walked around them seven days, as God had commanded them. ³¹ By faith —because she believed in God and his power—Rahab the harlot did not die with all the others in her city when they refused to obey God, for she gave a friendly welcome to the spies.

³² Well, how much more do I need to say? It would take too long to recount the stories of the faith of Gideon and Barak and Samson and Jephthah and David and Samuel and all the other prophets. ³³ These people all trusted God and as a result won battles, overthrew kingdoms, ruled their people well, and received what God had promised them; they were kept from harm in a den of lions, ³⁴ and in a fiery furnace. Some, through their faith, escaped death by the sword. Some were made strong again after they had been weak or sick. Others were given great power in battle; they made whole armies turn and run away. ³⁵ And some women, through faith, received their loved ones back again from death. But others trusted God and were beaten to death, preferring to die rather than turn from God and be free—trusting that they would rise to a better life afterwards.

³⁶ Some were laughed at and their backs cut open with whips, and others were chained in dungeons. ³⁷,³⁸ Some died by stoning and some by being sawed in two; others were promised freedom if they would renounce their faith, then were killed with the sword. Some went about in skins of sheep and goats, wandering over deserts and mountains, hiding in dens and caves. They were hungry and sick and illtreated—too good for this world. ³⁹ And these men of faith, though they trusted God and won his approval, none of them received all that God had promised them; ⁴⁰ for God wanted them to wait and share the even better rewards that were prepared for us.

12 POR CUANTO UN número tan inmenso de hombres de fe nos contempla desde las graderías, despojémonos de cualquier cosa que nos reste agilidad o nos detenga, especialmente de esos pecados que con tanta facilidad se nos enredan en los pies y nos hacen caer, y corramos con paciencia la carrera en que Dios nos ha permitido competir. ²Mantengamos fijos los ojos en ese Jesús que, sin importarle lo oprobioso de tal muerte, estuvo dispuesto a morir en la cruz porque sabía el gozo que tendría después; en ese Jesús que ahora ocupa el sitio de honor más alto a la derecha de Dios. ³Si alguna vez nos sentimos descorazonados o fatigados, pensemos en la paciencia con que Jesús soportó el maltrato de sus perversos verdugos. ⁴Después de todo, todavía no hemos sudado gotas de sangre en nuestra lucha contra la tentación y el pecado. ⁵¿Hemos olvidado acaso la exhortación que Dios como a hijos nos dirige? En las Escrituras nos dice: "Hijo mío, no te enojes cuando el Señor te castigue, ni te desalientes cuando te reprenda. ⁶Si te castiga es porque te ama, y si te azota es porque te ha recibido como hijo".

⁷Dejemos que El nos discipline, porque así es como cualquier padre amoroso educa a sus hijos. ¿Qué hijo puede decir que su padre nunca lo castiga? ⁸Si Dios no te castiga cuando lo mereces, cosa que cualquier padre haría con su hijo, es porque no eres hijo de Dios, no perteneces a su familia. ⁹Por otra parte, si a nuestros padres terrenales los veneramos a pesar de los castigos que nos imponen, ¿con cuánta mayor alegría no hemos de someternos a la disciplina de Dios para que de veras comencemos a vivir? ¹⁰Nuestros padres terrenales trataron de educarnos lo mejor que pudieron durante unos pocos años; pero la disciplina que impone el Señor es adecuada y provechosa, pues nos capacita para participar de su santidad. ¹¹Los castigos siempre son dolorosos de momento, pero al final uno ve en el que ha sido disciplinado un apacible crecimiento en gracia y carácter.

¹²Así que levanten de nuevo las manos caídas, afirmen las piernas temblorosas, ¹³y trácense sendas rectas, para que el débil o el cojo que los siga no se lastime con ningún tropiezo, sino que más bien sane y se fortalezca.

¹⁴Eviten las rencillas y procuren llevar

12 SINCE WE HAVE such a huge crowd of men of faith watching us from the grandstands, let us strip off anything that slows us down or holds us back, and especially those sins that wrap themselves so tightly around our feet and trip us up; and let us run with patience the particular race that God has set before us.

² Keep your eyes on Jesus, our leader and instructor. He was willing to die a shameful death on the cross because of the joy he knew would be his afterwards; and now he sits in the place of honor by the throne of God. ³ If you want to keep from becoming fainthearted and weary, think about his patience as sinful men did such terrible things to him. ⁴ After all, you have never yet struggled against sin and temptation until you sweat great drops of blood.

⁵ And have you quite forgotten the encouraging words God spoke to you, his child? He said, "My son, don't be angry when the Lord punishes you. Don't be discouraged when he has to show you where you are wrong. ⁶ For when he punishes you, it proves that he loves you. When he whips you it proves you are really his child."

⁷ Let God train you, for he is doing what any loving father does for his children. Whoever heard of a son who was never corrected? ⁸ If God doesn't punish you when you need it, as other fathers punish their sons, then it means that you aren't really God's son at all—that you don't really belong in his family. ⁹ Since we respect our fathers here on earth, though they punish us, should we not all the more cheerfully submit to God's training so that we can begin really to live?

¹⁰ Our earthly fathers trained us for a few brief years, doing the best for us that they knew how, but God's correction is always right and for our best good, that we may share his holiness. ¹¹ Being punished isn't enjoyable while it is happening—it hurts! But afterwards we can see the result, a quiet growth in grace and character.

¹² So take a new grip with your tired hands, stand firm on your shaky legs, ¹³ and mark out a straight, smooth path for your feet so that those who follow you, though weak and lame, will not fall and hurt themselves, but become strong.

¹⁴ Try to stay out of all quarrels and seek

vidas limpias y santas, porque el que no sea santo no verá al Señor. [15]Cuídense unos a otros, no vaya a ser que alguno no alcance las más caras bendiciones de Dios. No dejen que en ustedes broten raíces de amargura; porque éstas, al salir a la superficie, pueden causar problemas serios y dañar la vida espiritual de muchos. [16]Que nadie ande en pecados sexuales. Que nadie descuide sus relaciones con Dios, como Esaú, que vendió sus derechos de hijo mayor por un plato de comida; [17]luego quiso rectificar, pero ya era demasiado tarde y, aunque derramó lágrimas de arrepentimiento, no pudo volver a obtener los derechos que había despreciado.

[18]Ustedes no tuvieron que acercarse a aquel monte palpable, como los israelitas, ni han tenido que experimentar el terror del fuego abrasador, la lobreguez, la oscuridad y la horrible tormenta que experimentó el pueblo de Israel en el monte Sinaí cuando Dios les dio la ley. [19]Tan agudo fue el toque de trompeta y tan sobrecogedora la voz que daba el mensaje, que el pueblo suplicó a Dios que nos les hablara más. [20]Retrocedieron espantados al escuchar que, según la ley que allí se ponía en vigor, el animal que tocara la montaña tenía que morir. [21]Tan terrible era la escena que aquel día contemplaron, que hasta el mismo Moisés tembló de pavor. [22]Ustedes han tenido la dicha de poder subir directamente al verdadero monte de Sion, a la ciudad del Dios viviente, a la Jerusalén celestial, a la asamblea de un sinnúmero de ángeles felices [23]que alaban a Dios, y a una iglesia compuesta por hombres, mujeres y niños cuyos nombres están inscritos en el cielo. Se han acercado a Dios, quien es el Juez de todos; a los espíritus de los redimidos, que ya están en el cielo, que ya han sido perfeccionados. [24]Y se han acercado a Jesús mismo, el abogado de este nuevo pacto tan maravilloso, y a la sangre rociada del Señor que, en vez de pedir venganza como la sangre de Abel, concede gratuitamente perdón.

[25]Así que procuremos obedecer al que nos está hablando; porque si el pueblo de Israel no escapó cuando se negó a escuchar a Moisés, el mensajero terrenal, mucho menos escaparemos nosotros si no prestamos atención a las palabras de Dios, que nos habla desde el cielo. [26]Cuando Dios habló en el monte Sinaí, su voz conmovió la

to live a clean and holy life, for one who is not holy will not see the Lord. [15] Look after each other so that not one of you will fail to find God's best blessings. Watch out that no bitterness takes root among you, for as it springs up it causes deep trouble, hurting many in their spiritual lives. [16] Watch out that no one becomes involved in sexual sin or becomes careless about God as Esau did: he traded his rights as the oldest son for a single meal. [17] And afterwards, when he wanted those rights back again, it was too late, even though he wept bitter tears of repentance. So remember, and be careful.

[18] You have not had to stand face to face with terror, flaming fire, gloom, darkness and a terrible storm, as the Israelites did at Mount Sinai when God gave them his laws. [19] For there was an awesome trumpet blast, and a voice with a message so terrible that the people begged God to stop speaking. [20] They staggered back under God's command that if even an animal touched the mountain it must die. [21] Moses himself was so frightened at the sight that he shook with terrible fear.

[22] But you have come right up into Mount Zion, to the city of the living God, the heavenly Jerusalem, and to the gathering of countless happy angels; [23] and to the church, composed of all those registered in heaven; and to God who is Judge of all; and to the spirits of the redeemed in heaven, already made perfect; [24] and to Jesus himself, who has brought us his wonderful new agreement; and to the sprinkled blood which graciously forgives instead of crying out for vengeance as the blood of Abel did.

[25] So see to it that you obey him who is speaking to you. For if the people of Israel did not escape when they refused to listen to Moses, the earthly messenger, how terrible our danger if we refuse to listen to God who speaks to us from heaven! [26] When he spoke from Mount Sinai his voice shook the

tierra. Pero "la próxima vez", dice, "no sólo conmoveré la tierra sino también el cielo". ²⁷Esto quiere decir que va a remover lo que no tenga cimientos firmes, y que sólo lo inconmovible permanecerá. ²⁸Por eso, en vista de que el reino nuestro es inconmovible, sirvamos a Dios con corazones agradecidos, y procuremos agradarle con temor y reverencia. ²⁹Porque nuestro Dios es fuego santo consumidor.

13 CULTIVEN EL AMOR fraternal. ²No dejen de ser hospitalarios; porque por serlo, muchos sin darse cuenta, han hospedado ángeles. ³Recuerden siempre a los que están presos por la causa de Cristo. Sufran con ellos, como si ustedes fueran los presos. Sufran con los maltratados, porque ya pueden imaginarse lo que ellos están sufriendo.

⁴Honren el matrimonio y mantengan su pureza; porque Dios castigará a los inmorales y a los que cometen adulterio.

⁵Eviten la avaricia; conténtense con lo que tengan, pues el Señor dijo: "No te desampararé ni te dejaré". ⁶Así que podremos decir sin temor ni duda: "El Señor es el que me ayuda; no temo lo que me pueda hacer el hombre". ⁷Recuerden a los que los han guiado y les han enseñado la Palabra de Dios. Mediten en las bendiciones que ellos han experimentado en la vida, y traten de tener la misma confianza en el Señor que ellos tienen.

⁸Jesucristo es el mismo ayer, hoy y por los siglos. ⁹No se dejen ustedes seducir por ideas nuevas y extrañas. La fortaleza espiritual es un don de Dios que no se obtiene observando tales o cuales reglas sobre la alimentación. Los que han tratado de obtenerla por esos medios, hasta ahora han fracasado. ¹⁰Del altar nuestro (la cruz en que Cristo fue inmolado) no pueden comer los sacerdotes del santuario antiguo. En otras palabras, los que tratan de alcanzar la salvación por medio de la obediencia a la ley no se benefician del sacrificio de Cristo. ¹¹Según la ley, el sumo sacerdote toma la sangre de los animales inmolados y la ofrece en el santuario en expiación por el pecado; luego toma el cuerpo del animal y lo quema en las afueras de la ciudad. ¹²Por eso Jesús sufrió y murió fuera de la ciudad, y allí lavó con su sangre nuestros pecados. ¹³Abandonemos, pues, las intrincadas calles de nuestros intereses mundanos, y acerqué-

earth, but, "Next time," he says, "I will not only shake the earth, but the heavens too." ²⁷ By this he means that he will sift out everything without solid foundations, so that only unshakable things will be left.

²⁸ Since we have a kingdom nothing can destroy, let us please God by serving him with thankful hearts, and with holy fear and awe. ²⁹ For our God is a consuming fire.

13 CONTINUE TO LOVE each other with true brotherly love. ² Don't forget to be kind to strangers, for some who have done this have entertained angels without realizing it! ³ Don't forget about those in jail. Suffer with them as though you were there yourself. Share the sorrow of those being mistreated, for you know what they are going through.

⁴ Honor your marriage and its vows, and be pure; for God will surely punish all those who are immoral or commit adultery.

⁵ Stay away from the love of money; be satisfied with what you have. For God has said, "I will never, *never* fail you nor forsake you." ⁶ That is why we can say without any doubt or fear, "The Lord is my Helper and I am not afraid of anything that mere man can do to me."

⁷ Remember your leaders who have taught you the Word of God. Think of all the good that has come from their lives, and try to trust the Lord as they do.

⁸ Jesus Christ is the same yesterday, today, and forever. ⁹ So do not be attracted by strange, new ideas. Your spiritual strength comes as a gift from God, not from ceremonial rules about eating certain foods—a method which, by the way, hasn't helped those who have tried it!

¹⁰ We have an altar—the cross where Christ was sacrificed—where those who continue to seek salvation by obeying Jewish laws can never be helped. ¹¹ Under the system of Jewish laws the high priest brought the blood of the slain animals into the sanctuary as a sacrifice for sin, and then the bodies of the animals were burned outside the city. ¹² That is why Jesus suffered and died outside the city, where his blood washed our sins away.

¹³ So let us go out to him beyond the city walls [that is, outside the interests of this

monos a El, dispuestos a sufrir si es necesario. ¹⁴El hogar nuestro no está en este mundo perecedero, sino en el cielo. Este mundo no es nuestro hogar; nuestro hogar está en el cielo.

¹⁵Con la ayuda del Señor continuemos ofreciéndole el mejor de todos los sacrificios de alabanza: hablar a otros de la gloria de su nombre. ¹⁶Y no olvidemos hacer el bien y compartir nuestros bienes con los que están en necesidad, porque tales sacrificios agradan a Dios.

¹⁷Obedezcan a sus guías espirituales, y sométanse a ellos, porque su trabajo es velar por las almas de ustedes, y a Dios han de dar cuentas de esto. Permítanles dar cuentas de ustedes con alegría y no con tristeza, porque si no, ustedes también sufrirán.

¹⁸Hermanos, oren por nosotros, porque tenemos limpia la conciencia y así deseamos mantenerla. ¹⁹Oren especialmente por mí, para que pueda volver a ustedes cuanto antes.

^{20,21}Que el Dios de paz que resucitó de los muertos a nuestro Señor Jesucristo, el gran Pastor de las ovejas, por medio de la sangre del eterno pacto entre ustedes y Dios, los haga aptos para cumplir su voluntad. Y que por medio del poder de Cristo haga de ustedes seres que lo agraden. A El sea la gloria eternamente. Amén.

²²Hermanos, les ruego que lean pacientemente lo que les digo en esta carta, pues no es muy larga.

²³Quiero que sepan que nuestro hermano Timoteo ya salió de la cárcel; si pasa por aquí pronto, iré con él a visitarlos.

^{24,25}Saludos a todos los que los dirigen y a los demás creyentes. Los cristianos de Italia los saludan. Que la gracia de Dios esté con ustedes. Así sea.

world, being willing to be despised] to suffer with him there, bearing his shame. ¹⁴ For this world is not our home; we are looking forward to our everlasting home in heaven.

¹⁵ With Jesus' help we will continually offer our sacrifice of praise to God by telling others of the glory of his name. ¹⁶ Don't forget to do good and to share what you have with those in need, for such sacrifices are very pleasing to him.¹⁷ Obey your spiritual leaders and be willing to do what they say. For their work is to watch over your souls, and God will judge them on how well they do this. Give them reason to report joyfully about you to the Lord and not with sorrow, for then you will suffer for it too. ¹⁸ Pray for us, for our conscience is clear and we want to keep it that way. ¹⁹ I especially need your prayers right now so that I can come back to you sooner.

^{20,21} And now may the God of peace, who brought again from the dead our Lord Jesus, equip you with all you need for doing his will. May he who became the great Shepherd of the sheep by an everlasting agreement between God and you, signed with his blood, produce in you through the power of Christ all that is pleasing to him. To him be glory forever and ever. Amen.

²² Brethren, please listen patiently to what I have said in this letter, for it is a short one. ²³ I want you to know that Brother Timothy is now out of jail; if he comes here soon, I will come with him to see you. ^{24,25} Give my greetings to all your leaders and to the other believers there. The Christians from Italy who are here with me send you their love. God's grace be with you all.

Good-bye.

SANTIAGO / JAMES

1 REMITENTE: SANTIAGO, SIERVO de Dios y del Señor del Señor Jesucristo.
Destinatarios: Los cristianos judíos dispersos por todo el mundo. ¡Saludos!

²Amados hermanos, ¿están ustedes afrontando muchas dificultades y tentaciones? ¡Alégrense, ³porque la paciencia crece

1 FROM: JAMES, A servant of God and of the Lord Jesus Christ.
To: Jewish Christians scattered everywhere. Greetings!

² Dear brothers, is your life full of difficulties and temptations? Then be happy, ³ for when the way is rough, your patience

mejor cuando el camino es escabroso! ⁴¡Déjenla crecer! ¡No huyan de los problemas! Porque cuando la paciencia alcanza su máximo desarrollo, uno queda firme de carácter, perfecto, cabal, capaz de afrontar cualquier circunstancia.

⁵El que desee saber lo que Dios espera de él, pregúntele al Señor. El con gusto le responderá, pues siempre está dispuesto a conceder sabiduría en abundancia a los que la solicitan. ¡Y la da sin reproches! ⁶Ah, pero hay que pedirla con fe, porque la mente del que duda es inestable como ola del mar que el viento arrastra de un lado al otro. ⁷,⁸La persona que duda nunca toma una decisión firme, y tan pronto va por un camino como por otro. Si no pedimos con fe, no podemos esperar que el Señor nos dé una respuesta firme.

⁹El cristiano de humilde condición según las normas de este mundo debe sentirse feliz, porque según las normas del Señor vale mucho. ¹⁰,¹¹Y el rico, a su vez, debe sentirse feliz de que para el Señor sus riquezas no valgan nada, pues, como flor que se marchita y cae agostada por un sol abrasador, despojada ya de su belleza, el día menos pensado muere y deja acá todos sus negocios.

¹²Dichoso el hombre que no cede a la tentación, porque un día ha de recibir la corona de vida que Dios ha prometido a los que lo aman. ¹³Cuando alguien se sienta inclinado a hacer algo malo, no diga que es Dios el que lo tienta; Dios no tienta ni puede ser tentado.

¹⁴La tentación es la atracción que sobre el hombre ejercen sus malos pensamientos y sus malos deseos. ¹⁵Estos lo impulsan a cometer pecado, y el pecado Dios lo castiga con la muerte.

¹⁶Así que no se equivoquen, amados hermanos. ¹⁷Todo lo bueno y perfecto desciende de Dios, del creador de la luz, del que brilla eternamente sin sombras ni variaciones. ¹⁸El, porque así lo quiso, nos dio vidas nuevas a través de las verdades de su santa Palabra y nos convirtió, por así decirlo, en los primeros hijos de su nueva familia.

¹⁹Amados hermanos, el cristiano debe oír mucho, hablar poco y enojarse menos.

has a chance to grow. ⁴ So let it grow, and don't try to squirm out of your problems. For when your patience is finally in full bloom, then you will be ready for anything, strong in character, full and complete.

⁵ If you want to know what God wants you to do, ask him, and he will gladly tell you, for he is always ready to give a bountiful supply of wisdom to all who ask him; he will not resent it. ⁶ But when you ask him, be sure that you really expect him to tell you, for a doubtful mind will be as unsettled as a wave of the sea that is driven and tossed by the wind; ⁷,⁸ and every decision you then make will be uncertain, as you turn first this way, and then that. If you don't ask with faith, don't expect the Lord to give you any solid answer.

⁹ A Christian who doesn't amount to much in this world should be glad, for he is great in the Lord's sight. ¹⁰,¹¹ But a rich man should be glad that his riches mean nothing to the Lord, for he will soon be gone, like a flower that has lost its beauty and fades away, withered—killed by the scorching summer sun. So it is with rich men. They will soon die and leave behind all their busy activities.

¹² Happy is the man who doesn't give in and do wrong when he is tempted, for afterwards he will get as his reward the crown of life that God has promised those who love him. ¹³ And remember, when someone wants to do wrong it is never God who is tempting him, for God never wants to do wrong and never tempts anyone else to do it. ¹⁴ Temptation is the pull of man's own evil thoughts and wishes. ¹⁵ These evil thoughts lead to evil actions and afterwards to the death penalty from God. ¹⁶ So don't be misled, dear brothers.

¹⁷ But whatever is good and perfect comes to us from God, the Creator of all light, and he shines forever without change or shadow. ¹⁸ And it was a happy day for him when he gave us our new lives, through the truth of his Word, and we became, as it were, the first children in his new family.

¹⁹ Dear brothers, don't ever forget that it is best to listen much, speak little, and not

²⁰La ira no nos pone en bien con Dios. ²¹Así que deshagámonos de la maldad que interna o externamente haya en nuestras vidas, y regocijémonos humildemente con el glorioso mensaje que hemos recibido, mensaje que salva al alma al apoderarse de nuestros corazones.

²²Sin embargo, no nos engañemos; éste es un mensaje que no sólo debemos oír sino poner en práctica. ²³La persona que lo escucha y no lo obedece es como el hombre que se mira en el espejo ²⁴y luego, al apartarse, se olvida del aspecto que tiene. ²⁵Pero el que mantiene la mirada fija en la perfecta ley que Dios ha dado a los hombres libres, no sólo la recordará sino que la obedecerá siempre y Dios lo bendecirá en todo lo que haga.

²⁶El que se cree cristiano y no refrena su lengua, se engaña a sí mismo, y su religión de nada le sirve.

²⁷Según Dios el Padre, ser cristiano puro y sin mancha es ocuparse de los huérfanos y de las viudas y mantenerse fiel al Señor, sin mancharse el alma en los contactos con el mundo.

2 HERMANOS MÍOS, ¿CÓMO puede uno decir que pertenece a Jesucristo, el Señor de la gloria, si muestra favoritismo hacia los ricos y desprecia a los pobres? ²Si un individuo entra en la iglesia de ustedes vestido con la mejor ropa y con anillos costosos, y en el mismo momento entra un pobre vestido con ropa vieja, ³y al rico le muestran muchas atenciones y le ofrecen el mejor asiento en el Templo; pero al pobre le dicen: "Si quieres siéntate allí o si no quédate parado", ⁴¿es eso de cristianos? ¿no es actuar y juzgar impulsados por motivos malos?

⁵No, hermanos, no. Dios ha escogido a los pobres para que sean ricos en fe y para que hereden el reino que ha prometido a los que lo aman. ⁶Sin embargo, ustedes desprecian al pobre. ¿No ven que por lo general los ricos son los que los oprimen y los arrastran a los tribunales? ⁷Muchas veces son ellos los que se burlan de Cristo, cuyo nobilísimo nombre ustedes ostentan al lla-

become angry; ²⁰ for anger doesn't make us good, as God demands that we must be.

²¹ So get rid of all that is wrong in your life, both inside and outside, and humbly be glad for the wonderful message we have received, for it is able to save our souls as it takes hold of our hearts.

²² And remember, it is a message to obey, not just to listen to. So don't fool yourselves. ²³ For if a person just listens and doesn't obey, he is like a man looking at his face in a mirror; ²⁴ as soon as he walks away, he can't see himself anymore or remember what he looks like. ²⁵ But if anyone keeps looking steadily into God's law for free men, he will not only remember it but he will do what it says, and God will greatly bless him in everything he does.

²⁶ Anyone who says he is a Christian but doesn't control his sharp tongue is just fooling himself, and his religion isn't worth much. ²⁷ The Christian who is pure and without fault, from God the Father's point of view, is the one who takes care of orphans and widows, and who remains true to the Lord—not soiled and dirtied by his contacts with the world.

2 DEAR BROTHERS, HOW can you claim that you belong to the Lord Jesus Christ, the Lord of glory, if you show favoritism to rich people and look down on poor people?

² If a man comes into your church dressed in expensive clothes and with valuable gold rings on his fingers, and at the same moment another man comes in who is poor and dressed in threadbare clothes, ³ and you make a lot of fuss over the rich man and give him the best seat in the house and say to the poor man, "You can stand over there if you like, or else sit on the floor"—well, ⁴ judging a man by his wealth shows that you are guided by wrong motives.

⁵ Listen to me, dear brothers: God has chosen poor people to be rich in faith, and the Kingdom of Heaven is theirs, for that is the gift God has promised to all those who love him. ⁶ And yet, of the two strangers, you have despised the poor man. Don't you realize that it is usually the rich men who pick on you and drag you into court? ⁷ And all too often they are the ones who laugh at Jesus Christ, whose noble

marse cristianos.

⁸Hay que obedecer la ley del Señor de amar y ayudar al prójimo de la misma manera en que nos amamos y nos cuidamos a nosotros mismos. ⁹Pero adular y favorecer discriminadamente al rico es pecado; ¹⁰y el que deja de obedecer una ley es tan culpable como el que desobedece todas las demás. ¹¹Porque Dios que dijo "no cometerás adulterio", también dijo "no matarás". En consecuencia, la persona que mata es tan transgresora de la ley como la que ha cometido adulterio; y viceversa, ¹²porque vamos a ser juzgados en cuanto a si hemos hecho o no lo que Cristo quiere que hagamos. Así que ¡cuidado con lo que hacemos y pensamos! ¹³No habrá misericordia para los que no han mostrado misericordia. Pero si hemos sido misericordiosos, saldremos victoriosos en el juicio.

¹⁴Hermanos míos, ¿de qué vale decir que tenemos fe y que somos cristianos si no lo demostramos ayudando a los demás? ¿Podrá ese tipo de fe salvar a alguien? ¹⁵Si un amigo nuestro necesita alimentos o ropa ¹⁶y le decimos: "Bueno, que te vaya bien; que comas mucho y no pases frío", pero no le damos ropa ni comida, ¿de qué le sirven nuestras palabras? ¹⁷No, tener fe no basta. Hay que hacer el bien para demostrar que la tenemos. La fe que no se demuestra con buenas obras no es fe; es algo muerto, inútil. ¹⁸Cualquiera puede decir, y con razón: "Dices que la salvación se obtiene por fe solamente. Yo digo que las buenas obras son importantes también, porque tú, que no haces buenas obras, no puedes demostrar que tienes fe. En cambio, cualquiera se da cuenta que tengo fe por las obras que hago".

¹⁹¿Todavía hay alguno entre ustedes que piensa que basta con tener fe? ¿Fe en qué? ¿En que hay un solo Dios? ¡Hasta los demonios lo creen y tiemblan de espanto! ²⁰¡Tonto! ¿Cuándo vas a acabar de aprender que de nada sirve "creer" si uno no hace lo que Dios quiere? La fe que no se

name you bear.

⁸ Yes indeed, it is good when you truly obey our Lord's command, "You must love and help your neighbors just as much as you love and take care of yourself." ⁹ But you are breaking this law of our Lord's when you favor the rich and fawn over them; it is sin.

¹⁰ And the person who keeps every law of God, but makes one little slip, is just as guilty as the person who has broken every law there is. ¹¹ For the God who said you must not marry a woman who already has a husband, also said you must not murder, so even though you have not broken the marriage laws by committing adultery, but have murdered someone, you have entirely broken God's laws and stand utterly guilty before him.

¹² You will be judged on whether or not you are doing what Christ wants you to. So watch what you do and what you think; ¹³ for there will be no mercy to those who have shown no mercy. But if you have been merciful, then God's mercy toward you will win out over his judgment against you.

¹⁴ Dear brothers, what's the use of saying that you have faith and are Christians if you aren't proving it by helping others? Will *that* kind of faith save anyone? ¹⁵ If you have a friend who is in need of food and clothing, ¹⁶ and you say to him, "Well, good-bye and God bless you; stay warm and eat hearty," and then don't give him clothes or food, what good does that do?

¹⁷ So you see, it isn't enough just to have faith. You must also do good to prove that you have it. Faith that doesn't show itself by good works is no faith at all—it is dead and useless.

¹⁸ But someone may well argue, "You say the way to God is by faith alone, plus nothing; well, I say that good works are important too, for without good works you can't prove whether you have faith or not; but anyone can see that I have faith by the way I act."

¹⁹ Are there still some among you who hold that "only believing" is enough? Believing in one God? Well, remember that the demons believe this too—so strongly that they tremble in terror! ²⁰ Fool! When will you ever learn that "believing" is useless without *doing* what God wants you to? Faith that does not result in good deeds is

plasma en buenas obras no es fe verdadera. ²¹¿No recuerdas que Abraham nuestro padre fue declarado justo por algo que hizo: estar dispuesto a obedecer a Dios, aun cuando esto significaba sacrificar a su hijo en el altar? ²²¿Ves? Tan grande era su fe en Dios que estuvo dispuesto a hacer cualquier cosa que el Señor le pidiera. Su fe, pues, quedó perfectamente demostrada con aquel acto, con aquella buena obra. ²³Por eso es que las Escrituras dicen que Abraham creyó en Dios, y el Señor lo declaró justo, y hasta le dio el título de "amigo de Dios". ²⁴Así, pues, el hombre se salva por lo que hace y por lo que cree. ²⁵El caso de Rahab la prostituta es otro ejemplo de esto. Rahab se salvó por el bien que hizo, escondiendo a los espías israelitas y ayudándolos a escapar por otro camino. ²⁶Al igual que el cuerpo sin espíritu está muerto, la fe está muerta si no fructifica en buenas obras.

3 HERMANOS MÍOS, NUNCA se precipiten a criticar a los demás, pues en esta vida nadie es perfecto; además, si nos metemos a maestros es porque sabemos más que los demás; y el que sabe y comete faltas, es más digno de castigo. El que puede dominar su lengua puede dominar perfectamente el resto de su cuerpo. ³Un caballo, por grande que sea, puede ser dominado poniéndosele un pequeño freno en la boca. ⁴Por impetuoso que sea el viento, un timón diminuto puede hacer girar una nave inmensa hacia donde el timonel desee que vaya. ⁵De igual manera, la lengua es un miembro diminuto, ¡pero cuánto daño puede hacer! Basta una chispa para hacer arder un inmenso bosque. ⁶Y la lengua es una llama de fuego, un mundo de maldad, veneno que contamina todo nuestro cuerpo. El infierno mismo puede avivar esta llama y convertir nuestras vidas en llamarada destructiva y desastrosa.

⁷El hombre ha domado, o puede domar, cualquier tipo de bestia, ave, reptil o pez. ⁸Pero ningún ser humano puede domar la lengua. La lengua, que es un mal que no podemos refrenar, siempre está lista a derramar su mortífero veneno. ⁹A veces alaba a nuestro Padre celestial, y a veces prorrumpe en maldiciones contra ese ser hecho a la imagen de Dios que es el hombre. ¹⁰Así

not real faith.

²¹ Don't you remember that even our father Abraham was declared good because of what he *did,* when he was willing to obey God, even if it meant offering his son Isaac to die on the altar? ²² You see, he was trusting God so much that he was willing to do whatever God told him to; his faith was made complete by what he did, by his actions, his good deeds. ²³ And so it happened just as the Scriptures say, that Abraham trusted God, and the Lord declared him good in God's sight, and he was even called "the friend of God." ²⁴ So you see, a man is saved by what he does, as well as by what he believes.

²⁵ Rahab, the prostitute, is another example of this. She was saved because of what she did when she hid those messengers and sent them safely away by a different road. ²⁶ Just as the body is dead when there is no spirit in it, so faith is dead if it is not the kind that results in good deeds.

3 DEAR BROTHERS, DON'T be too eager to tell others their faults, for we all make many mistakes; and when we teachers of religion, who should know better, do wrong, our punishment will be greater than it would be for others.

If anyone can control his tongue, it proves that he has perfect control over himself in every other way. ³ We can make a large horse turn around and go wherever we want by means of a small bit in his mouth. ⁴ And a tiny rudder makes a huge ship turn wherever the pilot wants it to go, even though the winds are strong.

⁵ So also the tongue is a small thing, but what enormous damage it can do. A great forest can be set on fire by one tiny spark. ⁶ And the tongue is a flame of fire. It is full of wickedness, and poisons every part of the body. And the tongue is set on fire by hell itself, and can turn our whole lives into a blazing flame of destruction and disaster.

⁷ Men have trained, or can train, every kind of animal or bird that lives and every kind of reptile and fish, ⁸ but no human being can tame the tongue. It is always ready to pour out its deadly poison. ⁹ Sometimes it praises our heavenly Father, and sometimes it breaks out into curses against men who are made like God. ¹⁰ And so blessing

que de la boca sale lo mismo bendición que maldición.

¹¹Hermanos míos, no debe ser así. ¿Puede un manantial echar unas veces agua dulce y otras veces agua amarga? ¹²¿Puede una higuera dar aceitunas, o una vid higos? No. Un manantial no puede dar a la vez agua salada y agua dulce.

¹³El sabio llevará una vida piadosa de la que han de brotar siempre buenas obras. ¡Y mientras menos se jacte de esas buenas obras, más sabio será! ¹⁴No se te ocurra nunca pensar que eres sabio ni bueno si en el fondo eres envidioso y egoísta, porque no hay peor mentira que ésa. ¹⁵La envidia y el egoísmo no se originan en Dios; al contrario, son terrenales, carnales y diabólicos. ¹⁶Donde hay envidia y egoísmo hay desorden y todo tipo de maldad. ¹⁷El que tiene sabiduría de Dios es en primer lugar puro. Además es pacífico, amable, benigno, misericordioso, bondadoso para con los demás, entusiasta, franco y sincero. ¹⁸Y los pacificadores siembran paz para cosechar bondad.

4 ¿POR QUÉ HAY enemistades y riñas entre ustedes? ¿Será que en el fondo del alma tienen un ejército de malos deseos? ²Codician lo que no tienen y matan por conseguirlo. Sienten envidia de algo y, si no lo pueden conseguir a las buenas, pelean para obtenerlo. Sin embargo, si no tienen lo que desean es porque no se lo piden a Dios. ³Y si lo piden, Dios no les contesta porque es una petición que tiene el propósito incorrecto de satisfacer un ansia de placeres.

⁴Se están pareciendo ustedes a la esposa que le es infiel al esposo con el peor de sus enemigos. ¿No comprenden que el que establece amistad con los enemigos de Dios —los placeres mundanales— se convierte en enemigo de Dios? El que quiera entregarse a los deleites de este perverso mundo no es amigo de Dios. ⁵¡Por algo las Escrituras dicen que el Espíritu Santo que Dios ha puesto en nosotros nos ama celosamente!

⁶Pero El nos ofrece fortaleza para resistir nuestros más perversos anhelos. Dicen las Escrituras que "Dios da fuerzas al hu-

and cursing come pouring out of the same mouth. Dear brothers, surely this is not right! ¹¹ Does a spring of water bubble out first with fresh water and then with bitter water? ¹² Can you pick olives from a fig tree, or figs from a grape vine? No, and you can't draw fresh water from a salty pool.

¹³ If you are wise, live a life of steady goodness, so that only good deeds will pour forth. And if you don't brag about them, then you will be truly wise! ¹⁴ And by all means don't brag about being wise and good if you are bitter and jealous and selfish; that is the worst sort of lie. ¹⁵ For jealousy and selfishness are not God's kind of wisdom. Such things are earthly, unspiritual, inspired by the devil. ¹⁶ For wherever there is jealousy or selfish ambition, there will be disorder and every other kind of evil.

¹⁷ But the wisdom that comes from heaven is first of all pure and full of quiet gentleness. Then it is peace-loving and courteous. It allows discussion and is willing to yield to others; it is full of mercy and good deeds. It is wholehearted and straightforward and sincere. ¹⁸ And those who are peacemakers will plant seeds of peace and reap a harvest of goodness.

4 WHAT IS CAUSING the quarrels and fights among you? Isn't it because there is a whole army of evil desires within you? ² You want what you don't have, so you kill to get it. You long for what others have, and can't afford it, so you start a fight to take it away from them. And yet the reason you don't have what you want is that you don't ask God for it. ³ And even when you do ask you don't get it because your whole aim is wrong—you want only what will give *you* pleasure.

⁴ You are like an unfaithful wife who loves her husband's enemies. Don't you realize that making friends with God's enemies—the evil pleasures of this world —makes you an enemy of God? I say it again, that if your aim is to enjoy the evil pleasure of the unsaved world, you cannot also be a friend of God. ⁵ Or what do you think the Scripture means when it says that the Holy Spirit, whom God has placed within us, watches over us with tender jealousy? ⁶ But he gives us more and more strength to stand against all such evil longings. As the Scripture says, God gives

milde y se opone a los orgullosos y soberbios".

⁷Sométanse humildemente a Dios. Resistan al diablo y huirá de ustedes. ⁸Acérquense a Dios y El se acercará a ustedes. Lávense las manos, pecadores; dejen que el corazón se les llene de Dios y se vuelva puro y fiel a El. ⁹¡Aflíjanse, laméntense, lloren por los pecados cometidos¡!Que la risa se les convierta en llanto y el gozo en tristeza! ¹⁰¡Humíllense delante del Señor y El los pondrá en alto!

¹¹No critiquen ni hablen nunca mal de otro, hermanos míos. El que lo hace se opone a la ley de Dios que ordena amar al prójimo. Nuestro deber no es oponernos a dicha ley sino obedecerla. ¹²Sólo el que nos dio la ley puede constituirse en justo juez nuestro. ¿Qué derecho tenemos entonces de juzgar o criticar a los demás?

¹³Oigan esto los que suelen decir: "Hoy o mañana iremos a tal o cual ciudad, y viviremos allí un año, y estableceremos un negocio bien lucrativo". ¹⁴¡Quién sabe lo que va a suceder mañana! Porque ¿qué es la vida sino efímera neblina que en la mañana aparece y al poco rato se desvanece? ¹⁵Lo que tienen ustedes que decir es: "Si el Señor lo permite, viviremos y haremos esto o aquello". ¹⁶De otro modo se estarán jactando de sus planes, y a Dios no le agradan los soberbios. ¹⁷Y recuerden esto: El que sabe hacer lo bueno y no lo hace, está en pecado.

5 ¡RICOS, ESCUCHEN ESTO! Lloren ahora y griten, porque enorme es la desventura que se les viene encima. ²Las riquezas que ahora tienen están podridas, y la lujosa ropa de que hacen gala está comida por la polilla. ³El oro y la plata que tienen pierden valor cada día, y su devaluación será una evidencia contra ustedes, y devorará su carne como fuego.

Sí, han acumulado grandes riquezas para el día de mañana. ⁴¡Pero escuchen! ¡Ese es el clamor de los campesinos cuyo verdadero jornal nunca han pagado! Sus clamores han llegado a oídos del Señor de los Ejércitos. ⁵Los años que han vivido

strength to the humble, but sets himself against the proud and haughty.

⁷ So give yourselves humbly to God. Resist the devil and he will flee from you. ⁸ And when you draw close to God, God will draw close to you. Wash your hands, you sinners, and let your hearts be filled with God alone to make them pure and true to him. ⁹ Let there be tears for the wrong things you have done. Let there be sorrow and sincere grief. Let there be sadness instead of laughter, and gloom instead of joy. ¹⁰ Then when you realize your worthlessness before the Lord, he will lift you up, encourage and help you.

¹¹ Don't criticize and speak evil about each other, dear brothers. If you do, you will be fighting against God's law of loving one another, declaring it is wrong. But your job is not to decide whether this law is right or wrong, but to obey it. ¹² Only he who made the law can rightly judge among us. He alone decides to save us or destroy. So what right do you have to judge or criticize others?

¹³ Look here, you people who say, "Today or tomorrow we are going to such and such a town, stay there a year, and open up a profitable business." ¹⁴ How do you know what is going to happen tomorrow? For the length of your lives is as uncertain as the morning fog—now you see it; soon it is gone. ¹⁵ What you ought to say is, "If the Lord wants us to, we shall live and do this or that." ¹⁶ Otherwise you will be bragging about your own plans, and such self-confidence never pleases God.

¹⁷ Remember, too, that knowing what is right to do and then not doing it is sin.

5 LOOK HERE, YOU rich men, now is the time to cry and groan with anguished grief because of all the terrible troubles ahead of you. ² Your wealth is even now rotting away, and your fine clothes are becoming mere moth-eaten rags. ³ The value of your gold and silver is dropping fast, yet it will stand as evidence against you, and eat your flesh like fire. That is what you have stored up for yourselves, to receive on that coming day of judgment. ⁴ For listen! Hear the cries of the field workers whom you have cheated of their pay. Their cries have reached the ears of the Lord of Hosts. ⁵ You have spent your years here on

ustedes en este mundo los han dedicado a los deleites, a la satisfacción del más descabellado antojo, y se han cebado como ganado para la matanza. ⁶Y para colmo, han condenado y dado muerte a hombres buenos que no han podido resistirles.

⁷Por eso, hermanos, tengan ustedes paciencia hasta que el Señor vuelva. Sean como el labrador que, paciente, espera la llegada del otoño para recoger los frutos de su trabajo. ⁸Sí, sean pacientes. ¡Animo, que la venida del Señor está cerca!

⁹No estén siempre quejándose de los demás hermanos, porque ¿quién es inmune a las críticas? Además, la venida del Gran Juez está a las puertas, y ya juzgará. ¹⁰Sigamos el ejemplo de paciencia en la aflicción que nos legaron los profetas del Señor, ¹¹seres que ahora disfrutan a plenitud la bienaventuranza de haber sido fieles a El a pesar de los sufrimientos. ¿Quieren mejor ejemplo de paciencia en medio del dolor que el de Job? De su experiencia aprendemos que lo que el Señor permite redunda siempre en bien, porque El es todo ternura y compasión.

¹²Pero sobre todo, hermanos míos, no juren ni por el cielo ni por la tierra ni por nada. Digan simplemente sí o no, no sea que pequen ustedes y Dios los castigue.

¹³¿Que alguien está afligido? Ore por su problema. ¿Que alguien está alegre? Cante alabanzas al Señor. ¹⁴¿Que alguien está enfermo? Llame a los ancianos de la iglesia, quienes orarán por él, le echarán encima un poquito de aceite y pedirán al Señor que lo sane. ¹⁵Y la oración que eleven, si la elevan con fe, sanará al enfermo, porque el Señor pondrá sobre él su mano sanadora; y si la enfermedad es consecuencia de algún pecado, el Señor lo perdonará.

¹⁶Confiésense sus pecados unos a otros, y oren unos por otros para que sean sanados. La ferviente oración de un justo es poderosa y logra maravillas. ¹⁷Elías era tan humano como nosotros, y sin embargo oró fervientemente que no lloviera, y en los siguientes tres años y medio no cayó ni una gota de lluvia. ¹⁸Luego oró que lloviera y llovió a cántaros, y la hierba reverdeció y los huertos volvieron a producir.

¹⁹Hermanos, si alguien un día se aparta del Señor y ustedes lo ayudan a recapaci-

earth having fun, satisfying your every whim, and now your fat hearts are ready for the slaughter. ⁶ You have condemned and killed good men who had no power to defend themselves against you.

⁷ Now as for you, dear brothers who are waiting for the Lord's return, be patient, like a farmer who waits until the autumn for his precious harvest to ripen. ⁸ Yes, be patient. And take courage, for the coming of the Lord is near.

⁹ Don't grumble about each other, brothers. Are you yourselves above criticism? For see! The great Judge is coming. He is almost here. [Let him do whatever criticizing must be done .]

¹⁰ For examples of patience in suffering, look at the Lord's prophets. ¹¹ We know how happy they are now because they stayed true to him then, even though they suffered greatly for it. Job is an example of a man who continued to trust the Lord in sorrow; from his experiences we can see how the Lord's plan finally ended in good, for he is full of tenderness and mercy.

¹² But most of all, dear brothers, do not swear either by heaven or earth or anything else; just say a simple yes or no, so that you will not sin and be condemned for it.

¹³ Is anyone among you suffering? He should keep on praying about it. And those who have reason to be thankful should continually be singing praises to the Lord.

¹⁴ Is anyone sick? He should call for the elders of the church and they should pray over him and pour a little oil upon him, calling on the Lord to heal him. ¹⁵ And their prayer, if offered in faith, will heal him, for the Lord will make him well; and if his sickness was caused by some sin, the Lord will forgive him.

¹⁶ Admit your faults to one another and pray for each other so that you may be healed. The earnest prayer of a righteous man has great power and wonderful results. ¹⁷ Elijah was as completely human as we are, and yet when he prayed earnestly that no rain would fall, none fell for the next three and one half years! ¹⁸ Then he prayed again, this time that it *would* rain, and down it poured and the grass turned green and the gardens began to grow again.

¹⁹ Dear brothers, if anyone has slipped away from God and no longer trusts the Lord, and someone helps him understand

tar, ²⁰habrán librado de la muerte a un alma errante y habrán conseguido el perdón de sus pecados.

Sinceramente,
Santiago

the Truth again, ²⁰ that person who brings him back to God will have saved a wandering soul from death, bringing about the forgiveness of his many sins.

Sincerely,
James

1 PEDRO / 1 PETER

1 REMITENTE: PEDRO, APÓSTOL de Jesucristo.

Destinatarios: Los cristianos judíos que, expulsados de su patria, andan dispersos por Ponto, Galacia, Capadocia, Asia y Bitinia.

²Amados hermanos, Dios el Padre los escogió a ustedes hace muchísimo tiempo y sabía que un día llegarían a ser hijos suyos. Por eso el Espíritu Santo les ha estado limpiando el corazón con la sangre de Jesucristo y los ha estado haciendo obedientes. Que Dios los bendiga ricamente y les conceda cada vez más el estar libres de temores y ansiedades.

³Alabamos al Dios y Padre de nuestro Señor Jesucristo, porque en su infinita misericordia nos concedió el privilegio de nacer de nuevo y pasar a ser de su familia. Gracias a la resurrección de Jesucristo, tenemos una esperanza viva, y ⁴un día hemos de recibir la herencia pura, inmarcesible, inmutable e incorruptible que Dios nos tiene reservada en el cielo.

⁵Como ustedes han depositado en El su fe, con su gran poder los protegerá para que la alcancen. En los postreros días la recibirán ustedes, y todos la verán.

⁶Así que alégrense, porque aunque en el presente sufran diversas aflicciones, el gozo que les espera es extraordinario. ⁷Las tribulaciones presentes ponen a prueba la firmeza y pureza de su fe. Así como el oro se prueba y purifica en el fuego, su fe, que es más valiosa que el oro, es sometida al fuego purificador de las tribulaciones. Si permanecen firmes, recibirán alabanza, gloria y honra el día en que regrese ⁸Aquél a quien aman sin haberlo visto, y en quien confían aunque no lo ven. Por eso el gozo

1 FROM: PETER, JESUS Christ's missionary.

To: The Jewish Christians driven out of Jerusalem and scattered throughout Pontus, Galatia, Cappadocia, Ausia, and Bithynia.

² Dear friends, God the Father chose you long ago and knew you would become his children. And the Holy Spirit has been at work in your hearts, cleansing you with the blood of Jesus Christ and making you to please him. May God bless you richly and grant you increasing freedom from all anxiety and fear.

³ All honor to God, the God and Father of our Lord Jesus Christ; for it is his boundless mercy that has given us the privilege of being born again, so that we are now members of God's own family. Now we live in the hope of eternal life because Christ rose again from the dead. ⁴ And God has reserved for his children the priceless gift of eternal life; it is kept in heaven for you, pure and undefiled, beyond the reach of change and decay. ⁵ And God, in his mighty power, will make sure that you get there safely to receive it, because you are trusting him. It will be yours in that coming last day for all to see. ⁶ So be truly glad! There is wonderful joy ahead, even though the going is rough for a while down here.

⁷ These trials are only to test your faith, to see whether or not it is strong and pure. It is being tested as fire tests gold and purifies it—and your faith is far more precious to God than mere gold; so if your faith remains strong after being tried in the test tube of fiery trials, it will bring you much praise and glory and honor on the day of his return.

⁸ You love him even though you have never seen him; though not seeing him, you trust him; and even now you are happy with

que sienten es profundo, glorioso, indescriptible, ⁹y por eso han alcanzado ustedes la salvación del alma.

¹⁰Aunque los profetas escribieron sobre la salvación, había muchas cosas que no podían comprender completamente. ¹¹Se preguntaban a quién y a qué circunstancia se refería al Espíritu Santo que estaba en ellos, cuando les mandaba que detallaran por escrito los sufrimientos por los que un día Cristo pasaría y las glorias que recibiría tras ellos. ¹²Por fin se les reveló que tales acontecimientos no se producirían en aquella época sino muchos años después, en la nuestra. Ya, por fin, las buenas noticias del cumplimiento de lo profetizado llegaron a nosotros, anunciadas con el mismo poder del Espíritu Santo enviado del cielo que habló a los profetas. Y es tan extraño y maravilloso el mensaje que los ángeles darían cualquier cosa por conocerlo mejor.

¹³Ahora tienen motivos para esperar con más sobriedad e inteligencia las bendiciones que Dios en su bondad derramará sobre ustedes cuando Jesucristo regrese. ¹⁴Como hijos obedientes, obedezcan a Dios; no vuelvan bajo ningún concepto a la vida que llevaban cuando no conocían nada mejor. ¹⁵Sean santos en su manera de vivir, porque el que los invitó a ser hijos suyos es santo. ¹⁶Recuerden que su Palabra dice: "Sean santos, porque yo soy santo". ¹⁷Y recuerden que el Padre celestial que invocan no hace acepción de personas cuando juzga. El juzgará sus acciones con perfecta justicia. Así que actúen con temor reverente mientras peregrinan rumbo al cielo.

¹⁸Para librarnos del fútil y peligroso sendero hacia la eternidad que por tradición seguíamos, Dios pagó un rescate; pero no lo pagó con simple oro o plata, ¹⁹sino con la preciosa sangre de Cristo, el santo e inmaculado Cordero ²⁰que tenía escogido desde antes de la creación del mundo y que por amor a ustedes no manifestó sino hasta estos últimos tiempos. ²¹Por eso pueden depositar su confianza en Dios, quien resucitó a Cristo y le dio gloria. Por eso pueden creer en El y solamente en El. ²²Ahora

the inexpressible joy that comes from heaven itself. ⁹ And your further reward for trusting him will be the salvation of your souls.

¹⁰ This salvation was something the prophets did not fully understand. Though they wrote about it, they had many questions as to what it all could mean. ¹¹ They wondered what the Spirit of Christ within them was talking about, for he told them to write down the events which, since then, have happened to Christ: his suffering, and his great glory afterwards. And they wondered when and to whom all this would happen.

¹² They were finally told that these things would not occur during their lifetime, but long years later, during yours. And now at last this Good News has been plainly announced to all of us. It was preached to us in the power of the same heaven-sent Holy Spirit who spoke to them; and it is all so strange and wonderful that even the angels in heaven would give a great deal to know more about it. ¹³ So now you can look forward soberly and intelligently to more of God's kindness to you when Jesus Christ returns.

¹⁴ Obey God because you are his children; don't slip back into your old ways— doing evil because you knew no better. ¹⁵ But be holy now in everything you do, just as the Lord is holy, who invited you to be his child. ¹⁶ He himself has said, "You must be holy, for I am holy."

¹⁷ And remember that your heavenly Father to whom you pray has no favorites when he judges. He will judge you with perfect justice for everything you do; so act in reverent fear of him from now on until you get to heaven. ¹⁸ God paid a ransom to save you from the impossible road to heaven which your fathers tried to take, and the ransom he paid was not mere gold or silver, as you very well know. ¹⁹ But he paid for you with the precious lifeblood of Christ, the sinless, spotless Lamb of God. ²⁰ God chose him for this purpose long before the world began, but only recently was he brought into public view, in these last days, as a blessing to you.

²¹ Because of this, your trust can be in God who raised Christ from the dead and gave him great glory. Now your faith and hope can rest in him alone. ²² Now you can

pueden ustedes amar de verdad a los demás, pues desde que confiaron en Cristo tienen el alma limpia de egoísmo y odios. Procuren, pues, amarse sincera y entrañablemente ²³porque ahora tienen una nueva vida, vida que no recibieron de sus padres y que jamás se desvanecerá. Esta nueva vida de ustedes es eterna, porque se la dio Cristo, el vivo y eterno Mensaje de Dios. ²⁴Sí, porque "un día nuestras vidas se marchitarán como la hierba. Nuestras glorias son como flores que se marchitan y caen, ²⁵mas la Palabra del Señor permanecerá para siempre".

Y el evangelio que nos ha sido anunciado es la Palabra del Señor.

2 DESECHEN, PUES, TODA maldad. ¡No finjan bondad! Apártense de la hipocresía, las envidias y los chismes. ²,³Si han gustado la bondad y benignidad del Señor, con insistencia de niños recién nacidos que lloran por leche, pídanle que les dé más. Aliméntense con la lectura y la meditación de la Palabra de Dios, y fortalézcanse en el Señor

⁴Acérquense a Cristo, Roca viva que los hombres despreciaron, pero que para Dios es escogida y valiosa. ⁵Ahora ustedes son también piedras vivientes que Dios utiliza para construir su casa. Es más, son sus sacerdotes santos. Así que acérquense a El (ante El son ustedes aceptables gracias a Jesucristo) y ofrézcanle las cosas que le agradan. ⁶Como dicen las Escrituras: "Envío a Cristo para que sea la escogida y preciosa piedra angular de mi iglesia, y jamás defraudaré a los que creen en El".

⁷Sí, El es precioso para los que creemos; pero para los que lo rechazan, las Escrituras dicen: "La piedra que los edificadores desecharon es ahora la cabeza del ángulo, la más honorable e importante parte del edificio". ⁸Y en otro lado dicen: "El es la Piedra en la que muchos tropezarán, y la Roca que a muchos hará caer". Caerán porque no escuchan ni obedecen la Palabra de Dios. Tienen que ser castigados; caerán.

⁹Ustedes, en cambio, son linaje escogido de Dios, sacerdotes del Rey, nación santa,

have real love for everyone because your souls have been cleansed from selfishness and hatred when you trusted Christ to save you; so see to it that you really do love each other warmly, with all your hearts.

²³ For you have a new life. It was not passed on to you from your parents, for the life they gave you will fade away. This new one will last forever, for it comes from Christ, God's ever-living Message to men. ²⁴ Yes, our natural lives will fade as grass does when it becomes all brown and dry. All our greatness is like a flower that droops and falls; ²⁵ but the Word of the Lord will last forever. And his message is the Good News that was preached to you.

2 SO GET RID of your feelings of hatred. Don't just pretend to be good! Be done with dishonesty and jealousy and talking about others behind their backs. ²,³ Now that you realize how kind the Lord has been to you, put away all evil, deception, envy, and fraud. Long to grow up into the fullness of your salvation; cry for this as a baby cries for his milk. ⁴ Come to Christ, who is the living Foundation of Rock upon which God builds; though men have spurned him, he is very precious to God who has chosen him above all others.

⁵ And now you have become living building-stones for God's use in building his house. What's more, you are his holy priests; so come to him—[you who are acceptable to him because of Jesus Christ] —and offer to God those things that please him. ⁶ As the Scriptures express it, "See, I am sending Christ to be the carefully chosen, precious Cornerstone of my church, and I will never disappoint those who trust in him."

⁷ Yes, he is very precious to you who believe; and to those who reject him, well —"The same Stone that was rejected by the builders has become the Cornerstone, the most honored and important part of the building." ⁸ And the Scriptures also say, "He is the Stone that some will stumble over, and the Rock that will make them fall." They will stumble because they will not listen to God's Word, nor obey it, and so this punishment must follow—that they will fall.

⁹ But you are not like that, for you have been chosen by God himself—you are

pueblo que Dios ha adquirido para que anuncien las virtudes del que los llamó de las tinieblas a su luz admirable. ¹⁰Antes no eran nadie, pero ahora son pueblo de Dios. Antes desconocían la misericordia de Dios, pero ahora la disfrutan a plenitud.

¹¹Amados hermanos, en este mundo no son ustedes más que extranjeros y peregrinos. Absténganse de los deseos carnales que batallan contra el alma. ¹²Cuiden cómo viven entre los que no conocen a Dios; porque así, aunque recelen de ustedes y los critiquen, el día en que Cristo venga alabarán a Dios por sus buenas obras.

¹³Por amor a Dios, obedezcan a las autoridades: al rey porque es el jefe de estado; ¹⁴a sus funcionarios porque él los tiene para castigar a los malhechores y honrar a las personas de bien. ¹⁵Dios quiere que lleven ustedes una vida tan limpia que acalle las murmuraciones de los insensatos que critican el evangelio sin saber el inmenso bien que éste puede traerles.

¹⁶Es cierto que son libres, pero no deben tomar su libertad como pretexto para hacer el mal. Empléenla en hacer única y exclusivamente la voluntad de Dios.

¹⁷Sean siempre respetuosos. Amen a los demás cristianos. Teman a Dios. Honren a sus gobernantes.

¹⁸Siervos, obedezcan y respeten a sus amos, ya sean éstos bondadosos y razonables o duros y crueles. ¹⁹¡Alaben al Señor si los castigan por hacer lo bueno! ²⁰No hay mérito alguno en ser pacientes si nos castigan por haber hecho algo malo; pero si nos castigan por hacer lo bueno y soportamos pacientemente las bofetadas, Dios se complace. ²¹Sufrir es parte de nuestro deber. Cristo, al sufrir por nosotros, nos dio un ejemplo. Imitémoslo. ²²El nunca pecó; jamás una mentira brotó de sus labios; ²³jamás respondió a los que lo insultaban; en medio de sus padecimientos nunca amenazó con vengarse, sino que lo dejó todo en las manos del que juzga justamente: Dios. ²⁴Mientras moría en la cruz, sobre su propio cuerpo llevaba nuestros pecados; es por eso que podemos morir al pecado y llevar una

priests of the King, you are holy and pure, you are God's very own—all this so that you may show to others how God called you out of the darkness into his wonderful light. ¹⁰ Once you were less than nothing; now you are God's own. Once you knew very little of God's kindness; now your very lives have been changed by it.

¹¹ Dear brothers, you are only visitors here. Since your real home is in heaven I beg you to keep away from the evil pleasures of this world; they are not for you, for they fight against your very souls.

¹² Be careful how you behave among your unsaved neighbors; for then, even if they are suspicious of you and talk against you, they will end up praising God for your good works when Christ returns. ¹³ For the Lord's sake, obey every law of your government: those of the king as head of the state, ¹⁴ and those of the king's officers, for he has sent them to punish all who do wrong, and to honor those who do right.

¹⁵ It is God's will that your good lives should silence those who foolishly condemn the Gospel without knowing what it can do for them, having never experienced its power. ¹⁶ You are free from the law, but that doesn't mean you are free to do wrong. Live as those who are free to do only God's will at all times.

¹⁷ Show respect for everyone. Love Christians everywhere. Fear God and honor the government.

¹⁸ Servants, you must respect your masters and do whatever they tell you—not only if they are kind and reasonable, but even if they are tough and cruel. ¹⁹ Praise the Lord if you are punished for doing right! ²⁰ Of course, you get no credit for being patient if you are beaten for doing wrong; but if you do right and suffer for it, and are patient beneath the blows, God is well pleased.

²¹ This suffering is all part of the work God has given you. Christ, who suffered for you, is your example. Follow in his steps: ²² He never sinned, never told a lie, ²³ never answered back when insulted; when he suffered he did not threaten to get even; he left his case in the hands of God who always judges fairly. ²⁴ He personally carried the load of our sins in his own body when he died on the cross, so that we can be finished with sin and live a good life from now on.

vida pura. ¡Sus heridas sanaron las nuestras! 25Como ovejas descarriadas andábamos alejados de Dios, pero ya estamos de nuevo bajo la protección del Pastor y Guardián de nuestras almas.

3 ESPOSAS, ACOMÓDENSE A los planes de sus esposos; es probable que los que no creen el mensaje que predicamos cambien de opinión ante su respetuoso y puro comportamiento. ¡No hay mejor mensaje que el de una buena conducta!

3No se preocupen demasiado de la belleza que depende de las joyas, vestidos lujosos y peinados ostentosos. 4La mejor belleza es la que se lleva dentro; no hay belleza más perdurable ni que agrade más a Dios que la de un espíritu afable y apacible. 5Esa era la belleza que ostentaban aquellas santas mujeres de la antigüedad que confiaban en Dios y se acomodaban a los planes de sus esposos.

6Sara, por ejemplo, obedecía a Abraham y lo respetaba como jefe de la familia. Si ustedes hacen el bien, estarán imitando a Sara como buenas hijas, y no tendrán por qué temblar ante la posibilidad de estar ofendiendo a sus esposos.

7Esposos, cuiden a sus esposas; sean considerados con ellas, porque son el sexo débil. Recuerden que sus esposas y ustedes son socios en cuanto a la recepción de las bendiciones de Dios, y si no las tratan como es debido, sus oraciones no recibirán prontas respuestas.

8Finalmente, sean como una familia grande, feliz, compasiva, donde reine el amor fraternal. Sean cariñosos y humildes. 9Nunca paguen mal por mal ni insulto por insulto. Al contrario, pidan que Dios ayude a los que les hayan hecho mal, y Dios los bendecirá por ello.

10Si desean una vida feliz y agradable, refrenen su lengua y no mientan. 11Apártense del mal y hagan el bien. Procuren vivir en paz a toda costa; 12porque si bien es cierto que el Señor cuida a sus hijos y está atento a sus oraciones, se opone duramente a los que hacen el mal.

13Normalmente nadie les hará daño por querer hacer el bien. 14Pero si alguien los hace padecer por eso, dignos son ustedes de envidia porque Dios los recompensará.

For his wounds have healed ours! 25 Like sheep you wandered away from God, but now you have returned to your Shepherd, the Guardian of your souls who keeps you safe from all attacks.

3 WIVES, FIT IN with your husbands' plans; for then if they refuse to listen when you talk to them about the Lord, they will be won by your respectful, pure behavior. Your godly lives will speak to them better than any words.

3 Don't be concerned about the outward beauty that depends on jewelry, or beautiful clothes, or hair arrangement. 4 Be beautiful inside, in your hearts, with the lasting charm of a gentle and quiet spirit which is so precious to God. 5 That kind of deep beauty was seen in the saintly women of old, who trusted God and fitted in with their husbands' plans.

6 Sarah, for instance, obeyed her husband Abraham, honoring him as head of the house. And if you do the same, you will be following in her steps like good daughters and doing what is right; then you will not need to fear [offending your husbands].

7 You husbands must be careful of your wives, being thoughtful of their needs and honoring them as the weaker sex. Remember that you and your wife are partners in receiving God's blessings, and if you don't treat her as you should, your prayers will not get ready answers.

8 And now this word to all of you: You should be like one big happy family, full of sympathy toward each other, loving one another with tender hearts and humble minds. 9 Don't repay evil for evil. Don't snap back at those who say unkind things about you. Instead, pray for God's help for them, for we are to be kind to others, and God will bless us for it.

10 If you want a happy, good life, keep control of your tongue, and guard your lips from telling lies. 11 Turn away from evil and do good. Try to live in peace even if you must run after it to catch and hold it! 12 For the Lord is watching his children, listening to their prayers; but the Lord's face is hard against those who do evil.

13 Usually no one will hurt you for wanting to do good. 14 But even if they should, you are to be envied, for God will reward

¹⁵Calladamente encomiéndense a Cristo su Señor, y estén listos a responder amable y respetuosamente a cualquiera que les pregunte por qué tienen tal fe.

¹⁶Pero eso sí; actúen siempre correctamente. Así si alguien habla mal de ustedes o los insulta, un día se avergonzará de haberlos acusado injustamente. ¹⁷Además, recuerden que si Dios desea que sufran, mejor es que sufran por hacer el bien que por hacer el mal.

¹⁸A Cristo también le tocó sufrir. Aunque jamás había cometido pecado, un día ofrendó su vida por nosotros los pecadores, para llevarnos a Dios. Pero aunque su cuerpo murió, su espíritu siguió viviendo, ¹⁹y en espíritu fue y predicó a los espíritus encarcelados ²⁰de los que, en los días de Noé, desobedecieron a Dios, a pesar de que El los esperó pacientemente mientras Noé construía el arca. ¡Sólo ocho personas se salvaron de ahogarse en aquel terrible diluvio! ²¹(Las aguas de aquel diluvio simbolizan el bautismo: en el bautismo expresamos que hemos sido librados de la muerte y de la condenación mediante la resurrección de Jesucristo; y esto no porque el agua nos lave el cuerpo sino porque al bautizarnos nos volvemos a Dios y le pedimos que nos limpie de pecado.) ²²Y ahora Cristo está en el cielo, sentado en el sitio de más alto honor junto a Dios el Padre, y los ángeles y las autoridades y potestades celestiales se inclinan ante El y lo obedecen.

4 PUESTO QUE CRISTO sufrió y soportó dolores por nosotros, ustedes deben estar dispuestos a sufrir por El. Recuerden que cuando el cuerpo sufre, el pecado pierde su poder, ²y uno no malgasta el tiempo corriendo tras los placeres, porque está ansioso de hacer la voluntad de Dios. ³Basta ya que en el pasado hayan estado entregados a las maldades que encantan a los impíos (pecados sexuales, pasiones desenfrenadas, borracheras, comilonas, embriagueces e idolatrías), todo lo cual lleva a cometer pecados terribles.

⁴Por supuesto, sus antiguos compañeros se sorprenderán de que ya no se unan ustedes a sus desenfrenos de disolución, y se reirán de su nuevo modo de vida. ⁵Recuerden sin embargo, que un día tendrán que dar cuentas ante el Juez de vivos y

you for it. ¹⁵ Quietly trust yourself to Christ your Lord and if anybody asks why you believe as you do, be ready to tell him, and do it in a gentle and respectful way.

¹⁶ Do what is right; then if men speak against you, calling you evil names, they will become ashamed of themselves for falsely accusing you when you have only done what is good. ¹⁷ Remember, if God wants you to suffer, it is better to suffer for doing good than for doing wrong!

¹⁸ Christ also suffered. He died once for the sins of all us guilty sinners, although he himself was innocent of any sin at any time, that he might bring us safely home to God. But though his body died, his spirit lived on, ¹⁹ and it was in the spirit that he visited the spirits in prison, and preached to them— ²⁰ spirits of those who, long before in the days of Noah, had refused to listen to God, though he waited patiently for them while Noah was building the ark. Yet only eight persons were saved from drowning in that terrible flood. ²¹ (That, by the way, is what baptism pictures for us: In baptism we show that we have been saved from death and doom by the resurrection of Christ; not because our bodies are washed clean by the water, but because in being baptized we are turning to God and asking him to cleanse our *hearts* from sin.) ²² And now Christ is in heaven, sitting in the place of honor next to God the Father, with all the angels and powers of heaven bowing before him and obeying him.

4 SINCE CHRIST SUFFERED and underwent pain, you must have the same attitude he did; you must be ready to suffer, too. For remember, when your body suffers, sin loses its power, ² and you won't be spending the rest of your life chasing after evil desires, but will be anxious to do the will of God. ³ You have had enough in the past of the evil things the godless enjoy— sex sin, lust, getting drunk, wild parties, drinking bouts, and the worship of idols, and other terrible sins.

⁴ Of course, your former friends will be very surprised when you don't eagerly join them any more in the wicked things they do, and they will laugh at you in contempt and scorn. ⁵ But just remember that they must face the Judge of all, living and dead; they will be punished for the way they have

muertos. ⁶Por eso es que el evangelio fue predicado a los muertos, para que, al igual que Dios, vivieran en espíritu, aun cuando recibieran el castigo de la muerte física como todos los hombres.

⁷El fin del mundo se acerca; sean ustedes sobrios y velen en oración. ⁸Y sobre todo, ámense unos a otros fervientemente, porque el amor disimula multitud de faltas. ⁹Brinden espontáneamente sus hogares a los que alguna vez puedan necesitar albergue o un plato de comida.

¹⁰Dios ha concedido a cada uno de ustedes distintas habilidades características. ¡Empléenlas en ayudarse mutuamente! ¡Compartan con otros las multiformes bendiciones de Dios!

¹¹¿Te sientes llamado a predicar? Predica entonces como si Dios mismo hablara a través de ti. ¿Te sientes inclinado a ayudar a los demás? Hazlo con todas las energías que Dios te dé, para que El se glorifique a través de Jesucristo. ¡A El sean dados la gloria y el poder para siempre! Amén.

¹²Hermanos, no se turben ni sorprendan cuando les toque pasar por el fuego de las pruebas que les esperan, porque lo que les va a suceder no es extraño. ¹³Al contrario, gócense; porque al pasar por tales pruebas están participando de los padecimientos de Cristo, y tendrán la inmensa alegría de compartir su gloria el día en que ésta se manifieste. ¹⁴Alégrense si los maldicen e insultan por ser cristianos, porque cuando esto suceda el Espíritu de Dios descenderá sobre ustedes con gran gloria

¹⁵Vergonzoso es que a uno lo condenen por asesino, ladrón o entrometido. ¹⁶Pero no es vergonzoso sufrir por ser cristiano. Al contrario, ¡tenemos que dar gracias a Dios por el privilegio de pertenecer a la familia de Cristo! ¹⁷Ya ha llegado la hora del juicio, y éste tiene que comenzar por los hijos de Dios. ¹⁸Pero si aun nosotros los cristianos tenemos que ser juzgados, ¿cuánto más terrible no será la suerte de los que no han creído en el Señor? ¹⁹Así que si es la voluntad de Dios que ustedes padezcan, sigan haciendo el bien y encomienden sus almas al Creador, porque El nunca les faltará.

lived. ⁶ That is why the Good News was preached even to those who were dead— killed by the flood —so that although their bodies were punished with death, they could still live in their spirits as God lives.

⁷ The end of the world is coming soon. Therefore be earnest, thoughtful men of prayer. ⁸ Most important of all, continue to show deep love for each other, for love makes up for many of your faults. ⁹ Cheerfully share your home with those who need a meal or a place to stay for the night.

¹⁰ God has given each of you some special abilities; be sure to use them to help each other, passing on to others God's many kinds of blessings. ¹¹ Are you called to preach? Then preach as though God himself were speaking through you. Are you called to help others? Do it with all the strength and energy that God supplies, so that God will be glorified through Jesus Christ—to him be glory and power forever and ever. Amen.

¹² Dear friends, don't be bewildered or surprised when you go through the fiery trials ahead, for this is no strange, unusual thing that is going to happen to you. ¹³ Instead, be really glad—because these trials will make you partners with Christ in his suffering, and afterwards you will have the wonderful joy of sharing his glory in that coming day when it will be displayed.

¹⁴ Be happy if you are cursed and insulted for being a Christian, for when that happens the Spirit of God will come upon you with great glory. ¹⁵ Don't let me hear of your suffering for murdering or stealing or making trouble or being a busybody and prying into other people's affairs. ¹⁶ But it is no shame to suffer for being a Christian. Praise God for the privilege of being in Christ's family and being called by his wonderful name! ¹⁷ For the time has come for judgment, and it must begin first among God's own children. And if even we who are Christians must be judged, what terrible fate awaits those who have never believed in the Lord? ¹⁸ If the righteous are barely saved, what chance will the godless have?

¹⁹ So if you are suffering according to God's will, keep on doing what is right and trust yourself to the God who made you, for he will never fail you.

5 Y AHORA, DOS palabras para los ancianos de la iglesia. Yo, anciano también, que con mis propios ojos vi morir a Cristo en la cruz y que participaré de su gloria y honor cuando El regrese, les suplico lo siguiente:

[2] Alimenten el rebaño de Dios; cuiden de él voluntariamente, no a regañadientes; y no por ambiciones económicas sino porque desean servir al Señor. [3] No los traten despóticamente, sino guíenlos con el buen ejemplo. [4] Así, cuando el Príncipe de los pastores vuelva, ustedes participarán eternamente de su gloria y honor.

[5] Jóvenes, sométanse a la autoridad de los ancianos. Sírvanse unos a otros con humildad, porque Dios se opone a los orgullosos y derrama extraordinariamente bendiciones sobre los humildes. [6] Si se humillan bajo la poderosa mano de Dios, El a su debido tiempo los ensalzará.

[7] Encomiéndenle sus ansiedades, porque El siempre cuida de ustedes.

[8] ¡Cuidado con los ataques de Satanás, nuestro gran enemigo! Este, como león rugiente, anda siempre buscando a quién devorar. [9] Manténganse firmes cuando los ataque. Confíen en el Señor. No olviden que todos los cristianos pasan por los mismos sufrimientos. [10] Después que hayan padecido un poco, Dios, ese Dios nuestro tan lleno de bondad, a través de Cristo les dará a ustedes su gloria eterna. El mismo los perfeccionará y afirmará, y estarán más fuertes y seguros que nunca. [11] A El sean dados la gloria y el poder para siempre. Amén.

[12] Les envío esta carta por conducto de Silvano, quien, a juicio mío, es un hermano fiel. Espero que la presente les sea de estímulo, pues he tratado de ofrecerles un informe veraz sobre la manera en que Dios bendice. Lo que les he dicho en esta carta ha de ayudarles a permanecer firmes en su amor.

[13] La que está en Babilonia, les manda saludos, Igualmente los saluda mi hijo Marcos. [14] Abrácense unos a otros en amor cristiano. Que la paz esté con ustedes los que están en Cristo.

Sinceramente,
Pedro

5 AND NOW, A word to you elders of the church. I, too, am an elder; with my own eyes I saw Christ dying on the cross; and I, too, will share his glory and his honor when he returns. Fellow elders, this is my plea to you: [2] Feed the flock of God; care for it willingly, not grudgingly; not for what you will get out of it, but because you are eager to serve the Lord. [3] Don't be tyrants, but lead them by your good example, [4] and when the Head Shepherd comes, your reward will be a never-ending share in his glory and honor.

[5] You younger men, follow the leadership of those who are older. And all of you serve each other with humble spirits, for God gives special blessings to those who are humble, but sets himself against those who are proud. [6] If you will humble yourselves under the mighty hand of God, in his good time he will lift you up.

[7] Let him have all your worries and cares, for he is always thinking about you and watching everything that concerns you.

[8] Be careful—watch out for attacks from Satan, your great enemy. He prowls around like a hungry, roaring lion, looking for some victim to tear apart. [9] Stand firm when he attacks. Trust the Lord; and remember that other Christians all around the world are going through these sufferings too.

[10] After you have suffered a little while, our God, who is full of kindness through Christ, will give you his eternal glory. He personally will come and pick you up, and set you firmly in place, and make you stronger than ever. [11] To him be all power over all things, forever and ever. Amen.

[12] I am sending this note to you through the courtesy of Silvanus who is, in my opinion, a very faithful brother. I hope I have encouraged you by this letter for I have given you a true statement of the way God blesses. What I have told you here should help you to stand firmly in his love.

[13] The church here in Rome —she is your sister in the Lord—sends you her greetings; so does my son Mark. [14] Give each other the handshake of Christian love. Peace be to all of you who are in Christ.

Peter

2 PEDRO / 2 PETER

1 REMITENTE: SIMÓN PEDRO, siervo y apóstol de Jesucristo.

Destinatarios: Ustedes los que han alcanzado una fe tan preciosa como la nuestra, fe que Jesucristo nuestro justo Dios y Salvador nos da.

² ¿Quieren que la gracia y la paz de Dios les sean multiplicadas? Traten cada día de conocer mejor a Dios y a Jesucristo y se les concederá. ³ Porque a medida que lo conozcan mejor, El en su gran poder les dará lo que necesitan para llevar una vida verdaderamente piadosa. ¡El comparte con nosotros hasta su propia gloria y excelencia! ⁴ Además, por medio de ese mismo gran poder nos ha dado preciosas y grandísimas promesas. Por ejemplo, nos ha prometido salvarnos de la lascivia y la corrupción de este mundo y hacernos partícipes de la naturaleza divina.

⁵ Pero para obtener estos dones debemos tener fe. Y además de fe, buena conducta. Y además de buena conducta, entendimiento de Dios y de su divina voluntad. ⁶ Y además de este entendimiento, dominio propio. Y además de dominio propio, paciencia para con los demás. Y además de paciencia, piedad. ⁷ Y además de piedad, afecto fraternal. Y además de afecto fraternal, amor.

⁸ Mientras más virtudes añadamos a la lista, más nos fortaleceremos espiritualmente, y más fructíferos y útiles seremos a nuestro Señor Jesucristo. ⁹ Por otro lado, el que no procure añadir virtudes a su fe, ciego o corto de vista es, porque ha olvidado que Dios lo libertó de la vieja vida de pecado que llevaba y que ahora puede y debe llevar una vida sana y piadosa para el Señor.

¹⁰ Así que, amados hermanos, procuren demostrar que pueden ser contados entre los que Dios ha llamado y escogido. Así nunca tropezarán ni caerán, ¹¹ y les será concedida amplia y generosa entrada en el reino eterno de nuestro Señor y Salvador Jesucristo.

¹² Jamás dejaré de recordarles estas cosas, aun cuando las sepan y permanezcan firmes en la verdad. ¹³,¹⁴ El Señor Jesucristo

1 FROM: SIMON PETER, a servant and missionary of Jesus Christ.

To: All of you who have our kind of faith. The faith I speak of is the kind that Jesus Christ our God and Savior gives to us. How precious it is, and how just and good he is to give this same faith to each of us.

² Do you want more and more of God's kindness and peace? Then learn to know him better and better. ³ For as you know him better, he will give you, through his great power, everything you need for living a truly good life: he even shares his own glory and his own goodness with us! ⁴ And by that same mighty power he has given us all the other rich and wonderful blessings he promised; for instance, the promise to save us from the lust and rottenness all around us, and to give us his own character.

⁵ But to obtain these gifts, you need more than faith; you must also work hard to be good, and even that is not enough. For then you must learn to know God better and discover what he wants you to do. ⁶ Next, learn to put aside your own desires so that you will become patient and godly, gladly letting God have his way with you. ⁷ This will make possible the next step, which is for you to enjoy other people and to like them, and finally you will grow to love them deeply. ⁸ The more you go on in this way, the more you will grow strong spiritually and become fruitful and useful to our Lord Jesus Christ. ⁹ But anyone who fails to go after these additions to faith is blind indeed, or at least very shortsighted, and has forgotten that God delivered him from the old life of sin so that now he can live a strong, good life for the Lord.

¹⁰ So, dear brothers, work hard to prove that you really are among those God has called and chosen, and then you will never stumble or fall away. ¹¹ And God will open wide the gates of heaven for you to enter into the eternal kingdom of our Lord and Savior Jesus Christ.

¹² I plan to keep on reminding you of these things even though you already know them and are really getting along quite well! ¹³,¹⁴ But the Lord Jesus Christ has showed

me ha revelado que mis días en este mundo están contados, y que pronto he de partir; pero mientras viva los mantendré despiertos con recordatorios como éstos, ¹⁵con la esperanza de que queden tan grabados en su mente que los recuerden aun mucho después de mi partida.

¹⁶No crean ustedes que les hemos estado relatando cuentos de hadas, cuando les hemos hablado del poder de nuestro Señor Jesucristo y de su segundo advenimiento. No. Con mis propios ojos vi su majestad ¹⁷,¹⁸allá en el Monte Santo cuando resplandeció con la honra y la gloria de Dios Padre. Yo escuché la gloriosa e imponente voz que desde el cielo dijo: "Este es mi Hijo amado; en El me complazco".

¹⁹Así que si nosotros presenciamos y comprobamos el cumplimiento de las profecías, bien harían ustedes en examinarlas cuidadosamente, porque como antorchas que disipan la oscuridad, sus palabras permiten entender muchas cosas que de otra manera serían oscuras y difíciles. Cuando consideramos las formidables verdades que expresaron los profetas, el día esclarece en nuestras almas; y Cristo, la Estrella de la Mañana, brilla en nuestros corazones. ²⁰,²¹Porque ninguna de las profecías de las Escrituras es fruto del intelecto humano, sino que aquellos santos hombres de Dios, los profetas, hablaron inspirados por el Espíritu Santo.

2 PERO ASÍ COMO en el pasado hubo falsos profetas, entre ustedes surgirán falsos maestros que veladamente les mentirán acerca de Dios y hasta se volverán contra el mismo Señor que los salvó. ¡El fin de los tales será repentino y terrible!

²Pero muchos seguirán sus perversas enseñanzas, especialmente la de que no hay nada malo en el libertinaje sexual, y esto hará que se hable mal del evangelio.

³Tan avariciosos serán esos maestros que les dirán cualquier cosa con tal de sacarles dinero. Pero no se preocupen ustedes; Dios hace tiempo que ha dictado sentencia contra ellos, y ya les llegará la hora del castigo. ⁴Dios no perdonó a los ángeles que pecaron, sino que los arrojó al infierno y los dejó encadenados en prisiones de oscuridad hasta el día del juicio. ⁵Con la excepción de Noé (pregonero de las verdades divinas) y sus siete familiares, no per-

me that my days here on earth are numbered, and I am soon to die. As long as I am still here I intend to keep sending these reminders to you, ¹⁵ hoping to impress them so clearly upon you that you will remember them long after I have gone.

¹⁶ For we have not been telling you fairy tales when we explained to you the power of our Lord Jesus Christ and his coming again. My own eyes have seen his splendor and his glory: ¹⁷,¹⁸ I was there on the holy mountain when he shone out with honor given him by God his Father; I heard that glorious, majestic voice calling down from heaven, saying, "This is my much-loved Son; I am well pleased with him."

¹⁹ So we have seen and proved that what the prophets said came true. You will do well to pay close attention to everything they have written, for, like lights shining into dark corners, their words help us to understand many things that otherwise would be dark and difficult. But when you consider the wonderful truth of the prophets' words, then the light will dawn in your souls and Christ the Morning Star will shine in your hearts. ²⁰,²¹ For no prophecy recorded in Scripture was ever thought up by the prophet himself. It was the Holy Spirit within these godly men who gave them true messages from God.

2 BUT THERE WERE false prophets, too, in those days, just as there will be false teachers among you. They will cleverly tell their lies about God, turning against even their Master who bought them; but theirs will be a swift and terrible end. ² Many will follow their evil teaching that there is nothing wrong with sexual sin. And because of them Christ and his way will be scoffed at.

³ These teachers in their greed will tell you anything to get hold of your money. But God condemned them long ago and their destruction is on the way. ⁴ For God did not spare even the angels who sinned, but threw them into hell, chained in gloomy caves and darkness until the judgment day. ⁵ And he did not spare any of the people who lived in ancient times before the flood except Noah, the one man who spoke up for God, and his family of seven. At that time

donó al mundo antiguo sino que envió el diluvio para destruir completamente a los impíos. ⁶Más tarde, redujo a cenizas las ciudades de Sodoma y Gomorra y las borró de la superficie de la tierra para que sirviera de advertencia a los impíos de las generaciones futuras, ⁷,⁸pero al mismo tiempo rescató a Lot porque era un hombre justo y estaba asqueado de las perversidades que veía cometer a diario en Sodoma. ⁹No cabe duda entonces de que el Señor sabrá rescatarnos de las tentaciones que nos abruman y reservará el castigo de los injustos para el día del juicio.

¹⁰El Señor es excepcionalmente severo con los que andan siempre con pensamientos malos y libertinos y son tan orgullosos y testarudos que no temen burlarse de los poderes del mundo invisible. ¹¹Ni siquiera los ángeles del cielo, que están en la presencia del Señor y son mayores en fuerza y potencia que cualquiera de esos falsos maestros, se atreven a hablar de ellos irrespetuosamente. ¹²Pero estos falsos maestros, como animales irracionales que nacen para ser apresados y matados, se guían únicamente por los instintos. En su insensatez se burlan de los poderes del mundo invisible (aunque muy poco saben ellos). Pero un día, como animales también, perecerán ¹³por vivir continuamente entregados al pecado y a la perdición.

Ciertamente, es una vergüenza y un escándalo que entre ustedes haya individuos que aunque participan en sus convites como personas decentes, viven entregados al pecado. ¹⁴No hay mujer que se escape de sus lujuriosas miradas y no se cansan de cometer adulterio. Para ellos seducir mujeres débiles es un deporte. En la avaricia tienen maestría. Son tan condenados y malditos, ¹⁵andan tan descarriados, que muy bien podría llamárseles seguidores de Balaam, el hijo de Beor, quien por ganar dinero hacía cualquier cosa y ¹⁶tuvo que ser reprendido por su iniquidad. (Un día su burra habló con voz humana y refrenó la locura de Balaam.)

¹⁷Estos individuos son como manantiales secos: prometen mucho y dan poco y son inestables como nubes de vendaval. ¡Están condenados a pasar la eternidad en la más negra oscuridad!

¹⁸Uno los escucha y no hacen más que jactarse de sus pecados y conquistas. Lo

God completely destroyed the whole world of ungodly men with the vast flood. ⁶ Later, he turned the cities of Sodom and Gomorrah into heaps of ashes and blotted them off the face of the earth, making them an example for all the ungodly in the future to look back upon and fear.

⁷,⁸ But at the same time the Lord rescued Lot out of Sodom because he was a good man, sick of the terrible wickedness he saw everywhere around him day after day. ⁹ So also the Lord can rescue you and me from the temptations that surround us, and continue to punish the ungodly until the day of final judgment comes. ¹⁰ He is especially hard on those who follow their own evil, lustful thoughts, and those who are proud and willful, daring even to scoff at the Glorious Ones without so much as trembling, ¹¹ although the angels in heaven who stand in the very presence of the Lord, and are far greater in power and strength than these false teachers, never speak out disrespectfully against these evil Mighty Ones.

¹² But false teachers are fools—no better than animals. They do whatever they feel like; born only to be caught and killed, they laugh at the terrifying powers of the underworld which they know so little about; and they will be destroyed along with all the demons and powers of hell.

¹³ That is the pay these teachers will have for their sin. For they live in evil pleasures day after day. They are a disgrace and a stain among you, deceiving you by living in foul sin on the side while they join your love feasts as though they were honest men. ¹⁴ No woman can escape their sinful stare, and of adultery they never have enough. They make a game of luring unstable women. They train themselves to be greedy; and are doomed and cursed. ¹⁵ They have gone off the road and become lost like Balaam, the son of Beor, who fell in love with the money he could make by doing wrong; ¹⁶ but Balaam was stopped from his mad course when his donkey spoke to him with a human voice, scolding and rebuking him.

¹⁷ These men are as useless as dried-up springs of water, promising much and delivering nothing; they are as unstable as clouds driven by the storm winds. They are doomed to the eternal pits of darkness. ¹⁸ They proudly boast about their sins and conquests, and, using lust as their bait, they

más triste es que, apelando a los deseos de la naturaleza humana, seducen a los que acaban de apartarse de semejante vida de corrupción. [19]"Uno no se salva por ser bueno", dicen, "así que da lo mismo ser malo que ser bueno. Uno puede hacer lo que le plazca, porque para eso somos libres". Lo curioso es que esos mismos maestros que ofrecen la "libertad" de la ley son esclavos del pecado y de la destrucción. El hombre es esclavo de cualquier cosa que lo domine. [20]Y si una persona que había escapado de los perversos caminos del mundo (por haber conocido a nuestro Señor y Salvador Jesucristo) vuelve a caer en pecado, queda peor que antes. [21]Mejor le hubiera sido no haber conocido a Cristo que luego tirar a un lado los santos mandamientos que le fueron dados. [22]Hay un viejo proverbio que dice: "El perro vuelve a su vómito, y la puerca lavada a revolcarse en el cieno". Así pasa con los que vuelven a entregarse al pecado.

3 AMADOS, ÉSTA ES la segunda carta que les escribo, y en ambas he tratado de recordarles las cosas que aprendieron por conducto de los santos profetas y de nosotros los apóstoles que les trajimos el mensaje de nuestro Señor y Salvador.

[3]Antes que nada, deseo recordarles que en los postreros días vendrán burladores que harán cuanto de malo se les ocurra y se mofarán de la verdad. [4]Dirán por ejemplo: "¡Conque Jesús prometió regresar! ¿Por qué no lo ha hecho ya? Apuesto a que no regresará. ¡Hasta donde podemos recordar todo ha permanecido exactamente igual desde el primer día de la creación!"

[5,6]Olvidan voluntariamente que Dios destruyó el mundo con un gran diluvio mucho después de que surgieron los cielos a una orden suya, y mucho después de haber usado las aguas para formar la tierra y rodearla. [7]Pero Dios ahora ha ordenado que la tierra sea reservada para la gran conflagración del día del juicio, en que todos los impíos perecerán.

[8,9]No olviden ustedes, amados míos, que para el Señor un día es como mil años, y mil años como un día. El Señor no demora el cumplimiento de su promesa, como algunos suponen, sino que no quiere que nadie se

lure back into sin those who have just escaped from such wicked living.

[19] "You aren't saved by being good," they say, "so you might as well be bad. Do what you like, be free."

But these very teachers who offer this "freedom" from law are themselves slaves to sin and destruction. For a man is a slave to whatever controls him. [20] And when a person has escaped from the wicked ways of the world by learning about our Lord and Savior Jesus Christ, and then gets tangled up with sin and becomes its slave again, he is worse off than he was before. [21] It would be better if he had never known about Christ at all than to learn of him and then afterwards turn his back on the holy commandments that were given to him. [22] There is an old saying that "A dog comes back to what he has vomited, and a pig is washed only to come back and wallow in the mud again." That is the way it is with those who turn again to their sin.

3 THIS IS MY second letter to you, dear brothers, and in both of them I have tried to remind you—if you will let me—about facts you already know: facts you learned from the holy prophets and from us apostles who brought you the words of our Lord and Savior.

[3] First, I want to remind you that in the last days there will come scoffers who will do every wrong they can think of, and laugh at the truth. [4] This will be their line of argument: "So Jesus promised to come back, did he? Then where is he? He'll never come! Why, as far back as anyone can remember everything has remained exactly as it was since the first day of creation."

[5,6] They deliberately forget this fact: that God did destroy the world with a mighty flood, long after he had made the heavens by the word of his command, and had used the waters to form the earth and surround it. [7] And God has commanded that the earth and the heavens be stored away for a great bonfire at the judgment day, when all ungodly men will perish.

[8] But don't forget this, dear friends, that a day or a thousand years from now is like tomorrow to the Lord. [9] He isn't really being slow about his promised return, even though it sometimes seems that way. But he is waiting, for the good reason that he is not

pierda y está alargando el plazo para que los pecadores se arrepientan. ¹⁰El día del Señor llegará sorpresivamente, como ladrón en la noche, y los cielos desaparecerán en medio de un estruendo espantoso, y los cuerpos celestes por fuego serán destruidos, y la tierra y lo que en ella hay desaparecerán envueltos en llamas.

¹¹¡Santos y piadosos hasta lo sumo deberíamos ser en vista de la certeza de los acontecimientos que han de poner fin al mundo que conocemos! ¹²Sí, deberíamos vivir con la mirada fija en aquel día; deberíamos hacer lo posible por apresurar el día en que Dios prenderá fuego a los cielos, y los cuerpos celestes se fundirán y desaparecerán envueltos en llamas. ¹³Entonces según Dios ha prometido, habrá nuevos cielos y una tierra nueva en la que morará la justicia.

¹⁴Amados, mientras esperan ustedes el cumplimiento de estas cosas, traten de vivir sin pecado; procuren vivir en paz con todo el mundo para que Él esté satisfecho de ustedes cuando vuelva. ¹⁵,¹⁶Y recuerden que si no ha venido todavía, es porque nos está concediendo tiempo para que proclamemos el mensaje de salvación al mundo entero. Nuestro sabio y amado hermano Pablo ya les ha hablado de esto en muchas de sus cartas. Algunos de sus comentarios no son fáciles de entender; y hay quienes, haciéndose los tontos, los interpretan a su manera y tuercen su significado (así como también el de otros pasajes de las Escrituras) con lo que se labran su propia destrucción.

¹⁷Se lo digo, amados hermanos, para que estén ustedes apercibidos y no se dejen confundir ni desviar por esos perversos individuos.

¹⁸Más bien crezcan en fortaleza espiritual y en el conocimiento de nuestro Señor y Salvador Jesucristo.

A Él sea dada la gloria ahora y hasta la eternidad. Amén.

Sinceramente,
Pedro

willing that any should perish, and he is giving more time for sinners to repent. ¹⁰ The day of the Lord is surely coming, as unexpectedly as a thief, and then the heavens will pass away with a terrible noise and the heavenly bodies will disappear in fire, and the earth and everything on it will be burned up.

¹¹ And so since everything around us is going to melt away, what holy, godly lives we should be living! ¹² You should look forward to that day and hurry it along—the day when God will set the heavens on fire, and the heavenly bodies will melt and disappear in flames. ¹³ But we are looking forward to God's promise of new heavens and a new earth afterwards, where there will be only goodness.

¹⁴ Dear friends, while you are waiting for these things to happen and for him to come, try hard to live without sinning; and be at peace with everyone so that he will be pleased with you when he returns.

¹⁵,¹⁶ And remember why he is waiting. He is giving us time to get his message of salvation out to others. Our wise and beloved brother Paul has talked about these same things in many of his letters. Some of his comments are not easy to understand, and there are people who are deliberately stupid, and always demand some unusual interpretation—they have twisted his letters around to mean something quite different from what he meant, just as they do the other parts of the Scripture—and the result is disaster for them.

¹⁷ I am warning you ahead of time, dear brothers, so that you can watch out and not be carried away by the mistakes of these wicked men, lest you yourselves become mixed up too. ¹⁸ But grow in spiritual strength and become better acquainted with our Lord and Savior Jesus Christ. To him be all glory and splendid honor, both now and forevermore. Good-bye.

Peter

1 JUAN / 1 JOHN

1 CRISTO EXISTÍA DESDE antes de la creación del mundo. Sin embargo, mis

1 CHRIST WAS ALIVE when the world began, yet I myself have seen him with my

oídos escucharon su voz y mis ojos lo vieron y contemplaron. ¡Con mis propias manos llegué a tocarlo! El es el Mensaje de vida, la vida eterna que les hemos anunciado y que estaba con el Padre y se manifestó a nosotros. A El les hemos proclamado a ustedes para que puedan participar también de la comunión y el gozo que disfrutamos con el Padre y con Jesucristo su Hijo. ⁴Si ustedes hacen lo que hemos de decirles en esta carta, se llenarán de gozo y nosotros también.

⁵Este es el mensaje que Dios nos ha dado para ustedes: Dios es luz y en El no hay tinieblas. ⁶Por lo tanto, si decimos que somos amigos suyos y seguimos viviendo en las tinieblas del pecado, mentimos. ⁷Pero si, al igual que Cristo, vivimos en la luz de la presencia de Dios, entre nosotros habrá un compañerismo y un gozo maravillosos, y la sangre de Jesucristo el Hijo de Dios nos limpiará de todo pecado.

⁸Si decimos que no tenemos pecado, estamos engañándonos a nosotros mismos y negándonos a reconocer la verdad. ⁹Pero si confesamos a Dios nuestros pecados, podemos estar seguros de que ha de perdonarnos y limpiarnos de toda maldad, pues para eso murió Cristo. ¹⁰Si decimos que no hemos pecado, estamos diciendo que Dios es mentiroso, porque según El somos pecadores.

2 HIJITOS MÍOS, LES digo esto para que no pequen; pero si alguno peca, tenemos un abogado ante el Padre: a Jesucristo el justo. ²El tomó sobre sí la ira de Dios contra nuestros pecados y nos reconcilió con Dios. El es el sacrificio que fue ofrecido por nuestros pecados, y no sólo por los nuestros, sino también por los de todo el mundo.

³¿Cómo podemos saber que le pertenecemos? Examinándonos por dentro y preguntándonos: ¿estamos de veras tratando de obedecer sus mandamientos? ⁴Si alguno dice: "Soy cristiano; voy al cielo; pertenezco a Cristo", pero no obedece a Jesucristo, miente. ⁵El amor a Dios se demuestra viviendo de acuerdo con las enseñanzas

own eyes and listened to him speak. I have touched him with my own hands. He is God's message of Life. ² This one who is Life from God has been shown to us and we guarantee that we have seen him; I am speaking of Christ, who is eternal Life. He was with the Father and then was shown to us. ³ Again I say, we are telling you about what we ourselves have actually seen and heard, so that you may share the fellowship and the joys we have with the Father and with Jesus Christ his Son. ⁴ And if you do as I say in this letter, then you, too, will be full of joy, and so will we.

⁵ This is the message God has given us to pass on to you: that God is Light and in him is no darkness at all. ⁶ So if we say we are his friends, but go on living in spiritual darkness and sin, we are lying. ⁷ But if we are living in the light of God's presence, just as Christ does, then we have wonderful fellowship and joy with each other, and the blood of Jesus his Son cleanses us from every sin.

⁸ If we say that we have no sin, we are only fooling ourselves, and refusing to accept the truth. ⁹ But if we confess our sins to him, he can be depended on to forgive us and to cleanse us from every wrong. [And it is perfectly proper for God to do this for us because Christ died to wash away our sins.] ¹⁰ If we claim we have not sinned, we are lying and calling God a liar, *for he says we have sinned.*

2 MY LITTLE CHILDREN, I am telling you this so that you will stay away from sin. But if you sin, there is someone to plead for you before the Father. His name is Jesus Christ, the one who is all that is good and who pleases God completely. ² He is the one who took God's wrath against our sins upon himself, and brought us into fellowship with God; and he is the forgiveness for our sins, and not only ours but all the world's.

³ And how can we be sure that we belong to him? By looking within ourselves: are we really trying to do what he wants us to?

⁴ Someone may say, "I am a Christian; I am on my way to heaven; I belong to Christ." But if he doesn't do what Christ tells him to, he is a liar. ⁵ But those who do what Christ tells them to will learn to love God more and more. That is the way to know whether or not you are a Christian.

de Jesucristo. ⁶El que quiera llamarse cristiano debe vivir como El vivió.

⁷Hermanos, no me estoy refiriendo a ningún mandamiento nuevo, sino al mandamiento antiguo que desde un principio han tenido ustedes. ⁸Sin embargo siempre es nuevo, porque es una realidad diaria en Cristo y en nosotros; y a medida que obedecemos este mandamiento de amarnos unos a otros, la oscuridad de nuestra vida va disipándose y la luz de la nueva vida en Cristo nos va iluminando.

⁹El que dice que anda en la luz de Cristo, pero aborrece a su hermano en la fe, todavía está en tinieblas. ¹⁰El que ama a su hermano anda en la luz y no tropieza, porque ve el camino; ¹¹en cambio, el que odia a su hermano vaga en oscuridad espiritual y no sabe a dónde va, porque en la oscuridad no puede ver el camino.

¹²Les escribo estas cosas, hijitos, porque sus pecados han sido perdonados en el nombre de Jesús nuestro Salvador. ¹³Les escribo estas cosas, mayores, porque de veras conocen a ese Cristo que existía desde el principio. Les he escrito, jóvenes, porque han triunfado en su batalla contra Satanás. Les he escrito, niños y niñas, porque ustedes han aprendido a conocer a Dios nuestro Padre.

¹⁴Así que, padres, ustedes que conocen a Dios, y, jóvenes, ustedes que son fuertes, que tienen la palabra de Dios arraigada en sus corazones, y que han triunfado en su lucha contra Satanás, ¹⁵no amen este perverso mundo ni sus ofrecimientos. El que ama estas cosas no ama de verdad a Dios, ¹⁶porque las mundanalidades, las pasiones sexuales, el deseo de poseer todo lo que agrada, y el orgullo que a veces domina a los que poseen riquezas o popularidad, no provienen de Dios sino de este perverso mundo. ¹⁷Y el mundo ha de desvanecerse y con él se desvanecerá cuanto de malo y prohibido contiene; pero el que hace la voluntad de Dios permanece para siempre.

¹⁸Hijitos, a este mundo le ha llegado la hora final. Ustedes seguramente han oído hablar del anticristo que ha de llegar; pues bien, ya han surgido muchos anticristos, muchas personas que se oponen a Cristo. Esto confirma nuestra opinión de que el fin del mundo está cerca. ¹⁹Los anticristos que

⁶ Anyone who says he is a Christian should live as Christ did.

⁷ Dear brothers, I am not writing out a new rule for you to obey, for it is an old one you have always had, right from the start. You have heard it all before. ⁸ Yet it is always new, and works for you just as it did for Christ; and as we obey this commandment, *to love one another,* the darkness in our lives disappears and the new light of life in Christ shines in.

⁹ Anyone who says he is walking in the light of Christ but dislikes his fellow man, is still in darkness. ¹⁰ But whoever loves his fellow man is "walking in the light" and can see his way without stumbling around in darkness and sin. ¹¹ For he who dislikes his brother is wandering in spiritual darkness and doesn't know where he is going, for the darkness had made him blind so that he cannot see the way.

¹² I am writing these things to all of you, my little children, because your sins have been forgiven in the name of Jesus our Savior. ¹³ I am saying these things to you older men because you really know Christ, the one who has been alive from the beginning. And you young men, I am talking to you because you have won your battle with Satan. And I am writing to you younger boys and girls because you, too, have learned to know God our Father.

¹⁴ And so I say to you fathers who know the eternal God, and to you young men who are strong, with God's Word in your hearts, and have won your struggle against Satan: ¹⁵ Stop loving this evil world and all that it offers you, for when you love these things you show that you do not really love God; ¹⁶ for all these worldly things, these evil desires—the craze for sex, the ambition to buy everything that appeals to you, and the pride that comes from wealth and importance—these are not from God. They are from this evil world itself. ¹⁷ And this world is fading away, and these evil, forbidden things will go with it, but whoever keeps doing the will of God will live forever.

¹⁸ Dear children, this world's last hour has come. You have heard about the Antichrist who is coming—the one who is against Christ—and already many such persons have appeared. This makes us all the more certain that the end of the world is near. ¹⁹ These "against-Christ" people used

hasta ahora han surgido eran miembros de nuestras iglesias, pero en realidad nunca fueron nuestros; porque si lo hubieran sido, habrían permanecido. El hecho de que nos dejaran comprueba que no eran nuestros.

²⁰Pero con ustedes no sucede eso, porque han recibido el Espíritu Santo y conocen la verdad. ²¹No les escribo porque necesitan conocer la verdad, sino precisamente porque pueden discernir entre la verdad y la mentira.

²²¿Quién es el más grande de todos los mentirosos? El que dice que Jesús no es el Cristo. Tal persona es un anticristo, porque no cree en Dios el Padre ni en el Hijo. ²³Quien no tenga a Cristo, el Hijo de Dios, no puede tener al Padre. Pero el que tenga a Cristo, el Hijo de Dios, tiene también al Padre. ²⁴Así que conserven ustedes su fe en lo que les fue enseñado desde el principio, porque así estarán siempre en comunión íntima con Dios el Padre y con Dios el Hijo. ²⁵Y Jesucristo mismo nos ha prometido la vida eterna.

²⁶Mis referencias al anticristo van dirigidas a los que dieran cualquier cosa por engañarlos. ²⁷Pero ustedes han recibido el Espíritu Santo, y El vive en sus corazones, y por lo tanto no necesitan que se les señale lo que es correcto. El Espíritu Santo les enseña todas las cosas, y El, que es la Verdad, no miente. Así que, tal como les ha dicho, vivan en Cristo y nunca se aparten de El.

²⁸Y ahora, hijitos, permanezcan en feliz comunión con el Señor, para que cuando vuelva, puedan sentirse seguros, y no tengan que apartarse de El avergonzados. ²⁹Si saben que Dios es siempre justo, pueden dar por sentado que siempre tratará con justicia a sus hijos.

3 MIREN CUÁNTO NOS ama el Padre celestial que permite que seamos llamados hijos de Dios. ¡Y lo más maravilloso es que de veras lo somos! Naturalmente, como la mayoría de la gente no conoce a Dios, no comprende por qué lo somos.

²Sí, amados míos, ahora somos hijos de Dios, y no podemos ni siquiera imaginarnos lo que vamos a ser después. Pero de algo estamos ciertos: que cuando El venga seremos semejantes a El, porque lo veremos tal como es. ³El que crea esto tratará de ser puro porque Cristo es puro. ⁴El que comete

to be members of our churches, but they never really belonged with us or else they would have stayed. When they left us it proved that they were not of us at all.

²⁰ But you are not like that, for the Holy Spirit has come upon you, and you know the truth. ²¹ So I am not writing to you as to those who need to know the truth, but I warn you as those who can discern the difference between true and false.

²² And who is the greatest liar? The one who says that Jesus is not Christ. Such a person is antichrist, for he does not believe in God the Father and in his Son. ²³ For a person who doesn't believe in Christ, God's Son, can't have God the Father either. But he who has Christ, God's Son, has God the Father also.

²⁴ So keep on believing what you have been taught from the beginning. If you do, you will always be in close fellowship with both God the Father and his Son. ²⁵ And he himself has promised us this: *eternal life.*

²⁶ These remarks of mine about the Antichrist are pointed at those who would dearly love to blindfold you and lead you astray. ²⁷ But you have received the Holy Spirit and he lives within you, in your hearts, so that you don't need anyone to teach you what is right. For he teaches you all things, and he is the Truth, and no liar; and so, just as he has said, you must live in Christ, never to depart from him.

²⁸ And now, my little children, stay in happy fellowship with the Lord so that when he comes you will be sure that all is well, and will not have to be ashamed and shrink back from meeting him. ²⁹ Since we know that God is always good and does only right, we may rightly assume that all those who do right are his children.

3 SEE HOW VERY much our heavenly Father loves us, for he allows us to be called his children—think of it—and we really *are!* But since most people don't know God, naturally they don't understand that we are his children. ² Yes, dear friends, we are already God's children, right now, and we can't even imagine what it is going to be like later on. But we do know this, that when he comes we will be like him, as a result of seeing him as he really is. ³ And everyone who really believes this will try to stay pure because Christ is pure.

pecado está contra Dios, porque pecar es quebrantar las leyes divinas. ⁵Además, ustedes saben que El se hizo hombre para poder quitar nuestros pecados y que jamás cometió pecado alguno. ⁶El que permanece cerca de El, obediente a El, no anda en pecado; pero el que vive entregado al pecado nunca lo ha conocido ni le ha pertenecido.

⁷Hijitos, no se dejen engañar; cuando uno hace lo bueno es porque es bueno como El lo es; ⁸por otro lado, el que peca demuestra pertenecer a Satanás, quien desde que comenzó a pecar lo ha seguido haciendo. Pero el Hijo de Dios vino a destruir las obras del diablo. ⁹El que ha nacido a la familia de Dios no practica el pecado, porque la vida de Dios está en él; no puede vivir entregado al pecado porque en él ha nacido una nueva vida, y esa nueva vida lo domina. ¡Ha nacido de nuevo!

¹⁰Uno puede saber quién es hijo de Dios y quién es hijo del diablo. El que vive en pecado y no ama a su hermano demuestra no pertenecer a la familia de Dios, ¹¹porque desde el principio se nos ha estado enseñando que debemos amarnos unos a otros. ¹²No vamos a ser como Caín, que era de Satanás y mató a su hermano. ¿Por qué lo mató? Pues porque Caín no había estado haciendo lo bueno y sabía muy bien que Abel llevaba una vida mejor que la suya. ¹³Así que no les extrañe que el mundo los aborrezca. ¹⁴Si amamos a los demás hermanos, hemos sido librados del infierno y hemos obtenido la vida eterna. El que no ama a los demás va rumbo a la muerte eterna. ¹⁵El que aborrece a su hermano en la fe, en el corazón lo está matando; y ustedes saben que ningún asesino tiene vida eterna. ¹⁶Al morir por nosotros Cristo nos estaba dando el mejor ejemplo de amor verdadero: el que ama de veras está dispuesto a dar la vida por sus hermanos en Cristo. ¹⁷Pero si alguien que se dice cristiano está bien económicamente y no ayuda al hermano que está en necesidad, ¿cómo puede haber amor de Dios en él? ¹⁸Hijitos míos, que nuestro amor no sea sólo de

⁴ But those who keep on sinning are against God, for every sin is done against the will of God. ⁵ And you know that he became a man so that he could take away our sins, and that there is no sin in him, no missing of God's will at any time in any way. ⁶ So if we stay close to him, obedient to him, we won't be sinning either; but as for those who keep on sinning, they should realize this: They sin because they have never really known him or become his.

⁷ Oh, dear children, don't let anyone deceive you about this: if you are constantly doing what is good, it is because you *are* good, even as he is. ⁸ But if you keep on sinning, it shows that you belong to Satan, who since he first began to sin has kept steadily at it. But the Son of God came to destroy these works of the devil. ⁹ The person who has been born into God's family does not make a practice of sinning, because now God's life is in him; so he can't keep on sinning, for this new life has been born into him and controls him—he has been *born again.*

¹⁰ So now we can tell who is a child of God and who belongs to Satan. Whoever is living a life of sin and doesn't love his brother shows that he is not in God's family; ¹¹ for the message to us from the beginning has been that we should love one another.

¹² We are not to be like Cain, who belonged to Satan and killed his brother. Why did he kill him? Because Cain had been doing wrong and he knew very well that his brother's life was better than his. ¹³ So don't be surprised, dear friends, if the world hates you.

¹⁴ If we love other Christians it proves that we have been delivered from hell and given eternal life. But a person who doesn't have love for others is headed for eternal death. ¹⁵ Anyone who hates his Christian brother is really a murderer at heart; and you know that no one wanting to murder has eternal life within. ¹⁶ We know what real love is from Christ's example in dying for us. And so we also ought to lay down our lives for our Christian brothers.

¹⁷ But if someone who is supposed to be a Christian has money enough to live well, and sees a brother in need, and won't help him—how can God's love be within *him?* ¹⁸ Little children, let us stop just *saying* we

palabra; amemos de veras y demostrémoslo con hechos. ¹⁹Así sabremos a ciencia cierta que estamos de parte de Dios, y tendremos la conciencia limpia cuando comparezcamos ante su presencia. ²⁰Si la conciencia nos acusa, cuánto más nos acusará el Señor, que sabe todas las cosas. ²¹Pero, amados míos, si tenemos la conciencia tranquila, tranquila y confiadamente podremos presentarnos ante Dios, ²²y cualquier cosa que le pidamos la recibiremos, porque obedecemos sus mandamientos. ²³Y su mandamiento es que creamos en Jesucristo su Hijo y que nos amemos unos a otros. ²⁴El que obedece a Dios vive con Dios y Dios vive con él. Sabemos que es así, porque el Espíritu Santo que El nos dio nos lo dice.

4 AMADOS MÍOS, NO crean nada por el simple hecho de que les afirmen que es mensaje de Dios. Pónganlo a prueba primero, porque en este mundo hay muchos maestros falsos. ²Para saber si el mensaje que se nos comunica procede del Espíritu Santo, debemos preguntarnos: ¿Reconoce el hecho de que Jesucristo, el Hijo de Dios, se hizo hombre con un cuerpo humano? ³Si no lo reconoce, el mensaje no es de Dios sino de alguien que se opone a Cristo, como el anticristo que oyeron ustedes que vendría, cuyas actitudes hostiles contra Cristo ya se manifiestan en el mundo.

⁴Hijitos, ustedes son de Dios, y han ganado ya la primera batalla contra los enemigos de Cristo, porque hay Alguien en el corazón de ustedes que es más fuerte que cualquier falso maestro de este perverso mundo. ⁵Ellos pertenecen a este mundo y, naturalmente, hablan de los asuntos del mundo y el mundo les presta atención. ⁶Pero nosotros somos hijos de Dios; el que es de Dios nos presta atención, pero el que no, no. Y aquí tienen otra manera de saber si determinado mensaje procede de Dios: si procede de Dios, el mundo no lo escuchará.

⁷Amados, pongamos en práctica el amor mutuo, porque el amor es de Dios. Todo el que ama y es bondadoso da prueba de ser hijo de Dios y de conocerlo bien. ⁸El que no

love people; let us *really* love them, and *show it* by our *actions*. ¹⁹ Then we will know for sure, by our actions, that we are on God's side, and our consciences will be clear, even when we stand before the Lord. ²⁰ But if we have bad consciences and feel that we have done wrong, the Lord will surely feel it even more, for he knows everything we do.

²¹ But, dearly loved friends, if our consciences are clear, we can come to the Lord with perfect assurance and trust, ²² and get whatever we ask for because we are obeying him and doing the things that please him. ²³ And this is what God says we must do: Believe on the name of his Son Jesus Christ, and love one another. ²⁴ Those who do what God says—they are living with God and he with them. We know this is true because the Holy Spirit he has given us tells us so.

4 DEARLY LOVED FRIENDS, don't always believe everything you hear just because someone says it is a message from God: test it first to see if it really is. For there are many false teachers around, ² and the way to find out if their message is from the Holy Spirit is to ask: Does it really agree that Jesus Christ, God's Son, actually became man with a human body? If so, then the message is from God. ³ If not, the message is not from God but from one who is against Christ, like the "Antichrist" you have heard about who is going to come, and his attitude of enmity against Christ is already abroad in the world.

⁴ Dear young friends, you belong to God and have already won your fight with those who are against Christ, because there is someone in your hearts who is stronger than any evil teacher in this wicked world. ⁵ These men belong to this world, so, quite naturally, they are concerned about worldly affairs and the world pays attention to them. ⁶ But we are children of God; that is why only those who have walked and talked with God will listen to us. Others won't. That is another way to know whether a message is really from God; for if it is, the world won't listen to it.

⁷ Dear friends, let us practice loving each other, for love comes from God and those who are loving and kind show that they are the children of God, and that they are getting to know him better. ⁸ But if a person

ama no conoce a Dios, porque Dios es amor. ⁹Dios nos demostró su amor enviando a su único Hijo a este perverso mundo para darnos vida eterna por medio de su muerte. ¹⁰Eso sí es amor verdadero. No es que nosotros hayamos amado a Dios, sino que El nos amó tanto que estuvo dispuesto a enviar a su único Hijo como sacrificio expiatorio por nuestros pecados.

¹¹Amados, ya que Dios nos ha amado tanto, debemos amarnos unos a otros. ¹²Porque aunque nunca hemos visto a Dios, si nos amamos unos a otros Dios habita en nosotros, y su amor en nosotros crece cada día más.

¹³El ha puesto su Santo Espíritu en nuestros corazones como testimonio de que vivimos en El y El en nosotros. ¹⁴Además, con nuestros propios ojos vimos, y ahora lo proclamamos a los cuatro vientos, que Dios envió a su Hijo para ser el Salvador del mundo. ¹⁵Si alguien cree y confiesa que Jesús es el Hijo de Dios, Dios vive en él y él en Dios.

¹⁶Sabemos cuánto nos ama Dios porque hemos sentido ese amor y porque le creemos cuando nos dice que nos ama profundamente. Dios es amor, y el que vive en amor vive en Dios y Dios en él. ¹⁷Y al vivir en Cristo, nuestro amor se perfecciona cada vez más, de tal manera que en el día del juicio no nos sentiremos avergonzados ni apenados, sino que podremos mirarlo con confianza y gozo, sabiendo que El nos ama y que nosotros lo amamos también. ¹⁸No hay por qué temer a quien tan perfectamente nos ama. Su perfecto amor elimina cualquier temor. Si alguien siente miedo es miedo al castigo lo que siente, y con ello demuestra que no está absolutamente convencido de su amor hacia nosotros.

¹⁹Como ven ustedes, si amamos a Dios es porque El nos amó primero. ²⁰Si alguno dice: "Amo a Dios", mientras aborrece a su hermano, es un mentiroso. Si no ama al hermano que tiene delante, ¿cómo puede amar a Dios, a quien jamás ha visto? ²¹Dios mismo ha dicho que no sólo debemos amarlo a El, sino también a nuestros hermanos.

5 SI CREEN USTEDES que Jesús es el Cristo, que es el Hijo de Dios y que es su Salvador, son hijos de Dios. Y el que

isn't loving and kind, it shows that he doesn't know God—for God is love.

⁹ God showed how much he loved us by sending his only Son into this wicked world to bring to us eternal life through his death. ¹⁰ In this act we see what real love is: it is not our love for God, but his love for us when he sent his Son to satisfy God's anger against our sins.

¹¹ Dear friends, since God loved us as much as that, we surely ought to love each other too. ¹² For though we have never yet seen God, when we love each other God lives in us and his love within us grows ever stronger. ¹³ And he has put his own Holy Spirit into our hearts as a proof to us that we are living with him and he with us. ¹⁴ And furthermore, we have seen with our own eyes and now tell all the world that God sent his Son to be their Savior. ¹⁵ Anyone who believes and says that Jesus is the Son of God has God living in him, and he is living with God.

¹⁶ We know how much God loves us because we have felt his love and because we believe him when he tells us that he loves us dearly. God is love, and anyone who lives in love is living with God and God is living in him. ¹⁷ And as we live with Christ, our love grows more perfect and complete; so we will not be ashamed and embarrassed at the day of judgment, but can face him with confidence and joy, because he loves us and we love him too.

¹⁸ We need have no fear of someone who loves us perfectly; his perfect love for us eliminates all dread of what he might do to us. If we are afraid, it is for fear of what he might do to us, and shows that we are not fully convinced that he really loves us. ¹⁹ So you see, our love for him comes as a result of his loving us first.

²⁰ If anyone says "I love God," but keeps on hating his brother, is a liar; for if he doesn't love his brother who is right there in front of him, how can he love God whom he has never seen? ²¹And God himself has said that one must love not only God, but his brother too.

5 IF YOU BELIEVE that Jesus is the Christ—that he is God's Son and your Savior—then you are a child of God. And

ama al padre ama también a los hijos. ²Así que podemos medir el amor que sentimos hacia los hijos de Dios, hermanos nuestros en la fe, por el amor que sentimos hacia Dios y la obediencia que le rendimos. ³Amar a Dios es obedecer sus mandamientos; y esto no es difícil, ⁴porque el que es hijo de Dios puede vencer el pecado y las inclinaciones al mal, confiando en la ayuda que Cristo puede ofrecerle. ⁵¡Nadie podrá jamás vencer en esta lucha sin creer que Jesús es el Hijo de Dios!

⁶⁷Nosotros sabemos que Jesús es el Hijo de Dios porque Dios lo proclamó con gran voz desde el cielo en el momento en que lo bautizaban y también cuando moría. ¡No sólo en su bautismo sino también a la hora de su muerte! Y el Espíritu Santo, siempre veraz, lo afirma también.

⁸Así que tenemos tres testimonios: la voz del Espíritu Santo en nuestros corazones, la voz que habló desde el cielo cuando bautizaban a Jesús, y la voz que habló poco antes de su muerte. Y todos afirman lo mismo: que Jesucristo es el Hijo de Dios. ⁹Y si aceptamos el testimonio de los hombres que comparecen ante los tribunales, cuánto más no hemos de creer la gran afirmación de Dios: que Jesús es su Hijo. ¹⁰Creer esto es aceptar este testimonio en lo más íntimo del corazón; no creerlo equivale a llamar mentiroso a Dios, pues es no creer lo que ha dicho acerca de su Hijo. ¹¹¿Y qué es lo que ha dicho? Que nos ha dado vida eterna, y que esta vida está en su Hijo. ¹²Así que el que tiene el Hijo de Dios tiene la vida; el que no tiene al Hijo, no tiene la vida.

¹³A ustedes que creen en el Hijo de Dios les he escrito sobre estas cosas, para que sepan que tienen la vida eterna. ¹⁴Y estamos seguros de que El nos escuchará cuando le pidamos algo que esté de acuerdo con su voluntad. ¹⁵Y si sabemos que El nos oye cuando le hablamos y cuando le presentamos nuestras peticiones podemos estar seguros de que nos contestará.

¹⁶Si ven que un hermano comete un pecado, pero no mortal, pidan a Dios que lo perdone, y Dios le dará vida, si es cierto que su pecado no es mortal. Pero hay un pecado que sí es mortal, por el cual no digo que se pida. ¹⁷Cualquier maldad es pecado, pero no me refiero a los pecados ordinarios. Me refiero al pecado mortal. ¹⁸Nadie que forme

all who love the Father love his children too. ² So you can find out how much you love God's children—your brothers and sisters in the Lord—by how much you love and obey God. ³ Loving God means doing what he tells us to do, and really, that isn't hard at all; ⁴ for every child of God can obey him, defeating sin and evil pleasure by trusting Christ to help him.

⁵ But who could possibly fight and win this battle except by believing that Jesus is truly the Son of God? ⁶,⁷,⁸ And we know he is, because God said so with a voice from heaven when Jesus was baptized, and again as he was facing death —yes, not only at his baptism but also as he faced death. And the Holy Spirit, forever truthful, says it too. So we have these three witnesses: the voice of the Holy Spirit in our hearts, the voice from heaven at Christ's baptism, and the voice before he died. And they all say the same thing: that Jesus Christ is the Son of God. ⁹ We believe men who witness in our courts, and so surely we can believe whatever God declares. And God declares that Jesus is his Son. ¹⁰ All who believe this know in their hearts that it is true. If anyone doesn't believe this, he is actually calling God a liar, because he doesn't believe what God has said about his Son.

¹¹ And what is it that God has said? That he has given us eternal life, and that this life is in his Son. ¹² So whoever has God's Son has life; whoever does not have his Son, does not have life.

¹³ I have written this to you who believe in the Son of God so that you may know you have eternal life. ¹⁴ And we are sure of this, that he will listen to us whenever we ask him for anything in line with his will. ¹⁵ And if we really know he is listening when we talk to him and make our requests, then we can be sure that he will answer us.

¹⁶ If you see a Christian sinning in a way that does not end in death, you should ask God to forgive him and God will give him life, unless he has sinned that one fatal sin. But there is that one sin which ends in death and if he has done that, there is no use praying for him. ¹⁷ Every wrong is a sin, of course. I'm not talking about these ordinary sins; I am speaking of that one that ends in death.

¹⁸ No one who has become part of God's

parte de la familia de Dios peca de manera habitual, porque Cristo, el Hijo de Dios, lo tiene bien asido y el diablo no puede echarle mano.

¹⁹Sabemos que somos hijos de Dios. El mundo que nos rodea está bajo el dominio de Satanás, ²⁰pero sabemos que Cristo, el Hijo de Dios, vino a ayudarnos a hallar y entender al Dios verdadero. Ahora estamos en Dios porque estamos en su Hijo Jesucristo, que es también Dios verdadero, y la vida eterna.

²¹Hijitos, apártense de cualquier cosa que pueda desplazar a Dios de sus corazones. Amén.

Sinceramente,
Juan

family makes a practice of sinning, for Christ, God's Son, holds him securely and the devil cannot get his hands on him. ¹⁹ We know that we are children of God and that all the rest of the world around us is under Satan's power and control. ²⁰ And we know that Christ, God's Son, has come to help us understand and find the true God. And now we are in God because we are in Jesus Christ his Son, who is the only true God; and he is eternal Life.

²¹ Dear children, keep away from anything that might take God's place in your hearts. Amen.

Sincerely,
John

2 JUAN / 2 JOHN

1 REMITENTE: JUAN, EL anciano de la iglesia.

Destinatarios: La muy amada Ciria y sus hijos, a quienes amo mucho, y a quienes aman mucho todos los que han conocido la verdad. ²Puesto que la verdad por siempre estará en sus corazones, ³¡que la gracia, misericordia y paz de Dios el Padre y Jesucristo su Hijo estén con ustedes en verdad y en amor!

⁴Me siento feliz de haber encontrado por aquí algunos de tus hijos, y ver que siguen la verdad y obedecen los mandamientos de Dios.

⁵Amados hermanos, estimo muy necesario recordarles el viejo mandamiento que Dios nos dio desde un principio: los cristianos deben amarse unos a otros. ⁶Si amamos a Dios, hemos de obedecerlo en todo. Pues bien, desde el principio nos ordenó que nos amáramos.

⁷Por ahí andan muchos falsos guías que no creen que Jesucristo vino a la tierra con un cuerpo humano como el nuestro. Cuídense ustedes de ellos, porque están en contra de la verdad y en contra de Cristo. ⁸Eviten ser como ellos, para que no pierdan el fruto de su arduo trabajo y para que reciban íntegramente el galardón que da el Señor.

⁹Si ustedes se apartan de las enseñanzas

1 FROM: JOHN, THE old Elder of the church.

To: That dear woman Cyria, one of God's very own, and to her children whom I love so much, as does everyone else in the church. ² Since the Truth is in our hearts forever, ³ God the Father and Jesus Christ his Son will bless us with great mercy and much peace, and with truth and love.

⁴ How happy I am to find some of your children here, and to see that they are living as they should, following the Truth, obeying God's command.

⁵ And now I want to urgently remind you, dear friends, of the old rule God gave us right from the beginning, that Christians should love one another. ⁶ If we love God, we will do whatever he tells us to. And he has told us from the very first to love each other.

⁷ Watch out for the false leaders—and there are many of them around—who don't believe that Jesus Christ came to earth as a human being with a body like ours. Such people are against the truth and against Christ. ⁸ Beware of being like them, and losing the prize that you and I have been working so hard to get. See to it that you win your full reward from the Lord. ⁹ For if you wander beyond the teaching of Christ, you

de Cristo, también se apartan de Dios. Si permanecen fieles a las enseñanzas de Cristo, tendrán al Padre y tendrán al Hijo. ¹⁰Si alguien les trata de enseñar y no cree en las enseñanzas de Cristo, no lo inviten a su casa. No lo animen de manera alguna, ¹¹porque si lo hacen, ustedes estarán participando de sus malas obras.

¹²Quisiera decirles muchas cosas más, pero no quiero hacerlo por carta; espero ir pronto a verlos y hablar con ustedes cara a cara acerca de estas cosas, para que nuestra alegría sea completa.

¹³Los hijos de tu hermana, otra hija elegida de Dios, te envían saludos.

Sinceramente,
Juan

will leave God behind; while if you are loyal to Christ's teachings, you will have God too. Then you will have both the Father and the Son.

¹⁰ If anyone comes to teach you, and he doesn't believe what Christ taught, don't even invite him into your home. Don't encourage him in any way. ¹¹ If you do you will be a partner with him in his wickedness.

¹² Well, I would like to say much more, but I don't want to say it in this letter, for I hope to come to see you soon and then we can talk over these things together and have a joyous time.

¹³ Greetings from the children of your sister—another choice child of God.

Sincerely,
John

3 JUAN / 3 JOHN

1 REMITENTE: JUAN, EL anciano.
Destinatario: El amado Gayo, a quien amo de veras.

²Amado, ruego a Dios que en todo te vaya bien y que tu cuerpo sea tan saludable como lo es tu alma. ³He tenido la alegría de enterarme, a través de algunos hermanos que han pasado por aquí, de que llevas una vida pura, conforme a las normas del evangelio. ⁴Para mí no hay mayor alegría que la de oír decir tales cosas de mis hijos.

⁵Amado, es magnífico el servicio que prestas a la obra de Dios al ayudar a los maestros y misioneros que pasan por tu casa, ⁶los cuales han hablado en esta iglesia de tu cordialidad y de tus obras de amor. Me agradaría que los despidieras con una dádiva generosa, pues ⁷viajan al servicio del Señor, y no aceptan alimento, ropa, albergue ni dinero de los que no conocen a Dios. ⁸Debemos ayudarlos porque haciéndolo nos convertimos en colaboradores suyos.

⁹Hace un tiempo escribí a la iglesia sobre este asunto, pero Diótrefes, a quien le encanta colocarse como si fuera jefe de los demás, no reconoce la autoridad que tengo sobre él y no me hace caso. ¹⁰Cuando vaya te contaré algunas de las cosas que hace,

1 FROM: JOHN, THE Elder.
To: Dear Gaius, whom I truly love.

² Dear friend, I am praying that all is well with you and that your body is as healthy as I know your soul is. ³ Some of the brothers traveling by have made me very happy by telling me that your life stays clean and true, and that you are living by the standards of the Gospel. ⁴ I could have no greater joy than to hear such things about my children.

⁵ Dear friend, you are doing a good work for God in taking care of the traveling teachers and missionaries who are passing through. ⁶ They have told the church here of your friendship and your loving deeds. I am glad when you send them on their way with a generous gift. ⁷ For they are traveling for the Lord, and take neither food, clothing, shelter, nor money from those who are not Christians, even though they have preached to them. ⁸ So we ourselves should take care of them in order that we may become partners with them in the Lord's work.

⁹ I sent a brief letter to the church about this, but proud Diotrephes, who loves to push himself forward as the leader of the Christians there, does not admit my authority over him and refuses to listen to me. ¹⁰ When I come I will tell you some of the

sabrás lo mal que habla de mí y los términos que usa al referirse a mi persona. Y no sólo se niega a recibir a los misioneros que por allí pasan, sino que prohíbe que los demás lo hagan, bajo pena de expulsión de la iglesia.

¹¹Amado, no imites sus malos ejemplos. Imita sólo lo bueno. Recuerda que así es como se demuestra ser hijo de Dios; los que continúan en el mal demuestran estar alejados de Dios.

¹²Todos, y aun la verdad misma, hablan bien de Demetrio. Yo opino de él igual que los demás, y ya sabes que digo la verdad.

¹³Tengo muchas cosas que decirte, pero no quiero hacerlo por carta. ¹⁴Espero verte pronto y entonces hablaremos extensamente.

¹⁵Hasta luego. Tus amigos de este lugar te envían saludos. Saludos de parte mía a todos los hermanos de por allá.

Sinceramente,
Juan

things he is doing and what wicked things he is saying about me and what insulting language he is using. He not only refuses to welcome the missionary travelers himself, but tells others not to, and when they do he tries to put them out of the church.

¹¹ Dear friend, don't let this bad example influence you. Follow only what is good. Remember that those who do what is right prove that they are God's children; and those who continue in evil prove that they are far from God. ¹² But everyone, including Truth itself, speaks highly of Demetrius. I myself can say the same for him, and you know I speak the truth.

¹³ I have much to say but I don't want to write it, ¹⁴ for I hope to see you soon and then we will have much to talk about together. ¹⁵ So good-bye for now. Friends here send their love, and please give each of the folks there a special greeting from me.

Sincerely,
John

JUDAS / JUDE

1 REMITENTE: JUDAS, SIERVO de Jesucristo y hermano de Jacobo.

Destinatarios: Los cristianos de todas partes, a quienes Dios el Padre escogió y Jesucristo ha guardado.

²Que la misericordia, la paz y el amor de Dios les sean multiplicados.

³Amados, me había propuesto escribirles acerca de la salvación que Dios nos ha dado; pero ahora pienso que es preciso escribirles, exhortándolos a defender con firmeza la verdad que Dios, una vez y por todas dio a su pueblo, para que la guardara inmutable a través de los años.

⁴Algunos maestros impíos se han introducido entre ustedes, y afirman que una vez que uno es cristiano puede hacer lo que se le antoje sin temor al castigo de Dios. El castigo de ellos hace tiempo que está señalado, porque es contra nuestro Maestro y Señor Jesucristo contra quien se han vuelto.

⁵La respuesta que les doy es la siguiente: Recuerden, pues muy bien lo saben, que el

1 FROM: JUDE, A servant of Jesus Christ, and a brother of James.

To: Christians everywhere—beloved of God and chosen by him. ² May you be given more and more of God's kindness, peace, and love.

³ Dearly loved friends, I had been planning to write you some thoughts about the salvation God has given us, but now I find I must write of something else instead, urging you to stoutly defend the truth which God gave, once for all, to his people to keep without change through the years. ⁴ I say this because some godless teachers have wormed their way in among you, saying that after we become Christians we can do just as we like without fear of God's punishment. The fate of such people was written long ago, for they have turned against our only Master and Lord, Jesus Christ.

⁵ My answer to them is: Remember this fact—which you know already—that the

Señor rescató de Egipto a una nación entera, y que luego mató a los que de esa nación no creían en El ni lo obedecían. ⁶Y les pido que recuerden a aquellos ángeles que, habiendo sido primeramente puros y santos, voluntariamente se convirtieron en pecadores. Ahora Dios los mantiene encadenados en prisiones de oscuridad en espera del día del juicio. ⁷Y recuerden la tragedia de Sodoma, de Gomorra y de varias ciudades adyacentes, que, por haberse entregado a toda clase de pasiones desenfrenadas (entre ellas el concúbito entre varones), fueron destruidas con fuego y hoy día nos son una advertencia continua de que hay un infierno donde los pecadores son castigados. ⁸No obstante, estos falsos maestros viven entregados a la inmoralidad, a la degradación del cuerpo, y no sólo se burlan de los que tienen autoridad sino que también de los poderes del mundo invisible. ⁹Ni aun Miguel, uno de los ángeles más poderosos, se atrevió a acusar a Satanás, ni a proferir insultos contra él, sino que simplemente le dijo: "El Señor te reprenda". ¹⁰Pero estos individuos no sólo se burlan de las cosas que no conocen sino que profieren maldiciones contra ellas. Como bestias, se entregan a los placeres que la carne les pide, arruinando así sus almas. ¹¹¡Ay de ellos!, porque siguen el ejemplo de Caín, el que mató a su hermano. ¡Ay de ellos!, porque como Balaam, por dinero hacen cualquier cosa, y porque como Coré, por afán de lucro han desobedecido a Dios, y por ello morirán bajo la maldición divina.

¹²Cuando estos individuos asisten a las comidas fraternales en la iglesia, con sus risotadas, sus burlas y sus glotonerías los avergüenzan a ustedes, pues comen y beben hasta más no poder sin pensar en los demás. Son como nubes sin agua sobre suelo árido, pues prometen mucho y nada cumplen. Son como árboles sin frutos en tiempo de cosecha; no sólo están muertos, sino dos veces muertos, pues han sido desarraigados y van a ser quemados. ¹³Como las olas del mar turbulento que arrojan a la playa la espuma de sus suciedades, tras sí dejan sólo vergüenza y desgracia. Y como a estrellas luminosas pero errantes, les espera la lobreguez eterna que Dios les tiene preparada.

¹⁴Enoc, que fue el séptimo desde Adán, profetizó de ellos lo siguiente: "Miren, el

Lord saved a whole nation of people out of the land of Egypt, and then killed every one of them who did not trust and obey him. ⁶ And I remind you of those angels who were once pure and holy, but turned to a life of sin. Now God has them chained up in prisons of darkness, waiting for the judgment day. ⁷ And don't forget the cities of Sodom and Gomorrah and their neighboring towns, all full of lust of every kind including lust of men for other men. Those cities were destroyed by fire and continue to be a warning to us that there is a hell in which sinners are punished.

⁸ Yet these false teachers carelessly go right on living their evil, immoral lives, degrading their bodies and laughing at those in authority over them, even scoffing at the Glorious Ones. ⁹ Yet Michael, one of the mightiest of the angels, when he was arguing with Satan about Moses' body, did not dare to accuse even Satan, or jeer at him, but simply said, "The Lord rebuke you." ¹⁰ But these men mock and curse at anything they do not understand, and, like animals, they do whatever they feel like, thereby ruining their souls.

¹¹ Woe upon them! For they follow the example of Cain who killed his brother; and, like Balaam, they will do anything for money; and like Korah, they have disobeyed God and will die under his curse.

¹² When these men join you at the love feasts of the church, they are evil smears among you, laughing and carrying on, gorging and stuffing themselves without a thought for others. They are like clouds blowing over dry land without giving rain, promising much, but producing nothing. They are like fruit trees without any fruit at picking time. They are not only dead, but doubly dead, for they have been pulled out, roots and all, to be burned.

¹³ All they leave behind them is shame and disgrace like the dirty foam left along the beach by the wild waves. They wander around looking as bright as stars, but ahead of them is the everlasting gloom and darkness that God has prepared for them.

¹⁴ Enoch, who lived seven generations after Adam, knew about these men and said

Señor viene con millones y millones de los suyos, ¹⁵y viene a juzgar a los pueblos del mundo, a darles el justo castigo que merecen y a poner al descubierto las terribles cosas que han hecho en rebelión contra Dios y las cosas que han dicho contra El". ¹⁶Porque este tipo de individuos son murmuradores, nunca están satisfechos con nada, hacen siempre lo que mejor les parece, y son tan arrogantes que cuando hablan bien de alguien es para obtener algún beneficio.

¹⁷Recuerden, amados míos, lo que los apóstoles de nuestro Señor Jesucristo les advirtieron: ¹⁸en los postreros tiempos vendrán burladores cuyo único propósito en la vida es deleitarse en cuanta perversidad pueda ocurrírseles. ¹⁹Fomentan discordia, les gusta todo lo malo del mundo, y no tienen al Espíritu Santo.

²⁰Pero ustedes, amados míos, edifiquen sus vidas firmemente, cimentándolas sobre nuestra santa fe. Aprendan a orar en el poder y en la fuerza del Espíritu Santo. ²¹Manténganse siempre dentro de los límites en que Dios los puede bendecir. Esperen pacientemente la vida eterna que nuestro Señor Jesucristo, en su misericordia, les va a dar.

²²Traten de convencer a los que discutan con ustedes. Tengan misericordia de los que duden. ²³Salven a otros, arrebatándolos de las mismísimas llamas del infierno. Y en cuanto a los demás, atráiganlos al Señor, siendo bondadosos con ellos, pero no se dejen arrastrar por sus pecados. Al contrario, aborrezcan hasta el más leve indicio de pecado en ellos, a la vez que les muestran misericordia.

²⁴,²⁵Y ahora, que la gloria, la majestad, el imperio y la potencia sean eternamente del único y sabio Dios, Salvador nuestro por medio de Jesucristo, quien tiene poder para conservarlos sin caída, y con gozo eterno presentarlos irreprensibles y perfectos ante su gloriosa presencia. Amén.

Sinceramente,
Judas

this about them: "See, the Lord is coming with millions of his holy ones. ¹⁵ He will bring the people of the world before him in judgment, to receive just punishment, and to prove the terrible things they have done in rebellion against God, revealing all they have said against him." ¹⁶ These men are constant gripers, never satisfied, doing whatever evil they feel like; they are loud-mouthed "show-offs," and when they show respect for others, it is only to get something from them in return.

¹⁷ Dear friends, remember what the apostles of our Lord Jesus Christ told you, ¹⁸ that in the last times there would come these scoffers whose whole purpose in life is to enjoy themselves in every evil way imaginable. ¹⁹ They stir up arguments; they love the evil things of the world; they do not have the Holy Spirit living in them.

²⁰ But you, dear friends, must build up your lives ever more strongly upon the foundation of our holy faith, learning to pray in the power and strength of the Holy Spirit.

²¹ Stay always within the boundaries where God's love can reach and bless you. Wait patiently for the eternal life that our Lord Jesus Christ in his mercy is going to give you. ²² Try to help those who argue against you. Be merciful to those who doubt. ²³ Save some by snatching them as from the very flames of hell itself. And as for others, help them to find the Lord by being kind to them, but be careful that you yourselves aren't pulled along into their sins. Hate every trace of their sin while being merciful to them as sinners.

²⁴,²⁵ And now—all glory to him who alone is God, who saves us through Jesus Christ our Lord; yes, splendor and majesty, all power and authority are his from the beginning; his they are and his they evermore shall be. And he is able to keep you from slipping and falling away, and to bring you, sinless and perfect, into his glorious presence with mighty shouts of everlasting joy. Amen.

Jude

APOCALIPSIS / REVELATION

1 ESTAS SON LAS COSAS que Dios le encomendó a Jesucristo que revelara sobre los acontecimientos que ocurrirán pronto, para que Jesucristo a su vez las revelara a los cristianos. Jesucristo se las reveló por medio de un ángel a su siervo Juan; ²y Juan puso por escrito las palabras de Dios y de Jesucristo, y las descripciones de lo que vio y oyó. ³Bendito el que lee esta profecía, y benditos los que la oyen y le hacen caso, porque la hora de los acontecimientos se aproxima.

⁴*De:* Juan

A: Las siete iglesias de Asia.

Amados hermanos:

Repose en ustedes la gracia y la paz de Dios, que es, que era y que ha de venir; del Espíritu de las siete formas de la perfección que está delante de su trono; ⁵y de Jesucristo, quien fielmente nos reveló toda verdad. Jesucristo fue el primero en levantarse de entre los muertos para no volver a morir, y su poder sobrepasa al del más poderoso rey terrenal. A El sea dada la alabanza, pues, movido por su amor infinito, derramó su sangre para libertarnos del pecado ⁶y hacer de nosotros un reino de sacerdotes de Dios el Padre. ¡Eternamente sean suyos la gloria y el imperio! ¡Amén!

⁷¡Miren! ¡Viene en las nubes, ante los ojos de la humanidad entera, y aun los que lo traspasaron lo verán! Y las naciones llorarán de pesar y espanto ante su venida. ¡Sí, amén! ¡Que así sea!

⁸—Yo soy la "A" y la "Z", el principio y el fin de todas las cosas —dice Dios el Señor, el Todopoderoso, el que es, que era y que ha de venir.

⁹·¹⁰Yo, Juan, hermano de ustedes y compañero de sufrimiento por la causa del Señor, les escribo esta carta. Al igual que ustedes, he disfrutado la paciencia que da Jesucristo y, también al igual que ustedes, disfrutaré algún día las maravillas de su reino.

Un día del Señor en que estaba adorando en la isla de Patmos, a donde me habían desterrado por predicar la palabra de Dios y contar lo que sé de Jesucristo, escuché detrás de mí una voz que, estri-

1 THIS BOOK UNVEILS some of the future activities soon to occur in the life of Jesus Christ. God permitted him to reveal these things to his servant John in a vision; and then an angel was sent from heaven to explain the vision's meaning. ² John wrote it all down—the words of God and Jesus Christ and everything he heard and saw.

³ If you read this prophecy aloud to the church, you will receive a special blessing from the Lord. Those who listen to it being read and do what it says will also be blessed. For the time is near when these things will all come true.

⁴ *From:* John

To: The seven churches in Turkey.

Dear Friends:

May you have grace and peace from God who is, and was, and is to come! and from the seven-fold Spirit before his throne; ⁵ and from Jesus Christ who faithfully reveals all truth to us. He was the first to rise from death, to die no more. He is far greater than any king in all the earth. All praise to him who always loves us and who set us free from our sins by pouring out his lifeblood for us. ⁶ He has gathered us into his kingdom and made us priests of God his Father. Give to him everlasting glory! He rules forever! Amen!

⁷ See! He is arriving, surrounded by clouds; and every eye shall see him—yes, and those who pierced him. And the nations will weep in sorrow and in terror when he comes. Yes! Amen! Let it be so!

⁸ "I am the A and the Z, the Beginning and the Ending of all things," says God, who is the Lord, the All Powerful One who is, and was, and is coming again!

⁹ It is I, your brother John, a fellow sufferer for the Lord's sake, who am writing this letter to you. I, too, have shared the patience Jesus gives, and we shall share his kingdom!

I was on the island of Patmos, exiled there for preaching the Word of God, and for telling what I knew about Jesus Christ. ¹⁰ It was the Lord's Day and I was worshiping, when suddenly I heard a loud voice

dente como toque de trompeta, ¹¹me dijo:

—Yo soy la "A" y la "Z", el principio y el fin. Escribe en una carta todo lo que veas, y envíala a las siete iglesias que están en las siguientes ciudades de Asia: Efeso, Esmirna, Pérgamo, Tiatira, Sardis, Filadelfia y Laodicea.

¹²Cuando me volví para mirar al que me hablaba, vi siete candeleros de oro. ¹³En medio de los candeleros estaba un personaje muy parecido a Jesús, el Hijo del Hombre, vestido de un manto largo y ceñido al pecho con un cinturón dorado. ¹⁴Tenía el pelo blanco como la lana o la nieve, y los ojos penetrantes como llamas de fuego. ¹⁵Sus pies refulgían como bronce bruñido y su voz retumbaba como retumban las olas al romper en la costa. ¹⁶En la mano derecha sostenía siete estrellas; en la boca, una espada aguda de dos filos. El rostro le brillaba con la brillantez del sol en cielo despejado.

¹⁷Al verlo, caí a sus pies como muerto; pero me puso la mano derecha encima y me dijo:

—¡No temas! Soy el primero y el último, ¹⁸el que vive aunque estuvo muerto; ahora vivo para siempre y tengo las llaves del infierno y de la muerte. ¡No temas! ¹⁹Escribe lo que viste, lo que está sucediendo y lo que sucederá en breve. ²⁰El significado de las siete estrellas que tengo en la mano derecha, y de los siete candeleros de oro, es el siguiente: las siete estrellas son los pastores de las siete iglesias, y los siete candeleros son las iglesias mismas.

2 ¹"ESCRÍBELE AL PASTOR *de la iglesia de Efeso y dile lo siguiente:*

Te escribo para comunicarte un mensaje del que anda en medio de las iglesias y sostiene a sus pastores en la mano derecha. El te manda a decir esto:

²"Estoy al tanto de la obra que realizas. Me he fijado en tu duro trabajo, en la paciencia que tienes, y en que no toleras el pecado en los miembros de tu iglesia. Sé que has examinado cuidadosamente a los que se llaman apóstoles y no lo son, y te has dado cuenta de sus mentiras. ³Y sé que has sufrido por mi causa pacientemente y sin claudicar.

⁴Sin embargo, hay algo malo en ti: ¡Ya no me amas como al principio! ⁵¿Recuerdas

behind me, a voice that sounded like a trumpet blast, ¹¹ saying, "I am A and Z, the First and Last!" And then I heard him say, "Write down everything you see, and send your letter to the seven churches in Turkey: to the church in Ephesus, the one in Smyrna, and those in Pergamos, Thyatira, Sardis, Philadelphia, and Laodicea."

¹² When I turned to see who was speaking, there behind me were seven candlesticks of gold. ¹³ And standing among them was one who looked like Jesus who called himself the Son of Man, wearing a long robe circled with a golden band across his chest. ¹⁴ His hair was white as wool or snow, and his eyes penetrated like flames of fire. ¹⁵ His feet gleamed like burnished bronze, and his voice thundered like the waves against the shore. ¹⁶ He held seven stars in his right hand and a sharp, double-bladed sword in his mouth, and his face shone like the power of the sun in unclouded brilliance.

^{17,18} When I saw him, I fell at his feet as dead; but he laid his right hand on me and said, "Don't be afraid! Though I am the First and Last, the Living One who died, who is now alive forevermore, who has the keys of hell and death—don't be afraid! ¹⁹ Write down what you have just seen, and what will soon be shown to you. ²⁰ This is the meaning of the seven stars you saw in my right hand, and the seven golden candlesticks: The seven stars are the leaders of the seven churches, and the seven candlesticks are the churches themselves.

2 *"Write a letter to the leader of the church at Ephesus and tell him this:*

"I write to inform you of a message from him who walks among the churches and holds their leaders in his right hand.

"He says to you: ² I know how many good things you are doing. I have watched your hard work and your patience; I know you don't tolerate sin among your members, and you have carefully examined the claims of those who say they are apostles but aren't. You have found out how they lie. ³ You have patiently suffered for me without quitting.

⁴ "Yet there is one thing wrong; you don't love me as at first! ⁵ Think about those

los días de tu primer amor? ¡Qué diferente eras...! ¡Si no te arrepientes y trabajas como lo hacías antes, vendré y quitaré tu candelero del lugar que ocupa entre las iglesias!

⁶Pero hay algo bueno en ti: aborreces tanto como yo las obras de los nicolaítas.

⁷El que pueda oír, escuche lo que el Espíritu dice a las iglesias: A los vencedores daré a comer del fruto del árbol de la vida que está en medio del paraíso de Dios.

⁸*"Escríbele esto al pastor de la iglesia de Esmirna:*

El primero y el último, el que estuvo muerto y resucitó, te manda decir lo siguiente:

⁹Estoy al tanto de la obra que realizas. Sé que has sufrido mucho por el Señor, y que eres pobre (¡aunque eres rico en el cielo!). Conozco las difamaciones de los que se te oponen, que dicen ser judíos, hijos de Dios, y no lo son, porque están de parte de Satanás.

¹⁰No temas lo que has de sufrir. Para probarlos, el diablo arrojará a algunos de ustedes en la cárcel y los estará persiguiendo diez días. Sé fiel hasta la muerte y yo te daré la corona de la vida.

¹¹El que pueda oír, escuche lo que el Espíritu dice a las iglesias: El que venza no sufrirá los efectos de la segunda muerte.

¹²*"Escríbele al pastor de la iglesia de Pérgamo:*

El que tiene en la boca la espada aguda de dos filos te envía este mensaje:

¹³Sé bien que vives en la ciudad donde Satanás tiene su trono; sin embargo, te has mantenido fiel y no me negaste ni siquiera cuando los devotos de Satanás llevaban al martirio a Antipas, mi testigo fiel.

¹⁴Pero tengo unas pocas cosas contra ti: Toleras a los que persisten en la doctrina de Balaam, el que le reveló a Balac cómo destruir al pueblo de Israel alentándolo a entregarse a fiestas idólatras e incitándolo al pecado sexual; ¹⁵y que tienes en la iglesia a varias personas que persisten en la doctrina de los nicolaítas, que tanto aborrezco.

¹⁶Si no te arrepientes, iré pronto a ti y pelearé contra ellos con la espada de mi boca.

times of your first love (how different now!) and turn back to me again and work as you did before; or else I will come and remove your candlestick from its place among the churches.

⁶ "But there is this about you that is good: You hate the deeds of the licentious Nicolaitans, just as I do.

⁷ "Let this message sink into the ears of anyone who listens to what the Spirit is saying to the churches: To everyone who is victorious, I will give fruit from the Tree of Life in the Paradise of God.

⁸ *"To the leader of the church in Smyrna write this letter:*

"This message is from him who is the First and Last, who was dead and then came back to life.

⁹ "I know how much you suffer for the Lord, and I know all about your poverty (but you have heavenly riches!). I know the slander of those opposing you, who say that they are Jews—the children of God—but they aren't, for they support the cause of Satan. ¹⁰ Stop being afraid of what you are about to suffer—for the devil will soon throw some of you into prison to test you. You will be persecuted for 'ten days.' Remain faithful even when facing death and I will give you the crown of life—an unending, glorious future. ¹¹ Let everyone who can hear, listen to what the Spirit is saying to the churches: He who is victorious shall not be hurt by the Second Death.

¹² *"Write this letter to the leader of the church in Pergamos:*

"This message is from him who wields the sharp and double-bladed sword. ¹³ I am fully aware that you live in the city where Satan's throne is, at the center of satanic worship; and yet you have remained loyal to me, and refused to deny me, even when Antipas, my faithful witness, was martyred among you by Satan's devotees.

¹⁴ "And yet I have a few things against you. You tolerate some among you who do as Balaam did when he taught Balak how to ruin the people of Israel by involving them in sexual sin and encouraging them to go to idol feasts. ¹⁵ Yes, you have some of these very same followers of Balaam among you!

¹⁶ "Change your mind and attitude, or else I will come to you suddenly and fight against them with the sword of my mouth.

[17]El que pueda oír, escuche lo que el Espíritu dice a las iglesias: Cada uno de los victoriosos comerá del maná escondido, el alimento del cielo; y le daré una piedra blanca en la que habré grabado un nuevo nombre que sólo conoce el que lo recibe.

[18]*Escríbele al pastor de la iglesia de Tiatira:*

Este es un mensaje del Hijo de Dios, cuyos ojos fulguran como llamas de fuego y cuyos pies son como bronce bruñido. [19]Estoy al tanto de las obras que realizas, de tus bondades para con los pobres, de las limosnas que les das y de los servicios que les prestas. Sé que tienes un amor, una fe y una paciencia que van en aumento.

[20]Sin embargo, tengo algunas cosas contra ti: Tú permites que Jezabel, la que se autotitula profetisa, enseñe a mis siervos a practicar el sexo a la ligera; ella los incita a cometer inmoralidades y a comer carne sacrificada a los ídolos. [21]Le he dado tiempo para que se arrepienta de sus fornicaciones, pero se niega a hacerlo.

[22]Escucha ahora lo que te voy a decir: La voy a arrojar en un lecho de intensa aflicción; y junto a ella arrojaré a sus inmorales seguidores, si no se vuelven a mí, arrepentidos de los pecados que han cometido con ella. [23]Y a sus hijos los heriré de muerte. Así sabrán las iglesias que escudriño la mente y el corazón de los hombres, y que a cada uno le doy su merecido. [24]En cuanto a los demás de Tiatira que no han seguido estas falsas enseñanzas (que algunos llaman profundas verdades pero que no son más que profundidades de Satanás), no les pediré nada más; [25]pero retengan firmemente lo que tienen hasta que yo vaya. [26]A los vencedores, a los que se mantengan hasta el final haciendo lo que me agrada, les daré autoridad sobre las naciones, [27]de la misma manera que el Padre me la dio a mí; y las regirán con vara de hierro y las harán saltar en pedazos como vasos de barro. [28]¡Y les daré la estrella de la mañana!

[29]El que pueda oír, escuche lo que el Espíritu dice a las iglesias.

[17] "Let everyone who can hear, listen to what the Spirit is saying to the churches: Every one who is victorious shall eat of the hidden manna, the secret nourishment from heaven; and I will give to each a white stone, and on the stone will be engraved a new name that no one else knows except the one receiving it.

[18] *Write this letter to the leader of the church in Thyatira:*

"This is a message from the Son of God, whose eyes penetrate like flames of fire, whose feet are like glowing brass.

[19] "I am aware of all your good deeds —your kindness to the poor, your gifts and service to them; also I know your love and faith and patience, and I can see your constant improvement in all these things.

[20] "Yet I have this against you: You are permitting that woman Jezebel, who calls herself a prophetess, to teach my servants that sex sin is not a serious matter; she urges them to practice immorality and to eat meat that has been sacrificed to idols. [21] I gave her time to change her mind and attitude, but she refused. [22] Pay attention now to what I am saying: I will lay her upon a sickbed of intense affliction, along with all her immoral followers, unless they turn again to me, repenting of their sin with her; [23] and I will strike her children dead. And all the churches shall know that I am he who searches deep within men's hearts, and minds; I will give to each of you whatever you deserve.

[24,25] "As for the rest of you in Thyatira who have not followed this false teaching ('deeper truths,' as they call them—depths of Satan, really), I will ask nothing further of you; only hold tightly to what you have until I come.

[26] "To every one who overcomes—who to the very end keeps on doing things that please me—I will give power over the nations. [27] You will rule them with a rod of iron just as my Father gave me the authority to rule them; they will be shattered like a pot of clay that is broken into tiny pieces. [28] And I will give you the Morning Star!

[29] "Let all who can hear, listen to what the Spirit says to the churches.

3 "ESCRÍBELE LA SIGUIENTE *carta al pastor de la iglesia de Sardis:*

3 *"To the leader of the church in Sardis write this letter:*

Este mensaje te lo envía el que tiene el Espíritu de las siete formas de la perfección de Dios y las siete estrellas.

Estoy al tanto de la obra que realizas. Tienes fama de estar vivo, pero sé que estás muerto. ²¡Despierta! Cuida lo poco que te queda, porque aun esto está al borde de la muerte. Según las normas divinas, tus actos no son del todo correctos. ³Vuélvete a lo que oíste y creíste al principio; guárdalo firmemente y arrepiéntete. Si no lo haces, iré a ti como ladrón, cuando menos lo esperes, y te castigaré.

⁴No obstante, hay en Sardis algunas personas que no han manchado su ropa con las suciedades del mundo. Por eso, porque son dignas, caminarán a mi lado vestidas de blanco.

⁵Los vencedores recibirán ropa blanca; y no sólo no borraré sus nombres del Libro de la Vida, sino que proclamaré ante el Padre y los ángeles que me pertenecen.

⁶El que pueda oír, escuche lo que el Espíritu dice a las iglesias.

⁷*"Escríbele la siguiente carta al pastor de la iglesia de Filadelfia:*

Este mensaje te lo envía el Santo y Verdadero, el que tiene la llave de David, el que abre y nadie puede cerrar, y cierra y nadie puede abrir.

⁸Estoy al tanto de la obra que realizas; no eres muy fuerte, pero has tratado de obedecerme y no has negado mi nombre. Por lo tanto, te he abierto una puerta que nadie te podrá cerrar. ⁹Fíjate bien: Obligaré a los que sustentan la causa de Satanás y dicen mentirosamente que son míos, a postrarse a tus pies y reconocer que te amo. ¹⁰Por cuanto me has obedecido con paciencia a pesar de la persecución, te protegeré de la gran tribulación y tentación que vendrán sobre el mundo para poner a prueba a la humanidad.

¹¹Recuerda, vengo pronto. Retén firmemente lo que tienes, para que nadie te quite la corona. ¹²Al que venza lo convertiré en columna del Templo de mi Dios, escribiré en él el nombre de mi Dios, será ciudadano de la ciudad de mi Dios —la nueva Jerusalén que el Señor hará descender del cielo—, y llevará escrito en él mi nuevo nombre.

¹³El que pueda oír, escuche lo que el

"This message is sent to you by the one who has the seven-fold Spirit of God and the seven stars.

"I know your reputation as a live and active church, but you are dead. ²Now wake up! Strengthen what little remains— for even what is left is at the point of death. Your deeds are far from right in the sight of God. ³Go back to what you heard and believed at first; hold to it firmly and turn to me again. Unless you do, I will come suddenly upon you, unexpected as a thief, and punish you.

⁴"Yet even there in Sardis some haven't soiled their garments with the world's filth; they shall walk with me in white, for they are worthy. ⁵Everyone who conquers will be clothed in white, and I will not erase his name from the Book of Life, but I will announce before my Father and his angels that he is mine.

⁶"Let all who can hear, listen to what the Spirit is saying to the churches.

⁷*"Write this letter to the leader of the church in Philadelphia.*

"This message is sent to you by the one who is holy and true, and has the key of David to open what no one can shut and to shut what no one can open.

⁸"I know you well; you aren't strong, but you have tried to obey and have not denied my Name. Therefore I have opened a door to you that no one can shut.

⁹"Note this: I will force those supporting the causes of Satan while claiming to be mine (but they aren't—they are lying) to fall at your feet and acknowledge that you are the ones I love.

¹⁰"Because you have patiently obeyed me despite the persecution, therefore I will protect you from the time of Great Tribulation and temptation, which will come upon the world to test everyone alive. ¹¹Look, I am coming soon! Hold tightly to the little strength you have—so that no one will take away your crown.

¹²"As for the one who conquers, I will make him a pillar in the temple of my God; he will be secure, and will go out no more; and I will write my God's Name on him, and he will be a citizen in the city of my God—the New Jerusalem, coming down from heaven from my God; and he will have my new Name inscribed upon him.

¹³"Let all who can hear, listen to what

Espíritu dice a las iglesias.

[14]"*Escríbele al pastor de la iglesia de Laodicea:*

Este mensaje te lo envía el firme, el testigo fiel y verdadero, la fuente primaria de la creación de Dios.

[15]Estoy al tanto de la obra que realizas; no eres frío ni caliente. ¡Ojalá fueras frío o caliente! [16]¡Pero como eres tibio, te arrojaré de mi boca!

[17]Tú dices: "Soy rico, tengo lo que deseo, ¡no necesito nada!" ¡No te das cuenta que eres un desventurado, miserable, pobre, ciego y desnudo!

[18]Te aconsejo que compres de mí oro puro, refinado en fuego. Sólo así serás verdaderamente rico. Y compra de mí ropa blanca, limpia, pura, para que no sufras la vergüenza de andar desnudo. Y ponte un colirio que te cure los ojos y te devuelva la vista.

[19]Como yo disciplino y castigo a los que amo, tendré que castigarte si no abandonas esa indiferencia y te arrepientes. [20]Recuerda, yo estoy siempre a la puerta y llamo; si alguno escucha mi llamado y abre la puerta, entraré y cenaré con él y él conmigo. [21]Al que venza lo dejaré que se siente junto a mí en el trono, de la misma manera que al vencer yo me senté con mi Padre en el trono.

[22]El que pueda oír, escuche lo que el Espíritu dice a las iglesias.

4 AL LEVANTAR LA vista, contemplé en el cielo una puerta abierta; y la voz que escuché anteriormente, estridente como toque de trompeta, me dijo:

—Sube acá y te mostraré lo que va a ocurrir después de esto.

[2]Al instante estuve yo en espíritu contemplando un trono colocado en el cielo, y a Alguien sentado en él. [3]Ese Alguien fulguraba como lustroso diamante o reluciente rubí. Alrededor del trono había un arco iris brillante como la esmeralda, [4]y veinticuatro tronos ocupados por veinticuatro ancianos vestidos de blanco y con coronas de oro. [5,6]Del trono salían relámpagos, truenos y voces. Enfrente había siete lámparas en-

the Spirit is saying to the churches.

[14] "*Write this letter to the leader of the church in Laodicea:*

"This message is from the one who stands firm, the faithful and true Witness [of all that is or was or evermore shall be], the primeval source of God's creation:

[15] "I know you well—you are neither hot nor cold; I wish you were one or the other! [16] But since you are merely lukewarm, I will spit you out of my mouth!

[17] "You say, 'I am rich, with everything I want; I don't need a thing!' And you don't realize that spiritually you are wretched and miserable and poor and blind and naked.

[18] "My advice to you is to buy pure gold from me, gold purified by fire—only then will you truly be rich. And to purchase from me white garments, clean and pure, so you won't be naked and ashamed; and to get medicine from me to heal your eyes and give you back your sight. [19] I continually discipline and punish everyone I love; so I must punish you, unless you turn from your indifference and become enthusiastic about the things of God.

[20] "Look! I have been standing at the door and I am constantly knocking. If anyone hears me calling him and opens the door, I will come in and fellowship with him and he with me. [21] I will let every one who conquers sit beside me on my throne, just as I took my place with my Father on his throne when I had conquered. [22] Let those who can hear, listen to what the Spirit is saying to the churches."

4 THEN AS I looked, I saw a door standing open in heaven, and the same voice I had heard before, that sounded like a mighty trumpet blast, spoke to me and said, "Come up here and I will show you what must happen in the future!"

[2] And instantly I was, in spirit, there in heaven and saw—oh, the glory of it!—a throne and someone sitting on it! [3] Great bursts of light flashed forth from him as from a glittering diamond, or from a shining ruby, and a rainbow glowing like an emerald encircled his throne. [4] Twenty-four smaller thrones surrounded his, with twenty-four Elders sitting on them; all were clothed in white, with golden crowns upon their heads. [5] Lightning and thunder issued from the throne, and there were voices in

cendidas que representaban al Espíritu divino de las siete formas de la perfección de Dios, y un mar de cristal reluciente. En medio y alrededor del trono había cuatro seres vivientes, llenos de ojos por detrás y por delante.

⁷El primero de aquellos seres vivientes tenía forma de león; el segundo, de becerro; el tercero tenía un rostro humano; y el cuarto parecía un águila en pleno vuelo. ⁸Cada uno de aquellos seres vivientes tenía seis alas llenas de ojos por dentro y por fuera. Y sin cesar, día tras día y noche tras noche, decían: "Santo, santo, santo es el Señor Dios Todopoderoso, que era, que es y que ha de venir".

⁹Y cada vez que los seres vivientes daban gloria, honra y acción de gracias al que estaba sentado en el trono, al que vive para siempre, ¹⁰los veinticuatro ancianos se postraban en adoración delante del que vive eternamente y tiraban sus coronas delante del trono al tiempo que cantaban: ¹¹"Señor, eres digno de recibir la gloria, la honra y el poder, porque creaste el universo. Lo que existe, existe porque por obra y gracia de tu voluntad lo creaste".

5 EN ESO NOTÉ que el que estaba sentado en el trono tenía en la mano derecha un pergamino enrollado, escrito por detrás y por delante y sellado con siete sellos. ²En aquel mismo instante un ángel poderoso preguntó a viva voz:

—¿Quién es digno de abrir el pergamino y romper sus sellos?

³Pero nadie, ni en el cielo ni en la tierra ni entre los muertos, podía abrirlo para leerlo.

⁴No pude contener el dolor que me embargó ante la desgracia de que no hubiera nadie digno de revelarnos el contenido del pergamino, y rompí a llorar. ⁵Pero uno de los veinticuatro ancianos me dijo:

—No llores. Allí está el león de la tribu de Judá, la raíz de David, el que con su victoria ha demostrado ser digno de romper los siete sellos del pergamino y desenrollarlo.

⁶Entonces miré. En medio del trono, de los cuatro seres vivientes y de los veinticuatro ancianos, estaba un Cordero en el que eran visibles las heridas que le causaron la muerte. Tenía siete cuernos y siete ojos,

the thunder. Directly in front of his throne were seven lighted lamps representing the seven-fold Spirit of God. ⁶ Spread out before it was a shiny crystal sea. Four Living Beings, dotted front and back with eyes, stood at the throne's four sides. ⁷ The first of these Living Beings was in the form of a lion; the second looked like an ox; the third had the face of a man; and the fourth, the form of an eagle, with wings spread out as though in flight. ⁸ Each of these Living Beings had six wings, and the central sections of their wings were covered with eyes. Day after day and night after night they kept on saying, "Holy, holy, holy, Lord God Almighty—the one who was, and is, and is to come."

⁹ And when the Living Beings gave glory and honor and thanks to the one sitting on the throne, who lives forever and ever, ¹⁰ the twenty-four Elders fell down before him and worshiped him, the Eternal Living One, and cast their crowns before the throne, singing, ¹¹ "O Lord, you are worthy to receive the glory and the honor and the power, for you have created all things. They were created and called into being by your act of will."

5 AND I SAW a scroll in the right hand of the one who was sitting on the throne, a scroll with writing on the inside and on the back, and sealed with seven seals. ² A mighty angel with a loud voice was shouting out this question: "Who is worthy to break the seals on this scroll, and to unroll it?" ³ But no one in all heaven or earth or from among the dead was permitted to open and read it.

⁴ Then I wept with disappointment because no one anywhere was worthy; no one could tell us what it said.

⁵ But one of the twenty-four Elders said to me, "Stop crying, for look! The Lion of the tribe of Judah, the Root of David, has conquered, and proved himself worthy to open the scroll and to break its seven seals."

⁶ I looked and saw a Lamb standing there before the twenty-four Elders, in front of the throne and the Living Beings, and on the Lamb were wounds that once had caused his death. He had seven horns and

que representaban al Espíritu divino de las siete formas de la perfección de Dios que fue enviado a todas partes del mundo.

⁷El Cordero, dando un paso hacia adelante, tomó el rollo de la mano derecha del que estaba sentado en el trono. ⁸Al hacerlo, los veinticuatro ancianos se postraron ante El con arpas y copas de oro llenas de incienso —que son las oraciones de los creyentes—, ⁹y dedicaron al Cordero un nuevo canto que decía así: "Eres digno de tomar el pergamino, romper sus sellos y abrirlo porque fuiste inmolado y con tu sangre nos compraste para Dios de entre todos los linajes, pueblos, lenguas y naciones, ¹⁰y con nosotros formaste un reino de sacerdotes de nuestro Dios, en virtud de lo cual reinaremos en la tierra".

¹¹Escuché entonces el canto de millones de ángeles que rodeaban el trono y de los seres vivientes y de los ancianos, ¹²en el que a gran voz proclamaban: "Digno es el Cordero que fue inmolado de tomar el poder, las riquezas, la sabiduría, la fortaleza, la honra, la gloria y la alabanza".

¹³Y todas las criaturas del cielo y de la tierra, a coro con las que yacen debajo de la tierra y en el mar exclamaron: "¡Que la alabanza, la honra, la gloria y el poder sean para el Cordero para siempre!"

¹⁴Mientras tanto, los cuatro seres vivientes decían: "¡Amén!"

Y los veinticuatro ancianos se postraron y adoraron al Eterno.

6 ALLÍ, ANTE MIS ojos, el Cordero rompió el primer sello y comenzó a desenrollar el pergamino. Entonces uno de los cuatro seres vivientes, con voz de trueno, dijo:

—¡Ven y ve!

²Obedecí. Frente a mí apareció un caballo blanco. El jinete, que tenía un arco, recibió una corona y salió triunfante a obtener más victorias.

³Cuando el Cordero rompió el segundo sello, el segundo ser viviente gritó:

—¡Ven!

⁴Esta vez apareció un caballo rojo. El jinete recibió una espada y autorización para destruir la paz y provocar anarquía en la tierra; en consecuencia, por todas partes hubo guerras y muertes.

⁵Cuando el Cordero rompió el tercer sello, escuché al tercer ser viviente que dijo:

seven eyes, which represent the seven-fold Spirit of God, sent out into every part of the world. ⁷ He stepped forward and took the scroll from the right hand of the one sitting upon the throne. ⁸ And as he took the scroll, the twenty-four Elders fell down before the Lamb, each with a harp and golden vials filled with incense—the prayers of God's people!

⁹ They were singing him a new song with these words: "You are worthy to take the scroll and break its seals and open it; for you were slain, and your blood has bought people from every nation as gifts for God. ¹⁰ And you have gathered them into a kingdom and made them priests of our God; they shall reign upon the earth."

¹¹ Then in my vision I heard the singing of millions of angels surrounding the throne and the Living Beings and the Elders: ¹² "The Lamb is worthy" (loudly they sang it!) "—the Lamb who was slain. He is worthy to receive the power, and the riches, and the wisdom, and the strength, and the honor, and the glory, and the blessing."

¹³ And then I heard everyone in heaven and earth, and from the dead beneath the earth and in the sea, exclaiming, "The blessing and the honor and the glory and the power belong to the one sitting on the throne, and to the Lamb forever and ever."
¹⁴ And the four Living Beings kept saying, "Amen!" And the twenty-four Elders fell down and worshiped him.

6 AS I WATCHED, the Lamb broke the first seal and began to unroll the scroll. Then one of the four Living Beings, with a voice that sounded like thunder, said, "Come!"

² I looked, and there in front of me was a white horse. Its rider carried a bow, and a crown was placed upon his head; he rode out to conquer in many battles and win the war.

³ Then he unrolled the scroll to the second seal, and broke it open too. And I heard the second Living Being say, "Come!"

⁴ This time a red horse rode out. Its rider was given a long sword and the authority to banish peace and bring anarchy to the earth; war and killing broke out everywhere.

⁵ When he had broken the third seal, I heard the third Living Being say, "Come!"

—¡Ven!

En la escena apareció un caballo negro cuyo jinete traía una balanza en la mano. ⁶Y una voz que brotó de entre los cuatro seres vivientes, dijo:

—A denario las dos libras de trigo o las tres libras de cebada, pero no hay aceite ni vino.

⁷Y cuando rompió el cuarto sello, escuché al cuarto ser viviente que dijo:

—¡Ven!

⁸En esta ocasión apareció un caballo amarillo. El jinete que lo montaba se llamaba Muerte, y lo seguía otro jinete llamado Infierno. Se les concedió dominio sobre una cuarta parte de la tierra, y autoridad para matar por medio de guerras, hambre, epidemias y fieras salvajes.

⁹El Cordero abrió el quinto sello. Vi entonces debajo del altar las almas de los que habían muerto por predicar la palabra de Dios y por ser fieles testigos de la verdad. ¹⁰Aquellas almas clamaban a viva voz:

—Soberano Señor, santo y verdadero, ¿cuándo vas a juzgar a los habitantes de la tierra por lo que nos han hecho? ¿Cuándo vas a vengar nuestra sangre en los que moran en la tierra?

¹¹Les dieron entonces ropa blanca, y les dijeron que descansaran un poco más hasta que los demás siervos de Jesús alcanzaran también las palmas del martirio y se les unieran.

¹²Cuando el Cordero abrió el sexto sello, se produjo un gran terremoto; el sol se puso negro como ropa de luto y la luna adquirió un color rojo sangre. ¹³Las estrellas del cielo parecían caer sobre la tierra como caen los higos verdes en medio de un vendaval. ¹⁴El cielo estrellado se fue enrollando como un pergamino hasta desaparecer, mientras las montañas y las islas cambiaban de lugar en medio de fuertes sacudidas. ¹⁵Los reyes de la tierra, los dirigentes del mundo, los ricos, los militares de la más alta graduación, buscaban refugio en las cuevas y entre las peñas de las montañas. Y la humanidad entera, esclava o libre, gritaba a las montañas:

¹⁶—¡Caigan sobre nosotros y escóndannos de la mirada del que está sentado en el trono, y de la ira del Cordero! ¹⁷¡El gran día de su ira ha llegado! ¿Quién podrá sobrevivir?

And I saw a black horse, with its rider holding a pair of balances in his hand. ⁶And a voice from among the four Living Beings said, "A loaf of bread for $20, or three pounds of barley flour, but there is no olive oil or wine."

⁷And when the fourth seal was broken, I heard the fourth Living Being say, "Come!" ⁸And now I saw a pale horse, and its rider's name was Death. And there followed after him another horse whose rider's name was Hell. They were given control of one-fourth of the earth, to kill with war and famine and disease and wild animals.

⁹And when he broke open the fifth seal, I saw an altar, and underneath it all the souls of those who had been martyred for preaching the Word of God and for being faithful in their witnessing. ¹⁰They called loudly to the Lord and said, "O Sovereign Lord, holy and true, how long will it be before you judge the people of the earth for what they've done to us? When will you avenge our blood against those living on the earth?" ¹¹White robes were given to each of them, and they were told to rest a little longer until their other brothers, fellow servants of Jesus, had been martyred on the earth and joined them.

¹²I watched as he broke the sixth seal, and there was a vast earthquake; and the sun became dark like black cloth, and the moon was blood-red. ¹³Then the stars of heaven appeared to be falling to earth —like green fruit from fig trees buffeted by mighty winds. ¹⁴And the starry heavens disappeared as though rolled up like a scroll and taken away; and every mountain and island shook and shifted. ¹⁵The kings of the earth, and world leaders and rich men, and high-ranking military officers, and all men great and small, slave and free, hid themselves in the caves and rocks of the mountains, ¹⁶and cried to the mountains to crush them. "Fall on us," they pleaded, "and hide us from the face of the one sitting on the throne, and from the anger of the Lamb, ¹⁷because the great day of their anger has come, and who can survive it?"

7 ENTONCES VI A cuatro ángeles que, parados en las cuatro esquinas de la tierra, detenían los cuatro vientos. Al poco rato no se movía ni una hoja, y el océano quedó sereno e inmóvil.

²Luego otro ángel apareció en el este con el gran sello del Dios viviente y gritó a los cuatro ángeles que habían recibido autorización para dañar la tierra y el mar:

³—¡Esperen! No vayan a dañar la tierra ni el mar ni los árboles, porque todavía no hemos marcado en la frente a los siervos de Dios.

⁴⁻⁸¿Cuántos fueron sellados? Escuché el número: ciento cuarenta y cuatro mil entre las doce tribus de Israel. Está es la lista:

de Judá	12.000
de Rubén	12.000
de Gad	12.000
de Aser	12.000
de Neftalí	12.000
de Manasés	12.000
de Simeón	12.000
de Leví	12.000
de Isacar	12.000
de Zabulón	12.000
de José	12.000
de Benjamín	12.000

⁹Luego vi frente al trono y delante del Cordero a una gran multitud de individuos de todas las naciones, razas y lenguas, vestidos de blanco y con palmas en las manos. Era tan inmensa la multitud que no pude contarla.

¹⁰—Al Dios nuestro que está en el trono y al Cordero debemos la salvación —gritaban.

¹¹Y los ángeles que rodeaban el trono y los ancianos y los cuatro seres vivientes se postraron delante del trono y adoraron a Dios, diciendo:

¹²—¡Amén! ¡Que la bendición, la gloria, la sabiduría, la acción de gracias, la honra, el poder y la fuerza sean de nuestro Dios para siempre! ¡Amén!

¹³Entonces uno de los veinticuatro ancianos me preguntó:

—¿Sabes quiénes son éstos que están vestidos de blanco y de dónde han venido?

¹⁴—No, Señor —respondí—. Dímelo.

—Estos son los que pasaron por la gran tribulación —me dijo—. Su ropa está blanca porque la lavaron y blanquearon con la sangre del Cordero. ¹⁵Por eso están delante del trono de Dios y sirven día y

7 THEN I SAW four angels standing at the four corners of the earth, holding back the four winds from blowing, so that not a leaf rustled in the trees, and the ocean became as smooth as glass. ² And I saw another angel coming from the east, carrying the Great Seal of the Living God. And he shouted out to those four angels who had been given power to injure earth and sea, ³ "Wait! Don't do anything yet—hurt neither earth nor sea nor trees—until we have placed the Seal of God upon the foreheads of his servants."

⁴⁻⁸ How many were given this mark? I heard the number—it was 144,000, out of all twelve tribes of Israel, as listed here:

Judah	12,000
Reuben	12,000
Gad	12,000
Asher	12,000
Naphtali	12,000
Manasseh	12,000
Simeon	12,000
Levi	12,000
Issachar	12,000
Zebulun	12,000
Joseph	12,000
Benjamin	12,000

⁹ After this I saw a vast crowd, too great to count, from all nations and provinces and languages, standing in front of the throne and before the Lamb, clothed in white, with palm branches in their hands. ¹⁰ And they were shouting with a mighty shout, "Salvation comes from our God upon the throne, and from the Lamb."

¹¹ And now all the angels were crowding around the throne and around the Elders and the four Living Beings, and falling face down before the throne and worshiping God. ¹² "Amen!" they said. "Blessing, and glory, and wisdom, and thanksgiving, and honor, and power, and might, be to our God forever and forever. Amen!"

¹³ Then one of the twenty-four Elders asked me, "Do you know who these are, who are clothed in white, and where they come from?"

¹⁴ "No, sir," I replied. "Please tell me."

"These are the ones coming out of the Great Tribulation," he said; "they washed their robes and whitened them by the blood of the Lamb. ¹⁵ That is why they are here before the throne of God, serving him day

noche en el Templo del Altísimo. El que está sentado en el trono los protege; [16]jamás volverán a tener hambre ni sed, y estarán a salvo del sol abrasador del mediodía. [17]El Cordero que está frente al trono los alimentará y, como pastor, los conducirá a las fuentes del agua de la vida. Y Dios les enjugará las lágrimas.

8 CUANDO EL CORDERO rompió el séptimo sello, se produjo en el cielo como una media hora de silencio.

[2]Entre tanto, los siete ángeles que estaban delante de Dios recibieron siete trompetas. [3]Otro ángel, con un incensario de oro, vino y se paró ante el altar; allí se le entregó una gran cantidad de incienso para que lo mezclara con las oraciones de los creyentes y lo ofreciera sobre el altar de oro que estaba delante del trono. [4]Y el humo del incienso y las oraciones que el ángel derramó en el altar ascendieron a la presencia de Dios. [5]Luego el ángel llenó el incensario del fuego del altar y lo lanzó contra la tierra. Inmediatamente se produjo una tormenta de truenos; y en medio de los relámpagos que rasgaban el espacio, un terrible terremoto sacudió la tierra.

[6]Los siete ángeles de las siete trompetas se dispusieron a tocarlas. [7]Cuando el primero tocó su trompeta, cayó sobre la tierra una lluvia de granizo y fuego mezclado con sangre; una tercera parte de la tierra ardió y una tercera parte de los árboles quedó carbonizada; no hubo hierba verde en la tierra que no ardiera.

[8,9]El segundo ángel tocó su trompeta e inmediatamente algo semejante a una inmensa montaña encendida se precipitó en el mar y destruyó una tercera parte de los barcos; una tercera parte del mar adquirió el color rojo de la sangre, y murió una tercera parte de los peces.

[10]El tercer ángel tocó su trompeta y una gran estrella envuelta en llamas cayó sobre una tercera parte de los ríos y manantiales. [11]La estrella recibió el nombre de "Amargura", porque una tercera parte de las aguas se volvieron amargas y murió mucha gente.

[12]Cuando el cuarto ángel tocó su trompeta, una tercera parte del sol, la luna y las estrellas dejó de alumbrar. La luz del día disminuyó su intensidad en una tercera

and night in his temple. The one sitting on the throne will shelter them; [16] they will never be hungry again, nor thirsty, and they will be fully protected from the scorching noontime heat. [17] For the Lamb standing in front of the throne will feed them and be their Shepherd and lead them to the springs of the Water of Life. And God will wipe their tears away."

8 WHEN THE LAMB had broken the seventh seal, there was silence throughout all heaven for what seemed like half an hour. [2] And I saw the seven angels that stand before God, and they were given seven trumpets.

[3] Then another angel with a golden censer came and stood at the altar; and a great quantity of incense was given to him to mix with the prayers of God's people, to offer upon the golden altar before the throne. [4] And the perfume of the incense mixed with prayers ascended up to God from the altar where the angel had poured them out.

[5] Then the angel filled the censer with fire from the altar and threw it down upon the earth; and thunder crashed and rumbled, lightning flashed, and there was a terrible earthquake.

[6] Then the seven angels with the seven trumpets prepared to blow their mighty blasts.

[7] The first angel blew his trumpet, and hail and fire mixed with blood were thrown down upon the earth. One-third of the earth was set on fire so that one-third of the trees were burned, and all the green grass.

[8,9] Then the second angel blew his trumpet, and what appeared to be a huge burning mountain was thrown into the sea, destroying a third of all the ships; and a third of the sea turned red as blood; and a third of the fish were killed.

[10] The third angel blew, and a great flaming star fell from heaven upon a third of the rivers and springs. [11] The star was called "Bitterness" because it poisoned a third of all the water on the earth and many people died.

[12] The fourth angel blew his trumpet and immediately a third of the sun was blighted and darkened, and a third of the moon and the stars, so that the daylight was dimmed

parte, y la oscuridad de la noche se hizo más densa.

¹³Y mientras miraba, un ángel solitario cruzó los cielos gritando:

—¡Ay, ay, ay, de los habitantes de la tierra, porque terribles cosas acontecerán cuando los otros ángeles toquen sus trompetas!

9 EL QUINTO ÁNGEL tocó su trompeta y alguien cayó del cielo a la tierra y recibió la llave del abismo insondable. ²Al abrirlo, un humo negro como de un horno gigantesco se elevó y oscureció el sol y el aire. ³Del humo brotaron langostas que descendieron sobre la tierra con poder para aguijonear como alacranes. ⁴Se les había ordenado que no dañaran la hierba ni ninguna planta ni ningún árbol; en cambio, debían atacar a las personas que no tuvieran la marca de Dios en la frente. ⁵No les estaba permitido matarlas, sino someterlas durante cinco meses a una agonía semejante al dolor del aguijonazo del alacrán. ⁶En aquellos días los hombres tratarán de matarse, pero no se les concederá la muerte. Ansiarán morir, pero la muerte huirá de ellos.

⁷Aquellas langostas parecían caballos preparados para la guerra. En la cabeza llevaban algo así como coronas de oro y tenían el rostro muy semejante al rostro humano. ⁸Sus cabellos eran largos como de mujer, y sus dientes parecían dientes de leones. ⁹Traían puestas corazas que parecían de hierro, y sus alas producían un estruendo semejante al de muchos carros que corren a la batalla tirados por caballos.

¹⁰Como alacranes, llevaban el aguijón en la cola, donde precisamente residía el poder que se les había dado para dañar a los hombres durante cinco meses. ¹¹Y eran súbditos del príncipe del abismo insondable, cuyo nombre en hebreo es Abadón; en griego, Apolión, que quiere decir, "Destructor".

¹²Ya pasó uno de los horrores, pero todavía faltan dos.

¹³El sexto ángel tocó su trompeta y escuché una voz que brotaba de los cuatro cuernos del altar de oro que estaba delante del trono de Dios.

¹⁴—Desaten a los cuatro demonios poderosos que están atados junto al gran río Eufrates —dijo la voz al sexto ángel.

by a third, and the nighttime darkness deepened. ¹³ As I watched, I saw a solitary eagle flying through the heavens crying loudly, "Woe, woe, woe to the people of the earth because of the terrible things that will soon happen when the three remaining angels blow their trumpets."

9 THEN THE FIFTH angel blew his trumpet and I saw one who was fallen to earth from heaven, and to him was given the key to the bottomless pit. ² When he opened it, smoke poured out as though from some huge furnace, and the sun and air were darkened by the smoke.

³ Then locusts came from the smoke and descended onto the earth and were given power to sting like scorpions. ⁴ They were told not to hurt the grass or plants or trees, but to attack those people who did not have the mark of God on their foreheads. ⁵ They were not to kill them, but to torture them for five months with agony like the pain of scorpion stings. ⁶ In those days men will try to kill themselves but won't be able to—death will not come. They will long to die—but death will flee away!

⁷ The locusts looked like horses armored for battle. They had what looked like golden crowns on their heads, and their faces looked like men's. ⁸ Their hair was long like women's, and their teeth were those of lions. ⁹ They wore breastplates that seemed to be of iron, and their wings roared like an army of chariots rushing into battle. ¹⁰ They had stinging tails like scorpions, and their power to hurt, given to them for five months, was in their tails. ¹¹ Their king is the Prince of the bottomless pit whose name in Hebrew is Abaddon, and in Greek, Apollyon [and in English, the Destroyer].

¹² One terror now ends, but there are two more coming!

¹³ The sixth angel blew his trumpet and I heard a voice speaking from the four horns of the golden altar that stands before the throne of God, ¹⁴ saying to the sixth angel, "Release the four mighty demons held bound at the great River Euphrates."

¹⁵Y aquellos demonios, que estaban preparados precisamente para aquel año, mes, día y hora, quedaron en libertad de matar a la tercera parte de la humanidad. ¹⁶Marcharían al frente de un ejército de doscientos millones de guerreros, según pude escuchar.

¹⁷En visión, vi delante de mí aquella caballería. Los jinetes llevaban corazas de un color rojo fuego, si bien es cierto que algunas eran azul cielo y otras amarillas. Las cabezas de los caballos parecían cabezas de leones, y por el hocico echaban humo fuego y llama sulfúrea, ¹⁸plagas que fueron matando la tercera parte de la humanidad.

¹⁹Pero el poder mortal de aquellos caballos no radicaba solamente en el hocico. Sus colas parecían serpientes que atacaban y ocasionaban heridas mortales.

²⁰Sin embargo, los hombres que sobrevivieron a aquellas plagas siguieron adorando a Satanás y a los ídolos de oro, plata, bronce, piedra y madera que no pueden ver ni oír ni caminar. ²¹¡Y ni siquiera se arrepienten de sus crímenes, hechicerías, inmoralidades y hurtos!

10 VI A OTRO ángel poderoso descender del cielo envuelto en una nube, con un arco iris sobre la cabeza. El rostro le resplandecía como el sol y los pies le llameaban como antorchas gigantescas. ²En la mano, abierto, sostenía un librito.

Poniendo el pie derecho en el mar y el izquierdo en la tierra, ³dio un grito semejante al rugido de un león. Poco después siete truenos rugieron en respuesta.

⁴Yo ya iba a escribir lo que dijeron los truenos, pero una voz del cielo gritó:

—¡No, no lo hagas! Estas palabras no pueden ser reveladas.

⁵Entonces el gran ángel que estaba parado en mar y tierra elevó al cielo la mano derecha, ⁶y juró por el que vive para siempre, creador del cielo y lo que en él existe, de la tierra y lo que en ella existe, y del mar y los que lo habitan, que ya no habría más demoras; ⁷y que cuando el séptimo ángel tocara su trompeta, el plan de Dios, que había permanecido velado, se llevaría a cabo tal como sus siervos los profetas lo habían anunciado.

⁸Entonces la voz del cielo me habló de nuevo:

—Vé y toma el librito que está abierto

¹⁵ They had been kept in readiness for that year and month and day and hour, and now they were turned loose to kill a third of all mankind. ¹⁶ They led an army of 200,000,000 warriors —I heard an announcement of how many there were.

¹⁷,¹⁸ I saw their horses spread out before me in my vision; their riders wore fiery-red breastplates, though some were sky-blue and others yellow. The horses' heads looked much like lions', and smoke and fire and flaming sulphur billowed from their mouths, killing one-third of all mankind. ¹⁹ Their power of death was not only in their mouths, but in their tails as well, for their tails were similar to serpents' heads that struck and bit with fatal wounds.

²⁰ But the men left alive after these plagues *still refused to worship God!* They would not renounce their demon-worship, nor their idols made of gold and silver, brass, stone, and wood—which neither see nor hear nor walk! ²¹ Neither did they change their mind and attitude about all their murders and witchcraft, their immorality and theft.

10 THEN I SAW another mighty angel coming down from heaven, surrounded by a cloud, with a rainbow over his head; his face shone like the sun and his feet flashed with fire. ² And he held open in his hand a small scroll. He set his right foot on the sea and his left foot on the earth, ³ and gave a great shout—it was like the roar of a lion—and the seven thunders crashed their reply.

⁴ I was about to write what the thunders said when a voice from heaven called to me, "Don't do it. Their words are not to be revealed."

⁵ Then the mighty angel standing on the sea and land lifted his right hand to heaven, ⁶ and swore by him who lives forever and ever, who created heaven and everything in it and the earth and all that it contains and the sea and its inhabitants, that there should be no more delay, ⁷ but that when the seventh angel blew his trumpet, then God's veiled plan—mysterious through the ages ever since it was announced by his servants the prophets—would be fulfilled.

⁸ Then the voice from heaven spoke to me again, "Go and get the unrolled scroll

en la mano del poderoso ángel que está parado en tierra y mar.

⁹Yo me le acerqué y se lo pedí.

—Sí —me respondió—, toma y cómetelo. Al principio te sabrá a miel, pero cuando te lo tragues te amargará el estómago.

¹⁰Lo tomé entonces y me lo comí. Y, efectivamente, me fue dulce en la boca, pero al tragármelo me produjo un dolor de estómago. ¹¹Entonces el ángel me dijo:

—Todavía tienes que profetizar sobre muchos pueblos, naciones, tribus y reyes.

11 SE ME ENTREGÓ entonces una vara de medir y se me pidió que fuera a medir el Templo de Dios, incluyendo los salones internos donde está el altar. Y se me pidió también que contara cuántos adoradores había.

²—Pero no midas las partes externas del Templo —me dijeron—, porque han sido entregadas a las naciones, y éstas se pasarán tres años y medio humillando a la Ciudad Santa. ³Y enviaré a mis dos testigos para que profeticen durante mil doscientos sesenta días vestidos de luto.

⁴Los dos profetas en cuestión eran los dos olivos y los dos candeleros que están delante del Dios de la tierra. ⁵Cualquiera que trate de hacerles daño, morirá víctima de las llamaradas de fuego que brotan de la boca de aquellos dos personajes. ⁶Estos tienen poder para cerrar los cielos de manera que no llueva durante los tres años y medio que estén profetizando, y poder para convertir en sangre los ríos y los océanos, y enviar plagas sobre la tierra cada vez que lo deseen. ⁷Al cabo de tres años y medio de testimonio solemne, el tiempo que surge del abismo insondable les declarará la guerra, los vencerá y los matará, ⁸·⁹y durante tres días y medio exhibirá sus cadáveres en las calles de Jerusalén, la ciudad llamada "Sodoma" o "Egipto"en sentido figurado, donde crucificaron al Señor. No se le permitirá a nadie enterrarlos, e individuos de muchas nacionalidades desfilarán junto a ellos para verlos. ¹⁰Aquel será un día de júbilo mundial; en todas partes, las gentes, regocijadas, intercambiarán regalos y organizarán fiestas en celebración de la muerte de los dos profetas que tanto los habían atormentado. ¹¹Pero al cabo de los tres días y medio, el Espíritu de Vida de

from the mighty angel standing there upon the sea and land."

⁹ So I approached him and asked him to give me the scroll. "Yes, take it and eat it," he said. "At first it will taste like honey, but when you swallow it, it will make your stomach sour!" ¹⁰ So I took it from his hand, and ate it! And just as he had said, it was sweet in my mouth but it gave me a stomach ache when I swallowed it.

¹¹ Then he told me, "You must prophesy further about many peoples, nations, tribes, and kings."

11 NOW I WAS given a measuring stick and told to go and measure the temple of God, including the inner court where the altar stands, and to count the number of worshipers. ² "But do not measure the outer court," I was told, "for it has been turned over to the nations. They will trample the Holy City for forty-two months. ³ And I will give power to my two witnesses to prophesy 1,260 days clothed in sackcloth."

⁴ These two prophets are the two olive trees, and two candlesticks standing before the God of all the earth. ⁵ Anyone trying to harm them will be killed by bursts of fire shooting from their mouths. ⁶ They have power to shut the skies so that no rain will fall during the three and a half years they prophesy, and to turn rivers and oceans to blood, and to send every kind of plague upon the earth as often as they wish.

⁷ When they complete the three and a half years of their solemn testimony, the tyrant who comes out of the bottomless pit will declare war against them and conquer and kill them; ⁸·⁹ and for three and a half days their bodies will be exposed in the streets of Jerusalem (the city fittingly described as "Sodom" or "Egypt")—the very place where their Lord was crucified. No one will be allowed to bury them, and people from many nations will crowd around to gaze at them. ¹⁰ And there will be a worldwide holiday—people everywhere will rejoice and give presents to each other and throw parties to celebrate the death of the two prophets who had tormented them so much!

¹¹ But after three and a half days, the spirit of life from God will enter them and

Dios entrará en los dos profetas, y se levantarán. Y un gran terror se apoderará del mundo entero. ¹²Entonces una potente voz del cielo llamará a los dos profetas, y ellos ascenderán al cielo en una nube, ante los ojos de sus enemigos. ¹³En aquel preciso instante un terrible terremoto sacudirá a la tierra y una décima parte de la ciudad se derrumbará dejando un saldo de siete mil muertos. Los sobrevivientes, llenos de espanto, glorificarán al Dios del cielo.

¹⁴Así termina el segundo horror, pero el tercero no se hace esperar. ¹⁵El séptimo ángel tocó su trompeta, y varias voces potentísimas gritaron desde el cielo:

—Los reinos de este mundo pertenecen ahora a nuestro Señor y a su Cristo; El reinará en ellos para siempre.

¹⁶Y los veinticuatro ancianos sentados en sus tronos delante de Dios se tiraron sobre sus rostros a adorarlo, diciendo:

¹⁷—Te damos las gracias, Señor Dios Todopoderoso, que eres, que eras y que has de venir, porque has tomado tu gran poder y has comenzado a reinar. ¹⁸Las naciones se enojaron contra ti, pero ha llegado el momento de enojarte contra ellas. Ha llegado la hora de juzgar a los muertos y premiar a tus siervos los profetas y a cualquier persona grande o pequeña que respete tu nombre. Y ha llegado el momento de destruir a los que han traído destrucción a la tierra.

¹⁹Entonces el Templo de Dios se abrió en el cielo y el Arca de su pacto quedó al descubierto. Y en medio del centelleo de los relámpagos y el retumbar de los truenos que rasgaban el firmamento, cayó una inmensa granizada seguida de un espantoso terremoto que sacudió la tierra.

12 ENTONCES SE PRESENTÓ en el cielo un gran espectáculo, símbolo de lo que iba a acontecer. Apareció una mujer vestida con el sol, con la luna debajo de los pies y una corona de doce estrellas en la frente. ²Estaba encinta y gritaba con dolores de parto; el momento de su alumbramiento se acercaba.

³De pronto apareció un dragón rojizo, con siete cabezas, diez cuernos y una corona en cada cabeza. ⁴Con la cola arrastró tras sí una tercera parte de las estrellas y las arrojó sobre la tierra. Luego se detuvo frente a la mujer en el momento mismo en que iba a dar a luz, a fin de comerse al niño

they will stand up! And great fear will fall on everyone. ¹² Then a loud voice will shout from heaven, "Come up!" And they will rise to heaven in a cloud as their enemies watch.

¹³ The same hour there will be a terrible earthquake that levels a tenth of the city, leaving 7,000 dead. Then everyone left will, in their terror, give glory to the God of heaven.

¹⁴ The second woe is past, but the third quickly follows:

¹⁵ For just then the seventh angel blew his trumpet, and there were loud voices shouting down from heaven, "The kingdom of this world now belongs to our Lord, and to his Christ; and he shall reign forever and ever."

¹⁶ And the twenty-four Elders sitting on their thrones before God threw themselves down in worship, saying, ¹⁷ "We give thanks, Lord God Almighty, who is and was, for now you have assumed your great power and have begun to reign. ¹⁸ The nations were angry with you, but now it is your turn to be angry with them. It is time to judge the dead, and reward your servants—prophets and people alike, all who fear your Name, both great and small—and to destroy those who have caused destruction upon the earth."

¹⁹ Then, in heaven, the temple of God was opened and the ark of his covenant could be seen inside. Lightning flashed and thunder crashed and roared, and there was a great hailstorm and the world was shaken by a mighty earthquake.

12 THEN A GREAT pageant appeared in heaven, portraying things to come. I saw a woman clothed with the sun, with the moon beneath her feet, and a crown of twelve stars on her head. ² She was pregnant and screamed in the pain of her labor, awaiting her delivery.

³ Suddenly a red Dragon appeared, with seven heads and ten horns, and seven crowns on his heads. ⁴ His tail drew along behind him a third of the stars, which he plunged to the earth. He stood before the woman as she was about to give birth to her child, ready to eat the baby as soon as it was

tan pronto naciera.

⁵La mujer dio a luz un hijo varón que gobernará las naciones con mano fuerte. Inmediatamente se lo arrebataron para Dios y su trono, ⁶y la mujer huyó al desierto, donde Dios le tenía preparado un lugar en el que la sustentarían mil doscientos sesenta días.

⁷Se libró entonces una gran batalla en el cielo. Miguel y los ángeles que están bajo su mando pelearon contra el dragón y sus huestes de ángeles caídos. ⁸Estos últimos, una vez vencidos, fueron expulsados del cielo. ⁹¡Aquel gran dragón, que no es otro sino la serpiente antigua que se llama el diablo o Satanás, y engaña a todo el mundo, fue arrojado a la tierra junto con la totalidad de su ejército!

¹⁰Escuché entonces que una potente voz proclamaba en el cielo:

—¡Al fin! Al fin llegó la salvación, el poder y el reino de nuestro Dios, y la autoridad de su Cristo; porque el acusador de nuestros hermanos, el que los acusaba día y noche ante Dios, ha sido expulsado del cielo. ¹¹Ellos lo vencieron con la sangre del Cordero y el testimonio de sus vidas; porque teniendo en poco sus vidas, las pusieron a los pies del Cordero. ¹²¡Regocíjense, oh cielos! ¡Regocíjense, ciudadanos del cielo! ¡Alégrense! ¡Pero pobres de ustedes, habitantes del mundo, porque el diablo ha bajado rabiando de furia por el poco tiempo que le queda!

¹³Cuando el dragón vio que lo habían arrojado a la tierra, corrió en persecución de la mujer que dio a luz al niño. ¹⁴Pero la mujer recibió dos alas de águila gigantes y pudo volar al lugar que se le había preparado en el desierto, donde durante tres años y medio la habrían de sustentar y proteger de las furias de la serpiente, el dragón.

¹⁵La serpiente, con el propósito de destruirla, arrojó por su hocico un inmenso caudal de agua que corrió como torrente hacia la mujer; ¹⁶pero la tierra, para ayudarla, abrió la boca y se tragó el torrente.

¹⁷Furioso al darse cuenta de esto, el dragón se propuso atacar a los demás hijos de la mujer, que son los que guardan los mandamientos de Dios y confiesan pertenecer a Jesús. A tal efecto, se paró estratégicamente en una playa del mar.

born. ⁵ She gave birth to a boy who was to rule all nations with a heavy hand, and he was caught up to God and to his throne. ⁶ The woman fled into the wilderness, where God had prepared a place for her, to take care of her for 1,260 days.

⁷ Then there was war in heaven; Michael and the angels under his command fought the Dragon and his hosts of fallen angels. ⁸ And the Dragon lost the battle and was forced from heaven. ⁹ This great Dragon— the ancient serpent called the devil, or Satan, the one deceiving the whole world —was thrown down onto the earth with all his army.

¹⁰ Then I heard a loud voice shouting across the heavens, "It has happened at last! God's salvation and the power and the rule, and the authority of his Christ are finally here; for the Accuser of our brothers has been thrown down from heaven onto earth—he accused them day and night before our God. ¹¹ They defeated him by the blood of the Lamb, and by their testimony; for they did not love their lives but laid them down for him. ¹² Rejoice, O heavens! You citizens of heaven, rejoice! Be glad! But woe to you people of the world, for the devil has come down to you in great anger, knowing that he has little time."

¹³ And when the Dragon found himself cast down to earth, he persecuted the woman who had given birth to the child. ¹⁴ But she was given two wings like those of a great eagle, to fly into the wilderness to the place prepared for her, where she was cared for and protected from the Serpent, the Dragon, for three and a half years.

¹⁵ And from the Serpent's mouth a vast flood of water gushed out and swept toward the woman in an effort to get rid of her; ¹⁶ but the earth helped her by opening its mouth and swallowing the flood! ¹⁷ Then the furious Dragon set out to attack the rest of her children—all who were keeping God's commandments and confessing that they belong to Jesus. He stood waiting on an ocean beach.

13 VI ENTONCES EN visión que un monstruo surgía de las aguas del mar. Tenía siete cabezas, diez cuernos y diez coronas sobre sus cuernos. Y en cada una de las cabezas tenía escritos nombres blasfemos que desafiaban e insultaban a Dios. [2]Parecía un leopardo, pero tenía pies de oso y boca de león. El dragón le entregó el poder, el trono y la gran autoridad que poseía.

[3]Una de las cabezas de aquella extraña criatura parecía herida de muerte, pero sanó. El mundo, maravillado de semejante milagro, siguió con temor al monstruo. [4]Asimismo, adoraron al dragón, que le había dado el poder, y adoraron al monstruo.

—¿Quién como él? —exclamaron—. ¿Quién podrá pelear contra él?

[5]Entonces el dragón alentó al monstruo a que dijera blasfemias contra el Señor; y le dio autoridad para regir la tierra cuarenta y dos meses, [6]durante los cuales blasfemó el nombre de Dios y de los que moran en el cielo.

[7]Y el dragón le dio también poder para pelear contra el pueblo de Dios y vencerlo, y autoridad para gobernar a todas las naciones de este mundo. [8]Y los seres humanos cuyos nombres no estaban inscritos desde antes de la creación del mundo en el Libro del Cordero sacrificado, adoraron a aquel engendro del mal.

[9]El que pueda oír, escuche bien: [10]El que te lleve preso, caerá preso. El que te mate, morirá. No desmayes, porque esto te será una oportunidad de ejercitar la paciencia y la confianza.

[11]A continuación vi que otro monstruo surgía de la tierra con dos pequeños cuernos semejantes a los del Cordero, pero con una voz tan espantosa como la del dragón. [12]Poseía la misma autoridad del primer monstruo en presencia de éste, y exigió que el mundo entero adorara al primer monstruo. [13]Los milagros que realizaba eran increíbles; por ejemplo, en una ocasión hizo caer del cielo llamaradas de fuego ante los ojos asombrados de la humanidad. [14]Y con los milagros que podía realizar en presencia del otro monstruo, engañó a la humanidad y ordenó que esculpieran una estatua del primer monstruo, el que había estado

13 AND NOW, IN my vision, I saw a strange Creature rising up out of the sea. It had seven heads and ten horns, and ten crowns upon its horns. And written on each head were blasphemous names, each one defying and insulting God. [2] This Creature looked like a leopard but had bear's feet and a lion's mouth! And the Dragon gave him his own power and throne and great authority.

[3] I saw that one of his heads seemed wounded beyond recovery—but the fatal wound was healed! All the world marveled at this miracle and followed the Creature in awe. [4] They worshiped the Dragon for giving him such power, and they worshiped the strange Creature. "Where is there anyone as great as he?" they exclaimed. "Who is able to fight against him?"

[5] Then the Dragon encouraged the Creature to speak great blasphemies against the Lord; and gave him authority to control the earth for forty-two months. [6] All that time he blasphemed God's Name and his temple and all those living in heaven. [7] The Dragon gave him power to fight against God's people and to overcome them, and to rule over all nations and language groups throughout the world. [8] And all mankind—whose names were not written down before the founding of the world in the slain Lamb's Book of Life—worshiped the evil Creature.

[9] Anyone who can hear, listen carefully: [10] The people of God who are destined for prison will be arrested and taken away; those destined for death will be killed. But do not be dismayed, for here is your opportunity for endurance and confidence.

[11] Then I saw another strange animal, this one coming up out of the earth, with two little horns like those of a lamb but a fearsome voice like the Dragon's. [12] He exercised all the authority of the Creature whose death-wound had been healed, whom he required all the world to worship. [13] He did unbelievable miracles such as making fire flame down to earth from the skies while everyone was watching. [14] By doing these miracles, he was deceiving people everywhere. He could do these marvelous things whenever the first Creature was there to watch him. And he ordered the people of the world to make a great statue of the first Creature, who was fatally wounded and

herido y revivió.

¹⁵Luego se le permitió al segundo monstruo transmitir vida a la estatua y hacerla hablar. Entonces la estatua ordenó que mataran a cualquiera que se negara a adorarla, ¹⁶y que pusieran cierta marca en la mano derecha o en la frente de los habitantes de la tierra, ya fueran grandes o pequeños, ricos, o pobres, libres o esclavos. ¹⁷Nadie podía obtener trabajo ni vender si no tenía aquella marca, que consistía en el nombre del monstruo o en la clave numérica del mismo. ¹⁸Dicho número, que es humano, constituye un acertijo que hay que estudiar cuidadosamente. El número es seiscientos sesenta y seis.

14 VI ENTONCES UN Cordero de pie sobre el Monte de Sion, Jerusalén, acompañado de ciento cuarenta y cuatro mil que tenían el nombre de El y el de su Padre escrito en la frente. ²Y oí en el cielo algo semejante al estrépito de una catarata inmensa o el retumbar de un gran trueno; era el canto de un coro acompañado con arpas. ³Aquel formidable coro de ciento cuarenta y cuatro mil voces estrenó un maravilloso cántico frente al trono de Dios y delante de los cuatro seres vivientes y los veinticuatro ancianos. Los únicos que podían cantar aquel canto eran aquellos ciento cuarenta y cuatro mil redimidos de entre los de la tierra; ⁴y lo podían cantar porque se mantuvieron puros como vírgenes, y porque seguían al Cordero a dondequiera que iba. Aquellos fueron comprados de entre los demás hombres como ofrenda santa a Dios y al Cordero. ⁵En ellos no existe la mentira, porque son intachables.

⁶Y vi que otro ángel cruzaba los cielos con las eternas Buenas Nuevas, e iba proclamándolas a cada nación, tribu, lengua y pueblo.

⁷—¡Teman a Dios —decía a gran voz—, y alaben su grandeza, porque el tiempo ha llegado en que se sentará a juzgar! ¡Adórenlo, porque El creó el cielo y la tierra, el mar y las fuentes que lo nutren!

⁸Y otro ángel que le seguía gritaba:

—¡Cayó Babilonia! ¡Cayó la gran ciudad que sedujo a las naciones a participar del vino de sus impurezas y pecados!

⁹Inmediatamente un tercer ángel lo si-

then came back to life. ¹⁵He was permitted to give breath to this statue and even make it speak! Then the statue ordered that anyone refusing to worship it must die!

¹⁶He required everyone—great and small, rich and poor, slave and free—to be tattooed with a certain mark on the right hand or on the forehead. ¹⁷And no one could get a job or even buy in any store without the permit of that mark, which was either the name of the Creature or the code number of his name. ¹⁸Here is a puzzle that calls for careful thought to solve it. Let those who are able, interpret this code: the numerical values of the letters in his name add to 666!

14 THEN I SAW a Lamb standing on Mount Zion in Jerusalem, and with him were 144,000 who had his Name and his Father's Name written on their foreheads. ²And I heard a sound from heaven like the roaring of a great waterfall or the rolling of mighty thunder. It was the singing of a choir accompanied by harps.

³This tremendous choir—144,000 strong—sang a wonderful new song in front of the throne of God and before the four Living Beings and the twenty-four Elders; and no one could sing this song except those 144,000 who had been redeemed from the earth. ⁴For they are spiritually undefiled, pure as virgins, following the Lamb wherever he goes. They have been purchased from among the men on the earth as a consecrated offering to God and the Lamb. ⁵No falsehood can be charged against them; they are blameless.

⁶And I saw another angel flying through the heavens, carrying the everlasting Good News to preach to those on earth—to every nation, tribe, language and people.

⁷"Fear God," he shouted, "and extol his greatness. For the time has come when he will sit as Judge. Worship him who made the heaven and the earth, the sea and all its sources."

⁸Then another angel followed him through the skies, saying, "Babylon is fallen, is fallen—that great city—because she seduced the nations of the world and made them share the wine of her intense impurity and sin."

⁹Then a third angel followed them

guió gritando:

—¡Cualquiera que adore al monstruo que surgió del mar y su estatua, y se deje marcar en la frente o en la mano, [10]tendrá que beber del vino del furor de Dios que se ha echado puro en la copa de la ira divina! Y se les atormentará con fuego y azufre ardiendo en presencia de los santos ángeles y el Cordero. [11]El humo de su tormento se elevará eternamente, y no tendrán alivio ni de día ni de noche, porque adoraron al monstruo y la estatua, y se dejaron marcar con la clave de su nombre. [12]Que esto sirva de aliento a los santos hombres que sufren con paciencia las pruebas y las persecuciones, y permanecen firmes hasta el final en la obediencia a los mandamientos de Dios y la fe de Jesús.

[13]Oí entonces una voz que me decía desde el cielo:

—Escribe lo que te voy a dictar: "¡Al fin los que mueren por la fe de Cristo obtendrán su recompensa! Dichosos ellos", dice el Espíritu, "porque de ahora en adelante cesarán para ellos las penas y los sufrimientos, y verán en el cielo los frutos de sus buenas obras".

[14]Entonces la escena cambió y vi una nube blanca, y sentado en ella, a alguien muy parecido a Jesús, el Hijo del Hombre, con una corona de oro sólido en la frente y una hoz bien afilada en la mano.

[15]Del Templo salió un ángel y le gritó:

—¡Mete la hoz, y recoge la cosecha! ¡Los sembrados del mundo están listos para ser cosechados!

[16]Entonces el que estaba sentado en la nube pasó la hoz sobre la tierra, y recogió la cosecha.

[17]Luego salió otro ángel del Templo que está en el cielo; portaba también una hoz bien afilada.

[18]Inmediatamente otro ángel, que tenía poder para destruir el mundo con fuego gritó al ángel que tenía la hoz:

—¡Corta los racimos de uvas de los viñedos del mundo, porque ya están completamente maduras para el juicio!

[19]El ángel arrojó la hoz sobre la tierra y echó las uvas en el gran lagar de la ira de Dios. [20]Y exprimieron las uvas en un lugar que está fuera de la ciudad, y de éste brotó un río de sangre de trescientos veinte kilómetros de largo, en el que un caballo podía sumergirse hasta las bridas.

shouting, "Anyone worshiping the Creature from the sea and his statue and accepting his mark on the forehead or the hand, [10] must drink the wine of the anger of God; it is poured out undiluted into God's cup of wrath. And they will be tormented with fire and burning sulphur in the presence of the holy angels and the Lamb. [11] The smoke of their torture rises forever and ever, and they will have no relief day or night, for they have worshiped the Creature and his statue, and have been tattooed with the code of his name. [12] Let this encourage God's people to endure patiently every trial and persecution, for they are his saints who remain firm to the end in obedience to his commands and trust in Jesus."

[13] And I heard a voice in the heavens above me saying, "Write this down: At last the time has come for his martyrs to enter into their full reward. Yes, says the Spirit, they are blest indeed, for now they shall rest from all their toils and trials; for their good deeds follow them to heaven!" [14] Then the scene changed and I saw a white cloud, and someone sitting on it who looked like Jesus, who was called "The Son of Man," with a crown of solid gold upon his head and a sharp sickle in his hand.

[15] Then an angel came from the temple and called out to him, "Begin to use the sickle, for the time has come for you to reap; the harvest is ripe on the earth." [16] So the one sitting on the cloud swung his sickle over the earth, and the harvest was gathered in. [17] After that another angel came from the temple in heaven, and he also had a sharp sickle.

[18] Just then the angel who has power to destroy the world with fire, shouted to the angel with the sickle, "Use your sickle now to cut off the clusters of grapes from the vines of the earth, for they are fully ripe for judgment." [19] So the angel swung his sickle on the earth and loaded the grapes into the great winepress of God's wrath. [20] And the grapes were trodden in the winepress outside the city, and blood flowed out in a stream 200 miles long and as high as a horse's bridle.

15 Y VI APARECER en el cielo un espectáculo sorprendente que representaba los acontecimientos que se producirían: a siete ángeles se les encomendó la tarea de llevar a la tierra las siete plagas finales, con las cuales la ira de Dios quedaría satisfecha.

²Delante de mí vi algo que se me antojaba semejante a un océano de fuego y vidrio, sobre el que estaban de pie los que habían salido victoriosos de su lucha con el monstruo del mal y su estatua y su marca y número. En las manos traían las arpas de Dios, ³y cantaban el cántico de Moisés el siervo de Dios, y el cántico del Cordero:

Formidables y maravillosas son tus obras,
Señor Dios Todopoderoso.
Justos y verdaderos son tus caminos,
Rey de los santos.
⁴¿Quién no te teme, Señor?
¿Quién no glorifica tu nombre?
Porque sólo Tú eres santo.
Las naciones vendrán y te adorarán,
porque tus obras de justicia
ya se han manifestado.

⁵Entonces miré y vi que el Lugar Santísimo del Templo que está en el cielo quedó abierto de par en par. ⁶Los siete ángeles que tenían la tarea de esparcir las siete plagas salieron del Templo vestidos de lino blanco inmaculado y con el pecho ceñido con cintos de oro.

⁷Uno de los cuatro seres vivientes entregó a cada uno de los siete ángeles un frasco de oro lleno del terrible furor de Dios viviente que vive por los siglos de los siglos. ⁸Entonces el Templo se llenó del humo de la gloria y del poder de Dios; y nadie podía entrar mientras los siete ángeles no hubieran terminado de derramar las siete plagas.

16 ESCUCHÉ ENTONCES UNA potente voz que desde el Templo gritaba a los siete ángeles:

—Váyanse a derramar sobre la tierra los siete frascos del furor de Dios.

²Entonces el primer ángel salió del Templo y derramó su frasco sobre la tierra, y una llaga maligna y asquerosa brotó en las personas que tenían la marca del monstruo y adoraban la estatua.

³El segundo ángel derramó su frasco sobre el mar, y éste adquirió aspecto de

15 AND I SAW in heaven another mighty pageant showing things to come: Seven angels were assigned to carry down to earth the seven last plagues—and then at last God's anger will be finished.

² Spread out before me was what seemed to be an ocean of fire and glass, and on it stood all those who had been victorious over the Evil Creature and his statue and his mark and number. All were holding harps of God, ³,⁴ and they were singing the song of Moses, the servant of God, and the song of the Lamb:

"Great and marvelous
Are your doings,
Lord God Almighty.
Just and true
Are your ways,
O King of Ages.
Who shall not fear,
O Lord,
And glorify your Name?
For you alone are holy.
All nations will come
And worship before you,
For your righteous deeds
Have been disclosed."

⁵ Then I looked and saw that the Holy of Holies of the temple in heaven was thrown wide open!

⁶ The seven angels who were assigned to pour out the seven plagues then came from the temple, clothed in spotlessly white linen, with golden belts across their chests. ⁷ And one of the four Living Beings handed each of them a golden flask filled with the terrible wrath of the Living God who lives forever and forever. ⁸ The temple was filled with smoke from his glory and power; and no one could enter until the seven angels had completed pouring out the seven plagues.

16 AND I HEARD a mighty voice shouting from the temple to the seven angels, "Now go your ways and empty out the seven flasks of the wrath of God upon the earth."

² So the first angel left the temple and poured out his flask over the earth, and horrible, malignant sores broke out on everyone who had the mark of the Creature and was worshiping his statue.

³ The second angel poured out his flask upon the oceans, and they became like the

sangre de muerto; y no quedó ni un solo ser
con vida en el mar.

⁴El tercer ángel derramó su frasco sobre
los ríos y las fuentes, y se convirtieron en
sangre. ⁵Y escuché que aquel ángel de las
aguas decía:

—Justo eres al enviar estos juicios,
Santo Señor que eres y que eras, ⁶porque
tus santos y tus profetas han sido martiri-
zados y su sangre se derramó sobre la
tierra. Ahora, en castigo, tú has derramado
la sangre de los que los asesinaron.

⁷Y oí que el ángel del altar decía:

—Sí, Señor Dios Todopoderoso, tus
castigos son justos y verdaderos.

⁸El cuarto ángel derramó su frasco
sobre el sol, y los rayos solares quemaron a
los hombres. ⁹Y en medio de las quemadu-
ras producidas por aquellas llamaradas solares, la humanidad blasfemó el nombre de
Dios, que les había enviado las plagas, y no
se arrepintieron ni quisieron darle gloria.

¹⁰Entonces el quinto ángel derramó su
frasco sobre el trono del monstruo que
surgió del mar, y su reino quedó envuelto
en tinieblas mientras sus súbditos se
mordían la lengua por el dolor, ¹¹y blasfe-
maban contra el Dios del cielo por el dolor
y las llagas. Pero no se arrepintieron de sus
perversidades.

¹²El sexto ángel derramó su frasco sobre
el gran río Eufrates, y se secó de tal manera
que los reyes del oriente podían pasar al
occidente sin dificultad.

¹³Vi que el dragón, el monstruo y el falso
profeta dejaban escapar de la boca tres
espíritus del mal con formas de ranas.
¹⁴Aquellos demonios milagrosos se fueron a
conferenciar con los gobernantes del
mundo para agruparlos en batalla contra el
Señor, en aquel gran día de juicio del Dios
Todopoderoso que ya se acercaba.

¹⁵—Fíjate bien: Yo, como ladrón, he de
llegar de sorpresa. Dichoso el que me espera, el que tiene su ropa lista para no tener
que andar desnudo y avergonzado.

¹⁶Los tres espíritus del mal reunieron a
los ejércitos de todo el mundo en un lugar
que en hebreo se llama Armagedón o montaña de Meguido.

¹⁷Entonces el séptimo ángel derramó su
frasco en el aire y un grito brotó del trono
del Templo que está en el cielo:

—¡Ya está terminado!

¹⁸Hubo entonces retumbar de truenos y

watery blood of a dead man; and everything
in all the oceans died.

⁴ The third angel poured out his flask
upon the rivers and springs and they became blood. ⁵ And I heard this angel of the
waters declaring, "You are just in sending
this judgment, O Holy One, who is and was,
⁶ for your saints and prophets have been
martyred and their blood poured out upon
the earth; and now, in turn, you have
poured out the blood of those who murdered them; it is their just reward."

⁷ And I heard the angel of the altar say,
"Yes, Lord God Almighty, your punish-
ments are just and true."

⁸ Then the fourth angel poured out his
flask upon the sun, causing it to scorch all
men with its fire. ⁹ Everyone was burned by
this blast of heat, and they cursed the name
of God who sent the plagues—they did not
change their mind and attitude to give him
glory.

¹⁰ Then the fifth angel poured out his
flask upon the throne of the Creature from
the sea, and his kingdom was plunged into
darkness. And his subjects gnawed their
tongues in anguish, ¹¹ and cursed the God
of heaven for their pains and sores, but they
refused to repent of all their evil deeds.

¹² The sixth angel poured out his flask
upon the great River Euphrates and it dried
up so that the kings from the east could
march their armies westward without hin-
drance. ¹³ And I saw three evil spirits disguised as frogs leap from the mouth of the
Dragon, the Creature, and his False
Prophet. ¹⁴ These miracle-working demons
conferred with all the rulers of the world to
gather them for battle against the Lord on
that great coming Judgment Day of God
Almighty.

¹⁵ "Take note: I will come as unexpectedly as a thief! Blessed are all who are
awaiting me, who keep their robes in readiness and will not need to walk naked and
ashamed."

¹⁶ And they gathered all the armies of the
world near a place called, in Hebrew, Ar-
mageddon—the Mountain of Megiddo.

¹⁷ Then the seventh angel poured out his
flask into the air; and a mighty shout came
from the throne of the temple in heaven,
saying, "It is finished!" ¹⁸ Then the thunder

centellear de relámpagos, mientras la tierra se sacudía con un terremoto de una magnitud sin precedente en la historia. [19]La gran ciudad de "Babilonia" quedó dividida en tres partes, y las ciudades de todo el mundo se desmoronaron. ¡Los pecados de la "Gran Babilonia" se agolparon en la memoria de Dios y la ciudad tuvo que sorber como castigo hasta la última gota de ira que contenía el cáliz del vino del ardor de su ira! [20]Las islas desaparecieron y las montañas se desmoronaron, [21]y se desató del cielo una granizada tan increíblemente horrible que cada uno de los granizos que caía sobre la humanidad pesaba alrededor de cincuenta kilos. Y la humanidad blasfemó contra Dios.

17 UNO DE LOS siete ángeles que habían vertido las plagas vino a donde yo estaba y me dijo:

—Ven para que veas lo que le pasará a esta tristemente célebre prostituta que se sienta sobre las muchas aguas del mundo. [2]Los reyes tuvieron con ella relaciones ilícitas, y los habitantes del mundo se embriagaron con el vino de su inmoralidad.

[3]El ángel me condujo en espíritu al desierto. Allí estaba una mujer sentada sobre un monstruo escarlata que tenía siete cabezas y diez cuernos, y el cuerpo recubierto de blasfemias contra Dios. [4]La mujer, vestida de púrpura y escarlata, estaba adornada de hermosísimas joyas de oro, piedras preciosas y perlas, y sostenía en la mano una copa de oro repleta de obscenidades. [5]En la frente llevaba escrito su misterioso nombre: "Babilonia la grande, madre de las prostitutas y madre de la idolatría del mundo". [6]No tardé en comprender que estaba ebria con la sangre de los mártires de Jesús que había matado. La miré horrorizado.

[7]—¿Por qué te horrorizas? —me preguntó el ángel—. Te voy a decir quién es ella y quién es ese monstruo sobre el que está sentada. [8]Ese monstruo antes vivía, pero ahora no. Sin embargo, pronto surgirá del abismo insondable y marchará hacia la perdición eterna; y los moradores de la tierra que no tienen el nombre escrito en el Libro de la Vida desde antes de la creación del mundo, se pasmarán de asombro al verlo aparecer después de muerto. [9]Y ahora

crashed and rolled, and lightning flashed; and there was a great earthquake of a magnitude unprecedented in human history. [19] The great city of "Babylon" split into three sections, and cities around the world fell in heaps of rubble; and so all of "Babylon's" sins were remembered in God's thoughts, and she was punished to the last drop of anger in the cup of the wine of the fierceness of his wrath. [20] And islands vanished, and mountains flattened out, [21] and there was an incredible hailstorm from heaven; hailstones weighing a hundred pounds fell from the sky onto the people below, and they cursed God because of the terrible hail.

17 ONE OF THE seven angels who had poured out the plagues came over and talked with me. "Come with me," he said, "and I will show you what is going to happen to the Notorious Prostitute, who sits upon the many waters of the world. [2] The kings of the world have had immoral relations with her, and the people of the earth have been made drunk by the wine of her immorality."

[3] So the angel took me in spirit into the wilderness. There I saw a woman sitting on a scarlet animal that had seven heads and ten horns, written all over with blasphemies against God. [4] The woman wore purple and scarlet clothing and beautiful jewelry made of gold and precious gems and pearls, and held in her hand a golden goblet full of obscenities.

[5] A mysterious caption was written on her forehead: "Babylon the Great, Mother of Prostitutes and of Idol Worship Everywhere around the World."

[6] I could see that she was drunk—drunk with the blood of the martyrs of Jesus she had killed. I stared at her in horror.

[7] "Why are you so surprised?" the angel asked. "I'll tell you who she is and what the animal she is riding represents. [8] He was alive but isn't now. And yet, soon he will come up out of the bottomless pit and go to eternal destruction; and the people of earth, whose names have not been written in the Book of Life before the world began, will be dumbfounded at his reappearance after being dead.

oye bien lo que te voy a decir: Sus siete cabezas representan las siete colinas sobre las que está asentada la ciudad en que reside esta mujer. [10]Y representan también siete reyes. Cinco de ellos ya cayeron, el sexto está gobernando ahora y el séptimo aún no ha surgido pero reinará poco tiempo. [11]El monstruo que murió es el octavo rey, aunque es uno de los siete que habían reinado antes; al concluir su segundo reinado irá también a la perdición. [12]"Los diez cuernos son diez reyes que todavía no han subido al poder. Durante un tiempo breve se les permitirá reinar junto al monstruo, [13]y luego firmarán un tratado por medio del cual entregarán al monstruo el poder y la autoridad que poseen. [14]Y se unirán para pelear contra el Cordero, pero el Cordero los vencerá porque es Señor de señores y Rey de reyes, y los que lo siguen son los llamados, los elegidos, los fieles. [15]Los océanos, lagos y ríos sobre los que la mujer está sentada representan inmensas muchedumbres de todas las razas y nacionalidades. [16]El monstruo escarlata y sus diez cuernos, que representan los diez reyes que reinarán con él, atacarán a la mujer impulsados por el odio que sienten hacia ella, y la dejarán desnuda y desolada por fuego. [17]Entonces Dios los hará concebir un plan con el que se cumplirán los propósitos divinos; por acuerdo mutuo entregarán al monstruo escarlata la autoridad que poseen, hasta que se cumplan las palabras de Dios. [18]Y la mujer que has visto en visión representa a la gran ciudad que gobierna a los reyes de la tierra.

18 DESPUÉS DE ESTO vi que desde el cielo descendía otro ángel que, cubierto de gran autoridad, iluminó la tierra con su resplandor, [2]y con voz potente gritó:

—¡Ya, ya cayó la gran Babilonia! Babilonia se ha convertido en guarida de demonios, en antro de diablos y espíritus inmundos; [3]porque las naciones se han embriagado con el vino fatal de su gran inmoralidad, porque los gobernantes de la tierra se han entregado con ella a los placeres, y porque los comerciantes de la tierra se han enriquecido con la abundancia de deleites que la ciudad ofrece.

[4]Entonces oí otra voz del cielo que decía:

—Sal de esa ciudad, pueblo mío; no participes en su pecado para que no se te

[9]"And now think hard: his seven heads represent a certain city built on seven hills where this woman has her residence. [10]They also represent seven kings. Five have already fallen, the sixth now reigns, and the seventh is yet to come, but his reign will be brief. [11]The scarlet animal that died is the eighth king, having reigned before as one of the seven; after his second reign, he too, will go to his doom. [12]His ten horns are ten kings who have not yet risen to power; they will be appointed to their kingdoms for one brief moment, to reign with him. [13]They will all sign a treaty giving their power and strength to him. [14]Together they will wage war against the Lamb, and the Lamb will conquer them; for he is Lord over all lords, and King of kings, and his people are the called and chosen and faithful ones.

[15]"The oceans, lakes and rivers that the woman is sitting on represent masses of people of every race and nation.

[16]"The scarlet animal and his ten horns—which represent ten kings who will reign with him—all hate the woman, and will attack her and leave her naked and ravaged by fire. [17]For God will put a plan into their minds, a plan that will carry out his purposes: They will mutually agree to give their authority to the scarlet animal, so that the words of God will be fulfilled. [18]And this woman you saw in your vision represents the great city that rules over the kings of the earth."

18 AFTER ALL THIS I saw another angel come down from heaven with great authority, and the earth grew bright with his splendor.

[2]He gave a mighty shout, "Babylon the Great is fallen, is fallen; she has become a den of demons, a haunt of devils and every kind of evil spirit. [3]For all the nations have drunk the fatal wine of her intense immorality. The rulers of earth have enjoyed themselves with her, and businessmen throughout the world have grown rich from all her luxurious living."

[4]Then I heard another voice calling from heaven, "Come away from her, my people; do not take part in her sins, or you

castigue con ella, ⁵porque sus pecados se han ido amontonando hasta el cielo y Dios va a juzgarla por su perversidad. ⁶Hazle a ella lo que ella te hizo a ti, e imponle doble castigo a sus maldades. En la copa de amargura en que preparó bebida para otros, prepárale una bebida dos veces más fuerte. ⁷Ella ha vivido en derroches y en placeres sin límites; dale ahora dolores y penas sin límites. Ella se jacta, diciendo: "En este trono soy reina. No soy ninguna viuda desamparada. Nunca sufriré". ⁸¡En un solo día caerán sobre ella muerte, llanto y hambre, y al final la consumirá el fuego! ¡Poderoso es el Señor que la juzgue!

⁹Los gobernantes del mundo, que tomaron parte en sus inmoralidades y se deleitaron con sus favores, llorarán ante sus restos humeantes. ¹⁰Desde la distancia en que la contemplarán temblorosos de miedo, gritarán:

—¡Pobre Babilonia, tan poderosa que era! ¡Qué de repente le llegó el juicio!

¹¹Los mercaderes de la tierra sollozarán y se lamentarán, porque ya no habrá nadie que les compre. ¹²Ella era una gran cliente de oro, plata, piedras preciosas, perlas, lino fino, púrpura, seda escarlata, maderas olorosas, objetos de marfil, maderas preciosas labradas, cobre, hierro, mármol, ¹³especias aromáticas, incienso, mirra, olíbano, vino, aceite, harina fina, trigo, bestias, ovejas, caballos, carrozas y esclavos (¡aun almas de hombres!).

¹⁴—Ya no tienes los lujos que tanto te gustaban —le gritarán—. Ya no tienes el lujo y el esplendor en que te deleitabas. Jamás los volverás a tener.

¹⁵Los mercaderes que se habían enriquecido comerciando con aquella ciudad se pararán de lejos para evitar peligros, y dirán entre sollozos:

¹⁶—¡Pobre de la gran ciudad, hermosa como mujer vestida de linos finos, púrpura y escarlata, y adornada con oro, piedras preciosas y perlas! ¹⁷¡Cuánta riqueza se pierde en un instante!

Los navíos y los capitanes de las flotas mercantes y sus tripulaciones se pararán lejos, ¹⁸y al contemplar el humo del incendio, dirán:

—¿Dónde vamos a encontrar otra ciudad como ésta?

¹⁹Y echándose tierra en la cabeza en

will be punished with her. ⁵ For her sins are piled as high as heaven and God is ready to judge her for her crimes. ⁶ Do to her as she has done to you, and more—give double penalty for all her evil deeds. She brewed many a cup of woe for others—give twice as much to her. ⁷ She has lived in luxury and pleasure—match it now with torments and with sorrows. She boasts, 'I am queen upon my throne. I am no helpless widow. I will not experience sorrow.' ⁸ Therefore the sorrows of death and mourning and famine shall overtake her in a single day, and she shall be utterly consumed by fire; for mighty is the Lord who judges her."

⁹ And the world leaders, who took part in her immoral acts and enjoyed her favors, will mourn for her as they see the smoke rising from her charred remains. ¹⁰ They will stand far off, trembling with fear and crying out, "Alas, Babylon, that mighty city! In one moment your judgment fell."

¹¹ The merchants of the earth will weep and mourn for her, for there is no one left to buy their goods. ¹² She was their biggest customer for gold and silver, precious stones, pearls, finest linens, purple silks, and scarlet; and every kind of perfumed wood, and ivory goods and most expensive wooden carvings, and brass and iron and marble; ¹³ and spices and perfumes and incense, ointment and frankincense, wine, olive oil, and fine flour; wheat, cattle, sheep, horses, chariots, and slaves—and even the souls of men.

¹⁴ "All the fancy things you loved so much are gone," they cry. "The dainty luxuries and splendor that you prized so much will never be yours again. They are gone forever."

¹⁵ And so the merchants who have become wealthy by selling her these things shall stand at a distance, fearing danger to themselves, weeping and crying, ¹⁶ "Alas, that great city, so beautiful—like a woman clothed in finest purple and scarlet linens, decked out with gold and precious stones and pearls! ¹⁷ In one moment, all the wealth of the city is gone!"

And all the shipowners and captains of the merchant ships and crews will stand a long way off, ¹⁸ crying as they watch the smoke ascend, and saying, "Where in all the world is there another city such as this?" ¹⁹ And they will throw dust on their heads

señal de duelo, dirán ahogados por el llanto:

—¡Ay, ay de la gran ciudad que nos enriqueció con su gran riqueza! ¡En sólo una hora desapareció...!

²⁰Pero tú, cielo, regocíjate. Y regocíjense también los hijos de Dios, los profetas y los apóstoles, porque al castigar a la gran ciudad Dios les está haciendo justicia.

²¹Entonces un ángel poderoso tomó una peña con forma de piedra de molino y la arrojó en el mar.

—Babilonia, la gran ciudad —dijo—, será arrojada como yo arrojé esta piedra, y desaparecerá para siempre. ²²Nunca se volverá a escuchar en ella el vibrar del arpa, la flauta y la trompeta. Jamás volverá a verse en ella industria de ningún tipo, y cesará la molienda de granos. ²³Negras serán sus noches, sin brillar de lámparas en las ventanas. Las campanas jamás volverán a proclamar alegrías nupciales, ni las proclamarán tampoco las voces de los novios. Porque tus mercaderes eran los más prósperos de la tierra y engañaron a las naciones con tus hechicerías; ²⁴porque por ti se derramó sangre de profetas y santos en toda la tierra.

19 DESPUÉS DE ESTO escuché que una multitud inmensa gritaba a viva voz en el cielo:

—¡Aleluya! ¡Gloria al Señor! ¡La salvación procede de Dios! Sólo a El pertenecen la gloria y el poder, ²porque juzga con justicia y verdad. Ha castigado a la gran prostituta que corrompía la tierra con sus pecados, y ha vengado la muerte de sus siervos.

³Y añadieron:

—¡Gloria a Dios! ¡Las ruinas de ella humearán eternamente!

⁴Entonces los veinticuatro ancianos y los cuatro seres vivientes se postraron y adoraron a Dios, que estaba sentado sobre el trono, y decían:

—¡Aleluya! ¡Aleluya!

⁵Y del trono brotó una voz que decía:

—Alaben al Dios nuestro los siervos del Señor que le temen, pequeños y grandes.

⁶Entonces escuché algo así como las voces de una gran multitud, o el ruido de las olas de cien océanos que rompen en la orilla, o como el ronco retumbar de un gran

in their sorrow and say, "Alas, alas, for that great city! She made us all rich from her great wealth. And now in a single hour all is gone. . . ."

²⁰ But you, O heaven, rejoice over her fate; and you, O children of God and the prophets and the apostles! For at last God has given judgment against her for you.

²¹ Then a mighty angel picked up a boulder shaped like a millstone and threw it into the ocean and shouted, "Babylon, that great city, shall be thrown away as I have thrown away this stone, and she shall disappear forever. ²² Never again will the sound of music be there—no more pianos, saxophones, and trumpets. No industry of any kind will ever again exist there, and there will be no more milling of the grain. ²³ Dark, dark will be her nights; not even a lamp in a window will ever be seen again. No more joyous wedding bells and happy voices of the bridegrooms and the brides. Her businessmen were known around the world and she deceived all nations with her sorceries. ²⁴ And she was responsible for the blood of all the martyred prophets and the saints."

19 AFTER THIS I heard the shouting of a vast crowd in heaven, "Hallelujah! Praise the Lord! Salvation is from our God. Honor and authority belong to him alone; ² for his judgments are just and true. He has punished the Great Prostitute who corrupted the earth with her sin; and he has avenged the murder of his servants."

³ Again and again their voices rang, "Praise the Lord! The smoke from her burning ascends forever and forever!"

⁴ Then the twenty-four Elders and four Living Beings fell down and worshiped God, who was sitting upon the throne, and said, "Amen! Hallelujah! Praise the Lord!"

⁵ And out of the throne came a voice that said, "Praise our God, all you his servants, small and great, who fear him."

⁶ Then I heard again what sounded like the shouting of a huge crowd, or like the waves of a hundred oceans crashing on the shore, or like the mighty rolling of great

trueno. Y aquella voz gritaba:

—¡Alabado sea Dios! ¡El Señor, nuestro Dios Todopoderoso, reina! ⁷Alegrémonos, regocijémonos y démosle gloria, porque ha llegado la hora de la boda del Cordero; y a la novia, que ya está preparada, ⁸se le ha permitido vestirse del lino más fino, limpio y resplandeciente, ya que el lino fino simboliza las buenas obras del pueblo de Dios.

⁹Y el ángel me pidió que escribiera lo siguiente: "Dichosos los que están invitados a la fiesta de bodas del Cordero". Y me dijo:

—Este es un mensaje directo de Dios.

¹⁰Entonces me postré a sus pies para adorarlo, pero me dijo:

—¡No! ¡No lo hagas! Soy un siervo de Dios al igual que lo eres tú y tus hermanos cristianos que proclaman su fe en Jesús. Adora a Dios, pues el propósito de las profecías y de lo que te he mostrado es manifestar a Jesús.

¹¹Vi entonces que el cielo estaba abierto y contemplé un caballo blanco cuyo jinete se llamaba Fiel y Verdadero, porque con justicia juzga y pelea. ¹²Los ojos de aquel jinete parecían llamas de fuego y en la cabeza traía muchas coronas. En la frente llevaba escrito un nombre cuyo significado sólo Él conocía. ¹³Vestía una ropa bañada de sangre y su nombre era: el Verbo de Dios. ¹⁴Los ejércitos celestiales, vestidos de lino finísimo, blanco y limpio, lo seguían en caballos blancos. ¹⁵En la boca sostenía una espada aguda con la que heriría a las naciones. El gobernará las naciones con vara de hierro, y exprimirá uvas en el lagar del furor y la ira del Dios Todopoderoso. ¹⁶En su vestidura y en un muslo tiene escrito este título: Rey de reyes y Señor de señores.

¹⁷Entonces vi que un ángel, de pie en el sol, gritaba a las aves:

—¡Vengan! ¡Júntense a comer la gran cena de Dios! ¹⁸Vengan y coman carne de reyes, capitanes, generales famosos, caballos y jinetes, y las carnes de todos los hombres, grandes y pequeños, esclavos y libres.

¹⁹Entonces vi que el monstruo juntaba a los gobernantes de la tierra y a sus ejércitos para pelear contra el que montaba el caballo y contra su ejército. ²⁰El monstruo cayó preso, y con él el falso profeta que podía realizar milagros cuando el monstruo es-

thunder, "Praise the Lord. For the Lord our God, the Almighty, reigns. ⁷ Let us be glad and rejoice and honor him; for the time has come for the wedding banquet of the Lamb, and his bride has prepared herself. ⁸ She is permitted to wear the cleanest and whitest and finest of linens." (Fine linen represents the good deeds done by the people of God.)

⁹ And the angel dictated this sentence to me: "Blessed are those who are invited to the wedding feast of the Lamb." And he added, "God himself has stated this."

¹⁰ Then I fell down at his feet to worship him, but he said, "No! Don't! For I am a servant of God just as you are, and as your brother Christians are, who testify of their faith in Jesus. The purpose of all prophecy and of all I have shown you is to tell about Jesus."

¹¹ Then I saw heaven opened and a white horse standing there; and the one sitting on the horse was named "Faithful and True" —the one who justly punishes and makes war. ¹² His eyes were like flames, and on his head were many crowns. A name was written on his forehead, and only he knew its meaning. ¹³ He was clothed with garments dipped in blood, and his title was "The Word of God." ¹⁴ The armies of heaven, dressed in finest linen, white and clean, followed him on white horses.

¹⁵ In his mouth he held a sharp sword to strike down the nations; he ruled them with an iron grip; and he trod the winepress of the fierceness of the wrath of Almighty God. ¹⁶ On his robe and thigh was written this title: "King of Kings and Lord of Lords."

¹⁷ Then I saw an angel standing in the sunshine, shouting loudly to the birds, "Come! Gather together for the supper of the Great God! ¹⁸ Come and eat the flesh of kings, and captains, and great generals; of horses and riders; and of all humanity, both great and small, slave and free."

¹⁹ Then I saw the Evil Creature gathering the governments of the earth and their armies to fight against the one sitting on the horse and his army. ²⁰ And the Evil Creature was captured, and with him the False Prophet, who could do mighty miracles

taba presente, milagros que engañaron a los que aceptaron la marca del monstruo y adoraron su imagen. El monstruo y el falso profeta fueron arrojados vivos en el lago de fuego que arde con azufre. ²¹Y los demás cayeron víctimas de la espada aguda que el jinete del caballo blanco sostenía en la boca, y las aves del cielo se hartaron de sus carnes.

when the Evil Creature was present—miracles that deceived all who had accepted the Evil Creature's mark, and who worshiped his statue. Both of them—the Evil Creature and his False Prophet—were thrown alive into the Lake of Fire that burns with sulphur. ²¹ And their entire army was killed with the sharp sword in the mouth of the one riding the white horse, and all the birds of heaven were gorged with their flesh.

20 ENTONCES VI QUE un ángel descendió del cielo con la llave del abismo insondable y una gran cadena en la mano, ²y prendió al dragón, la serpiente antigua, conocida también con el nombre de diablo o Satanás, y lo sentenció a permanecer encadenado durante mil años, ³y lo arrojó al abismo insondable donde lo encerró con llave para que no engañara más a las naciones hasta que transcurrieran mil años. Después de esto volverá a estar libre un tiempo breve.

⁴Entonces vi que los que habían recibido la facultad de juzgar se sentaron en tronos. Y vi a las almas de los que habían muerto decapitados por ser seguidores de Cristo y proclamar la palabra de Dios, que no habían adorado al monstruo ni habían aceptado que los marcaran en la frente ni en la mano. Vi que resucitaban y reinaban con Cristo mil años. ⁵Era la primera resurrección. Los demás muertos no resucitarán hasta que los mil años hayan transcurrido. ⁶Dichosos los que tienen parte en la primera resurrección; la segunda muerte no podrá hacerles daño, y serán sacerdotes de Dios y de Cristo, y reinarán con El mil años.

⁷Al cabo de los mil años, Satanás saldrá de la prisión ⁸y correrá a engañar a las naciones del mundo (entre ellas a Gog y a Magog) y a juntarlas para la batalla. Después de formar con ellas una hueste poderosa, incontable como la arena del mar, ⁹subieron por todo lo ancho de la tierra y rodearon el pueblo de Dios y la amada ciudad de Jerusalén. Pero Dios mandó fuego del cielo que atacó y consumió a aquel ejército. ¹⁰Entonces el diablo, el que los había vuelto a engañar, volvió a ser lanzado al lago de fuego y azufre en que estaban el monstruo y el falso profeta. Allí

20 THEN I SAW an angel come down from heaven with the key to the bottomless pit and a heavy chain in his hand. ² He seized the Dragon—that old Serpent, the devil, Satan—and bound him in chains for 1,000 years, ³ and threw him into the bottomless pit, which he then shut and locked, so that he could not fool the nations any more until the thousand years were finished. Afterwards he would be released again for a little while.

⁴ Then I saw thrones, and sitting on them were those who had been given the right to judge. And I saw the souls of those who had been beheaded for their testimony about Jesus, for proclaiming the Word of God, and who had not worshiped the Creature or his statue, nor accepted his mark on their foreheads or their hands. They had come to life again and now they reigned with Christ for a thousand years.

⁵ This is the First Resurrection. (The rest of the dead did not come back to life until the thousand years had ended.) ⁶ Blessed and holy are those who share in the First Resurrection. For them the Second Death holds no terrors, for they will be priests of God and of Christ, and shall reign with him a thousand years.

⁷ When the thousand years end, Satan will be let out of his prison. ⁸ He will go out to deceive the nations of the world and gather them together, with Gog and Magog, for battle—a mighty host, numberless as sand along the shore. ⁹ They will go up across the broad plain of the earth and surround God's people and the beloved city of Jerusalem on every side. But fire from God in heaven will flash down on the attacking armies and consume them.

¹⁰ Then the devil who had betrayed them will again be thrown into the Lake of Fire burning with sulphur where the Creature and False Prophet are, and they will be tor-

serán atormentados día y noche por los siglos de los siglos.

¹¹Y vi un gran trono blanco, sobre el que alguien estaba sentado. Al verlo, la tierra y el cielo salieron huyendo, pero no hallaron dónde esconderse. ¹²Y vi a los muertos, grandes y pequeños, de pie ante Dios. Se abrieron entonces los libros, y se abrió también el Libro de la Vida, y los muertos fueron juzgados de acuerdo a lo que estaba escrito en los libros, según sus obras. ¹³El mar entregó los muertos que había en él, y lo mismo hicieron la tierra, la muerte y el Hades. Y cada uno fue juzgado según sus obras. ¹⁴Y la muerte y el Hades fueron lanzados al lago de fuego. Este castigo es la segunda muerte. ¹⁵Y el que no estaba inscrito en el Libro de la Vida fue arrojado al lago de fuego.

21 ENTONCES VI UNA nueva tierra (¡sin mares!) y un cielo nuevo, porque la tierra y el cielo que conocemos desaparecieron. ²Y yo, Juan, vi la Ciudad Santa, la nueva Jerusalén, descender del cielo, de donde estaba Dios. Tenía la apariencia gloriosa y bella de un novia en noche de boda.

³Oí entonces que una potente voz gritaba desde el trono:

—La casa de Dios está ahora entre los hombres, y El será su Dios. ⁴El les enjugará las lágrimas, y no habrá muerte ni llanto ni clamor ni dolor, porque éstos pertenecen al pasado.

⁵Y el que estaba sentado en el trono dijo:

—Yo hago nuevas todas las cosas.

Luego me dijo:

—Escribe lo que te voy a dictar, porque lo que te digo es digno de crédito y verdadero. ⁶¡Hecho está! ¡Yo soy la "A" y la "Z", el principio y el fin! ¡Al sediento le daré a beber gratuitamente del manantial del agua de la vida! ⁷El que venza heredará estas bendiciones y yo seré su Dios y él será mi hijo. ⁸Pero los cobardes que se apartan de mis sendas, los que no me son fieles, los corruptos, los asesinos, los inmorales, los que practican la brujería, los que adoran ídolos, y los mentirosos, serán arrojados al lago que arde con fuego y azufre, que es la segunda muerte.

⁹Entonces uno de los siete ángeles que habían derramado los frascos que contenían las siete últimas plagas, vino y me

mented day and night forever and ever.

¹¹ And I saw a great white throne and the one who sat upon it, from whose face the earth and sky fled away, but they found no place to hide. ¹² I saw the dead, great and small, standing before God; and The Books were opened, including the Book of Life. And the dead were judged according to the things written in The Books, each according to the deeds he had done. ¹³ The oceans surrendered the bodies buried in them; and the earth and the underworld gave up the dead in them. Each was judged according to his deeds. ¹⁴ And Death and Hell were thrown into the Lake of Fire. This is the Second Death—the Lake of Fire. ¹⁵ And if anyone's name was not found recorded in the Book of Life, he was thrown into the Lake of Fire.

21 THEN I SAW a new earth (with no oceans!) and a new sky, for the present earth and sky had disappeared. ² And I, John, saw the Holy City, the new Jerusalem, coming down from God out of heaven. It was a glorious sight, beautiful as a bride at her wedding.

³ I heard a loud shout from the throne saying, "Look, the home of God is now among men, and he will live with them and they will be his people; yes, God himself will be among them. ⁴ He will wipe away all tears from their eyes, and there shall be no more death, nor sorrow, nor crying, nor pain. All of that has gone forever."

⁵ And the one sitting on the throne said, "See, I am making all things new!" And then he said to me, "Write this down, for what I tell you is trustworthy and true: ⁶ It is finished! I am the A and the Z—the Beginning and the End. I will give to the thirsty the springs of the Water of Life—as a gift! ⁷ Everyone who conquers will inherit all these blessings, and I will be his God and he will be my son. ⁸ But cowards who turn back from following me, and those who are unfaithful to me, and the corrupt, and murderers, and the immoral, and those conversing with demons, and idol worshipers and all liars—their doom is in the Lake that burns with fire and sulphur. This is the Second Death."

⁹ Then one of the seven angels, who had emptied the flasks containing the seven last

dijo:

—Ven y te presentaré a la novia, la esposa del Cordero.

[10]Me llevó en visión a la cumbre de un monte alto, y desde allí contemplé una maravillosa ciudad que bajaba del cielo, de delante de Dios. Era la Santa Jerusalén. [11]Llena de la gloria de Dios, resplandecía como piedra preciosísima, como piedra de jaspe, diáfana como el cristal. [12]Sus murallas eran amplias y altas, y doce ángeles custodiaban sus doce puertas. Los nombres de las doce tribus de Israel estaban escritos en las puertas. [13]Había tres puertas en el lado norte, tres en el sur, tres en el este y tres en el oeste. [14]Doce piedras constituían los cimientos de la muralla, y en cada una de ellas estaba escrito el nombre de uno de los doce apóstoles del Cordero.

[15]El ángel traía en la mano una vara de oro para medir la ciudad, sus puertas y sus murallas. [16]La ciudad era completamente cuadrada. Su largo era igual a su ancho; para ser exacto, geométricamente era un cubo, porque su alto era exactamente igual al largo y al ancho: dos mil doscientos kilómetros. [17]Las paredes tenían un espesor de sesenta y cuatro metros (el ángel utilizaba medidas humanas).

[18]La ciudad misma era de oro puro, transparente como el vidrio. [19]Las murallas eran de jaspe y las doce piedras de sus cimientos estaban adornadas con piedras preciosas; la primera con jaspe, la segunda con zafiro, la tercera con ágata, la cuarta con esmeralda, [20]la quinta con ónix, la sexta con cornalina, la séptima con crisólito, la octava con berilo, la novena con topacio, la décima con crisopraso, la undécima con jacinto y la duodécima con amatista. [21]Cada una de las doce puertas era una perla, y la calle principal era de oro puro, transparente como el vidrio. [22]No vi en ella templo porque en todas partes se adora al Dios Todopoderoso y al Cordero. [23]No necesita que el sol ni la luna la alumbren, porque la gloria de Dios y el Cordero la iluminan: [24]Su luz iluminará a las naciones de la tierra, y los gobernantes del mundo le

plagues, came and said to me, "Come with me and I will show you the bride, the Lamb's wife."

[10] In a vision he took me to a towering mountain peak and from there I watched that wondrous city, the holy Jerusalem, descending out of the skies from God. [11] It was filled with the glory of God, and flashed and glowed like a precious gem, crystal clear like jasper. [12] Its walls were broad and high, with twelve gates guarded by twelve angels. And the names of the twelve tribes of Israel were written on the gates. [13] There were three gates on each side—north, south, east, and west. [14] The walls had twelve foundation stones, and on them were written the names of the twelve apostles of the Lamb.

[15] The angel held in his hand a golden measuring stick to measure the city and its gates and walls. [16] When he measured it, he found it was a square as wide as it was long; in fact it was in the form of a cube, for its height was exactly the same as its other dimensions—1,500 miles each way. [17] Then he measured the thickness of the walls and found them to be 216 feet across (the angel called out these measurements to me, using standard units).

[18,19,20] The city itself was pure, transparent gold like glass! The wall was made of jasper, and was built on twelve layers of foundation stones inlaid with gems:

The first layer with jasper;
The second with sapphire;
The third with chalcedony;
The fourth with emerald;
The fifth with sardonyx;
The sixth layer with sardus;
The seventh with chrysolite;
The eighth with beryl;
The ninth with topaz;
The tenth with chrysoprase;
The eleventh with jacinth;
The twelfth with amethyst.

[21] The twelve gates were made of pearls —each gate from a single pearl! And the main street was pure, transparent gold, like glass.

[22] No temple could be seen in the city, for the Lord God Almighty and the Lamb are worshiped in it everywhere. [23] And the city has no need of sun or moon to light it, for the glory of God and of the Lamb illuminate it. [24] Its light will light the nations of the earth, and the rulers of the world will

llevarán su gloria. ²⁵Sus puertas jamás estarán cerradas, pues no se cierran de día y allí no existe la noche. ²⁶Y la gloria y la honra de las naciones irán a ella. ²⁷No entrará en ella ningún inmoral ni ningún mentiroso; solamente los que están inscritos en el Libro de la Vida del Cordero.

22 LUEGO ME MOSTRÓ un río limpio, de agua de vida, transparente como el cristal, que brotaba del trono de Dios y del Cordero ²y corría en medio de la calle principal. En ambas riberas crecía el árbol de la vida, que produce frutos todos los meses, doce frutos al año, y con sus hojas se curan las naciones. ³No habrá allí nada maldito. Y el trono de Dios y del Cordero estarán allí. Sus siervos lo servirán ⁴y verán su rostro y llevarán su nombre escrito en la frente. ⁵No existirá la noche y por lo tanto no se necesitarán lámparas ni sol, porque Dios el Señor los iluminará; y reinarán durante toda la eternidad.

⁶,⁷Entonces el ángel me dijo:

—Estas palabras son ciertas y dignas de confianza. Dios, el que revela a los profetas el futuro, ha enviado a su ángel a decir que estas cosas sucederán pronto. "Voy pronto", dice el Señor. ¡Benditos los que creen esto y las demás cosas que están escritas en este libro!

⁸Yo, Juan, vi y oí estas cosas y me postré para adorar al ángel que me las mostró. ⁹Y me dijo nuevamente:

—No, no lo hagas; yo soy un siervo de Jesús como tú, tus hermanos los profetas y los que prestan atención a las verdades de este libro. Adora sólo a Dios.

¹⁰Y luego añadió:

—No escondas lo que has escrito, porque la hora del cumplimiento se acerca. ¹¹Mientras tanto, sea el injusto más injusto si le place; sea el impío aún más impío; pero el bueno sea aún mejor, y el que es santo sea ahora más santo.

¹²—Acuérdate que vengo pronto, y que traeré la recompensa que he de dar a cada uno según sus obras. ¹³Yo soy la "A" y la "Z", el principio y el fin el primero y el último. ¹⁴Benditos para siempre los que lavan su ropa para tener derecho a entrar por la puerta de la ciudad y comer el fruto

come and bring their glory to it. ²⁵ Its gates never close; they stay open all day long —and there is no night! ²⁶ And the glory and honor of all the nations shall be brought into it. ²⁷ Nothing evil will be permitted in it—no one immoral or dishonest—but only those whose names are written in the Lamb's Book of Life.

22 AND HE POINTED out to me a river of pure Water of Life, clear as crystal, flowing from the throne of God and the Lamb, ² coursing down the center of the main street. On each side of the river grew Trees of Life, bearing twelve crops of fruit, with a fresh crop each month; the leaves were used for medicine to heal the nations.

³ There shall be nothing in the city which is evil; for the throne of God and of the Lamb will be there, and his servants will worship him. ⁴ And they shall see his face; and his name shall be written on their foreheads. ⁵ And there will be no night there —no need for lamps or sun—for the Lord God will be their light; and they shall reign forever and ever.

⁶,⁷ Then the angel said to me, "These words are trustworthy and true: 'I am coming soon!' God, who tells his prophets what the future holds, has sent his angel to tell you this will happen soon. Blessed are those who believe it and all else written in the scroll."

⁸ I, John, saw and heard all these things, and fell down to worship the angel who showed them to me; ⁹ but again he said, "No, don't do anything like that. I, too, am a servant of Jesus as you are, and as your brothers the prophets are, as well as all those who heed the truth stated in this Book. Worship God alone."

¹⁰ Then he instructed me, "Do not seal up what you have written, for the time of fulfillment is near. ¹¹ And when that time comes, all doing wrong will do it more and more; the vile will become more vile; good men will be better; those who are holy will continue on in greater holiness."

¹² "See, I am coming soon, and my reward is with me, to repay everyone according to the deeds he has done. ¹³ I am the A and the Z, the Beginning and the End, the First and Last. ¹⁴ Blessed forever are all who are washing their robes, to have the right to enter in through the gates of the city, and

del árbol de la vida. ¹⁵Fuera de la ciudad se quedarán los que se apartan de Dios, los hechiceros, los inmorales, los asesinos, los idólatras y los que aman y practican la mentira. ¹⁶Yo, Jesús, he enviado a mi ángel a anunciar estas cosas en las iglesias. Yo soy la raíz y la descendencia de David. Yo soy la estrella resplandeciente de la mañana.

¹⁷El Espíritu y la Esposa dicen:

—Ven.

Y el que oye también diga:

—Ven.

Y el que tenga sed, venga y beba gratuitamente del agua de la vida.

¹⁸Solemnemente declaro a cualquiera que lea este libro: Si alguno añade algo a lo que está escrito, Dios le añadirá a él las plagas que se describen en este libro. ¹⁹Y si alguno elimina alguna porción de estas profecías, Dios eliminará su parte del Libro de la Vida y de la Santa Ciudad que aquí se describe.

²⁰El que ha dicho estas cosas declara:

—Sí, vengo pronto.

¡Amén! ¡Ven, Señor Jesús!

²¹Que la gracia de nuestro Señor Jesucristo permanezca en ustedes. Amén.

to eat the fruit from the Tree of Life.

¹⁵ "Outside the city are those who have strayed away from God, and the sorcerers and the immoral and murderers and idolaters, and all who love to lie, and do so. ¹⁶ I, Jesus, have sent my angel to you to tell the churches all these things. I am both David's Root and his Descendant. I am the bright Morning Star. ¹⁷ The Spirit and the bride say, 'Come.' Let each one who hears them say the same, 'Come.' Let the thirsty one come—anyone who wants to; let him come and drink the Water of Life without charge. ¹⁸ And I solemnly declare to everyone who reads this book: If anyone adds anything to what is written here, God shall add to him the plagues described in this book. ¹⁹ And if anyone subtracts any part of these prophecies, God shall take away his share in the Tree of Life, and in the Holy City just described.

²⁰ "He who has said all these things declares: Yes, I am coming soon!"

Amen! Come, Lord Jesus!

²¹ The grace of our Lord Jesus Christ be with you all. Amen!

La Biblia es la Palabra de Dios, y es el libro mas leido del mundo entero. La Biblia contiene el mensaje mas grande de amor y de esperanza que jamás se haya escrito. En sus páginas encontramos la historia de Jesus, el Hijo de Dios. El mensaje de la Biblia es el de explicarnos cómo podemos recibir el regalo precioso de la vida eterna y el perdón de nuestros pecados — Es a traves de Jesús, el Cristo, que estas Buenas Nuevas son una realidad para ti, y para todo el mundo.

1. Dios te ama a ti, así como tambíen al mundo entero.

    Juan 3:16

2. El amor de Dios es muy importante para ti porque:

    Romanos 6:23

3. ¿Por que envió Dios a Su unico Hijo?

    Romanos 5:8, 11

4. ¿cómo puedes recibir elamor de Dios en tu vida?

    Romanos 3:21, 22

The Bible is God's written word and it is the most widely owned book in the world. It contains the greatest message of love and hope ever written. Also, the story of the greatest person who ever lived is told within these pages. The message explains how you can receive the gift of eternal life and the forgiveness of your sins. The greatest person is Jesus the Christ who made this good news available to you and the whole world.

1. God Loves You And The Whole World!

"For God loved the world so much that He gave His only son so that anyone who believes in Him shall not perish but have everlasting life." John 3:16

2. God's Love Is Important To You Because:

". . . All have sinned: all fall short of God's glorious ideal." Romans 3:23
"For the wages of sin is death but the free gift of God is eternal life through Jesus Christ our Lord." Romans 6:23

3. Why Did God Send His Only Son?

"But God showed His great love for us by sending Christ to die for us while we were still sinners." Romans 5:8

"Now we rejoice in our wonderful new relationship with God—all because of what our Lord Jesus Christ has done in dying for our sins—making us friends of God." Romans 5:11

4. How Can You Receive God's Love?

"But now God has shown us a different way to Heaven—not by being good enough and trying to keep His laws, but by a new way . . . Now God says He will accept and acquit us—declare us 'not guilty'—if we trust Jesus Christ to take away our sins. And we all can be saved in this same way, by coming to Christ, no matter who we are or what we have been like." Romans 3:21, 22